Heinrich Böll Werke
Kölner Ausgabe
Band 19

Herausgegeben von

Árpád Bernáth
Hans Joachim Bernhard
Robert C. Conard
Frank Finlay
J. H. Reid
Ralf Schnell
Jochen Schubert

Heinrich Böll
Werke

Kölner Ausgabe
Band 19
1974–1976

Herausgegeben von
Werner Jung

Kiepenheuer & Witsch

Mit freundlicher Unterstützung

Erbengemeinschaft Heinrich Böll
StadtBibliothek Köln · Heinrich-Böll-Archiv
Heinrich-Böll-Stiftung, Berlin
Universität Siegen
Beauftragte der Bundesregierung für Angelegenheiten
der Kultur und der Medien
Deutsche Forschungsgemeinschaft
Ministerium für Schule, Wissenschaft und Forschung
des Landes Nordrhein-Westfalen
Ministerium für Städtebau und Wohnen, Kunst und Kultur
des Landes Nordrhein-Westfalen
Kunststiftung NRW
Sparkasse KölnBonn

Einband: Linn Design, Köln
Gesetzt aus der Stempel-Garamond
mit dem Satzsystem TUSTEP
Satz bei pagina GmbH, Tübingen
Druck und Bindearbeiten: Clausen & Bosse, Leck
ISBN 978-3-462-03290-1
ISBN 978-3-462-03291-8 (Subskription)

Inhalt

George Bernard Shaw: an Herbert Wehner
(1974)

My dear Mr. Wehner,
wenn ich Ihnen so zuhöre (setzen wir voraus, daß meine tele-
5 auditive Kommunikation hervorragend organisiert ist!), wird der ehemalige Musikkritiker in mir wieder wach, und ich fange an, angesichts der neuen Töne, die Sie in die parlamentarische Rhetorik eingebracht haben, die »Neutöner« zu begreifen, und beginne gleichzeitig zu bedauern, daß ich von der Musik zur
10 Literatur hinübergewechselt habe; in der Literatur muß man sich ja auf Worte einlassen, die ihre Vieldeutigkeit nicht verlieren, auch wenn man die vorgesehene Bedeutung immer und immer wieder einhämmert. Was habe ich mir für eine Mühe gemacht, meinen Landsleuten und Zeitgenossen *meine* Vor-
15 stellung vom Übermenschen klarzumachen: vergebens, denn immer noch und immer wieder wird die britische Version oder Vorstellung vom Übermenschen via Eton in Oxford und Cambridge ausgebrütet, und wenn da wieder einmal ein neues politisches Genie angekündigt wird und auftaucht, denke ich im-
20 mer: den kennst du doch, und dann fällt mir ein, daß ich seinen Großonkel, Großvater oder den Schwiegervater seiner Großtante tatsächlich gekannt habe und sie miteinander verwechsle, weil sie sich alle zum Verwechseln ähnlich sind. Ich setze voraus, daß Sie Patriot genug sind, gefestigter Patriot, und sich nicht
25 insgeheim einem Nationalismuskomplex erlegen fühlen, wenn Ihnen dieses in der britischen Politik immer wiederkehrende Gesicht nicht sonderlich imponiert. Um es deutlich, fast grob zu sagen: Die Briten sind keine Neutöner. Sie, mein Bester, sind einer, und ich habe schon vor einiger Zeit angefangen, mein
30 »Deutschlandbild« erheblich zu korrigieren, und es war nicht der philosophierende Literat in mir, es war der ehemalige Musikkritiker, der aufgrund der neuen Töne in Ihrer Rhetorik hinter neuen Tönen neue Gesichter entdeckt hat. Ehrlich – wie Sie

Ihre Pianissimi, Furiosi, Moderati organisieren und instrumentieren, wie Sie es verstehen, Wohlüberlegtes als Improvisation darzubieten; wie Sie durch langes und langsames, kaum verständliches Knurren und Murren Ihre Zuhörer einlullen (man sollte den rhetorischen Begriff des Lullknurrens dafür einführen) und dann plötzlich aus dieser scheinbar introvertierten Stille heraus zu husten beginnen und dann mit dem Hammer zuschlagen und irgendeinem christlichen Schnösel eins über den glatten Schädel geben! Ist Ihnen klar, daß Sie sowohl den Preßlufthammer wie den brodelnden Kochtopf in die Musikalität der Rhetorik eingeführt haben und daß auch das, was Ihnen mißglückt, noch wohlüberlegt wirkt, sozusagen als Ausdruck einer wohltemperierten Disharmonik? Sie sollten sich an einen kleinen Essay wagen mit dem Titel: Die dramaturgische Verwendung des Hustens in der Rhetorik. Nun knurren und murren und muffeln Sie mir nicht gleich dazwischen, weil Sie vielleicht jetzt schon feststellen möchten, daß ich, der ich nicht einmal auf meine alten, schon gar nicht auf meine ältesten Tage, ein Schmeichler geworden bin, Ihnen zu schmeicheln beginne.

Geduld, Geduld, der Tadel – und zwar erheblicher – wird bald folgen. Ich brauche doch wohl einem Solisten Ihrer bewährten formalistischen Begabung nicht zu erklären, daß es ohne Inhalt gar keine Form gibt, sondern nur jene Förmlichkeiten, über die Butler und Kellner immer schon besser Bescheid wissen als die Präsidenten und die Könige. Dieses Gerede über Form und Inhalt, über Engagement etc., das sind doch Kinkerlitzchen, mit denen man die Schul- und Universitätsjugend von den Problemen ablenkt; das ist möglicherweise noch etwas für Journalisten und Conférenciers, für die große Garde der Vorkauer oder Vorschmecker, und wenn Sie sich bitte daran erinnern wollen, daß der Vorschmecker die Funktion hatte, die Vergiftung des Königs zu verhindern, so wissen Sie, was die Vorkauer und Vorschmecker heute für eine Bedeutung haben: der Poesie das Gift zu nehmen, die gefährliche Beimischung, die wir das Ingredienz X nennen wollen, die beides enthält: Zerstörung und Ordnung. Nehmen Sie es also nicht als reine Schmeichelei, wenn ich Sie einen Poeten der Rhetorik nenne, und beklagen Sie mit mir die Tatsache, daß die Vorschmecker immun geworden sind; leider fällt keiner von ihnen je tot um.

Nun, um es kürzer zu machen: über Ihre Formen bin ich auf Ihre Inhalte gekommen, nicht umgekehrt, und um es technisch auszudrücken: hinter Ihrem Husten entdeckte ich mehr »Aussage« als während einer einstündigen Rede eines im konventionellen Sinn »rhetorischen Stars«, der jene Förmlichkeiten des Nichtssagenden beherrscht.

Nun aber, nachdem ich Ihnen hoffentlich halbwegs einleuchtend die Art meines Einstiegs in Ihre politische Rolle erklärt habe, komme ich zu dem, was mich an Ihnen bekümmert. Bitte, wie ertragen Sie dieses Gerede von der neuen Mitte, das jetzt in Ihrer Partei so geläufig – ich möchte fast sagen – schon läufig geworden ist? Was liegt denn, wenn man den Begriff Mitte topographisch interpretiert, etwa in der Mitte der Städte, der alten und der neuen? Die Banken, die Kathedralen, die Versicherungsgebäude. Will Ihre Partei etwa dorthin? Außerdem ist Mitte doch nur dann ein verständlicher Begriff, wenn man an regelmäßige geometrische Figuren denkt: Kreis, Viereck, Rhombus etc. – Aber ich bitte Sie! – haben denn Staat, Gesellschaft, Wirtschaft und Kultur eine übersichtliche geometrische Figur? Sie sind nicht einmal rund, schon gar nicht kreisrund. Wie wollen Sie denn da irgendeine Mitte feststellen? Nehmen wir einmal an, die Gesellschaft, deren Mitte Sie suchen müßten, erwiese sich als unregelmäßiges Dreiundachtzigeck oder gar Einhunderteinunddreißigeck? Da läge die Mitte keineswegs in der Mitte, sondern möglicherweise links oder rechts unten. Ich nehme doch an, die Mitte – oder was die meisten Deutschen dafür hielten – war im Jahr 1933 dieser Hindenburg: Muß ich Ihnen erklären, was aus dieser Mitte geworden ist? Was in der Mitte Ihres Parlaments los ist, das wissen Sie doch. Und wenn Sie nun auf die Idee kommen sollten, diese ominöse Mitte als den Ort der Vernunft gegen mich auszuspielen, so müßte ich erst einmal fragen: *wessen* Vernunft oder *welche* Vernunft, denn ich fürchte, daß Sie dann die römische Version von Vernunft meinen, die die Vernunft von Krämern, Juristen und Obristen war, eine durchaus nützliche Vernunft, die aber ergänzt werden muß. – Und nun erlaube ich mir, mich selbst zu zitieren: »Der vernünftige Mensch paßt sich der Welt an; der unvernünftige Mensch versucht hartnäckig, die Welt sich anzupassen. Darum hängt jeder Fortschritt vom unvernünftigen Menschen ab.« Schauen Sie sich doch nur die mörderische Unvernunft an, mit der die Ölkonzerne sich die Welt passend machen, das ist der wahre Fortschritt – für den Kapitalismus, versteht sich. Diese Unvernunft ist alles gleichzeitig: logisch, amoralisch, unvernünftig bis zum Exzeß, und wenn ich mir erlauben darf, Sie daran zu erinnern, wieviel offene und verkappte Ölkriege es schon gegeben hat, so warne ich Sie vor jeder Art von Vernunft, mit der Sie diese Vernunft möglicherweise bekämpfen möchten. Dagegen hilft nur die Unvernunft derer aus Ihrer Partei, die Sie tadeln lassen. Hören Sie sich doch nur die durchaus vernünftigen Kommentare Ihrer Wirtschaftsfachleute und -journalisten an, die alle, aus ihrer idealistischen Vorschmeckermitte heraus, an die Vernunft appellieren und diesen Leuten mit Geldstrafen drohen! Das ist ungefähr so, als wenn Sie bei einer Sturmflut einen Stein ins Meer werfen und dann drohend die Faust erheben und sagen: »Du böses, böses Meer, jetzt hast du's ja zu spüren bekommen!«

Und vergessen Sie mir nicht: »Die Liebe zum Fairplay ist die Tugend des Zuschauers, nicht des Kämpfers!« Sie aber, mein Bester, sind kein Zuschauer, sondern ein Kämpfer, und ich prophezeie Ihnen, der Kampf – und nicht nur der Kampf gegen die Ölkonzerne – wird härter, als sogar Sie ahnen. Dieser auf eine so merkwürdige Weise banale wie absonderliche Vorgang, den Sie zutreffend die »Steinerei« nannten und ebenso zutreffend als den Auswuchs einer umfangreichen Verschwörung diagnostiziert haben, war nur ein Anfang, und doch haben auch Sie nicht auf die unklaren und ungeklärten Affären des Mr. Strauß verwiesen und nicht einmal hin und wieder Ihren gestrengen Zeigefinger dorthin ausgestreckt, wo – ziemlich genau in der Mitte übrigens – ein gewisser Mr. Mende sitzt. Wissen Sie nicht, daß Fairplay diesen Leuten gegenüber Selbstmord ist? Sind Sie etwa immer noch nicht entlenzt, entglobket und wissen immer noch nicht, daß die mit allen Mitteln arbeiten, nur nicht mit fairen?

Damit komme ich zu einem weiteren Punkt, der mir erhebliche Sorgen macht. Immer wieder versuchen Sie, parlamentarischparteipolitisch als solche definierte Christen beim Wort zu nehmen, und ärgern sich dann, wenn Ihnen der blanke Zynismus entgegenschlägt. Nun bin ich ziemlich sicher, daß in solchen Augenblicken weniger der Moralist als der Formalist in Ihnen explodiert, denn natürlich drückt sich in den Worten »christlich«, »sozial«, »demokratisch« ein moralischer Anspruch aus, und Sie hätten eben diesen Anspruch gern einmal genau definiert. Sie sind also, wenn Sie sich ärgern – und Sie sollten doch wissen, daß man auch mit seinem Ärger ökonomisch umgehen muß, ich hasse nun einmal, wie Sie wissen, Verschwendung – formal durchaus im Recht. Dann aber muß ich Sie an Ihre fünfundzwanzigjährige Erfahrung in diesem Parlament erinnern und Sie fragen: Ist Ihnen inzwischen nicht klargeworden, daß diese moralisch so anspruchsvollen Namensgebungen nicht den geringsten moralischen, sondern lediglich einen technischen Wert haben? Sie haben die Funktion etwa – sagen wir – von Schleifsteinen, auf denen die Messer gewetzt werden, das gesamte Instrumentarium, das man während der »Steinerei« verwendet hat. Sie sollten doch bemerkt haben, daß diese Mitte fast immer geschlossen aufheult – man hört es bis hierhin! –, wenn Worte wie »sozial«, »Frieden« oder »Moral« fallen. So heulte in den Erzählungen früherer Zeiten nur der Teufel auf, wenn man ihn mit Weihwasser besprengte oder das Kreuz über ihm schlug. Und wissen Sie immer noch nicht, daß ein Begriff wie Moral immer nur gegen Ihre Partei, nie gegen die verwendet werden darf? Das war doch der Hintergrund der »Steinerei«. Muß ich Sie an Heinrich den Vierten von Frankreich erinnern, der den Giftmischern, Kardinälen, Spitzeln, Huren, Messerwetzern und Messerstechern von der Liga erklären wollte, daß es ihm wirklich um Frieden ging, und um Macht nur, um Frieden zu schaffen und zu erhalten? Die Leute von der Liga wußten einfach nicht, was er meinte. Sie hielten ihn entweder für total unvernünftig oder für einen Heuchler, und weil er auch noch Weibergeschichten hatte, konnten sie ihn sogar noch als »unmoralisch« von ihren Kanzeln herab denunzieren lassen, denn sie, die ganze Regimenter von weiblichen und männlichen Huren in Marsch setzten, waren ja aufgrund des römischen Segens in jedem Fall moralisch. Sie wetzten die Messer an christlichen Schleifsteinen, und Europa bekam, was Heinrich der Vierte möglicherweise hätte verhindern können –

seinen Dreißigjährigen Krieg, und Krieg war die Vernunft der Epoche.

Sie, der Sie gewisse geschichtliche Vorgänge überschauen, wissen doch, daß gegenwärtig in Ihrem Land ein Vorgang eingeleitet wird, den man nur mit der Gegenreformation vergleichen kann. Und fällt Ihnen nicht auf, daß die drei Hauptablaßprediger – man hat ja während der Gegenreformation kilometerweise Beichtstühle produziert und Ablässe wiedereingeführt –, daß diese drei nicht nur allesamt »barocke Züge« haben, sondern sich auch noch was darauf zugute halten; und sie stammen ja auch alle drei aus den südlichen Gefilden Ihres so merkwürdigen Vaterlandes, wo der Feudalismus sich am längsten gehalten hat und Beichten und Barock immer beliebt waren. Und eins wissen wir doch, diese merkwürdige Variante des Christentums, die sich Katholizismus nennt, hat ja durchs Beichten, durch ihre Ablässe und Absolutionen die Moral nicht verbessert, sondern geradezu zerstört.

Mein lieber Herr Wehner, die Zeiten, die da kommen sollen, sind härter, als Sie ahnen, denn Ihre puritanische Redlichkeit verbietet Ihnen oder hindert Sie, das Ausmaß der Tücke zu erkennen. Wenn diese Leute Ihnen Ihre kommunistische Vergangenheit vorwerfen, dann fürchten sie ja nicht den Kommunismus als solchen (was immer das inzwischen sein mag), sondern sie fürchten in ihm und in Ihnen die protestantisch-puritanische sittliche Rigorosität, die er enthält.

Einer von den drei Neubarocken, ein besonders glattgebügelter Nachfahre des Petrus Canisius, geniert sich tatsächlich nicht, von »christlicher Verantwortung« zu sprechen. Er definiert sie natürlich nicht, aber vielleicht fragen Sie ihn einmal gelegentlich – öffentlich, versteht sich –, welche geschichtliche Manifestation von christlicher Verantwortung er anzubieten hat? Die südamerikanische, die portugiesische, spanische, griechische? Es herrscht nämlich viel christliche Verantworung in der Welt, und auch die Liga war eine der angebotenen Varianten. Zur Zeit der Gegenreformation hat man die Angst vor der Hölle gezüchtet, jetzt schürt man die Angst vor dem Verlust der Stabilität, die nicht von den Ölkonzernen, sondern durch Lohnerhöhungen gefährdet wird.

Versuchen Sie Ihren arbeitenden Landsleuten einmal klarzumachen, was aus ihnen ohne die Arbeiterbewegung geworden wäre, deren letzten, wenn auch schwächlichen Ausläufer ja Ihre Partei in diesem Parlament darstellt. Wahrscheinlich würden sie noch heute mit der Mütze in der Hand in der Tür ihres Feudal- oder Fabrikherrn stehen und sich demütig dafür bedanken, daß der Herr tatsächlich über das Kind, das er ihrer Tochter oder ihrer Frau gemacht hat, die Patenschaft übernimmt und dafür einen silbernen Tauftaler springen läßt. Und was das am meisten Beunruhigende an dieser neuen Gegenreformation ist: diesmal sind die Protestanten auf ihrer Seite! Der Erfolg der konfessionellen Mischung in dieser Partei bestand ja letzten Endes darin, daß die ligistischen Korruptionselemente die »Anständigkeit« der Protestanten, wie bläßlich und heuchlerisch sie immer gewesen sein mag, mit großem Erfolg infiziert haben. Ob man wieder kilometerweise Beichtstühle aufstellen wird? Ich nehme an, die Gitter, hinter denen die Angst versteckt und gleichzeitig gezüchtet werden kann, werden diesmal die Gitter von Bank- und Sparkassenschaltern sein. Gitter aber in jedem Fall. Natürlich kann man es als Fortschritt definieren, wenn an die Stelle von Beichtstuhlgittern Bank- oder Sparkassengitter getreten sind.

Ich bedaure es sehr, daß ich Ihnen noch weiterhin mit dem einen oder anderen Wort lästig fallen muß. Was soll zum Beispiel dieses Gerede von den Radikalen? Ich setze natürlich voraus, daß es modische Formen der Radikalität gibt; diese Radikalen stammen immer aus bürgerlichen Kreisen, Radikalität ist für sie eine Form der Unterhaltung, aus der sie jederzeit aussteigen können, und es gibt natürlich überall Elemente, die sich poetisch gerieren, definieren und aufführen, aber nicht wahrhaben wollen oder zu dumm sind, um zu wissen, daß Poesie Ordnung *und* Zerstörung enthält. Über diese beiden Gruppen brauche ich mich mit Ihnen wohl nicht zu streiten, aber Radikalität als solche zu diskriminieren oder gar Radikalenerlasse zu planen – das ist nichts Geringeres als geistiger Selbstmord mit den Mitteln der politischen Heuchelei. Ist etwa Mr. Strauß nicht radikal? Sind die Ölkonzerne nicht radikal? Und ist denn nicht einer in Ihrem Parlament, der einmal die Radikalität der Banken definiert und entlarvt? Und da wollen Sie jungen Menschen verbieten, radikal zu sein? Ein Gesetz gegen Radikalität müßte konsequenterweise die Ausübung aller Künste verbieten und gleichzeitig jede Art der legalen Vollstreckung: jede Verhaftung ist ein radikaler Vorgang und jeder Gerichtsvollzieher, der in der Ausübung seines Berufes hin und wieder einen gepfändeten Gegenstand tatsächlich abholen lassen muß, ist ein Radikaler im öffentlichen Dienst. Ein Priester, der das Evangelium vorliest, ein Lehrer, der ein Drama von Kleist oder ein Gedicht von Hölderlin lesen und interpretieren läßt, ein städtischer Gärtner, der die Rosen im Garten des Oberbürgermeisters beschneidet – lauter Radikale im öffentlichen Dienst. – Schaffen Sie also die Theater ab, die Verlage, Zeitungen und Zeitschriften, lassen Sie staatlicherseits jedem Staatsbürger morgens durch einen Spezialservice drei Beruhigungstabletten verabreichen, verbrennen Sie sämtliche Bücher und Bilder, lassen Sie alle Plastiken zerhacken: dann haben Sie den Friedhof, der mit Radikalenerlassen offenbar angestrebt wird.

Verzeihen Sie, wenn ich eine dumme Frage stelle: Seid Ihr Deutschen etwa wahnsinnig geworden, und kann man diese Form des Wahnsinns vielleicht mit Normenwahn bezeichnen? Wo ist je geistiges Leben ohne Radikalität entstanden, und wo ist das menschliche Leben in seinem biologischen Ursprung je ohne Radikalität möglich gewesen? Schaffen Sie also bitte gefälligst auch die Zeugung ab, die ja ein ziemlich radikaler Vorgang ist. Zerstören Sie alle Schallplatten, Noten, Tonbänder mit der Musik eines gewissen Ludwig van Beethoven und züchten Sie sich eine Rasse von Demokratierekruten, die nichts von Demokratie wissen, sondern nur »an sich« Demokraten sind. Welche politischen Zukunftsvisionen haben Politiker, die so etwas wie Radikalenerlasse erwägen? Ich nehme doch an, daß Ihr Staat Gesetze hat und daß sich halbwegs genau feststellen läßt, wer sie übertritt – jedenfalls innerhalb der Grenzen, die die Klassenjustiz seit eh und je geschaffen hat und innerhalb der Lücken, die sie für die Wohlhabenden ließ. Genügt Ihnen das nicht? Muß da noch ein jeder, jeder junge Mensch, der sich ein paar Gedanken macht, bedroht, bestraft, entmutigt werden? Der Ausdruck »*Bürgerliches* Gesetzbuch« spricht ja schon für sich. Was wollen

Sie mehr? Wir wissen doch, daß das Bürgerliche Gesetzbuch keine andere Funktion hat als den Privatbesitz zu schützen, und wir wissen auch, daß Proudhon gesagt hat, Privateigentum sei Diebstahl, und daß das der Wahrheit ziemlich nahekommt. Wollen Sie Proudhon verbieten oder die künftigen Proudhons im Keim ersticken? Und haben Sie nicht gesehen, wohin law and order führen – zu Agnew und Nixon!

Und noch ein Wort, das da neuerdings fast in aller Mund ist: Europa. Wollen Sie wirklich zulassen, daß die neueste Definition Europas von Krämern und Waffenhändlern vorgenommen wird? Sie wissen doch so gut wie ich, daß die europäische Tradition in Leningrad und Prag und Warschau glaubwürdiger gepflegt wird als in diesem Brüssel, wo man Scheingefechte um Eierpreise und Milchsubventionen führt. Im Augenblick scheint Westeuropa jedenfalls lediglich an Feilschereien interessiert: Um Flugzeuge, Kopfsalat, Kartoffeln und Käse, um Maschinengewehre und Erdgas wird gefeilscht, um Aufträge, Prozente, Spesen, um und aus Ehrgeiz – wollen Sie mir bitte einmal erklären, wo da die *geistigen* Werte verborgen sind, die man ja neuerdings nicht einmal mehr heuchelt? Oder wollen Sie mir einzureden versuchen, es ginge doch ums Christentum, wozu ich Ihnen doch eingangs meine Meinung angedeutet habe? Da sich sogar der Protestantismus an der Gegenreformation beteiligt und der Sozialismus immer mehr verkommt? Woher kommt denn die *geistige Erneuerung*? Diese Frage kann ich Ihnen nur negativ beantworten: *aus Westeuropa ganz sicher nicht*, und damit überlasse ich Ihnen alle anderen Kontinente und den übrigen Teil Europas zur Lokalisierung Ihrer Hoffnung.

Viel Gutes kann Ich Ihrer Partei nicht voraussagen. Es sei denn, es geschehe ein Wunder: daß die Deutschen *sehend* würden, diesmal nicht, um die Attraktion zu sehen, die Ihre Partei darstellt, sondern den Schrecken, der von den Neobarocken ausgeht. Wenn die regieren, würden natürlich die Preise und Steuern sofort sinken und man würde den Deutschen erlauben, international so stabil zu sein, wie sie sein könnten, wären sie nicht – nun ja, Deutsche. Die Welt, mein bester Mr. Wehner, hat nun einmal Angst, und wenn Sie sich für einen Augenblick bitte aller Zimperlichkeit entkleiden wollen, die gewisse Vergleiche nun einmal hervorrufen, und sechzig Jahre zurückdenken, als die Welt den Wilhelminismus fürchtete, so werden Sie mir vielleicht zugeben, daß dieses Deutschland, sechzig Jahre später, in seinen beiden Teilen immer noch oder schon wieder beängstigend tüchtig ist, auf eine beängstigende Weise arbeitsam (und nichts als arbeitsam) – und daß man ihm, diesem Deutschland (schließen Sie die Augen oder halten Sie sich die Ohren zu, denn es kommt etwas vergleichsweise Schreckliches), natürlich niemals die Führungsrolle erlauben wird, die ihm gerechterweise zukäme; und offen gesagt: es ist auch besser so, denn unheimlich bleibt Ihr, und im Augenblick seid Ihr auch unheimliche Demokraten. Vielleicht liegt es daran, daß Ihr in Eurer Geschichte so wenig Demokratie gehabt habt, weniger als zum Beispiel Chile.

Ich hoffe, ich habe ein klein wenig zu Ihrer Erheiterung beitragen können.

Besorgt, aber nicht verzagt
Ihr
G. B. S.

PS. Sollten Sie je den Ehrgeiz verspüren, auch einmal eine internationale Organisation gründen zu wollen, so schlage ich ihnen vor: gründen Sie ein »Weltinstitut zur Lenkung wirtschaftlicher Absurdität« und regen Sie als erste Maßnahme an, daß man die Autos, die man nicht mehr los wird, in die Hungergebiete exportiert unter dem Slogan »Im Auto stirbt sich's leichter«.
Ihr
G. B. S.

Die Amtseinführung des neuen Stadtschreibers Wolfgang Koeppen

(1974)

Lieber Wolfgang Koeppen, was Ihre Person und Ihr Werk angeht, kann mich dies zu keinem öffentlichen Lob bewegen: es wäre allzu peinlich einem Schreiber gegenüber, der national und international nicht nur anerkannt und gelobt worden ist, nicht nur in Literaturgeschichten freundlich oder gar mit Verve erwähnt wird, sondern sogar gelesen wird. Ich freue mich, daß ich ein klein wenig – mit meiner Stimme in der Jury – dazu beitragen konnte, sie als ersten Bergen-Enkheimer »Stadtschreiber« zu nominieren, und wäre ich nicht im Augenblick aktionsunfähig, so wäre ich gern dabei, würde Ihnen die Hand drücken. So bleibt es beim schriftlichen Glückwunsch, obwohl auch das peinlich ist, weil ich ja dazu beigetragen habe, sie glückwunschreif zu machen.

Autoren können vielerlei sein: gut, schlecht, abwechselnd beides, verkannt, erkannt, verstanden, mißverstanden – aber ob gut oder schlecht, abwechselnd beides oder abwechselnd alles: sie unterliegen keinerlei Produktionszwang, und so kann ich Ihnen, lieber Wolfgang Koeppen, nur wünschen, daß Sie sich als Bergen-Enkheimer Stadtschreiber nicht unter Zwang fühlen.

Ich erlaube mir bei dieser Gelegenheit, den Initiatoren dieser Stadtschreiber-Stiftung für den glänzenden Einfall zu danken.

Ansprache zum 25. Jubiläum des Verlages Kiepenheuer & Witsch am 20. September 1974

Meine Damen und Herren,
erwarten Sie von mir keinen Beitrag zur Mythologie der deutschen Nachkriegsverleger. Die Mythen entstehen von selbst, durch Mündlichkeit, sie werden ein bißchen korrigiert, negativ – positiv; ich fühle mich nicht fähig, Verleger- oder Autorenmythen zu bilden. Am widerwärtigsten fand ich immer, als Junge schon, Veteranengeschwätz, und wenn es Kriegsveteranen waren, fand ich's am schlimmsten. Inzwischen finde ich Literaturveteranen fast noch schrecklicher. Ich werde also nicht dazu beitragen, obwohl wir ja alle, soweit wir halbwegs klassische Bildung gehabt haben, auch in der Volksschule vielleicht davon geformt worden sind, mit großen Angebern konfrontiert worden sind, von Odysseus über Cäsar, dann der olle Augustinus – im Grunde waren es ja alles, zum Teil geniale Angeber, ich möchte dazu nicht beitragen, vielleicht ist der geniale Nichtangeber noch nicht erfunden, oder es könnte sein, daß es dieser sowohl positiv wie negativ verkannte Thomas von Aquin ist, der glücklicherweise nie über sich selbst geschrieben hat.

Anläßlich eines solchen Jubiläums sollten Sie alle, ob Sie nun im Gewerbe oder außerhalb des Gewerbes stehen, in den Verlagskatalog sehen, das ist der einzige Ausweis, den ein Verlag vorzeigen kann, und dabei nicht vergessen, was selbstverständlich ist, aber gesagt werden muß, daß nicht nur Bestseller Bücher sind, und nicht nur Erfolgsautoren Autoren, und sollten vielleicht daran denken, daß so ein Verlagskatalog einen phantasievollen Blick auf das ermöglicht, phantasievoll, was man die Infrastruktur eines Verlages nennen könnte. Einen Verleger lernt man gelegentlich kennen, es wird auch schon 'mal über ihn geschrieben, einen Erfolgsautor auch, aber was da alles an Übersetzerarbeit, an Buchmacherarbeit dahintersteckt – und ich erwähne die Übersetzer besonders, obwohl ich selbst zu ihnen zähle, weil diese Arbeit bis auf den heutigen Tag, in diesem Land auf eine schnöde Weise verkannt wird, besonders schnöde in der Öffentlichkeit, ich rede jetzt sozusagen für die Presse; die Eingeweihten wissen ja was das bedeutet, ein Buch übersetzen und es korrigieren und nochmal korrigieren und noch mal mit dem Lektor und nochmal drüber – bis auf den heutigen Tag verkannt wird, dieses Gewerbe des Übersetzers, eines der wichtigsten, denn es gäbe überhaupt kein internationales Einverständnis und auch kein internationales Mißverständnis, wenn es nicht Übersetzer gäbe. Aber ich meine nicht nur Übersetzer, ich meine auch Leute, die Bücher verpacken, Leute, die Rechnungen schreiben, usw.

Dieser Verlag ist so alt wie die Bundesrepublik, das ist sehr interessant, und vielleicht spiegelt sich in ihm wirklich so etwas wie die Entwicklung der Bundesrepublik, politisch, literarisch, ich kann das nicht beurteilen, weil ich selbst zu den literarischen Mitmachern gehöre. Interessant wäre vielleicht auch eine Überlegung, nicht nur über die Infrastruktur, wie ich's nur angedeutet habe, es gehören ja auch die dazu, die die Bücher auspacken, über die weitverbreitete, fälschliche Identifikation von Erfolg und Leistung, die, glaube ich, nicht nur die Literatur betrifft, sondern alle Lebensbereiche. Wenn Sie sich vorstellen, wie wenig etwa von Bernard Malamud oder Nathalie Sarraute in diesem Land verkäuflich ist, obwohl viele Leute sich darum bemühen, solche Autoren bekannt zu machen. Und in diesem Zusammenhang vielleicht nur eine Andeutung, einen Vorschlag zur weiteren Meditation über die Ungerechtigkeit des Lesens. Je älter ich werde – und Sie mögen mir diese gelinde Koketterie verzeihen –, stelle ich fest, wieviel Bücher ich einfach übersehen habe, und ich greife plötzlich zu einem Buch, das ich vielleicht vor 20 Jahren geschenkt bekommen habe oder mir gekauft habe, nie gelesen habe und entdecke einen Autor, nach 20 Jahren; und wenn Sie sich vorstellen, daß die selbst großen und sehr seriösen Zeitungen, ungeheuer seriösen Zeitungen es ablehnen, ein Buch zu besprechen, das 1973 erschienen ist, dann merken Sie, welch ein merkwürdiges und irrsinniges Gewerbe wir betreiben.

Ein paar Worte möchte ich sagen, zu Joseph Caspar Witsch. Ich war fast nie einer Meinung mit ihm und doch haben wir uns gut verstanden, wir mochten uns sogar, und vielleicht wäre das auch bedenkenswert, daß man einander verstehen und einander mögen kann, ohne einer Meinung zu sein. 5

Nun komme ich in Verlegenheit, denn ich möchte meine kurze Rede beenden und da fällt mir etwas sehr Komisches ein bzw. auf, daß die amerikanischen Präsidenten, der jetzt regierende und der vergangene, so gern und viel gebetet haben. Und ich schließe also mit dem Wort: God bless you all and the Federal 10 Republic of Germany!

Dank und Beschwerde

(1974)

Ich fange mit der Beschwerde an, weil diese *nicht* den Bewohnern von Langenbroich gilt, die uns seit acht Jahren mit Takt, in guter Nachbarschaft und Hilfsbereitschaft entgegengekommen sind. Die Beschwerde gilt den neuerdings gelegentlich auftauchenden Besuchern oder Neugierigen aus naher und weiterer Umgebung, für die unser Haus, unser Hof, wir selbst zu Besichtigungsobjekten geworden sind. Sie kommen in den Hof, blikken in unsere Fenster, gewiß nicht in böser Absicht, vielleicht nur verführt von den Auswüchsen eines bestimmten Sensationsjournalismus, für den es keine Schranken gibt.

Man sollte sich einmal darüber klar zu werden versuchen, daß auch berühmte Leute nur Leute sind, die gelegentlich Kaffee oder Wein trinken möchten, ohne daß ihnen dabei zugesehen wird.

Der Dank gilt den Bewohnern von Langenbroich, die ihren Takt und ihre Hilfsbereitschaft in allen Situationen bewiesen haben, auch als Alexander Solschenizyn uns besuchte.

Ob man einer Landschaft »danken« kann?

Ich danke für die Spaziergänge durch Felder und Wälder, und da ja Landschaft von Menschen geformt wird, gilt auch dieser Dank den Bewohnern.

Langenbroich, im Mai 1974

Wo verbirgt der Weise sein Blatt?

Über Carl Amery, »Das Königsprojekt«

(1974)

Hoffen wir, daß dieser reichgeschmückte, mit allen Düften und Farben des Abendlands ausgestattete Köder begierig geschluckt wird. Oh, wie das eingeht – und ausgeht: amüsant und in seiner Phantastik präzis wie ein Krimi. Ich dachte an Chesterton, nicht den abgeflachten Fernsehkrimiautor, sondern an den Autor des *Fliegenden Wirtshauses*, des *Helden von Notting Hill* und des *Mannes, der Donnerstag war*. Doch natürlich ist dieser Roman hier ein Amery: bösartiger als Chesterton, bösartiger vielleicht als der Autor ahnt, der gewiß seinen Spaß gehabt hat und welchen machen wollte in der ernsten, düsteren Untergangsszene. Spannend? Ja. Unterhaltend? Ja. Ja, und wer je die Verbreitung von Langeweile für literarische Pflicht gehalten hat, der mag sich geärgert fühlen.

Bevor ich erwartungs- und pflichtgemäß zu moralisieren fortfahre, gebe ich zunächst die Zeitspannen bekannt, innerhalb derer *Das Königsprojekt* spielt: zwischen 34 517 vor und 1956 nach Christi Geburt. Im Jahr 34 517 vor Christus wird (oder wurde? hinter diesem Fragezeichen verbirgt sich die Frage nach den Verrücktheiten solcher Zeitverschachtelungen) bei Ahrensburg ein unschuldiger, ziemlich törichter Schweizergardist namens Defeunderoll von einer Schar vorzeitlicher Rentierjäger unter der Führung eines gewissen Grgur (schon der Name ist einen Orden wert) aus einer kostbaren, komplizierten, abgestürzten Raum-Zeit-Maschine gepflückt und, wie es den Zeitläuften und ihren rohen Sitten entspricht, verspeist. Wie es der Heuchelei auch ältester Religion entspricht, wird die Verspeisung nicht durch Hunger, sondern rituell begründet. Das kostbare Material der Maschine dient den Jägern zu extravagantem Schmuck.

Die Krimi-Frage lautet also: Wie kommt der ahnungslose Deferunderoll in solche Zeiten und solches Elend? Die Antwort ist simpel, und ich verrate wenig von diesem Krimi, wenn ich sage, er ist das Opfer falscher Justierung und innerklerikaler Intrigen.

Der Sprung in die allerallergraueste Vorzeit geschieht nur einmal, im übrigen spielt der Roman nur zwischen 1296 und 1956. Das Schicksal des Deferunderoll sei unvergessen: So schnöde kann man umkommen, wenn man sich kirchlichen Führungskräften anvertraut und Opfer ihrer Intrigen wird! Man sollte deshalb auch falsch justierte Katholikentage nicht unterschätzen. Vorsicht also, Ihr vertrauensseligen Pfadfinder der kirchlichen Rückwärts-Vorwärts-Dialektik. Es könnte euch ergehen, wenn nicht wie Deferunderoll, so doch wie dem höchst ehrenwerten und hochgebildeten amerikanischen Katholiken Dwight Enigmatinger, Mitglied der »Knights of Vespucci«, der sich aus Pflichterfüllung, Gehorsam und Glauben in ein nicht nur sündhaftes, sondern auch noch freudloses Verhältnis mit einer Italienerin einläßt; und nicht etwa dieser dienstlich bedingte Seitensprung zerstört seine Ehe, nein, es ist diese obskure Adresse in der Via Garibaldi, wo das Geheimbüro der klerikalen Geheimorganisation, für die Dwight arbeitet, sich hinter den Empfangsräumen eines Call-Girl-Vermittlungsbüros versteckt hat. Wie soll die gutgläubige amerikanische Katholikin, Dwights Ehefrau, auch ahnen, daß es in Rom kirchliche Geheimorganisationen gibt, von denen nicht einmal der Papst etwas ahnt. Und so unterschreibt sie denn den Abschiedsbrief an ihren Dwight mit »hardly yours«, was soviel bedeutet wie: »wohl kaum noch die Deine«.

Und doch sind Deferunderoll und Enigmatinger nur Bagatellfälle. Das Ziel der Geheimorganisation CSAPF (congregatio secreta ad purificandos fontes) ist nichts Geringeres als die Eroberung der Stuart-Krone für das Haus Wittelsbach, das, wie der Autor schlüssig nachweist, Anspruch darauf hat. Die CSAPF hat seinerzeit schon vergebens versucht, unseren Doktor Martin Luther zu ermorden, dem allerdings der in die Wartburg geschleuderte Papstneffe als Teufel erschien – und auf Tintenfässer war man in Rom nicht gefaßt, so wenig, wie man im Jahre

1955 darauf gefaßt ist, daß aus dem Glen Turnock ein Lake Turnock geworden ist, ein Stausee, und das, obwohl das Stichwort GENESIS SIEBEN immer wieder auftaucht, und in Genesis sieben wird von der Sintflut berichtet. Liest man in dieser Kongregation etwa nicht mehr die Bibel? 5

Man glaubt, das wohl nicht nötig zu haben, weil einem die MYST zur Verfügung steht. Diese Abkürzung hat nichts mit Mystik zu tun, es sei denn, man empfinde hochkomplizierte Maschinen ohnehin als mystisch. MYST ist die Abkürzung für »machina ingeniosa spacio-temporale«, eine Raum-Zeit-Über- 10 windungsmaschine, die auf Plänen Leonardo da Vincis beruht, der wiederum von dem allerdings mythisch-mystischen Schwan inspiriert wurde, mit dem Lohengrin Elsa davonfuhr, als sie zu fragen anfing. Fragen oder nachdenken soll man eben nicht, nur gehorchen. Das Y statt des I in der Abkürzung hat man den 15 deutschsprachigen Schweizergardisten zuliebe eingefügt, denen man ja wohl kaum zutrauen kann, sich MIST anzuvertrauen.

Nähme man an, daß der Vatikan aus einem Chaos widerstrebender Kräfte bestünde, die eben durch dieses Widerstreben zusammengehalten werden, so wäre die CSAPF ein getreues 20 Abbild des Vatikans: Wie soll das gutgehen, wenn ein Neapolitaner wie Sbiffio Trulli, ausgestattet mit dem bösen Blick, ein nüchterner Flame wie Doensmaker und ein beschäftigungsloser Erzbischof namens Brendan Kilmaine (muß die Nationalität dieses Herrn beäugt werden, wo es in Dublin doch das berühm- 25 te Kilmainham-Gefängnis gibt?) – miteinander das »Königsprojekt« planen und im permanenten Spannungsfeld zwischen Theorie und Exekutive ausführen sollen? (In diesem Spannungsfeld geht der menschlich und technisch falsch justierte Deferunderoll vor die Hunde!) Außerdem ist Kilmaine nicht 30 nur Kelte, sondern auch noch keltoman. Er schlägt bei der Verwirklichung des »Königsprojekts« die Wahrnehmung einer »absolut modernen Tendenz vor«, jener »zur Befreiung unterdrückter Kolonialvölker vom kapitalistischen Imperialismus«. (Als hätte er den Stimmenverlust der Labour Party zugunsten 35 der schottischen Nationalisten bei den Wahlen im Jahre 1974 vorausgeahnt – und wenn er erst von dem Ölboom vor Schottlands Küsten gewußt hätte!) Energisch zur Ordnung gerufen, läßt Kilmaine sich nicht einschüchtern, sondern fügt hinzu, die Kelten seien nicht nur immer die treuesten Söhne Roms gewesen, sie seien immer, auch hier in Rom, verschaukelt worden. Und er sagt auch noch: »Wenn ich wählen soll zwischen der englischen Heuchelei, die Gott sagt und Kattun meint (heutzutage würde er sagen: Öl), und den tapferen schottischen Arbeiterführern, dann weiß ich, wo meine Sympathien liegen.«

Aber nein, die Kilmainsche Konzeption hat keine Chance, obwohl doch Rupprecht von Bayern als Führer einer schottisch-nationalistischen KP durchaus Chancen auf die Stuart Krone gehabt hätte. Ein Triumvirat wird gebildet, bestehend aus Erzbischof Kilmaine, dem schottischen Dichter MacDiarmid und Rupprecht; wahrscheinlich wäre sogar das schottische Öl gerettet gewesen – aber trösten wir uns, der *Rheinische Merkur* hätte auch diese Chance zunichte gemacht; und so bleiben eben die keltischen Träume Träume, mag sich in ihrer scheinbaren Unvernunft auch noch so viel Vernunft verbergen. Dem nüchternen Doensmaker, dem intriganten Sbiffio Trulli ist die schottische Geschichte mit Culloden, den »Clearings«, der Verarmung Schottlands gleichgültig; für sie ist Politik gleich Machtpolitik, und sie verlassen sich auf ihre MYST – und auf obskure Hilfsorganisationen. Da bietet ein cleverer McLaubhraigh aus Minnesota deutschen Menschen, die viel Geld, aber keinen rechten Hintergrund haben, Ehrenmitgliedschaften in seinem Clan an, da werden Clanfeiern veranstaltet, auf denen es rauchig-rauhkeltisch zugeht, und es werden unter der Leitung der Fürstin Araktschejewa und des edlen Bodhelm von Prusskowitz bayerische Schützengilden auf die Invasion in Schottland vorbereitet. Hin und her und her und hin fliegt Hauptmann Füssli von der Schweizergarde, unter vielen Namen, in vielen Kostümen, in vielen Missionen. Er ist der eigentliche Chefpilot des MYST, und er wechselt seine Identität so oft, daß er schließlich in einer steckenbleibt, die er durch Mord erlangt hat, denn die CSAPF braucht natürlich auch Geld, und da es ja auch Gangster und eine Mafia auf dieser unseligen Erde gibt, und da plötzlich 40 000 Golddukaten gefunden werden, mischt sich unvermeidlicherweise auch Chikago mit seinen Chikago-Klavieren ein. Und natürlich haben all diese guten Sachen auch ihre Musen: die Blume des Hochlands, eine bei französischen Nonnen erzogene Gangstertochter, die Fürstin Araktschejewa, eine gewisse Heike Vulpius, Freundin eines gewissen Jimmy Krauthobler, bayerischer Jungunternehmer, Ehrenmitglied des McLaubhraigh-Clans, wo aus dem Jimmy ein Seamus wird, auf gut bayerisch »Säumaß«

Die Invasion findet tatsächlich statt, die AJF (Allied Jacobite Forces) landen bei Osan und marschieren unter blauweißen Bayern-Rauten; nur ahnen sie nicht, daß die Filmrechte für die Invasion längst von jenem McLaubhraigh aus Minnesota verkauft worden sind, und schließlich enden sie alle in jenem zum Lake gewordenen Glen Turnock, der sie in seine Tiefen gurgelt, wo unten auch der wahre, der einzig echte Krönungsstein ruht. Nicht angenommen vom See, man könnte fast sagen, ausgespuckt, wird der redliche Stratege und Generalstabsoffizier Bodhelm von Prusskowitz; ob's daran liegt, daß er weder Kelte noch Katholik ist? Ist er deshalb unverdaulich?

Es ist ein verrücktes Buch. Die Neo-Puritaner mögen es für unrealistisch erklären und verdammen. Die Verteidiger der römischen Doppelmoral mögen es genießen und sich den Magen daran verderben. Bedenkt man, daß die Rationalisten, die Pächter der Vernunft, die Problem-Manager einer gewissen machtpolitischen Supervernunft sich komplizierten, historisch gewachsenen Problemen (Ulster, Zypern, Nahost, Vietnam, Chile) gegenüber dumm und hilflos verhalten, daß ihr Rationalismus als eine Art höherer Dummheit immer mehr Irrationalismus provoziert, so mag das *Königsprojekt*, dieser schottisch-römisch-bayerische Superkrimi, nicht mehr als so unrealistisch erscheinen. Schließlich beginnt allenthalben in der Welt die Unvernunft, die Aussichtslosigkeit der Befreiungsbewegungen politische Realität zu werden – und in Großbritannien erwägt man immerhin Parlamente für Schottland und Wales. Nicht einmal die MYST, diese mit der Raum-Zeit-Maschine gegebene Möglichkeit, Zeiten und Räume zu durch- und zu überspringen, ist so ganz unrealistisch; ich sehe sie nicht nur als spielerisches Vehikel für die Phantasie des Autors und nicht nur symbolisch; sie entspricht einer Wirklichkeit des Ausweichenkönnens in die Zeiten, die der katholischen Kirche eigen ist; die ist nicht nur vielseitig, sie ist immer beides: progressiv und reaktionär. Mittelalter und zwanzigstes Jahrhundert. Sie hat das alles zur Verfügung, um immer wieder das eine gegen das andere auszuspielen oder das eine oder das andere hochkommen und wieder versinken zu lassen. Und wen's trifft, wer da glaubt, es wäre die Zeit, in der er lebt, seine Zeit, geht drauf. In den Händen eines Autors ist die MYST ein wunderbares Vehikel, die Reise von den Angilolfingern bis zur CSU anzutreten: In den Händen eines riesigen Machtapparates ist die MYST mörderisch. Es gibt da ganze Passagen im *Königsprojekt* – und sie kommen immer genau dann, wenn man denkt: nun purzelt es doch zu sehr übereinander – in denen es ernst wird. Denn wenn man Zeiten durch- und überspringen kann, wenn man nicht zeitlos, sondern vielzeitig ist, kann man ja auch die richtigen Spekulationen plazieren. Letzten Endes ist Fürst Araktschejew, ein klassischer Vertreter des »einfachen Lebens«, vierzehn Milliarden schwer, und es heißt da auf Seite 270 im *Königsprojekt*: »Mit dem schwarzen Freitag war gerechnet worden; und die neu einsetzende Rüstungsindustrie fand den Fürsten Araktschejew, in dessen Hände der größte Teil des Whyte Fooling-Vermögens gelangt war (genau jener, der Füssli im Auftrag der CSAPF über Bord geworfen hatte!), im Besitz stattlicher Pakete von Stahl, Tungsten, Wolfram; die Namen der Firmen, die solche verwalteten, waren von musterhafter Bedeutungslosigkeit. Öl in Texas, Radio-Industrie, Wintersport-Ressorts: Wo immer der Hase des wirtschaftlichen Fortschritts hinlief, stand schon ein Araktschejew-Igel in der Furche. Kein Hauch davon drang in die eitlen, ignoranten Wirtschaftsseiten der Presse, keine der ruhmreichen Quellen der Geschichte wurde mit diesem Namen gefärbt«.

Passagen dieser Art, und es gibt deren einige (hoffen wir, daß sie nicht überlesen werden), geben diesem lustigen, amüsanten, exakt gebauten, mit Phantasie und Bravour entworfenen und ausgeführten *Königsprojekt* den wahren Hintergrund. Wohl bekomm's, ihr Hasen und ihr Igel. Was las ich doch vor knapp vierzig Jahren bei Chesterton und fand es im *Königsprojekt* als Zitat wieder? »Wo verbirgt der Weise ein Blatt? Im Walde.«

Ab nach rechts

(1974)

Für westliche Ausländer (möglicherweise auch für östliche) mag Franz Josef Strauß gewisse Reize haben: seine »Vitalität«, seine Originalität, sein unermüdlicher Kampfgeist; die Tatsache, daß er nicht aufgibt und von seiner Partei nicht aufgegeben wird, ein Politiker mit starkem und zuverlässigem Hinterland! Ich finde zwar, daß diese Reize allmählich verblassen, daß sie auf eine ermüdende Weise überstrapaziert und langweilig werden, aber immerhin, da Temperamente in der deutschen Politik nicht so übermäßig dicht gesät sind, mag Strauß für Ausländer gewisse exotische Reize haben. Die hätte er auch für uns, wäre er eine Erscheinung aus dem Feuilleton, ein Gegenstand für literarische Glossen und Spalten. Gewiß hat er Eigenschaften, die einem Oppositionspolitiker gut anstehen, diesen vielleicht gar ausmachen: Er ist Einpeitscher von einem gewissen Format.

Für uns Deutsche – leider nicht für alle – bleibt er eine beängstigende Erscheinung. Hört man ihn und seine Adlaten Löwenthal und Dregger reden, so muß man meinen, die Bundesrepublik stünde kurz vor Untergang und Zusammenbruch, und doch wird es kaum einen westlichen Regierungschef geben (möglicherweise sogar einige östliche), die nicht neidvoll-bewundernd auf die Bundesrepublik blicken und denken: deren Sorgen möchte ich haben.

Wäre ich ein deutscher Großindustrieller, ich würde die sozialliberale Regierungskoalition stützen und unterstützen. Die politisch so verteufelten Ostverträge waren ja unter anderem das Schleppnetz fürs große Geschäft. Und wenn außerdem noch ein keineswegs des Sozialismus verdächtiger Herrscher wie der Schah Milliarden bei Krupp investiert und die großen Ölherren am Persischen Golf geradezu gierig auf deutsche Aktien sind, kann es mit der Gefahr des Sozialismus ja nicht so weit her sein. Immer noch ist die Bundesrepublik das streikbravste Land mit den bravsten Gewerkschaften. Das lockt Investoren.

Und doch, während allenthalben das Kommando »Rechts schwenkt marsch« ertönt, wird die Gefahr von links beschworen. Das ist verständlich: da die Opposition so gut wie keine Konzeption hat, jedenfalls keine, die irgendeinem Arbeitslosen einleuchtend klarmachen würde, daß sie ihm sofort wieder Arbeit beschaffen würden,»wittert« sie Unheil an jedem Lehrer, der links von der SPD oder innerhalb der SPD links steht. Sie wittert und wittert, und es ist leider so, daß viele Deutsche immer noch Witterung der Information vorziehen.

Es ist ganz eindeutig, daß Herr Strauß mit seinem »Bund Freies Deutschland« Konfrontation wünscht und sucht, und er wird sie leider finden. Seine Motive sind verständlich: wer keine überzeugende Konzeption hat, muß Feinde haben, und wenn er deren auf Anhieb nicht genügend findet, muß er sich welche machen. Unverständlich ist die Haltung der CDU, der zweitgrößten Partei in der Bundesrepublik. Sie läßt sich von ihrer radikalen Schwester offen verhöhnen, läßt sich vom »Bund Freies Deutschland« unterlaufen, den man ohne jede Einschränkung als rechtsradikal bezeichnen kann. Will die CDU Stimmen um jeden Preis, auch von ganz rechts? Ahnen die besonnenen Kräfte in der CDU, von Norbert Blüm über von Weizsäcker bis Kohl und Biedenkopf, nicht, daß ihre Fraktionsgemeinschaft zur Zwangsgemeinschaft zu werden droht und daß sie in jede Konfrontation mit hineingezogen werden?

Natürlich ist eine Partei in einer üblen Lage, wenn sie ohne die radikalere Schwester 1976 kaum mehr als 35 Prozent der Stimmen erwarten darf. Die Frage wäre: ist diese Schwester in ihrer Gesamtheit so radikal oder ist sie es nur mit ihrem Vorsitzenden, der sich allerdings Nachwuchs gezüchtet hat: à la Waigel, à la Tandler. Und es ist schon mehr als beängstigend, wenn fast alle liberalen und konservativen Zeitungen – und es gibt kaum andere in der Bundesrepublik – immer noch und immer wieder die Herren Strauß, Dregger, Löwenthal bagatellisieren. Tatsächlich wird im politischen Teil dieser Zeitungen manchmal über sie geschrieben, als gehörten die Herren ins Feuilleton. Ahnt man nicht, welche Konfrontation da heraufbeschworen wird, oder will man sie gar? Zwei Jahre vor der Bundestagswahl kann sich die Opposition nicht entschließen, einen Kanzlerkandidaten zu benennen, und man hört da gelegentlich das Argument, der könne ja bis zur Wahl verschlissen sein. Würde er dann als Kanzler nicht verschlissen, und von wem? Offenbar ist kein CDU-Politiker bereit, die Gefahr einer Wahlniederlage auf sich zu nehmen, und die zusätzliche Gefahr, 5 nach der Niederlage sein geliebtes Hinterland zu verlieren.

Da bleibt also tatsächlich die atemberaubende Möglichkeit – und angedeutet wird da genug –, daß der Kanzlerkandidat Franz Josef Strauß heißen könnte. Die außenpolitischen Freunde von Strauß sind bekannt: Das Griechenland der Junta, Por- 10 tugal vor Spinola, Spanien, so wie es ist. Gewiß, offene Sympathien für das Chile der Junta sind in beiden Parteien, der CDU und der CSU, unverkennbar, außerdem eine Affinität zur Südafrikanischen Union. Man kann sich die Außenpolitik einer CDU/CSU-Regierung also vorstellen. 15

Die CDU konnte bis Kiesinger noch von Adenauers Kredit leben. Die jetzige CDU/CSU hat international kaum Freunde aufzuweisen: nicht einmal unter den italienischen Christdemokraten; wenig Konservative in Großbritannien, Frankreich, Norwegen und den Niederlanden fühlen sich zur gegenwärti- 20 gen CDU/CSU hingezogen. Für das westliche und östliche Ausland gab es bisher nur zwei deutsche Kanzler von Rang: Adenauer und Brandt, und daß der letztere Sozialdemokrat ist, hat sich wohl herumgesprochen. Und Adenauer war viel mehr als Person und Persönlichkeit bekannt und geachtet denn als Par- 25 teimann. Die CDU würde es schwer haben, außenpolitisch Figur und Profil zu zeigen, und käme sie an die Macht, bestünde die Gefahr einer außenpolitischen Isolation der Bundesrepublik.

Inzwischen bewegt sich der organisierte Katholizismus, der 30 immerhin statistisch fast die Hälfte der Bevölkerung repräsentiert in seinen Verbänden, in der Amtlichkeit der Bischofskonferenzen, des Zentralkomitees eindeutig ebenfalls nach rechts: in eine Art Trotzghetto, in dem man die Folklore ein bißchen modernistisch aufgemöbelt hat und glaubt, wenn tausend Ju- 35 gendliche zu Veranstaltungen und Diskussionen auftauchen und sich friedfertig verhalten, man habe *die Jugend* wieder auf seiner Seite. Noch ist kein katholischer Prälat beim »Bund Freies Deutschland« aufgetreten, aber das kann ja noch werden. Dder vergangene Katholikentag jedenfalls, der 84. seines Zeichens, war fast eine reine CDU-Veranstaltung. Man konnte sich erlauben, die beiden höchsten Repräsentanten unseres Staates, den Bundespräsidenten und die Präsidentin des Parlaments, auszupfeifen.

Inzwischen polarisiert sich auch die literarisch-intellektuelle Szene: wie es nicht anders sein kann, im umgekehrten Verhältnis zur politischen Szene. Schon formiert sich im PEN-Club eine Opposition aus Linksliberalen und Linken. Presse-Konzentration, Programmeinschränkung beim Rundfunk und Fernsehen, ein harter Kampf der CDU gegen jeden, jeden Redakteur, der im Verdacht steht, »links« oder links zu sein, eine kleinbürgerliche, ängstliche Medienpolitik der SPD. Polarisation und Konfrontation auf der intellektuellen Szene sind unvermeidlich, es fragt sich nur, ob es noch Organe geben wird, in denen Proteste, Analysen, Meinungen laut werden können.

Vielerorts wird man resignieren. Schaut man sich die Spielpläne der deutschen Theater an, so könnte man glauben, in einem sozialistischen Land zu leben: in der Freiheit, die sich darin ausdrückt, liegt eine gefährliche Täuschung; man läßt sie sich auf den Bühnen und in den Feuilletons austoben, im politischen und im Wirtschaftsteil der Zeitungen werden die wirklich entscheidenden Meinungen formuliert und verbreitet, und schaut man sich des Volkes Meinung an, so wie sie in Leserbriefen laut wird, was da an Biederkeit der schweigenden Mehrheit (die ja meistens ungeheuer laut ist), an tiefsitzenden reaktionären bis faschistischen Vorurteilen sich ausdrückt, da kann einem bange werden. Nein, in Deutschland geht es in Krisenzeiten immer nach rechts ab, und ich meine in diesem Fall beide Deutschland. Das Schicksal Wolf Biermanns ist bezeichnend: in der DDR verfemt und verpönt, in der Bundesrepublik von der äußersten Linken, wenn überhaupt, nur schamhaft zur Kenntnis genommen. Man ist eben – so oder so – obrigkeitstreu.

Anlaß, als Intellektueller und Autor in der Bundesrepublik optimistisch in die nähere Zukunft zu blicken, gibt es kaum. Wie viele Autoren, Intellektuelle, werden zu den roten Ratten zählen, die Herr Strauß gern in ihre Löcher scheuchen möchte?

Was die SPD einmal begriffen hatte (ob sie es heute noch wahrhaben will, müßte erkundet werden): daß ein großer Teil der Intellektuellen bereit war, als Wähler, Staatsbürger, Steuerzahler meinungsbildend auf der politischen Szene mitzuwirken und einzugreifen, das zu begreifen, fällt der CDU schwer: sie hat den Künstler lieber im Gewand des liebenswürdigen Anarchisten, dem man sein bißchen Freiheit schon lassen muß, weil's sonst noch allzu langweilig wird. Unter einer CDU-Regierung würde es Anarchisten genug geben, genau jene, die Strauß, Löwenthal und Dregger auf ihren Veranstaltungen geradezu heraufbeschwören; ob sie alle so liebenswürdig sein werden, wage ich zu bezweifeln.

Fast die gesamte Infrastruktur des bundesdeutschen Kulturlebens, in Verlagen, an Theatern, sogar in den Feuilleton-Redaktionen der konservativen und konservativ-liberalen Zeitungen aller Schattierungen, ist, milde ausgedrückt, nicht sehr CDU-freundlich. Die Handvoll wirklich »freier«, d. h. im Augenblick auch finanziell unabhängiger Autoren und Intellektueller können auf die Dauer die Freiheit nicht repräsentieren: die doppelte Rolle des Freiheitsträgers und Sündenbocks kann von einer so kleinen Minderheit nicht getragen werden, wenn sie nicht Organe zur Verfügung hat, die ihnen Deckung geben, die kritisch *und* loyal zugleich sind.

Es wird da im Parlament und bei politischen Reden außerhalb des Parlaments immer wieder die »Solidarität der Demokraten« beschworen. Ich fände es gut, wenn sie einmal praktiziert würde. Daß eine Opposition, die an die Macht und nichts als an die Macht will, jede, jede Schwäche der regierenden Koalition bis zum Exzeß auskosten und ausschlachten will, gehört wohl zum politischen Geschäft. Wieviel mühsam gewachsenes Demokratieverständnis aber mitzerstört wird, wenn man die Affären Guillaume, Wienand und Steiner nun partout zum Zerstörungsvehikel machen will, das sollte auch Oppositionspolitikern einleuchten und mehr noch den Leitartiklern und Kommentatoren der liberalen und konservativen Zeitungen: Zynismus und Lust am Untergang sind Luxusgefühle einer Elite, die an Übersättigung zu ersticken droht und aus Langeweile mit Selbstmordgedanken spielt. Literaten könnte man solche

Spielchen zubilligen, verantwortlichen politischen Meinungsmachern nicht, ob links, rechts, links- oder rechts-liberal.

Die Radikalenangst – und radikal ist da immer nur linksradikal – wird geschürt, gleichzeitig in großen Tönen von Europa und europäischer Einigung gesprochen. Wie soll sie denn aussehen, mit einer großen KP in Frankreich, mit einer noch größeren in Italien, mit einer KP in Griechenland und in Portugal, soll es überall *europäische* Kommunisten geben, nur nicht in der Bundesrepublik? Wie stellt man sich das vor? Was stellt sich der Vorsitzende der CDU vor, wenn er in der Volksrepublik China u. a. Marx und Engels mit einem patriotischen gewissen Stolz als deutsche Denker reklamiert und den jungen Deutschen in seinem eigenen Land ans Fell will, die den großen Vorteil haben, diese beiden Denker nicht in englischer, französischer, chinesischer oder russischer Übersetzung lesen zu müssen, sondern in der Sprache, in der sie geschrieben haben: deutsch.

Zur Vorlage bei Gericht

Gutachten zu zwei Gedichten von Frank Geerk

(1974)

Die schockierende Wirkung des Gedichts »Jürgen Bartsch feiert Weihnachten« kann nicht bestritten werden, es wird ja auch vom Autor Frank Geerk die schockierende Absicht nicht bestritten. Die Reaktion in der Öffentlichkeit bestätigt Absicht und Wirkung des Gedichts. Zu klären bliebe die Frage der Strafbarkeit. Setzt man die schockierende Absicht voraus, außerdem des Autors Hinweis auf gesellschaftliche (politische) Zusammenhänge, dann muß bei der Beurteilung des Gedichts darauf hingewiesen werden, daß die gesamte Weltöffentlichkeit, ohne sich allzu sehr schockiert zu zeigen, Bilder der in Bangla Desh, in den afrikanischen Dürregebieten verhungernden, der im Vietnamkrieg durch Napalm und »konventionelle« Waffen getöteten und verkrüppelten Kinder hinnimmt. Es ist nicht nur verständlich, sogar notwendig, daß ein Autor auf vergleichbare Vorgänge in der eigenen Umwelt hinweist, die Umwelt, mit den in ihr geschehenden Grausamkeiten konfrontiert, und daß er in einer notorisch kinderfeindlichen Gesellschaft die Heuchelei provoziert, die sich in ihrer Empörung über Jürgen Bartsch verbergen könnte. Insofern verstößt Frank Geerk nicht gegen die Glaubens- und Kultusfreiheit, sondern macht von ihr Gebrauch. Der Unterzeichende gibt zu, daß das Gedicht »Jürgen Bartsch feiert Weihnachten« auch seinem »Geschmack« nicht entspricht, er plädiert aber für die Freiheit von Frank Geerk, sich in dieser Weise auszudrücken. Es wird ja im Zusammenhang mit den fraglichen Gedichten mit dem Begriff des »guten Geschmacks« argumentiert. Dieser Begriff ist nicht als zeitlos-objektiver anwendbar, er ist permanent umstritten, er war es schon zu Zeiten des klassischen römischen Satirikers Juvenal, er ist immer noch umstritten, einige Texte des Satirikers Jonathan

Swift betreffend, der vorschlägt, den Kinderreichtum Irlands durch Anthropophagie zu lösen. Man wende den Begriff des »guten Geschmacks« einmal auf die landläufige Fernsehwerbung für Waschmittel, Damen- und Herrenunterwäsche, für Medikamente, Alkohol etc. an, und man müßte den größten Teil dieser Werbung verbieten. Für gänzlich abwegig hält der Unterzeichnende die Unterstellung, die Gedichte von Frank Geerk könnten als sexuell aufreizend interpretiert werden. Gewiß ist auch der Begriff »sexuell aufreizend« nicht zeitlos objektiv. Es wird hier auf die aktenkundigen Vorgänge in My Lai verwiesen, sowie auf die Aussagen amerikanischer Vietnam-Veteranen in dem Film »Wintersoldaten«. Ganz und gar unverständlich ist dem Unterzeichnenden die Empörung über das Gedicht »Geistlicher Brief«. Es ist immer legitim gewesen, die Kreuzigung Christi in die Gegenwart zu verlegen (es wird auf die Maler Matthias Grünewald und Otto Dix hingewiesen) und ein *im* und *durch* den Straßenverkehr Gekreuzigter ist nicht nur legitim, auch glaubwürdig. Es handelt sich nicht um ein antireligiöses, sondern um ein religiöses Gedicht. Das Amt für Witschafts- und Sozialinformationen der Vereinten Nationen hat mitgeteilt (siehe Frankfurter Allgemeine Zeitung vom 11. 8. 73), das im Jahre 1971 mehr als 250 000 Menschen im Straßenverkehr getötet worden, etwa 7,5 Millionen Menschen verletzt worden sind. Solche Zahlen werden mit Gleichmut mitgeteilt und hingenommen, werden wohl, weil die industrielle Produktion nicht in Frage gestellt werden darf, niemals zum Gegenstand religiöser, sondern lediglich zum Gegenstand pragmatischer oder ideologischer Gedanken. Es gebührt dem Autor Frank Geerk nicht Strafe, sondern Dank und Anerkennung für dieses Gedicht.

Heinrich Böll
Köln, 22. 8. 74
Hülchratherstr. 7

Spurensicherung

Über Uwe Johnson, »Eine Reise nach Klagenfurt«

(1974)

Besser, als es in diesem kleinen Buch geschieht, kann man Spurensicherung wohl nicht betreiben. Die Person, deren Spur hier gesucht (und gefunden) wird, heißt Ingeborg Bachmann. Uwe Johnson läßt diese Person, von der er ein Zitat an den Anfang setzt, fast ganz aus. Das Zitat lautet: »Außerdem ist sowieso jeder Nachruf zwangsläufig eine Indiskretion.« Das ist ein gutes Motto für Bio-, mehr noch für *Auto*biographien.

Die wenigen Stellen, wo Ingeborg Bachmann direkt zu Wort kommt, werden um so gewichtiger angesichts der allenthalben waltenden Diskretion; sie werden vielsagend und durch Wiederholung fast schlagend: »Man müßte überhaupt ein Fremder sein, um einen Ort wie Kl(agenfurt) länger als eine Stunde erträglich zu finden, oder immer hier leben.« Das wird zweimal zitiert, zweimal auch: »Vor allem dürfte man nicht hier aufgewachsen sein und ich sein und dann auch noch wiederkommen.«

Diese Zitate, eingefaßt, fast möchte ich sagen eingelullt, in exakte, minuziöse Beschreibungen von Klagenfurts Topographie, Geschichte, umkleidet von Auszügen aus Zeitungsberichten, Fremdenführern, Fahrplänen, wirken fast wie das berüchtigte Augsburg-Zitat aus Thomas Bernhards letztem Theaterstück, und doch sind sie weit mehr, sitzt die Ursache für ihre Bitterkeit tiefer, viel tiefer, als irgendein städtisches Fremdenverkehrsamt durch irgendwelche Gegenerklärung oder gar durch Gegenpropaganda »wiedergutzumachen« versuchen könnte.

Es ist natürlich nicht Zufall, wo einer herkommt, aber diese Art der Spurensicherung, herauszufinden, wo einer herkommt, ist richtig, wichtig, und doch wird dabei Klagenfurt so unwichtig wie Augsburg, Koblenz oder Köln. Städte, die sich durch derartige Äußerungen beleidigt fühlen, bilden sich einfach zuviel ein. Sie sind wichtig, aber nicht auf diese Weise, in der sie sich wichtig nehmen. Es gibt da ein weiteres Zitat, an dem die Stadt Klagenfurt so schuldig-unschuldig ist wie Wetzlar oder Allenstein: »Es hat einen bestimmten Moment gegeben, der hat meine Kindheit zertrümmert: der Einmarsch von Hitlers Truppen in Klagenfurt. Es war etwas so Entsetzliches, daß mit diesem Tag meine Erinnerung anfängt: durch einen zu frühen Schmerz, wie ich ihn in dieser Stärke vielleicht später überhaupt nie mehr hatte ... diese ungeheure Brutalität, die spürbar war, dieses Brüllen, Singen und Marschieren ... das Aufkommen meiner ersten Todesangst.«

Hat hier vielleicht an einem zwölfjährigen Mädchen, das Inge genannt wird, Heimatvertreibung stattgefunden? Und hat Uwe Johnson sich aufgemacht, diese verlorene Heimat auszumessen? Ich denke, beide Fragen können mit ja beantwortet werden. Die Ausmessung ist gelungen, diese scheinbar trockene Landmesserei erweist sich als das einzig mögliche Epitaph für Ingeborg Bachmann. Und wenn Johnson dann nach glücklichen Recherchen schreibt: »In den Geschäften für Fahnen und Wimpel wurde so gedrängt, daß von Zeit zu Zeit die Sachen mit dem Hakenkreuz ausgingen«, so sehe ich darin keine Blamage für Klagenfurt allein, auch eine für Konstanz und jede andere Stadt.

Ich habe diese Zitate jetzt herausgeholt und somit herausgestellt, obwohl sie nur einen Bruchteil des Buches ausmachen, nicht gerade versteckt sind, aber doch mit äußerster Diskretion an- und untergebracht. Der größere Teil des Buches besteht aus Material über Klagenfurt und Kommentierung dieses Materials. Was daran und darin ironisch oder satirisch erscheint, ist nicht von Uwe Johnson, es ist das Material selbst, das sich nach fast vierzig Jahren so darstellt; es ist schon gespenstisch, es ist ein Geisterbuch – die Zwölfjährige, die da Singen hört, »bis alles in Scherben fällt«, und die als Siebzehn-, Achtzehnjährige die Scherben fallen sieht, die von Folterungen hört, von Liquidierungen.

O nein, die Heimat ist nicht wiederhergestellt, und nicht nur die physisch Vertriebenen sind aus ihr vertrieben. Dieses Problem hat gewiß für Österreicher andere Dimensionen als für

Deutsche. Johnson verletzt auch innerhalb dieser Dimensionen die heiklen Gefühle nicht. Er referiert, er fügt Material zusammen, er zitiert (nicht nur Ingeborg Bachmann), er hat Stadt- und Fahrpläne studiert, einen Friedhof besucht. Er hat die Spuren einer Heimatvertriebenen gesichert. Die Adjektive »diskret«, »delikat« charakterisieren dieses Buch nicht ausreichend, es ist mehr: von einer unbeschreiblichen Höflichkeit, ein hochgradig geglückter Annäherungsversuch, es könnte ein Modell sein für Biographien – besser noch: auch für Autobiographien.

Nachwort zu O. Henry, »Nebel in Santone und andere Stories« (1974)

Die meisten Kurzgeschichten von O. Henry gleichen umgestülpten Märchen, die zwar happy, aber nicht auf konventionelle Weise happy enden. Aschenputtel wird zwar vom Prinzen erkannt und erwählt, erkennt aber seinerseits den Prinzen nicht, und man bleibt am Ende nachdenklich und fragt sich, ob es besser gewesen wäre, wenn es den Prinzen erkannt hätte, oder besser ist, daß es ihn nicht erkannt hat. Die besten dieser Geschichten, die im Milieu der New Yorker Verkäuferinnen plaziert sind (z. B. Die klügere Jungfrau, Ein knickriger Freier oder Ziegelstaubgasse), lassen tatsächlich die Frage offen, ob es immer Glück bedeutet, den Prinzen, der amerikanischen Verhältnissen entsprechend ein Millionär ist, zu bekommen. Natürlich erstreben sich diese so nüchternen wie herzlichen jungen Damen etwas Besseres als den Konfektionsjüngling, der hierzulande früher »Ladenschwengel« hieß, aber was die meisten von ihnen, die den Millionär-Prinzen, ohne es zu wissen, geangelt haben, stutzig macht, ist, daß diese wie Ladenschwengel reden. Sie sagen zum Beispiel alle – und an dieser uralten Formulierung ist ja nichts zu rütteln – »Ich liebe dich«, aber die jungen Damen antworten dann (und das wiederholt sich ebenso stereotyp wie das Bekenntnis): »Das sagen sie alle«, und es trifft ja auch zu: alle sagen es, und wenn Prinzen dann Reisen in ferne Länder beschreiben – Gondeln, Venedig, Adria – und von Hochzeitsreisen in südliche Gefilde schwärmen, dann sagen die jungen Damen später: »Er wollte mit mir nach Coney Island fahren.« Dort gibt es das nämlich – Gondeln, Adria und Venedig. In dieser Art »Verkennung«, wo Ladenschwengel und Millionäre mit gleicher Zunge Liebeserklärungen machen und von fernen Gefilden schwärmen, liegt der Witz und auch die Dialektik Amerikas, speziell New Yorks, und es entsteht eine so demokratische wie liebenswerte Schnippischkeit, die wohl das typisch Amerikanische an O. Henrys Geschichten ausmacht, denn – wir wollen uns nichts vormachen – auf dem europäischen Kontinent, auch auf den Britischen Inseln, würde die junge Dame zunächst einmal bereitwilligst *glauben*, daß der Prinz ein Prinz, der Millionär wirklich einer ist. In dem Amerika, wie es sich seit O. Henrys Tagen entwickelt hat, mag das inzwischen ebenfalls anders geworden sein,weil es im Polit-, Pop-, Film- und Business-Star den europäischen Feudalitäten entsprechende Muster entwickelt hat. Ich könnte mir vorstellen, daß die Maisies und Florences aus O. Henrys Geschichten heutzutage zwar nicht weniger nüchtern sind, aber auch nüchtern genug, um die Möglichkeit, einen Prinzen erwischt zu haben, wenigstens zu erwägen, und ihn nicht ungeprüft in die »Ladenschwengel«-Kategorie abschieben würden. Vielleicht beschreibt O. Henry in diesem Sinne ein schon historisches Amerika, das Amerika um 1900, und er beschreibt es nicht ohne Romantik und keineswegs ohne Moral, denn alle seine Betrüger und Gauner kommen nie so recht zum Zuge, oder sie begaunern einander, so daß von den ergatterten oder erträumten Dollars nicht viel übrigbleibt. Und viele Blütenträume von Bohème enden zwar alltäglich, aber nicht im Elend.

Man lernt einen Autor wohl kaum besser kennen, als wenn man ihn übersetzt, und ich muß gestehen, daß ein gewisser Ermüdungseffekt eintrat, weil wir die Geschichten hintereinander übersetzten, redigierten, korrigierten. Wahrscheinlich sollte man Kurzgeschichten nicht hintereinander lesen, Sammlungen, auch wenn sie von einem einzigen Autor stammen, eher wie eine Anthologie. Wenn man bedenkt, daß O. Henry zwischen 1901 und 1910 etwa 600 Kurzgeschichten geschrieben hat, also jede Woche mindestens eine, so wird man nicht nur die unvermeidlichen Qualitätsunterschiede feststellen, sondern noch mehr erstaunt darüber sein, wie viele von den Geschichten nicht nur gut, sondern nicht im geringsten verstaubt sind. Ihre Frische ist die Frische Amerikas (die natürlich auch inzwischen nicht mehr die alte ist) und auch die Frische einer unbekümmerten Professionalität, in der es Routine, Handwerk, Meisterschaft gibt und alle diese Elemente oder Möglichkeiten eines Autors in ständig wechselnder Mischung. Nun ist der Ausdruck »gute Geschichte« eben etwas anderes als eine »good story«; gute Storys sind in Amerika solche mit einer Pointe, und Zwang zur Pointe macht viele der Geschichten von O. Henry für unser Empfinden schwach. Aber Theater ist ja auch etwas anderes als Showbusiness, zu dem in Amerika auch das Theater zählt. Manche amerikanischen Dramatiker blicken inzwischen mit Sehnsucht auf die europäische Theatertradition – und manche europäischen schwärmen vom Showbusiness. Der Einfluß der amerikanischen »short story« auf die deutsche Kurzgeschichte ist unverkennbar und unbestritten, sie stieß in ihrer nüchternen und kurzatmigen Frische auf eine gewisse deutsche Begabung und Tradition der kurzen Prosa, Anekdote, Kalendergeschichte, Novelle, die bei Hebel, Kleist und Brecht, Storm und anderen ihre Dauer erwiesen hat. Die amerikanische »short story« in allen ihren bemerkenswerten Sensibilitäts-Variationen, wie sie Hemingway, Sherwood Anderson und Faulkner entwickelt haben, ist in O. Henrys und Jack Londons Geschichten vor- und ausgebildet worden und ist, völlig von Europa emanzipiert, zu etwas sehr Amerikanischem geworden, immer noch variationsreich in ihrer unterschiedlichen Sensibilität, wenn man an Autoren wie Capote, Salinger, Vonnegut, Updike und Malamud denkt.

Nun sind Ausdrücke wie »gute«, »schlechte« oder »mittelmäßige Geschichte« für jeden Leser wohl etwas anderes als für einen Autor und auch für den Übersetzer, der auf die Schliche kommt, der Pointe mißtraut, das Muster und gelegentlich das Klappern der Stricknadeln oder das sanfte Rauschen der Strickmaschine erkennt. Ein Leser sollte sich solche Gedanken nicht machen müssen, sich auch nicht – was möglicherweise als abstoßend empfunden werden könnte – davon abstoßen lassen, daß O. Henry wahrscheinlich die meisten seiner Geschichten ums Geld geschrieben hat. Es sind unsterbliche Werke – etwa die *Brüder Karamasow* und die *Dämonen* von Dostojewskij – ums Geld geschrieben worden, wahrscheinlich besäßen wir sie nicht, wenn Dostojewskij nicht permanent Schulden gehabt hätte. Mir scheint, O. Henry hat in *Bekenntnisse eines Humo-*

risten einen Einblick in die Gewissensqualen eines professionellen Unterhalters gegeben, der unbefangen als Dilettant anfängt, als Lokalwitzbold, der von einer humoristischen Zeitschrift »eingekauft« wird, dann feststellt, daß er, der so viel Humor produziert, seinen eigenen immer mehr verliert; daß er in fast schon bösartiger Kommerzialität seine Kinder, seine Frau, seine Freunde belauscht, um Pointen zu ergattern, und daß nicht nur seine Moral, auch seine Routine, sein Handwerk und seine Meisterschaft, schließlich sein Familienleben zerstört wird. Dieser muntere junge Witzbold, der als Angestellter in einer Eisenwarenhandlung ein beliebter Festredner war, ist der Professionalisierung seines Witzes und seines Charmes nicht gewachsen, und als er schließlich am Ende ist und sein Vertrag mit der humoristischen Zeitschrift gekündigt wird, da läßt ihn O. Henry in seinem unverwüstlichen Optimismus keineswegs verzweifeln oder als gescheiterte Existenz dahinvegetieren, sondern hat den Absprung schon vorbereitet: Der Humorist wird Teilhaber in einem Beerdigungsinstitut. Natürlich ist diese Pointe – literarisch gesehen – schwach; ausgerechnet ein humoristischer Schriftsteller endet in einem Beerdigungsinstitut und empfindet das auch noch als fröhlichen Ausgang, aber gerade das ist nicht mehr, sondern war zu O. Henrys Zeit »amerikanisch«.

Inzwischen hat Amerika diesen Optimismus verloren.

»Verfälschende Infamie«
(1974)

Erst jetzt erfuhr ich, daß der Roman Th. Weesner »Der Autodieb« in Ihrer Ausgabe vom 11. November von Gody Suter rezensiert wurde, und ich las auch jetzt erst die Abschrift des äußerst zurückhaltenden Briefes, den meine Frau Ihnen dazu schrieb. Da ich das Buch von Weesner genau (fast auswendig) kenne – ich habe es dreimal gelesen: im Original, im Manuskript der Übersetzung und in den Korrekturfahnen –, erlaube ich mir einige, weniger zurückhaltende Bemerkungen zu diesem Fall, nicht nur als Kenner des Buches, auch als Mitarbeiter meiner Frau – diese Mitarbeit besteht seit nicht weniger als fünfundzwanzig Jahren; Bemerkungen erlaube ich mir auch als halbwegs versierter Kenner der literarischen Szene, der weiß, daß eine erste Besprechung eines Buches »Signalwirkung« haben kann.

Genauer betrachtet, ist die Schlußbemerkung in der Rezension infam, da sie auf der Annahme aufbaut, es handle sich um eine »gun« nicht um eine »rifle«; was nun, wo diese Annahme – wie meine Frau Ihnen mitteilte – nicht zutrifft? Außerdem: die im Buch beschriebene Szene, die Lage des Vaters etc., läßt den eindeutigen Schluß zu, daß hier Selbstmord per Gewehr vorliegt – was gar nicht so selten ist, wie Gody Suter anzunehmen scheint. Telefonische und umfangreiche schriftliche Erkundigungen über den Basketballjargon haben wir gemeinsam vorgenommen. Etc. Etc. Schließlich das Argument Ländergrenze (Landesgrenze) oder Staatsgrenze – mit der absurd-belehrenden Anmerkung, daß es Vereinigte Staaten, nicht Vereinigte Länder von Amerika heißt.

Ich kann diese Angelegenheit nicht mit der Zurückhaltung aufnehmen, mit der meine Frau es getan hat. Sie wissen, daß ich mich nie gegen Kritiker »verteidigt« habe. Hier aber liegt – und nicht mich, sondern meine Frau betreffend, die schließlich einige komplizierte Autoren (Behan, Salinger, Malamud, Shaw) übersetzt und einen »Namen« zu verlieren hat – eine verfälschende Infamie (oder was fast noch schlimmer wäre: pedantischer Dilettantismus) vor, und ich begreife nicht, daß Sie es bisher nicht für notwendig erachtet haben, öffentlich korrigierend in dieser Sache Stellung zu nehmen.

Ich habe die Nase voll!

Dankrede anläßlich der Verleihung der Carl-von-Ossietzky-Medaille durch die Internationale Liga für Menschenrechte im Jüdischen Gemeindehaus in Berlin am 8. Dezember 1974

Lieber Helmut Gollwitzer, meine Damen und Herren, bevor ich auf das eine oder andere eingehe, was Helmut Gollwitzer und Herr Schütz gesagt haben, möchte ich mich hier einer Pflicht entledigen. Ich möchte mich bei Herrn Bischof Scharf öffentlich entschuldigen und ihn um Verzeihung bitten. Ich habe ihn einmal angegriffen, böse, fast bösartig in einem Fernsehfilm. Und als jetzt diese ganze Kampagne hier losging, tat's mir einfach leid. Ich werde versuchen, soweit das autorenrechtlich möglich ist, den Film aus dem Verkehr zu ziehen. Und ich bitte Sie herzlich, meine Bitte um Verzeihung anzunehmen.

(Zwischenruf Scharf: Ich habe aus Ihrer Kritik gelernt!)

Was hier vor sich gegangen ist in Berlin im Zusammenhang mit Bischof Scharf, Frau Zühlke und Herrn Burghardt, war eigentlich auf den ersten Blick als Christenverfolgung zu erkennen. Daß Christen in diesem Falle Christen verfolgen, ist nicht das Neue an der Situation. Aber für mich war das ganz deutlich so. Und wenn ich mir vorstelle, was von der Verdächtigung von Frau Zühlke – soweit ich als einfacher zeitungslesender Zeitgenosse mir ein Bild machen kann – übrigbleibt, ist es ein äußerst mysteriöser Zettel, den niemand gesehen hat, von dem jeder aber wußte, was drauf stand. Das sind merkwürdige Ermittlungsführungen. Und wenn ich mir vorstelle, was Herrn Burghardts Schuld ausmachen könnte – außer der, für die er bestraft ist –, dann hat er möglicherweise zur falschen Zeit bei jemand Kaffee getrunken, soweit ich das verstanden habe. Und ich bitte Sie herzlich, meine Damen und Herren, alle, die Sie hier anwesend sind, hier nicht mal eine Andeutung von rheinischem Humor zu entdecken, wenn ich jetzt sage, daß wir alle werden achtgeben müssen, bei wem wir Kaffee trinken und wer bei uns Kaffee trinkt. Ich werde jetzt ganz schlicht sagen: Ich habe die Nase voll! Und nicht nur, was mich betrifft. Ich kann mich schützen. Ich habe Freunde im Ausland, die mir helfen können – nicht materiell, auch spirituell – und mir beistehen werden. Was hier vor sich geht in diesem Lande ist ja Wahnsinn. Wenn das so weitergeht, wird die Baader-Meinhof-Gruppe in einem halben Jahr ihr Ziel erreicht haben, nicht durch uns, die wir möglicherweise die kriminelle Sünde der Differenzierung begehen, sondern durch die Scharfmacher auf der Rechten, denen an der Konfrontation so viel liegt wie der Baader-Meinhof-Gruppe.

Es wird so kommen. Es ist doch ganz einfach zu sehen, welches Modell da angewendet wird, meine Damen und Herren. Zuerst hat man die Linken abgeschossen: in allen Parteien, in allen Differenzierungen – es gibt ja viele. Jetzt sind die Links-Liberalen dran, zu denen ich Gollwitzer und mich zähle; bei aller Fragwürdigkeit der Begriffe. Die nächsten werden die Liberalen sein; sie fangen ja schon an zu schwanken. Schauen Sie sich doch die Leitartikel an, nicht nur in der Springer-Presse – vergessen wir die –, sehen wir auf die anderen. Dann kommen die Konservativen dran. Und ich appelliere hier an die Konservativen und an die Liberalen, achtzugeben, das geht Schritt für Schritt und systematisch weiter. Und in alledem, was ich hier sagen werde – noch einiges – nicht sehr viel –, bitte ich Sie herzlich, keinen Funken rheinischen Humors zu entdecken.

Nun ein paar Worte zu dem, was Sie gesagt haben, Herr Schütz. Ich weiß nicht, ob Ihnen bewußt war, daß Sie mich zitiert haben. Es war ein Zitat, dem inzwischen so viel Ehre erwiesen worden ist, daß ich darauf eingehen muß. Es ist als Halali für eine Kampagne gegen mich zum ersten Mal erwähnt worden im ZDF, sagen wir im Januar 72. Dann hat Herr Walden, dem eine Anstalt Öffentlichen Rechts für seine Denunziation zur Verfügung steht, sich bemüßigt gefühlt, das Zitat zu bringen. Und dann hat Herr Lummer es noch gebracht. Ich bin erstaunt, Herr Schütz, nicht nur erstaunt, sondern erschrocken, daß Sie es auch gebracht haben, ohne es, was man bei einem Zitat zu tun hat, zu datieren und zu plazieren.

Ich habe 1966 in Wuppertal eine Rede gehalten zur Eröffnung

des Theaters. Die ganze bürgerliche Gesellschaft hat mich dazu aufgefordert, angefleht, die Rede zu halten. Ich habe die Rede gehalten; ich habe sie noch einmal gelesen vor ein paar Tagen – notgedrungen –, und ich muß sagen, es ist eine der besten Reden, die ich je gehalten habe. In dieser Rede kommt der Satz vor, der jetzt heute hier zum vierten Mal die Ehre hat, aus sämtlichen Zusammenhängen gerissen zu werden. Es ist der Satz: »Dort, wo der Staat gewesen sein könnte oder sein sollte, erblicke ich nur einige verfaulende Reste von Macht.«

Das habe ich gesagt, das kann man nachlesen. Man kann aber auch außer diesen anderthalb Zeilen die ganze Rede lesen, die aus hundertfünfzig Zeilen besteht, und dann wird man feststellen – das ist ja nicht zuviel verlangt von jemandem, der das Zitat bringt –, dann wird man feststellen, daß diese Rede eine Verteidigung des Staates ist. Da braucht man noch nicht mal besonders tief zu gehen; das kann man feststellen. Ich habe den Leuten in dem Wuppertaler Theater nämlich gesagt – jetzt vergröbert –, laßt euch nicht mit Kunst abfüttern – die machen wir schon, wir Künstler und Schriftsteller –, guckt auf den Staat, der euch gehört, macht Politik! Das war der Sinn dieser Rede. Und im übrigen enthält sie einige meditative Äußerungen über die Fäulnis im Werk von Beckett und dem Werk der Else Lasker-Schüler, die eine Wuppertalerin war. Und in diesem Zusammenhang habe ich dieses Zitat nicht zu verteidigen, nur zu erklären. Das dazu.

Jetzt zu dem, was Sie gesagt haben, Helmut Gollwitzer: Ob ich ein Christ bin? Ich zweifle daran. Und ich bitte jetzt alle kirchlichen Herren, nicht gekränkt zu sein, sondern mir eine Erklärung zu erlauben. Ich habe 1973, ebenfalls öffentlich, schriftlich, gedruckt, den Titel »Christ« abgelegt. Nicht den Titel Katholik: das ist ja etwas anderes, ein anderes Wort. Und wenn die Katholiken dann sagen: christ-katholisch, dann klingt das für mich doch schon sehr protestantisch. Ich habe den Titel abgelegt im Zusammenhang mit Überlegungen zur Politik, die die Christen in diesem Lande machen. Aber jetzt, nach dem, was man die kirchlichen Berliner Ereignisse nennen kann, überlegte ich mir, ob ich ihn nicht wieder akzeptieren könnte.

Als ich ein Kind war – in einer extrem katholisch-konfessionell bestimmten Stadt aufgewachsen, eine komplette katholische Erziehung bis zum Abitur –, wenn man damals zu jemand sagte: Du bist verrückt, sagte der: Nein, ich bin katholisch. Wenn man das zu einem Evangelischen sagte, sagte der: Nein, ich bin evangelisch. Und die Erwachsenen pflegten zu sagen, wenn man bei anderer Gelegenheit sagen würde: Es ist zum Verrücktwerden – Es ist zum Evangelischwerden. Und ich überlege mir, ob das, was in Berlin passiert ist mit Ihnen, Herr Bischof Scharf, und Ihren Mitarbeitern – mit den Leuten, die da an der falschen Stelle Kaffee getrunken haben – ich komme nicht darüber weg – ob das nicht auch zum Evangelischwerden sein könnte.

Mir fällt da nämlich etwas sehr Katholisches ein, und das sind die »Sieben Werke der Barmherzigkeit«. Ich konnte nie gut auswendiglernen, habe sie nicht behalten. Und ich mußte neulich ausgerechnet eine evangelische Theologin, nämlich die Dorothee Sölle, bitten, sie mir aufzuzählen. Meine Frau war gerade nicht da, die hätte es auch gekonnt. Diese »Sieben Werke der Barmherzigkeit« empfehle ich auch evangelischen Pfarrern, Bischöfen einmal zur Meditation und zur Predigt. Sie heißen: Die Hungernden sättigen, die Durstigen tränken, die Kranken trösten, die Toten beerdigen, die Nackten bekleiden, die Gefangenen besuchen, Fremde beherbergen. Ich finde das sehr schön. Vielleicht sollte man eine Art Litanei-Anhang machen und sagen: Die Hungernden sättigen undsoweiter, auch wenn es chilenische Kommunisten sind, auch wenn es sowjetische Dissidenten sind, auch undsoweiter …

Ich stelle mir vor, daß man eine Art Poem daraus machen könnte; ich bin bereit, daran mitzuarbeiten.

Ein weiteres Wort noch zu dem Anarchisten, lieber Helmut Gollwitzer. Natürlich glaube ich, daß überhaupt keine Kunst auf dieser Welt möglich ist, daß weder Kunst noch Schriftstellerei – das sollte jeder wissen, der sie öffentlich verteidigt – ohne mindestens eine Beimischung von Anarchie denkbar sind. Diese Beimischung habe ich natürlich. Und es war diese Beimischung von Anarchie in mir, die mich eigentlich die Ablehnung der Berliner CDU, an diesem Empfang teilzunehmen, zunächst leichtnehmen ließ. Ich dachte mir: Geschenkt! Ja, dann bleibt er eben zu Hause und ... Götz von Berlichingen. Aber, ich bin eben nicht nur Anarchist, ich bin auch Staatsbürger. Ich bin bewußter und überzeugter Bürger der Bundesrepublik Deutschland. Ich schreibe Deutsch, ich sage das laut und deutlich, weil ich bei drei Wahlveranstaltungen in CDU-Wahlkreisen öffentlich aufgefordert wurde, auszuwandern. Ich sage das also noch mal: Ich schreibe wirklich Deutsch, ich denke, das läßt sich feststellen. Als Staatsbürger und Steuerzahler kann ich diese Maßnahme, die Herr Lummer hier angewendet hat, nicht einfach als Scherz nehmen und auch nicht als Ehre. Man muß nämlich da auch die Begründung sehen. Und deshalb, lieber Herr Schütz, hat es mich sehr getroffen, daß Sie dieses Zitat in diesem Zusammenhang, an dieser Stelle ebenfalls bringen, das ihr Kollege Lummer gebracht hat, das Herr Woller in die Welt gesetzt hat, Herr Walden vor was weiß ich – zehn Tagen wiederholt hat.

Wir wollen uns doch mal einen Augenblick lang die Augen reiben und feststellen, ob wir schlafen oder wachen, meine Damen und Herren. Wenn man Gollwitzer und mich zu geistigen Urhebern der Gewalt machen kann, dann überlegen Sie doch einmal bitte, was man aus anderen machen kann. Ich bitte Sie, ich habe einhundertfünfzigtausend Zeilen – Gott sei's geklagt – geschrieben, publiziert, weitere einhundertfünfzigtausend unpubliziert, ich habe gemeinsam mit meiner Frau zweihundertfünfzigtausend Zeilen übersetzt, macht zusammen: fünfhundertfünfzigtausend Zeilen, sagen wir rund fünf Millionen Wörter, die wir im Deutschen produziert haben. Und wenn man sich darauf beschränkt, anderthalb Zeilen von mir zu zitieren, selbst wenn das Zitat stimmt, aber aus dem Zusammenhang gerissen wird, dann ist das eine Denunziation.

Nun habe ich heute morgen die *Berliner Morgenpost* von gestern gelesen. Da steht also eine Überschrift: »Abfuhr für Böll.« Nun bitte ich Sie, meine Damen und Herren, so sollte man eigentlich nicht über die Tätigkeit eines ordentlichen Gerichts in Berlin sprechen. Deutsche Gerichte erteilen keine Abfuhren, die erteilt eine Dame, die man auf der Straße anspricht, oder auch ein Herr, der angesprochen wird, der erteilt eine Abfuhr. Ein deutscher Richter handelt nach den Vorschriften, Gesetzen – Artikel, nach denen er handeln muß. Das hat in diesem Fall der verantwortliche Richter korrekt getan. Es gibt keine Möglichkeit für mich, eine einstweilige Verfügung gegen Herrn Lummer zu erwirken, und zwar aus einem sehr einfachen Grund. Ich bitte Sie alle, einen Augenblick zuzuhören, ich muß nämlich zitieren: Der Artikel 46. 1 des Grundgesetzes der Bundesrepublik Deutschland lautet: »Ein Abgeordneter darf zu keiner Zeit wegen seiner Abstimmung oder wegen einer Äußerung, die er im Bundestag oder in einem seiner Ausschüsse getan hat, gerichtlich oder dienstlich verfolgt oder sonst außerhalb des Bundestages zur Verantwortung gezogen werden. Dies gilt *nicht*« – die Betonung ist von mir – »gilt *nicht* für verleumderische Beleidigung.« Der entsprechende Artikel in der Verfassung Berlins lautet (Artikel 35. 1): »Kein Abgeordneter darf zu irgendeiner Zeit wegen seiner Abstimmung oder wegen Äußerungen in Ausübung seines Mandats gerichtlich oder dienstlich oder sonst außerhalb des Abgeordnetenhauses zur Verantwortung gezogen werden.« Der letzte Satz im Artikel 46. 1 der Bundesrepublik fehlt. Und auf diesem Satz, meine Damen und Herren, auf diesem Satz, den ich Ihnen, Herr Schütz, Ihren Kollegen im Abgeordnetenhaus, dem Berliner Senat und auch einigen Zeitungen hier – es gibt ja noch ein paar – empfehle, auf diesem Satz ruht sich Herr Lummer aus. Und der Richter war natürlich verpflichtet, die einstweilige Verfügung abzulehnen. Nun frage ich Sie, was ist das für ein erbärmliches Niveau? Es hätte mich nicht gekränkt, wenn die CDU hier abgesagt hätte mit der Begründung, daß ich einiges Unfreundliche über sie gesagt habe. Im Gegenteil, es wäre logisch gewesen. Aber die Begründung, die hier vorliegt, daß ich einer der Großväter der Gewalt bin, ist Verleumdung. Und wenn Herr Lummer und die ganze Fraktion der CDU wirklich auf diesem Niveau polemisieren will und wenn sie den Ausnahmezustand Berlins, den sie ja sonst beklagt, zum Vehikel macht für unbestraft verbreitete Verleumdung, dann bitte ich Sie, doch mal als Berliner die Provinzialität einer solchen Attitüde zu bedenken. Und bedenken Sie bitte auch, was diese Absage der CDU international bedeutet. Man mag darüber streiten, ob ich diesen sehr großen Preis, den die Schwedische Akademie mir verliehen hat, verdient habe – man kann bei jedem darüber streiten. Man mag darüber streiten, wie ein deutscher Schriftsteller im Ausland bekannt wird, wieviel Glück, wieviel Zufall, wieviel Verdienst daran ist.

Aber ich bitte Sie, meine Damen und Herren, ich appelliere an Ihre Berliner Nüchternheit, wenn ich nicht in einigen Tagen nach Israel fahren müßte zu einem Kongreß, wäre ich in zwei Tagen in Stockholm bei der Verleihung des Nobelpreises als Gast dabei; ich war eingeladen vom Botschafter des Königreichs Schweden und hätte die unvermeidliche Pressekonferenz gegeben, ich wäre vom schwedischen König empfangen worden. Nun müssen Sie das alles in Relation nehmen zu dieser kleinkarierten, beschissenen, feigen Denunzianten-Attitüde, die in diesem Fall praktiziert wird. Man hätte sich ja mit mir auseinandersetzen können, hätte reden können über dieses Zitat, über das ich Ihnen einiges gesagt habe.

(Zwischenruf: Dazu ist man zu feige!)

Ja, ich wollte gerade sagen: Früher nannte man das Feigheit vor dem Feind. Aber der Terminus ist ja auch verkorkst durch die Leute, die ihn gebraucht haben.

Schließen möchte ich mit dem, was Helmut Gollwitzer gesagt hat: Nicht aufgeben, nur nicht aufgeben! Ich danke Ihnen.

Ich bin ein Deutscher

Rede auf dem Internationalen PEN-Kongreß Jerusalem

(1974)

Wenn man für unser Jahrhundert einmal einen Namen suchen wird, wird man es wahrscheinlich das Jahrhundert der Vertriebenen und der Gefangenen nennen, und wenn man dann anfangen wird, die Vertriebenen und Gefangenen – weltweit versteht sich – in ihrer Zahl zu erfassen, wird man auf eine Anzahl von Menschen kommen, mit denen man ganze Kontinente hätte bevölkern können. Wahrlich ein Jahrhundert der Rekorde. In vergangenen Jahrhunderten kam man, wenn man versuchte, die Menschen in ihrer Anzahl zu erfassen, die durch Schlachten, Eroberungen und auch Vertreibungen betroffen waren, auf Ziffern, die der Größe einer Stadt oder einer Region mittleren Umfangs entsprachen: ein vernichtetes Dorf, eine zerstörte Stadt ging schon in die Mythen ein und wanderte durch die Märchen. In unserem gesegneten Jahrhundert sind es immer gleich Millionen: sechzig Millionen Opfer des Zweiten Weltkriegs allein in Europa, sechs Millionen europäische Juden ermordet, auf vierzig Millionen Tote schätzt man die Opfer Stalins allein in der Sowjetunion, und wenn ich solche Zahlen ausspreche, muß ich schon zittern vor dem, der es besser weiß oder zu wissen glaubt und mir widerspricht, indem er feststellt: Nein, es waren *nur* vier, *nur* fünfzig, *nur* fünfunddreißig Millionen – oder es kommt ein anderer, der mir vorrechnet, daß es *mehr* waren: siebzig, sieben, fünfundvierzig Millionen. So drückt sich der Geist unseres Jahrhunderts in fürchterlichen Auseinandersetzungen um *runde* Zahlen aus; hinter all diesen abgerundeten Zahlen verschwindet der einzelne immer mehr, bis er unsichtbar wird im Dickicht rivalisierender Statistiken. Wenn ich lese, daß zum Schutz des amerikanischen Präsidenten in Tokio 160 000 Polizeibeamte aufgeboten waren – und das anläßlich eines Besuches, dem man *fast* nur symbolische Bedeutung zusprach – und daß mehr als eine Million Menschen beim gleichen Anlaß demonstrierten und drei Millionen streikten; daß also anläßlich dieses symbolischen Besuchs mehr Menschen mobilisiert waren, als Israel Einwohner hat: wird da nicht jegliche Form der Fiktion, und sei es im aufwendigsten Gruselfilm, zur lächerlichen Farce angesichts der Wirklichkeit?

Können wir große Zahlen, mit denen Menschen erfaßt werden, noch begreifen? Und gibt es da nicht noch etwas fürchterlich Neues: eine internationale Rivalität, die sich ausdrückt in einer wahnsinnigen Konkurrenz, die da sagt: Nein, nein, wir haben die meisten Toten gehabt, mehr als ihr, wir haben mehr Vertriebene, mehr Gefangene als ihr. Wie werden wir mit dieser fürchterlichen Art moderner Opfer-Buchführung fertig, in der Tote zu Kapital werden? Und wenn dann noch ideologische oder weltanschauliche Interpretation hinzukommt, die sich anmaßt, die Toten, die Vertriebenen, die Gefangenen in gerechterweise und ungerechterweise Betroffene zu unterteilen, indem man von »notwendigen Maßnahmen«, »unvermeidlichen Korrekturen und Opfern« spricht, dann werden die Friedhöfe, sichtbare und unsichtbare, fast zu Börsen, an denen Tod und Vertreibung gehandelt werden.

Befreie ich die Vertriebenen und Gefangenen von der ideologischen Verkleidung, in der sie zum Spekulationsobjekt, zur demagogischen Reserve in Lagern werden, und suche ein Wort für die internationale Gleichheit ihres Zustandes, so fällt mir kein besseres Wort ein als das deutsche Wort Elend, ein Urahne des Wortes Ausland, aber nicht im touristischen Sinne zu verstehen, nicht im Sinn von im Ausland leben, ins Ausland fahren, sondern im Sinne von in der Fremde, fremd, ein Fremder sein, dessen Elend noch an irgendeiner Börse für internationale Interessen gehandelt wird.

Nun gibt es eine geistesgeschichtliche Tradition, die dieses Fremdsein metaphysisch interpretiert: sind wir nicht alle fremd auf dieser Erde? Fremd im eigenen Land, in der eigenen Familie, und gibt es da nicht Augenblicke, wo einem die eigene Hand so fremd wird wie die eigene Wohnung? Und fängt nicht überhaupt die Menschheitsgeschichte mit Vertreibung – aus dem

Paradies – an, und ist nicht Vertriebenheit der uns angemessene und zugemessene Dauerzustand? Ich glaube nicht, daß nur Dichter, Denker, Gottesgelehrte so empfinden – sie sind nur glücklicher als die anderen, weil sie ihrer Fremdheit Ausdruck verleihen können. Ich will diese metaphysische und so dialektische wie poetische Dimension des Vertriebenseins weder leugnen noch verleugnen, ich frage mich nur, ob wir, die wir uns Autoren und Intellektuelle nennen, noch teilhaben sollten an diesen beiden Spielen, dem einen, dem Börsenspiel, bei dem man das Elend in politisches Kapitel zu verwandeln sucht, und dem anderen, dem metaphysisch – dialektisch – poetischen Spiel? Ich weiß keine Antwort auf diese Frage, ich stelle sie nur. Und ich setze dabei voraus, daß wir – zwischen diesen beiden Spielen stehend – nicht nur aus dem eigenen Volk vertrieben und heimatlos werden können, sondern beides auch im eigenen Volk und innerhalb seiner staatlichen Organisation. Ich zitiere den russischen Dichter Jossif Brodskij, einen Vertriebenen: »Sprache ist etwas viel Älteres und Unvermeidlicheres als der Staat. Ich gehöre zur russischen Sprache. Was den Staat betrifft, ist meiner Meinung nach das Maß der Vaterlandsliebe eines Schriftstellers nicht der Eid von einer hohen Plattform, sondern die Art und Weise, wie er in der Sprache der Menschen schreibt, unter denen er lebt.«

Wenn wir hier in Jerusalem über »Kulturelles Erbe und die schöpferische Kraft in der Literatur unserer Zeit« sprechen, so erscheint mir dieses Zitat fast wie ein Motto. Denn ich könnte mir vorstellen, daß der erste jüdische Staat, Israel, in der zweitausendjährigen Geschichte der Vertreibung des jüdischen Volkes, als neues Element im kulturellen Erbe, eine neue Dimension in die jüdische Literatur bringt, möglicherweise auch Probleme, die ich nicht beurteilen, aber ahnen kann. Es war gewiß kein Zufall, daß das israelische PEN-Zentrum auf die Idee gekommen ist, Tradition und Gegenwartsliteratur zum Thema eines Kongresses zu machen, und so ist dieser Kongreß an diesem Ort hier gut aufgehoben. Es gibt da noch ein deutsches Wort, von dem ich nicht weiß, ob es übersetzbar ist, es ist das Wort bodenlos. Das jüdische Volk ist seit seiner Vertreibung bodenlos gewesen, aber sprachlos nie, und was es zusammengehalten und seine Kultur ausgemacht hat, ist vor allem die Überlieferung der Texte gewesen, und so war es in seiner Sprache immer zu Hause.

Und es gibt da noch eine grausame Voraussetzung, daß der, der die Vertreibung und die Angst vor ihr kennt, in den grausamen Zwang gerät, andere zu vertreiben, auf der Suche nach einer neuen Heimat andere in jenen Zustand versetzt, dem er gerade entgangen ist. Völkerwanderung, das klingt so freundlich, weil Wandern und Wanderung so friedliche Wörter, Worte sind. In Wahrheit war Völkerwanderung immer auch Völkerverdrängung, das ging nie ohne Gewalt, da wurde verschleppt, mitgeschleppt, zurückgelassen; klimatisch-geologische oder politische Verschiebungen waren immer die Ursache – und dieser Traum der Völker, die aus Nacht und Nebel des Nordens in die südliche Sonne wollten. Und was brachten die Verdrängten, die andere verdrängten, mit: ihren Gott, ihre Götter, ihre Götzen – und ihre Sprache. Sprache ist das leichteste Gepäck – und eine schwere Last, wenn man in die Fremde kommt, und mitnehmen kann man fast immer nur, was man im Kopf und im Herzen hat: die Mythen und Märchen, die Erinnerungen, eigene und die Erinnerungen anderer, mit denen man die Sprache gemeinsam hat. Es ist ja kein Zufall, daß jede Unterdrückung mit der Unterdrückung der Sprache anfängt – und damit auch der Unterdrückung der Literatur, wenn man unter Literatur nicht ausschließlich das Geschriebene versteht. Es gibt Beispiele genug: das irische Volk, das jüdische, das polnische; und arme Völker wie die genannten, die ständig Unterdrückung erleiden mußten und erleiden müssen, oder wie das jüdische Volk ständig mit dem Stab in der Hand auf der Schwelle ihres Hauses in Angst vor Pogromen und Vertreibung leben mußten, sind nur in ihrer Sprache aufgehoben.

Wir Deutsche – auch nie ein sehr reiches Volk, wohl zum ersten Mal in unserer Geschichte an der Schwelle eines gewissen Wohlstandes, das macht so vieles an uns und für uns so problematisch wie mißverständlich – wir haben unserer Sprache erst sehr spät in unserer Geschichte die volle Ehre erwiesen, und wir verdanken den endgültigen Besitz unserer großen und schönen Sprache der Bibelübersetzung des Martin Luther, und wir sind nicht das einzige europäische Volk, dem die Unermeßlichkeit der Bibel im strengsten Sinn des Wortes ihre eigene Sprache erst erschloß und sie aus der Unterdrückung durch ein vertrocknetes Latein befreite.

Die Verächtlichkeit den Deutschen gegenüber entdeckte ich neulich im Dialekt meiner Heimat an dem Wort »verdötscht«, was so viel bedeutet wie blöd, dumm oder auch, um es jiddisch auszudrücken, ungefähr die Bedeutung von meschugge hat. Spät auch, vielleicht sogar zu spät, sind wir Deutsche auch Nationalisten geworden – desto gründlicher und gräßlicher wurden wir es, und, wie ich meine, desto gründlicher auch davon kuriert.

Und wenn ich nun als Autor zum Kongreßthema etwas sage, so kann ich es natürlich nur als Person und als solche unvermeidlicherweise persönlich. Ich muß auf das Material zu sprechen kommen, in dem ich mich – und nicht nur mich als Person – auszudrücken versuche. Denken wir einen Augenblick lang an den Zustand der Welt, Europas, Deutschlands im Jahre 1945. An den geschichtlichen Augenblick, in dem die zusammengeschmierte Blut-und-Boden-Lehre der Nazis sich auf eine fürchterliche Weise in ihrer Umkehrung verwirklicht hatte: der Boden ganzer Völker zerstört, das Blut von Millionen vergossen – und fast die Hälfte Europas bestand aus displaced persons. Unsere Väter – ich muß hier gerechterweise meinen eigenen Vater ausschließen, der leidenschaftlich gern umzog – in ihrer naiven Seßhaftigkeit hatten uns den Spruch überliefert: dreimal umgezogen ist soviel wie bankrott gemacht. Und nun war dieser »Umzug« für unzählige Menschen zur permanenten Lebensform geworden, ob in Lagern, Wartesälen, Helmen, zerstörten Städten lebend – wir waren alle deplaziert – und nicht nur physisch. Ich erinnere mich ausgedehnter Gespräche über die Frage, ob man Kinder in einer zerstörten Großstadt aufwachsen lassen oder besser mit ihnen aufs Land ziehen sollte: würde der Anblick der totalen Zerstörung ihnen nicht schaden, wo die leibliche Existenz in einer zerstörten Stadt ohnehin kaum aufrechtzuerhalten war? Die Frage: zerstörte Stadt oder heilgebliebenes Dorf war eine ernste Frage, wo man doch ein wenig Boden unter den Füßen – und auch Heimat suchte. Wir entschlossen uns, in das fast total zerstörte Köln zu ziehen, in dem es noch einige Erkennungszeichen des »kulturellen Erbes« gab. Unsere Kinder wuchsen also mitten in den Trümmern auf, und – so frage ich mich heute – wurden sie, die Trümmer, ihr kulturelles Erbe? Erst viel später fiel mir ein und auf, daß die Trümmer ideale, wenn auch partiell gefährliche Spielplätze waren, weil man in ihnen beides spielen konnte: Aufbau und Zerstörung: Immerhin gab's Steine, Mauerreste, Eisenträger genug, und nach wenigen Jahren wuchsen Bäume und Blumen in den Ruinen, und war es nicht das Recht eines neuen Geschlechts, das da aufwuchs, die Überreste eines wahnsinnigen Krieges wenigstens als Spielplätze nicht nur brauchbar, sondern ideal zu finden? Es mag in meiner Überlegung ein Schuß Nihilismus gesteckt haben, aber war es noch oder schon Nihilismus, als unser ältester Sohn nach einem Besuch in einem der lieblichsten Teile Englands, in Surrey, wo er bei guten Freunden in einer Villa mit herrlichem Garten und einer klassischen Nursery gewohnt hatte – als der Dreijährige, während der Zug von Ostende in den Kölner Hauptbahnhof einfuhr, erleichtert ausrief: Endlich wieder Trümmer! Und wir begriffen: Er war wieder zu Hause, diese zerstörte Stadt war seine Heimat, und wenn wir uns aller poetisch-metaphysischen Tricks enthalten, so müssen wir zugeben: es war auch unsere. Was noch zu meiner Erinnerung gehört: der Staub und die Stille. Der Puder der Zerstörung drang durch alle Ritzen, setzte sich in Windeln, Bücher, Manuskripte, aufs Brot und in die Suppe, er war vermählt mit der Luft, sie waren ein Herz und eine Seele. Jahrelang gegen alle Vernunft als Herakles und Sisyphus diese Unermeßlichkeit des Staubes zu bekämpfen, wie ihn eine zerstörte Großstadt hervorbringt; er klebte auf Wimpern und Brauen, zwischen den Zähnen und auf Gaumen und Schleimhäuten, in Wunden – jahrelang im Kampf gegen die atomisierten unermeßlichen Mengen von Mörtel und Stein –, und ich hoffe, Sie hören heraus, daß hier keine Klage, sondern ein Hymnus angestimmt wird: ein Hymnus auf eine neue Heimat, die aus dem Staub des kulturellen Erbes bestand. Das andere war – schweigen wir von Schwarzmarkt und Diebstahl – die Stille. Sie war so unermeßlich wie der Staub, und nur die Tatsache, daß sie nicht total war, machte sie glaubwürdig und erträglich. Irgendwo bröckelten in diesen unermeßlichen stillen Nächten lose Steine ab oder stürzte ein Giebel ein; die Zerstörung vollzog sich nach dem Gesetz umgekehrter Statik, mit der Dynamik im Kern getroffener Strukturen, und manchmal auch konnte einer am hellen Tag beobachten, wie ein Giebel sich langsam, fast feierlich senkte, Mörtelfugen sich lösten, weiteten wie ein Netz – und es prasselten Steine. Die Zerstörung einer großen Stadt ist kein abgeschlossener Vorgang wie eine Operation, sie schreitet fort wie Paralyse, es bröckelt allenthalben, bricht dann zusammen. Der freiwillige, weder durch Sprengung noch sonstige akute Gewalt bewirkte Einsturz einer hohen Giebelmauer ist ein unvergeßlicher Anblick; in irgendeiner, nicht voraussehbaren, schon gar nicht berechenbaren Sekunde gibt dieses schöne, geordnete, in Zuversicht und Lust zusammengefügte Gebilde nach; es zählt, fast unhörbar tickend, knisternd, vom Datum seiner Entstehung auf Null zurück – auch beim Abschuß von Raketen wird auf Null und Nichts zurückgezählt – und gibt sich auf. Das war unsere neue Heimat, und wir nahmen sie an. Später brach uns, wenn wir unzerstörte Städte sahen, der Angstschweiß aus, noch später dann, als wir nicht ins Elend, sondern ins Ausland fahren konnten, spürte man, was man geahnt hatte. Nun, ich möchte das englisch ausdrücken: It was not very pleasant to be a German – and it still not is.

Daß wir Deutsche waren, war uns vor 33 zu selbstverständlich gewesen, als daß wir viel nachgedacht hätten: es war uns auch zu gewiß, wir waren dessen zu sicher, denn wahrscheinlich ist ja das Wort deutsch ohnehin in dem Dreieck zwischen Aachen, Mainz und Köln entstanden. Wir waren sozusagen gedankenlos deutsch, schrieben, sprachen, lasen deutsch, nahmen das nicht so ernst. Wie fürchterlich ernst es werden konnte, deutsch zu sein, bekamen wir 1933 zu spüren und 1945 und natürlich zwischen diesen beiden Daten. Hätte mich jemand vor 1933 gefragt, welche Elemente ich als bestimmend für mich und eine mögliche Existenz als Autor bezeichnen würde, so hätte ich wahrscheinlich drei Elemente in folgender Reihenfolge genannt: den Rhein, Köln und den Katholizismus, der für den Sechzehnjährigen mindestens so ambivalent war wie er für den Sechsundfünfzigjährigen ist. Das Deutsche als ein bestimmendes Element einer intellektuellen Existenz zu benennen, wäre mir nicht eingefallen: es war zu selbstverständlich.

Den Luxus, sich innerlich und wo immer möglich und notwendig auch äußerlich, sich von den Deutschen in den Jahren zwischen 1933 und 1945 zu distanzieren, wollen wir gemeinsam einem Zwanzig- bis Fünfundzwanzigjährigen in Notzeiten gestatten – diesen Luxus habe ich erst 1945 abgelegt, als es drinnen und draußen nichts mehr einbrachte, einer zu sein – abgelegt auch angesichts des Opportunismus anderer, die plötzlich taten, als wären sie keine.

Ich bin einer, als solcher wünsche ich dem Kongreß einen guten Verlauf und bedanke mich für die Gastfreundschaft der Stadt Jerusalem, die in unser aller kulturelles Erbe einbezogen ist.

Mein lieber Gustav Korlén,

(1974)

um Dir zum Geburtstag (ist es tatsächlich der 60.?) mit der erforderlichen deutschen Tiefe zu gratulieren und zu danken, müßte ich in eine Kiste greifen, die mir verdächtig ist: die Veteranentruhe. Ich müßte dann ungefähr so anfangen: »Weißt du noch, als ich im Oktober 1956 zum ersten Mal und als einer der ersten deutschen Nachkriegsautoren nach Schweden kam ...?«, und dann müßte ich fortfahren und berichten, wie heikel das war, für Euch, für mich, und wie es dann doch gut ausging, sich Freundschaft bildete und anhielt. Und wie mich ein Beamter der westdeutschen Botschaft warnte, ich möge doch in Schweden nicht zuviel Metaphysik an- und unterzubringen versuchen, Du aber – ohne von dieser Warnung zu wissen, mich geradezu aufforderstest, einige Passagen aus dem entstehenden *Irischen Tagebuch* zu lesen, die man als ziemlich »metaphysisch« bezeichnen kann. Ich lüpfe den Deckel der Veteranentruhe nur so eben, laß ihn dann wieder zufallen und warte noch ein wenig.

Was ich Dir heute gern schenken möchte, ist eine ziemlich unscheinbare philologische Blume, die Du Dir als Ordinarius und Seminarleiter vielleicht ins Knopfloch stecken kannst.

Zum schöneren, vielleicht sogar schönsten Teil meiner Korrespondenz gehört die, die ich als Übersetzter und – gemeinsam mit Annemarie – Übersetzer führe. Leider bin ich bis vor wenigen Jahren sehr unordentlich mit dieser Korrespondenz verfahren, ich habe sie nicht gesammelt, erst seit kurzem einen Schnellhefter dafür angelegt, aus Faulheit übrigens, denn die Fragen wiederholen sich natürlich, und was ich dem einen schon einmal ausführlich erklärt habe (zum Beispiel etwas so Exotisch-Erotisches wie »Weiberfastnacht«), kann auch dem anderen in der gleichen Version dienlich sein. Ein besonderes Problem für Übersetzer sind Tier- und Pflanzennamen. Was dabei international gleich ist, ist die lateinische Bezeichnung, man muß also erst in einem entsprechenden englischen Fachlexikon die lateinische Bezeichnung suchen, dann im deutschen Fachlexikon alle zur Wahl stehenden Bezeichnungen absuchen, bis man Übereinstimmung mit der internationalen lateinischen Bezeichnung gefunden hat. Das ist manchmal mühsam, macht aber viel Freude, weil doch jedes Ding den Namen haben sollte, der ihm zusteht.

Neulich hatte ich nicht als Übersetzer, sondern als Übersetzter ziemlich Schwierigkeiten mit einer Blume, die bei uns »langer Heinrich« heißt. Es entstand ein lebhafter Briefwechsel zwischen Vancouver, B. C., wo meine englische Übersetzerin Leila Vennewitz wohnt, und Köln, aber selbst nachdem ich die Blume eingehend beschrieben hatte (es handelt sich um eine Art aufgeschossener Marguerite!), schüttelten kanadische Gärtner und Botaniker immer noch den Kopf: diesen Langstieler kannten sie nicht. Schon drohte Verzweiflung, oder mindestens Resignation, und da die Blume als solche im Zusammenhang nicht so wichtig war, waren wir beide bereit, einer Umbenennung zuzustimmen und so konventionell wie unproblematisch Blumen wie Rosen oder Nelken als Stellvertreter zu autorisieren. Im letzten Augenblick griff ich zum einzig wahren Instrumentarium, das ich bis dahin vergessen hatte: dem Wörterbuch der Brüder Grimm, und tatsächlich, da waren ziemlich viele Heinriche, die mich alle recht nachdenklich machten. Nicht nur der »eigentliche« Heinrich, der als »knökern«, »isern« und »holten« Hinnerk oder Hinrek, später als »sanfter Heinrich« auftritt, dann aber stellte ich fest, daß der Heinrich als Pflanzenname weitaus mehr Variationen hat denn als Vorname, und zwar »aus den Vorstellungen von elben und kobolden, die gern Heinz oder Heinrich heiszen, was hernach auf teufel und hexen übergieng. solchen dämonischen wesen schrieb man die heilkraft des krautes zu.« (Klein- und Großschreibung, scheinbare Schreibfehler nicht von mir, sondern von den Brüdern G., bearbeitet von Moritz Heyne, Leipzig 1877).

Und dann kamen sie alle daher:

1. der große Heinrich (den ich mit dem langen identifizierte) inula helenium. alantwurz.
2. der gute Heinrich, chenopedium bonus Henricus, der ge-

meine gänsefusz. der gute und stolze Heinrich, sonsten auch schmieriger Mangold oder Schmerbel genannt – auch Kühwurz, Sauerampfer

3. der stolze Heinrich – auch Kreuzwurz
4. der böse Heinrich – erbsenwürger, sommerwurz
5. roter Heinrich, wilder sauerampfer
6. wilder Heinrich, auch rapunzel – schweizerisch: wilde heimele.

Nun, der Korrektheit wegen muß ich noch hinzufügen, daß die Zitate nicht vollständig sind, schon deshalb, weil ich Dir von diesen Heinrichen gar keinen anbieten will, sondern eine viel hübschere Blume. Denn es stellte sich heraus, daß auch die lat. Bezeichnung »inula helenium« nicht weiterhalf, und wir einigten uns auf eine Ersatzblume, von der ich bisher nur den englischen Namen weiß »Blackeyed Susan«. Die also, eine schwarzäugige Susanne, schick ich Dir zum Geburtstag.

Und grüße Dich und die Deinen sehr herzlich, auch von Annemarie.

Dein alter Heinrich

Die neuen Probleme der Frau Saubermann

(1975)

Herr Saubermann ahnt noch nicht, daß er längst zum Schmutzfink degradiert ist. Mit männlicher Naivität nimmt er sich morgens sein frisch gewaschenes und gebügeltes Hemd aus dem Schrank, in der Annahme, daß sein Hemd den Ansprüchen genüge, weil es sauber ist. Frau Saubermann sieht ihm mit skeptischer Wehmut zu, wie er das Hemd in die Hose stopft, seine Krawatte bindet und, fröhlich den Autoschlüssel schwenkend, zu seinem Wagen schreitet. Frau Saubermann weiß, daß ihres Gatten Hemd zwar sauber, aber gewiß nicht rein ist, und sie weiß auch, daß Sauberkeit längst etwas für Schmutzfinken geworden ist. Wer ist schon nur noch sauber? Als kleines Mädchen hat sie wahrscheinlich noch gebetet: »Ich bin klein, mein Herz ist rein, soll niemand drin wohnen als Jesus allein.« Sie wäre nie auf die Idee gekommen zu beten: Mein Herz ist sauber.

Das waren noch Zeiten, als nur Frau Saubermanns Gewissen neben der Waschmaschine stand; als nur ihre Moral gefordert wurde. Jetzt ist die Metaphysik in die Trommel der Waschmaschine vorgedrungen, abstrakte Theologie der Engelsreinheit, nicht mehr bloß die greifbar-grobe irdische Sauberkeitsideologie. Natürlich, denkt Frau Saubermann, war Jesus wahrscheinlich (oder möglicherweise) rein, aber an seiner Sauberkeit hegt sie Zweifel. Sie ahnt unlösbare Konflikte, und da sie schwer lösbare Konflikte genug hat (ökonomische und moralische), bangt ihr vor der Metaphysik in der Waschmaschine. Ist das Hemd ihres Mannes rein? Soll Jesus im Hemd ihres Mannes Wohnung nehmen, dieser Reine, der wahrscheinlich so unsauber war?

Denkt sie erst an eine andere, ihr liebenswerte Erscheinung des Abendlandes, einen gewissen Franz von Assisi, wird ihr ganz bang: Auch der war – gewiß in der zweiten Hälfte seines Lebens – rein, aber wenn sie so darüber nachdenkt, wo er sich herumgetrieben hat, zweifelt sie an seiner Sauberkeit. Sind etwa Sauberkeit und Reinheit gar Gegensätze, und was soll sie machen, wenn ihr Mann, dieser naive Bankbeamte, eines Tages dahinterkommt, daß sein Hemd nicht mehr den metaphysischen Ansprüchen der Waschmittelreklame genügt? Hocken da etwa arbeitslos gewordene Theologen, sauber, aber unrein, oder rein, aber unsauber, als Werbetexter in der Anankastenindustrie?

Frau Saubermann ist den Tränen ziemlich nahe. Sauberkeit ließe sich noch halbwegs nachprüfen, aber wer mißt Reinheit, wer stellt fest, wie nahe man diesem hehren Ziel ist, das einst nur Engeln vorbehalten war?

Inzwischen hat ihr Mann, dieser Naivling, längst sein Auto bestiegen, es angelassen, das Fenster heruntergekurbelt, er hat ihr zugewinkt, hat gehupt, bevor er um die Straßenecke biegt, dieser fröhliche und friedliche Zeitgenosse, der kein schmutziges, aber ein schmutzigmachendes Gewerbe ausübt: er ist nämlich im Devisenterminhandel, muß dauernd die nicht so ganz sauberen Telefonhörer an Kopf und Kragen halten, manchmal ist er – wie Laokoon von Schlangen – von sehr unsauberen Telefonkabeln umschnürt, und so macht er sich auf die redlichste Weise schmutzig, auch wenn seine Weste rein bleibt. Und ein solcher Mensch soll sich redlichen Herzens auf die Badewanne und die Sauberkeitsreserven der Wäschekommode freuen.

Wie aber, wenn man nicht mehr nur von ihm verlangt, was unter Gentlemen permanent vorausgesetzt ist: die symbolisch reine Weste, sondern wirkliche Reinheit? Und wird er nicht an Sauberkeit einbüßen, was er an Reinheit gewinnt? Wird man da eines Tages die Absolution der Wäsche einführen und logischerweise die Exkommunikation etwa der Unterhosen?

Frau Saubermann jedenfalls, diese adrette Frau, die uns allen längst ans Herz gewachsen ist, fühlt sich schmutzig. Weil sie nur sauber und noch nicht rein ist. Die gute, die hübsche, diese nette, so sympathische Frau hat längst ihren Tränen freien Lauf gelassen; und es ist nicht nur Reue, die da aus ihren Augen fließt, es ist Verzweiflung, es gibt ja nicht nur den unschuldigen Herrn Saubermann, sie hat auch Kinder, zwei, und das fürchterliche Problem mit diesen Kindern, einem reizenden Buben und fast noch reizenderen Mädchen, ist: Sie machen sich nicht schmutzig genug! Denn weder Sauberkeit noch Reinheit der Wäsche sind demonstrierbar, wenn nicht Schmutz oder gar Dreck da ist, und so herrlich schmutzig, wie die Fernsehwaschmittel-Werbekinder da vor ihrer Fernsehwaschmittel-Werbemutter stehen, so herrlich schmutzig sind ihre Kinder nie! Kein Boden, keine Kasserolle, keine Kinderwange, kein Trikot, kein Teppich ist bei ihr je auf so unnatürliche Weise schmutzig geworden, wie es ihr da vorgeführt wird. Selbst wenn ihre Kinder sich in Pfützen wälzten oder auf Fußböden spielten, über die man vorher Schweineherden gejagt hat, sie würden vielleicht schmutziger als die einer lachenden Fernsehwaschmaschinenmutter vorgeführten Prachtrangen, aber auf diese Weise schmutzig würden sie nie.

Offenbar hat auch der Schmutz seine Natur, seine Struktur, und möge der Himmel einstürzen – auch der Schmutz hat seine natürliche Ehre und seine Würde. Selbst wenn sich einer die Suppe in den Schoß kippt oder ihm die Sauciere ausrutscht: Weder Hose noch Tischtuch oder Hemd werden auf so unnatürliche Weise schmutzig.

Frau Saubermann hat ihre Tränen getrocknet und ist längst in gefährliche Meditationen versunken: Ist denn nicht einmal mehr der Schmutz ehrlich und anständig, müssen da Kinderwange, Bubentrikot, Kasserolle, Spülbecken und Trikot künstlich bedreckt werden, damit man ihr vorführen kann, was Sauberkeit, was Reinheit bedeutet? Gibt es denn – verdammt noch mal keine echt schmutzigen Kinder mehr?

Bahnt sich bei Frau Saubermann eine Bewußtseinsänderung an? Vorsicht! Hegt sie anarchistische Gedanken, wenn sie sich vorstellt, wie diese künstlich beschmutzten Fernsehkinder von den über diesen Dreck hocherfreuten Fernsehmüttern geradezu gestrippt und deren Klamotten mit künstlicher Wonne in die Anankastentrommel geworfen werden? Früher, denkt Frau Saubermann, riefen unsere Mütter uns nach: »Mach dich nicht so schmutzig.« Heute, denkt sie, müßte ich eigentlich meinen Kindern nachrufen: »Kommt mir nur ja recht dreckig nach Hause.«

Wer hat Maos Segen?

(1975)

Die Maoisten in der Bundesrepublik können beruhigt schlafen: Nachdem Franz Josef Strauß mit dem Großvater der Radikalität, mit Mao, gesprochen hat, wird es keinen Radikalenerlaß mehr geben. Keiner wird mehr als »rote Ratte« bezeichnet werden. Und da schon Helmut Kohl in China stolz hervorgehoben hat, daß Marx und Engels Deutsche waren, die sogar deutsch schrieben, deutsche Schriftsteller also, wird auch Franz Josef Strauß diesen Stolz auf radikale deutsche Schriftsteller in freundschaftlichen, fast herzlichen Gesprächen gewonnen haben. Die Einsicht, daß der Sozialismus, von manchem auch Kommunismus genannt, in manchen Teilen der Welt doch zu Law and Order dienen kann, wird nicht ohne Folgen bleiben.

Es wird sich alles, alles wenden. Innenpolitische Entspannung wird eintreten. Vom Papst empfangen zu werden, gilt längst nicht mehr als das letzte; wer zuerst zu Mao vordringt, gilt als Sieger, er ist der Favorit, er ist der Kanzlerkandidat, wer hat Maos Segen?

Die Maoisten in der Bundesrepublik und nicht nur sie, alle Radikalen und »Radikalen« können aufatmen. Innenpolitische Entspannung wird eintreten.

⟨Lieber Herr Gottgetreu...⟩
(1975)

Lieber Herr Gottgetreu,
Ihren offenen Brief habe ich mit großer Bewegung gelesen, und ich danke Ihnen für die Einsichten, die er mir vermittelt hat, Einsichten in die Sensibilität, mit der in Israel – und nicht nur von Ihnen – das Problem des Vertriebenseins und der Vertreibung betrachtet und analysiert wird. Als ich die von Ihnen zitierte Formulierung hinschrieb und später in Jerusalem aussprach, habe ich tatsächlich gar nicht an Israel gedacht; was ich finden wollte, als ich die Rede schrieb, war eine Formulierung, die das grausame Gesetz hätte decken können, das allen Völkervertreibungen, Völkerwanderungen und Völkerbewegungen innewohnt; eine Formulierung, die auch die Tragik solcher Bewegungen angedeutet hätte, ohne die Frage der Schuld anzusprechen. Nun aber ist ja durch Ihren Brief und andere Reaktionen dieses Zitat direkt auf Israel bezogen worden, und ich will nun nicht der Problematik ausweichen, indem ich einfach sage, ich hätte es nicht so »gemeint«. Ich hab's nicht so gemeint, und doch bekommt es jetzt diese Bedeutung, die Sie und andere dem Zitat geben, und ich will also diese Bedeutung akzeptieren. Sie schreiben doch selbst, lieber Herr Gottgetreu – am Anfang des fünften Abschnitts – daß viele Israelis darunter leiden, daß durch die Kriege von 48 und 67 expalästinensische Araber Vertriebene geworden sind, und ist dieses Leiden nicht das Leiden all derer, die nicht schuldig sind, sich aber doch in einen grausamen geschichtlichen Zusammenhang und Zwang geworfen sehen, der die Frage der Schuld oder Unschuld des Einzelnen fast nebensächlich macht, weil die »Schuld« in eben jenem Gesetz liegt, das ich zu definieren versuchte?

Ist es nicht viel schlimmer, weder schuldig noch unschuldig zu sein und doch unter geschichtlichen Zwängen und Zusammenhängen zu leiden, wie Sie es nennen, schlimmer als eindeutig schuldig zu werden oder geworden zu sein; und wenn Sie dann noch schreiben, daß es eine »ganze Literatur des schlechten Gewissens« gegeben hat und gibt, und daß Männer wie Martin Buber und Ernst Simon für einen arabisch-jüdischen bi-nationalen Staat eingetreten sind, was, lieber Herr Gottgetreu, soll ich Ihnen da noch antworten? Ich würde mir nie anmaßen, Konflikte und Spannungen, die im Lande selbst, in Israel ausgesprochen und ausgetragen werden, als Ausländer an- oder auszusprechen. Das gleiche gilt für die arabischen Länder; ich wünschte mir nur, daß es auch dort dieses von Ihnen angesprochene »Leiden« an den Umständen gäbe und eine »Literatur des schlechten Gewissens«.

Ich bin Ihnen sehr dankbar für Ihren Brief und grüße Sie sehr herzlich

Ihr
Heinrich Böll

Eine Bombe der Ruhe

Über Andrej Sinjawskij, »Stimme aus dem Chor«

(1975)

Über dem peinlichen Streit um die Dissidenten, Emigranten, die vertriebenen Autoren, die von gewissen Leuten hier wie eine Beute vorgezeigt und herumgereicht werden, vergißt man leicht, daß sie selbst immer wieder die Oberflächlichkeit des westlichen Publicity-Geschäfts betonen. Schon ermüdet Gott sei Dank die Maschinerie der politischen Skalpjäger, und für die Autoren fängt die Arbeit an. Was wird aus ihnen als Autoren? Werden, die drüben in der Sowjetunion auf ihren Untergang lauern, recht behalten? Werden die Skalpjäger ihr unverantwortliches Vernichtungswerk mit Erfolg fortsetzen? Wer von diesen interessiert sich ernsthaft für Literatur? Es wäre interessant, einmal eine Art Verhör anzustellen, was sie, die da lauthals triumphieren, wirklich gelesen haben, von Solschenizyn, Nekrassow, Maximow, Sinjawskij. Maximow sollte einmal den einen oder anderen Publizisten, Moderator oder Journalisten fragen, ob er *Die sieben Tage der Schöpfung* oder *Quarantäne* gelesen hat? Lieben die Skalpjäger Rußland wirklich so sehr, und wissen sie etwa, daß in Maximows *Quarantäne* unter anderem eine – wie mir scheint – lebensgefährlich mystifizierende, symbolische Darstellung Stalins als notwendiger Gottesgeißel zu finden ist, und im Nachwort der Satz: »Die geistige Konzeption des Romans ergibt sich ganz und gar aus der prophetischen Hypothese der Slawophilen über die besondere Bestimmung Rußlands in der Weltgeschichte«?

Es steht mir nicht zu, über diesen Satz zu richten oder auch nur zu streiten. Ich frage mich nur, ob es irgendeinen kalten, heißen oder lauen Krieger, irgendeinen ganz rechten oder rechtsliberalen Politiker auf dieser Welt gibt, der politisch in dieses Bekenntnis mit einstimmen möchte. Der Wunsch nach

Erlösung ist stark in der Sowjetunion, aber ob man dort auch nur einen finden könnte, der durch die oberflächlich politisch polemisierenden »Erlöser« hier erlöst werden möchte? Ich zweifle daran.

Was man den Autoren wünschen möchte, ist die – bei aller Unterdrückung, Verfolgung, Belästigung – ungeheure Ruhe, die unsagbare, wunderbare, heilsame und heilende Ruhe, wie sie etwa aus Sinjawskijs Buch *Stimme aus dem Chor* spricht, das jetzt in Swetlana Geiers Übersetzung bei Zsolnay in Wien erschienen ist. Dies ist kein Buch, das man lesen muß wie einen Roman, es ist ein Buch zum Blättern: vor und zurück und wieder vor und zurück. Es hat keine andere Handlung als diese Ruhe, und seit wann ist Ruhe – außer vielleicht bei Stifter – Handlung?

Das Buch ist wie eine Postille, und es wäre zu wünschen, daß auch die kalterhitzten Krieger einmal hineinschauten. Es ist Sinjawskijs Frau Maria gewidmet: »Es besteht fast zur Gänze aus den Briefen, die ich in den Jahren meiner Haft 1966–1971 an sie gesandt habe.« Es besteht außerdem aus Meditationen über Kunst, Literatur, Religion, Geschichte, enthält (wahrscheinlich, weil Mitteilungen dieser Art für Briefschreiber und Empfänger zu gefährlich gewesen wären) kaum Andeutungen über die Haftbedingungen. Was sollten die Zensoren auch Gefährliches finden in kurzen, konzentrierten Essays über die Entwicklung des Romans, den Unterschied zwischen russischer und westeuropäischer Architektur, den Sinjawskij mit höchster Sensibilität an Hand des Materialunterschieds zwischen Holz und Stein behandelt? An Meditationen über das Runde in der russischen Architektur und das Spitze (Aggressive) etwa in der Gotik? Über das Innere russischer Kirchen, die nicht, wie die westeuropäischen, »Unendlichkeit, nicht Kosmos, nicht Sphärenharmonie, sondern vor allem Wärme, Schutz, Behagen« bieten? Wer möchte da nicht etwas mitbekommen von diesem »russischen Gott«, der »am Herzen unter dem Hemd wohnt«? Der das »spitze« Abendland (zu dem man selbst gehört, wie man bei der Lektüre feststellt) dauernd quälende Dualismus Form-Inhalt wird hier nicht nur an Literatur und Kunst abgehandelt, sondern auch an einer Definition von Dieben, die natürlich auch ihren künstlerischen Ehrgeiz haben. Betrachtungen über das Wesen der Kunst bestimmen den Charakter des Buches: »Deshalb wirken die Definitionen von Berufsästhetikern, die über Kunst zu Gericht sitzen und genau wissen, was sie ist (als wäre es je gelungen, als wäre es überhaupt möglich, das zu wissen!) beinahe tödlich.« Ein anderes Mal heißt es: »Kunst, das ist ein Ort der Begegnung. Des Autors mit dem Gegenstand seiner Liebe, des Geistes mit der Materie, der Wahrheit mit der Phantasie ... Die wahre Kunst deckt vielleicht immer ein Unvermögen, einen Mangel an Meisterschaft auf. Jedenfalls zeigt sich in den genialen Werken immer etwas, das an ganz elementare Ignoranz grenzt.«

Ach, würden die kalten Krieger sich doch ein wenig an diesem Buch wärmen! Und auch ein wenig von der Tiefe dieses Humors profitieren. »Ein Pole, Katholik, zum Aufseher: ›Laß mich in Ruhe, damit ich an meinem Feiertag nicht fluchen muß‹. Ein anderer Häftling: ›Im Laden alles, was das Herz begehrt, es fehlt bloß das Wasser des Lebens. Und – dein Geld‹.«

Was Graham Greene formuliert hat, stellt der Häftling Sinjawskij in der Sowjetunion, auf Grund der Sensibilität, mit der er Literatur aufnimmt und interpretiert, fest: daß mit den Anti-Smog-Bestimmungen, mit der Entnebelung Londons, diesem unbezweifelbaren Fortschritt, natürlich der englischen Literatur ein wichtiges Element genommen ist. Wie viele geheime Rendezvous deckte der Nebel, wieviel Stimmung brachte er. Und wie verändert sich die Londoner Kriminalität, wenn der feuchte Nebel nicht mehr da ist?

Man möchte dauernd zitieren, wo doch, wie bei einem Roman, die Pflichtübung »Inhaltsangabe« nicht geleistet werden kann. Welche Unterschiede in der Religiosität werden da sichtbar. Während man hier das erst kürzlich verkündete Dogma der leiblichen Himmelfahrt als peinlich empfand – in Rußland die große Anzahl von Mariae-Himmelfahrtskathedralen. Die Wichtigkeit der Stellung eines Kommas, dargestellt an den Worten, die Christus am Kreuz zu dem reumütigen Verbrecher sagt: »Ich sage dir heute, du wirst mit mir im Paradiese sein«, oder: »Ich sage dir, heute wirst du ...« In dieser unterschiedlichen Stellung eines Kommas liegt für den Verbrecher der Unterschied von heute bis zum jüngsten Tag.

Es ist gleichgültig, ob man Sinjawskijs Ansichten teilt oder ob man, die extreme Situation bedenkend, in denen sie gedacht und notiert sind, »Reduzierungen« vornehmen möchte – sie sind geeignet, westliche Selbstgefälligkeiten ins Wanken zu bringen. »Als die Frau ihrem Mann sagt (sie sprachen über einen Geflüchteten): Wenn du ihn anzeigst, gehe ich von dir weg, da haben wir verstanden, daß das Gute groß ist und uns unsichtbar regiert, im Mantel des Bösen, um sein Geheimnis zu bewahren.« Wenn man schon Sinjawskij gern »vorzeigen« möchte, zeige man bitte auch diesen Satz vor, in einer Welt, die die gesamte Bevölkerung in die Exekutive einbeziehen möchte.

Dieser – ich nenne es so – spirituell bedingte »Materialismus« ist immer greifbar, immer sinnlich: über einen Brief, »dieses Papier, das Du anfassen wirst«; und die Offerte einer Frau im Lager: »Laß mich dein Hemd waschen«, womit mehr gesagt ist als eine Liebeserklärung.

Sinjawskijs Erinnerungen an seine Kindheit, in der Nähe eines Kunstmuseums, und was dieses Museum für ihn bedeutete, Erinnerungen an die Eltern, Meditationen über »den ewigen Drang der russischen Autoren, ein Evangelium statt eines Romans« zu schreiben, und immer wieder über Bedeutung und Gewichtigkeit Mandelstams. Was wurde da im Lager alles gelesen oder wie über Gelesenes meditiert: Poe und Stevenson, die Klassiker ohnehin, aber auch die Geschichte der Langobarden von Paulus Diakonus, Band III, Betrachtungen über das Keltische, seine Märchen, Mythen, Grotesken, Verrücktheiten und deren Eingang in die christliche Kunst. Und auch das sollten wir »Spitzen« uns merken: »Das Wort ist für uns so gewichtig (geistig), daß es eine materielle Kraft darstellt und Schutz und Zensur (! Ausrufungszeichen vom Rezensenten) braucht. Wir sind Konservative, weil wir Nihilisten sind, und das eine verwandelt sich in das andere und löst es in der Geschichte ab.«

In diesem Buch wird von Politik fast gar nicht gesprochen. Mag das auch daran liegen, daß diese Briefe aus dem Lager geschickt oder geschmuggelt wurden: es erhöht die Ruhe, die aus dem Buch kommt. In unserer Welt, die ja nicht unruhig, sondern nur ruhelos ist, in der man im Zickzack lebt, im permanenten Zerhacken von Wirklichkeiten und von einer Sensation in die andere hetzt, wirkt dieses Buch wie eine Bombe der Ruhe. Es könnte zur Beruhigung beitragen.

Die Lektüre der Anmerkungen ist eine Ergänzung besonderer Art. Sie sind nicht nur als Hinweise und Erklärungen notwendig, sondern als Katalog der Gelehrsamkeit des Autors. Es gibt da eine Anmerkung über das russische Wort »Pokrow«: »Das Wort ›Pokrow‹ (Mariä Schutz und Fürbitte, 1. Oktober) hat im Russischen viele Bedeutungen: Decke, Schleier, Altardecke, Dach, Obdach, Zuflucht, Schutz, Schirm, Leichentuch, Throndecke, und entspricht der Vorstellung vom ›Schutzmantel‹ des heiligen Joseph oder dem der Maria (Adoptions- und Legitimationskinder heißen ›Mantelkinder‹)«. Das ist sehr schön erklärt. Und da kalte Krieger wohl immer frieren müssen, da sie ja in einer Art Tiefkühltruhe hocken, in der die Finger so steif werden, daß man ein Buch kaum noch durchblättern, geschweige denn lesen kann, so wünsche ich ihnen ehrlich, einen solchen »Pokrow« – und keinesfalls in der Bedeutung Leichentuch.

Aussage im Prozeß gegen Matthias Walden
(1975)

Zunächst möchte ich erklären dürfen, warum ich zum Termin am 26. 2. 75 hier persönlich erschien. Nicht wir, mein Anwalt und ich, haben für diese gerichtliche Auseinandersetzung quasi-Öffentlichkeit hergestellt, nicht wir haben den Termin der Presse bekanntgegeben, aber da die Öffentlichkeit nun einmal durch die Gegenpartei hergestellt war, hielt ich es für meine Pflicht, hier zu erscheinen, zumal mir bekanntgeworden war, daß auch der Herr Beklagte erscheinen würde.

Bevor ich mich hier zu einigen Punkten der Auseinandersetzung äußere, die nicht Gegenstand eines Schriftsatzes sein können, weil sie philologischer Natur sind – und doch beweiskräftig –, möchte ich auf die objektive Absurdität des Kommentars vom 22. 11. 74 hinweisen, der hier zur Debatte steht. Der Kommentar galt einem Verbrechen, dessen Täter bis heute unbekannt sind, und da man die Täter nicht kennt, kennt man auch ihre Motive nicht. Ich verweise hier auf einen Artikel aus einer dem Herrn Beklagten gewiß unverdächtigen Zeitung, auf die *Welt* vom 14. 2. 75, in der festgestellt wird, daß 970 Hinweise zu keinem Ergebnis geführt haben. Nun herrscht hierzulande eine gefährliche Unsitte, die immer mehr um sich greift, die wohl auch bewußt angewandt wird, damit die Grenzen dieser Unsitte möglichst ausgeweitet werden können – die Unsitte, öffentlich über Verbrechen und mögliche Täter zu urteilen, bevor Ermittlungsergebnisse vorliegen. Dieser Tatsache galt mein umstrittener Artikel im *Spiegel* vom 10. 1. 72 über die Praktiken der *Bild*-Zeitung. Was die Tendenz dieses Artikels betrifft, habe ich nicht das geringste zurückzunehmen; im Gegenteil: in den drei Jahren, die seitdem verstrichen sind, hat sich erwiesen, daß diese Unsitte sich ausgebreitet hat. Der Kommentar des Herrn Beklagten ist ein Beweis dafür. Gewisse Verbalitäten des *Spiegel*-Artikels *habe* ich zurückgenommen, *öffentlich*. Ich muß hier zu diesem Artikel Stellung nehmen, da der Zitatenschatz der Gegenpartei ja zu einem Teil aus diesem Artikel stammt und aus den Polemiken, die daraus entstanden. Im übrigen möchte ich feststellen, daß die Auseinandersetzung über diesen Artikel sich an einigen wenigen Formulierungen entzündet hat. Etwa 95 % des Artikels blieben unbestritten. Meine letzte direkte Äußerung zur Baader-Meinhof-Thematik stammt vom 17. 2. 72. Dreieinhalb Monate später wurde mein Name im Zusammenhang mit einem Bombenattentat in Heidelberg in einem Fernsehkommentar genannt. Im Juli 1972 fand dann im Deutschen Bundestag eine Debatte über innere Sicherheit statt, in der es von seiten der CDU/CSU zu einer regelrechten Intellektuellenhetze kam – es fielen die Namen von einem guten Dutzend deutscher Schriftsteller. Daraufhin gab ich eine Art Schlußstatement über die ganze Kampagne ab, das die *FAZ* dankenswerterweise am 21. Juni 1972 abdruckte. Dieses Statement liegt dem Gericht vor. Ich habe mich darin bei meinen *Kritikern bedankt*, allerdings nicht bei den Verleumdern. Ich weiß nicht, ob ein Autor, der in eine solche öffentliche Auseinandersetzung verwickelt ist – die Dokumentation darüber bis zu einem gewissen Zeitpunkt liegt dem Gericht vor –, ob ein Autor mehr tun kann.

Meine nächste Äußerung, in der ich die Baader-Meinhof-Problematik notwendigerweise streifte, steht in einem Interview mit der *Frankfurter Rundschau* vom 14. 11. 74, es ist ein Interview mit eindeutiger Stellungnahme zu der Ermordung Herrn von Drenkmanns, eine Woche vor dem Kommentar des Herrn Beklagten abgegeben. Man kennt im Mordfall von Drenkmann bis heute weder die Täter noch die Motive; es gab einen anonymen Telefonanruf, in dem sich die Rote Armee Fraktion zu der Tat bekannte – und auf diesen anonymen Telefonanruf, den schließlich jeder tätigen kann, der zwanzig Pfennige in der Tasche hat und die hat mancher in der Tasche –, basieren die Hypothesen der Täterschaft und geistigen Mittäterschaft – mehr Ermittlungsergebnisse liegen bis heute nicht vor. Ich erlaube mir die Frage, wer, wenn er auf dieser Basis eine Täter- und Mittätertheorie aufbaut, wer den Rechtsstaat mehr gefährdet, der Herr Beklagte oder ich, dem die Gegenpartei aus einem »Gesamtausstoß« von rund 150 000 Zeilen mühsam etwa

20 bis 30 strittige Zeilen entgegenhalten kann. Und selbst diese 20 bis 30 Zeilen sind ja, selbst wenn man sie total isoliert, mit dem besten und auch dem bösesten Willen nicht als Aufforderung zur physischen Gewalt zu interpretieren, sondern schlimmstenfalls als Ausdruck anarchisierender literarischer Attitüde. Ergebnis: 20 bis 30 Zeilen von 150 000.

Ich bestreite also die objektive Berechtigung des zur Verhandlung stehenden Kommentars über eine Tat und einen Täter, dessen Motive keiner kennt – und es besteht für mich nicht einmal die Andeutung eines Zweifels, daß die Nennung meines Namens in diesem Kommentar eine exakt geplante und exakt mit den Mitteln der Tatsachenfälschung ausgeführte Schmähung war. Ich werde es beweisen, und ich werde beweisen, daß es sich hier nicht um eine Meinungsäußerung handelt – daß der Herr Beklagte nicht ein Märtyrer der Meinungsfreiheit ist –, sondern um eine Tatsachenbehauptung, bei der gefälschte Tatsachen behauptet worden sind. Eine Nebenfrage erlaube ich mir noch: was, wenn sich herausstellen sollte, daß es sich beim Mord an Herrn von Drenkmann um einen Fall gewöhnlicher Kriminalität gehandelt hat? Bin ich dann auch noch der geistige Mittäter?

Nun zum Kommentar selbst. Im Schriftsatz der Gegenpartei vom 17. 2. 75 wird auf den Seiten 5/6 gesagt: »Daß es einfacher und kürzer gewesen wäre, die Namen des im Kommentar erwähnten Vikars, der Sozialhelferin und des Theologieprofessors zu nennen, ist richtig. Nur wäre es nicht zweckmäßig gewesen, da nicht vorausgesetzt werden konnte, daß die Mehrheit des Publikums jene Namen kannte. Von der Bekanntheit des Namens Heinrich Böll konnte hingegen ausgegangen werden.« Und es folgt dann der Satz: »Im übrigen muß es dem Kommentator überlassen bleiben, wie er seinen Kommentar ausgestaltet.« Nun, das ist sehr witzig. Der Beklagte gibt in der Klageabweisungsschrift vom 22. 1. 75 ausdrücklich handwerkliche Gründe für die Nennung meines Namens an, es zeigt sich schon an diesem Beispiel, welcher Art sein Handwerk ist, denn – wie gerate ich, der ich Frau Zühlke und Herrn Burghardt nicht persönlich kannte, Herrn Professor Gollwitzer allerdings aus einigen freundschaftlichen Begegnungen – wie gerate ich auf die

Berliner Szene? Ich verdanke die Nennung meines Namens offenbar ausschließlich meiner Bekanntheit und muß also dann in Zusammenhang mit einem Mord gebracht werden, zu dem ich eine Woche vorher eindeutig Stellung genommen habe – und diese Stellungnahme war dem Herrn Beklagten bekannt.

Diese Anmerkung zur Technik, zum Aufbau des Kommentars – sozusagen zum Handwerk. Nun komme ich *zum Material* dieses Handwerks, zu den *sprachlichen* Mitteln des Herrn Beklagten. In seinem Kommentar heißt es wörtlich auf Seite 2: »Heinrich Böll bezeichnet den Rechtsstaat, gegen den die Gewalt sich richtet, als ›Misthaufen‹.« Das ist eine Tatsachenbehauptung.

Das Wort »Misthaufen« ist im Manuskript des Kommentars in Anführungsstriche gesetzt, also als Zitat gekennzeichnet. Und hier fängt die glatte Fälschung, fängt die gefälschte Tatsachenbehauptung an. Ich habe dieses Wort nie gesagt und nie geschrieben, und in der peinlichen Verlegenheit, dieses Zitat beweisen oder rechtfertigen zu müssen, wird nun eine Methode sichtbar, die das Handwerk des Herrn Beklagten entlarvt. Um die Verwendung des Wortes »Misthaufen« zu rechtfertigen – womit ja noch keinesfalls die Anführungsstriche, die es als Zitat ausgeben, gerechtfertigt wären, verweist man auf Seite 8 der Klageabweisungsschrift vom 22. 1. 75 auf einen Artikel, den ich im *September 1974* in der Zeitschrift *Konkret* veröffentlicht haben *soll*, in Wirklichkeit aber im *Oktober 1968* veröffentlicht habe; zunächst einmal verlegt man das Datum um sechs Jahre vor, legt es möglichst nahe an das Datum des Kommentars vom 22. 11. 74 heran – es wird nicht nur das Wort »Misthaufen« als Fälschung benutzt, es wird nicht nur der fragliche Artikel um ganze sechs Jahre vorverlegt – es wird, um meine angebliche Anwendung des Wortes »Misthaufen« auf den Rechtsstaat zu rechtfertigen, nicht nur ein Zitat gefälscht, sondern ein total gefälschter Sinn unterlegt. Es heißt nämlich in dem fraglichen Artikel an der entscheidenden Stelle – das Buch, in dem der Artikel abgedruckt ist, liegt dem Gericht vor, die fragliche Passage findet sich auf Seite 26 in den Zellen 4 bis 7 von oben – ich zitiere aus dem Artikel *Notstandsnotizen*: »Natürlich werde ich weiter für irgendwelche Feuilletons schreiben, der Hahn kräht ja auf seinem Mist, aber erst seit der Bonner Notstandserfahrung weiß ich, daß ich auf dem Mist krähe.« Es sind also – mit einer Eindeutigkeit, die wohl kaum zu bestreiten ist, mit »Mist« die Feuilletons der deutschen Zeitungen gemeint, und daraus nun einen «*Misthaufen*« zu machen, als den ich den *Rechtsstaat* bezeichnet haben soll, ich weiß nicht, ob ich auf diese Art Handwerk noch näher eingehen muß. Ein Zitat aus einer Rede aus dem Jahre 1966, das weder datiert noch plaziert wird, gemischt mit einem gefälschten Zitat aus einem Artikel aus dem Jahr 1968, der dann ins Jahr 1974 vorverlegt wird – und wenn ich den Verfasser dieses Kommentars dann verklage, ist er der Märtyrer der Meinungsfreiheit – und ich bin der Prozeßhansel.

Ich erlaube mir hier noch einen kurzen Hinweis auf die Stimmung am Ort der Handlung, den ich lieber Tatort nennen möchte. Man sieht die Trauerfeier, man sieht die Witwe, Frau von Drenkmann, es spricht der Bundespräsident, es spricht der oberste Richter der Bundesrepublik Deutschland, Herr Benda, es spricht der Regierende Bürgermeister – und in diese Stimmung hinein fällt im anschließenden Kommentar mein Name, mit gefälschten, nicht datierten und nicht plazierten Zitaten geschmückt. Welche brennende Informationspflicht, auf die er sich beruft, bedrängte den Herrn Beklagten, welche ihn bedrängende Wahrnehmung berechtigter Interessen, auf die er sich ebenfalls beruft, nahm er wahr? Welchem Zweck diente das Unternehmen?

Nun erlaube ich mir einige kurze Bemerkungen zu der mir unterstellten Überempfindlichkeit. Ich befinde mich seit knapp dreißig Jahren auf der literarischen Szene. Ich habe 26 selbständige Buchpublikationen in deutscher Sprache vorzuweisen, etwa das zehnfache an selbständigen Buchpublikationen, wenn ich die Übersetzungen hinzurechne; ich habe außerdem gemeinsam mit der Dame, mit der ich verheiratet bin, weitere 45 Romane, Erzählungsbände, Theaterstücke und Essays ins Deutsche übersetzt, und wenn ich so alle Verrisse bedenke, ganze Verrißwellen, ganze Verrißjahre, so hätte ich – rechne ich verleumderische Artikel, die meiner nicht-literarischen Existenz gelten und noch die Leserbriefffluten dazu – so hätte ich wohl *subjektiv* an die 1000 Mal Grund gehabt, mich verleumdet oder beleidigt zu fühlen, *objektiv* möglicherweise an die 200 bis 300 Mal. Ein einziges Mal habe ich an eine Zeitung einen Beschwerdebrief wegen einer Rezension geschrieben, der irrtümlich als Leserbrief veröffentlicht wurde. Das ist alles. Kein einziger Prozeß gegen einen Zeitungsjournalisten oder gegen einen Literaturkritiker. Empfindlich allerdings reagiere ich – und das ist eins der Hauptmotive für diese Klage –, wenn es in Anstalten des öffentlichen Rechts Schmähungen gibt. Ich habe einen Prozeß gegen Herrn Gerhard Löwenthal geführt; der Termin erwies sich als überflüssig, weil Herr Löwenthal, während ich für sieben Wochen im Ausland war, eine Richtigstellung gesendet hatte. Meine zweite gerichtliche Auseinandersetzung fand gegen Herrn Lummer in Berlin statt, gegen einen Politiker in verantwortlicher Position. In der ersten Instanz – es handelte sich nicht um einen Hauptprozeß, sondern um einen Antrag auf einstweilige Verfügung – wurde Herrn Lummer Immunität und Indemnität als Mandatsträger zugebilligt, in der zweiten und letzten Instanz wurde ihm Meinungsäußerung, nicht Tatsachenbehauptung zugebilligt. Ich behalte mir vor, einen Hauptprozeß wegen übler Nachrede gegen Herrn Lummer zu führen, und wenn die Partei des Herrn Beklagten nun das Lummer-Urteil hier zur Präzedenz heranziehen möchte, so erlaube ich mir festzustellen:

1. genießt der Herr Beklagte weder Immunität noch Indemnität
2. Herr Lummer hat in seiner verleumderischen Verlautbarung zitiert, ebenfalls undatiert und unplaziert, er hat eine, wie ich immer noch finde, verleumderische Äußerung publiziert, aber *Tatsachen gefälscht* hat er nicht.

Schließlich habe ich noch eine autorenrechtliche Auseinandersetzung mit dem WDR gehabt, die ich in der ersten Instanz verlor; in der zweiten kam es zu einem Kompromiß, weil der WDR Wahrnehmungen berechtigter Interessen, die ich anerkannte, geltend machen konnte. Mein Fazit, was meine Prozeß- und Händelsucht betrifft: Ich habe die deutschen Gerichte bisher nicht übermäßig strapaziert, wenn Sie bedenken, wie oft ich Anlaß dazu hätte und gehabt hätte, in der letzten Zeit fast wöchentlich ein- bis zweimal. Erst kürzlich hat der Kolumnist

Hans Habe behauptet, ich faselte dauernd von faschistischen deutschen Polizisten. Ich habe noch nicht ein einziges Mal einen Polizeibeamten als Faschisten bezeichnet, aber das wird dann einfach geschrieben und setzt sich fest, weil das Terrain gut vorbereitet ist und immer wieder aufbereitet wird, u. a. durch den Herrn Beklagten. Wäre diese Auseinandersetzung hier nicht quasi-öffentlich, so würde ich dem Gericht gern einmal erklären, welche Konsequenzen diese anhaltende, mit Lügen und Fälschungen, immer wieder an den Haaren herbeigezogenen Argumenten betriebene Verleumdungskampagne für meine Familie, meine Verwandten, meine Mitarbeiter hat. Ich verzichte darauf, weil hier Öffentlichkeit herrscht und ich die demagogische Drehorgel nicht in Bewegung halten möchte.

Nun will ich hier keineswegs auf den bloß Mißverstandenen hinaus, es gibt hin und wieder mißverständliche Äußerungen von mir, und es gibt noch öfter unmißverständliche satirisch-polemische Äußerungen in Wort und Schrift. Und sollte ich da jemanden beleidigt haben, so bin ich bereit, vor jedem ordentlichen Gericht zu erscheinen und mich dem Urteil des Gerichts zu unterwerfen. Bisher bin ich noch nicht verklagt worden, und wenn nun die Gegenpartei in ihrem Schriftsatz vom 22. 1. 75 meint, meine gelegentlichen polemischen Äußerungen müßten mich unempfindlich machen gegen Schmähungen wie die des Herrn Beklagten, so sehe ich darin wiederum einen Verfall rechtlichen Denkens, denn – muß ich in einem Fernsehkommentar, der immerhin 3,2 Millionen Zuschauer hat, mich mit gefälschten Zitaten aufs übelste verleumden lassen, weil ich anderswo gelegentlich polemisiere? Nun hat die Gegenpartei auch, um zu beweisen, welch ein grober Mensch ich bin, darauf hingewiesen, daß ich in Berlin anläßlich der Verleihung der Carl-von-Ossietzky-Medaille, in Replik auf Herrn Lummer und die Absage der CDU, an dem Empfang für mich und Herrn Gollwitzer teilzunehmen, das Wort »beschissen« in den Mund genommen habe und das als Nobelpreisträger für Literatur! Nun, ich bitte die Frau Vorsitzende um Verzeihung: aber ich erlaube mir hier einige biographische Feststellungen. Ich bin im Jahr 1917 geboren, ich habe die Wirtschaftskrise der 20er und 30er Jahre miterlebt, die Machtergreifung der Nazis – ich habe die beiden damals gültigen Schulen der Nation, den Reichsarbeitsdienst und die Deutsche Wehrmacht voll absolviert, ich habe vom ersten bis zum letzten Tag am Zweiten Weltkrieg teilgenommen – darüber hinaus noch ein halbes Jahr Kriegsgefangenschaft erlebt; ich bin Ende 1945 in das total zerstörte Köln zurückgezogen – und ich denke mir, daß das so häufig monierte Wörtchen mir hin und wieder, auch öffentlich, entschlüpfen dürfte.

Noch einige Bemerkungen zur Höhe des von mir geforderten Schmerzensgeldes, das ja auch Anlaß zu hämischen Spekulationen im Schriftsatz der Gegenpartei vom 22. 1. 75 war. Die Begründung für die Höhe der Summe liefert die Gegenpartei selbst auf den Seiten 5/6 ihres Schriftsatzes vom 7. 2. 75 nach, wo ja zugegeben wird, daß ich die Nennung meines Namens ausschließlich meiner Bekanntheit verdanke. Ich kann dem Gericht hier einen Brief meines englischen Verlegers vorlegen, der mich bittet, einen Satz aus meinem Buch zu streichen, das fast 200 Seiten umfaßt. Einen Satz, in dem nicht einmal eine Person, sondern eine publizistische Institution genannt wird; *einen* Satz zu streichen in einem Buch, das, wenn es Glück hat, eine Auflage von 5000 Exemplaren erreichen wird – nicht, wie der Kommentar des Herrn Beklagten, der *nur* – 3,2 Millionen Zuschauer gehabt hat – dieser eine Satz würde meinen englischen Verleger 100 000 Pfund = 560 bis 580 000 Mark kosten, und diese Summe würde ihn ruinieren, deshalb habe ich auf diesen Satz verzichtet. Mein Kollege, mein großer Kollege Graham Greene hat seinerzeit, als die Strafen für die englischen Posträuber bekannt wurden, eine wütende Polemik gegen die außergewöhnliche Höhe der Strafen gestartet, es hat heftige Kontroversen gegeben um diesen Artikel, aber kein Mensch, keiner in ganz Großbritannien wäre auf die Idee gekommen, Graham Greene als Bankräuber zu bezeichnen oder als geistigen Mittäter bei Bankraub. Dies zu den Sitten in anderen Ländern.

Ich wiederhole zum Schluß: Ich halte den Kommentar, einer Tat und einem Täter gewidmet, den keiner kennt, für *objektiv* absurd und das rechtsstaatliche Denken gefährdend. Es gibt für mich nicht die Andeutung eines Zweifels, daß die Nennung meines Namens exakt geplanter und exakt ausgeführter schmähender Absicht entsprach, und das in einer Anstalt des öffentlichen Rechts – nicht in einer privatwirtschaftlich betriebenen Zeitung, in der der Herr Beklagte, wie er es hin und wieder tut, über mich schreiben mag, was immer ihm einfällt. Eine Anstalt des öffentlichen Rechts hat für die Zuschauer einen quasi-amtlichen Charakter, und keiner wird mir einreden können, daß die Nachrichtenzuschauer zu dieser späten Stunde einen gesprochenen Text kritisch analysieren können, der gefälschte Tatsachenbehauptungen enthielt.

Gesprochener Atem

Ein Sammelband und ein Geburtstagsgruß

Über Hans Peter Keller, »Extrakt um 18 Uhr« (1975)

Zu den »Bewisperern von Nüssen«, wie Benn eine bestimmte Kategorie von Lyrikern genannt hat, gehört Hans Peter Keller wahrlich nicht. Nichts gegen Nüsse, und warum sollten sie nicht manchmal auch bewispert werden. An Hans Peter Kellers letzten Publikationen, wie sie sich spiegeln in dem Sammelband *Extrakt um 18 Uhr* entsteht die Frage, ob er überhaupt noch in die Kategorie der Lyriker gehört, wenn man sich darunter Herkömmliches vorstellt. Oder hat er – gemeinsam mit anderen Zeitgenossen, etwa Lec und Popa, die ja nicht zufällig in seine Nachbarschaft gehören – die Kategorie Lyrik erweitert? Wortreich und emphatisch war er nie, und doch immer poetisch, auch dort, wo er in Kurzprosa überging. Kellers Entwicklung führte ihn immer weiter von der wortkargen Poesie seiner ersten Publikationen fort, deren Ende man ungefähr ums Jahr 1958 ansetzen kann, als es in der *Wankenden Stunde* hieß:

»Immer geliebt das unverschnittene Licht – und folgen dem Brechungswinkel. Daß ich mein Zimmer seh, wie es ist, wenn ich nicht da bin!«

Das ist fast malerisch, im niederländischen Sinn: Wer wird nicht, wenn er das liest, weit, weit weg versetzt und blickt dorthin zurück, wo er längst nicht mehr ist. Und wenige Jahre später: *Jeder lebt von sich getrennt* (1960):

»Es scheint, Gefühl wird
heut anders getragen und nicht
auf der Hand: eher in der Tasche.«

Ich habe diese Zitate und die folgenden willkürlich – wie könnte man anders, wenn man ein Werk nicht zwingen will – herausgegriffen, und es zeigt sich in dieser willkürlichen Auswahl, daß H. P. Keller immer karger wird, auf bitteren Aphorismus und kurze satirische »Prosa« hingeht. In *Gesundheitspflege* (1965) heißt es dann:

> »Weil er alt und gebrechlich und ihm
> die Lüge schwer wird
> übt er
> Aufrichtigkeit.«

1966: »Laß dich gehen, aber zieh Stiefel an./Im Ernstfall wird der Spaß fällig.«

Und ebenfalls 1966: »Kein Transport von Träumen: zu teuer die Holzwolle./Kein Bedarf die Hände zu waschen in der sehr abgegriffenen Unschuld.«

Licht, Auge, Blick kehren immer wieder, und es scheint mir, als wäre das »unverschnittene Licht«, unter dem Kellers Gedichte und Aphorismen entstanden sind und entstehen, ein Hinweis auf eine im kulturhistorischen, nicht im politischen Sinn niederländisch-niederrheinische Landschaft, deren deutsche Variation noch nicht so recht wahrgenommen worden ist. »Am Strick baumelnd – auch eine Art Heilgymnastik, leichtfüßig« – das erinnert mich an Breughel und Bosch, die ja auch unter diesem unverschnittenen Licht, diesem Rembrandt-Himmel gearbeitet haben. In dieser Landschaft sind Schwermut, Bitterkeit und Humor, Düsterkeit und Licht keine Gegensätze, sie gehören zueinander, sie sind einander nicht »böse«, und ein »Moralist« ist nie nur ein Moralist. Er mag entlarven, liefert aber sein eigenes Geständnis immer mit. »Im Ernstfall wird der Spaß fällig.« Das nennt man anderswo gleich »makaber« oder »frivol«. »Marschmusik hat was Belebendes. Wäre man gelähmt! Seufzen die Toten« (1971). Man denke an die Sprichwortdarstellungen von Breughel und die »Verrücktheit« des Hieronymus Bosch. »Und sie erkannten, daß sie nackt waren. An dem Stoff hat die Mode was zu spinnen, Jahr für Jahr – wie doch ein Fehltritt beschwingt.« Die »Erbsünde« als permanenter Motor der Textilindustrie!

Es ist nicht einmal mehr einsilbig, nur noch halbsilbig, und könnte allzu leicht überlesen werden, was da 1971 zu lesen ist: »Satire, Liebeserklärung!« In einem seiner besten Essays hat Theodor Haecker einmal geschrieben, daß Satiriker und Lyriker nah beieinander wohnen: Man sollte das noch einmal prüfen und ernsthaft bedenken, daß die Trennung literarischer Kategorien oder Ausdrucksformen – etwa die in Poesie und Prosa – nie gestimmt hat, daß es keine »Spezialisten« in der Literatur gibt, auch wenn der eine nur »Poesie« und der andere nur »Prosa« schreibt. Keller hat mit der Halbsilbe »Satire, Liebeserklärung!« fast ein Geständnis abgelegt, mit dem all das, was nur als »bitter«, als »böse« verstanden werden könnte, sich selbst ins rechte, in dieses »unverschnittene Licht« stellt, und so mögen denn auch die betreffenden und betroffenen Damen und Herren diese Halbsilbe als eine Art Schlüssel benutzen, wenn sie lesen: »Das Wort zum Sonntag. Die beste aller möglichen Welten. Ob auch ihr Hersteller am siebten Tag sich langweilte.«

In dem Buch *Mein Standpunkt* bezeichnet H. P. Keller seine Gedichte als »ausgesprochenen Atem«, und er fügt hinzu: »Wer schläft, atmet bekanntlich anders als einer, der wach ist, einer im Sessel anders als jemand, der schuftet, der Zwanzigjährige anders als der mit Achtzig, die Munterkeit anders als die Brust von Kummer, Askese anders als Fettsucht, ein Schock anders, Spiel und Sport und Rekord anders, aber auch der Bronchialkatarrh gehört hierher, der Husten, das Gelächter mit seinen Explosionen die introvertierten Synkopen des Kicherns.«

Am Niederrhein und in den Niederlanden ist einen erheblichen Teil des Jahres über der Atem sichtbar: wenn's – wie so oft – neblig, wenn's – wie so oft – feucht ist. Als Kinder haben wir manchmal versucht, mit unserem sichtbaren, so vergänglichen und doch so permanenten Atem in die Luft zu malen oder zu schreiben: völlig sinnlos, weil da nicht einmal die Schleife eines H auch nur den Bruchteil einer Sekunde »Dauer« hatte und keinerlei »Kontrolle« möglich war, und man konnte bestenfalls an den Kopfbewegungen etwas so Anmaßendes wie »Interpretation« riskieren. H. P. Keller ist es gelungen, den Atem sichtbar, sogar lesbar zu machen: Ich entdecke in seinen Gedichten und Aphorismen den Atem des Niederrheins (heutzutage, da – angeblich – die Winter immer schwächer werden und der Nebel durch Smog ersetzt wird, ist es ja auch mit dem Atem nicht mehr so wie einst). Das Niederrheinisch-Niederländische hat eben beides: das im herkömmlichen Sinne Lyrische – und diese verfluchte Nüchternheit unter »unbeschnittenem Licht«, wo baumelnde Gehenkte »leichtfüßig Heilgymnastik treiben« und die Toten unter belebender Marschmusik sich wünschen, Gelähmte zu sein. »Kein Transport von Träumen – zu teuer die Holzwolle.« Norbert Mennemeier hat »um einige Ecken herum« bei Keller die »rheinische Narrenbütt« entdeckt. Ja. Gewiß ist, »um einige Ecken« herum ist die Bütt da; ich frage mich nur, ob Keller mit dem, was so landläufig als »rheinisch« gilt, noch gedeckt ist. Die Bütten in Kleve oder Nijmwegen sind anders bestückt als in Köln, und es gibt da bei den Leuten vom Niederrhein eine gewisse Empfindlichkeit, wenn man sie zu nah an Köln heranrückt.

Allein die Tatsache, daß ein Verlag einem Dichter achtzehn Jahre und acht Buchpublikationen lang die Treue gehalten hat, wäre nicht nur der Erwähnung, sondern auch einer Laudatio wert, selbst wenn der Dichter am 11. März nicht sechzig, sondern neunundfünfzig Jahre alt würde. Es lebt ja einer, der so schreibt wie H. P. Keller, nicht von Bleistift und Papier allein: Er muß auch einen Verleger haben.

Es hat kürzlich im Landtag des Landes Nordrhein-Westfalen schlimme Vorwürfe der CDU-Opposition gegenüber der SPD/FDP-Regierungskoalition gegeben, und es ging da – man höre und reibe sich in kulturpolitischem Erstaunen sämtliche Augen – nicht um Schul-, nicht um Wirtschaftspolitik und nicht um die schlimmen Jusos und Judos – es ging um die Archive, Manuskripte, Nachlässe rheinisch-westfälischer Dichter und Denker. Und dieser edle Streit fand ausgerechnet in Düsseldorf statt, wo man dem einigermaßen bekannten rheinischen Dichter und Denker Heinrich Heine immer noch und wieder die Ehre verweigert, nach ihm eine Universität zu benennen.

Nun, hier gibt es einen rheinischen Dichter und Denker, an dem man den kulturpolitischen Aufstand proben könnte, bevor seine Manuskripte in Japan oder Australien mehr Interesse finden als hier.

Handwerker sehe ich, aber keine Menschen

Über Karin Struck, »Die Mutter«

(1975)

Klassenliebe, das erste Buch von Karin Struck, war ein notwendiges Buch, bitteres Protokoll einer Befreiung aus ideologischem Zwang, Ausbruch des zur Funktion und zum Alibi gewordenen »Arbeiterkindes«. Nach diesem ersten, notwendigerweise noch fast privaten Buch ist Karin Struck mit ihrem neuen, umfangreichen Roman nicht nur – was schon viel wäre – ein paar Schritte, sie ist einen guten Sprung weitergekommen.

Sie ist eine ernste, fast zu ernste Arbeiterin mit zwei Hauptberufen: Mutter und Schriftstellerin. Sie hat sich einen Stoff und einen Titel gewählt, bei dem einige Mißverständnisse auf der Hand und vor der Tür liegen. Man stelle sich vor, ein Roman, betitelt Die Mutter, und nicht von einem sentimentalen Zurück-zu-den-Müttern-Mann, sondern von einer jungen Frau, Jahrgang 1947, selbst Mutter, geschrieben, und erscheint auch noch in diesem peinlichen »Jahr der Frau«, in dem man bisher wenig Kluges über Emanzipation gehört hat; erscheint in einem Augenblick, wo die Barrikaden gegen das Karlsruher Urteil – hier oder da – schon errichtet werden.

Und in diesem Roman werden Mutter und Mütterlichkeit nicht denunziert, nicht abgelehnt, sondern, wenn auch mit vielen schwermütigen Reserven, gepriesen; und auch noch Heimat, sogar Volk, und außerdem noch die Erde. Wohin soll das führen, wo doch jeder – mit Abscheu oder Genugtuung – sofort an »Blut und Boden« denkt. Doch Vorsicht: Wer mit Genugtuung an die dürftige Blut-und-Boden-Lehre der Nazis denkt, bleibt in deren Kümmerlichkeit, und wer in bloßem Abscheu-Reflex an sie denkt, bleibt eben in dieser bloßen Reflex-Dürftigkeit.

Karin Struck holt etwas nach und auf, sie setzt sich mit etwas auseinander, das ihr und ihrer Generation in der ebenfalls auf bloße Reflexe reduzierten Rechts-Links-Auseinandersetzung zwischen demagogischer Heimatvertriebenenpolitik und Heimatverachtung vorenthalten wurde. Und da wird auch noch in einer Phase, in der jedermann über die Übervölkerung der Erde jammert, in diesem Roman verkündet, die Erde müsse bevölkert werden. Denn die Erde ist ja »nicht der letzte Dreck«. Doch noch einmal – Vorsicht, ihr Schwarzen und ihr Roten, ihr Gelben, Blauen und Grünen: So leicht ist Nora Hanfland, diese rebellische Heldin in Karin Strucks Roman, nicht unterzubringen und schon gar nicht unterzukriegen. Kühn wird da behauptet: »Die Mutter ist der wichtigste Mensch.« Und: »Die Zeit ist gekommen für eine offene Herrschaft der Mütter, für ein neues Mutterrecht.« Und Karlsruhe würde nicht arbeitslos.

Karin Struck geht das Thema und seine Probleme unbekümmert und mit einer Strenge an, die keinem so recht bekommen und in keine Propaganda passen wird. Der Aufbau des Romans ist folgerichtig. Die Kapitel heißen: »Briefe der Mutter«, »Die Kinderreichen«, »Beziehungslosigkeit«, »In der Fabrik«, »Judith«, »Die Heimat«. Im ersten Kapitel tritt die Heldin aus sich heraus, auf der Suche nach derjenigen, aus der sie herausgetreten ist: ihrer Mutter. Hartnäckiges Forschen, Briefwechsel, Fragen, Briefwechsel, Rückfragen, wobei viel »herauskommt«: über Eltern, Geschwister, Großeltern, Zeitgeschichte, Sozialgeschichte, Details über Bauernarbeit, Bauernschicksal, Vertriebenheit, Lebensbedingungen in Pommern vor dem Krieg, während des Krieges, danach.

Das zweite Kapitel »Die Kinderreichen« ist der notwendige Rundblick auf andere, die viel geboren haben und unter vielen geboren wurden; viele Recherchen, Reflexionen, haarsträubende Details über unsere notorisch kinderfeindliche Welt und Umwelt, die ja praktisch alle Kinderreichen, wenn sie nicht zufällig Millionäre sind, bestraft und in Asozialität drängt.

Solche Details – ganz gleich, wie das Urteil nun ausfallen wird und welche der »Parteien« nun gegen wen Barrikaden zu errichten gedenkt – sollten die Pro- und Kontra-Karlsruher doch nachdenklich machen. Für diejenigen, die da so viel und mit so viel Pathos vom »Schutz des Lebens« sprechen, die gleichzeitig aber keine Profiteinschränkungen hinnehmen wollen, ist in diesem Kapitel wie im ganzen Roman wenig Schmeichelhaftes zu holen.

Das dritte Kapitel »Beziehungslosigkeit« ergibt sich aus dem ersten und zweiten, nach der »verlorenen Mutter« und der unausweichlichen Asozialität der Kinderreichen. Dieses dritte Kapitel ist voller Angst, laut, leise, es ist voller Sehnsucht nach totaler Kommunikation, voller Widersprüche, nicht nur bei anderen, auch bei der Heldin. Denn auch sie ist natürlich nicht reine und permanente Liebe, auch sie ist, was sie an ihrer Umwelt ständig feststellt: gereizt, übermüdet. Gerechter Zorn, ungerechter Zorn, Prophetinnen-Zorn. Und nach »Blut und Boden«, nach Heimat, Erde, Erdbevölkerung, Volk, wird ein weiteres Tabu angegangen: die Objektivität. »Ein Vierteljahrhundert in der Objektivität herumgestoßen. – Vielleicht war das Kindergebären das erste Beteiligtsein, die erste Anschauung, die erste Erfahrung, die Erfahrung ging von Kopf bis Fuß. Sie war leibhaftig.« Auf der Suche nach der verlorenen Zeit, der verlorenen Mutter, die gefundene Leibhaftigkeit.

Totale, fast absolute Beziehungslosigkeit dann in der »Fabrik«, die in diesem Kapitel nicht irgendeine, sondern *die* Produktionsstätte ist, eine Entbindungsklinik, in der ja immerhin – oder sollte dieses »Produkt« so ganz und gar nebensächlich und »emotionsfrei« sein? – Menschen geboren werden. In dieser vollautomatisierten Gebärfabrik werden ausgerechnet die sich selbst und ihrem »Produkt« entfremdet, die »ungeteilte Zuwendung« geben sollten, die eben nicht »Bezugsperson, sondern Mutter« sein sollen.

Und da wird – nicht nur einmal – ein Professor zitiert, der gesagt hat: »Die Gebärmutter ist ein vollkommen überflüssiger Muskel.« In dieser Fabrik findet die aufmerksam forschende Nora in den Kreißsaalpapieren eine Quittung der Behringwerke AG: »Fünfundfünfzig Plazenten erhalten. Abholdatum achter März 1974. Unterschrift des Abholers.« Wird man – satirisch-frivole Vorstellung des Rezensenten – demnächst nur noch Gebärende zulassen, damit die kosmetische Industrie weiterhin mit garantiert echten Plazenten versorgt werden kann? Und wird man eines Tages (fortgesetzte Frivölität des Rezensenten!), wenn die nachwuchsfreudigen Völker dieser Erde allzu gehorsam ihre Geburten kontrollieren, ihnen wieder nahelegen, nun aber wieder mehr Kinder zu zeugen, weil die Kosmetikafabriken reuevoll feststellen, daß letzten Endes doch nichts über eine echte Plazenta geht?

Doch es gibt da auf dem Weg nach Karlsruhe nicht nur das Bibelzitat, das da sagt »Wachset und mehret euch«, es gibt da noch eins, von dem in kirchlichen Kreisen weniger gesprochen wird: »Selig die Unfruchtbaren und die Leiber, die nicht geboren, und die Brüste, die nicht gesäugt haben.« Nora Hanfland kennt beide Zitate, und beide Zitate sind ständig anwesend in diesem Roman und ständig konfrontiert mit dem Motto, einem Hölderlin-Zitat: *Unfreundlich ist und schwer zu gewinnen die Verschlossene, der ich entkommen, die Mutter.*

Schwermut, Erinnerung, Sehnsucht, auch im fünften Kapitel »Judith«. Sie ist für Nora eine Art Zwillingsschwester, an der sie sich selbst zu erfahren und zu erkennen versucht, mit der sie erfolgreicher als mit anderen kommuniziert. »Ein Buch führt uns zusammen: ›Nachdenken über Christa T.‹« Im letzten Kapitel »Die Heimat« ist nicht nur die geographische Heimat Pommern gemeint, die man per Bus, Bahn, Taxi, die man wandernd und schwimmend »erfährt«, das Kapitel ist nicht nur befaßt mit Spurensicherungen und Suche nach verlorenen Zeiten.

Gemeint ist auch die Mutter als Urheimat, auch Nora, selbst Mutter und fast schon verlorene Heimat ihrer eigenen Kinder. Mehr noch: Volk, und bevor die Blut-und-Boden- und Anti-Blut-und-Boden-Neurotiker um sich schlagen, sei rasch festgestellt: Mit Volk ist nichts Völkisches gemeint, sondern ein anderes und besseres Wort für Klasse oder gar Arbeiterklasse.

»Man muß die Menschen lieben«, sagte Nora, und Heinrich, ihr Gefährte sagt: »Dem Volk etwas sein.« Heinrich, dieser erstaunlich gütige Mensch, der Noras Härte und Unerbittlichkeit ausgleicht, schließt niemanden aus. Oder sollte einer sagen: Man muß die Bevölkerung lieben? Und es heißt ja um Himmels willen nicht: das *deutsche* Volk, das Wort schließt, auf die Bundesrepublik bezogen, Türken und Jugoslawen, alle Ausländer natürlich mit ein.

Bei diesem Roman mit seinen Anschauungen, seinem radikal neuen Ansatz, liegen nicht nur Mißverständnisse auf der Hand, auch seine Gefahren. Wenn auch Mütterlichkeit nicht aufs Biologische beschränkt wird (es wird sogar von mütterlichen Männern gesprochen – und da wären die väterlichen Frauen fällig!), wenn ich da lese: »Sie (Nora) könnte die Leute totschießen, die bei Hertie Konserven einkaufen«, frage ich mich, ob da gleich geschossen werden muß. Wer kann sich dieses »natürliche Leben« schon leisten, und wenn man dem Volk etwas sein will (schön ausgedrückt!), muß man dem Volk Alternativen bieten, wohin denn sollen die Zigmillionen Großstädter zum Einkaufen?

Weiteres Zitat: »Nora haßt das Fernsehen und die Illustrierten, ihre Autoren und Intendanten, daß sie so viel Wertloses dem Volk vorsetzen: daß sie meine Mutter berieseln, zuschütten, ihre Seele verstopfen, ihre Phantasie, ihren Wirklichkeitssinn, ihr Gefühl für sich selber, wieviel menschenehrfürchtiger alles gemacht werden müßte.« Wiederum ein sehr schönes Wort: menschenehrfürchtig, und es trifft diesen lackierten Zynismus genau, der einem da so häufig vorgesetzt wird, und das, was sich so die »Medienpolitik« nennt, ist schon zum Gruseln.

Die ständige Angst vor Vertreibung beherrscht dieses Buch und seine Heldin, die natürlich auch sich selbst dauernd treibt und vertreibt. Nora sieht Befreiung, sogar Herrschaft der Frauen in ihrer Anerkennung als Mütter, Anerkennung des Mutterberufes, der Befreiung der Mutter aus der Klasse »ungelernter Leichtlohnarbeiterinnen« in die Klasse der anerkannten und herrschenden Schwerarbeiterinnen, denen man noch drei Jahre nach der Geburt eines Kindes den Lohn fortzahlen müßte. Nora, diese schwermütige Rebellin, würde nicht nur Schwangere in einem Kabinett dulden, sie würde ein Kabinett der Schwangeren vorschlagen. »Handwerker sehe ich«, zitiert sie mehrmals, »aber keine Menschen.« Ja. Vom Handwerk der Mutter weiß man zu wenig, und es ist eine der Stärken des Buches, daß es viele Lebensläufe enthält, von Hebammen, Ärzten, Bauern – und Müttern, deren Beruf ja kein Handwerk ist, sondern: »Mutterliebe ist Kunst.« Nicht Frauen-, sondern Mutterpolitik wird betrieben, und es wurde höchste Zeit, daß Schwangerschaft und Geburt einmal exakt ohne Zimperlichkeit und Sentimentalität beschrieben wurden, wie es in diesem Buch geschieht, der Alltag einer »gewöhnlichen Mutter« und ein Waschtag.

Der Roman enthält viele, vielleicht zu viele Ausdrucksformen: Erzählung, Hymne, Bekenntnis, Klage, Anklage, Meditation, Analyse, Polemik, Recherche und Utopie. Es ist ein schweres Buch, auch schwerwiegend, es ist lückenlos, pausenlos, biblisch, es ist ein Wendepunkt, eine Tendenzwende ganz besonderer Art, nicht vergleichbar mit den oberflächlichen Reflexen der bisher propagierten Tendenzwende; es ist ein schwermütiges Buch, was keineswegs bedeutet: freudlos; aber immer ernst; ein extrem deutsches Buch, auf eine imponierende und beängstigende Weise.

Karin Struck schreibt da im zweiten Kapitel: »Schreiben ist ein Versuch, das Spielen wieder zu lernen, die ernsthafteste und menschlichste Tätigkeit, die Nora sich vorstellen kann.« Das Wort »ernsthafteste« würde ich gern streichen, das Wort »menschlichste« gern betonen. Vielleicht kann man nur ernst sein, wenn man den Ernst hin und wieder vergißt. Von Spiel enthält der Roman noch wenig. Der nächste könnte spielerischer sein, mir scheint, es wäre an der Zeit, Heinrich nach vorne zu holen, diese bisher im Hintergrund wirkende Gestalt, die das schwere Gebäude trägt.

Man spürt auch zu deutlich die Angst von Karin Struck, dieser Roman könnte als unpolitisch mißverstanden werden. Er ist politisch genug. Manchmal blitzt es in lakonischen Sätzen besonders deutlich auf: »Kinderreichtum ist Sünde«, oder: »Heimat war nur ein Schimpfwort.« Und es wäre schon wert, darüber nachzudenken, wieso wir Erde und Dreck so häufig gleichsetzen, ob man sich an Erde wirklich dreckig machen kann, während man allen möglichen chemischen Dreck für sauber, rein und reinigend erklärt. Was man Umweltschutz genannt hat, ist doch nichts anderes als der Wunsch nach Erhaltung des Bodens, den man auch Erde nennen kann, und Erde ist »nicht der letzte Dreck«.

Was las Hindenburg?

Fragen nach dem Lesen von Peter Brückners Untersuchung, »Sigmund Freuds Privatlektüre«

(1975)

5 Die Frage, was Lektüre an- und ausrichtet, was Bücher bedeuten und bewirken, ist noch zu sehr *Markt*forschung geblieben, angehängt an Auflagenhöhe, Beliebtheit, Bekanntheit, an Moden und Trends der aktuellen Szene; ein Buch, das zwei Jahre alt ist, hat kaum noch eine Chance, besprochen, bekanntgemacht
10 zu werden, die zwanzig, vierzig, hundert und mehr Jahre alt sind: Stendhal oder Sterne etwa, die ja in einigen Ausgaben zu haben sind und wohl gelesen werden? Ich erinnere mich des Romans *Und keiner weint mir nach* von Siegfried Sommer, in dem einem jungen Arbeiter von einer Bibliothekarin Jack Lon-
15 dons *Martin Eden*empfohlen wird: und dieser Roman wird bestimmend für sein Leben. Im Zusammenhang mit der aktualisierten Diskussion über Gewalt wäre es auch wichtig, einmal die Quellen der Gewalt in unserem herkömmlichen Bildungsgut zu erforschen: im Alten Testament, der Odyssee, der Aeneis, dem
20 Nibelungenlied, dem Bellum Gallicum und im *Asterix* als einer Art Anti-Bellum-Gallicum. Ich erinnere mich des Slogans: »Das Buch, ein Schwert des Geistes.« So gewaltlos klang das auch nicht.

»*Privat*lektüre«, wie sie Peter Brückner an einem Geist wie
25 Sigmund Freud erforscht, ist doch für die meisten Menschen jede Lektüre, aber man bedenke dann, welche Bedeutung etwa Hitlers (Privat)-Lektüre nach 1923 für die Weltgeschichte bekommen hat. Was las Hindenburg? Oder Lyndon B. Johnson? Wahrscheinlich waren beide nicht unbedingt Büchernarren, wie
30 Sigmund Freud es von Jugend auf war, der schon als Siebzehnjähriger sein Konto beim Buchhändler dauernd überzog. Der »Historiker der menschlichen Seele«, wie Alfred Döblin laut

Brückner Freud genannt hat, war, was sein eigenes Leben anging, »von einer geradezu aggressiven Diskretion« (L. Marcuse).

In dieser gelehrten Arbeit von Peter Brückner, deren Wissenschaftlichkeit mit ihren zahlreichen Hinweisen und umfangreichen Quellenangaben ich keineswegs gerecht werden kann, wird unter anderem Joseph Conrad zitiert: »Von allen toten Objekten, von allen Schöpfungen der Menschheit stehen uns Bücher am nächsten, denn sie enthalten unsere Gedanken, unseren Ehrgeiz, unsere Empörungen, unsere Illusionen, unseren Glauben an die Wahrheit und unsere beharrliche Neigung zum Irrtum.« Trifft das zu, traf das je zu, trifft es *noch* zu, und auf wen? Haben Kino, Fernsehen und Funk den Leser wirklich in den Zuschauer und Hörer verwandelt? Man weiß da einiges über Lesequantitäten, über Lesequalitäten weiß man fast nichts; nicht alles, was geschieht, geschieht ja auf dem Markt.

Die Schwierigkeit bei der Beurteilung von Freuds Privatlektüre (und dieser Schwierigkeit ist sich Peter Brückner bewußt) ist die Frage, ob man die professionelle Lektüre – etwa die Dostojewskijs, die ja wohl *auch* Privatlektüre war – und die private – etwa Sternes und Dickens' – wirklich voneinander trennen kann. Ist alles, was nicht direkt in Forschungsarbeiten ausgewertet wurde, wirklich privat geblieben, oder nicht doch, vielleicht nur »irgendwie«, in die Arbeit eingegangen? In die Existenz doch gewiß. Ich stelle diese Frage, die ich nicht beantworten kann, als ein *Leser*, dessen Beruf das Schreiben ist und der noch lange nicht über alles schreibt, was er liest. In diesen beiden Eigenschaften als Leser und Schreiber – finde ich Peter Brückners Buch aufschlußreich, anregend und wichtig, und denke mir, daß man die Erforschung von (Privat)Lektüre ausdehnen sollte auf Politiker, Arbeiter, Angestellte, Pfarrer, Lehrer, Akademiker. Man weiß zu wenig von denen, die lesen, weiß zu wenig von ihrer Phantasie, die oft die des Autors übertreffen mag. Immerhin schrieb Freud selbst: »Phantasieren und arbeiten fällt für mich zusammen, ich amüsiere mich bei nichts anderem«, und Peter Brückner kommentiert klug: »So ist selbst bei einem Manne seiner Arbeitsamkeit nicht auszuschließen, daß im einen oder anderen Fall (von Lektüre) der Hang zum

Buch zwei widerstrebende Tendenzen versöhnt hat: die Neigung zur Faulheit und den Widerwillen gegen Beschäftigungslosigkeit.«

Es fällt auf, daß unter den von Freud privat bevorzugten Autoren, die Peter Brückner ausfindig gemacht hat, überwiegend Briten sind, mit der Ausnahme des Dänen Jens P. Jacobsen, des Niederländers Multatuli (Dekker) und des großen Cervantes. Aus dem englischen 17. Jahrhundert John Milton, aus dem 18. John Fielding und Laurence Sterne, aus dem 19. William Thackeray, Charles Dickens und George Eliot (Mary Ann Evans) – Nord- oder Nordwesteuropäer (außer Cervantes) alle und alle aus reformierten Ländern, in denen die neue Kirchlichkeit schon erheblich bröckelte und das Bürgertum im Kampf um seine Freiheiten schon erheblich weiter war, als es das in Deutschland zu Freuds Lebzeiten erhoffen durfte. Bleibt der einzige Katholik (oder sollte man »Katholik« sagen?) Cervantes. Was sie alle gemeinsam haben: Kritik an ihrer Gesellschaft, Rebellion gegen sie, Reformationsdrang, Empörung gegen Heuchelei und Nostalgiekritik am »Überbau« – bundesrepublikanisch aktuell ausgedrückt: lauter ziemlich radikale Autoren, nicht sonderlich »positiv«, und das Erstaunliche ist: obwohl alle mehr oder weniger »zeitgebunden« doch »zeitlos«, oder müßte man sagen: weil zeitgebunden zeitlos? In zwei sehr sensiblen und kenntnisreichen Exkursen über die englische Gesellschaft und Literatur im achtzehnten und neunzehnten Jahrhundert, Hinweisen auf die politisch-sozialen Hintergründe Hollands gibt Brückner den notwendigen Einblick in das Zeitgenössische. Inzwischen sind Romane schneller »historisch« als noch im neunzehnten Jahrhundert, und man müßte schon fast einem Roman, der in den fünfziger Jahren unseres Jahrhunderts erschien, wenn man ihn heute interpretieren wollte, den entsprechenden Hintergrund mitgeben. Um Brückner intensiver und seiner Arbeit gerecht werden zu können, müßte man alle diese Autoren noch einmal lesen und sie in der notwendigen Zeitverschiebung sehen: was bedeuten sie zu ihren Lebzeiten, was zu Zeiten Freuds, was bedeuteten sie heute, und man müßte die Frage prüfen, wie Zeitgenossenschaft sich über Jahrhunderte erhalten kann, wo sich doch die Zeiten so sehr »ändern«, und wieviel ewige Wahrheit enthält so ein Autor, der im Zeitgeist und gegen ihn geschrieben hat? »Man tut gut daran, die Phantasie der Kinder reinzuhalten, aber diese Reinheit wird nicht bewahrt durch Unwissenheit«, schrieb Multatuli, der als Wüstling, als »liederliches Genie« galt und doch von sich selbst schreiben konnte: »In ganz bürgerlichem Sinn genommen, meine ich, daß es wenig Philister gibt, die so brav leben wie ich.«

Liegt nicht auch in diesem Widerspruch zwischen Werk und Leben Freuds Scheu, seine »geradezu aggressive Diskretion«, gegenüber Biographien begründet, in der Scham vor platter Identifikation von Autor und Werk, Leben und Phantasie? Brückner hat diese Diskretion überall gewahrt, nirgendwo wird er zudringlich, interpretiert, aber unterstellt nicht. Man entdeckt mit ihm gemeinsam nicht nur einen neuen, den Leser Freud, auch die Autoren, vor allem Multatuli, der hierzulande nicht greifbar zu sein scheint, und Jens P. Jacobsen, der in *Niels Lyhne* schrieb: »Der ungeheure Liebesstrom, der jetzt zu Gott emporsteigt, an den man glaubt, wird sich, wenn der Himmel leer ist, über die Erde ergießen.« Ist in einem solchen Satz nicht eine ganze Theologie der sechziger und siebziger Jahre unseres Jahrhunderts vorhergesehen oder vorweggenommen, und liegt nicht in solchen Sätzen die Rechtfertigung von Literatur, nicht als Ersatz für jenes direkte Leben und die direkten Aktionen, um die Freud noch das »Gesindel« beneidet hat; könnte es nicht umgekehrt sein oder werden: daß die »Gebildeten« sich dem »Gesindel« verständlich machen und das Gesindel den Gebildeten hilft, zu leben? Bilden sich nicht diese beiden »Klassen«, jede für sich, zu viel ein? Freud ergänzt das Zitat aus *Niels Lyhne* auf seine Weise: »Die Erde ist ein kleiner Planet, eignet sich nicht zum Himmel. Wir können dem, der uns folgen will, keinen vollen Ersatz versprechen für das, was er aufgibt. Ein schmerzliches Stück Verzicht ist unvermeidlich.«

War Freud ein großer Verzichter, war er der »Puritaner«, für den ihn einige Interpreten halten, und war – das wäre die an Peter Brückners Buch zu stellende Frage, die Brückner selbst in seiner Schlußbemerkung stellt – für Freud Lesen »Ersatz« für Leben, das er nicht leben konnte, um das er eben gelegentlich das »Gesindel« beneidete? Könnte man vielleicht mit einer Gegenfrage antworten: Versagt sich das »Gesindel« nicht etwas, wenn es nicht liest, oder wird ihm nicht Leben versagt, wenn man ihm das Lesen (übers Buchstabieren hinaus!) versagt? Frage und Gegenfrage sind wichtig, weil sich in der Kunstfeindlichkeit eines Teils der Linken nach meinem Verständnis fast etwas wie Lebensfeindlichkeit zeigt oder verbirgt. Stimmt das noch: »Der Glückliche phantasiert nie, nur der Unbefriedigte«, und stimmt Balzacs Bemerkung, die Brückner zitiert, noch »Chaque femme avec laquelle on couche est un roman qu'on n'ecrit pas«? Man müßte die Leser, diese immer noch unbekannten Wesen, fragen, und was die Autoren betrifft, so habe ich manchmal den Eindruck, daß Balzacs Spruch bei einigen von ihnen in der Umkehrung gilt »Chaque femme avec laquelle on couche c'est un roman qu'on ecrit«. Doch wichtiger im Zusammenhang mit all diesen Problemen, die Brückners Buch aufwirft, sind die Leser, ihre Lektüre, was sie anrichtet, was sie bewirkt, wohin sie sie führt. Gewiß geschieht das Wichtigere weitab vom Markt. – Was las Adenauer, was liest die englische Königin?

Das meiste ist mir fremd geblieben

Ernst Jünger zum 80. Geburtstag

(1975)

Es fällt mir nicht leicht, über Ernst Jünger zu schreiben. Ich bin mit mir selbst nie über ihn einig geworden. Diese Uneinigkeit betrifft nicht einmal Ernst Jüngers moralische, sie betrifft eher seine ästhetische Dimension.

Ernst Jünger wäre für mich ein Anlaß, über ein Thema zu meditieren, das ich »Die Ungerechtigkeit des Lesens« nennen würde. Wie wichtig, entscheidend sogar ist es, in welchem Augenblick, in welcher Stimmung, in welcher Autoren- oder Bücher-Gesellschaft man einen Autor kennenlernt. In einer Zeit, in der ich von zwei so absolut gegensätzlichen Autoren wie Dostojewskij und Chesterton fast ganz besetzt war, las ich als erstes Buch von Ernst Jünger *Auf den Marmorklippen*. Für dieses Buch war einfach kein Platz mehr frei – es geriet in einen Augenblick der Lese-Ungerechtigkeit, in ungerechte Gesellschaft und auf ungerechten Boden. Jahre davor war ich von Léon Bloy und Georges Bernanos besetzt gewesen. Hinzu kommt, daß ich natürlich von Herkunft, Erziehung und Neigung nicht gerade auf Ernst Jünger vorbereitet war.

Und doch hätte es da einen günstigen Einstieg gegeben: Ich hörte die Namen Ernst und Friedrich Georg Jünger zum ersten Mal von Gerhard Nebel, der einmal vertretungsweise für einige Wochen unser Deutsch- und Boxlehrer war. An die Lehrer des Gymnasiums, das ich ein Jahr nach Nebels stürmischen Auftritten absolvierte, erinnere ich mich mit großer Dankbarkeit, auch an Gerhard Nebel. Ich war in beiden Fächern, die Nebel gab, keine Glanznummer, im Boxen noch weniger als im Deutschen, aber Nebel hatte meine volle Sympathie. Er trug uns damals Gedichte von Friedrich Georg Jünger vor, machte uns auf Ernst Jünger aufmerksam und erklärte uns ziemlich offen, daß die Einführung des Boxens auf deutschen Schulen einem anglophobisch-anglophil gemischten Minderwertigkeitsgefühl der Nazis entsprungen sei. Es gab da zwei rabaukenhafte Nazis unter unseren Lehrern, die beide nicht in unserer Klasse unterrichteten; die anderen Lehrer waren schlimmstenfalls Hindenburgianer, die meisten waren beides nicht: weder Nazis noch deutschnational.

Nebel war schwer zu plazieren. Diese Mischung aus höchster Sensibilität mit einer gewissen Rauhbeinigkeit, etwas Poltrig-Liebenswürdig-Bärenhaftes; dazu war er »strafversetzt«; es wurde geflüstert, er sei Kommunist – zumindest gewesen. Unsere Lehrer ließen uns viel freundliches Entgegenkommen spüren, sie wußten wohl besser, was wir nur ahnten: daß der Krieg bald kommen würde. Gerhard Nebel paßte so gar nicht in diese stille, katholische Schule, die passiven Widerstand ausstrahlte – und ein oder zwei Jahre später von den Nazis aufgelöst wurde –, und doch, das spürte ich, Nebel »gehörte dazu«.

Ernst Jünger hatte also gute Empfehlungen, aber erst im Jahre 1939, wenige Monate oder gar Wochen vor Kriegsausbruch, las ich dann die Marmorklippen. Das Erscheinen dieses Buches war eine Sensation, es galt als das Buch des Widerstandes. Es wurde in unserer Familie diskutiert, ein Freund, begeisterter Jüngerianer, interpretierte es mir, aber ich sprang nicht recht ein und nicht an … ich war besetzt, vielleicht sogar besessen und wohl ungerecht.

Natürlich erkannte ich den Mut des Autors, aber seine Mystik und seine Symbolik erschienen mir als zu weit hergeholt, die Sprache als zu künstlich-gepflegt. Gegen Bloy und Bernanos, Dostojewskij hielt er nicht stand – und da ich gleichzeitig von der katholisierten Eleganz Chestertons beeindruckt war, erschienen mir die *Marmorklippen* als zu »deutsch«. Der Ernst Jünger der *Marmorklippen* war mir zu weihevoll, auch zu sehr für Eingeweihte, nicht der moralische Einstieg mißlang, der literarisch-stilistische. Natürlich wußte ich auch, daß dieses Buch in unserer Situation und für diese wichtiger war als meine Lieblingslektüre, und doch: Die erste Annäherung mißlang.

Dem Jünger des *Abenteuerlichen Herzens*, das ich während des Krieges las, kam ich schon näher, aber erst später, wohl

1943, als ich in einem Lazarett *In Stahlgewittern* las, fand ich zu meinem eigenen Erstaunen Zugang. Es wurde mir an diesem Buch der Unterschied zwischen dem Soldatischen und dem Militärisch-Militaristischen bewußt gemacht, und gerade weil diese Welt der Stahlgewitter, des Heroischen, der Aktion mir so vollkommen fremd war (und ist), verstand ich zum ersten Mal, was am »Fronterlebnis«, das ich bisher nur in der kleinbürgerlichen Angeber-Anekdote kannte (nicht von meinem Vater!), über das Politisch-Geschichtliche hinaus einen Autor wie Ernst Jünger fasziniert haben mußte. Auf dem Umweg übers Exotische konnte ich »verstehen«.

Extremer Zivilist, der ich bin und schon damals – auch in Uniform – so deutlich war, daß alle intelligenten Berufssoldaten mich kopfschüttelnd aufgaben, habe ich mich mit Berufssoldaten immer besser verstanden als mit den übereifrigen Reservisten vom meist peinlichen deutschen Oberlehrertyp. Und da ich außerdem nicht nur antipreußisch erzogen und antipreußisch gediehen bin, kann ich mir jetzt, wo es sie nicht mehr gibt, erlauben, die Qualitäten des Preußischen zu erkennen, und so verstehe ich natürlich Ernst Jüngers Klage über den Verfall der deutschen Armee, wenn ich auch keineswegs in diese Klage einstimme.

Ich weiß nicht, ob Ernst Jünger wirklich, wie das Gerücht geht, an der Heeresdienstvorschrift mitgearbeitet hat (wahrscheinlich würden komplizierte kybernetische Instrumente und Berechnungen, mit denen man jetzt Scholochows Nicht-Autorschaft beweisen will, auf die alte Heeresdienstvorschrift angewendet, dienlich sein!), aber wenn Ernst Jünger Mitautor ist, so habe ich den Autor Jünger natürlich auch in diesem Text gespürt und erfahren, denn, was immer sie sonst gewesen sein mag: Präzis war sie, die Heeresdienstvorschrift, deren Inhalt mir aufs äußerste mißfiel, deren formalistischen Rang ich aber erkennen konnte. Der von Literaten konstruierte, von Bürgern leidenschaftlich aufgenommene – wie ich finde – künstliche Gegensatz von der reinen und der engagierten Literatur ist ja auch in Ernst Jünger aufgehoben.

Ich ziehe den subtilen Jäger und Kriegsbuchautor Ernst Jünger dem Erzähler vor. Das Symbolisch-Lehrhafte, mit dem etwas demonstriert werden soll, ist mir auch bei Bert Brecht weniger zugänglich als seine Gedichte. Am Erzähler Jünger fällt mir auf, daß er – als Erzähler, nicht als Person! – so selten mit Frauen umgehen kann; es kommt da manchmal etwas peinlich »Kasinohaftes« hinein.

Was mich an Ernst Jünger in Erstaunen versetzt, ist die (möglicherweise nur scheinbare) Unberührtheit. In manchen langen und offenen Gesprächen mit jungen Leutnants während des Krieges ist mir klargeworden, welche Bedeutung Ernst Jünger für eine, wahrscheinlich für zwei Generationen von Offizieren gehabt hat. Er war ihr Prophet, er war ihr Magier, er war ihr Meister vom Stuhl, und ich hatte – gerade weil mir ihre Denkweise und ihre Existenz so fremd waren – viel Sympathie, die manchmal nahe an Freundschaft herankam, für diese Todeskandidaten.

Das meiste an Ernst Jüngers Werk ist mir fremd geblieben: das Zelebrative, Weihevolle, Eingeweihte. Als mich neulich jemand, wohl provokativ, fragte, was ich denn mit Ernst Jünger gemeinsam haben könnte, fielen mir einige (zunächst bloß statistisch) gemeinsame Merkmale ein: Wir sind beide Deutsche, beide deutsche Autoren, wir haben beide am Zweiten Weltkrieg teilgenommen, wir lesen – wie ich, was Ernst Jünger betrifft, den *Strahlungen* entnahm – beide regelmäßig die Bibel, und – etwas für einen Zivilisten wie mich absurd Lächerliches, für einen Soldaten aber Wichtiges – sogar die Waffengattung haben wir gemeinsam gehabt, und es gibt da »Begegnungen«, die ich in den »Strahlungen« entdeckte: als junger Soldat, der sich, wann immer er konnte, Dienstreisen nach Paris erschlich, kaufte ich die mir noch unbekannten Werke und Tagebücher von Léon Bloy, die ich mir in Cafés und Wartesälen entzifferte – zur gleichen Zeit, als auch Ernst Jünger in Paris Bloy las.

⟨Elsevier-Rede⟩

(1975)

Lieber Herr Vinken, meine Damen und Herren!
Zuallererst möchte ich sehr herzlich Herrn Vinken und damit dem Hause Elseviers danken für die liebenswürdige Herzlichkeit, mit der ich eingeladen und empfangen worden bin.

Zum Thema unseres Gesprächs und meiner kurzen Einführung muß man natürlich voraussetzen, daß diese großen Themen, die Rolle des Schriftstellers in der Gesellschaft, immer nur mit einem gewissen Annäherungswert, sowohl vom Referenten wie vom diskutierenden Publikum behandelt werden können. Vor allen Dingen glaube ich, daß wir zuwenig wissen über das, was Literatur an- und ausrichtet. Wir werden informiert über den Markt, und ich glaube, daß die ganze Forschung, die Wirkung von Literatur und auch Kunst, also Malerei, Musik, Architektur betreffend, zu sehr Marktforschung geblieben ist. Wir erfahren, was ein Bild kostet, wie hoch eine Auflage ist von dem oder jenen Autor, und ich halte das für eine sehr oberflächliche Information. Man weiß zuwenig, was bei den Menschen, die sich nicht äußern, durch Kunst und Literatur angerichtet wird oder auch ausgerichtet wird. Ich glaube, daß das Wichtigste und das Wichtigere, was diese Wirkung von Kunst und Literatur betrifft gar nicht auf [dem] Markt sichtbar wird. Und es fällt mir auf, daß immer mehr Berichterstattung über Kunstausstellungen, über Auktionen, über Buchmessen eigentlich immer nur mit Zahlen und Ziffern daherkommen. Das ist interessant, das hat einen statistischen Wert, das hat einen Erfolgswert, aber was da eigentlich passiert, bei den Leuten, die ein Buch lesen, die Musik hören, die ein Bild anschauen, das haben wir eigentlich noch nicht erfahren. Ich habe neulich ein Buch gelesen, eigentlich eine wissenschaftliche Abhandlung über die Privatlektüre von Sigmund Freud. Nun ist es schwierig bei einem Geist von der Tiefe und Wirkung Sigmund Freuds zu unterscheiden zwischen beruflicher und Privatlektüre, das geht ja ineinander über. Aber es war sehr interessant zu erfahren, was Freud sozusagen, na, sagen wir [nach] Feierabend gelesen hat. Und die Wirkung dieser, sagen wir, Privatlektüre von Freud wurde für mich sichtbar, in dem was er nicht geschrieben hat, Freud über diese Leute. Und trotzdem glaube ich, daß diese Lektüre eingegangen ist in sein ganzes Oeuvre und auch in seine Lehre. Und wenn man manchmal einen Autor fragt, was ihn beeinflußt hat, dann denkt man fast immer nur an Autoren, und die Autoren, töricht wie sie sind, gelegentlich und auch öfter, reden immer nur von Autoren, die sie beeinflußt haben. Und wenn ich ernsthaft darüber nachdenke, glaube ich, daß die Malerei und daß die Architektur, die romanische Architektur wie auch die modernen Sammlungen, daß mich Konzerte, Beethoven, Hindemith mindestens so beeinflußt haben wie meine Lektüre. Voraussetzung also, wenn wir hier reden über die Rolle des Schriftstellers, die möglicherweise auch die Rolle des Künstlers ist, daß wir sehr wenig wissen, fast gar nichts darüber. Wir erfahren immer nur von Lesequantität, sehr wenig von Lesequalität. Wenn ich mir vorstelle, was Hitler gelesen hat, das ist ja fast nachprüfbar und was diese mediokere Illustriertenlektüre, kann man sagen, angerichtet hat in der Weltgeschichte, dann müßte es doch eigentlich interessant sein, mehr und näher zu erforschen, was Gelesenes und Gesehenes bei den Menschen anrichtet; und manchmal auch Bücher oder Künstler, die gar nicht so bekannt werden, da wird gesagt, na ja, der hat eine Auflage von was-weiß-ich wieviel Tausende, von dem haben wir nur 500 Stück verkauft. Was wissen wir darüber, was diese 500 Leser oder 50 oder nur 30, denen man ein Manuskript hektographiert schickt, was bei denen passiert. Darüber wissen wir zuwenig. Nun ist die Literatur in einer besonderen Lage, weil ihr Material die Sprache ist, und dieses Material wird, ich nenne es so, scheinbar als nationalgebunden empfunden. Ich glaube nicht, daß man diese Gebundenheit der Sprache noch national nennen sollte. Ich zitiere dazu eines meines Lieblingszitate der letzten Jahre, etwas was der russische Dichter Josip Brotzki in einem Brief an Herrn Breschnew geschrieben hat, nachdem man ihn aus der Sowjetunion hinauskomplimentiert hatte. Er hat gesagt: »Die Sprache ist etwas viel älteres und unvermeidlicheres als der Staat. Ich gehöre zur russischen Sprache. Was den Staat betrifft, ist meiner Meinung nach das Maß der Vaterlandsliebe eines Schriftstellers nicht der Eid von einer hohen Plattform, sondern die Art und Weise wie er in der Sprache der Menschen schreibt, unter denen er lebt.« Dieses Zitat ist mir, hat mir etwas klar gemacht, daß ich selber so nicht hätte formulieren können, aber so empfunden habe. Und in diesem Zitat, wenn man es analysiert und auch noch im Zusammenhang mit dem gesamten Brief, den ich Ihnen nicht vorlesen möchte, interpretiert, könnte dazu dienen, sehr viele Mißverständnisse auszuräumen zwischen Schriftsteller, Gesellschaft, Regierung, Staat. Denn es ist so: Sprache ist älter als irgendeine staatliche Organisation oder gar eine Regierung. Und ich finde kein besseres Wort dafür als Nationalzugehörigkeit oder was, und trotzdem hat das mit Nationalismus gar nichts zu tun. Die Internationalität aller Sprachen schafft wieder eine Nation von Autoren und nach meiner Erfahrung mit vielen Begegnungen mit Autoren sehe ich da eine internationale, ich will nicht sagen Brüderschaft, aber Verständigungsmöglichkeit, die weit-, weitaus tiefer geht als irgendeine politische oder gar diplomatische Verständigung. Das unterscheidet die Literatur von den andern Künsten und da entstehen, wie ich sagte, die vielen Mißverständnisse zwischen Schriftsteller und Gesellschaft, unter anderem natürlich auch, weil die Verbalität eines Autors eine ganz andere ist, auch wenn er dasselbe Wort benutzt, wie die eines Theologen, eines Ministers, eines Juristen. Die tausend Mißverständnisse, Spannungen entstehen doch dadurch, daß wir scheinbar eine gemeinsame Sprache sprechen, wenn wir alle deutsch, wenn wir alle holländisch, wenn wir alle englisch reden. Und ich halte das [xxx], betone das scheinbar. Und übertrieben gesagt ist mir manches, was deutsche Politiker, Publizisten und andere deutsch schreiben und sagen, viel, viel fremder als chinesisch, von dem ich kein Wort verstehe. Und ich glaube, daß diese Sprachdifferenz bei der Gleichheit des benutzten Materials genauer analysiert werden müßte, daß man vergleichen müßte die Sprache der Theologie, der Politik, der Diplomatie, der Rechtssprechung und auch des Vollstreckungsrechts. Dies zu dem, ich möchte sagen, internationalen Problem

Schriftsteller und Gesellschaft, das in jeder nationalen Sprach-
gruppe gesondert behandelt werden müßte. Natürlich gibt's
dann auch den Autor als sozialpolitisches Phänomen. Und wir
haben in der Bundesrepublik sehr viel in den letzten fünf, sechs
Jahren darüber gesprochen und geredet. Ich bin nicht gerade
überdrüssig, aber ich glaube, daß jetzt ein Zeitpunkt gekommen
ist, wo man diese sozialpolitisch rechtlichen Dinge, rein formal
rechtlichen Dinge vergessen müßte, um auf die Dinge zu kommen, die ich am Anfang gesagt habe. Es schien uns wichtig, als
wir diese Dinge in Bewegung brachten, diese sozialpolitischen
Dinge, Autorenrechte und Versorgungen betreffen, daß Menschen, die sich sozialpolitisch oder sozial oder auch nur politisch engagieren, sehr schlecht legitimiert sind, wenn sie ihre
eigenen sozialpolitischen Belange überhaupt nicht erkennen
und nicht vorantreiben. Das ist bis zu einem gewissen Grade
geschehen. Ich glaube nicht, daß da sehr viel noch zu machen ist.
Jetzt sollten die Autoren wieder, ich denke an meine deutschen
Kollegen, auf tiefere und wie ich finde im Grunde wichtigere
Probleme zu sprechen kommen. Ich habe den Eindruck, ganz
besonders in der Bundesrepublik, ich kann es nicht vergleichen
mit Holland oder Großbritannien oder Amerika, daß die Autoren, die deutschen Nachkriegsautoren, das ist ein großes Wort
für eine sehr große und eine sehr differenzierte Gruppe, eigentlich eine alte Tradition verlassen haben, nämlich die: permanent
ihre eigene Sensibilität auszudrücken und sich mit ihr zu befassen. Ich finde, daß ein Autor, daß ein Schriftsteller, daß ein
Dichter, ein Maler in einer sehr glücklichen Lage ist, weil er eine
Möglichkeit hat, sich auszudrücken, und daß es ihn viel mehr
interessieren müßte, auch nach der politischen Erfahrung, die
wir Deutschen haben, die ja zum Teil darin bestand, daß hoch-
intelligente Leute nicht den richtigen Gegenstand für ihre Intelligenz gefunden haben, im tieferen Sinne, nicht im bürgerlichen Sinne ungebildet waren aber intelligent, und diese
Artikulationsdifferenz sich in Gewalt und Aggression verwandelt hat. Das ist ein Aspekt der Entstehung von politischer Gewalt, wie ich finde. Und das sollte den Schriftsteller viel mehr
beschäftigen als die Beschäftigung mit ihrer eigenen Sensibilität,
die ja eigentlich eine banale Voraussetzung für die Ausübung

ihres Berufes ist. Da gibt's ein weiteres Klischee, möchte ich sagen, daß uns leider immer noch beschäftigt und auch trennt, das ist die Trennung in littérature engagée und littérature pure. Ich habe das nie begriffen. Ich habe diese Trennung nie wahrgenommen. Und ich glaube, daß jeder, so engagiert er sein mag, sich so pur ausdrücken sollte, daß er die Trennung von engagée und pure in sich, in dem, was er schreibt, aufheben muß. Denn die Trennung von littérature pure und engagée hat sich ja umgewandelt eigentlich in ein divide et impera der Gesellschaft gegenüber den Autoren. Mann kann sie dann sehr gut teilen, man kann sagen, also, »Du bist ein Engagierter«, »Du bist ein Reiner«, was im Grunde heißt: Du bist der bessere und Du bist der schlechtere. Ich denke mir, daß wir Autoren diese Teilung nicht mehr akzeptieren sollten. Was einer sagen will, was einer schreiben will, soll er so schreiben, daß er auch als Literat pur gelten kann.

Nun will ich nicht so tun, als wenn ich als Autor vom Himmel gefallen wäre, irgendwoher. Ich bin ein Deutscher und habe die Jahre zwischen 1933 und 45 und seit 45 sehr bewußt erlebt. Ich glaube, wir sollten, wenn wir hier uns nachher unterhalten, dann nicht dran vorbeireden. Es war eine spezielle Situation, ich will gar nicht die Situation werten, aber sie war besonders, und wir müssen natürlich wissen – das wissen Sie, aber Sie können's nicht aus Erfahrung wissen – und ich möchte das lieber englisch sagen: It was not very pleasant to be a tramp and it still not is: Wir können darüber reden, welche Ursachen das hat, das ist gar nicht das Problem. Und so sind wir Deutsche natürlich manchmal ein bißchen bemüht, unsere Nationalität zu verbergen. Wie wenig das gelingt, wird uns immer wieder klar, denn offenbar sind wir unverkennbar. Und ich habe das vor anderthalb Jahren erlebt, als ich mit meiner Frau in Sizilien war und – ich meine jetzt nicht die Animositäten automatischer geschichtlich bedingter Art, die einem begegnen, sondern die Tatsache, daß wir, daß man in seiner Nationalität erkennbar ist an Dingen, die man nicht genau analysieren kann. Ich finde, daß ist ein hochinteressantes Thema für Schriftsteller und Dichter, das einmal rauszukriegen. Jedenfalls habe ich das vor einiger Zeit erlebt, daß uns ein Kellner in einem Restaurant in Sizilien sofort die deutsche Speisekarte brachte, und meine Frau und ich haben ihn dann gefragt, woran er uns als Deutsche erkannt habe. Er sagte uns das so freimütig und liebenswürdig und auch im fließenden Deutsch mit rheinischem Akzent. Ich war der Sündenbock, ich, nicht meine Frau, die in Moskau, Prag, Köln oder Rom gewöhnlich auch von Einheimischen nach dem Weg gefragt wird. An der Art, wie ich mich hinsetzte, wie ich Zigaretten und Zündhölzer auf den Tisch legte, an meinem Kopf und Handbewegungen hatte der italienische Kellern meine Nationalität erkannt. Und da wir nun ja einer nicht sonderlich beliebten Nation angehören, uns dieser Angehörigkeit aber auch nicht schämen, analysieren wir unsere Erfahrungen. Wenn z. B. ein Franzose nicht ganz sicher ist, ob ich ein Deutscher bin, wird er vorsichtig fragen, ob ich ein Holländer oder Belgier sei, aber er wird niemals einen Holländer, Belgier oder Dänen, über dessen Nationalität er im unklaren ist, fragen, ob er Deutscher ist. Er wird fragen, ob er Schwede, Norweger oder was weiß ich ist. Ich denke, mit dieser Feststellung ist einiges gesagt, und ich bitte Sie, darüber nachzudenken, daß wir nicht empfindlich sind, aber doch verletzlich geblieben [sind], und diese merkwürdige Tatsache, daß man jemand an seinen Schuhen erkennen kann oder an der Zigarettenmarke, daß man auf die Schuhe guckt und weiß, daß er ein Deutscher ist, ein Holländer ist oder ein Belgier ist. Es gibt [...], und das müßte uns Autoren natürlich ungeheuer beschäftigen.

Noch ein paar Sätze zu diesem Problem der Nationalzugehörigkeit, das für uns Rheinländer ein spezielles Problem ist. Daß wir Deutsche waren, war uns vor 1933 zu selbstverständlich, als daß wir viel darüber nachgedacht haben. Es war uns auch zu gewiß, wir waren uns dessen zu sicher. Denn wahrscheinlich ist ja das Wort Deutsch in dem Dreieck zwischen Aachen, Mainz, Köln überhaupt entstanden. Also, wenn es schon einen Ursprung, wenn es schon ein Nest hat, dann sind wir mitten in diesem Nest geboren. Wir waren sozusagen gedankenlos deutsch. Schrieben, sprachen, lasen deutsch und nahmen das nicht so ernst. Wie fürchterlich ernst es werden konnte, bekamen wir 1933 zu spüren und 1945 und natürlich zwischen diesen beiden Daten. Hätte mich jemand vor 1933 gefragt, welche Elemente ich bestimmend für mich und meine mögliche Existenz als Autor gehalten oder betrachtet hätte, dann hätte ich wahrscheinlich gesagt: der Rhein, Köln und der Katholizismus, der für mich als 16-jährigen mindestens so ambivalent war wie heute für den fast 58-jährigen. Das Deutsche als ein bestimmendes Element meiner intellektuellen Existenz zu benennen wäre mir nie eingefallen – es war zu selbstverständlich. Wie schwer es war, das haben wir nach 45 zu spüren bekommen und auch da erst eine Art, ich möchte sagen, deutsches Bewußtsein entwikkelt, weil es nach 1945 nichts mehr einbrachte, ein Deutscher zu sein. Und ich möchte damit schließen.

Ich danke Ihnen.

Ungewißheit
(1975)

Der Obergefreite Heinrich Böll, der spätere Nobelpreisträger für Literatur, ist im amerikanischen Kriegsgefangenenlager in Attichy bei Reims. Er erinnert sich: »Am 1. Mai 1945 lag nasser flüchtiger Schnee auf den Zelten. Ein amerikanischer Soldat ging mit einer Lautsprechertüte durch die Lagergassen und verkündete: ›Hitler is dead! Hitler is dead! Hitler is dead!‹ Ich weiß nicht mehr, ob diese weltpolitisch und weltgeschichtlich wichtige Nachricht uns sonderlich beeindruckte. Es gab Gerüchte genug, und es kursierte ein Witz über einen deutschen Soldaten, der von einem hohen amerikanischen Offizier gefragt worden war, was er tun würde, wenn es zum Krieg zwischen den Westalliierten und der Sowjetunion kommen würde; seine Antwort: ›Ich würde in die Kirche gehen und für den Sieg beten!‹

Wir hatten Hunger«, so Böll weiter, »und warteten auf die nächste Zuteilung Suppe, Brot oder Kaffee. Der Kaffee war stark und sehr süß, und manche aßen den Kaffeesatz – das hatte für einige schlimme Folgen; Zigaretten waren schwieriger aufzutreiben als heutzutage Heroin. Höchstpreis: 120 Mark nicht für eine aktive, sondern eine gedrehte; oder: eine gesamte Tagesration; Folge: drei oder vier taten sich zusammen, gaben ein Drittel oder Viertel einer Tagesration ab und bekamen dafür ein Drittel oder Viertel einer Zigarette.«

»Ungewißheit über das Schicksal meiner Frau«, erinnert sich Heinrich Böll, »die ein Kind erwartete, über das Schicksal meiner Familie. Die einzige Nachricht, die ich meiner Frau hatte schicken dürfen, war eine vorgedruckte Karte, die sie nie erreichte – acht Monate später, nachdem ich schon einen Monat zu Hause war, nahm ich sie selbst vom Briefträger entgegen.«

Judasbild und Judenbild: Die Verteufelung der anderen

Über Walter Jens, »Der Fall Judas«

(1975)

Es ist schon merkwürdig, daß dem Petrus die dreimalige Verleugnung eher den fast liebenswürdigen Kredit menschlicher Schwäche eingebracht hat; dreimal – und in welcher Situation des Hohnes und der Verlassenheit! – krähte der Hahn, es weinte einer bitterlich und wurde später der erste Papst. Der andere, Judas, warf die Silberlinge in den Tempel, bekannte, er habe unschuldig' Blut verraten, verzweifelte und beging Selbstmord.

Man muß, glaube ich, wenn man über den Fall Judas liest, den Fall Petrus immer in Ergänzung dazu denken, die beiden »Karrieren« gegeneinanderhalten, dazu denken muß man auch, daß Petrus, obwohl doch eindeutig Jude wie alle Jünger und Apostel, nie als »typisch jüdisch« interpretiert und dargestellt wurde. Der Jude, nicht ein Jude, blieb doch Judas: immer die Hand am Geldbeutel, geldgierig, ein Verräter; und es gehört wohl in diesen Themenkreis, daß im landläufigen Passionsspiel die Händler-, die Geldwechslerszene fast immer im Mittelpunkt steht, als wären die Händler und Geldwechsler nicht an allen Pilgerorten präsent, in Lourdes und Fatima, Rom, Kevelaer und anderswo.

Es war höchste Zeit, daß einer sich des Falles Judas einmal annahm. Walter Jens tut es auf eine einleuchtende Weise. Er läßt den Franziskaner Berthold B. einen Seligsprechungsprozeß für Judas beantragen, und ausgerechnet in Jerusalem. Der Fall, der zunächst hoffnungslos erscheint, wird dann korrekt nach kanonischem Recht durchgeführt. Der Patriarch von Jerusalem nimmt den Antrag an, der Prior des Augustinerklosters in Jerusalem übernimmt das Amt des Glaubensanwalts. Es wird verhandelt, Zeugenaussagen werden gesammelt, theologische Gutachten. Und nach zwei Jahren wird das umfangreiche Konvolut ordnungsgemäß nach Rom überstellt, wo der Protonotar zunächst die Ordnungsmäßigkeit der Unterlagen prüft und dann der Prokurator der Ritenkongregation, Kirchenjurist und Lizentiat der Theologie, Ettore P., seines Referentenamtes waltet, 5 Berthold B. als bestellter Postulator Wohnung nimmt.

Die vielen Feinheiten, auch Spitzfindigkeiten theologischer, archäologischer, philologischer und psychologischer Art wiederzugeben, die Walter Jens in bester (und hier einzig angebrachter) Rhetorik anführt, dazu fehlt hier der Raum. Die Plä-10 doyers und Schriftsätze von Berthold B., des Patriarchen von Jerusalem, der zusammenfassende Bericht von Ettore P., der die Nullierung des Verfahrens beantragt, die eingeflochtenen und eingestreuten exegetischen Passagen, die geschichtliche und politische Bedingtheit der Gutachten (etwa der südamerikani-15 schen Theologen), das Problem Prädestination *und/oder* freier Wille. Das Jesuswort »Was du tun willst, tu schnell«, das Versprechen der zwölf Throne im Himmel.

Tat Judas nicht das für die Erlösung Notwendige, war er ein National- oder ein Sozialrevolutionär? Nicht nur die Pros in 20 ihrer Subtilität scheitern, auch die Kontras erweisen sich als überflüssig, denn abgeschmettert wird der Antrag, weil man an der Überlieferung festhalten muß, und der Befürworter der uneingeschränkten Tradition schämt sich nicht, sogar die bildende Kunst mit ihrer Judasüberlieferung in seinen Dienst zu nehmen; 25 gleichzeitig wird die Poetik, die es da wagt, Übersetzungsfehler zu reklamieren (behauptet sie doch, das griechische »paradidonai« sei mit »überliefern« richtig, mit »verraten« falsch übersetzt!), verworfen, verworfen wird auch der Verdacht, der gute Johannes habe seinen Text manipuliert, habe Anti-Judas-Pro-30 paganda betrieben.

Überhaupt: diese Neuerer, die da an Texten herumdeuteln, deren Auslegung feststeht und die durch die bildende Kunst bestätigt sind. Als ob es auf den einen oder anderen Übersetzungsfehler ankomme, wenn es darauf ankommt, nicht nur das 35 *Judasbild*, auch das *Judenbild* in seiner eingängigen und tief eingegangenen Teuflischkeit zu erhalten. Judas ein Mensch? Gar ein Mensch wie du und ich? Und er sollte etwa noch an der *felix culpa* teilhaben, die da in der Osternacht mit wahrer Wollust gepriesen wird? Nein, der Antrag ist abzulehnen, und nicht nur das, man muß sich vorbehalten, gegen Zeugen und Richter in diesem Verfahren wegen erwiesener Ketzerei vorzugehen. Ehre sei Gott.

Doch dieser Ettore P., konservativ korrekt, Jurist, gläubig, sieht sich zwei Jahre später selbst verketzert, laisiert, zum Ettore P. Pedronelli degradiert, den der verstörte, längst zum Judas gestempelte Berthold B., der Hohn, Verfolgung, Verteufelung erfährt, noch einmal aufsucht. Und nun nimmt Ettore Pedronelli die – man muß schon sagen – Judasnachfolge auf und auch den »Fall Judas«. Konservativ, gläubig, Jurist ist er geblieben.

Der Fall Judas, mit nicht nur geschliffenen und gescheiten, mit leidenschaftlichen Plädoyers aufgenommen, wird schließlich, nachdem er zum Fall Berthold B. geworden war, zum Fall Ettore P., der ebenfalls des Hohns, der Verleumdung gewiß sein darf, in diesem undurchdringlichen und undurchsichtigen Labyrinth von Taktik, jenem als Zeitlosigkeit getarnten oder ausgegebenen unermeßlichen Reichtum an Zeit, der Leidenschaft tötet oder ins Irrenhaus treibt, in diesem unbewegten und unbewegbaren, permanenten Aktenchaos, an dem jeder Zeitarme, jeder Sterbliche also, scheitern muß.

In diesem kurzen, gedrängten Buch (in dem sich, wie ich finde, ein Theaterstück oder eine Oper verbirgt) hat Walter Jens nicht nur den längst fälligen Fall Judas aufgenommen, nicht nur die bild- und textgeschichtliche Entstehung des Antisemitismus; noch einmal und wieder die Verteufelung und Verketzerung des »Anderen«, des Negers, des Dissidenten, des Verräters, des Abtrünnigen, der nichts weiter getan als seine Pflicht oder auch nur seine »Pflicht«. O felix culpa!

Zum Fall Kocbek

(1975)

Es wäre nicht nur schwer zu verstehen, es wäre unfaßbar, wenn Marschall Tito nun auch die zweite Verfolgung seines alten Kampfgefährten Edvard Kocbek durch Stillschweigen billigen würde. Nur er kann hier helfen, indem er sich auf die Ebene der Wahrnehmung zurückbegibt. Kocbeks Position während der Partisanenzeit war einmalig. Im Europa des Widerstands gibt es kaum Vergleichbares: Kocbek, Lyriker, Lehrer, fast Lehrmeister der katholischen slowenischen Jugend, brachte im Geiste einer renouveau catholique das katholische Slowenien in die Widerstandskoalitionen ein. Er, der katholischen Hierarchie so verdächtig wie abgeneigt, war dazu als Wortführer einer katholischen Moderne im Sinne Mouniers, durch seinen Werdegang, seinen Einfluß, seine Autorität und Glaubwürdigkeit, wie vorgesehen und vorbestimmt.

Gewiß war für ihn diese Koalition aus den verschiedensten Gruppierungen ein Modell für die Politik im befreiten Europa. Später erfuhr er, welche grausame Art der »Befreiung« und »Humanität« man gegen die Weißgardisten und wohl auch gegen deutsche Kriegsgefangene walten ließ. Viele von ihnen wurden umgebracht, und das entsprach keineswegs den Vorstellungen und auch Abmachungen. Edvard Kocbek schrieb darüber in seinen Kriegstagebüchern mit dem Titel *Tovarisija*. Sie wurden gedruckt, aber nie ausgeliefert. Seit fünfzehn Jahren haben sie verschiedenen deutschen Verlagen vorgelegen; keiner griff zu. War dieser stille und zarte slowenische Dichter, der nie schimpfte, der sogar seine Bitterkeit und Verbitterung in himmlische Höflichkeit zu kleiden wußte, war er nicht sensationell, nicht auffällig genug? War der Stoff zu heikel? War Slowenien zu sehr abseits, wurde da nicht laut genug geschrien? Die Gelegenheit, einen politisch wie geistesgeschichtlich einmaligen Vorgang, miterlebt und dargestellt von einem leidenschaftlichen, auf poetische Weise aufmerksamen Zeitgenossen, deutschen Lesern zur Kenntnis zu bringen, wurde versäumt. Nun wird Edvard Kocbek auf dem Umweg über die Sensation bekannt; das wäre nicht notwendig gewesen, mag man es jetzt auch als »unvermeidlich« bezeichnen. Nun wird auch er zum Fall. Es spricht nicht unbedingt für echte verlegerische Neugierde und Spürsinn, wenn einer erst zum Fall werden muß, bevor man auf ihn aufmerksam wird. Kocbeks Bücher liegen seit mehr als zwanzig Jahren vor.

Offenbar soll er nun in Jugoslawien zum Vehikel eines Machtkampfes werden, der schon an Marschall Tito vorbeigehen wird, wenn er sich nicht endlich wieder auf die Ebene der Wahrnehmung begibt. Ich erinnere mich eines Fotos, das den jugendlichen Edvard Kocbek neben dem noch jugendlichen Josip Broz Tito in einem Partisanengeheimquartier zeigt. Ein Foto, das Hoffnung und Freundschaft ausstrahlt. Schließlich hat Kocbek nicht nur – mit anderen – das katholische Slowenien »eingebracht«, über den slowenischen Katholizismus gab es Verbindung zu Klöstern, durch diese dann Verbindungen zum Vatikan, die keineswegs nur moralisch, sondern in sehr heiklen Situationen sich als politisch nützlich erwiesen. Dankbarkeit zu *erwarten* angesichts der unvermeidlichen Enthüllungen, die in Kocbeks Büchern zu lesen sind, wäre wohl töricht. Aber es ist nie töricht, es ist immer ein Zeichen von Größe, Dank *abzustatten* einem alten, sehr mutigen und sehr nützlichen Kampfgefährten, der den Hackmessern mediokrer Funktionäre ausgeliefert werden soll.

Größe besteht darin, Dank abzustatten, *nicht* zu vergessen, Größe, das heißt auch Aufmerksamkeit und Höflichkeit – und es würde nur ein Minimum von all diesem bedeuten, wenn Marschall Tito den kleinen und zarten Poeten, seinen Kampfgefährten und ehemaligen Kabinettskollegen, nicht jenen Wölfen überlassen würde, die Fälle genug produziert haben, peinliche Fälle: das Abstoppen neomarxistischer Forschung im internationalen Dialog, die Fälle Gotovac und Mihailov, skandalös genug. Soll es nun auch den Fall Kocbek geben? Wird man nun den einzigen slowenischen Dichter spiritualistischer Herkunft, der zwar zart ist, aber auch die Zähigkeit eines Gläubigen besitzt, ausliefern, nur weil er als leidenschaftlicher und aufmerksamer Zeitgenosse nichts verschweigen wollte? Jugoslawiens Ruf ist nach den aufgezählten Fällen angeschlagen genug. Man kann diesen Ruf aber noch ruinieren. Oder nimmt Marshall 5 Tito nicht mehr wahr, was um ihn herum geschieht? Hier steht ein alter Partisan im Feuer einer Kampagne, ein eigenwilliger, aber ein Kampfgefährte – und mit ihm und hinter ihm eine große Minderheit.

Verzögerter Glückwunsch

Für Karl Rahner

(1975)

Allmählich schwindet die Bitterkeit, auch Zorn und Ärger legen sich, der Stachel scheint entfernt, die Wunde hat sich geschlossen, es bleiben wahrscheinlich Narben, und Narben zeigt man nicht, oder nur der Frau, der Geliebten, dem Arzt (und unvermeidlicherweise gelegentlich im Schwimmbad). Was bleibt, ist nicht einmal Nostalgie, eher Mitleid mit jener umfangreichen gesellschaftlichen Gruppe, die man »deutscher Nachkriegskatholizismus« nennen könnte. Vielleicht wird sich ums Jahr 1995 herum jemand hinsetzen und die Geschichte dieser Gruppe zwischen 1945 und 1995 zu schreiben versuchen. Ob diese Dissertations- oder Habilitationsschrift einen Verleger finden würde, bleibt eine (für den potentiellen Verleger) bange Frage: Wen interessiert das? Wen wird die relative geschichtliche Bedeutung einer Gruppe noch interessieren, die politisch wichtig, theologisch interessant und statistisch immerhin erheblich war? Worin bestand ihre Kraft, worin bestanden ihre Zerwürfnisse, wer hat da wen oder was um welchen Preis mit welchen Mitteln verraten? Das könnte – wie so vieles Deutsche – für Ausländer interessanter sein als fürs schnöde Inland, denn daß große und wichtige Impulse von der katholischen Theologie dieser fünfzig Jahre fürs Ausland entscheidend waren, wird unbestritten sein.

Ich hoffe, man wird in einer solchen Geschichte Ida Friederike Görres nicht vergessen, die 1947 mit ihrem Brief über die Kirche in den *Frankfurter Heften* eine Fackel entzündete, die dann leider rasch erlosch. Warum erlosch sie, wer hat sie zum Erlöschen gebracht? Natürlich wird man Walter Dirks nicht vergessen, die Gruppe um die Werkhefte, diese »kleine Schar«, die nicht nur mit geringen, die mit fast gar keinen Mitteln so viel bewirkt hat. Gewiß nicht Rahner, Küng, Metz, Ratzinger,

Greinacher, Lengsfeld – ich kann sie nicht alle aufzählen. Ich will dem potentiellen Doktoranden von 1995 nicht zuviel vorwegnehmen, nur noch rasch ein paar Peinlichkeiten erwähnen: die allerpeinlichste Fortschrittlichkeit, mit der deutsche Bischöfe in Rom »Weltruhm« erlangten und »Schlagzeilen« machten, und die niederschmetternde provinzielle Heuchelei, mit der sie im eigenen Land jede, jede Hoffnung zerstörten. Inzwischen trägt diese Fortschrittlichkeit, die ein Rückgriff auf uralte, vergessene und verschüttete Freiheiten war, anderswo Früchte; hierzulande muffige Stagnation innerhalb der Amtskirche. Nein, die Narbe bricht nicht auf, Ärger, Zorn und Bitterkeit wollen nicht mehr aufkommen. Was bleibt, ist Mitleid und Bangigkeit um die potentiellen Opfer einer etablierten Schnödigkeit, wie sie das Milieu immer noch hervorbringt. Ich hoffe, dieser Zukunftsautor wird versuchen, herauszubekommen, falls er noch genug weiß, um die Wichtigkeit dieses Phänomens zu erkennen – wo, wann (oder durch welche Personen) jene Schwelle überschritten wurde, die ich »Exkommunikationsangst« nennen möchte. Und – was hat sich (bis wann?) alles hinter dieser Schwelle gestaut? Was ist, bevor es die Schwelle überschreiten konnte, vernichtet oder gar hingerichtet worden? Gewiß erscheint mir, daß die Schwelle längst überschritten ist und daß sich erst für die, die sie überschritten haben, herausstellt, wieviel Kraft, Freiheit und auch theologisches Genie vor und hinter dieser Angstschwelle gebunden gewesen ist. Neulich las ich im *Publik-Forum* einen Artikel von Regina Bohne über Reinhold Schneider, und mir fiel wieder ein, wie schnöde das Milieu über ihn »hingeschritten« ist. Den allzu selbstgefälligen Linken war er als Konservativer verdächtig, den Konservativen ein Greuel, weil er *als* Konservativer seine Stimme gegen die Wiederaufrüstung erhob. Welch ein geistiges und intellektuelles Schicksal – und welch deutsches! – liegt zwischen *Camoes* und *Winter in Wien*. Als ich den Artikel über Reinhold Schneider gelesen hatte, vergewisserte ich mich seiner Lebensdaten und stellte fest, daß er erst 55 Jahre alt war, als er starb. Mutig während des Krieges, mutig nach dem Krieg. So viele davon hatten wir nicht.

Ich erinnere mich der Bangigkeit von Verleger und Autoren

aus der Zeit, als ich als Lehrling in einem Verlag Adressen schrieb und hin und wieder in einen Bürstenabzug hineinsehen durfte. Die bange Frage, hinter verschlossenen Türen und vorgehaltenen Händen geflüstert, lautete: »Was wird die Marzellenstraße dazu sagen?« und – falls ein Manuskript die Marzellenstraße passiert hatte – »Was wird Rom dazu sagen?« Ich habe nie verstanden, wie mutige, gebildete Intellektuelle wie diese Bonner Theologen ängstlich wie Quartaner, die auf das Ergebnis einer Klassenarbeit lauern, vor Rom oder der Marzellenstraße eine solche Angst haben konnten. Noch mitten drin im Milieu, wußte ich natürlich, was für die Herren auf dem Spiel stand, empört war ich darüber in meiner Eigenschaft als »Autor«, der ich damals, knapp zwanzig, schon war. Man mag getrost über den »Autor« lächeln. Weder als Autor noch als Milieugeprägter habe ich damals oder je geglaubt, daß irgendein Bischof, ob von Boston, Rom oder Köln, über irgend jemandes potentielle Teilnahme an irgendwelchen Seligkeiten oder Unseligkeiten entscheiden könnte.

Mir kamen diese liebenswürdigen, zugleich mutigen und ängstlichen alten Herren durchaus nicht verächtlich vor (ich konnte ihre innerkirchliche Problematik schon begreifen), auch nicht peinlich, aber auf eine fürchterliche Weise gedemütigt. Diese permanente Drohung zwischen »Imprimatur« und »Index«! Eine Schande und in schändlichen Händen eine permanente Entwürdigung. Deutschland hat immer gute Theologen hervorgebracht und einen im Durchschnitt mediokren Episkopat. Es ist mir nicht bekannt geworden, daß auch nur ein Bischof dem Lieblingsdichter des Milieus, dem bewundernswerten Reinhold Schneider, beigestanden hätte, als das Milieu über ihn herfiel. Jenes Milieu, das zähnefletschend nach antikommunistischen Handgranaten begehrte, die Adenauer so gern zu liefern bereit war. Es war die Zeit, in der die *Frankfurter Hefte* behutsam auf Pro-Wiederaufrüstung einschwenkten; in der Herr Rommerskirchen und andere weniger behutsam die männliche, andere sehr behutsam die weibliche Katholische Jugend »einbrachten«. Was hat das alles eingebracht? Vielleicht einen Aufsichtsratsposten, einen Sitz im Zentralkomitee und eine progressiv sich steigernde Unglaubwürdigkeit, weil man die Jungen allein gelassen hat, allein auch mit dem unverkennbaren Hohn, der die Wehrdienstverweigerer immer noch begleitet; der sich in einschlägigen Bundestagsdebatten offen auf Physiognomien und im Vokabularium zeigt; und das jungen Männern gegenüber, die nichts weiter tun als von einem Grundrecht Gebrauch machen. (Nebenfrage: *Wer* zerstört hier den Glauben an und das Vertrauen in die Verfassung?) Gewiß wird schon kein Autor oder Intellektueller aus meiner Altersgruppe, der noch aus dem Milieu stammt, sich um irgendwelche Drohungen kümmern, kaum noch verärgert sein über die verschiedenen Kochstellen, wo das Milieu nach wie vor vor sich hinkotzt, Gift in Süppchen tut, sein merkwürdiges Gebräu brodeln läßt. Der Autor von 1995 wird, falls er das Evangelium wenigstens noch im Ohr hat, dann feststellen können: »Seht, wie sie einander geliebt haben!«

Gewiß meint Karl Rahner in seinem *Strukturwandel der Kirche* als Aufgabe und Chance nicht diese Suppenköche, wenn er von der »kleinen Herde« spricht, aber werden nicht immer noch sie es sein, die der kleinen Herde, die Rahner im Auge haben könnte, die öffentliche Artikulation zubereiten? Gewiß gibt es Millionen von Katholiken, für die Rahners kleines und mutiges Buch wichtig ist, aber steht da nicht zwischen ihm und denen, für die all das lebenswichtig ist (denn der weitaus größte Teil der Menschheit besteht ja nicht aus »Autoren«, die sich frei machen und für frei halten können) – diese fürchterliche katholische öffentliche Repräsentanz? Wie kommen sie – und da ist die pluralistische Gesellschaft, die in »Interessenvertretern« denkt, nicht hilfreich – am Episkopat vorbei, wie an einem so absurden Gremium wie dem Zentralkomitee? Für wen, in wessen Namen, von wem für was beauftragt, sprechen diese Leute eigentlich? Es muß doch (und für mich ist es) zum Umfallen komisch sein, wenn dieses Komitee gnädigerweise auch einem Sozialdemokraten Zutritt gewährt, und natürlich muß der dann Leber oder Schmitt-Vockenhausen heißen. Wer ist denn da für wen zuständig, wenn der Dr. Vogel (Bernhard, der schwarze) sich anmaßen kann, katholischen Theologen übers Maul zu fahren, bevor noch irgendein Bischof damit anfängt? Es ist nicht zu fassen und geschieht doch. Ich erwähne das, weil ich das Demütigungsmodell hier in Betrieb sehe – und außerdem noch durch militante aktionskatholische Laien. Der verlängerte, der weltliche Arm der »Marzellenstraße«. (Ich bitte um Verzeihung, ich stamme nun einmal tatsächlich aus Köln, und »Marzellenstraße« ist in Köln der Inbegriff für Generalvikariat.) 5

Ich schreibe dies hier nicht nur für mich, sondern als Hommage für Karl Rahner, für ihn und viele, die ich kenne und an die ich mich erinnere; was im *Strukturwandel* gesagt wird, ist wichtig für viele Menschen, die Frage wäre nur, wie kann man Strukturwandel gegen die verhärtete und uneinsichtige Struktur vollziehen? Als ich auf dem Fernsehschirm Karl Rahner in Würzburg mit bewegter Stimme seine Sache vortragen sah (nicht nur ihn, auch andere, bewegt, engagiert) vor diesem Tribunal, vor dieser Vorstandsbank, auf der etliche Klötze saßen (episkopale und Laien), wurde mir bange um ihn. Das mag herablassend klingen, ich bitte um Verzeihung, gemeint ist es nicht so. Ich versuche nur, mir vorzustellen, daß es für einen Theologen seiner Herkunft, seiner Entwicklung und – da dies eine Geburtstagshommage ist, darf's wohl erwähnt werden – seines Alters ein anderes Problem ist als etwa für Hans Küng, um den mir merkwürdigerweise nicht bange ist. Sollte irgendein Bischof von Rom oder Rottenburg auf die selbstmörderische Idee kommen, Küng zu exkommunizieren, so wird zwar die übliche Denunziationswelle (gierig von den jederzeit bereiten Milieu-Suppenköchen aufgenommen) sofort in Marsch gesetzt werden (*Private* Denunziation versteht sich), und sie wird Hans Küng wahrscheinlich noch mehr Ekel verursachen, als er ohnehin schlucken muß, aber es wird ihn weder fällen noch treffen. Bei Karl Rahner, wenn er auftritt, und auch in seinem kleinen Buch, sehe ich etwas, das ich »entblößtes Herz« nennen möchte, und die Geschichte der einsamen, verbitterten, von Kirche und Umwelt im Stich gelassenen Theologen ist noch nicht einmal angefangen.

Anderswo vollzieht sich Strukturwandel: Der Erzbischof von Besançon hat sich schon in den ersten Tagen des Streiks mit den LIP-Arbeitern solidarisiert, mit ihnen demonstriert. In Spanien werden ehrwürdige Bischöfe von regierungsfreundlichen Zeitungen als »Kommunisten« bezeichnet; in Belgien unter-

stützt der Klerus Streiks in der Borinage, und in Brasilien kursieren Hirtenbriefe gegen die Wirtschaftspolitik der Regierung. Vielleicht wird eine Zeit kommen, in der man nicht mehr mutige Theologen mit Exkommunikation bedroht, sondern Mietwu-
5 cher und Aktiengewinne, und vielleicht wird der Erzbischof von Köln eines Tages sich mit den streikenden Arbeitern der Fordwerke solidarisieren. Nein. Vielleicht doch nicht.

PS. Dieser Beitrag wurde im August 1973 für eine Festschrift zu Rahners 70. Geburtstag geschrieben. Die Festschrift erschien
10 wegen dieses Beitrags *nicht*; er wurde 1975 in *Publik-Forum* und in der *Frankfurter Rundschau* veröffentlicht.

Vilma Sturm

(1975)

Während ich nachdenke, worüber Vilma Sturm schreibt – und sie schreibt nur über Themen und Gegenstände, die sie genau erforscht hat, fällt mir ein, daß es leichter ist, festzustellen, worüber sie nicht geschrieben hat: etwa über Militärgeschichte und -politik. Vielleicht sollte sie es gelegentlich tun, und wenn sie es täte, sie würde mindestens beim Kriege zwischen Rom und Karthago anfangen, Militärpolitik zu studieren und anläßlich der Schlacht bei Cannae, Strategie zu erkennen, und sie würde versuchen, beiden Problemen oder Themen gerecht zu werden. Jeder Sache, über die sie schreibt, gerecht zu werden, das ist ihre Last und ihr Verdienst; sie ist eine der wenigen Schreibenden, auf die viele Bezeichnungen zutreffen und keine ausschließlich: Autorin, Journalistin, Kritikerin, Reporterin, und wenn einer manchmal die leichte Hand zu spüren glaubt und das Wort »feuilletonistisch« anwenden möchte, nicht im freundlichsten Sinn: gerade das, eine Feuilletonistin ist sie nicht, obwohl ihr Schicksal ist, fast ausschließlich im Feuilleton und im feuilletonistischen Reiseblatt zu schreiben. Gerade der Leichtsinn, der zum Teil den Feuilletonisten ausmacht, den hat sie nicht, und sie ist doch, überzeugt und mit Leidenschaft, Rheinländerin, wenn auch noch mehr zum Niederländischen hin zu Hause als die Kölner, und was sie außerdem ist, ist so selbstverständlich, daß ich's kaum auszusprechen, hinzuschreiben wage: katholisch – was immer das genau sein mag, aber sie ist's, und sie ist's »richtig« – nicht »unreflektiert«, aber auch gar nicht very sophisticated. Sie ist eine Gründliche und nimmt wohl manches schwerer als notwendig, und mögen die, die die Rheinländer für leichtfertig und leichtsinnig halten, sich den Kopf darüber zerbrechen. Ob Schottlands Rhododendronwälder oder der theologisch, soziologisch und milieubedingte Kummer irgendeines Kaplans, es geht ihr nahe, und vielleicht wäre sie sogar geeignet, Bischofskummer zu ergründen.

Wir Deutschen haben eine peinliche Art, Probleme und Komplexe, die durchaus der Betrachtung und Analyse wert sind, mit peinlichen, manchmal fast tödlichen Namen zu benennen: Vergangenheitsbewältigung anstelle von etwa »Erinnerung an erlebte Geschichte«, und wo wir möglicherweise einfach sagen müßten, daß wir uns die Elemente Erde, Wasser, Feuer, Luft erhalten sollten, da nennen wir das scheußlicherweise »Umweltschutz«, damit wieder eine Schublade gefüllt ist und eine Klappe fallen gelassen werden kann. Was mit »Umweltschutz« (oder noch schlimmer: Umweltschützer) benannt und schubladisiert ist, das ist von Anfang an Vilma Sturms Sache gewesen, und sie hat eine intensive Methode, einer, jeder Sache gerecht zu werden: Quellenstudium im doppelten Sinne: nachlesen, lesen, sich informieren und dann einer Sache nachgehen per pedes oder nachfahren per velociped: ja, sie erwandert und erfährt die Flüsse und Wälder, die Städte und Parks, atmend, gehend, laufend erforscht sie sie. Das begann wahrscheinlich jugendbewegt, hat sich in Jugend und Bewegung fortgesetzt, ist fortgeschritten (im Sinne von Schreiten), hat sich entwickelt (im Sinne von: aus den Windeln kommen, entwickelt werden und sein) –, und sie schreitet fort: unentwegt, so scheint mir, ohne blind »fortschrittlich« zu sein.

Der gläubige Ungläubige

»Briefe von und an Ludwig Marcuse«

(1975)

Es wäre notwendig, viel, fast möchte ich sagen alles, aus diesem Briefband zu zitieren, mehr jedenfalls, als in dieser kurzen Anzeige möglich ist. Und wenn ich nun ein Zitat auswähle, dann, weil ich es nicht nur wichtig, sondern bezeichnend finde, möglicherweise sogar für einen Leitfaden ansehe, an den sich Heimkehrende halten könnten. Der fünfundfünfzigjährige Ludwig Marcuse sieht nach sechzehn Jahren Emigration im Juli 1949 zum erstenmal seine Heimatstadt Berlin wieder und schreibt darüber an seine Freunde in Amerika, an die späteren Herausgeber dieses Buches: »Ich fühle mich nirgends so einsam wie in der Stadt, in der ich geboren bin .« Und an anderer Stelle dieses entscheidenden Briefes: »Nichts angetroffen, was zu meiner Vergangenheit gehört. Kein Gefühl gehabt außer Seekrankheit. Weshalb fühle ich mich nicht zurückversetzt? Gestaltpsychologisch zu erklären. Das Hansaviertel z. B. ähnelt so wenig dem Viertel, in dem ich lebte, wie Gustel F. dem Mädchen, mit dem ich Tanzstunde hatte.« Und es folgt der Satz, der nicht nur für Ludwig Marcuse, nicht nur für alle Heimkehrenden, vielleicht auch für Heimatvertriebene aller politischen Schattierungen gelten könnte: »Die Erinnerung hält fest, die Wirklichkeit ist nicht festzuhalten.«

Man könnte diesen Satz, der eine ganze Poetik oder Ästhetik enthält, ergänzen: die festgehaltene Wirklichkeit eines Augenblicks, einer Situation, wird zur Erinnerung, zum Memorandum, und in diesem Sinne wären diese Briefe von und an Ludwig Marcuse Memoranden der Erinnerung an etwas, das Emigration hieß, das man aber Vertreibung nennen müßte. Dreißig Jahre Zeitgeschichte, von 1933 bis 1971, deckt diese Sammlung, und sie enthält, wie jede vergleichbare andere Briefsammlung, eine Geschichte der Emigration, und nicht nur der des Ludwig Marcuse, denn hier werden Brief*wechsel* publiziert, etwa mit der Familie Mann, von und an Hermann Kesten, Alfred Döblin, Robert Neumann. Es werden Schicksale – und nicht nur in Andeutungen – sichtbar, Verstrickungen, Streit, die alltäglichen Kleinigkeiten eines Vertriebenenschicksals in all seinen Empfindsamkeiten, Empfindlichkeiten und auch Kleinlichkeiten, wie sie sich aus dieser besonderen Vertriebenheit ergeben, denn es waren ja Wissenschaftler, Künstler, Intellektuelle, Schriftsteller, die auf eine besonders tiefe Weise mit einem Land verbunden, an es gebunden waren: durch die Sprache. Es gab da ein Deutschland außerhalb des Deutschen Reiches, das man dreißig Jahre nach Kriegsende erst in Ansätzen wahrzunehmen beginnt. Trotz einigen sehr verdienstvollen wissenschaftlichen Publikationen, trotz einigen Kongressen ist dreißig Jahre nach Kriegsende und mehr als vierzig Jahre nach ihrem Beginn noch nicht in angemessener Tiefe und entsprechendem Umfang wahrgenommen worden, was diese Vertreibung angerichtet hat: bei denen, die Deutschland verlassen mußten – und in diesem Deutschland, das sie verlassen mußten. Wahrscheinlich wird man sich noch im Jahre 2200 in althergebrachter Weise darüber streiten, ob das Ende des Nazireichs im Mai 1945 als Niederlage, als Zusammenbruch, als Kapitulation, als verlorener Krieg oder als Befreiung zu verzeichnen sei. Anläßlich des dreißigsten Jahrestages hörte und sah man einiges über das Kriegsende, über die Emigranten sprach man nicht. Deutsche Emigranten – es würde sich lohnen, einmal eine Befragung durchzuführen, was sich die Bundesbürger darunter vorstellen. Waren sie alle Kommunisten, Juden, oder beides? Thomas Mann, Erich von Kahler, Hans Habe oder Bertolt Brecht? Welche Vorstellung mag da herrschen, wenn man Willy Brandt die Emigration vorwerfen und sie bei dem verstorbenen Freiherrn von und zu Guttenberg unerwähnt lassen konnte? Und es wäre wohl auch an der Zeit, darüber nachzudenken, warum so wenige Emigranten wieder in Deutschland seßhaft werden mochten und warum mehr in der späteren DDR als in der späteren Bundesrepublik. Und wenn alle, die in die spätere DDR zurückkehrten, Kommunisten oder Sozialisten gewesen wären, warum kamen dann nicht mehr

Nichtkommunisten, Liberale und Konservative in die spätere Bundesrepublik Deutschland? Ist da etwas versäumt oder einfach nicht wahrgenommen worden?

Ich glaube, es ist mehr als versäumte Wahrnehmung, es war das Problem und die Tragik des Nichtwiedererkennens und Nichtwiedererkanntwerdens, wie es am Beispiel Alfred Döblins vielleicht zu erläutern wäre, mit dem Ludwig Marcuse einen umfangreichen Briefwechsel geführt hat. Döblin kehrte schon früh, im Jahr 1945, zurück, lebte in Baden-Baden, später in Mainz, gab eine literarische Zeitschrift heraus – er fühlte sich nicht angenommen nach der Wandlung, die er während der Emigration durchgemacht hatte, und wäre doch – wäre – einer der großen Autoren gewesen, auf die das Etikett »christlich« hätte angewendet werden können und die es angenommen hätten; er wurde nicht erkannt, nicht angenommen, und das in einem Land, einem Staat, einer Gesellschaft, die sich christlich bezeichnen.

Ludwig Marcuse kam im Jahr 1949 zum erstenmal in die Bundesrepublik, über Paris, Zürich näherte er sich – wie mir scheint – zögernd jenem Land, in dem wir damals ahnungslos lebten. Er geriet auf eine hektisch-konfuse kulturelle Szenerie; nicht mißtrauisch, aber skeptisch beschreibt er sie. Im Jahr 1962 kehrte er endgültig zurück, wohnte bis zu seinem Tode im Jahre 1971 hier, und da er streit*bar* – man verwechselt das auf unserer zahmen Szene leicht mit streitsüchtig –, belebte er in Diskussionen, Vorträgen, Artikeln, mit seinen Büchern und – wie diese Publikation erweist – mit seinen Briefen die festgefahrene literarische Szene. Er war keiner Gruppe, keiner Clique zugehörig, war nie als Claqueur zu mißbrauchen. Dieser intensiv gläubige Ungläubige, der sich selbst als ›bejahrten Philosophiestudenten‹ bezeichnete, vollzog immer wieder in seiner Philosophie, in seinen Artikeln und Büchern etwas, was man Kulturrevolution am eigenen Leib nennen könnte, und so blieb er auf die einzig mögliche Weise jung: indem er sich über sein Alter nichts vormachte; er war bereit, und beweist es in seinen Briefen, sich selbst immer wieder zu überprüfen, an sich selbst die Zeit, in der er lebte; und so ist denn auch sein wichtigstes Kennzeichen leidenschaftliche Zeitgenossenschaft. Gewiß hat er sich wie alle leidenschaftlichen Zeitgenossen nie Gedanken darüber gemacht, was von ihm ›überleben‹ würde, und gerade deshalb wohl wird seine Frische und auch seine gelegentliche Frechheit Dauer haben, und nicht nur das: auch manche seiner Mitteilungen: etwa die über die Umstände, unter denen Ernst Toller starb; der einmalig liebenswürdig-ironische Brief, in dem er Alma Mahler-Werfels Materialismus-Mißverständnis zurechtzurücken sucht. Ludwig Marcuse war nicht nur ein großartiger Briefschreiber, er war – und das eine ist die Ergänzung des anderen – auch ein glücklicher Briefempfänger: offenbar spürten alle, die ihm schrieben, auch wenn er sie nicht schonte oder geschont hatte, seine Herzlichkeit hindurch. In seiner Existenz gab es diese Trennung zwischen Emotion und Erkenntnis nicht; nicht die neutrale oder neutralistische Vorsicht, mit der man Freundschaft verweigern kann. Ludwig Marcuse nahm Partei, und darin gleicht er seinem frequentesten Briefpartner, Hermann Kesten, einem großen, raschen, liebenswürdigen Briefschreiber und -sammler.

Wahrscheinlich sind Publikationen dieser Art ein verlegerisches Risiko; sie gehören zu dem Kulturgut, das gerettet werden muß, wenn man sich eines Tages daranmachen wird, den Bruch und Zusammenbruch, der durch die Emigration gekennzeichnet ist, zu erforschen. Briefbände dieser Art, vom Herausgeber Harold von Hofe durch einen sorgfältigen Apparat mit vielen Anmerkungen ergänzt, sollten subventioniert werden: und nicht nur Briefbände von bekannten oder berühmten Persönlichkeiten, auch solche von namenlosen und unbekannten.

Zeit des Zögerns – Der Zar und die Anarchisten

Über Jurij Trifonow, »Die Zeit der Ungeduld«

(1975)

Eine Zigeunerin in Paris hatte dem Zaren Alexander II. prophezeit, sieben Attentate würde er überleben. Das sechste fand im Februar 1880 statt und bestätigte die Wahrsagerin: Es war dem Tischler Stepan Chalturin gelungen, sage und schreibe 150 Kilogramm Dynamit in das Winterpalais zu schmuggeln, und der Zar hatte diese fürchterliche Explosion überlebt. Chalturin entkam, während die Zündschnur noch schwelte; Wachsoldaten und Personal entkamen nicht. Und obwohl die Zeichen ungünstig standen (er hatte am Abend vorher beim Whist sein eigenes Bild vom Tisch gestoßen), ließ Alexander II. sich schon wenige Wochen später, am 1. März 1880, ausfahren, um eine Parade abzunehmen und bei seiner Lieblingskusine Tee zu trinken. Wie konnte er ahnen, daß im siebten Attentat das achte enthalten war? (Ein Zwillingsattentat, das als Drilling geplant war, denn als neuntes Attentat war Scheljabows Dolchstoß in Reserve gewesen, doch war Scheljabow im letzten Augenblick verhaftet worden.) So entging der Zar dem siebten Anschlag, Ryssakows Schuß, und erlag dem achten, Grinewitzkijs Bombe, die wenige Sekunden später geworfen wurde.

Vorbereitungen und Ausführungen des geglückten Anschlags und einiger mißglückter Attentate bilden den Handlungsfaden dieses erstaunlichen Buches von Jurij Trifonow, *Die Zeit der Ungeduld*.

Trifonow begibt sich in die spannungsgeladene Tradition russischer »Langatmigkeit« und wird doch weder konventionell noch spekulativ. Man muß den Glücksfall der Übersetzung von Alexander Kaempfe hinzuzählen, wenn man sich fragt: was ist das für ein Land, für ein Volk, eine Sprache, die nicht nur den Stoff für einen solchen Roman vor der Tür liegen haben, sondern wo ein solcher Roman auch noch geschrieben wird? Wir sollten uns, denke ich, auf einiges gefaßt machen, nicht nur von Trifonow oder Woinowitsch. In Trifonows Roman wird vom Autor weder gerichtet noch hingerichtet; Trifonow hält sich an keinerlei Klischee, weder ideologisch noch in seinen Formalitäten. Er bietet keine Revolutionärs-Ikonographie und hält sich an kein gängiges Kritiker-Klischee, nach dem ein Roman in eine bestimmte Kategorie zu gehören hat. Er nimmt das offenbar unerschöpfliche Phänomen »russische Nihilisten und Anarchisten im 19. Jahrhundert« auf, und diese historisch erfaßbare (und erfaßte), sehr heterogene Gruppe wird, obwohl sie reichlich in Aktionen und deren Vorbereitung verwickelt ist, dennoch eher in ihren Gesprächen und Zusammenkünften erfaßt, in den geglückten Augenblicken der Solidarität, deren Zerbröckelung und Wiederherstellung durch die beiden erstaunlichen und doch nicht hagiographisch hingestellten Männer Andrej Scheljabow und den »Hausmeister« Alexander Michailow. Und nicht nur beim Zaren, auch bei ihnen spielen trotz Planung, ideologischer Auffrischung immer wieder das »Schicksal« und diese unfaßbare »Zigeunerin« hinein. Obwohl viel geschieht und viel getan wird, erscheint mir die Handlung sparsam; vorherrschend ist die von innen und von außen betriebene Auflösung der Gruppe. Trifonow hat in diesem Roman verschiedene Romantypen, den historischen, psychologischen, den lyrischen und den Kriminalroman in- und aufeinandergebracht; diese Romantypen sind miteinander verwoben.

Endlose theoretische Auseinandersetzungen, Rivalitäten, Eitelkeiten, Eifersüchteleien, Torheiten, Liebenswürdigkeiten – und doch letzten Endes der Ernst des gemeinsam gefaßten Entschlusses, den Zaren zu ermorden; und diese Tat, die der Befreiung dienen, den Aufstand auslösen sollte, wird doch nur zum Signal für eine Tendenzwende: An Stelle des immerhin andeutungsweise liberalen Loris-Melikow kommt mit Alexander III. der oberste aller Reaktionäre, Konstantin Pobedonoszew, an die Macht, und schon kurz vor dem Mord werden auf der Straße »verdächtig aussehende Brillenträger und Langhaarige verhaftet«.

Nicht nur Spitzel, auch Verräter – auf beiden Seiten. Eine der wichtigsten Figuren ist der unscheinbare, fast unbedarfte Kleinbürger Nikolaj Kletotschnikow. Er wird als Informant der Revolutionäre in den Geheimdienst eingeschleust, bleibt der treueste Anhänger der Verschwörer, hält bis zum bitteren Ende durch; seine Motive werden nie so recht klar. Dieser ein bißchen wehleidige Kleinbürger hält sich jedenfalls besser als der intellektuell brillante, eitle und ebenso fulminante Aktivist Grischka Goldenberg, der den Generalgouverneur Kropotkin ermordet hat – und auf den ersten besten Lockspitzel und die plumpen Anbiederungen des Staatsanwalts hereinfällt. Während der unfreiwillige Verrat Goldenbergs schon schwelt, hält das Ziel – die Ermordung des Zaren – die Gruppe ein letztes Mal zusammen – und die Utopie: »Der letzte Mord – welch eine Versuchung. Und dann beginnt das Reich der Vernunft. Die Gerechtigkeit triumphiert.«

Der Ungeduld der Attentäter entspricht dieses »Zögern von fast mystischer Gewalt« auf seiten des Zaren und seiner Berater, die längst fällige Reformen immer wieder verschieben. Am Vorabend seines Todes unterschreibt der Zar den Ukas über die Wahlmänner! Und während der »Zeit des Zögerns« die immer präsente, kaum definierbare Mischung aus Gewalt, Polizeistaat, Angst, Chaos und Schlamperei. »Die Angst war zu einer Besonderheit von Petersburg geworden, genau wie das feuchte Klima.« Und Chalturin berichtet über das Schloß: »Überhaupt geht es im Schloß schlampig und chaotisch zu. Für uns ist das natürlich von Vorteil, aber man kann nur staunen, von welchen Schlafmützen der Schloßhaushalt geleitet wird.«

Düsterkeit über der Zarenfamilie. Nicht einmal die Liebschaften gedeihen zur Fröhlichkeit. Die einst so jugendlichliebenswürdige hessische Prinzessin, die Zarin, ist verkümmert – dann kommt auch noch Verwandtenbesuch! Diese dem Zaren verhaßte »hessische Säuernis« auf den Gesichtern der mäkligen Besucher. Und immer schwelt da was: Unglück, Unheil – oder Zündschnüre.

Verglichen mit der düsteren Zarenfamilie sind die Verschwörer fast fröhlich. Nicht angewiesen auf Zigeunerinnen, Chaos, Schlamperei und Ahnungen, wissen sie, was ihnen bevorsteht. »Gelassen«, so berichtet die Stimme Frolenkos,

»sprach Scheljabow davon, wie man ihn aufhängen wird, er beschrieb sogar die Hinrichtung.« Sie feiern Feste, singen, trinken, tanzen, ihre Rededuelle entbehren keineswegs der formalistischen Lust, ihre Flugblätter sind brillant formuliert, ihre Druckereien, die immer wieder auffliegen, werden immer wieder als erste neu und rasch eingerichtet. Aus konspirativen Treffs werden Landpartien. Da gibt es eine behutsam durch den Roman transportierte, mit zärtlicher Kühle beschriebene Liebesbeziehung zwischen der »blutjungen Generalstochter« und leidenschaftlichen Verschwörerin Sonja Perowskaja und Andrej Scheljabow. Nach einer poetischen Beschreibung des kargen Zimmers, in dem die beiden sich treffen: »In diesem Zimmer war eine Liebe, die kein Gestern und kein Morgen kannte, keine Hoffnung, keinen Tagesanbruch. Von allen und jedem gereinigt fiel sie vom Himmel herab wie Schnee. Ihr Los war das Los des Schnees: zu vergehen.«

Nicht nur Unglück, Unheil und Zündschnüre schwelen, auch die Folgen jenes Verrats aus Eitelkeit, den Grischka erst mündlich, in Geschwätzigkeit, später schriftlich und ausführlich begeht. Zu spät erkennt er seinen Fehler – und begeht Selbstmord. Das Unheil läuft nicht nur auf den Zaren, auf diesen 1. März 1880 zu, auch auf die Verschwörer, denen Kletotschnikow schon nicht mehr helfen kann. Die »Zündschnüre« laufen parallel, und die Explosion trifft den Zaren nur um Stunden früher. Nach der Verhaftung tritt eine neue Sorte von Verräter auf, der sie alle durch ein Loch in der Wand identifiziert und ihre Rollen, ihre Tätigkeiten preisgibt: Es ist der famose Iwan (Wanjetschka) Okladskij, dieser lustige, allseits beliebte junge Bombenbastler und Laufjunge, der, offiziell zum Tode verurteilt, von 1880 bis zum Februar 1917, 37 Jahre lang, ein Gehalt vom Polizeidepartement bezieht und erst 1925 als »Kronzeuge« entlarvt wird; aus dem lustigen Wanjetschka ist ein Greis mit leeren, kalten Augen geworden. Schließlich die dritte Sorte von »Kronzeuge«, der neunzehnjährige Nikolaj Ryssakow, dem Trifonow Stimme verleiht: »Natürlich konnte ich nichts erzählen und keinerlei Geheimnisse aufdecken. Nur ein Geheimnis hatte ich von Grund auf begriffen: das Geheimnis des Hungers. Ich hungerte sozusagen auf allen Ebenen. Mich plagte der gewöhnliche Hunger nach einem Stück Fleisch, der Hunger nach einem zusätzlichen Rubel, damit ich mir ein Paar Schuhe kaufen konnte, der Hunger nach Menschen, der Hunger nach Frauen. Sogar noch fünf Minuten vor der Hinrichtung holte Dobrochinskij (derselbe Staatsanwalt, dem Grisoka G. auf den Leim gegangen war) irgend was aus mir raus. Und ich glaubte und glaubte weiter. Man hatte mir schon das Hemd übergezogen und die Schlinge um den Hals gelegt, und ich glaubte immer noch, daß man mir gleich die Begnadigung verkünden würde. Aber der Henker schlägt mir die Bank unter den Füßen weg, und ich klammere mich mit den Füßen an die Bank – und ich klammere und klammere und klammere mich an, denn ich hoffe bis zur allerletzten Sekunde!«

Es folgt noch das Verhör Scheljabows, der sich zum »Wesen der Lehre Jesu Christi bekennt«: »Dieses Wesen nimmt unter meinen sittlichen Begründungen einen Ehrenplatz ein.« Und das entspricht nun gewiß nicht der ideologisch klassenreinen Verschwörerhagiographie. Außerdem nimmt Scheljabow, für den dieses Verhör und der damit verbundene Auftritt vor Presse und Öffentlichkeit zum revolutionären Kampf gehört, jede Gelegenheit wahr, Propaganda zu machen – und Angst zu schüren vor einer (fiktiven) riesigen Verschwörergruppe.

Eins weiß man am Ende und wüßte es auch ohne jede Geschichtskenntnis: Das Unheil, die Düsterkeit und die Zündschnüre werden weiterschwelen bis zu jenem traurigen Zögerer »Nicky« am Ende dieses unglückseligen Reichs. Eine überraschende Wirkung dieses Romans von Trifonow: was man aus der inzwischen abgelaufenen Geschichte ja weiß, wird zurückverwandelt in Ahnung; die zwingende Formalität des Romans versetzt einen zurück in das Jahr 1880, in dem man ahnt, was man ansonsten »nur« weiß. Geschichtliches Datenwissen wird weggestaut im formalen Ineinander verschiedener Romantypen, bei dem der historische Roman nur den Rahmen bildet, in dem die Zeitlosigkeit des Problems aufgehoben ist. Wichtige Nebenerkenntnis, die man dem sehr nützlichen Personenregister verdankt: dem Strang entronnene Revolutionärinnen werden steinalt, die Jakimowa wurde sechsundachtzig, Vera Figner, die ebenfalls im Roman auftritt, neunzig.

Der Mythos Gatt oder: Zuviel gesucht

Über Erik Neutsch, »Auf der Suche nach Gatt«

(1975)

In diesem Roman des DDR-Schriftstellers Erik Neutsch wird nicht nur Gatt gesucht: es werden viele und viel wird gesucht: zuviel, wie mir scheint. Es lohnt sich schon, an der Suche nach Gatt teilzunehmen. Ein von Härte und Ausbeutung geprägter junger Mann, fast noch ein Junge, kehrt aus dem Krieg heim, sucht eine Neue Zeit, ein Neues Leben, eine Neue Gesellschaft. Das ist schon ein Thema, in West und Ost und Süd und Nord.

Gatt arbeitet im Kupferbergbau, wie sein Vater und sein Großvater. Es ist wohl kein Zufall, vom Autor sogar vorsichtig ein bißchen draufzugelenkt: man soll sich Gatt mit einer Lutherphysiognomie vorstellen und auch mit dessen Hartnäckigkeit. Er wird Arbeiterkorrespondent einer Zeitung, schließlich deren Redakteur; doch die neue Gesellschaft nimmt ihn nicht so recht an; man beweist ihm deutlich sein »Bildungsdefizit«, nicht nur, was die »Kommata« betrifft: man korrigiert nicht nur seine Kommata, auch seine Artikel werden verändert. Demütigung, Herablassung. Gatt liest, lernt, verbissen und mit Erfolg. Eines Tages entlarvt er die, die ihn am meisten gedemütigt haben, als korrupt, sie haben Informationen über Schiebungen unterdrückt, sich bestechen lassen.

Eins ist gewiß: Gatt ist kein Opportunist und auch kein bloßer Fanatiker. »Ich, ein Arbeiterkind, elternlos und aus dem Berg gekrochen, wollte wissen, wie es sich anderswo lebt.« Er lernt Ruth Schneider – braunblonde Arzttochter aus der Mittelklasse, die ihn immer mit »Hallo, Arbeiterklasse« begrüßt – schon früh kennen, liebt sie, heiratet sie. Ruths Vater, bürgerlicher Zyniker, schon auf dem Sprung in die andere deutsche Republik, beobachtet amüsiert, herablassend diesen begabten und hartnäckigen Proleten. Gatt kämpft, gibt nicht auf.

An Ruth aber wird er scheitern. Deren Chef begeht unter Mitnahme wichtiger Produktionsunterlagen Republikflucht (ich lasse die Anführungsstriche weg, weil mir scheint, man könnte ja Republikflucht nicht nur als Flucht aus einer, sondern in eine Republik deuten). Ruth gerät in Verdacht, ihm geholfen zu haben; mit zwei, drei Sätzen könnte sie ihre Unschuld beweisen, doch sie schweigt, schweigt bis zum allerletzten Augenblick, wohl um Gatt und seine Freundschaft auf die Probe zu stellen. Als sie endlich rehabilitiert ist, ist es zu spät. Gatt hat ihr wenn auch nicht direkt mißtraut, so doch auch nicht voll vertraut. Nicht nur die Ehe geht kaputt, Gatt wird schwer lungenkrank, liegt lange einsam in Sanatorien, will niemanden sehen, die Rückkehr in die Redaktion mißlingt; erbittert und verbissen konfrontiert er sich da mit einem Neuen, Hartung, »Hörsaalmarxist« und Karrieretyp, der auch noch für die Olympiade in Rom trainiert. (Später wird sich herausstellen, daß er aus Rom nur eine den Spesengeldern abgesparte schicke »West«-Uhr mitgebracht hat und sehr rasch zum marxistischen Spießer mutiert.)

Doch auch Weißbecher, Altkommunist, Emigrant, verfolgt und leidgeprüft, der nicht nur mit den »Kommata«, auch mit schwierigeren Bildungselementen vertraut ist, ganz Erzieher, gütig, hilfreich und hilfsbereit, hat versagt, als er Gatt hätte raten müssen, Ruth zu vertrauen. Weißbecher ist kein Opportunist, kein »Hörsaalmarxist«, kein Technokrat; nur: wie das bei Intellektuellen manchmal so ist: im Widerstand tapfer gewesen, ist er jetzt nicht gerade widerstands- und kritiklos, sondern, sagen wir, ein bißchen zu vorsichtig. Peinlich ist der Name dessen, der wirklich »ex machina« auftritt, um für Ruth zu bürgen: Gabriel. Den ganzen Roman über bis zu dem (für ihn wahrscheinlich bitteren) Ende bleibt er blaß, schemenhaft, lieb, gut, eben so wie man sich so einen Engel vorstellt. Peinlich auch die Gegenüberstellung: Gatt und Gabriel. Gabriel heiratet Ruth, hat zwei Kinder mit ihr, verhilft ihr zum Studium, sie wird Chirurgin (als Tochter eines Arztes?) und doch am Ende, nachdem Gatt sie und sie Gatt wiedergefunden hat, scheint es fast so, als zöge sie den Gatt dem Gabriel vor.

Es ist nicht einzusehen, daß dieser »Inhalt«, der hier nur verkürzt wiedergegeben wird, so mühsam aus dem Roman herausrecherchiert werden mußte. Gatt ist fast ein Mythos, eine Art Moby Dick, aber um einen Moby Dick unterzubringen, sind die Räumlichkeiten, ist auch die zur Verfügung stehende geographische Geräumigkeit zu klein. Moby Dick standen die Weltmeere zur Verfügung. Die DDR – und erst recht die nähere und weitere Umgebung von Mansfeld – sind keine Kontinente, und so wirkt diese mühsame Suche nach Gatt und anderen eher wie ein Vexierbild denn wie ein weiträumiges Labyrinth.

Die Chance des Kriminalromans, die in jeder Suche nach einer Person liegt, hat Neutsch nicht wahrgenommen oder nicht wahrgemacht. Der Roman entbehrt der notwendigen Spannung, innerlich und äußerlich, er hat nicht den Reiz lyrischer Klage oder des inneren Monologs und nicht den Reiz kriminalistischer Recherchen; die Interruptionen wirken willkürlich und sind ärgerlich. Ich hätte gern viel mehr über Gatt gewußt. Wenn Gatt und Gabriel schon eine, wie mir scheint, ziemlich aufdringliche Symbolik nahelegen, ist es dann erlaubt, in der Ehe, der ganzen Beziehung zwischen Ruth und Gatt eine symbolische Symbiose zwischen Arbeiter- und Mittelklasse zu sehen?

Der Roman hat zuviel »Inhalt« für so viel Formspielerei, zuviel ökonomisch-politische Ideologie, wo es genügt hätte, die inneren (und einleuchtenden) Spannungen zwischen Ruth, Gatt, Weißbecher, Gabriel und den heraufkommenden Marxismusspießern an einem simplen *plot*, an der gegebenen Situation auszudrücken. Für den *insider* ist es, wenn auch mühsam erlesen, interessant, wie hier versucht wird, aus der Flächen-Hagiographie in die mythologische Dimension vorzudringen; ein ehrenwertes, doch mißglücktes Experiment.

Überflüssig sind einige kleine historische Verlogenheiten, die, wenn auch nur zeilenweise eingestreut, Gatt und seinen Autor nicht überzeugender machen. Was bringt es uns (den Deutschen) denn ein, wenn die Hungerödeme in sowjetischen Lagern hier in platter Replik einfach zu solchen werden, die man in amerikanischen Lagern erworben hat? Der Hunger und die Härte in amerikanischen Massenlagern sind noch nicht beschrieben, vielleicht waren sie sogar grausamer, weil sie im Angesicht des Überflusses stattfanden. Es bringt auch den Deutschen (in beiden Staaten) wenig ein, wenn der 17. Juni zu einem rein faschistischen Kommandounternehmen wird, und wenn da steht: »Die sowjetischen Truppen werden mit Blumen empfangen«, so ist das einfach peinlicher Opportunismus, der auch der Roten Armee peinlich sein müßte; mag's auch das eine oder andere Mal geschehen sein (ich wüßte dann gern, wo und von wem; es mag ja auch sein, daß hier und da Engländer, Franzosen und Amerikaner mit Blumen empfangen worden sind, auch in diesen Fällen wüßte ich gern, wo und von wem).

Was einfach *historisch* nicht stimmt: daß die Deutschen die alliierten Armeen »mit Blumen« empfangen hätten. Es gehörte viel Mut dazu, *irgendeiner* der einrückenden Armeen mit Blumen entgegenzugehen. In den meisten Fällen empfing man sie geduckt, und es ist manch einer be- und erschossen worden, der es auch nur riskierte, eine weiße Fahne zu zeigen.

Berichte zur Gesinnungslage der Nation

(1976)

Personen und Handlungen dieser Berichte sind frei erfunden.

1 *Rotgimpel an Rotkopfwürger*

Inzwischen bin ich sehr behaglich plaziert, und obwohl mein Atelier ja schon seit Monaten vertraglich gesichert war, habe ich mich verabredungsgemäß sechs Wochen vor Vertragsbeginn hierher begeben, um an Hand der Liste, die Sie mir gegeben haben, den wenig bemittelten Wohnungssuchenden zu spielen. Wenn man bedenkt, welcher Ruf mir voranging: immerhin drei Verhöre und eine Verhaftung, so fand ich ziemliches Entgegenkommen; ob ich dieses nun der Sympathie für meine fragwürdigen Aktivitäten zuschreiben muß oder meiner öffentlich bekundeten Reue, dem Kredit des »verlorenen Sohnes«, das ist schwer zu sagen. Jedenfalls schicke ich Ihnen, damit sich Ihnen die Szene ein wenig erhellt, mit gesonderter Post eine Liste jener Personen, die mir unverhohlen Sympathie entgegenbrachten; ich bediene mich in diesem Fall, da wir übereingekommen sind, keine Namen zu nennen, unseres bewährten »Doppeldeckers«; ich neige dazu, die Sympathisanten als Sympathisanten für meine *Reue*, nicht als solche für meine verflossenen Aktivitäten zu werten, überlasse aber Ihnen die endgültige Auswertung, die ja erst möglich ist bei Kenntnis jener Dossiers, die mir nicht zur Verfügung stehen. Dasselbe trifft auf die Personen zu, die mir offen Antipathie zeigten: ob sie mir *wegen* meiner Reue Abneigung bekundeten oder weil sie meiner Reue mißtrauen: das zu beurteilen, wäre mir nur möglich, wenn ich so umfassend informiert wäre wie Sie. Ich beneide Sie nicht um die Aufgabe, Sympathie und Antipathie in ihrer Verwurzelung zu analysieren, denn man müßte ja – bei Sympathisanten wie Antipathisanten – auch immer die Möglichkeit des Gesinnungswandels voraussetzen dürfen, wie er bei mir stattgefunden hat.

Ihre kleine Empfehlung an ein hiesiges Mitglied des ZK war sehr nützlich: da fand ich sofort ein paar Türen und einige Paar Arme offen; ich habe nirgendwo meine umstrittene Rolle auf der Berliner und Dortmunder Anarchoszene geleugnet und meinen Decknamen »Rotgimpel« ganz bewußt als meinen Spitznamen lanciert.

Nach meinem ersten künstlerischen Auftritt (den jenes ZK Mitglied mir ermöglichte) kam es dann so, wie ich es vorgesehen hatte: ich brauchte mich niemanden zu nähern: man näherte sich mir. Ich gab in einem sehr hübschen Pfarrsaal »mein Bestes«: die »franziskanisch-johanneische Feuerkette«, eine pyrotechnische Spielerei; es gab Diskussionen, das übliche »engagé or not«; es gab Streit, einen kleinen Pressebericht, ein Interview, während dessen ich den Begriff der »Ignition-art« prägte und einführte, und da nicht nur die katholische Szene, sondern das gesamte Szenario hier nach Kunst geradezu ausgehungert ist, wurde ich weitergereicht. Das läuft also gut an (und aus, wie ich hoffe). Ich habe Boden unter den Füßen, gelte, als was zu gelten ich vorhatte: als undurchsichtig, gebe mich *relativ* reaktionär, so daß mir schon der Spitzname »Beuys der Schülerunion« anhaftet.

Es will mir nicht recht einleuchten, daß Sie mir Philologismus vorwerfen angesichts der Tatsache, daß ich ja nun wirklich das Kauder- und Rotwelsch der Leute entziffern muß, die ich ins Auge fassen soll. Wenn ich also jemanden als »rotbrüchig« bezeichne, so bedeutet das keineswegs, daß er ein gebrochener Roter ist, sondern daß an den Bruchstellen seiner Existenz und seines Bewußtseins »rot« sichtbar wird, und entsprechend verhält es sich mit »schwarzbrüchigen« oder »braunbrüchigen«. Ich halte solche Abkürzungen für sehr nützlich und schlage vor, sie folgendermaßen zu chiffrieren: rb; sb; bb. Das ist doch für Aktenvermerke sehr empfehlenswert. Und wenn ich von einer Person sage, daß sie »rotfaul« ist, so meine ich natürlich nicht, daß sie zu faul ist, rot zu sein oder zu werden, sondern daß sie von Rotfäule befallen ist; das »faul« in »rotfaul« kommt nicht von Faulheit sondern von Fäulnis; Abkürzungsvorschlag: rf. Es kann also vorkommen, daß ich eine Person als sbrf bezeichne oder gar rbrf.

Obwohl mir der einschlägige Jargon – wenn auch nur bis zum

Jahre 72 – vertraut war, hatte ich ziemliche sprachliche Schwierigkeiten mit einer Gruppe, die sich mir fast etwas zu aufdringlich näherte: sie nennen sich »Rotmolche«, bewegen sich gänzlich außerhalb der *etablierten* linken Szene, mischen harten Dogmatismus mit liebenswürdigem Gebaren. Ich habe fast eine Woche gebraucht, um herauszufinden, daß man *nicht* UM meint, wenn man von der »Chefin einer Anarchistenbande« spricht, »die den bisher größten Abstauber gelandet hat«, sondern eine berittene Industrielle, die lediglich die Steuergesetze etwas eigenwillig ausgelegt hat. Und wenn man von einem »millionenschweren Ding« spricht, »das man für die Kriminelle Vereinigung gebaut hat«, dann meint man nicht den Stammheimer Neubau, sondern den Sitz der Bundesvereinigung der Arbeitgeberverbände in Köln – natürlich ohne weder den einen noch die andere mit Namen zu nennen: solche Wahrnehmungen und Interpretationen ergeben sich einfach aus dem sorgfältigen (und mühseligen, übrigens auch spesenfressenden) Gesamtstudium von Stimmung und Wortschatz. Wie lange habe ich gebraucht, um herauszufinden, daß man mit der kriminellen Vereinigung EDEKA nicht die Konsumgesellschaft meint, sondern die Erzdiözese Köln; und: daß Likaki, eine mit verächtlichem Tonfall auf gewisse kirchlich gebundene Personen angewandte Abkürzung, nicht eine Dissimilierung des Wortes Lakai ist (was nahe gelegen hätte), sondern eine simple Abkürzung für: Linkskatholischer Kirchgänger. Logischerweise gibt es dann auch den Kaki – das ist ein rechtskatholischer Kirchgänger, wobei die Anspielung auf den bräunlichen Unterton des Khaki keineswegs zufällig ist.

Natürlich habe ich auch meine Zweifel über die Relevanz der »Rotmolche«, aber als Kristallisationsvehikel sind sie keineswegs zu unterschätzen. Sie bestehen aus fünf Personen: einem Rundfunkredakteur, einer Studentin, die die Anführerin zu sein scheint, einer Sekretärin und zwei Arbeitern, denen die Jusos zu rechts waren. (Namensliste wie verabredet im »Doppeldekker«!) Sie konfrontieren sich mit allen *nicht* der DKP nahestehenden linken Gruppen, mit kirchlichen Jugendgruppen beider Konfessionen und mit Bundeswehrangehörigen. Ich erlaube mir den Hinweis, daß es vielleicht doch angebracht wäre, dem

MAD einen Tip zu geben. Da laufen junge gesprächswillige Offiziere, denen Demokratie kein leeres Wort ist und die freiheitlich demokratische Grundordnung kein leerer Begriff, mit Lammsgeduld in offene Messer, lassen sich auf Diskussionen ein, denen sie nicht gewachsen sind und in denen offen natofeindlich argumentiert wird. Nur ungern gebe ich hier ein Detail zur Kenntnis, das eigentlich den Kompetenzen des INTIMSERVICE unterliegt, diesem aber möglicherweise entgehen könnte: ein junger, sehr aufgeschlossener Major aus dem Verteidigungsministerium unterhält ganz offensichtlich ein Verhältnis mit der Person, die sich Rotmolch I nennt (eine *Frauens*person, wie ich hinzufügen möchte): jedenfalls bin ich ungewollt Augenzeuge recht eindeutiger Zärtlichkeiten geworden, die während einer Diskussionspause im Garten eines Jugendzentrums gewechselt wurden. Sechs Wochen lang habe ich auch ausgiebig einen Herrn beobachtet, den wir den Pseudodänen nennen wollen. Still, fast stumm, schüchtern umschleicht er das Geschehen; da ich in sein kulturpolitisches Arbeitsgebiet falle, spricht er mich gelegentlich an, bittet um ein Interview (das ich ihm zu gegebener Zeit gewähren werde), sammelt Daten und Informationen, und nun plötzlich ist er *aktiv* geworden und schlug mir (ausgerechnet während eines Empfanges, den die CSU gab) die Gründung eines »Komitees für die Opfer der Klassenjustiz« vor. Ich habe Sympathie bekundet, doch noch nicht direkt angebissen. Da er behauptet, er habe in einem nahe gelegenen Kloster Verbündete, will ich doch bei nächster Gelegenheit meine Sympathie verstärkt bekunden: vielleicht führt das auf die internationale monastische Sympathisantenszene; er – der Pseudodäne deutete auch an, daß ich im Kloster wohl eines Auftritts sicher sein könnte, da ein gewisser Farmfried (Pater?) aufmerksam meine künstlerische Entwicklung verfolge.

Auftritte und Begegnungen dieser Art muß ich wohl hinnehmen, weil sie sich aus meiner Plazierung ergeben und sozusagen aus und auf meinem Boden wachsen; auch führen sie mich ja in den intellektuellen Zwischenbereich, den Sie mir dringend empfohlen haben: akademische Ministerialbürokratie, Publizisten, Kommentatoren, kirchliche rf-Szene, Journalisten, Diplomaten. Um in diese Kreise vorzudringen, muß ich mich eben »interessant« machen.

Auf wie mechanische Weise hier die Vorurteile funktionieren, erfuhr ich neulich, als ich anläßlich eines Diskussionsabends: »Ist Kunst politische Aktion – kann politische Aktion Kunst sein?« mit eben jenem so liebenswürdigen wie zärtlichkeitshungrigen Major ins Gespräch kam. Er sagte zu mir, es sei doch eigentlich schade, daß wir – gemeint waren Künstler schlechthin – samt und sonders Wehrdienstverweigerer seien; wie erstaunt war er zu erfahren, daß ich in den Jahren 69/70 meinen Wehrdienst regelrecht absolviert hatte, als Feuerwerker, so daß ich meine handwerklichen Fähigkeiten der Bundeswehr, ihre künstlerische Weiterentwicklung mir selbst verdanke. Daß der Major erstaunt darüber war, überraschte mich nicht, es hätte mich noch weniger überrascht, wenn er erstaunt *getan* hätte; beunruhigend ist: er wußte es wirklich nicht, hatte sich offenbar, obwohl wir uns inzwischen wohl ein halbes Dutzend mal begegnet sind, noch nicht über mich informieren lassen. Ich denke, Rotkopfwürger, das wäre mal wieder eine Gelegenheit, dem MAD eins auszuwischen! Eben dieser sympathische Mensch fragte mich, ob ich wohl gelegentlich dem Wachbataillon mal meine Künste vorführen würde, und als ich ihn scherzhaft fragte, ob er mir denn bei der Beschaffung von Schwarzpulver und Phosphor behilflich sein könnte, lachte er und meinte, die Armee habe dies zwar nicht in unverarbeiteter Form zur Verfügung, denn die Zeiten der Pulverhörner seien ja nun endgültig vorüber, aber eine gewisse Kooperation mit Munitionsfabriken lasse sich vielleicht arrangieren. Ich muß gestehen, daß mich soviel Ahnungslosigkeit erschüttert hat. Stellen Sie sich vor, ich hätte sein Angebot angenommen! Irgendein beliebiger, vorübergehend bekannter PYRO-Aktionist bekäme dann möglicherweise von der Armee selbst Material geliefert, mit dem er das ganze Bundeskanzleramt in die Luft sprengen könnte (was ja bei *dem* Bundeskanzler – rein abstrakt betrachtet – nicht so schädlich wäre!).

Immerhin war der Herr Major clever genug, während der Veranstaltung nun doch endlich aktiv zu werden, er telefonierte ausgiebig, verriet aber dann in unvorsichtiger Eitelkeit die Natur seiner Telefonate, in dem er sich von mir mit den Worten verabschiedete: »Auf Wiedersehen, Herr Kamerad Künstler«.

Offenbar hat er herausgefunden, daß ich nicht nur ein gewöhnlicher Dienstpflichtiger bin, sondern nach Übungen in den Jahren 71, 72, 73 zum Leutnant der Reserve avanciert bin.

Im »Doppeldecker« finden Sie Namen, Adressen und Zitate von 16 Pädagogik-, vier Theologie-, zwei Soziologiestudenten, die alle ausgesprochen rbrf sind; außerdem vier Ministerialbeamte, drei Journalisten, die ich mit dem Prädikat diff. belege (ich erinnere Sie daran, daß mit diff. nicht diffizil oder difficult, sondern Differenzierer abgekürzt sind); außerdem sei darauf hingewiesen, daß ich lediglich solche Personen der strengen Beobachtung unterwerfe, die sich *nicht* öffentlich, sondern lediglich privat äußern, also auch nicht auf Diskussionsabenden, sondern in Kneipen, auf Partys, in Cafés, während kurzer Gespräche auf der Straße.

Rotgimpel

2 *Ackergaul an Stallmeister*

Es war, wie sich herausgestellt hat, doch eine gute Idee, mich als freien Mitarbeiter einer dänischen Rundfunkanstalt zu plazieren, und da mein (dänischer) Auftrag weiträumig ist, das Thema schwer zu umgrenzen, zeitraubende Recherchen notwendig sind, habe ich Spielfläche und Zeit genug. Eine mehrstündige Sendereihe über »Kulturpolitische Entwicklungen in der deutschen Nachkriegsgesellschaft« verschafft mir auch Zutritt zu genau jenen Kreisen, die wir die »Kandidaten der strengen Observanz« nennen wollen. Ich halte es für meine Pflicht, Ihnen mitzuteilen, daß man hier sehr sehr mißtrauisch ist; kaum hatte ich mich beim Bundespresseamt eingeführt, ein paar Journalistenkneipen besucht, erfolgte prompt die Rückfrage bei meinem Auftraggeber F-sen; ob die Rückfragen vom Presseamt, von dänischen Kollegen oder auf Grund der gewöhnlichen Stallroutine erfolgten, werden Sie besser wissen als ich; wahrscheinlich erfolgte die Rückfrage auf allen drei Ebenen. Nun, F-sen bestätigte meinen Auftrag, meinen Ausweis – und nach einiger Verwirrung (es gibt hier einen gleichnamigen Journalisten, der nicht sonderlich beliebt zu sein scheint; Spitzname: Polterknecht!), kann ich mich als plaziert und akzeptiert betrachten. Da ich außerdem an meiner Vita nichts zu interpolieren brauche (wie verabredet gebe ich freimütig meine Daten preis, Jahrgang 40, kaufm. Lehre mit Abschluß, Abendabitur, Studium der Publizistik, Redaktionsvolontär im Sonderbereich Bildungspolitik, freier Journalist mit einschlägigen, z. T. markanten Publikationen) brauche ich keine Rückfrage zu fürchten. Nachdem ich jetzt schon unbehelligt zehn Jahre lang meine Furchen ziehe, bedurfte es nur zweier Wochen, um in den *Dunst*kreis, zweier weiterer um in den *Um*kreis der Kandidaten zu geraten, und nach zwei weiteren Wochen, also insgesamt sechs, gehöre ich fast schon zur etablierten Garnitur. Als Titel für die erste Sendefolge habe ich »Die Hauptstadt und die Kunst« gewählt. Mein Exposé dazu ist akzeptiert, und ich sammle fleißig Informationen, notiere, entwerfe, beginne langsam mit der Reinschrift und empfinde es gar nicht als lästig, daß der (ahnungslose) F-sen ein wenig drängt, denn wenn die erste Sendefolge mal gelaufen ist und – wie Sie mir versprochen haben – die dänische Presse diese nicht völlig ignoriert, kann ich dem Presseamt und der Kulturabteilung des Auswärtigen Amtes die »Schnippel« übergeben und zuschicken und bin dann endgültig ausgewiesen.

Sie wissen, daß ich nichts von »Briefkästen« halte, sondern immer noch die Briefkästen der Bundespost für die sichersten halte; da mir auch die Postlagerung zu unsicher ist, adressiere ich direkt an unsere gemeinsame Freundin, in deren Westerwälder Familienpension wir schon so manchen friedlichen Skat haben dreschen dürfen. Ich nehme an, daß Sie dort immer noch Ihre Wochenenden verbringen, und falls meine Berichte dramatisch oder dringend werden und sofortige Aktionen erforderlich machen, so habe ich ja immer noch das nahe gelegene Klösterchen, unser gutes altes Tagungsnest, in dem Pater Farmfried – ich schlage für ihn die Chiffre Ff vor – sein »rotes« Telefon (und seinen stets gekühlten Steinhäger) zur Verfügung stellt. Ich nehme an, daß er innernestliche Informationen direkt an Sie gibt, berichte also darüber nicht, falls keine gegenteilige Weisung kommt. Immerhin ist ja die Erwägung eines Radikalenerlasses für Klosternachwuchs innerkirchlich und heikel, und Ff steht ja direkt an dieser Front. Wie bisher folgen Daten, Namen, Zitate gesondert im »Schleimbeutel«.

Ich habe mich nun auftragsgemäß zunächst mit den erwiesenen bzw. schon überführten Radikalsympathisanten beschäftigt, sie beobachtet bzw. mich mit ihnen sogar unterhalten, und ich schlage vor, sie konkurrenzlos ihrer psychischen Strafe zu überlassen. Nehmen wir zuerst den Herrn, den wir »Rüfflin« zu nennen übereingekommen sind; er hat ja nicht nur seine Verfehlungen zugegeben, er ist auch reumütig – und ein bißchen gestört. Bei jeder Gelegenheit murmelt er: »Ich hab's wirklich gewußt, gewußt hab ich's« und spielt damit auf die Tatsache an, daß er seinerzeit einem Hund (ich glaube mich zu erinnern, daß es ein Boxer war), von dem er *wußte*, daß er einer Verwandten von Gudrun Ensslin gehörte, eine ganze Tüte voll saftiger Hammelknochen hingeworfen hat; wir brauchen uns hier nicht mehr mit der Frage zu beschäftigen, die ja schon Gegenstand einiger Zeitungskommentare war, ob er die Knochen demonstrativ für *diesen* Hund gekauft hat oder ob er sie ursprünglich seinem Hund (einem Spaniel, glaube ich) zugedacht hatte. Lassen wir das endgültig auf sich beruhen: er ist *reumütig*, und er zeigt seine Reue so offen, daß ich ein wenig Mitleid mit ihm verspüre, obwohl ich *an sich* in einem solchen Falle mitleidslos bin. Nun, man kann ihn Tag für Tag in einem ziemlich gut frequentierten Café sitzen sehen, wo er entweder den Leitartikel des *Rheinischen Merkur*, diesen durch beifälliges, skandierendes Nicken sozusagen voll gutheißend, liest, wobei die FAZ aus seiner Rocktasche lugt, oder er liest – mit entsprechendem Nicken – den Leitartikel der FAZ und der *Rheinische Merkur* lugt ihm aus der Tasche. Inzwischen darf er auch – zunächst unter Pseudonym – in einer völlig unverdächtigen Zeitung hin und wieder Glossen schreiben, und wenn auch schon das Pseudonym »Superthieu«, das er gewählt hat, für ihn spräche, so erst recht der Inhalt. Entlassen wir also »Rüfflin-Superthieu« aus der strengen Observanz. Lesen Sie Superthieus Gelegenheitskolumnen, und Sie werden mir recht geben.

Ganz anders verhält es sich mit dem Kerl, den wir seinerzeit, als er auf der Berliner und Dortmunder Anarchoszene einen gewissen Wirbel verursachte, wegen seines leicht iberischen Aussehens Mendoza nannten; er figuriert hier unter einem Spitz-(oder Deck?)namen, den er selbst sich gegeben hat, den er

aber als von anderen ihm gegeben ausgibt. Man nennt ihn den
»Rotgimpel«, aber meine (wie Sie sich vorstellen können) mühseligen Recherchen haben ergeben, daß der Ursprung dieser
Benennung bei ihm allein liegt: er hat einfach auf zwei, drei
Partys ausgestreut: »Irgendsoein Springer Schwein hat mich
neulich Rotgimpel genannt« oder »irgendsoein reaktionärer
RCDS-Typ hat mich gestern Rotgimpel genannt« – und so hat er
seinen Spitznamen geschickt unter die Leute gebracht. Ich denke, diesen Herrn »Mendoza-Rotgimpel« werde ich mir näher
anschauen, und zum Glück verschafft mir mein Funkauftrag
direkten und unverdächtigen Zutritt zu ihm; er nennt sich jetzt
»Aktionskünstler«, seine Spezialität: »Ignition-art« oder: die
Kunst der Zündung. Da die Kunstszene hier spärlich, man
könnte fast sagen ärmlich besetzt ist, ist es ihm innerhalb von
zwei Monaten gelungen, jenen Zustand zu erreichen, den man
mit »überall dabei« bezeichnet. Die Ungeniertheit, mit der er –
unmotiviert, also offenbar demonstrativ – etwa ein Buch aus
dem Wagenbach Verlag genau so weit aus seiner Rocktasche
herausragen läßt, daß man es als solches erkennen kann, könnte
man fast frivol nennen. Nach einigen Auftritten, denen man eine
gewisse Liebenswürdigkeit nicht absprechen kann, ist er so sehr
»eingeführt«, daß er sogar zu den Empfängen des »Zentralkomitees deutscher Katholiken« eingeladen wird, und ich sah ihn
dort kürzlich – diesmal mit einer Ausgabe von *das da* in der
Tasche – mit dem Nuntius Bafile plaudern, dem er – wie ich im
Vorbeigehen – hörte die mystischen Aktionen der Katharina
von Siena zu erklären versuchte. Das trockene, erstaunte, jedoch noch nicht schockiert wirkende Gesicht des Prälaten hätten Sie sehen müssen. Eins ist sicher: Rotgimpel hat eine Markt-
lücke erkannt und baut sich in dieser breiten Nische bewußt auf.
Der Abgrund, der CDU/CSU und ihr nahestehende kirchliche
Kreise von der gesamtintellektuellen und der Kunstszene
trennt, erzeugt einen Sog, der sich gefährlich auswirken kann. In
diesem Zusammenhang wittere ich erhebliche Gefahr: da hat
man nun endlich einen jungen Künstler, der sogar schon einen
gewissen Namen hat, der als Aktionskünstler sogar literarische
Dimensionen einbringt, der sich offen anarchistisch gebärdet –
und man greift zu. Ich fürchte, hier ist wirklich Unheil im An-

zug, denn immerhin gehören zu Rotgimpels Aktionen Ingredienzien, die in Knallkörpern, Karnevals- und Sylvesterartikeln, wenn auch nicht ganz gefahrlos, so doch politisch harmlos sind, die aber in anderer Komposition und Ambition weniger harmlos sind: Schwarzpulver, Schwefel-Antimon, Phosphor etc. Sie wissen, daß »Feuerwerk« ein so vieldeutiger Ausdruck ist wie »Feuerzauber«, und Rotgimpel spielt mit dem Feuer, im doppelten Sinne: denn seine Kunst besteht aus Feuerspielen – und die Flammen der Anarchie lauern hinter den Kulissen.

Obwohl ich weiß, daß hinter und auf der Szene Sicherheitskräfte genug am Werk sind, erlaube ich mir doch eine ernsthafte Warnung: hinter »Aktionskunst« kann sich sehr viel verbergen. Immerhin gibt es Zündhölzer frei zu kaufen, und wenn Sie von einigen Zigtausend Zündhölzern die Köpfe abkratzen, so ergibt das ein potentielles Sprengmaterial, das man nicht als lächerlich abtun sollte. Mein Rat: die Zündholzkäufe zu überwachen, im Kleinhandel, im Großhandel, auf Supermärkten. Nicht gerade Meldepflicht und noch keine Rationierung einführen, aber: Aufmerksamkeit.

Ich habe vorsichtig den verabredeten Köder ausgelegt: meinen Plan, ein »Hilfskomitee für die Opfer der Klassenjustiz« zu gründen. Sollte es Zufall sein, daß als erster »Rotgimpel« angebissen hat und daß er mir die wahrscheinliche Unterstützung einer Gruppe versprochen hat, die sich »Rotmolche« nennt?

Ackergaul

P. S. Diesmal wird der »Schleimbeutel« gut gefüllt sein.

Ack.

3 *Rotmolch 1 an Majordomus*

Das gesamte Material liegt einsatzbereit an einem sicheren Ort; die einzige Schwierigkeit: der Drucker, den wir hoch bezahlen und zur Schweigsamkeit verpflichten mußten; zum Glück ist er ein wortkarger, einzelgängerischer Mann von der Sorte: verbitterter Linkskatholik mit Zwanziger-Jahre-Romantik. Notfalls mußt Du ihn zum Kronzeugen machen lassen. Ein halbes Jahr zu sitzen, ist er bereit, mehr nicht, aber ich denke, Du wirst ihn mit vier Monaten durchbringen. Man könnte sogar bei ihm auf § 51 gehen: er hat mal ein halbes Jahr im KZ gesessen. Bitte tue alles, alles, damit das Material nicht vor dem Einsatz entdeckt wird.

Der »Wikinger«, dessen »Komitee für die Opfer der Klassenjustiz« wir beigetreten sind, hat mir »explosive Sachen« angeboten. Ich weiß noch nicht, ob er Sprengmaterial, Bomben etc. meint oder eine gewisse Sorte harter Pornos, die man vor der Liberalisierung der Pornoszene auch »Bomben« nannte. Laß ihn überprüfen. Ich möchte nichts riskieren. Er brachte so völlig unmotiviert die Sprache auf Aarhus; dort sitzt ja Dutschke und möglicherweise demnächst auch B 7. Es muß da ein »link« geben, das wir zum »Leck« machen müssen. Ich weiß natürlich nicht, wie zuverlässig die dänischen Sicherheitskräfte sind, aber frag doch dort mal nach.

Was den anderen, »Rotgimpel«, betrifft, so habe ich eine Einladung zum Kaffee bei ihm angenommen; ob seine Lektüre – Wallraffiana etc. – seiner Gesinnung entspricht oder Tarnung ist (Tarnung gegenüber wem?), kann ich noch nicht feststellen. Er zeigte mir auch ungeniert einen ziemlichen Vorrat an Pyrotechnika, von denen er behauptete, sie würden, »mißbräuchlich« angewandt, genügen, um das Parlament »auseinanderzubrechen«. Ein neues Guy Fawkes? Sein Haarwasser stammt aus der DDR, ebenfalls seine gesamte Lampenausstattung. Er redete ziemlich lange über den Dynamitero in Hemingways *Wem die Stunde schlägt*. Grinste dabei so komisch und meinte, er sei ja auch eine Art Dynamitero, Kunst-Dynamitero.

Später, als er mir seine Zünder, Zündschnüre, seine chemischen Vorräte und Batterien zeigte, wurde er mir doch unheimlich. Seine Annäherungsversuche habe ich auf die liebenswürdigste Weise umgangen. Ich »entwand mich ihm«, ohne ihn zu sehr zu kränken. Sei nicht eifersüchtig. Wir müssen ohnehin vorsichtig sein. Ich hatte den Eindruck, er ahnt etwas, fragte mich ungeniert nach meinen »privaten Beziehungen zur Bundeswehr«, wie sich das mit meinem politischen Engagement vertrüge. Etc. Seine Einladung zu seinem nächsten Auftritt in einer ostasiatischen Botschaft habe ich angenommen.

Noch zwei kleine Hinweise: spontan dem Komitee beigetreten ist ein gewisser Lifterholt, Student der Theologie. Außerdem schwirrt da ein Ire namens McNulty durch die Gegend. Irgend etwas läuft da, das mit Käse zu tun hat. Vielleicht harmlos, aber es wäre besser, nachzuhaken. Dieser Ire ist mir ein bißchen *zu* verrückt. McN spielt Guitarre, singt dazu allerlei wehmütiges Zeug und ruft immer wieder, völlig unmotiviert mitten in einem Lied »Cheese«. Das wirkt auf mich wie ein Stichwort, wie eine Losung – vielleicht die Losung für irgendeinen EWG-Export oder Importschwindel? Produziert Irland viel Käse? In diesem Fall *weiß* ich nicht, ich *wittere* nur, und Du weißt, daß meine Witterung selten versagt. Den »Wikinger« und unseren ziemlich plumpen »Rotgimpel« halte ich nicht gerade für harmlos. Der Drucker ist mir so unheimlich wie der düstere Lifterholt. Dieser McNulty hingegen singt bei *jedem* Auftritt in jedem Lied dieses »Cheese« wie einen Schlachtruf, und er beendet jeden Auftritt mit den beiden Versen:

I want to go to Parma
I want to get some Cheese.

Laß über die Nato in London und Belfast und über die EWG in Dublin nachforschen, was es mit diesem Cheese aus Parma auf sich hat. Meint er etwa Parmesan und vielleicht geriebenen?

Laß uns erst sechzehn Stunden nach der Aktion verhaften. Ein paar Wochen lang werden wir wohl auf Zärtlichkeiten verzichten müssen.

Rotmolch I

4 *Rotgimpel an Rotkopfwürger*

Inzwischen werden Sie eingesehen haben, daß es dringend notwendig war, das Telefon des »Doppeldeckers« zu benutzen. Mein Auftritt in der ostasiatischen Botschaft war ernsthaft gefährdet, meine Operationsbasis wäre frühzeitig zerstört gewesen; nichts wirkt hier ruinöser als eine Blamage dieser Art. Ein Künstler, der das notwendige Material nicht auftreiben kann! ja, dem es beschlagnahmt wird. Die peinlichen Schwierigkeiten, die ich bei der Beschaffung größerer Mengen Zündhölzer hatte, stehen in einem absurden Widerspruch zu dem Schwarzpulverangebot durch die Armee selbst. Nachdem ich, wie immer, naiv meine 60000 Zündhölzer beim Großhandel bestellt hatte, erhielt ich prompt Besuch von drei (männlichen) Sicherheitskräften, die wenn auch nicht gerade rüde, so doch sehr energisch Wohnräume und Atelier durchsuchten. Sie beschlagnahmten zwei Nummern von *Konkret*, drei Publikationen aus dem Wagenbach Verlag sowie ein Exemplar der *Frankfurter Hefte*. Nachdem sie die *Frankfurter Rundschau*, den *Spiegel* und die *Süddeutsche Zeitung* mit äußerstem Mißtrauen, ja fast mit Ekel studiert hatten, hatte ich den Eindruck, daß ihnen sogar die *FAZ* – genauer gesagt, das Feuilleton der *FAZ* – äußerst verdächtig vorkam. Zufällig hatte ich die *Zeit* nicht im Haus.

Was die Zündhölzer anbelangt, so half mir auch ein diskreter Hinweis auf meine Bekanntschaft mit zwei Kultusministern CDU-regierter Länder wenig, und ein schüchtern angebrachter Hinweis, daß auch ein Kultusminister eines CSU-regierten Landes mir nicht ganz unbekannt sei, wurde einfach ignoriert. Schließlich verwies ich auf das Auswärtige Amt, auf die erheblichen diplomatischen Komplikationen, die entstehen könnten, wenn man ein künstlerisches Ereignis in einer ostasiatischen Botschaft verhindere. Ich hatte eine längere Unterredung mit den Herren über Kunst und Zündhölzer, und obwohl ich einige Kunstzeitschriften mit Artikeln über mich vorweisen konnte, sogar eine Kulturnotiz in der *FAZ*: nichts fruchtete. Sie blieben hart, und einer der Herren meinte, Kunst, die von Zündhölzern abhängig sei, sei keine. Versetzen Sie sich in meine Lage! Fünf Stunden vor meinem Auftritt, drei Stunden vor der Probe! Schließlich gab ich zu bedenken, wie die ausländische Presse darauf reagieren könnte. Nichts! Was wäre – so argumentierte ich –, wenn man einem Maler die Farben, einem Schriftsteller die Bleistifte beschlagnahmen würde! Oder die Auslieferung dieser kunstnotwendigen Materialien verhinderte! Wo bliebe da die Kunst, ganz zu schweigen von deren verfassungsrechtlich verbürgter Freiheit.

Können Sie sich vorstellen, daß ich drauf und dran war, meine Identität preiszugeben? Ich tat's nicht. Wie nachlässig übrigens die Herren trotz scheinbarer Energie durchsuchten, mögen Sie daran erkennen, daß drei Exemplare von *das da*, zwei Bücher von Günter Wallraff unentdeckt blieben – und das unter meinem Kopfkissen! Schließlich, endlich allein gelassen, ging ich zu einer Zelle und »bestieg« ausnahmsweise den Telefon-»Doppeldecker«. Außerdem rief ich die ostasiatische Botschaft an, deren Kulturattaché mich beruhigte und auf die Exterritorialität, die Freiheit der Kunst und auf einen erheblichen Vorrat an zollfreien Zündhölzern irisch englischer Machart der Firma »The Friendly Match« verwies. Inzwischen war auch der »Doppeldecker« aufgestiegen, und mein Auftritt – der übrigens ein phantastischer Erfolg wurde – war gerettet.

Ich bitte Sie jetzt, in dieser Sache nichts, nicht das geringste zu unternehmen: ein solcher Vorfall ist meinem Image, auch der Düngung meines Bodens hier sehr dienlich. Dieser Vorfall ist immerhin auch der Anlaß für die beigefügte Liste von Sympathisanten und Antipathisanten, die sich anläßlich des Vorfalls bei mir meldeten, mich ansprachen etc. Sie werden mit Erstaunen feststellen, *wer* alles sich *wie* darüber geäußert hat – und meine bescheidene Information, mit Ihrem Hintergrundmaterial angereichert, kann bei der Durchführung des Radikalenerlasses sehr nützlich sein. Beachten Sie vor allem die windige Liberal-Sympathie aus dem AA. Niemand dort ahnt, wie gefährlich Zündholzköpfe wirklich sind. Völliger Mangel an Einsicht in Notwendigkeiten.

Rotgimpel

5 *Ackergaul an Stallmeister*

Der Erfolg in der exotischen Botschaft hat ihn gesprächig gemacht. Er gab mir das Interview schon am folgenden Morgen. Gespreizt, stolz, angeberisch. Sagte mir auch, er müsse sich angesichts seiner steigenden Publizität doch überlegen, ob er dem Komitee beitreten wolle. Zunächst spielte er den Anti-Chauvinisten, lobte die Qualität der englisch-irischen, der schwedischen, sogar der italienischen Zündhölzer (man hatte bei den verschiedenen Botschaften um »Amtshilfe« in Sachen Zündhölzer gebeten) und sagte, der bedauerliche Vorfall, dessen Notwendigkeit er durchaus einsehe, habe ihn auf die Idee gebracht, in Zukunft nur noch ausländische Zündhölzer zu verwenden. Als ich ihn fragte, wie es mit sowjetischen und Zündhölzern aus der DDR, Ungarn etc. stehe, grinste er ziemlich blöde und sagte, er wolle sie ausprobieren und »in Erwägung ziehen«.

Ich legte verschiedene Köder aus. Ob das nicht schon Faschismus sei; welch ein Land das denn sei, das die Ausübung der Kunst verhindere; ob ich im dänischen Rundfunk über diesen Skandal berichten solle. Er biß nicht an, berief sich – ganz dem pseudoreaktionären Image, das er sich gegeben hat, entsprechend – auf eine »zwar bittere, aber einzusehende Notwendigkeit«. Hegel? Er ging auf keinen Leim.

Wir sprachen dann ausgiebig über die Wirkung der Zündholzaktion (die er dann doch »Zündholzhysterie« nannte) auf den Lebensmittelhandel, die Drogerien, Apotheken, Offizinien aller Art, auf die Hersteller, Groß- und Kleinhändler von und mit Feuerwerkskörpern und Scherzartikeln. Er wußte auch schon, daß die Botschaft der Volksrepublik China bereits beim AA protestiert und angekündigt hat, sie werde in eigener Regie Raketen herstellen lassen; keineswegs dürften alte chinesische Traditionen zerstört bzw. deren Fortführung behindert werden. Es gab da außerdem – auch das wußte er – ein ziemlich gekränktes Statement des Reservistenverbandes, der irgendein Jubiläum (oder war es die Beförderung seines Vorsitzenden zum General der Reserve?) feiern und ein Feuerwerk veranstalten wollte. Die Beschwörung der aktenkundig erwiesenen patriotischen Gesinnung und der geradezu makellosen politischen Vergangenheit, Gegenwart und Zukunft ihres Vorsitzenden nützte da nichts. Sogar eine Intervention des CSU-Vorsitzenden wurde ignoriert. Nichts da! Pulver ist Pulver, und wer weiß, ob da nicht plötzlich irgendein verrückter Major (es gibt deren!) auf krumme Ideen kommt. Schade, da der Verband an sich natürlich förderungswürdig ist, aber in diesem Stadium könnten Ausnahmen böses Blut machen. Man behindert die Kunst und fördert die Militaristen!

Erst spät, nachdem wir notwendigerweise die Aktualitäten gestreift hatten, kamen wir auf seine Kunstauffassung. Sein Atelier liegt übrigens in einem ehemals industriell genutzten Hinterhof, ist keineswegs spartanisch, eher sehr gemütlich eingerichtet; die Wände sind mit alten Aktionsplänen aus seiner Dortmunder und Berliner Zeit tapeziert, Grundthema: »Lichter stecken«, Feuer entzünden, zündende Gedanken, Revolution von oben. Er argumentiert da schon sehr geschickt: alle Religionen, meint er, haben die Sitte, Kerzen oder Lichter »zu stecken«. Luciafest, Jul, Sonnenwende, Weihnachtsbaum, Kerzen in den Kirchen, Votivaltäre, etc. Im Orient wie im Okzident gleichermaßen verbreitet. Er spricht dann von einer »Internationale des Lichtersteckens«. Die Zündung soll sich dann in Form von »Zündenden Gedanken« fortsetzen, weitergeleitet werden. Statt Telefon-, soll man Zündleitungen legen. Man erkennt in diesem Prinzip eindeutig das Modell der *Zündschnur*, die er »um die ganze Welt legen« möchte. Unterirdische Zündvorrichtungen, Zündleitungen, Fernzündsysteme, lauter Kunstwerke, »ein Wurzelwerk der Ignition und des Humors«. Ich muß gestehen, daß mir der Humor dieses Herrn, der da bei (portugiesischem) Rotwein, Zigarillos und sehr leiser irischer Folk-music die Revolution von oben predigt, von Fernzündleitungen spricht, sehr makaber vorkommt.

Er scheute sich auch nicht, die Pipelines in sein Zündungssystem einzubeziehen, und »weil nun einmal die Nato ein System weitverzweigter verschiedener Leitungen verwaltet«, hält er Natofeindlichkeit geradezu für reaktionär.

Sie können sich denken, Stallmeister, daß ich ihn mit sehr gemischten Gefühlen verließ. Als ausgesprochene Frechheit empfand ich, was er mir beim Abschied zumutete. Er brachte mich zur Tür, bot mir an, jederzeit zusätzliche Auskünfte zu erteilen über die Kunstszene der Hauptstadt. Dann flüsterte er mir zu: »Käse, gerieben, Käse gerieben. Sie stehen doch mit einem Land in Verbindung, in dem die Herstellung von Käse Tradition hat!« Ich konnte mir auf diese Andeutungen keinen Reim machen, wollte mich aber auch nicht durch eine Rückfrage demütigen und bitte nun Sie, herauszufinden, was es damit nun wieder auf sich haben mag. Im Vorraum seines Badezimmers fand ich übrigens haufenweise Batterien verschiedener Voltstärke. Natürlich braucht er das wohl alles für seine »Kunstwerke«. Es gibt auch Künstler, die mit Pistolen Farbe verspritzen. Ich rate zum Zugriff.

Natürlich bin ich auch nicht ohne Einschränkung glücklich über die Wirkung meiner Zündholzwarnung. Das Gerücht, Zündhölzer würden bald einer Kaufgenehmigung unterliegen, verbreitete sich rasch, es kam zu Panikkäufen; dann wurden plötzlich Feuerzeuge gehamstert, und als dann (irrtümlich, aber bevor sich der Irrtum herumgesprochen hatte und entsprechende Maßnahmen rückgängig gemacht waren, waren kostbare Stunden vergangen) die Feuerzeuggasbomben in Beschlagnahmungsgefahr gerieten, entstand eine hastige Nachfrage nach Luntenfeuerzeugen – aber sind nicht Lunten ebenso gefährlich? Prompt entstanden Schwarzhandelssituationen: partiell Hysterie – nicht nur wegen der Knappheit der Zündhölzer, mehr noch wegen der diesen innewohnenden Gefahr. Es gab ein paar Haussuchungen – nicht nur bei unserem Freund. Nun hat sich die Szene etwas beruhigt, seitdem die befaßten Behörden haben bekannt werden lassen, daß keineswegs *alle* Zündhölzer beschlagnahmt würden. Einer meiner englischen Kollegen schrieb prompt einen deutschfeindlichen Artikel mit der Überschrift »German Matchbox Revolution«, schilderte darin, daß eine stadtbekannte kettenrauchende belgische Journalistin, die als Feuerzeughasserin gilt, einen Herzanfall bekommen habe. Die Regierungssprecher hatten einige Mühe, entsprechende Anfragen zu beantworten; ein (allerdings sehr böswilliger) Ostblockkorrespondent fragte, ob man nicht anfangen müsse, das deutsche Volk die Kunst des Feuerreibens zu lehren. Es fiel das Wort »Stein =«, ja »Eiszeit«. Das Wort »Behördenwillkür« und »übertriebene Vorsicht« ging um. Aber gibt es das: übertriebene Vorsicht?

Ackergaul

P. S.: Damit ich die Ergebnisse der Beobachtung zweier weiterer Radikalsympathisanten abhaken kann: Die “Dame«, die wir »Küßchen« zu nennen übereingekommen sind (sie hat seinerzeit einen Onkel einer Verwandten von UM, der bei ihrem Nachbarn zu Besuch war, mit ihrem Auto zum Bahnhof gebracht, *wissend*, um wen es sich handelte!), zeigt keinerlei Reue! Sie verweigert Interviews, Statements, jegliche Auskunft, *ob-*

wohl ihr Mann mittlerer Beamter im Innenministerium ist; ihr Mann, wenn er auf das merkwürdige Gebaren seiner Frau angesprochen wird, gibt sich lediglich verlegen. Konsequenzen scheint er nicht von sich aus ziehen zu wollen. Ob das IM Konsequenzen ziehen wird, erscheint mir äußerst fraglich, besonders nachdem unsere bezaubernde »Küßchen« kürzlich immerhin zur Kenntnis gab, der betreffende Herr sei äußerst charmant und gehbehindert gewesen. Mehr nicht. Keine Reue! Keine Konsequenzen und ein inkonsequentes Innenministerium.

Fall 4: »Ruffino« scheint geklärt. Er hat seine Pfarrstelle aufgegeben, sich beurlauben lassen müssen. Auch bei ihm nicht die Spur von Einsicht oder Reue, im Gegenteil: er sagt, er würde es wieder tun und wenn die Kinder noch einmal an einem heißen Sommertag vor seinem Haus (*wie* sie vor sein Haus kamen, ist je nie geklärt worden) auf ein Auto warten müßten (es handelte sich, wie man ja ermittelt hat, um ein Auto von R I!), würde er ihnen wieder Eis stiften, dann aber mit Sahne und allem »drum und dran«; gefragt, was er mit »drum und dran« meine, sagte er, »Schokoladensoße noch drauf!« Der Kerl hat sein Haus räumen müssen, ist also beurlaubt, leider mit »vollen Bezügen« (es ist offensichtlich fast unmöglich, einem katholischen Priester seine materielle Basis zu entziehen!), und nach Mainz gezogen, wo er »endlich seinen theologischen Doktor machen« will. Ich schlage vor, »Ruffino« an »Äffin IV« zu übergeben. Er soll gegen weibliche Reize nicht ganz unanfällig sein.

A.

6 Rotmolch 1 an Majordomus

In der Käse-Geschichte hat mich meine Witterung offenbar nicht betrogen! Inzwischen ist klar geworden, auch aus entsprechenden britischen Publikationen ersichtlich, daß geriebener Parmesan bei der Herstellung einer gewissen Sorte Bomben das wichtigste Ingredienz ist und McNulty geht permanent in gewissen Kreisen aus und ein. Was die APO-Bank betrifft, kann ich Dich beruhigen. Ich habe zwar vorsichtshalber in den einschlägigen Kreisen herumgefragt, wo es denn »diese superlinke

Bank gäbe«, stieß aber überall auf Unverständnis, bis ich zufällig (auf einer Medizinerparty) herausfand, daß man mit APO-Bank die tatsächlich vorhandene »Apotheker- und Ärztebank« in Köln bezeichnet. Einfach war auch herauszufinden, wer mit den »M-Brothers« gemeint ist: es handelt sich um die Bundestagsabgeordneten Marx und Mertes (beide CDU) also keine Gefahr. Ich weiß zwar nicht genau, wie Eure Eros-Abteilung arbeitet, hätte da aber einen guten Tip: ein Mädchen aus der Fleurop-Verrechnungsstelle, das sich uns noch nicht angeschlossen, aber genähert hat; sie sagte neulich kichernd: »Wenn ich plaudern dürfte!« und als wir ein bißchen nachbohrten, fügte sie hinzu: »Was glaubt ihr denn, wer alles an wen – und wohin – Blumen schickt und nicht nur Männer an Frauen!« Mir fiel es wie Schuppen von den Augen. Falls man sie nicht zum Plaudern bekäme oder mit Geld (es müßte sich schon für sie lohnen) nichts zu machen wäre, es wäre sehr einfach, in das Büro einzusteigen und die Durchschläge der Blumenrechnungen zu fotografieren, auf denen man Absender, Adressat, Preis, Blumensorte etc. findet. Rotmolch 4 wäre bereit, das zu übernehmen. Von »Rotgimpel« und »Wikinger« nicht viel Neues. Dem ersteren ist der Kamm geschwollen, seitdem er so etwas wie eine Haussuchung und einen – wie auch ich gestehen muß – erfolgreichen Auftritt in der Ost-Botschaft gehabt hat. »Wikinger« fängt jetzt an, Geld für sein Komitee zu sammeln.

Die Aktion Lehrerpult war kein voller, jedoch ein ziemlicher Erfolg. Wir haben in verschiedenen umliegenden Dörfern und Städtchen Diskussionsabende mit Lehrern und Schülern von Haupt-, Realschulen und Gymnasien veranstaltet. Thema: »Die Verderblichkeit des Kapitalismus«. Während ich mit Rotmolch 3 die Diskussion bestritt, verließen Rotmolch 2, 4 und 5 unauffällig die Szene und erkundeten in den Klassenzimmern die Lehrerpulte, soweit sie nicht verschlossen waren. Es wurden an insgesamt 7 Schulen 112 Pulte erkundet. Ergebnis: 4 Fotos von Rosa Luxemburg. Ziemlich viele Unterlagen über den Bauernkrieg, 1848, 1918; DDR-Broschüren, einschlägige Zeitungen. Leninismus. Plakate und Postkarten von Staeck. Wagenbach. Wallraff. *Konkret, das da.* Details – Namen, Fundort, exakte Erkundungslisten wie immer in der »Flüstertüte«. Ich denke, daß unsere Nachfolger diese Aktionen fortsetzen sollten. Ich rate dringend davon ab, Schlösser gewaltsam zu öffnen. Die Versuchung war stark, besonders an den Spinden in den Lehrerzimmern. Zum Glück konnte Rotmolch 5, der diese Aktionen leitete, Disziplin durchsetzen. Dies in Eile.

Küßchen von Deinem Rotmolch I

7 Aktennotiz von Stallmeister
(nicht wörtlich, nur inhaltlich notiert nach einem mit Ff aus dem »Nest« per rotem Telefon geführten Gespräch über Ackergaul)

A. verhaftet und verhört. Ff durfte ihn als Seelsorger besuchen, A. fünf Stunden lang verhört auf peinliche und keineswegs angenehme Weise. Ff fand (wie ich ebenfalls) die Tatsache alarmierend, daß das Stichwort »Rotbrecht« weder den Verhafteten noch Verhörenden etwas zu sagen schien. Ff und A. tippen auf Denunziation von »rg«. Der Ruf von A. ist angeschlagen, muß unverzüglich (am besten durch AA und PA) repariert werden. Verhaftung erfolgte nach gemeinsamem mit »rg« Besuch im »Nest«; auch das »Nest« untersucht. Geringer Trost, daß auch »rg« noch am gleichen Abend auf unsere Veranlassung hin verhaftet wurde. Zusammenhang mit Unkraut-Ex, Puderzucker und geriebenem Parmesan noch nicht hergestellt. Das »rote« Telefon in Ff's Zelle wurde nicht entdeckt. Herausfinden, welcher Dienst für A.'s Verhaftung verantwortlich. Wie kann man diesem Dienst wegen Nicht-Auffinden des Telefons einen Rüffel verpassen lassen, ohne das unersetzliche r. t. preiszugeben? Ff hält es nicht für ausgeschlossen, daß im »Nest« Gegen-Gesinnungsarbeit getrieben wird.

Ff versprach einen »reichgefüllten, weitgestreutassortierten Schleimbeutel« über »Nest«-Interna.

St.

8 Rotgimpel an Rotkopfwürger (Kassiber)

Verhaftung und strengstes Verhör keineswegs schädlich, weder körperlich noch psychisch, noch meinem Image. Durch solche Vorfälle wird die Verwirrung gesteigert – auf beiden Seiten. Nichts unternehmen.

(nach der Entlassung im Klartext)

Ich verspreche einen bis zur Belastungsgrenze beladenen »Doppeldecker«! Was mir das Gefängnispersonal in einem Nachbarort an Sympathien bezeigte! Der einzig zuverlässige ist der Gefängnisgeistliche, der strikt und erbarmungslos Linie hielt. Keinerlei Sentimentalität. Kann als verwendbar aktenkundig gemacht werden. War aktiver Offizier und hielt politische Diskussionen für »schlechthin unchristlich«. Fragte mich, warum ich nicht in die DDR zöge. Sehr guter Mann. Abends nach meiner Entlassung ging ich dann demonstrativ im schwarzen Anzug, rasiert, mit frisch gewaschenem Haar und weißer Krawatte in eine Claudel-Aufführung, traf dort einen einflußreichen (nicht klerikalen) ZK-Mann, der mich einem Redakteur der *Neuen Bild Post* und der *Welt* vorstellte; später einem hohen CDU-Funktionär, der sehr geistreiche Vergleiche zwischen Pyro-art und Pyromanie zog, von bayrischen »Brandstiftern« sprach, ausdrücklich betonend, daß Strauß *nicht* damit gemeint sei, sondern gewisse Versicherungserfahrungen mit bäuerlichen Brandstiftern.

Erst später, gegen Mitternacht, erfuhren wir von der Aktion der »Rotmolche« und deren Verhaftung. Nach umfangreichen nächtlichen Recherchen, die ich anstellte, ergibt sich folgende Rekonstruktion des skandalösen Vorgangs:

Im Morgengrauen hatten die Rotmolche an allen Verkehrsengpässen der Stadt (etwa 10–12 lokalisierbare Kreuzungen!) aus Leichtmetall und Holz geschickt improvisierte Stellwände aufgestellt, auf denen, offenbar auf Autofahreraugenhöhe berechnet, relativ kleine (etwa 60 x 60 cm) Plakate aufgeklebt waren. Inhalt der Plakate:

1. Zeile: WARNUNG (rot)
2. Zeile: Vor kriminellen Vereinigungen in der Kölner Oberwelt

Zeilen 3–6, offenbar aus dem Kölner Telefonbuch fotokopiert:
Bundesverband d. Deutschen Industrie
Bundesverband deutscher Banken e. V.
Bundesvereinigung d. Deutschen Arbeitgeberverbände 5
Bundesverband d. Körperpflegemittel Großhandels e. V.
letzte Zeile (wiederum rot): Bitte dort *keine* Sprengkörper anbringen.

Offenbar hatten die meisten Autofahrer zu dieser frühen Stunde den Sinn der Sache nicht erfaßt, das Plakat für eins der 10 üblichen Fahndungsplakate gehalten; erst später, als sich längere Autoschlangen bildeten, Wartezeiten unvermeidlich wurden, stieg ein CSU-Abgeordneter, dem die Sache nicht geheuer war, aus, studierte den Text, alarmierte Sicherheitskräfte, die ungewöhnlich rasch aktiv wurden, die Stellwände abräumten. Un- 15 glücklicherweise hatte ein ausländischer Zeitungskorrespondent an einem anderen Verkehrsknotenpunkt ebenfalls das Plakat genau studiert. Zum Glück kein Ostblockjournalist, sondern ein Loyal-Royal Spanier, der nun seinerseits die Polizei alarmierte. Die Sache schien halbwegs glimpflich abgelaufen zu 20 sein – aber abends gegen 19 Uhr bekamen sämtliche in- und ausländische Pressevertretungen per Eilpost eingeschrieben das Plakat ins Haus geliefert. Schon um 20.30 Uhr, während ich im Theater war, wurden die Rotmolche verhaftet, eine Stunde später der Drucker, ein gewisser Zweikamner, über den noch er- 25 mittelt wird.

Erst gegen 22 bis 23 Uhr wurde der Vorfall in Kneipen, Bars, auf Partys, rasch einberufenen Treffen Gesprächsgegenstand. Wir haben allen Grund, diesen desparaten Akt der »Rotmolche« als freudiges Ereignis zu feiern: in dieser einen Nacht, mich 30 von Party zu Party schleichend, mich hier und da selbst einladend, in Hotelhallen, Wohnungen, Lokalen habe ich mehr erfahren als in den zwei Monaten davor. Gesamtergebnis: erschreckend! Zynische Kommentare, peinliche Formen der Belustigungsbekundung, nur sehr selten wahre und echte Em- 35 pörung. Sogar ein freier Mitarbeiter der *Welt am Sonntag* und ein dem *Rheinischen Merkur* nahestehender Kolumnist fanden die Sache »doch ganz amüsant«. Im »Doppeldecker« finden Sie eine komplette Liste aller mir namentlich bekannt gewordenen Personen mit einer exakten Beschreibung ihrer Reaktionen. Mit ihren zahlreichen Taxis, Alkoholika, einer gelegentlichen Schachtel Pralinen ging diese Nacht natürlich ziemlich in die Spesen – aber es hat sich gelohnt. *Fast* die gesamte hiesige Presse ist mit ihren Reaktionen erfaßt. Ich frage mich nach dieser Erfahrung, ob es noch genügt, lediglich Reaktionen in ihrer Verbalität zu zitieren; ob es nicht angebracht wäre, den physiognomischen Beweis (per Film oder Foto) einzuführen. Manche Gesinnungsobservationen sind, da viele stumm, eben nur durch ihren Gesichtsausdruck reagieren, doch nur als Foto beweiskräftig. Ich bitte, diesen Vorschlag, der sich leicht realisieren ließe, zu bedenken und an entsprechender Stelle zur Sprache zu bringen.

Einhellig war die Empörung nur in kirchlichen Kreisen (bezeichnenderweise r. k. *nicht* ev.). (Ausnehmen muß ich gewisse Personen im »Klösterchen«, die doch auf ziemlich eindeutige Weise sbrf sind. Sie finden alles, alles, mit Namen, Daten, Details, Zitaten etc. im »Doppeldecker«).

Ich kam erst gegen sieben Uhr früh nach Hause, badete, zog mich um und ging sofort wieder in die Stadt, um die Reaktionen in der Bevölkerung zu erfassen. Peinliche Überraschung: auch hier fast nur höhnische Genugtuung, kaum Empörung, überall der Hinweis darauf, daß ja *kein Blut geflossen* sei. Diese Einschränkung muß sorgfältig bedacht werden. Zwar hatten weder die Lokalpresse noch die überregionale den Vorfall auch nur erwähnt, aber eine Boulevardzeitung hatte es nicht unterlassen können, das Plakat wortwörtlich abzudrucken: schon lief das Wort »Studentenulk« um, von eben jener Zeitung unters Volk gebracht. Damit wird sich wohl der Presserat beschäftigen müssen.

Ich besuchte Märkte, Supermärkte, schlich mich in Beerdigungsgesellschaften ein, besuchte eine gewerkschaftliche Versammlung von Kellnern, benutzte mehrmals die Fähre, fuhr etwa zehnmal mit dem Taxi, mischte mich unter Ankömmlinge und Abfahrende auf verschiedenen Bahnhöfen, trank hin und wieder an Theken Bier, in Imbißstuben Kaffee, wartete die Mittagspause einiger größerer Betriebe ab: Gesamtergebnis: negativ. Nur kirchlich gefestigte Bevölkerungskreise waren wirklich empört (*nicht* – damit kein Mißverständnis entsteht – Theologiestudenten, ich verschaffte mir Zutritt zu Vorlesungen, Seminaren und Mensen); der liberale, linksliberale und (soweit vorhanden) linke Teil der Bevölkerung gab sich belustigt bis befriedigt. Äußerungen etwa auf den Nenner zu bringen »Gut, daß die es auch mal kriegen« bis »Immer feste druff auf die Herren«. Was mich besonders beunruhigt: der Berufsstand der Taxifahrer ist offenbar einem Gesinnungswandel unterworfen gewesen: weit mehr Belustigung als Empörung, kein einziger sprach von der Todesstrafe. Lediglich eine Fahrer*in* sagte: »Das geht denn doch zu weit.« Ihre Empörung war jedoch mehr auf der »So was tut man nicht« – Seite als auf der politisch bewußten.

Ich hielt es für angebracht, auch zwei Massagesalons zu testen: einen teuren, einen billigeren. Ergebnis negativ. Natürlich, Rotkopfwürger: Spesen, Spesen, Spesen – aber ich denke, es hat sich gelohnt.

Rotgimpel

9 Vertraulicher Bericht über ein Koordinierungsgespräch dreier Geheimdienstbeauftragter zur Vorlage beim Vertrauensmännergrernium

Gewisse Pannen bei den verschiedenen Aktivitäten zweier Informationsträger und einer Informationsgruppe können nicht geleugnet werden; es wird aber darauf hingewiesen, daß der Schaden gering ist, zusätzliche Kosten nicht entstanden sind und daß Pannen unvermeidlich sind, denn es handelt sich nicht um Tatermittlungsinformationen, sondern um

Gesinnungseinsatz, und letzterer kann nicht durch »Anseilen« abgesichert werden; eine gelegentliche Verhaftung, ein strenges Verhör ist arbeitsvertraglich eingeplant und somit abgesichert; außerdem muß betont werden, daß Pannen bis zu einem gewissen Grade willkommen sind:

1. Um die absolute Zuverlässigkeit der Informationsträger zu prüfen.
2. Um ihre Härte zu prüfen d. h. den Punkt herauszufinden, an dem sie bereit sind, ihre Identität preiszugeben.
3. Um fehlerhafte Koordination herauszufinden, muß es zu Pannen kommen.

In den hier zur Sprache stehenden Fällen haben alle Beteiligten den Zuverlässigkeits- *und* den Härtetest bestanden. Bevor nun detailliert über einzelne Erfolge berichtet wird, wird noch einmal ausdrücklich auf den Unterschied zwischen Tatermittlungs- und Gesinnungseinsatz hingewiesen. Im Gesinnungseinsatz werden bestimmte Sicherungen bewußt ausgeschaltet.

Die öffentliche Kritik an den Anordnungen, die man in der Öffentlichkeit fälschlicherweise »Zündholzhysterie« genannt hat, wird ausdrücklich zurückgewiesen, weil ein verspäteter Erfolg diese Aktion, bei der öffentlicher Unwillen unvermeidlich war, gerechtfertigt hat.

Nach dem Hinweis einer Kassiererin im Supermarkt »Mondial« und einem weiteren Hinweis eines Scherzartikeleinzelhändlers konnte inzwischen der Student der Theologie Nikolaus Lifterholt verhaftet werden. Man fand in seiner Stube hinreichende Mengen Kaliumchlorit, Schwarzpulver, Dextrinlösung, Phosphor sowie zerhackte Ein-, Zwei-, Fünf- und Zehnpfennigstücke im Gesamtwert von DM 18,80. Lifterholt hat inzwischen gestanden, daß er ein Attentat auf einen Kardinal geplant hat. Er wollte sich ein hochexplosives Gemisch mit den zerhackten Geldstücken in zwei flachen Spezialrucksäcken während der Priesterweihe (die an ihm in etwa einem halben Jahr vollzogen werden sollte) auf den Rücken schnallen und sich und den hochwürdigsten Herrn Kardinal in die Luft sprengen. Ungeklärt ist lediglich Lifterholts Motiv: er gab an, die »fortgesetzte Fortschrittlichkeit« des Kardinals habe ihn »zum Eingreifen gezwungen«. Und zwar wurde dieses Motiv sowohl von progressiven wie von konservativen kirchlichen Kreisen – die unabhängig voneinander befragt wurden – als »sonderbar« bezeichnet. Daß bei der Verhaftung Lifterholts und der notwendigen Untersuchung aller Studentenbuden dort einmal ausgiebig "gelüftet" werden konnte, ist ein nicht zu unterschätzender Nebeneffekt eben jener »Zündholzhysterie«. Eine Liste der beschlagnahmten Bücher, Zeitschriften etc. wird nachgereicht, sobald die erstellt ist. Daß dort auch Sartre gelesen wurde, kann schon jetzt als erwiesen gelten.

Die Beschlagnahme von eineinhalb Kilo geriebenem Parmesans anläßlich des Jahresempfangs der CSU ist ebenfalls als »hysterisch« bezeichnet worden. Es ist jedoch nachweisbar, daß radikale Kräfte sich Zutritt zu diesem Empfang zu verschaffen wußten – und daß man mittels geriebenen Käses sehr rasch Bomben improvisieren kann. Und wenn da ein einzelner Landwirt, der seiner »übertriebenen Nachdenklichkeit« wegen aktenkundig ist, seine Kühe erschossen hat, weil ihm die Gedankenkette: Kühe-Milch-Käse-geriebener Käse bedrohlich erschien, so sollte dieser extreme Einzelfall nicht die bereits beschlossenen Maßnahmen behindern. Das gleiche gilt für Unkraut-Ex und Puderzucker: wo *beide* Ingredienzien in größeren Mengen (etwa ab 1 Kilo) eingekauft werden, sollte Wachsamkeit garantiert, die Bewachung von Lagerbeständen sollte gewiß sein. Es ist uns klar, daß solche Maßnahmen die Mode der Gärtnerei wie die des Einmachens erheblich beeinträchtigt, aber man muß auf Unpopularität gefaßt sein. Von der Verwendung geriebenen Käses bei größeren Empfängen wird dringend abgeraten.

Daß die Zündholzeinkaufsmeldebedingungen aufrechterhalten bleiben, erscheint uns angesichts des Falles Lifterholt undiskutabel.

Abschließend kann festgestellt werden, daß der dreimonatige Einsatz im Gesinnungsermittlungsverfahren der zwei Informationsträger und einer Informationsgruppe durch den Erfolg weit über die Erwartungen hinaus gerechtfertigt ist; daß die wenigen Pannen zu Bagatellen erklärt werden können.

Es wurden insgesamt namentlich erfaßt: 736 Journalisten, Studenten, Ministerialbeamte, nicht in ihrer öffentlichen, sondern in ihrer *privaten* Artikulation; die nicht namentlich erfaßbaren Personen und Personengruppen, die der Stimmungserkundung unterworfen wurden, gehen in die Tausende. Sowohl namentlich erfaßte Einzelpersonen wie anonyme Gruppen sind akribisch gegliedert. Bei allen erfaßten Personen und Gruppen wurde vor allem die Differierungsbereitschaft (im Jargon: »Weichmacherkomponente«!) erfaßt. Merkmale: undiff.; diff.; überdiff.; superdiff. In ähnlicher Weise wurde die Radikalitätsanfälligkeit erfaßt. Außerdem: Lektüre, Neigungen, bevorzugte Reiseziele (im gegenwärtigen Stadium besonders wichtig: Wer reist nach Portugal?). Als Vorergebnis etwa der Erfassungsgruppe Lektüregesinnung kann eine Erfassung der Sartresympathisanten bereits mit eingereicht werden: Von den 736 namentlich erfaßten Personen:

kannten Sartre 204
davon *schätzten* Sartre 78
verteidigten Sartre 23.

Dieses Detail nur als Hinweis für die Wichtigkeit der Gesinnungsarbeit, die bei der Beurteilung beruflicher Förderungswürdigkeit besonderes Gewicht bekommt. Es wird beantragt, die Mittel für den Gesinnungseinsatz zu erhöhen.

Es wird außerdem beantragt, Mittel für die physiognomische Erfassung von Gesinnungen zu bewilligen. Es ist längst bekannt, daß Fingerabdrücke, Zitate, die üblichen Mittel der Ermittlung durch Beweise für oder über den *Gesichtsausdruck* in bestimmten Situationen ergänzt werden müssen. Das gilt besonders für Zuschauer bei Demonstrationen, es gilt für Teilnehmer an Diskussionen, die sich nie zu Wort melden, aber durch ihren Gesichtsausdruck ihre Gesinnung, Sympathie oder Antipathie bekunden und verraten. Es darf als vorausgesetzt gelten, daß der physiognomische Gesinnungsbeweis nur im Zusammenhang mit der exakt geschilderten Situation, mit der in Frage stehenden Diskussionverbalität sinnvoll verwendet werden kann. Es sollte für den Gesinnungserfassungseinsatz hinreichend Foto- und Filmmaterial bereitgestellt werden können, erfahrene Porträtfotografen und Psychologen sollten sorgfältig geschult werden, um als physiognomische Gutachter in Verfügung gehalten werden zu können. Eine intern veranstaltete Versuchsreihe oben beschriebener Art ist bereits mit dem Stichwort »Freiheitlich demokratische Grundordnung« vorgenommen worden, und zwar mit Personen aller Alters-, Berufs- und Sozialgruppen, deren Reaktion auf dieses Wort man mit verborgener Kamera erfaßte. Die wissenschaftlich abgesicherte Auswertung dieses Experiments liegt noch nicht vor, es ist aber mit einem verblüffenden Ergebnis zu rechnen.

Falls unüberwindliche Finanzierungsschwierigkeiten auftreten sollten, wird vorgeschlagen, gemeinsam mit dem Forschungsministerium und dem Justizministerium ein Forschungsinstitut unter dem Titel »Gesinnungsphysiognomik« ins Leben zu rufen.

Die Drei.

Die 10 Gebote heute: Das 8. Gebot

(1975)

Ende der zwanziger Jahre, als ich zehn oder elf Jahre alt war, stellte mein Vater einen Gehilfen ein, der eines Mordes wegen im Zuchthaus gesessen hatte und begnadigt worden war. Wir fragten meinen Vater dann manchmal beim Essen oder wenn wir abends beieinandersaßen: »Was macht denn dein Mörder? Wen hat er denn heute umgebracht?« Ich habe erst sehr viel später verstanden, warum mein Vater, der keineswegs humorlos war, dann böse wurde und sich diese Scherze verbat. Er sagte etwa: »Ja, dieser Mensch hat einen Mord begangen, aber ich finde es nicht gerecht, daß ihr ihn Mörder nennt. Er hat gebüßt, er hat ein neues Leben angefangen, und ich möchte auf keinen Fall riskieren, daß er erfährt, wie ihr hier über ihn scherzt. Weder ist ein Mord auch nur annähernd scherzhaft, noch sind es zehn Jahre Zuchthaus. Im übrigen ist er ein sehr einsamer Mensch.« War der Mörder etwa kein Mörder und durfte man ihn nicht so nennen? Kann es falsch Zeugnis sein, über jemand die Wahrheit zu sagen?

Zu den schrecklichsten Menschen zähle ich die, die immer Wahrheiten sagen, meistens unangenehme, manchmal vernichtende Wahrheiten, die fast immer unumstößliche Fakten sind; es ist dann die nackte, die ungeschminkte Wahrheit – und doch auf eine Weise verlogen, die nicht nachweisbar ist. Diese Menschen sind keine Lügner, sie sind Wahrheitenverbreiter mit richtender Funktion. Sie sagen die Wahrheit und sind doch Verleumder. Ohne erkennbaren Sinn, außerhalb jeden Zusammenhangs, aus heiterem Himmel gesagt, kann ein unumstößlicher Fakt schlimmer wirken als eine Lüge. Menschen dieser Art würden etwa auf einem Empfang zu jemanden gehen und ihm sagen: »Sie wissen doch sicher, daß Ihre Frau Sie mit dem Sowieso betrogen hat«, und eine solche Wahrheit kann eine Ehe vernichten, einen Selbstmord verursachen, eine Katastrophe bewirken.

Die Frage ist, wer ein *Recht* auf die Wahrheit hat und wer berechtigt ist, sie zu sagen. Das biblische Gebot: »Du sollst nicht falsch Zeugnis geben wider Deinen Nächsten« gilt für die Aussage vor Gericht und nicht für irgendwelche selbsternannten Sittenrichter. Es ist eine der klügsten Bestimmungen des jüdischen Gesetzes, daß derjenige, der die Anklage erhoben oder die Anzeige erstattet hatte, nach der Überführung des Angeklagten als erster mit der Vollstreckung des Todesurteils beginnen mußte, er mußte »den ersten Stein werfen«. Es spricht für die Menschlichkeit dieser Bestimmung, daß ihretwegen so wenige Todesurteile wirklich ausgeführt wurden. »Wer ohne Sünde ist, werfe den ersten Stein.« Man darf sich also jeden, der für irgendeine Form der Todesstrafe eintritt, als Henker vorstellen.

Ich denke, es gibt kaum einen schwereren Beruf als den eines Richters, mag er nun in einer mietrechtlichen, eherechtlichen oder in einer Strafsache die Wahrheit finden müssen, und ich finde, daß es kaum etwas Schrecklicheres gibt als selbsternannte Richter, die ungefragt Schwächen, Vergehen und Unreinheiten ihrer Mitmenschen offenbar machen und bereinigen wollen. Natürlich kann man außerhalb der ordentlichen Gerichtsbarkeit und nicht nur auf Schiedsämtern Konflikte zu lösen versuchen. Man kann Freunde um Rat fragen, um Hilfe bei Entscheidungen bitten, man kann sogar »Vernehmungen« vornehmen, wenn man von den beiden Parteien autorisiert und darum gebeten wird, und eine solche beratende, nie exekutive Funktion kann möglicherweise hilfreich sein. Welcher Mensch, der auch nur annähernd diese Bezeichnung verdient, wird nicht das Dilemma zwischen »Falsch Zeugnis« und Diskretion erleben? Menschen sind ja nicht nur schuldig oder unschuldig, sie sind ja nicht nur beides nie ganz, sie haben auch ihre Geheimnisse, komplizierte, heikle, die nicht immer bloß Heimlichkeiten sind. Ein Romanschriftsteller braucht einige hundert Seiten, um einen von außen gesehen manchmal nebensächlichen Konflikt halbwegs zutreffend darzustellen.

Der in jedem Fall überlastete Richter kann sich große Umwege, zeitraubende Differenzierungen in den meisten Fällen nicht leisten; für ihn gibt es, wenn es um die »Wahrheitsfindung« geht, auch keine Diskretion, und es wird die Ehebrecherin zur Ehebrecherin, der Dieb zum Dieb, der Mörder zum Mörder. Unser umfangreich-verzwicktes und verwickeltes Rechts- und Vollstreckungssystem erlaubt nicht, daß der, der die Anzeige erstattet oder die Klage eingereicht hat, »den ersten Stein« werfen muß. Wahrscheinlich wären unsere Gerichte nicht so überbelastet und unsere Gefängnisse nicht überfüllt. Erschnüffelte Wahrheiten, auch wenn sie unumstößliche Fakten sind, gehören in die Labyrinthe der Diskretion, sie sollten gegen niemand verwendet werden, auch nicht gegen den politischen oder geschäftlichen Gegner.

Keins der zehn Gebote halte ich für so aktuell wie das achte. Bei der Wahrheitsfindung, die mögliche Übertretung der anderen Gebote betreffend, kommt ja das falsche oder richtige Zeugnis immer zur Geltung: wer überführt den Ehebrecher, den Dieb, den Mörder? Das Zeugnis, falsch oder richtig.

Die berühmten und berüchtigten, meist sehr unbeliebten »Moralisten«, die man im Alten Testament »Propheten« nannte, haben ja nie eine private, immer eine öffentliche Funktion. Ich erinnere an die Begegnung Jesu, der ja in der jüdischen Tradition als Prophet auftrat und wohl auch galt, mit der Ehebrecherin; wie milde, wie menschlich er mit ihr verfuhr, derselbe, der das »ehebrecherische Geschlecht« (Generation) beschimpfte. Man kann also öffentlich als Moralist gelten, ohne auch nur einen einzigen Menschen zu verdammen, oder durch Wahrheiten, die niemanden etwas angehen, zu denunzieren. Wir wollen doch nicht vergessen, daß auch Denunzianten nicht immer Lügner sind: sie brauchen in vielen Fällen gar nicht zu lügen. Wenn jemand zur Gestapo ging und von seinem Nachbarn behauptete: »Der hat im Luftschutzkeller auf unseren Führer geschimpft«, dann hat er in den meisten Fällen die Wahrheit gesagt, und es war eine Wahrheit mit mörderischen Folgen.

Es gilt wohl für das achte Gebot, was für alle Gesetze und Gebote gilt: »Der Sabbath ist um des Menschen willen da, nicht der Mensch um des Sabbaths willen.« Und schließlich gibt es nicht nur die Alternative: Wahrheit sagen oder lügen, es gibt auch Verschwiegenheit und Schweigen. Laut drei der vier Evangelien hat Jesus vor Gericht auf die meisten Fragen mit Schweigen geantwortet. Ich weiß nicht, ob dieses Schweigen vor Gericht je ausgiebig kommentiert worden ist. War es Verachtung jeglicher menschlicher Gerichtsbarkeit, war es etwas wie der Hochmut des »ersten Menschen«, des Menschgewordenen – war es Verachtung möglicherweise der Unzulänglichkeit der menschlichen Sprache oder Erkenntnis der Sprachdifferenz zwischen Angeklagtem und Gericht? Dieses Schweigen Jesu vor Gericht bleibt geheimnisvoll und aufschlußreich zugleich; es könnte gedeutet werden mit »Was wißt Ihr schon« oder »Es ist zwecklos« und es könnte gedeutet werden als ein Wissen, das über Zeit und Recht, Verrechtlichung und Gerücht erhaben ist. Und der da schwieg, wußte, daß es um Leben und Tod ging. Ist dieser Angeklagte, der Jesus hieß, möglicherweise *der* Angeklagte und Verdächtige schlechthin, des Aufruhrs, des Umsturzes, der Verführung, des Verrats, der Häresie verdächtig?

Warum schwieg er? Könnte es sein, daß man die Poesie der überlieferten Texte, Aussprüche – weder damals verstand noch je verstanden oder gar sehr gut verstanden, aber in einem Katalog von Verrechtlichungen versteckt oder begraben hat? Es war kein falsch Zeugnis, als man ihm vorhielt, er habe gesagt, er könne den Tempel einreißen und in drei Tagen wieder aufbauen, aber konnte er ahnen, daß man das wörtlich im Sinne von »realistisch« nehmen würde? Mit Mörtel, Kelle und Stein? Ist möglicherweise falsch oder richtig Zeugnis eine Frage der Wörtlichkeitsauslegung, und ist es Zufall, daß es eine Zeitlang zur Tradition einiger Gruppen der deutschen Arbeiterbewegung gehörte, grundsätzlich vor Gericht zu schweigen?

Ich denke zurück an den Mörder, den wir auf Bitten meines Vaters nicht »Mörder« nennen sollten. Vielleicht hätte mein Vater keine Einwände erhoben, wenn wir gelegentlich gesagt hätten: »der Mann, der einmal einen Mord begangen hat«. Man mag diesen Unterschied für allzu spitzfindig halten, und doch – ich denke, daß es eine Art Verewigung bedeutet, wenn man die Tat – den Mord – personalisiert, indem man Täter nach verbüßter Strafe immer noch »Mörder« nennt, und das mag dann für alle Straftaten und Fehltritte gelten.

Offenbar gilt die Wörtlichkeit bestimmter Ausdrücke nicht für alle gleich. Bis auf den heutigen Tag z. B. ist es üblich, zwei sozialdemokratische Politiker, Willy Brandt und Herbert Wehner, mit abfälligem, gelegentlich verleumderischem Unterton »Emigranten« zu nennen. Nun waren sie wirklich Emigranten, und der eine von ihnen, Willy Brandt, kam als norwegischer Major (man sagt gern: »in norwegischer Uniform!«) nach Deutschland zurück. Nun gab es ja nicht nur »linke Emigranten«, es gab auch rechte, konservative, und ich weiß nicht, ob man etwa den verstorbenen Freiherrn von und zu Guttenberg, der auch emigriert war, jemals Emigrant oder »Emigrant« genannt hat. Und es gibt da einen politisch-literarisch-moralischen Sonntagsprediger, der mir hier nicht in seinen Predigten interessant vorkommt, sondern auf Grund der Tatsache, daß er ebenfalls Emigrant war und in amerikanischer Uniform als Befreier (keine Anführungsstriche, denn ich habe Respekt vor dem Schicksal, nicht vor den Sonntagspredigten!) zurückkam; sein Name: Hans Habe. Hat man ihm je vorgeworfen, daß er als Emigrant »in feindlicher Uniform« zurückkehrte? Es wird also ein und dasselbe Wort beim einen abfällig, beim anderen, wenn überhaupt, fast als Ehrentitel verwendet. Bei Willy Brandt und Herbert Wehner wird die Erwähnung eines unumstößlichen, historisch erwiesenen, niemals bestrittenen biographischen Details zum »falsch Zeugnis wider deinen Nächsten«, bei Herrn von Guttenberg und Hans Habe nicht.

Ist die Wörtlichkeit des Wortes Emigrant beim einen von geringerer, beim anderen von höherer Qualität, und ist die »Wahrheit« oder die Wahrheit Interessen unterworfen? In diesem Falle ist sie eindeutig innenpolitischen Interessen unterworfen, und es bleibt merkwürdig genug, daß die verleumderische Wirkung beim einen garantiert eintrifft, beim anderen garantiert *nicht*, und weder der eine noch der andere der *nicht* Diffamierten nimmt oder nahm Gelegenheit, sich für den einen oder anderen politischen Gegner die mißbrauchte Wörtlichkeit des Wortes Emigrant zu verbitten. Nun war Herbert Wehner Kommunist, als er emigrierte, und Willy Brandt nach den Aussagen seiner Verleumder war es *fast*. Ich halte es nicht für auch nur andeutungsweise ehrenrührig, Kommunist oder *fast* Kommunist zu sein oder Emigrant zu sein oder gewesen zu sein. Nachdem man den konservativen, liberalen und sozialdemokratischen Widerstand gegen Hitler gewürdigt hat, fängt man ja jetzt erst in der Bundesrepublik an, den kommunistischen Widerstand in schüchternen Ansätzen zu würdigen, nachdem man ihn fast dreißig Jahre lang verleugnet hat. Und immer noch und immer wieder gilt Kommunist als Verleumdung oder Schimpfwort, angewandt auf solche, die sich zum Kommunismus bekennen und andere, die weit davon entfernt sind, sich selbst so zu definieren. Was wird aus der Wahrheit, wenn ein Wort, das seiner Natur und Herkunft nach nicht schimpflich ist, mit so viel Schimpf beworfen worden ist, daß es fast nicht mehr zu reinigen ist?

Ich erinnere mich, in Einheiten der Deutschen Wehrmacht, die aus extrem nicht-katholischen Gefilden stammten, als Katholik und »Katholik« mit äußerstem Mißtrauen, gelegentlich fast als Aussätziger, betrachtet worden zu sein, und ich erinnere mich des ebenso peinlichen Gegenteils: einer gewissen Schulterklopferei, die einer totalen Vereinnahmung gleichkam; ich erinnere mich der gegenseitigen Beschimpfung per Konfession aus meiner Kindheit, und das galt für Protestanten und Katholiken wie für atheistisch definierte Sozialisten, und als die Schlimmsten galten in dem Milieu, aus dem ich stamme, die Liberalen. Eine zutreffende statistische Eigenschaft wurde zum »falsch Zeugnis wider den Nächsten«, diskriminierend wurde, was unabhängig von persönlicher Schuld oder Unschuld einem einfach so mitgeben war. Ich habe Scheu vor Benennungen, wenn ich auch zugeben muß, daß ich manchmal gegen diese Scheu verstoße. Inzwischen sind die Worte Professor und Student schon fast diskriminierend, sie übernehmen, wie die Worte Kommunist oder Reaktionär, die Rolle, die in meiner Kindheit die Konfessionsbezeichnungen hatten. Eine Dame, die in gewissen Kreisen zugeben würde, daß sie gern kocht, würde fast schon »falsch Zeugnis« wider sich selbst ablegen, mit diesem harmlosen und unverdächtigen Bekenntnis würde sie eine ganze Kette von Schimpf und Vorurteilen in Bewegung setzen, und anderswo würde sie – was ihr ebensowenig liegen mag, denn Kochen oder Nichtkochen sind für sie so wenig wie blonde, lange oder kurze Haare eine Ideologie – mit diesem Bekenntnis ebenso peinliche Sympathien hervorrufen möglicherweise als Frau, die »sich offen zu ihrem Frauentum bekennt« – was sie gar nicht vorhatte: sie wollte ja nur sagen, daß sie gern kocht.

Worte und Wörtlichkeiten müssen befreit werden, bevor sie als Zeugnis verwendet werden können. Man muß das Gestrüpp um sie herum weghacken, alles, was um sie herum angewachsen und in diesem Gestrüpp abgeladen worden ist. Von etwas so Plumpem und gewöhnlich schwer Nachweisbarem wie etwa einem Meineid zu sprechen oder von einer glatten Lüge, erschien mir nicht so dringlich. Sie wirken wie Überfälle, gegen die man sich nicht wehren kann. Ihre Folgen, ob sie innerhalb eines ordentlichen Gerichtsverfahrens oder privat ausgesprochen werden, sind fürchterlich: Menschen werden krank davon und können daran zugrunde gehen; in den meisten Fällen ist man dem Meineid oder der Lüge wehrlos ausgeliefert. Diese Art »Falsch Zeugnis wider Deinen Nächsten« kann höchstens Gegenstand eines Romans oder einer Erzählung sein; auch erfundene Verleumdungen gegen die man ebenso wehrlos ist, sind zu eindeutig »falsch Zeugnis«. Ich denke manchmal an den Mörder, der wirklich einen Mord begangen hatte, den wir aber nicht »Mörder« nennen sollten, und noch öfter denke ich an meinen Vater, der uns erklärte, warum wir einen Mörder nicht Mörder nennen sollten.

Vorwort zu »Der Fall Staeck oder wie politisch darf die Kunst sein?«

(1975)

Nennen wir die Sache, um die es hier geht, zunächst einmal nicht »Affäre«, sondern »Londoner Zwischenfall« und versuchen wir zu rekonstruieren, wie es zu diesem Zwischenfall gekommen ist.

Nach langen Vorbereitungen, den üblichen administrativen und organisatorischen Komplikationen, nach Überwindung gewisser psychologischer Schwierigkeiten, die mit der deutschen Geschichte zwischen 1933 und 1945 zusammenhängen (von diesen Schwierigkeiten, die in der deutschen Presse nie so recht zu Buche schlagen, weiß jeder, der irgendwie im Ausland »deutsche Kulturarbeit« absolviert), kommt es zu einem Deutschen Monat in Großbritannien. Diese »Wochen« sind beliebte Instrumente kultureller Selbstdarstellung, ob sie nun italienische oder tschechische Wochen sind, die in Paris oder Düsseldorf stattfinden.

Zu diesem Deutschen Monat in Großbritannien lädt das Londoner *Institute of Contemporary Art* geschlossen eine Ausstellung von Joseph Beuys, Albrecht D., KP Brehmer, Hans Haacke, Dieter Hacker, Gustav Metzger, Klaus Staeck ein, die in Hannover unbeanstandet stattgefunden hat. Angesichts der geringen Aufmerksamkeit, die deutsche Gegenwartskunst im allgemeinen im Ausland erfährt, ist diese Einladung, in einer national-staatlichen Kategorie ausgedrückt, eine »Ehre«.

Zu jeder Ausstellung gehört ein Katalog, und es ist üblich, daß die Kulturinstitutionen des Landes, aus dem die Eingeladenen stammen, zur Finanzierung dieser Kataloge beisteuern. Im Falle der Ausstellung, die zum Londoner Zwischenfall führte, finanzierte das Londoner Goethe-Institut einen Teil der Katalogkosten.

Soweit die »Ehre«; soweit sehr gut und normal. Hier brauchte niemand einer ausländischen Organisation eine Ausstellung deutscher Gegenwartskunst nahezulegen oder gar aufzudrängen. Die Einladung war spontan und direkt erfolgt, sie entsprach dem Interesse für das, was in Germany so los ist. Und es war gerade diese direkte Art der politischen Satire, die man im gegenwärtigen England in dieser Form kaum kennt, die Interesse erweckt hatte.

Ich halte Klaus Staeck, dessen politische Plakate zum Londoner Zwischenfall führten, nicht für einen Karikaturisten; auch John Heartfield, an dessen Tradition er anknüpft, war ja kein Karikaturist, und als einer, der die Heartfieldsche Tradition fortführt, gehörte Klaus Staeck geradezu in diese Ausstellung während eines Deutschen Monats in Großbritannien.

Soweit immer noch gut, und immer noch »Ehre« genug. Und wäre da nicht so einiges passiert, wäre da nicht so einiges manipuliert und wäre kein Schaden angerichtet worden; freundliche Artikel in der englischen Presse, genau die Art von Zeitungsausschnitten, auf die jeder im Ausland tätige »Kulturarbeiter« geradezu scharf ist. Denn soviele Leute, die CSU wählen möchten, könnten und dürften, leben ja in Großbritannien nicht. Es ist kaum zu verstehen, daß Plakate, die im Inland, wo sie tatsächlich politisch etwas anrichten können, unbeanstandet geblieben waren, im Ausland, wo sie als Beweis für die Freiheiten in der Bundesrepublik Deutschland zur Kenntnis genommen wurden, beanstandet werden. Ist das bloß eine »typisch deutsche Ungeschicklichkeit?«

Bleiben wir bei dem »wäre« und »hätte«. Wäre Herr Dr. Schulze-Vorberg nicht geradezu auf die Staeckschen Plakate in London zugeführt worden, hätte er nicht protestiert, hätte Außenminister Genscher nicht seine peinliche Mißbilligung ausgesprochen, hätte man nicht dieser Sache die Höchststufe der Publicity verschafft, eine Anfrage im Parlament und die notwendige (ziemlich peinliche) Antwort von Herrn Staatssekretär Moersch provoziert, es wäre bei den Zeitungsausschnitten geblieben, die eine Kulturabteilung gesammelt, fotokopiert und als eine Art Erfolgsmeldung ins AA nach Bonn geschickt hätte.

Es bleibt also die Frage: wer hat da was hochgespielt und wie hoch? Und wer macht den Hochgespielten – liest man die hier gesammelten Pressestimmen – zum Hochspieler?

Ich wiederhole: ein paar Zeitungsausschnitte in der Kulturabteilung des Auswärtigen Amtes, nicht mehr, und Klaus Staeck wäre nach Hause gefahren und hätte weitergearbeitet. Der Trick (oder die Dummheit), mit dem man den Hochgespielten, falls er nicht alles über sich ergehen läßt, zum Hochspieler macht, ist bekannt und wird international angewendet.

Die Frage, was man in der Leitung der Goethe-Institute und in der Kulturabteilung des Auswärtigen Amtes unter Kultur, Politik, unter Kulturpolitik, was man unter Gegenwartskunst versteht, ist noch nicht geklärt. Was wäre denn, wenn Günter Grass in Portugal oder Griechenland aus dem *Tagebuch einer Schnecke* gewisse Passagen über Strauß und Barzel verlesen würde? Was lesen Enzensberger und Rühmkorf denn vor, wenn sie ins Ausland eingeladen werden? Und während des Deutschen Monats war ein Autor namens Franz Xaver Kroetz in England sehr erfolgreich.

Was veranlaßt Herrn Dr. Schulze-Vorberg, auf möglicherweise kommunistische Mitarbeiter der deutschen Kulturinstitute in Italien (wahrscheinlich gibt es derer auch in Frankreich, Portugal und demnächst in Spanien) aufmerksam zu machen? Will man wirklich den Radikalenerlaß auf ganz Europa ausdehnen? Was ist denn, wenn Stücke von Arrabal an einer (per se subventionierten) deutschen Bühne aufgeführt werden?

Der Londoner Zwischenfall war mindestens so peinlich wie skandalös: er zeigt ein Kulturverständnis, das provinziell zu nennen zu liebenswürdig wäre. Und die Folgen? Der Vorfall hat einem bisher nur in Einzelfällen plazierbaren latenten Unbehagen Umriß gegeben, und er hat außerdem wieder einmal ein innenpolitisch brisantes Thema aktuell gemacht: das permanente Mißverständnis der CDU/CSU zur Intellektualität in diesem Lande, auch ihr Mißverständnis von Kritik, Satire, Polemik.

Es ist gewiß kein Zufall, daß die ihr »nahestehenden Blätter«, von der unsagbaren *Neuen Bildpost* bis in die bayrische Provinzpresse, zu den am übelsten riechenden Publikationsinstrumenten gehören; das geht einem »an die Kledage«; es ist schon aufschlußreich. Nicht weil ich, wie Helmut Schelsky meint, ein »masochistischer Zeitungsleser« bin, sondern auf die simpelste Weise, wie Klaus Staeck, durch einen Zeitungsausschnittdienst, bekomme ich diese Kloakenpublizistik ins Haus; und möge die Deutsche Bischofskonferenz und auch das so eifrige Zentralkomitee deutscher Katholiken sich einmal Gedanken darüber machen: sie ist gewöhnlich katholischer Herkunft.

Das Reden über Europa wird wirklich zum »Gerede«, wenn man sich vorstellt, wie italienische, französische, englische und skandinavische Intellektuelle nicht nur den »Londoner Zwischenfall« beurteilen würden, sondern die Anfrage von Herrn Dr. Schulze-Vorberg, die Mitarbeiter deutscher Kulturinstitute im Ausland betreffend. Europa erwartet einiges von der Bundesrepublik Deutschland, den Radikalenerlaß erwartet es ganz sicher *nicht*. Das Europa, wie es aus den Anfragen von Herrn Dr. Schulze-Vorberg spricht, will kein europäischer Intellektueller, auch die Konservativen und Liberalen nicht. Man soll sich doch nicht selbst immer wieder täuschen und den Ärger, den man mit den Intellektuellen im Inland hat, auch noch exportieren. Natürlich gab es und gibt es CDU- und möglicherweise sogar CSU-Politiker, die da heimlich grinsen über Staecks Anti-Strauß-Plakate. Ich nehme an, daß diese Art Sympathie Staeck ebensowenig willkommen ist wie die nach außen gezeigte Empörung.

Man redet da gern, und Staeck hat sich entsprechend dazu geäußert, von der Ausgewogenheit. Der Ausdruck stammt aus der höchst ehrenwerten Kaufmannschaft: man wiegt dem Kunden auf einer zuverlässigen Waage seine 125 Gramm Butter oder 250 Gramm Kaffee aus; ein ehrenwerter Vorgang aus einer ehrenwerten Welt mit ehrenwerten Vorstellungen.

Ausgewogenheit im Sinne des Wortes und seiner ehrenwerten Herkunft kann es weder in der Kunst noch in der Literatur geben, nicht im Rundfunk und nicht im Fernsehen, und wenn das Londoner *Institute of Contemporary Art* politische Kunst einlädt, dann müßte man sich klarmachen, daß Unausgewogenheit geradezu das Merkmal politischer Kunst ist. Wenn man nun politische Kunst oder Literatur nicht mehr gern im Ausland vorzeigen möchte, dann muß man sehr viel von seiner Liste streichen, zwischen von der Grün und Wallraffoder Walser, zwischen Kroetz und Peter Weiss, Herburger und Zwerenz.

Das ist durch den Londoner Zwischenfall sichtbar geworden. Zur »Affäre« gemacht, hochgespielt haben ihn: die Deutsche Botschaft in London, Herr Dr. Schulze-Vorberg, Herr Genscher und Herr Moersch. So wie es gekommen ist, hat man Staeck hochgespielt und wirft ihm jetzt vor, daß er nicht alles und jedes einfach hinnimmt.

Nicht die Londoner Ausstellung war skandalös. Skandalös ist die Art, wie der Zorn von Herrn Schulze-Vorberg nun bis in die letzte Provinzseele hinein zur Denunziation wird. Es wäre Pflicht des Auswärtigen Amtes, einem Künstler, der schließlich nicht sich selbst eingeladen hat, sondern eingeladen wurde, Deckung zu geben.

Verschiedene Ebenen der Bewunderung

(1975)

Wie geschlossen etwa Frankreich auf deutsche Peinlichkeit reagiert, hat sich gezeigt, als es im Prozeß gegen Beate Klarsfeld in Köln zu recht merkwürdigen Zwischenfällen kam. Man hat leider sehr wenig von diesen Zwischenfällen gehört, es kam zum geschlossenen Protest aller französischen Widerstandskämpfer; von der äußersten Rechten bis zur äußersten Linken war man sich einig, und es gab da wohl auch ein Telefongespräch zwischen Giscard d'Estaing und Helmut Schmidt – und Zeugen gegen Herrn Lischka, die man ursprünglich nicht hatte laden wollen, wurden geladen. Sehr viel hat man darüber in der deutschen Presse nicht gelesen. Ich frage mich, ob es einen Sinn hat, solche Reaktionen aus dem Ausland immer wieder und immer weiter zu verdrängen. Was außerdem an diesem Prozeß verblüffend war: die geringe Strafe für Frau Klarsfeld – und auch noch auf Bewährung ausgesetzt! – bei zugegebenem und nachgewiesenem Entführungsversuch, wo doch Entführung eines der schwersten Verbrechen ist, ein typisches Terroristendelikt. Solche »kleinen« Zwischenfälle und Einblicke werden auf die merkwürdigste Weise verdrückt, und man begnügt sich damit, ein paar hämische Notizen zur Person Beate Klarsfeld zu machen. Solche Kleinigkeiten gehen dann unter, und doch werfen sie Licht auf ganze Problemfelder, und man hätte an ihnen ganze Problemketten analysieren können.

Die Analyse wird nicht vorgenommen, und es gibt keinen konservativen Politiker, der sich wenigstens über die geringe Bestrafung für das Terroristendelikt Entführung öffentlich äußert. Merkwürdige Zustände, merkwürdige Bewußtseinslage, in der ein gewaltsamer Entführungsversuch *fast* straffrei bleibt.

Man sollte ausgiebig darüber meditieren, vor allem im Zusammenhang mit der angestrebten Vereinigung Europas und dem »Radikalenerlaß bzw. Extremistenbeschluß«. Da versucht man, einen Bürger der Bundesrepublik Deutschland gewaltsam zu entführen, geht fast straffrei aus, auf Grund diplomatischer Interventionen wird ein deutsches Gericht veranlaßt, im folgenden Prozeß *auch* kommunistische Zeugen zuzulassen – und nicht sehr viel später fragte der CSU-Bundestagsabgeordnete Dr. Schulze-Vorberg, Experte für auswärtige Kulturpolitik seiner Partei, im Parlament, ob möglicherweise kommunistische Mitarbeiter bei deutschen Kulturinstituten in Italien beschäftigt sind. Will die CDU/CSU wirklich den Radikalenerlaß auf ganz Europa ausdehnen? Europa erwartet einiges von der Bundesrepublik Deutschland (ich nehme an: hauptsächlich Geld), aber eine europäische Variante des Radikalenerlasses erwartet es ganz sicher nicht und erwarten auch die konservativen und liberalen Europäer und ganz gewiß die europäischen Intellektuellen nicht. Das Interessante an der Anfrage von Herrn Dr. Schulze-Vorberg war nicht die Anfrage selbst: Sie entspricht dem permanenten Mißverständnis der CDU/CSU gegenüber der Intellektualität, Kritik, Satire, Polemik. Wichtiger an der Anfrage ist die ihr zugrunde liegende Täuschung über die Einstellung etwa der italienischen Intellektuellen gegenüber Deutschland. Und nicht nur der italienischen (deren Anteil an Kommunisten wahrscheinlich höher liegt als die 33 %, die ihnen nach den letzten Regionalwahlen »zuständen«), auch der amerikanischen, unter denen es gar keine, und der holländischen Intellektuellen, unter denen es einige, gewiß nicht sehr viele Kommunisten oder »Kommunista« geben mag.

Es gibt ja verschiedene Ebenen der Bewunderung und des Ansehens, das ein Land genießt, und gewiß ist der Ruf der deutschen Tüchtigkeit ungebrochen. Es fragt sich nur, ob die Tüchtigsten immer die Beliebtesten sind. Und es fragt sich, ob in der peinlichen Anfrage von Herrn Dr. Schulze-Vorberg die Möglichkeit anklingt, eine CDU/CSU-Regierung würde den Ärger, den sie mit den Intellektuellen im eigenen Land hat, in ein vereinigtes Europa exportieren wollen. Peinlich daran ist nicht nur die bis zum Exzeß geübte Selbsttäuschung über Intellektualität, peinlicher ist die Täuschung über die europäische und internationale intellektuelle Szene. Es gibt zum Beispiel, was Chile betrifft, eine internationale Übereinstimmung, die Kommunisten,

Liberale, Konservative aller Schattierungen einschließt. Und es gibt immer noch ein internationales intellektuelles Mißtrauen gegenüber der Bundesrepublik Deutschland, das in liberal oder konservativ bestimmten Ländern manchmal größer ist als in
5 sozialistischen. Und man soll sich doch nicht täuschen oder nicht einfach hinwegsehen über den Einfluß der Intellektuellen: Sie schreiben die Leitartikel, sie bestimmen Verlagsprogramme, sie beurteilen nun einmal ein Land nicht allein nach seiner wirtschaftlichen und organisatorischen Tüchtigkeit. Es hat sich in-
10 zwischen halbwegs herumgesprochen, daß der Mensch tatsächlich nicht vom Brot allein lebt, auch dann nicht, wenn man ihm via Radikalenerlaß den Brotkorb höher hängt.

Erwünschte Reportage

Georg Weerth zum Gedächtnis und Günter Wallraff gewidmet

(1975)

Daß seltsame Dinge auf dieser Erde geschehen, mag als Banalität gelten, und doch, geschehen sie, werden wir von ihnen überrascht, und wohl kaum ein Ereignis hat in letzter Zeit so viel Überraschung hervorgerufen wie die Tat des Land- und Forstarbeiters Heinrich Sohlweg, der die letzte tarifliche Lohnerhöhung seinem Arbeitgeber, dem Grafen Kleroth, nicht demonstrativ, sondern *überzeugt* zurückgab. Man hat dieses Ereignis lange Zeit für eine von der Reaktion manipulierte, von der Presse hochgejubelte Ente gehalten, selbst rechtsgerichtete Blätter sind nur zögernd in diese Story eingestiegen, erschien sie doch auch ihnen wenig glaubwürdig. Jedoch getreu der Devise: »Was wahr ist, muß auch wahr bleiben«, soll hier berichtet werden, daß diese wahre Geschichte, die man wie alle wahren Geschichten zunächst für verlogen hielt, tatsächlich wahr ist.

Wer sich heutzutage, aus welcher Richtung immer, Groß-Kleroth nähert, wird selbst an Regentagen den einen oder anderen Pilgerbus nicht übersehen können, der zwischen Kirch- und Schloßplatz auf dem eigens dazu hergerichteten Grundstück des Gastwirts Heuschneider parkt. Nicht alle diese Pilgerbusse sind von jener Organisation in Bewegung gesetzt, die sich »Rettet das Abendland vor dem Materialismus« nennt (Abkürzung RAM, nicht zu verwechseln mit RAF!), gar mancher Bus wird spontan geheuert, nicht nur von ländlichen Gruppen. Und gar mancher Neugierige kommt nicht aus ungemischt edlen Motiven. Mag dem einen oder anderen Pilger wirklich daran liegen, das Abendland vor dem Materialismus zu retten, so wird doch auch dem gläubigsten Pilgrim, und wäre er der krasseste Idealist, ein Arbeiter seltsam vorkommen, der eine Lohnerhöhung ablehnt, nur weil er sie gewerkschaftlichen Tarifverhandlungen verdankt.

Es war denn auch zunächst allen Betroffenen und auch den Betreffenden eher peinlich, als Heinrich Sohlwegs Aktion durch die gezielte Indiskretion eines gewerkschaftsfeindlichen Buchhalters in der gräflichen Forstverwaltung publik wurde. Es wurde alles getan, um den Vorfall geheim zu halten, und es muß hier besonders der geradezu unermüdliche Einsatz der jungen Gräfin Kleroth gelobt werden, die alles versucht hat, die Publizierung der Sohlwegschen Tat zu verhindern. Doch da wir in einem freien Land mit einer freien Presse leben, und da besagter gewerkschaftsfeindlicher Buchhalter ebenfalls als freier Mensch in einem freien Land lebt, war da nichts zu machen: es wurde publik, daß Heinrich Sohlweg nach der letzten Tarifrunde eine Lohnerhöhung, die in seinem Fall 67,80 DM netto betrug, gar nicht erst in Empfang nahm, sondern eben diesen Betrag dem Buchhalter sofort über den Tisch zurückschob mit der Bemerkung, er wolle die »roten Groschen« nicht.

Gefragt, was denn damit geschehen solle, ob man sie einem wohltätigen Zweck zuführen solle, sagte Sohlweg energisch, nein, das Geld gehöre dem Herrn Grafen und niemand sonst, und der solle es auch zurückerhalten; für sich persönlich? Sozusagen als zusätzliche Einnahme? Ja. Es gehöre dem Herrn Grafen, und der solle es haben. Wer je mit Buchhaltung zu tun gehabt oder auch nur in diese hineingerochen hat, wird sich denken können, daß nicht nur die sozusagen moralische Seite der Sache peinlich genug war, auch die buchungstechnische. Wie sollte man den Betrag buchen? Als Spende? Zusätzliche Einnahme? Selbst als er – diesmal von der jungen Gräfin Kleroth, die keineswegs linksverdächtig ist – darauf aufmerksam gemacht wurde, daß mehr als die Hälfte des Betrages angesichts der gräflichen Steuerklasse ohnehin ans Finanzamt ginge, bestand Sohlweg auf die Rücknahme des Betrages, den man dann nach einer langwierigen mündlichen Verhandlung als »verweigerte Lohnerhöhung« buchte.

Es muß noch einmal hervorgehoben werden, daß selbst erklärt reaktionäre, extrem gewerkschaftsfeindliche Kreise, zu denen man auch die junge Gräfin Kleroth zählen muß, mit äußerster Zurückhaltung auf Sohlwegs Aktion reagierten, während mehr oder weniger linke Publikationsorgane an der Version »Zeitungsente der Reaktion« festhielten. Hatte sich der gute Heinrich Sohlweg, sechsunddreißig Jahre alt, verheiratet, zwei Kinder, r. k., zwischen sämtliche Stühle gesetzt? Keineswegs. Graf Kleroth nahm die Lohnrückzahlung ungerührt an, verleibte das Geld bar seiner Brieftasche beziehungsweise das Kleingeld seinem Portemonnaie ein und genehmigte sich zwei besonders gute Flaschen trockenen Moselweins, und selbst als Sohlweg davon erfuhr (es wurde gemunkelt, daß der Graf ihn zu einem Schoppen eingeladen habe, was Sohlweg, Antialkoholiker, aber ablehnte), traf es ihn keineswegs auf der verdrießlichen Seite seines Gemüts, sondern er nahm's fröhlich und sagte: »So soll es ja sein, der Herr Graf ist mein Herr, und meinem Herren soll es wohlergehen. Nicht mein Herr soll mir unterworfen sein, sondern ich ihm, und mag er als Zeichen meiner Unterwerfung von den roten Groschen, die nicht mir, sondern ihm gehören, einen guten Tropfen trinken.« Gar mancher Leser wird sich inzwischen die Augen gerieben haben und sich fragen, ob er wache oder träume, ob er einem Lügner oder Märchenerzähler aufgesessen sei. Diese Frage muß hier energisch verneint werden: die Sohlweg-story ist *wahr*, und mag sie – analysiert man sie – noch so verlogen wirken, wahr ist sie, im Sinne von: So hat es sich zugetragen. Sohlweg lehnte auch künftige (inzwischen vergangene) Lohnerhöhungen ab, und wenn man den Angaben des Hauptbuchhalters der gräflichen Landwirtschafts- und Forstverwaltung glauben kann, so beläuft sich die Summe der verweigerten Lohnerhöhungen bisher auf 1870 DM, eine Summe, von der Frau Sohlweg gesagt haben soll: »Das ist ja das Drittel eines Autos.« Die Sohlwegschen Kinder Brigitte, 12, Klaus Anton, 9, sollen sich ähnlich zynisch geäußert haben. Brigitte, linksinfiziert, wird eine Äußerung zugeschrieben, die sie in einer Diskothek in Klein-Kleroth getan haben soll: »Diesem feudalistischen Ausbeuterschwein die Piepen zurückzugeben!« Während Klaus Anton, noch in der katholischen Grundschule von Groß-Kleroth, lediglich mit weinerlichem Unterton gesagt haben soll: »Der Graf hat doch Geld genug und ich hab' immer noch kein Fahrrad.«

Alle diese der Familie Sohlweg zugeschriebenen Äußerungen sind *unwahr*. Frau Sohlweg ist mit dem Opfer ihres Mannes einverstanden, die beiden Kinder leugnen die ihnen zugeschriebenen Äußerungen und gehen weiterhin, um das karge Ein- 5 kommen der Familie aufzubessern, zur Ähren- und Kartoffelnachlese, zum Brombeerpflücken und Pilzesammeln, sie weigern sich, Geld und Geschenke anzunehmen, die die junge Gräfin ihnen gelegentlich zustecken möchte.

Nun könnte man annehmen wollen, daß die Familie Sohlweg 10 duckmäuserisch oder gar muffig sei: das Gegenteil ist der Fall. Es werden dort fröhliche Lieder gesungen und muntere Tänze getanzt, wenn auch der einzige Wandschmuck in einer Tafel besteht, auf der zu lesen ist: »Ich dien'.«

Im Saal der Gastwirtschaft Heuschneider – bei gutem Wetter 15 im Wirtshausgarten – gibt Sohlweg denn auch fröhlich vor kleineren Pilgergruppen – er weigert sich, an Massenveranstaltungen teilzunehmen – seine Philosophie zum besten: Der Graf, so sagt er, sei nun einmal sein Herr, der Besitz seines Herrn sei ihm heilig, und jeder Groschen, den die Roten seinem Herrn ab- 20 knöpften, sei eine Verminderung des Herrentums, dem er sich freiwillig, fröhlich unterwerfe, und außerdem, er brauche das Geld tatsächlich nicht; seine Familie und er seien zweifach gesegnet: mit Bescheidenheit und Fleiß, und wer fleißig und bescheiden sei, sei noch immer auf dieser Erde zurechtgekommen. 25 Es müsse endlich ein Zeichen gesetzt werden, das dem Materialismus, dem Lohnegoismus der Arbeiter ein Ende setze, und er, Sohlweg, habe dieses Zeichen setzen wollen. Nicht mehr und nicht weniger, und wenn dann die Pilger, so verlegen wie gerührt, irgendeinen Obolus loswerden wollen – sie sind ge- 30 wöhnt, nichts kostenlos zu erhalten –, so verweist Sohlweg sie auf den Opferstock der nahe gelegenen Pfarrkirche; er nimmt nichts, nicht einmal ein Bier: nur wenn man ihn arg bedrängt, läßt er vielleicht sich herab, eine Zigarette anzunehmen.

Die RAM ist inzwischen massiv in die Sohlweg-story einge- 35 stiegen, bisher ohne Erfolg, was die Werbung von Sohlweg-Nachfolgern betrifft, und zwar, das hat eine Analyse ergeben, schämen sich diejenigen unter den Arbeitern, denen Sohlwegs »Grundgedanken nicht unsympathisch sind«. Nicht den geringsten Anklang, nicht einmal theoretischen, hat der Sohlwegismus bisher unter Beamten gefunden; der Klerus schwankt: gewisse klerikale Gruppen sympathisieren, andere fürchten den moralischen Rigorismus. Graf Kleroth äußert sich nie zu Sohlweg: weiterhin ungerührt nimmt er die zusätzliche Einnahme, oder zutreffender ausgedrückt: zurückgegebene Nicht-Ausgabe aus den Händen seines Buchhalters entgegen als direktes, ihm zustehendes Opfer, das er in Wein verwandelt. Und doch: irgendwie wird man in Groß-Kleroth dieser Sache nicht ganz froh. Nach neuesten Informationen soll die Vermutung geäußert worden sein, Sohlweg sei kein Knecht der Reaktion, sondern ein Söldling der Gewerkschaften. Die RAM hat eine entsprechende Untersuchung eingeleitet. Wahr ist: unheimlich ist Sohlweg allen Beteiligten, Interessierten und Betroffenen, aber vielleicht sollte man von der Wahrheit keine Gemütlichkeit erwarten.

Getarntes Dasein

Über Karl Korn, »Lange Lehrzeit«

(1975)

Die Spannung ließ nicht nach: Ich habe das Buch verschlungen und warte gespannt auf die Fortsetzung; die *Lange Lehrzeit* endet 1941, als Karl Korn dreiunddreißig war, mit seinem Eintritt in die Wehrmacht. Welche Lehren werden da zwischen 1941 und 1945 gemacht und gezogen? Welche Erfahrungen nach 1945 und bis 1974 gemacht? Auch daran möchte ich teilnehmen.

Die *Rheingauer Jahre* waren ein fast uneingeschränkt fröhliches Bekenntnis zu einer Landschaft, die kulturgeschichtlich und geologisch als gesegnet gelten kann. Das neue Buch von Karl Korn: *Lange Lehrzeit – Ein deutsches Leben*; beginnt wie eine notwendige Fortsetzung. Wie heil war die Welt, in der Karl Korn aufwuchs?

Da gibt es natürlich die ökonomischen Knappheiten, wie sie in einem Lehrerhaushalt vor 1914 unvermeidlich waren, doch es herrscht, von kleineren Spannungen abgesehen, Familiensolidarität, fast Übereinstimmung; das Leben wird angepackt und gepackt. Liebevoll und kritisch zugleich sind die Rückblicke auf das Dorf Ransel, die Heimat des Vaters; Wanderungen dorthin, wo die »Kronbas« – man kann schon sagen fast »amtiert«. Die Heimat der Mutter, das Städtchen Rüdesheim am Rhein. Ein starker Rückhalt im Bäuerlichen, der bei den Stadtbewohnern Korn sich ins nützlich Gärtnerische verwandelt, ein offenes Bekenntnis zum Schrebergarten und zur Tatsache, »daß ich von früh an den Widerspruch gewisser linker Neigungen mit erzkonservativen Grundprägungen zu verbinden wußte«.

Hier wäre die erste Frage fällig: ob in einer Zeit, in der die »Linken« (zugegeben: aus unterschiedlichen Motiven) alte Häuser, alte Bäume schützen; in der sie aufs Land ziehen, um es zu bebauen, in Gärten und Schrebergärten; in der »Erzkonservative« und »Progressive« in gemeinsamer Schnödigkeit mehr Häuser abrissen, als im Zweiten Weltkrieg zerstört wurden – ob in einer solchen Zeit dieser Widerspruch zwischen »links« und »konservativ« nicht schon aufgehoben war, seine Aufhebung nur nicht erkannt wurde? Wer hat denn die zerstörten Städte zerstört?

Fast unauffällig kommt nicht gerade das Unheil, aber doch ein Bruch in die »heile Welt«. Äußerlich: die Hamstererfahrungen des Ersten Weltkriegs; innerlich: das Erlebnis der *Zwangs*beichte oder des Beicht*zwangs*. Karl Korn schreibt offen darüber: »Ich habe es meinem Vater lange verargt und kann es selbst heute noch nicht gutheißen, daß er seine Kinder unter Druck mindestens alle vier Wochen an einem Samstagabend zur Beichte schickte.« Diesem Beichtzwang gegenüber entwickelt Korn eine »Verdrängungsasketik«, von der er sagt, daß sie »meinem geistigen und seelischen Haushalt äußerlich« blieb.

Hier fange ich an zu zweifeln, nicht an Korns Bekenntnis, sondern an seiner Einschätzung der geistigen und seelischen Folgen des verheerenden Beicht*zwangs* für Kinder. Man lese, wenn man diese Folgen in ihrer literarischen Artikulation kontrollieren möchte, die kurze, bittere Autobiographie des Stanislaus Joyce, Bruder des großen James; die *Katholische Kindheit* der Mary McCarthy, Albert Vigoleis Thelens *Insel des zweiten Gesichts*. Noch einmal Karl Korn: »Es ist mir in der Rückschau jetzt klar, daß ich aus den Pubertätsnöten und -schwierigkeiten eine allgemeine Lebenshaltung gelernt habe, die Tarnung. Später, während der nationalsozialistischen Zeit ist es mir fast zur spielerischen Lust geworden, getarnt zu existieren. Ich konnte verbergen bis zur Unkenntlichkeit.«

Ich muß hier ausführlicher werden, weil ich diese Partien für entscheidend halte, nicht für die Biographie von Karl Korn, der ja offen darüber schreibt; das Persönliche ist hier schmerzlich, das Typische aber weit wichtiger. Hin und wieder kann (oder konnte) man von evangelisch Erzogenen hören, daß sie einen um die Beichte beneiden. Der Neid mag bei Erwachsenen und Jugendlichen angebracht sein, die mal ein Bekenntnis in Verschwiegenheit brauchen. Für viele katholische Kinder ist der Beicht*zwang* eine Tortur gewesen, nicht, weil sie nun besonders sündig gewesen wären, sondern weil sie es eben nicht waren. Vielleicht müssen – übertrieben ausgedrückt – evangelische Kinder Tugendhaftigkeit heucheln, katholische müssen oft genug Sündhaftigkeit heucheln. Es soll da sogar »Sündenbörsen« gegeben haben, an denen man einen Tip bekommen konnte, falls die wirklich begangenen Sünden zu mager ausfielen; im übrigen regten ja die detaillierten »Beichtspiegel« die Phantasie ausreichend an. Mag sein, daß das evangelische Modell zu einer Übergewissenhaftigkeit führt, das katholische führt am Abgrund der Gewissenlosigkeit entlang; die »Blasphemie«, deren Karl Korn sich heute noch anklagt, liegt immer sehr nahe, wenn ein Sakrament, als hochheilig gepriesen, auf solche Weise mißbraucht wird – und das trifft nicht nur auf das Bußsakrament zu. Welche Wonnen entstehen, wenn eine »echte«, eine handfeste Sünde begangen wird und gebeichtet werden kann; das wäre in einschlägigen irischen Kurzgeschichten nachzulesen. Mögen Theologen und Psychologen gemeinsam herausfinden, wer da wen um welches Modell beneiden sollte und was verheerender ist: eine Sünde zu begehen oder eine erfundene zu beichten.

Die Offenheit, mit der Karl Korn über seine »Verdrängungsasketik« schreibt, über Tarnung bis zur Unkenntlichkeit, ist verblüffend und heilsam, sie regt zu einem Aufsatz an: »Die Folgen des Beichtzwanges und gewisser Beichtpraktiken auf die deutsche Geschichte.«

Es wäre nun nicht nur vollkommen ungerecht, es wäre eine gefährliche politische und geistesgeschichtliche Täuschung, wollte man die »Verdrängungsasketik« dem katholischen Milieu allein anlasten: Mögen die liberalen, protestantischen, atheistischen, die jüdischen, mögen alle Mischformen bürgerlicher, adliger und proletarischer Verdrängungsasketik sich ebenfalls entlarven.

Vorausgesetzt muß sein, daß hier ein Intellektueller, ein Publizist, Kulturkritiker und Kulturpolitiker von hohen Graden seine Autobiographie vorlegt, jemand, der wie jeder andere ist und doch nicht irgendwer; jemand, in dem sich das Bäuerlich-Gärtnerische mit Intellekt verbunden hat: der naiv und bewußt zugleich ist und weiß, was er schreibt, und der noch schaudert in seinen späten sechziger Jahren vor seiner kindlichen oder jugendlichen »Blasphemie«. Wer je ohne »Verdrängungsasketik« ausgekommen ist, werfe den ersten, zweiten und dritten Stein. Vielleicht besteht diese »Verdrängungsasketik« bei einem sexuell freizügig erzogenen Kind oder Jugendlichen darin, daß es sich später nach so etwas wie Keuschheit zu sehnen beginnt. 5

Vorausgesetzt sein muß ebenfalls mein persönlicher Einstieg in dieses Buch; denn immerhin ist einer ja auch katholischer Herkunft, rheinisch dazu, und wenn da auch ein paar Koordinaten und Abszissen anders verlaufen (soziales Milieu, Topographie, Jahrgang), so ist doch vieles sehr vertraut, fast vertrau- 10 lich, als wär's intim.

Später, spätestens während der Universitätsjahre, kommt dann etwas hinzu, was ich »Verdrängungsästhetik« nennen möchte: keineswegs bei Karl Korn, deutlich beim gebildeten Bürgertum, das bis dato 1933 die »deutsche Universität« aus- 15 machte. Die Blindheit, mit der deutsche Professoren vom Range Hans Naumanns, Ernst Bertrams und andere in den Nationalsozialismus hineinliefen, auf ihn hereinfielen, ist immer noch und immer wieder bemerkenswert; und der schwerwiegendste und typische Fehler des gebildeten Deutschen bestand doch 20 wohl darin, *Mein Kampf* nicht gelesen zu haben. Karl Korn dazu: »Erst nachdem die zwölf Jahre vorüber waren, erfuhr ich und mit mir Millionen Deutsche, daß man in diesem Buch alles, was zum Krieg und zur Ausrottung geführt hat, als Entwurf und als Ziel hätte lesen können.« Hätte lesen können. Fürwahr. 25 Es gehörte eben zur Verdrängungsästhetik des gebildeten Bürgertums, daß es sich die Berührung mit diesem Dreck versagte, der doch Deutschlands wahre Zukunft enthielt und voraussagte.

Es gibt noch zwei Jahre Aufschub für den frisch promovier- 30 ten jungen Korn: »Lecteur allemand« in Toulouse. Lockerung, Befreiung, Aufatmen, und doch, das ist gut beschrieben und erklärt: kein Ducken des »Teutonen«. Oh, Gott in Frankreich, warum hast du so wenig Urbanität und Gelassenheit für uns *Allemands* übriggelassen, so wenig Möglichkeit, beides zu sein: 35 konservativ und links, ländlich und städtisch, gebildet und vital? Es wird deutlich, daß diese beiden Jahre in Toulouse, von 1932 bis 1934, Korns glücklichste Zeit geblieben sind.

Wie sehr sich die deutsche, erst recht die intellektuelle Szene verändert hat, erfährt der Heimgekehrte bald. Natürlich gibt es da noch viele Leute, die retten wollten, was vielleicht 1932 zu retten gewesen wäre, beim *Berliner Tageblatt* und anderswo; aber trotz aller Windungen und Gewundenheiten, bei aller Tapferkeit: da war nichts mehr zu retten. Natürlich gab's auch Inseln, Freunde, Kollegen, Vertraute; es kam die Zeit mit der *Neuen Rundschau* im S. Fischer Verlag unter der Leitung Peter Suhrkamps, den Korn ausführlich charakterisiert. Verehrung für Paul Scheffer, Oskar Loerke, Margret Boveri, andere; Namen werden nicht verschwiegen. Wie kostbar Freundschaften in Diktaturen sind, wird deutlich; doch zu retten war nur noch das Private. Fast am Schluß des Buches steht zu lesen: »Ich habe mich wie Tausende geduckt und insgeheim gebetet, es möge mich auslassen. Damals wurde mir unversehens gelegentlich nach Kirchgang zumute ...« Und: »Jeder begann vor jedem Angst zu haben. Selbst im S. Fischer Verlag begann man sich vor diesem oder jenem in acht zu nehmen.« Geduckt. Angst. Mißtrauen. So endete das, nicht nur für Karl Korn, schon – oder erst? – 1941.

Wichtigste Erkenntnis über die Erfahrungen eines Intellektuellen, Publizisten, Redakteurs in der Nazidiktatur: wieviel Mut man für wie wenig brauchte. Ein Aufsatz über Eugen Gottlob Winkler – das ging schon ans Fell. Der milde Verriß eines Nazikitschbildes kostete schon die Stellung. Wie heilsam auch, hier aus der Feder eines ehemaligen *Reich*-Redakteurs zu erfahren, wie der so ungeheuerlich »Verfolgte«, dieser Märtyrer der Demokratie, wie »des Führers größter lebender Bildhauer«, wie Arno Breker, einen »peinlich superlativischen Lobpreis«, von einem Adlatus des Meisters geschrieben, ins *Reich* lancieren konnte. Gut.

Weitere wichtige, von Korn keineswegs verdrängte, sondern nahegelegte Erkenntnis: wie wenig oder gar keinen Sinn es hatte, sich mit den Nazis arrangieren zu wollen, wie man es anläßlich der Gründung der Wochenzeitung *Das Reich* noch einmal versuchte – dieses gescheite (und gescheiterte) Lavieren, kaschierte Mitteilungen unter Eingeweihten, während andere anderswo ganz andere »Weihen« empfingen, peinliche Gebildeten-Vergeblichkeit. Ich bekenne, daß ich *Das Reich* von allen Nazipublikationen am meisten gehaßt habe.

Abzuwarten bleibt, was Korn über die Jahre 1941 bis 1974 zu berichten hat. Ob es auch in der Besatzungszeit und nach der Gründung der Bundesrepublik Deutschland Versuche gegeben hat, zu ducken? Wenn ja: wer wen, und mit welchem Ergebnis? Ob »Verdrängungsasketik« und Tarnung noch notwendig waren?

Vergebliche Warnung

Laudatio für Manès Sperber zur Verleihung des Georg-Büchner-Preises 1975 durch die Deutsche Akademie für Sprache und Dichtung in Darmstadt am 10. Oktober 1975

Mit etwas Ungehörigem fange ich an: ich konfrontiere einen Autor mit etwas, an dem er gewöhnlich unschuldig ist: mit einem Schutzumschlag. Sie schreiben in den *Wasserträgern Gottes*, lieber Manès Sperber, Sie hätten sich selbst auf Ihrem Jugendbild nicht mehr erkannt oder nicht mehr gefunden, und da muß ich – zum ersten, vielleicht nicht zum letzten Mal – widersprechen.

Wenn ich die beiden Abbildungen auf dem Umschlag zu eben diesem Buch so nebeneinander sehe, stelle ich fest: kaum je zuvor habe ich eine so verblüffende Ähnlichkeit eines nicht mehr so ganz jungen Herrn mit dem Kind, das er einmal gewesen ist, feststellen können, und so beginne ich, indem ich Ihnen widerspreche, mit einer Schmeichelei. Kaum etwas ist ja trauriger, als wenn man im Gesicht eines Menschen nicht mehr das Kind entdeckt, das er einmal gewesen ist. Im Gesicht dieses Schriftstellers, Verlagsdirektors, Psychologen sehe ich den Jungen, der mitgenommen wurde, im doppelten Sinn: den Prüfungen und Leiden unterworfen, ein mitgenommenes Kind; aber auch mitgenommen wie auf eine abenteuerliche Reise im geographischen, biographischen und intellektuellen Sinn.

Zwischen diesen beiden da auf dem Schutzumschlag, dem Jungen im Matrosenanzug mit seinen aufmerksamen, schon ein wenig skeptischen Augen, und dem Herrn, der das Jugendbewegte nicht verleugnet, gibt es eine innerpersonale Tradition, vielleicht sogar eine unausgesprochene Verschwörung: jedenfalls hat der ältere den jüngeren noch nicht vergessen, und hat der jüngere den älteren nicht schon im Auge?

Ich denke, das ist keine Frage des Jungbleibens oder Altwerdens, es ist doch einer immer beides, und wenn einer jung ist, spürt er das Alter des ihm Mitgegebenen: Volk, Religion, allerlei Zugehörigkeit, Gepäck, das der ältere an seinem Weg abwirft – oder glaubt, abgeworfen zu haben.

Ich kam darauf, weil die Warnung, die fast immer zur vergeblichen wird, mir eines der Hauptthemen Ihres Werkes zu sein scheint – und nicht zufällig ist ja *Die vergebliche Warnung* der Titel des zweiten Teils Ihrer Autobiographie. Ist nicht die Vergeblichkeit der Warnung mitgegeben, weil unsere Zeitlichkeit unwirklich ist, wir ständig zwischen Vergangenheit und Zukunft schweben, die Gegenwart immer nur eine Sekunde ist, sie kann nicht bleiben, war nur und wird sein, und doch arbeiten wir in ihr, planen für sie, leben in ihr, die nur für einen Augenblick, für einen Wimpernschlag auf unserer Fingerkuppe wohnt.

Sie sind in einem Ihrer Essays auf diese fiktive oder man könnte fast sagen fingierte Gegenwart eingegangen. Ich weiß sehr wohl, es ist das ewige Dilemma zwischen Geschichtlichkeit und Geschichtslosigkeit: man kann sich in dem einen und im anderen nicht niederlassen, die Zeit ist keine Heimat, und doch wissen wir, daß Zeitgenossenschaft, das Beobachten und Erdulden der Zeit, unsere einzige Niederlassung ist, Ungeduld in einer Gegenwart, die es gar nicht zu geben, deren Wesen Flüchtigkeit zu sein scheint: flüchtig, auf der Suche nach einer Heimat, auf dieser Erde und in dieser Zeit, mißtrauisch gegenüber einer Zukunft, in die uns der Sekundenzeiger immer wieder hineinschiebt. Und doch ist es immer da und immerdar, dieses Stückchen Zeit, auf dem wir uns niederlassen, nicht bewußt der Tatsache, daß wir auf ihm hüpfen wie ein Korken auf der Flutwelle.

Sie haben erwogen, lieber Manès Sperber, ob Sie Ihrer ganzen Autobiographie den Titel geben sollten: Die ewige, die unnötige Heimkehr. Ist es nicht die Heimat der verlorenen Augenblicke, in die wir zurück möchten? Das hat nichts zu tun mit dem albernen Schlagergefühl, das man Nostalgie nennt, die ja nur die Sehnsucht nach den verlorenen Augenblicken *anderer* ausdrückt. Die Frage nach der Heimat ist eine der am heftigsten gestellten Fragen in Ihrem Werk: nach einer intellektuellen, nach einer geographischen Heimat. Wie viele Menschen, meistens jüdischer Herkunft, sind aus Osteuropa westwärts gezogen, freiwillig, unfreiwillig, und wäre da nicht zu überlegen, ob – einige Dutzend Hypothesen, Illusionen, Träume, Konstruktionen aneinandergereiht und aufeinandergehäuft: daß es keinen Ersten Weltkrieg, keinen Zweiten, keine russischen Revolutionen, nicht den Nazismus, nicht Auschwitz und nicht den Zusammenbruch der k. u. k. Monarchie gegeben hätte – dieser Junge im Matrosenanzug, der da wachsam an dem nicht mehr ganz so jungen Herrn vorbeiblickt und ihn doch im Auge hat; ob dieser Junge wirklich in Zablotow geblieben wäre?

Ich weiß, ich habe gut reden: ich wohne in der Stadt, in der ich geboren bin, aber ich erlaube mir hier für ein paar Augenblicke den Luxus, mir die Geschichte der letzten vierzig Jahre als ohne gewaltsame Veränderung abgelaufen vorzustellen: wahrscheinlich würde ich in Berlin, Wien oder Paris leben. Es könnte ja auch sein, daß einer sich nicht als aus der Heimat, sondern in die Heimat vertrieben empfindet, und nicht nur im intellektuellen Spiel; auch ein Arbeiter, Soldat, Angestellter oder Beamter könnte ja plötzlich »Der Fremde« sein, fremd in der verlorenen oder nicht verlorenen Heimat, am eigenen Tisch, im eigenen Haus, sich selbst fremd in einer flüchtigen Heimat, zugedeckt vom Schnee der Erinnerung; verhaftet – das hat ja eine doppelte Bedeutung, und es ist doch erstaunlich, zu erfahren, wie viele Menschen, Männer und Frauen, sich plötzlich aus dieser Verhaftung in Beruf, Wohnort, nettem Haus mit netter Familie und nettem Nachbarn, entfernen, flüchtig werden. Was hat sie gewarnt?

Heimat, das ist ein Weltthema, für die, die gezwungen sind, aus ökonomischen oder politischen Gründen auszuwandern, für alle, die vertrieben worden sind, und ich maße mir hier nicht an, ihren Verlust und ihren Schmerz zu ermessen. Ich habe nur, angeregt durch den von Ihnen erwogenen Titel: Die ewige, die unmögliche Heimkehr, einige Überlegungen angestellt, ob die unverlorene geographische Heimat nicht zur Fremde werden kann.

In den Jahren 46/47 schrieb ich eine Erzählung, die den Titel *Zwischen Lemberg und Czernowitz* trug; den Titel ließ ich mir leider ausreden. Während des Sommers, auf der Suche nach Ihnen, tat ich, was ich immer als erstes tue, wenn ich mich mit einem Menschen, einem Land, einer Stadt beschäftige: ich schlug den Atlas auf, suchte Zablotow, fand es und stellte fest, daß es zwischen Lemberg und Czernowitz liegt. In Europa. Osteuropa. Im Jahr 1953 gab mir mein Verleger ein Manuskript, das ich begutachten sollte, es trug den Titel: *Die verlorene Bucht*, und es passierte mir zum ersten Mal, daß ich vom Lektor zum Leser wurde, das Manuskript wurde zum Buch, und ich geriet tief, tief hinein in das Ost- oder Südosteuropa Ihrer Helden und Heldinnen, die keine sein sollen und keine sein wollen, und als dann die weiteren Bände der Trilogie kamen, war ich wieder dort, wo ich schon einmal gewesen war als Soldat, später als Autor: Zwischen Lemberg und Czernowitz. Ich schrieb kein Gutachten, ich sagte nur zu meinem Verleger: Wenn du dieses Manuskript nicht druckst, bist du kein Verleger.

Es war ein ganz neues, ein erweitertes Europa, das ich in Ihrem Werk als zum Leser gewordener Lektor, später als Leser, der nicht mehr lektorieren mußte, entdeckte: Ost- und Südosteuropa. In Westeuropa geboren, aufgewachsen, erzogen, einigen Bildungsvorgängen unterworfen, war ich ja wie alle Westeuropäer, die vor allem alle linksrheinischen Europäer, ganz von der Einbildung geprägt, Europa läge westlich Mainz, Straßburg oder Köln, und wenn man da nicht so ganz scherzhaft, sondern mit mokanter Arroganz sich zuflüsterte, daß östlich des Rheins Sibirien (und so ungefähr an der Donau entlang der Balkan) beginne, so vergaß man sogar die Tatsache, daß diese Dame Europa ja immerhin balkanischer Herkunft ist – und daß vom Balkan aus das Christentum, das ja nicht so ganz europäischer Herkunft ist, von Slawen zu Slawen gebracht wurde, und man vergaß natürlich erst recht die kaum zu messenden Einflüsse, die aus den jüdischen, von jüdischen Vertriebenen besiedelten Gebieten Osteuropas in die Weltliteratur und in die Wissenschaften eingegangen sind.

Diesen Hochmut, diese oberflächliche Arroganz, diese Verkennung und Verleugnung hat Europa teuer bezahlt: nach sechs Jahren Krieg, innerhalb der sehr kurzen Frist von zwölf Jahren, waren seine abendländischen Strukturen, auf die es so stolz war, von der Barbarei hinweggefegt! Ich kann hier nicht einmal andeuten, was Ost- und Westeuropa einander gebracht haben. Was da alles vergessen wird und verlorengeht im Gefälle wechselseitiger Arroganz, Besserwisserei, undefinierbarer Gegensätze, die sich nach zwei Kriegen und einigen Revolutionen ergeben haben. Ich fürchte, die da so viel von Europa sprechen, meinen immer noch nur Westeuropa: eine tüchtige und doch, betrachtet man, was sie an Geist zu bieten hat, magere, fast dürftige Hälfte, die oft genug Freiheit mit freiem Markt verwechselt, in der jene Einbildungskraft, an der sich dem dreijährigen Knaben Manès Sperber offenbarte, daß sie den Weg ins Freie weist, sich allzu sehr – und manchmal einzig und allein – auf den Erwerb richtet, der da ewig währen und wachsen soll – wo wir doch wissen, daß wir auf dem Sekundenzeiger wohnen.

Ist das eine Heimat oder gar ein Zuhause? Und birgt Osteuropa wirklich nur Gefahr, ist es nicht erbärmlich, wie wir seinen Geist, auch seinen Geist des Widerstands und die, die ihn tragen, die glauben, hier eine christliche, worunter sie verstehen nicht materialistische Welt, gekommen zu sein, auf unseren Märkten verschleißen, um so oder so ein paar Wählerstimmen zu bekommen? Sind wir nicht gewarnt und wieder einmal vergeblich? Nicht gewarnt vor den anderen, sondern vor uns? Es ist schon recht, wenn Sie warnen, lieber Manès Sperber, wenn Sie in Ihren Erinnerungen rücksichtslos offenbaren, daß auch Sie sich nicht warnen ließen, blind blieben noch eine Weile vor der einen Gefahr, weil die andere, die faschistische, näher und direkt an Ihrem Leib war. Nun warnt man die portugiesischen Revolutionäre, man warnt die Umstürzler in Südamerika, in Afrika und Asien – aber wer hat die gewarnt, die über jede historische, sogar jede strategische Vernunft hinaus, die Gegenwart nicht einlassen wollen? Wer warnt die, die immer noch die Garotte anwenden, die sogar über die vitale, primitive Vernunft des Überlebenwollens hinaus die Unvernunft ihrer Gegner herausfordern, wer warnt die, die nicht nur moralische Grenzen, die auch die Zeichen der abgelaufenen Zeit nicht erkennen?

Mit der Klarheit des Essayisten haben Sie analysiert, mit der Bitterkeit und Zartheit des Poeten haben Sie ausgedrückt, wovor gewarnt werden soll, und haben doch gleichzeitig die erfahrene Heimat, die man Solidarität nennen kann, angenommen – und liegt nicht im letzteren auch wieder eine Verführung, eine Rücknahme fast der Warnung? Denn auf dem Markt, das wissen wir doch alle, ganz gleich, wo wir herkommen oder wo wir hinwollen, auf dem Markt – da mag's Kumpaneien geben, Solidarität aber gibt es nicht. 5

Das Schmerzliche an Oberschlesien

Über Horst Bienek, »Die erste Polka«

(1975)

Oberschlesien, so scheint mir, ist der Held (oder wohl besser: die Heldin, es kommt mir ziemlich weiblich vor) des Romans. Er ist zwar um Valeska Piontek (eine Klavierlehrerin, staatl. gepr.) und ihre Familie herumgruppiert, doch immer wieder schiebt sich die eigentliche Heldin, eben jenes Oberschlesien, nach vorne, lokalisiert in Gleiwitz, wo an diesem Tag, am Vorabend des Kriegsausbruchs 1939, zwei Kinder Augenzeugen des seltsamen Überfalls auf den Sender Gleiwitz werden, der zum Mit-Auslöser des Zweiten Weltkrieges wurde. Nicht der bevorstehende Krieg beunruhigt die beiden Kinder, Ulla Ossadnik und Andreas, die in einer heftigen, ungeschickten Umarmung ihre Kindheit ablegen und zu Jugendlichen werden; beunruhigt sind, weil sie sich zur Hochzeitsfeier für Irma Piontek verspäten, und es sind diese beiden Ereignisse, der bevorstehende, schon geahnte Krieg, und die Hochzeit, die Bieneks Personal in Bewegung setzen und halten. Valeska P. ist eine umsichtige, blickt man genauer hin, gütige Frau, vielleicht ein bißchen zu tüchtig für ihren Mann; sie ist nicht nur entschlossen, trotz des Verbots weiterhin Chopin zu spielen und zu lehren, sie macht auch mit Hilfe ihres schlauen Bruders Willi Wondrak (ehemals: Wondraschek) Grundstücksspekulationen, ist katholisch und, wie man heutzutage sagen würde, »frustriert«, hat da mal was mit einem Arzt gehabt (wie weit das ging, erfährt man nicht genau), läßt sich von einem Zeitschriftenwerber im eigenen Hausflur ziemlich heftig küssen, wodurch fünfzig freiwillige Vaterunser und zehn Credos fällig werden; sie ist katholisch genug, das selbst zu bestimmen, wozu da erst beichten gehen; da gibt's natürlich die Schwarze Madonna von Czenstochau (die mich doch sehr – auch in ihren Funktionen – an die

Schwarze Mutter Gottes in der Kupfergasse zu Köln erinnerte); dann Halina, die polnische Magd; die Witwe Hupka; zwei verschiedene Tanten Lucie; schließlich Leo Maria Piontek, ihren Mann, an Asthma erkrankt, schon lange bettlägerig, mehr ein Amateur als ein professioneller Fotograf, nicht gerade ein Erfolgstyp. Josel, der Sohn, fünfzehn (eigentlich vierzehn), in Pubertät begriffen; er absolviert sowohl den Don Bosco-Bund wie die Hj, und so nebenbei betreibt er in einer leerstehenden Baracke eine Absteige, die angesichts der Anwesenheit so vieler Soldaten ziemlich einträglich ist. Nicht nur die Schwarze Madonna, auch Chopin, dessen Herz in Warschau ruht, wohin man gern pilgern möchte, und so einiges, was nicht gerade von einer klar umrissenen kantischpreußischen Sittenverfassung spricht.

So recht zu kategorisieren, »faßbar« oder erfaßbar ist das alles nicht, nicht in seiner Nationalität, nicht in seiner Religiosität, manches erinnert an den Kohlenpott, als wäre er nach Osten verrutscht, aber zutreffender wäre wohl, den Kohlenpott als ein nach Westen verrutschtes Oberschlesien zu bezeichnen. Manche Personen aus Bieneks Roman könnten sicher, so wie sie sind, auch in Gelsenkirchen oder Rotthausen »vorkommen«, mit ihrem »Salonik«, ihren vielen »pierunjes«, nur ist das Ruhrgebiet, wenn auch immer international begehrt, kein Grenzland, und Ansprüche darauf waren immer ziemlich weit hergeholt.

Was ich nach der Lektüre der *Ersten Polka* endgültig begriffen habe: Oberschlesien ist nicht Schlesien, es ist beides nicht eindeutig: weder deutsch noch polnisch, und seine Unabhängigkeitsansprüche waren gar nicht weit hergeholt, wenn auch politisch hoffnungslos. Es konnte einem in Lothringen passieren, daß man eine deutsche Antwort bekam, wenn man die Leute französisch ansprach, und umgekehrt, zerquetscht und ständig hin und her gerissen zwischen zwei anspruchsvollen, total humorlosen Nationalismen, waren's die Leute einfach leid, ständig »bekennen« zu müssen.

Von Bekenntnis zu einem der angebotenen Nationalismen ist auch in Bieneks Gleiwitz wenig zu spüren, es bestand, wie mir scheint, ein leichter Überhang zum Polnischen, und zwar des Katholizismus wegen, dieser unzuverlässigen Konfession, für die das in Warschau ruhende Herz Chopins, Rosenkranz, Vaterunser, Ave Maria wichtiger waren als irgendwelche kühlen preußischen Symbole, und schließlich waren die Polen in Preußen ja nicht nur verachtet, weil sie Polen, mehr noch, weil sie katholisch waren.

Dieses Problem hält und spannt den Roman, in beiden ineinander verflochtenen Handlungen: Kriegsbeginn und Hochzeitsfeier. Chopin, ein eindeutig *oberschlesischer* Klerus, der sich in Erzpriester Pattas eindeutig für die Musikalität der polnischen Ortsnamen ausdrückt, die er wie eine Litanei intoniert; er, der überall in diesem Land (Oberschlesien) die »gleiche Liebe und Treue zur Heimat und zur heiligen Mutter Maria« gefunden hat; und was die Besitzverhältnisse anbelangt, so drückt das der sterbende Leo Maria Piontek aus: »Es ist ein verfluchtes Stück Erde. Die Armen haben die Saat in die harte trockene oberschlesische Erde gesteckt und sie mit ihrem Schweiß gedüngt, und die Reichen haben die Frucht genommen. Die Armen sind unter die Erde gegangen, haben gegraben in der Erde des Herrn und die Kohle herausgeschaufelt mit Methan in den Lungen, und die Reichen haben sie verkauft.«

Nicht nur Eichendorff, auch Schaffgotsch und Ballestrem, und noch ein weiterer Bestandteil der oberschlesischen Bevölkerung: der jüdische, wird in der *Ersten Polka* personifiziert in dem Landgerichtsrat a. D. Georg Montag, einem wahren oberschlesischen Katholiken, der sich angesichts der Judenverfolgung allzu heftig an seinen jüdischen Großvater erinnert, sich schließlich wieder judaisiert, völlig zurückgezogen lebt und an einer Korfanty-Biographie arbeitet, bevor er, eben am Vorabend des Kriegsausbruchs, Selbstmord begeht. Er ist der wahrhaft Heimatlose, nicht Angenommene, während sich die anderen gewohnheitsmäßig im Hin und Her ihrer Geschichte anzupassen beginnen. Nicht zufällig hat Montag in der Geschichte Korfantys eine eigene oberschlesische Identität gesucht, und nicht zufällig ist Montag das erste Opfer und Vorläufer der großen Vernichtung. Er ist der erste Heimatvertriebene.

Der erste Roman von Bienek hat seine Schwächen, auch (was nicht dasselbe ist) einige Längen; ich führe das nicht auf die

Tatsache zurück, daß hier ein geborener Lyriker seinen Erstlingsroman vorlegt; schließlich ist Bienek auch ein gestandener Prosaschreiber, nicht nur in der »Zelle«, auch als Rezensent und Essayist; die paar Längen und Schwächen sind von der Art, wie sie auch »gestandenen Prosaisten« jederzeit und Gott sei Dank unterlaufen; es ist kein geglättetes, kein ganz ausgebügeltes Buch. Am Ende hat man, wie es sich für einen Roman gehört, Personen und Gestalten, wenn auch einige in »Rollen«, kennengelernt, hat an Konflikten, Entwicklungen, Spannungen teilgenommen, und an einer »Kleinbürgerhochzeit«, die großzügig – im besten Haus am Platze, im Haus Oberschlesien – geplant ist, aber nicht großzügig ausfällt; da gibt es viele Gewürze, peinliche Gäste, eine obskure Sorte Prominenz; und was trist zu werden verspricht, endet traurig: mit Josels Mord an einem deutschen Feldwebel, der die sehr oberschlesische Ulla Ossadnik vergewaltigt, die so wunderbar Chopin spielen kann; mit Montags Selbstmord, dem Kriegsausbruch, und Leo Maria Pionteks Tod.

Das paßt alles zu gut übereinander, zieht sich am Schluß zu lange hin, und eine katholische Buchhändlerin, die sich dann wohl, weil sie letzten Endes doch »verschmäht« wird, die Brustwarzen abschneidet: das mag vorgekommen sein und vorkommen: ist aber dann doch zu »oberschlesisch«; Valeska P.s fünfzig freiwillige Vaterunser und zehn Credos genügen.

Man erfährt auch einiges – und das ist gut – vom zeitgenössischen Fußball, z. B. vom damaligen Torjäger Helmut Schön, ein paar Buchtitel, Scholtis: *Das Eisenwerk*, Bergengruen: *Der Großtyrann und das Gericht* (ich erinnere mich: dieser beziehungsreiche Roman war eine Sensation, seinerzeit in der *Kölnischen Volkszeitung* abgedruckt), und da findet man Bernhard Etté wieder, La-Jana-Frisuren werden Mode.

Nun wäre es Täuschung, zu vergessen, daß dieser Roman über Oberschlesien, in diesem Augenblick, nach den Ostverträgen und ihren Folgen, eine politische und speziell heimatpolitische Bedeutung bekommen könnte, die weder beabsichtigt noch datiert war. Stellen wir erst einmal fest: dieser Roman ist deutsch geschrieben von einem Deutschen, zärtlich, fast weich, schmerzlich, fast unkritisch, hier wird kein »Nest beschmutzt«, es wird in der Vielfalt seiner Zusammensetzungen geschildert. Das Schmerzlichste an Oberschlesien (das ist mein Eindruck von Bieneks Roman, was die heimatpolitische Seite angeht) war offenbar der Zwang, sich entscheiden zu müssen; jetzt, wo in der Folge jenes Krieges, der in Gleiwitz mitgezündet wurde, die Geschichte diese grausame Entscheidung gefällt hat, ist es jedermanns Recht, sich deutsch oder polnisch zu definieren.

Die unbequeme Hoffnung auf eine geistige Wende

Über Alexander Solschenizyn,
»Drei Reden an die Amerikaner«
(1975)

Seitdem Alexander Solschenizyn eine widerwärtige Zitatmontage, die die *National und Soldaten-Zeitung* als authentisches Interview mit ihm abdruckte, als totale Fälschung entlarvt hat, sollte man Solschenizyns Vermarktung in der Presse mit etwas mehr Skepsis verfolgen. Kennzeichnend war auch, daß nicht alle Zeitungen sein Dementi publiziert haben; so werden also auch seine Dementis vermarktet. Nun liegen seine *Drei Reden an die Amerikaner* gedruckt vor, nicht aus dem Englischen, sondern aus dem russischen Original übersetzt, genau datiert: am 30. Juni 1975 im Hilton Hotel Washington vor dem amerikanischen Gewerkschaftsbund und am 15. 7. 1975 auf einem Empfang im Senat.

Man kann also lesen, was er gesagt hat: nicht mehr in Ausschnitten, nicht mehr jeweils markt- und interessengerecht ausgewählt; der vollständige Text liegt vor, und es zeigt sich, daß Solschenizyn nicht nur ein großer Autor, auch ein großer Rhetor ist: Aufbau der Reden, Steigerung, Wiederholungen, Zitate, Rededauer, moralischer Anspruch, alles hat auch *formal* einen Rang, der die gewöhnlich nichtssagenden Floskeln politischer Reden verblassen läßt.

Es wird kaum möglich sein, Solschenizyn zu widerlegen, wenn er die russische, die sowjetische Geschichte der vergangenen fast sechzig Jahre analysiert, Taktik und Strategie der Innen-, Außen-, Wirtschafts- und Kulturpolitik kommentiert.

Als ehemaliger Offizier der Roten Armee wird er sich aber auch daran erinnern, welche Kontroversen es jahrelang zwischen den Alliierten um die »zweite Front« gegeben hat, jene Entlastungsoffensive, die dann erst im Juni 1944 mit der Invasion in der Normandie entstand; erinnern wird er sich auch daran, daß Rußland, die Sowjetunion, die größten Opfer in diesem Zweiten Weltkrieg gebracht hat: 20 Millionen Tote, ein paar tausend Städte, 70 000 Dörfer zerstört, man schätzt den Gesamtschaden auf 250 Milliarden Mark. Das stärkte Stalins Verhandlungsposition, und das »kleine Hitlerdeutschland«, wie Solschenizyn es nennt, war eben so klein nicht. Ein Blick auf die Europakarte von 1943/44 genügt.

Man kann natürlich und darf die Folgen dieser Pakte für Osteuropa beklagen, beklagen müßte man auch die verhängnisvolle Unkenntnis der komplizierten Geographie Osteuropas, die bei diesen Verhandlungen waltete.

Die Hypothese, es hätte diese Verträge und Pakte nicht gegeben oder nicht geben dürfen, würde konsequenterweise die Hypothese einschließen müssen, was aus den »Untermenschen« Osteuropas geworden wäre, wenn Hitler gesiegt hätte. Solschenizyn läßt nicht den geringsten Zweifel an seiner Einstellung zu Hitlerdeutschland: Ein von Hitlerdeutschen zwischen Calais und Wladiwostok beherrschtes Eurasien und ein von Japanern beherrschtes Asien – das wären die Gegenvorstellungen.

Über manche Details seiner Reden müßte stundenlang diskutiert und meditiert werden. Solschenizyns Warnungen vor den Strategien und Taktiken der sowjetischen Führung heute sollte jeder ernst nehmen; es wäre angebracht, wenn der »linke« und der »rechte« Markt, auf denen Mißverständnisse manipuliert und hin und her gehandelt werden, durch einige weitere Ebenen ergänzt würden, wo Solschenizyns Mahnungen nicht irgendeiner Parteipolitik, der einen oder anderen Interessengruppe dienstbar gemacht werden.

Seine *Drei Reden an die Amerikaner* sind ja nicht nur »Anti« -Reden, sie drücken die Hoffnung auf eine geistige Wende aus, die, wenn man sie rein tagespolitisch ausmünzt, geschändet wird. Schon in seinem Brief an die Sowjetführung waren Ansätze zu einer asketischen Konzeption zu erkennen, die in seinem gesamten Werk immer vorhanden war und in den *Drei Reden* fortgesetzt wird. Er erwartet eine »Wende«, spricht von einer Zeitenwende, in der wir leben, und es ist doch deutlich genug zu spüren, daß ihm Begriffe wie Konsumdenken, Konsumwirtschaft, diese ganze Wegwerfverschwendungswirtschaft so fremd sind wie jenes wirtschaftspolitische »Schlüssel«-Denken, für das die Steigerung der Autoproduktion und die damit verbundene weitere Zerstörung unserer Landschaft durch sinnlosen Straßenbau selbstverständlich ist.

In diesen seinen asketischen Prognosen für die Menschheit ist er – so absurd es klingen mag – den Thesen der Jusos und den Theorien von Wolfgang Harich näher als etwa denen des Wirtschaftsrates der CDU. Wenn Solschenizyn von der Profitgier sagt: »Das ist es ja, was der menschliche Verstand kaum begreifen kann: Diese brennende Profitgier, die nur Geld scheffeln will, ohne Vernunft, ohne Selbstbeherrschung, völlig gewissenlos« (Applaus), so möchte ich doch gern wissen, ob die Delegierten des amerikanischen Gewerkschaftsbundes, die da applaudierten, wußten, was sie taten.

Ich will den Delegierten des amerikanischen Gewerkschaftsbundes nicht mehr Profitgier oder »Profitgier« unterstellen als irgendeinem von uns, frage mich aber, wollen sie wirklich diese Wende, die von der Produktion um der Produktion willen wegführt? Hier liegt auch ein Mißbrauch Solschenizyns durch diejenigen vor, die uneingeschränkt »soziale« oder »freie« Marktwirtschaft propagieren. Man kann nicht seine »Antis« kaufen und diesen Ruf nach einer geistigen Wende, nach einer Abkehr vom Materialismus einfach ignorieren.

Was Solschenizyn über Italien, Portugal, Vietnam voraussagt, möchte ich lieber als Warnung verstehen, als Prophezeiung ist es zu düster, verbreitet Hoffnungslosigkeit in Ländern, die einen Trost verdient haben. Es wäre sinnlos, die Gefahren in diesen Ländern und Teilen der Welt zu leugnen, doch bevor man diesen Menschen jede, jegliche Hoffnung auf die immerhin mögliche neue Version des Sozialismus oder Kommunismus nimmt, muß man doch feststellen, was die »Christen«, angeblich Nicht-Materialisten, in diesen Ländern angerichtet haben, bevor diese anfingen, auf neue Formen des Sozialismus zu hoffen.

Was hat man denn der Bevölkerung etwa von Moçambique in fast vierhundert Jahren allerchristlicher Regierung geboten oder angeboten, was hat man den Portugiesen in fünfzig, den Italienern in dreißig Jahren christlicher Regierungen geboten, was hat Franco von Gottes Gnaden den Spaniern geboten? Was hat man den Völkern Südamerikas bisher an »Christlichkeit« geboten? Nicht viel mehr als den Materialismus der Macht (Macht als Materie definiert) und des Besitzes. Da wird denn auch die Einteilung der Welt in Gut und Böse fragwürdig. Wie »gut« ist es, wenn 400 bis 500 Millionen Menschen hungern, jährlich 10 bis 15 Millionen Kinder allein *ver*hungern? Und wer ist dafür verantwortlich?

Wer hat denn jeden, aber auch jeden Ansatz von »Spiritualismus« bis in die Ur- und Untiefen der Kirchen hinein verhöhnt, sogar verfolgt und das Christentum auf Verteidigung von Besitz und Privilegien reduziert?

Ich muß Solschenizyn ohne jede Einschränkung zustimmen, wenn er die Ausübung des Schießbefehls an der Grenze zur DDR nicht nur verurteilt, sondern für typisch erklärt, wenn er vom »Entgegenkommen« der anderen Seite spricht; man muß ihm zustimmen, wenn er die peinliche Entwicklung von Angela Davis nach ihrem Freispruch als Beispiel nennt; wenn er den Stalinismus als aus dem Leninismus kommend definiert; wenn er auf das Schicksal Polens und der baltischen Staaten verweist; wenn er sich sarkastisch über diesen Koppelungskram äußert, den man, nicht in seinen technischen, doch in seinen politischen Dimensionen getrost als Weltraumkitsch bezeichnen kann: dieser Austausch vakuumverpackter Flaggen war ja wohl ein schlechter Witz. Ich stimme ihm zu, wenn er jetzt, spätestens jetzt Festigkeit gegenüber der Sowjetunion erwartet; wenn er, wiederum sarkastisch, eine Ausstellung über kriminologische Techniken in Moskau kommentiert, die amerikanische Geschäftsleute veranstaltet haben.

Was er Vietnam, Italien, Portugal prophezeit, entspricht seinen Erfahrungen. Es fragt sich nur, ob diese für die Zukunft der gesamten Menschheit zutreffend sind. In Portugal ist noch nichts entschieden, in Vietnam sind die prophezeiten Massenmorde noch nicht verübt, die Riesenkonzentrationslager noch nicht errichtet.

Wahrscheinlich ist, daß sich in Italien das Schicksal des westlichen Kommunismus entscheiden wird, noch ist es nicht entschieden, und ich wiederhole: Was haben denn die christlichen Regierungen den Italienern geboten, wer hat denn die Werte, deren Erneuerung Solschenizyn beschwört, zerstört, ganze Enzykliken und einige Hirtenbriefe gegen die Torheiten des Spiritualismus vom Stapel gelassen? Der Mensch lebt nicht vom Brot, aber auch nicht vom Wort allein, und Worte, Formeln, Slogans, christliche Spruchbänder waren es, die man hinausflattern ließ. Für diese Menschen ist die christliche Sorte des Regierens *jetzt* – und wohl für eine Zeitlang – unglaubwürdig geworden.

Es gibt in den *Drei Reden* einige Sätze, über die ich gestolpert bin; einen davon möchte ich zitieren: »Die amerikanische Arbeiterbewegung ließ sich niemals blenden, wenn man Sklaverei für Freiheit ausgab.« Mag man einen solchen Satz der Höflichkeit gegenüber den Gastgebern opfern – wollte man ihn historisch betrachten, so müßten die Neger in den USA, die Landarbeiter, legale und illegale Chicanos, die Plantagenarbeiter auf Kuba, in Guatemala, Costarica, die Minenarbeiter in Peru und Chile darüber urteilen, was die »amerikanische Arbeiterbewegung« je für ihre Freiheiten und ihre Lebensbedingungen getan hat.

Andere Sätze in den *Drei Reden* hat man hier geflissentlich überhört. Solschenizyn zählt einige Fälle auf, wo Festigkeit zum Erfolg, zum Nachgeben der Sowjetunion geführt hat: Finnland 1939, Berlin 1948, Korea 1950, Kubakrise 1962 – und fährt fort: »Und der verstorbene Adenauer führte die Gespräche mit Chruschtschow in Festigkeit – und leitete mit Chruschtschow eine echte Entspannung ein.« – Nun, Adenauers Festigkeit sei unbestritten, nur: Polen, dieses nach Westen gedrückte Land, mit seiner unseligen, ungesicherten Position nach einem halben Dutzend Teilungen: es bedurfte der Ostverträge, um atmen, um leben zu können; und Adenauer war Realist genug, zu wissen, daß die Oder-Neiße-Linie, die sein Freund de Gaulle schon längst akzeptiert hatte, endgültig, aber innenpolitisch im Jahre 1956 noch ein zu heißes Eisen war.

Adenauers Festigkeit galt den deutschen Kriegsgefangenen und Kriegsverbrechern. Willy Brandt brauchte noch 1969 Mut und Festigkeit, um eine Ostpolitik einzuleiten, die den Völkern Osteuropas mehr einbringt als schadet. Solschenizyn fährt dann fort – und das klingt nicht so ganz unversöhnlich: »Chruschtschow begann nachzugeben, und wenn man ihn nicht abgesetzt hätte, wäre er im Winter nach Deutschland gekommen und hätte die *echte* (Hervorhebung von mir) Entspannungspolitik fortgesetzt!«

Schließlich möchte ich noch den Schlußsatz der zweiten Rede zitieren: »Die Menschen aus der Sowjetunion, aus China, aus den anderen kommunistischen Ländern sollten zu Ihnen reisen können, ohne Überprüfung durch den KGB, ohne die Befürwortung durchs ZK der Partei, einfach so, von sich aus. Und diese Menschen sollten Ihnen die Wahrheit über das erzählen können, was bei uns geschieht. Und das wäre dann, wie ich es nenne, eine Periode der ›offenen Handfläche‹.«

Damit ist der wichtigste aller Punkte berührt, eines der Probleme, zu dem noch nicht einmal andeutungsweise der Schimmer einer Lösung sichtbar ist: die freie gegenseitige Begegnung und Information. Die bisher übliche Praxis, sorgfältig ausgewählte Verbandsdelegationen zu schicken, ist das Reisegeld nicht wert, und die Informationen, die solche Delegationen mitbringen und mitnehmen, sind das Papier nicht wert, auf dem sie gedruckt oder geschrieben sind.

Offene Handflächen – das ist ein schönes Bild. Solschenizyn hat es den Umgangsformen beim Urhandel entnommen, bei dem man die geöffneten Hände dem Partner entgegenhielt und dann die Hände drückte. Soll der Westen nun seine Hände öffnen und Solschenizyn zeigen, was er drin hat.

Ein Nestbeschmutzer von Rang

Die Aufzeichnungen des Obergefreiten Erich Kuby, »Mein Krieg«

(1975)

Im Herbst der Nostalgien, der halben und halb zurückgenommenen Bekenntnisse und Geständnisse, im Jahr 30 nach Kriegsende, in dem man endlich erfuhr, welchen entsetzlichen Leiden und Mißverständnissen Frau Leni Riefenstahl und der arme Herr Arno Breker ausgesetzt waren – in diesem Herbst ist Kubys Buch eine wahre Wohltat. Mit bewegter und egangierter Kälte hat ein Soldat, der Erich Kuby hieß, es einmal bis zum Obergefreiten gebracht hatte, dann degradiert und zu Gefängnis verurteilt wurde, Tagebuch geführt, Briefwechsel aufbewahrt; kein Schweijk, kein Barbusse, »nur« ein – Gott sei Dank – zersetzender Intellektueller, der durchaus zu herzlichen und durchgehaltenen Freundschaften fähig war. Er hat die Täuschungen, Blindheiten und Enttäuschungen der Deutschen und ihrer Wehrmacht registriert, analysiert und sich mit Hohn getröstet. Ich konnte mir nicht helfen: während der Lektüre dieses Buches stellte ich mir den Obergefreiten Kuby vor einem Wehrmachtsrichter vor, der Dr. Hans Filbinger hätte heißen können; und in dieser fiktiven Konfiguration wäre ein gutes Stück intellektuellen deutschen Nachkriegselends personifiziert; der ewige – und wohl auf ewig weiterwährende – Kampf der »guten« Deutschen gegen die »schlechteren«, der Saubermacher und Sauberhalter gegen die »Nestbeschmutzer«.

Es kann kein Zweifel bestehen, dieser Erich Kuby hat der Deutschen Wehrmacht wenig Ehre gemacht oder eingebracht; oder doch, indem er eben den Krieg aus seiner Position heraus beobachtet, die Reaktionen der »Heimat« oder des »Reichs« registriert und frivol interpretiert? »Meine gute Mutter schreibt, sie wolle mir Geld schicken, wenn ich dafür hier Kaffee oder

Tee *kaufen* könnte (in Frankreich 1940!). Das fugenlose Ineinander von bürgerlichen Vorstellungen und Barbarei (d. h. die Nichtzurkenntnisnahme selbigen, was auf das gleiche hinauskommt) hat für mich schon lange etwas Faszinierendes.« Der peinliche Moralismus moderner Armeen, der sich etwa in Transparenten wie »Plündern wird mit dem Tode bestraft« ausdrückte, wird von Kuby handfest und man könnte fast sagen handgreiflich widerlegt , indem er munter Plünderungen schildert, die man ja in der bürgerlichen Schmunzelsprache dann als »Organisieren«, »Requirieren« bezeichnen konnte. Wenn man sich vorstellte, wieviel ordentliche, anständige Bürger, die heute bis zum Überschnappen jegliche Art von Privateigentum verteidigen, in verschmunzelter Selbstverständlichkeit anderer Leute Eigentum »organisiert«, »requiriert« haben, wie das besetzte Frankreich ausgeplündert wurde – so ist Kubys Offenheit von beachtlicher Aktualität.

Wie »modern« der Nazikrieg war, erweist sich auch an der Schilderung des »Währungsgefälles«, das den Kurs des französischen Franken 1940 auf 5 Pfennig festsetzte (für 3 Franken bekam man eine Flasche Wein, für 3 weitere ein Huhn, für ein Drittel des Kriegssoldes von 1 Mark täglich also eine gesegnete Mahlzeit!) und Inflation, Ausplünderung, Bankrott beschleunigte. So war selbst das Bezahlen eine legalisierte Plünderung: ein Hemd für 2,50 bis 3 RM – und eine üppige Mahlzeit für 1,50 RM (»Wir bezahlten stumm und hätten uns fast entschuldigt. Ich sagte zu Bertram: Denk dran, wenn wir wieder in der deutschen Wüste sind, und auch dann, wenn sich die Wüste bis hierher ausgebreitet hat.«) Solche Beobachtungen und Analysen waren natürlich nicht erwünscht, schlimmer noch, daß der Soldat Kuby an französische Kriegsgefangene Äpfel verteilte und nicht sehr heroisch reagierte, als er das Schmerzensgebrüll eines Verwundeten mit anhören mußte. Nein, dieser Mensch paßte nicht so recht in eine, erst recht nicht in diese Armee – und war doch drin, und wurde auch noch Obergefreiter.

Nun könnte leicht das Mißverständnis entstehen, Kuby habe sich »gedrückt«; es ist albern, gehört aber wohl zu den unvermeidlichen Albernheiten bei Konfrontationen mit der deutschen Geschichte, daß hier betont werden muß: Nein, Kuby hat sich auch im Sinne des Idiotenvokabulariums *irgendeiner* Armee – nie »gedrückt«. Dieser haut-, magen-, fußempfindliche degradierte Obergefreite Kuby hat sich mehr Gefahren ausgesetzt, als bei seiner Intelligenz und seiner Einsicht in das Funktionieren des Apparats, wohl auch bei seinen Beziehungen notwendig gewesen wäre. Sein Motiv: er wollte dabeisein, er wollte sehen, hören, erfahren; er war dabei, er hat gesehen, gehört, erfahren, er hat Tagebuch geführt, Durchschriften seiner Briefe gemacht, sein Protokoll durch Briefe seiner Frau, seiner Familie, Briefe von Bekannten ergänzt. Er hat gewußt, wie es kommen, wie lange es dauern, wie es ausgehen würde. Vielleicht wäre es besser gewesen, dieses Wissen in diesem Buch zu verschweigen oder zurückzuhalten: auch, oder gerade, wenn man recht behalten hat, gerät man ja leicht in den Verdacht der Rechthaberei, und merkwürdigerweise: obwohl ich Kuby glaube, daß er diese Prognosen seinerzeit gemacht hat – sie stören, weil er auf eine ganz andere Weise ausreichend »Recht« hat. Kuby, der auf französischen Orgeln Konzerte gibt, der malt und Gefängnisse ausmalt, der frivol die doppelte Moral moderner Volksarmeen, dieser großen Organisierer, ignoriert, der an Regiments-Chroniken arbeitet, als Nachrichtensoldat sich keineswegs »drückt«; es ist schon ein Wunder (und auch ein Segen), daß dieser Mensch Kuby den Krieg überlebt hat, an der »Front«, im Hinterland, im Vormarsch, im Rückzug, im Lazarett, im Gefängnis; er, der ganze Stäbe organisiert hat, um an einer fiktiven Regiments-Chronik zu arbeiten, die dem Erlebnis- und Erinnerungsaufsatzkult des gebildeten Deutschen schmeicheln sollte.

Dreißig Jahre nach Kriegsende diesen noch einmal vorgeführt zu bekommen von einem degradierten Obergefreiten und Wehrkraftzersetzer von Rang, der weder von außen noch von oben registriert, nicht von irgendeiner »objektiven Warte« aus, von einem, der der ganzen peinlichen Niedertracht ausgesetzt war – das ist erfrischend. Gerade weil er kein Soldat war, ist Drückebergerei nicht sein Refugium gewesen, die Drückebergerei ist ja eine Soldateneigenschaft, sie ist sozusagen in der ganzen Dienstauffassung immanent, wird schmunzelnd weitergegeben. Es ist immer und immer wieder der extreme Zivilist und extreme Intellektuelle Kuby, der aus Verachtung gegenüber dem Apparat Kommandos annimmt. Ein gefährliches Spiel, eine gefährliche Neugierde, eine lebensgefährliche Verachtung.

Wenig Freundliches hat Kuby über die zeitgenössischen Geistesheroen zu sagen. Carossa wird zum »sensiblen Opportunisten«, weitere Heroen werden zu »fiesen Möppen«, ob Thomas Mann oder Ernst Jünger. Geistesheroen der Vergangenheit kommen – außer Hölderlin – nicht besser weg. »Richard Wagner (er wird, wie Goethe, Bach, Schubert, Mozart von Kuby ins Jahr 1939 versetzt) hätte versucht, durch den Bodensee in die Schweiz zu schwimmen, wäre aber dabei aufgegriffen worden, weil er vorher von seinem Plan im Gasthaus geredet hätte. Im Gefängnis hätte er sich benommen wie Gerhart Hauptmann, schweinisch. Außerdem hätte er den großartigen Charkow-Marsch komponiert und wäre daraufhin Staatskapellmeister geworden.« In diesen Zusammenhang gehört auch der Kubysche Briefseufzer: »Warum muß ich in ein Volk hineingeboren worden sein, das aus Wagneropern Geschichte macht.«

Zynismus, Frivolität (und auch ein gut Teil Eitelkeit) sind als Tarnungen eines äußerst empfindsamen Herzens, im Zusammenhang mit *diesem Krieg*, den Kuby mit Recht *Mein Krieg* nennt, zu verstehen. Vor allem: sie werden nicht versteckt, eher ein bißchen zu sehr herausgekehrt, ihre Künstlichkeit wirkt stellenweise zu durchsichtig und enttarnt sich an anderen Stellen, wo die weiße Wut Kubys sichtbar wird. Zum Beispiel da, wo Kuby auf der Durchreise an die »Westfront« (im Juni 44, kurz vor der Invasion) an der Straßburger »Reichsuniversität« Bekannte und Geistesverwandte besucht: »Hier in Straßburg sind eine Menge ansehnlicher Leute versammelt, die vom Dritten Reich und vom Krieg soviel wie möglich verpassen wollten … Was mich an diesem Kreis stört, ist sein elitäres Gehabe, und was ich am wenigsten vertrage, ist Ironie gegenüber den Nazis, die sich gefahrlos äußert. Diese Kultur- und Wissenschaftsplutokraten tragen ein unsichtbares Schild um den Hals: Wir sind die anderen Deutschen. Wer glaubt, ein ›anderer‹ Deutscher zu sein und sich dennoch als Repräsentant der Deutschen schlechthin fühlt, beteiligt sich an dem Schwindel, die deutsche Führung, Hitler, Goebbels, Göring, Schacht, Bormann, Heydrich seien keine exemplarischen Deutschen. Das aber sind sie« – und weiter: »Es macht mir erstaunlich wenig aus, hier abzufahren. Das ist nicht meine Welt.«

Der Soldat Kuby fuhr nach Westen weiter. Frivolität, Zynismus, Eitelkeit und ein empfindsames Herz hinderten ihn nicht, sich an eine der gefährlichsten Stellen des Krieges zu begeben. Es blieb ihm nichts erspart: nicht der Terror der Durchhalte-Deutschen (über den er später schrieb), nicht die Kriegsgefangenschaft, deren amerikanische Variante er ausführlich beschreibt. Nein, er hat sich nicht »gedrückt«, obwohl er in Straßburg gewiß irgendeinen »Wissenschaftsplutokraten« hätte auftreiben können, der ihm ein ärztliches Attest verschafft hätte. Ich kann und konnte mir nicht helfen: Während der Lektüre des Buches stellte ich mir den Soldaten, den degradierten Obergefreiten Kuby, vor einem Kriegsgericht vor, dem Dr. Hans Filbinger vorsaß. Auf das Urteil hätte man gespannt sein dürfen.

Textilien, Terroristen und Pfarrer

Laudatio für Heinrich Albertz zur Verleihung der Carl-von-Ossietzky-Medaille, gehalten am 7. Dezember 1975 im Jüdischen Gemeindehaus in Berlin

Über Politik wollte ich gar nicht sprechen und werde auch nicht viel darüber sprechen. Hauptsächlich wollte ich über Textilien und ein bißchen über Zigarettenbildchen reden. Und wir werden dann festellen, wie politisch beide sein können oder sein sollen. Also nichts über die himmlischen Heerscharen des CIA, die in Chile das Paradies Menschenrechte eröffnet haben, nichts über irdische Heerscharen anderer Geheimdienste, nichts über Zeitungen, über bestimmte und gewisse, kein Wort ...

Aber die Dokumentation, die wir eben gehört haben, für die ich sehr dankbar bin, hat neben den sehr ernsten Dingen und neben der Entwicklung von Gewalt, über die man lange noch reden müßte, auch etwas sehr Komisches gezeigt: wie doch das Wort Mao, die Worte Mao und Peking, in der Wertschätzung gewisser politischer Kommentatoren und auch Parteipolitiker wechseln. Es war ja keine lustige Geschichte, die wir da gehört haben, und doch haben wir lachen müssen. Daß damals noch der Botschafter Maos »Bombenmaterial« geliefert hat, und heute ist es ja eine Ehre, nach der sich jeder drängt, von Mao in Peking empfangen zu werden. Aber wir unterliegen alle einer gewissen Zeitlichkeit, und es mag auch uns so ergehen, daß wir uns geirrt haben. Was ich nur nicht verstehe, aber das wirklich nebenbei, daß ein Besuch bei Mao – ganz gleich, ob er von einem Oppositionspolitiker oder vom Bundeskanzler gemacht wird, irgend etwas mit innenpolitischer Qualifikation in diesem Lande zu tun haben könnte.

Nun, lieber Herr Albertz, zu Ihnen. Zuvor noch etwas: Ich hatte gesagt, daß ich über Textilien sprechen werde. Ich habe ein ganzes Dossier studiert, Ihren Lebenslauf, Ihre Vorkriegskarriere, Nachkriegskarriere, sogar die Kriegskarriere. Keine Geheimdokumente, nur Publiziertes. Ich will das nicht alles aufs neue analysieren und interpretieren, ich denke mir, daß eines Tages, vielleicht schon bald, Historiker sich daran begeben werden, alles, was vor und nach dem 2. Juni 1967 bis auf den heutigen Tag geschehen ist, chronologisch zu ordnen, – nicht nur generationspsychologisch, auch politisch und geistesgeschichtlich zu interpretieren. Und nicht nur nach der äußeren und inneren Entwicklung der verschiedensten Bewegungen und Gruppen, auch das, wovon man so wenig hört, was außerhalb dieser Gruppen geschah: die gesamte Reaktion der veröffentlichten Meinung. Ich betone: die gesamte! Und daß jemand den Mut haben wird, herauszufinden, wieviel diese publizierte öffentliche Meinung zu der schrecklichen Entwicklung beigetragen haben könnte.

Es gehört ja zu unseren merkwürdigen Gewohnheiten, unseren deutschen, daß wir einer Sache, die heute geschieht, ihre Geschichte und ihre Vorgeschichte nehmen. Daß wir etwa über die Folgen des Krieges sehr viel, über den Krieg selbst, seine Entstehung, seine Verheerungen, wenig nachdenken. Und dieses Modell wird ja auch auf die Nachkriegsgeschichte der Bundesrepublik weitgehend angewendet. Aber lassen wir es. Es wird ja fast schon politisch. Ich wollte ja über Textilien sprechen – eigentlich...

Ich habe also dieses Dossier über Sie studiert, seinen Inhalt zur Kenntnis genommen. Es ruht wohlverwahrt, und sogar mit einer Nummer versehen, in meinem Archiv. Wer weiß, was daraus noch wird. Es gäbe da manchen biographischen Anknüpfungspunkt zwischen uns beiden. Ich habe festgestellt, daß wir fast gleichaltrig sind, daß wir den gleichen Vornamen haben. Was wäre da alles zu sagen über die vielen Heinriche in der deutschen Geschichte, auf denen unser Vorname ruht und beruht. Es gibt eine ganze Menge und sehr komische Vögel darunter. Dann wäre da noch ein konfessionsgeschichtliches Klischee abzubauen oder zu interpretieren: der sogenannte schlesische Lutheraner oder Protestant und der sogenannte rheinische Katholik. Was sich da alles so in unserer merkwürdigen Geschichte für Bilder geprägt haben ... Dann hab ich festgestellt, daß wir den gleichen Dienstgrad in der deutschen

Wehrmacht erklommen haben. Wie reizvoll wär so ein Geplauder von Obergefreiter a. D. zu Obergefreiter a. D. Ich glaube, das wollen wir vermeiden. Das gefährlichste Glatteis, lieber Heinrich Albertz, das wissen Sie, ist das Glatteis des Veteranismus. Übrigens nicht nur unter Kriegs-, auch unter Literaturveteranen. Es steigt aus der Tiefe der Erinnerung so einiges auf, das sich wie ein frischer Quell gibt, sich aber rasch in eine sehr, sehr flache Pfütze verwandelt, deren Gefrierpunkt sehr niedrig liegt, und schon ist man auf Glatteis ausgerutscht, nicht kunstvoll wie ein Holiday-on-Ice-Clown, sondern wie ein Dilettant, mit Beulen und kleinen Brüchen. Lassen wir das also. Wenn schon dieser biographische Einstieg erfolgen sollte, dann würde er umständlich und sehr weitschweifig sein müssen, weil jedes, jedes einzelne Wort ganze Ströme von Erklärungen erforderlich machen würde. Zum Beispiel das merkwürdige Wort Nazi.

Es hat ja offenbar gar keine gegeben. Und doch waren sie's fast alle. Und wenn's drauf ankommt, sind auch ziemlich viele da, die keine mehr sind und doch welche waren und immer noch sind. Merkwürdige Sache. Mit der werden wir nicht fertig. Und man muß ja Frau Winifred Wagner inzwischen dankbar sein, daß da wirklich einmal ganz klar ausgesprochen wird, was hinter diesem merkwürdigen Wort Nazi alles an Blindheit versteckt gewesen ist.

Als ich herausfand, daß Breslau Ihr Geburtsort ist, dachte ich merkwürdigerweise als erstes an den SA-Obergruppenführer Heines, der am, 30. Juni '34 erschossen worden ist. An sein Schreckensregiment in Schlesien. Und ich versuchte mir natürlich vorzustellen, was der damals 19jährige Heinrich Albertz wohl erlebt, erfahren, empfunden hat an diesem Tag. Und außerdem: War dieser Heines etwa ein Nazi? Wahrscheinlich war nicht einmal er einer.

In den Jahren 32/33 war ich in dem Alter, in dem man noch Zigarettenbildchen sammelt. Und ich besaß damals einen ganzen Stoß von der Zigarettenmarke Alva, mit SA-, SS-, Partei- und Hitlerjugendgrößen, das war eine sehr informative, instruktive Serie mit Buntphotos. Und noch in der Nacht zum 1. Juli '34, es herrschte eine ungeheure Erregung in unserer Stadt, keiner wollte so recht schlafen gehen, weil man nicht wußte, was noch alles passierte, noch in der Nacht identifizierte ich anhand eines Extra-Blattes die Erschossenen, sortierte sie aus meinen Zigarettenbildchen aus und legte sie beiseite. Das war ein ziemlich umfangreicher Stoß Bildchen mit merkwürdigen Physiognomien, aber die Physiognomien der Nichterschossenen waren nicht weniger merkwürdig. Und bei Göring und Himmler etwa dachte ich: Warum hat man die nicht auch erschossen?

Vierzig Jahre später rutschte dieser Satz: Warum die nicht auch, oder den nicht auch, in eine Erzählung und von dieser Erzählung in einen Film. So geschieht das mit Sätzen, die man als 15–16jähriger bei der Durchsicht von Zigarettenbildchen denkt. Da fiel mir also als erstes der Herr Heines ein, an den Sie sich ganz gewiß erinnern. Und es bedürfte ja nun fast schon eines Romans, eines sehr komplizierten, vielschichtigen, um auch nur diesen einen Tag, den 30. Juni '34, im Leben des damals 19jährigen Heinrich Albertz zu schildern. Ich kann das nicht leisten und müßte es doch, wollte ich Ihr Leben, Ihr Werk, Ihren Werdegang, auch nur annähernd würdigen.

Da gibt es den Vikar Albertz, den Pfarrer Albertz, der staatsfeindliche Predigten hielt, der mit jungen sozialistischen Häftlingen in der Festung Glatz saß. Was war damals eine staatsfeindliche Predigt, was wäre heute eine? Über was hat sich dieser Pfarrer da mit seinen Mithäftlingen unterhalten, mit Sozialisten hat er gesprochen, um Gottes willen!

Der Roman droht dreibändig zu werden. Ich kann das nicht leisten. Ich will lieber über etwas ganz anderes sprechen. Über etwas wahrscheinlich sehr Unpolitisches, über Hemden. Vielleicht stellen wir dann am Schluß fest, wie das ist. Natürlich meine ich nicht auf so plumpe Weise politische Hemden, wie Braun-, Blau-, Schwarz- oder Grünhemden. Ich meine zivile Hemden.

Und ich finde ja überhaupt, es wird viel zuwenig über Kleidung gesagt und geschrieben. Einer der wenigen Autoren, die etwas über die Bedeutung der Kleidung für den Menschen geschrieben haben, nicht essayistisch, sondern als Erzähler, im Zusammenhang mit der Charakterisierung einer Person, ist J. D. Salinger. In *Hebt den Dachbalken hoch, Zimmerleute* und

Seymour wird vorgestellt schreibt er in einem längeren Abschnitt über die Kleidung des Erzählers und die seines Bruders von sich, dem Erzähler, daß er in seiner Jugend krokusgelbe Krawatten zu tragen pflegte, und er kommentiert das in Klammern mit folgenden Worten: »Ich glaube sogar, daß einer, der schreibt, seine alten krokusgelben Krawatten nie los wird. Früher oder später tauchen sie in seiner Prosa auf, und er kann verflucht wenig dagegen tun.«

Seitdem ich diesen Satz vor etwa 12, 13 Jahren gelesen habe, beschäftigt mich der Grundgedanke, der in ihm ausgesprochen ist und der, glaube ich, nicht rein psychologisch, nicht rein soziographisch oder sozial zu interpretieren ist; der natürlich übertragbar ist auf Spielzeug, auf Autos, auf Dinge, die man gehabt hat, gern wiederhaben möchte, auf Dinge, die man nie gehabt hat oder nie haben konnte. Ein bißchen kultisch; denn alle Kleidung ist ja auch Verkleidung und etwas Kultisches, von jedem etwas, und etwas mehr und vielleicht auch mehr, als ich andeuten konnte, und das auch noch in ständig wechselndem Mischungsgrad.

Einer, der schreibt, das tue ich ja auch gelegentlich, da müßte einer in dem, was ich geschrieben habe, die Hemden oder Mäntel wiederfinden, die ich trug, mehr die, die ich gern getragen hätte. Irgendwo müssen sie versteckt sein. Ein Schriftsteller hat es ja gut: Er kann seine krokusgelben Krawatten irgendwo unterbringen oder verstecken. Er kann sie in Socken, in Mützen, in Hüte, in Schuhe, in Unterhosen sogar, verwandeln. Frage: Was machen die anderen, die keine Schriftsteller sind, was machen sie mit ihren krokusgelben Krawatten, die sie getragen oder, was viel schmerzlicher ist, gern getragen hätten …

Es gehört ja zum Standarderlebnis westlicher, auch leider literarischer westlicher Touristen, daß ihnen in der Sowjetunion irgendeiner irgendeines seiner Kleidungsstücke abzukaufen versucht, die krokusgelbe Krawatte sozusagen, seinen Traum oder den Traum eines anderen, den er dann weiterverkauft. Und aus diesem Standarderlebnis wird dann die ungeheure Überlegenheit des einen Systems über das andere geschlossen. Ich glaube, hinter diesem Wunsch liegt mehr; er sitzt tiefer, als bei oberflächlicher Betrachtung, bei bloßer Registrierung herausgefunden werden kann. Die beiden Systeme, von denen das eine so etwas als Kränkung, das andere es als Triumph empfindet, täuschen sich.

Es gibt da die Anekdote, von keinem Geringeren als Gottfried Benn, der sich die Hutmarke eines Besuchers merkte, weil er gern selbst einen so feinen Hut tragen wollte. Eine wunderbare Anekdote, finde ich.

Was bedeutet Kleidung, ein bestimmtes Kleidungsstück für den, der es nicht hat, aber gern hätte? Wir wissen es nicht genau, und auch die sehr gescheiten, sehr einfallsreichen Werbepsychologen der Textilindustrie – und sie wissen viel und wenden es klug an – wissen nicht alles. Sie wollen und dürfen zum Beispiel nicht wissen, daß man an einem Kleidungsstück auch hängen kann bis zur Verschlissenheit, daß man es nur ungern ablegen möchte, denn das widerspricht natürlich dem Slogan »Öfter mal was Neues«. Ahnen sie die Kämpfe, die um eine Hose, um ein Hemd, um ein Paar Schuhe ausgefochten werden, die nun wirklich verschlissen und nicht mehr zu retten sind?

Verzeihen Sie diese Abschweifung. Das Thema hat so viele und einige schmerzliche Dimensionen. Es wird uns ja sehr eindringlich erklärt in Schule, Kirche, Elternhaus, der Spruch »Kleider machen Leute« treffe nicht zu. Aber da merken wir bald, daß dieser in Schule, Kirche, Elternhaus ausgesprochene Trost nicht zutrifft. Denn nur für *die* Leute, die schon gemacht sind, trifft zu, daß Kleider Leute nicht machen. Es wird uns klar, dieser Spruch »Kleider machen keine Leute« ist ein sehr luxuriöser Spruch. Es sind ja die Kinder der sehr, sehr reichen Leute, die es sich leisten können, in wirklich zerfetzten Jeans und barfuß Auto zu fahren.

Die, deren Jeans wirklich, um es modisch auszudrücken, »echt« zerfetzt sind, und die keine ganzen Jeans haben, und die barfuß laufen, weil sie einfach keine Schuhe haben, sie sehnen sich immer noch nach den krokusgelben Krawatten. Das ist fast so wie mit den Silberlöffeln. Wenn ein sehr wohlhabender Mensch in einem Café sitzt, jemand, dessen Wohlhabenheit offenkundig, vielleicht sogar bekannt ist, und steckt, weil er ein bißchen kleptoman ist oder auch nur ein Hobby hat, einen Silberlöffel ein, dann wird der Kellner sehr, sehr zurückhaltend den Geschäftsführer herbeirufen, der Geschäftsführer wird sehr zurückhaltend, mit äußerster Vornehmheit, den Herrn oder die Dame darauf aufmerksam machen, daß er da irrtümlich einen Löffel eingesteckt hat. Wenn aber ein armer Schlucker, der den Löffel einstecken *muß*, weil er ihn verscheuern muß, um sich etwas zu fressen zu kaufen, wenn der den Silberlöffel einsteckt, wird die Polizei gerufen. Es ist also mit den Silberlöffeln eine komplizierte Sache, wie mit den Kleidern.

Noch etwas zu den Hemden: Vor einiger Zeit traf ich mit einem ziemlich berühmten Autor zusammen. Wir hatten wenig Zeit für private Gespräche, das ergab sich nicht. Als wir aber dann so etwa zwanzig, dreißig Minuten Zeit hatten, sprachen wir nicht über Literatur, nicht über Politik, schon gar nicht über Literaturpolitik, wir sprachen über Hemden. Über die Bedeutung, die ein ziviles Hemd für einen Soldaten oder einen Gefangenen haben kann. Ein Hemd ist ja etwas, das man manchmal unter die Uniform schmuggeln kann. Über die Bedeutung des Hemdes für einen Gefangenen sprachen wir, wobei zu unterscheiden war zwischen einem kriminellen und einem politischen Häftling, bei denen wieder zu unterscheiden in solche, die in Lagern oder in Gefängnissen einsitzen, und natürlich die Bedeutung eines zivilen Hemdes für den Kriegsgefangenen. Das Thema war und ist unerschöpflich, wie wichtig etwa die Länge eines Hemdes ist – ich möchte bei dieser Gelegenheit feststellen, daß unsere Hemden nicht nur immer teurer, sondern immer kürzer werden, bis sie fast nur noch Blusen sind. Wir sprachen darüber, wir beiden Autoren, ob der Kragen weich oder gestärkt sein sollte, welche Art von Manschette man vorzog – zum Glück war kein Werbepsychologe der Textilindustrie anwesend, er hätte viel gelernt, gelernt, worauf man bei Hemdenträgern unserer Altersklasse anspielen müßte, denn irgendwann, irgendwo haben wir ja alle nicht unsere eigenen Hemden getragen, und wenn wir sie hätten tragen können, hatten wir wahrscheinlich nicht das Geld, um sie zu kaufen. Jene Hemden, die unserer Vorstellung von der krokusgelben Krawatte entsprochen hätten. Und wer, der je unfreiwillig eine Uniform trug, hat, wenn er schon kein Hemd besaß, nicht wenigstens mit einem Halstuch es versucht, natürlich mit einem roten.

Und als ich mit meinem Kollegen über Hemden sprach, fiel mir ein Erlebnis ein, das ich ihm auch mitteilte. Mir hat nämlich einmal in einer sehr, sehr peinlichen, delikaten, ich möchte schon sagen heiklen Situation ein amerikanischer Soldat, für den ich eigentlich nur ein ›fucking German Nazi‹ war, ein Hemd zugeworfen. Und siehe da, dieses Hemd bedeckte nicht nur meine Blöße, es entsprach auch meiner Vorstellung von der krokusgelben Krawatte. Und dieses Erlebnis ist für mich sehr wichtig gewesen, wie die Zigarettenbildchen.

Nun bin ich ziemlich weit abgeschweift, habe aber, glaube ich, mich nicht zu weit von Ihnen, lieber Herr Albertz, entfernt, denn Sie sind doch der Pfarrer, der einem Häftling, einem Anarchisten, möglicherweise sogar einem Terroristen, ein Hemd geschenkt hat. Ich habe den Eindruck, daß man diese Tatsache viel zu wenig gewürdigt hat, und meine Andeutungen über die Bedeutung der Kleidung oder eines bestimmten Kleidungsstükkes für Menschen waren nur vorbereitender Art.

Der Platz in der Geschichte Berlins, auch ein Platz in der schrecklichen Geschichte der Entführungen und Geiselnahmen, ist Ihnen sicher. Ich weiß nicht, was das Hemd für den, dem Sie es geschenkt haben, bedeutet. Für Sie war es selbstverständlich. Aber ich wollte nicht, daß diese Selbstverständlichkeit so völlig vergessen wird bei allem, was man so über Sie gehört und gelesen hat. Gerade deswegen, weil es für Sie selbstverständlich war, möchte ich, daß es nicht vergessen wird. Denn vielleicht erleben wir noch, daß das, was uns selbstverständlich war, zur Sensation wird. Und daß man für Selbstverständlichkeiten dieser Art, nicht für die politisch so deutlich sichtbaren, möglicherweise einmal Auszeichnungen erhält. Ich möchte schließen mit der Frage, die offenbleibt: Ob Hemden wirklich unpolitisch sind?

Kammerjäger gesucht
(1976)

Über die Verwendung von Ungeziefer in der literarischen, der
politischen, der literarisch-politischen Polemik sollte sich ein
kluger, möglichst marxistisch geschulter Kopf einmal ein paar
Gedanken machen. Da ich ein solcher Kopf nicht bin und keinen solchen habe, kann ich nur feuilletonistisch an dieses Problem herangehen, und mir fällt ein und auf, daß die »Verlausten« oder die »Verwanzten« immer nur aus dem »dritten
Stand« stammten. Dostojewski hätte statt die »Erniedrigten
und Beleidigten« vielleicht schreiben können »Die Verlausten
und Verwanzten«. Es gibt da nicht nur ein soziales, auch ein
geographisches Gefälle, das ich mit dem bei Landsererinnerun-
gen hin und wieder auftauchenden Begriff des »verlausten Russen« kennzeichnen möchte, ein Begriff, der älter ist als die Oktoberrevolution und merkwürdigerweise nie zum Begriff
»verlauster Bolschewik« verändert worden ist. Das sind so Begriffe, wie sie westliche Arroganz hervorgebracht hat, und ich
erinnere mich bei dieser Gelegenheit der geradezu panischen,
streckenweise schon hysterischen Furcht der amerikanischen
Armee vor den »verlausten Deutschen«, die ja auch östlich der
Vereinigten Staaten vegetierten. Soweit ich mich erinnern kann,
war die Entlausungsgrenze der Rhein: war der Rhein überquert
– von Ost nach West – wurde, ob Mann oder Weib, unerbittlich
mit DDT-Entlausungsspritze behandelt: gelblicher Puder wurde einem erbarmungslos in die Hose, Unterhose, Schlüpfer etc.
gepumpt, damit die Läuse wenigstens nicht den Rhein über-
querten.

Die westlich des Rheins schon etablierten Läuse breiteten
sich aber aus, vermehrten sich, und natürlich auch die Wanzen.
Über Ungeziefer und seine Verwendung in Polemiken ist fast
noch nichts, über die Ausbreitung von Ungeziefer im Krieg sehr
wenig geschrieben worden. Jedenfalls: in den Nachkriegstrüm-

merstädten waren Kammerjäger vielbeschäftigte Leute: Der Rhein war eben doch nicht Deutschlands Läusegrenze geworden, trotz einiger hundert oder gar tausend Tonnen DDT-Läusepulver.

Ich weiß nicht, ob Läuse schwimmen können, und ob da nicht so manche Laus, zäh und gierig nach rheinischem Blut, unkontrolliert von der amerikanischen Armee, den Rhein überquert hat. Meine Erfahrung mit Läusen sagt mir, daß diese Lebewesen so ziemlich zu allem fähig sind, vor allem haben sie, wenn sie in Kolonien an eines Menschen Leib, in eines Menschen Kleidern gedeihen, eine nachweislich demoralisierende Wirkung [haben], und die Folge ist Demütigung; es galt fast als eine Schande, Läuse zu haben, und so mancher pingelige, standesbewußte, nicht aufgeklärte Bürger oder Kleinbürger hat sich geschämt, sich zu seinen Läusen zu bekennen, hat in Lagern und Notunterkünften einen aussichtslosen Einzelkampf gegen seine Läuse geführt und nichts weiter bewirkt, als daß seine Lagergenossen oder Mitbewohner in die Verlausung einbezogen wurden. Die Folgen waren, wenn man bedenkt, welche Krankheiten Läuse gelegentlich transportieren, manchmal verheerend.

Es ist also gut, sich seiner Läuse »bewußt« zu sein, sich zu ihnen zu bekennen, auf daß sie vertilgt werden können.

Erst hier komme ich auf Herrn Hacks, den ich leider, da er weder mein Freund noch mein Genosse ist, mit einem bürgerlichen Titel anreden muß. I am very sorry, extremely sorry. Und ich fühle keine Veranlassung, Betten und Bettwäsche zu verteidigen (ich überlasse es dem Deutschlandmagazin, sich über meine Unterwäsche Gedanken zu machen), was ich aber verteidigen möchte, sind die sowjetischen Gefängnisse und die Aeroflot. Wie jedermann nachlesen kann, wurde Alexander Solschenizyn ja sofort aus dem Gefängnis zum Flughafen gebracht, in den Westen verfrachtet, und es muß erlaubt sein, zu fragen, woher er denn die Läuse gehabt haben könnte: aus dem Gefängnis oder aus einer Linienmaschine der Aeroflot. Taucht hier in Herrn Hacks Gedanken etwa der »verlauste Russe« auf? Das wäre doch allzu peinlich, und da – Herr Hacks ist da den Irrtümern kapitalistischer Informationsmedien erlegen – Wolf Biermann nie in einem unserer Betten geschlafen hat, frag ich mich natürlich, wo er denn die Läuse her haben könnte, falls er welche hat. Hat er sie etwa aus der DDR mitgebracht, und käme da die »verlauste Zone« ins Spiel, in der ja die »verlausten Russen« in ihren Kasernen hocken? Ich kann doch von einem Autor, der sich des Realismus befleißigt, nicht annehmen, daß er symbolisch von Läusen spricht. Das wäre ja fast bürgerlich.

Nein, hin und wieder gibt's schon lausige Beziehungen zwischen Autoren, West-West, Ost-West, Ost-Ost, West-Ost, Lausigkeiten verschiedenster Art, aber ich glaube nicht, daß die Beziehungen so lausig werden, wie Herr Hacks sie gern haben möchte. Seinen Tonfall kennen wir: aus Teilen der Springer-Presse, aus dem »Bayern-Kurier«, aus dem »Deutschlandmagazin«. Vielleicht sollten wir Herrn Hacks zu Herrn Ziesel in die Lehre schicken. Und er könnte dort seinen Einstand geben mit einem Artikel, der die Überschrift haben könnte: »Hat Günter Wallraff Läuse?« Wenn ja, woher und von wem anders könnte Wallraff die Läuse haben als von Kommunisten? Da die Folgen des Extremistenbeschlusses gelegentlich ins Kammerjägerhafte ausarten, möchte ich schließen mit dem Satz: gejagt – und in allen Kammern – wird hier genug.

Heinrich Böll

Der Fall Horst Herrmann
(1975)

Die Rechtslage im Falle Horst Herrmann ist, wie mir scheint, eindeutig: Herr Tenhumberg, Bischof von Münster, hat natürlich das Recht, von Minister Rau zu verlangen, Prof. Herrmann die Lehrerlaubnis zu entziehen. Dieses Recht ist im Konkordat verankert. Merkwürdig – und wahrscheinlich bis in alle Ewigkeit hinein strittig – ist die Begründung, Herrmann sei der »kirchlichen Lehre zu nahe getreten«.

Nun sollte einer meinen dürfen, daß ein Theologieprofessor der kirchlichen Lehre ziemlich nahe treten muß, wenn er sich mit ihr beschäftigt. Offenbar müßte die Betonung hier auf dem *zu* liegen – nahe treten: ja, *zu* nahe treten: nein. Man wird nicht mehr herausfinden können, was die Verfasser des Konkordatstextes sich gedacht haben. Die säkulare Bedeutung von »zu nahe treten« ist einigermaßen eindeutig: Man tritt einer Dame (oder einem Herrn) zu nahe, d. h.: man macht einen Annäherungsversuch, den man, wenn er zu grob ausfällt, Zudringlichkeit nennen kann.

Hat Horst Herrmann also einen Annäherungsversuch an die kirchliche Lehre gemacht, ist er zudringlich geworden? Und, wenn ja, wäre das so verwerflich, wenn ein Theologe Annäherungsversuche an die kirchliche Lehre macht? Zudringlichkeit ist ein relativer Begriff: Es gibt einen Augenblick, in dem ein Verliebter einfach zudringlich werden muß, um herauszufinden, wie weit er gehen kann: Irgendwann ist ja mit Blicken und Seufzern nichts mehr zu machen; es muß einer nahe treten, wie nahe, ob *zu* nahe, bestimmt das auserwählte Sub- oder Objekt. Und dann gibt es schlimmstenfalls was auf die Finger.

Möglicherweise muß ein Theologe ziemlich nahe an die kirchliche Lehre rangehen, bis er's auf die Finger bekommt. Die Frage wäre: Gibt es eine objektive Instanz, die feststellen könnte, ob da einer einer Lehre *zu* nahe getreten ist? Minister Rau kann diese Instanz nicht sein: Er muß die Feststellung des Tatverdachts dem Bischof überlassen. Laut Konkordat müssen innerkirchliche Konflikte, soweit sie lehrbeauftragte katholische Theologen betreffen, nicht durch die Kirche selbst, sondern durch den »weltlichen Arm«, der da laut Konkordat zur Verfügung steht, gelöst werden; und wäre der zuständige Minister des Landes NRW – was ja laut Grundgesetz denkbar wäre – Mitglied der DKP, der Minister muß exekutieren.

Wieviel Geld es kosten würde, den jungen Prof. Herrmann zu pensionieren; was sein Nachfolger kosten würde – diese Sonderrechnung müßte einmal aufgestellt werden, denn Prof. Herrmann ist, sein Nachfolger würde ja Beamter, sie werden nicht aus dem Kirchensteueraufkommen bezahlt, sondern aus dem Wissenschaftsetat des Landes NRW. Und natürlich kann man, wenn einer der Kirche zu nahe getreten ist, nicht ans Sparen denken: Wir haben's ja, und wie!

Es gab im Fall Herrmann einen umfangreichen Briefwechsel, es gab Statements, Presseerklärungen, und nachdem die Angelegenheit einige Publizität erreicht hatte, merkte man: es soll eingelenkt werden. Wird also dem Steuerzahler ein nettes (welches?) Sümmchen erspart, das er hätte aufbringen müssen, weil da einer der kirchlichen Lehre zu nahe getreten ist? Wen interessiert das eigentlich?

Vor Jahren hat Karl Rahner, als er vor der Isolierung des Katholizismus in der Bundesrepublik warnte, von »Getto« gesprochen. Inzwischen kann man die Bezeichnung Getto nur noch als Euphemismus begreifen. In den osteuropäischen Gettos jedenfalls herrschte ein ausgeprägtes, lebhaftes, trotz tiefster Armut vielfältiges kulturelles Leben. Die osteuropäische Literatur jüdischer Prägung ist zu einem der wichtigsten und vielfältigsten Beiträge zur Weltliteratur geworden. Mein Gott, wieviel »Zunahetreter« hat's da gegeben. Rahners Wort vom Getto war – so scheint es nachträglich – viel zu optimistisch. Vielleicht sollte man inzwischen statt vom Getto von einem »Friedhof« sprechen. Daran ist nicht Herr Tenhumberg schuld, nicht der einzelne Bischof, nicht der Episkopat als solcher. Mir scheint, es liegt an der einmaligen »Verfassung« der deutschen Kirchen, wie sie eben Horst Herrmann in seinem Buch *Das unmoralische*

Verhältnis dargestellt hat. Wann man schon, das (zugegebenermaßen übertriebene) Wort »Friedhof« ausspricht, muß man auch von der »Friedhofsverwaltung« sprechen. Man muß sich die determiniert katholischen, von der Amtskirche gebilligten Publikationen einmal anschauen, das peinliche Verhalten gegenüber *Publik*, die Millionen, die der *Rheinische Merkur* bekommt. Man muß sich dieses elende Dreckblättchen ansehen, zeitweise schlimmer als *Bild*, das sich *neue bildpost* nennt. Nein, die treten keinem zu nahe.

Das Wort Getto ließe sich möglicherweise auf die Professoren der Theologie anwenden: Sie leben in einem Beamtengetto und ihrem Status gemäß finanziell sorglos, und innerhalb dieses Gettos geht es streckenweise ziemlich lebhaft zu. Innerkirchliche Auseinandersetzungen über »Zunahetreter« sind aber nur für einen Bruchteil der Bevölkerung von Interesse, für einen geringen Bruchteil. Von Interesse für die Bevölkerung sollte das Konkordat sein, die Frage, ob Herr Tenhumberg letzten Endes auf Erfüllung besteht, ob Minister Rau vollziehen wird oder würde, oder ob alles wieder »unter den Teppich gekehrt wird«. Was wird die nächste Gebäudereinigungsfirma alles unter diesem Teppich finden? Wahrscheinlich nur verfilzte Undefinierbarkeiten.

Noch ein Wort zum Vokabularium. Da tauchte – ich möchte fast sagen: prompt – das Wort vom »priesterlichen Lebenswandel« auf! Lebenswandel, das weiß »man« ja, betrifft das private sittliche Verhalten. Da denkt man doch gleich an Weiber, Alkohol, Orgien, und wie das im Saubermannsland nun einmal ist, auch an unrasierte Wangen, schlecht geputzte Schuhe, die keine Verstöße gegen irgendeine Sittlichkeit darstellen, aber doch *fast* schon in eine gewisse deutsche Sittlichkeitsvorstellung (jedenfalls die ungeschriebene, die oft grausamer ist als die geschriebene) eingegangen sind. Wenn meine Eltern und Verwandten vor vierzig, fünfzig Jahren das Wort »Lebenswandel« aussprachen – also ungefähr um die Zeit, als das Konkordat abgefaßt wurde – war's *so* zu verstehen. Man brauchte gar nicht zu sagen: »Der (oder die) hat einen schlechten Lebenswandel.« Es genügte, von jemandem zu sagen: »Der hat einen Lebenswandel.« Das Wort *riecht*, fast so übel wie die *neue bildpost*, und ich denke, solche Schwenker und Schlenker sollte man einander, wie hart die Auseinandersetzung auch sein mag, doch ersparen.

Junge und jüngere Politiker aller Parteien sollten sich fragen, ob in einer Gesellschaft, die sich mit Inbrunst »pluralistisch« nennt, ein Minister zum Vollstreckungsbeamten innerkirchlicher Auseinandersetzungen werden sollte. Als Fall ist der Fall Herrmann von mehr Interesse als der Fall Küng. Im Fall Küng ging es um »Rom«, das weit weg ist und immer weiter wegrückt; die römische Entscheidung hätte Küngs Bischof gezwungen, den zuständigen Minister zur Vollstreckung aufzufordern. Im Fall Herrmann geht es unmittelbar um die kirchliche Verfassung innerhalb unserer Verfassung. Die älteren Politiker wagen sich da nicht ran, hoffen wir auf die jüngeren aus *allen* Parteien.

Hin und wieder kommen ausländische Freunde, Katholiken, mit mir auf unser Kirchensteuersystem zu sprechen: in Frankreich, England, Portugal, Italien, Schweden. Bisher hat mir noch keiner von ihnen geglaubt, daß dieses System ist, wie es ist, daß der Staat bei uns Vollzugs- und notfalls Vollstreckungsgewalt für eine steuerrechtlich verankerte Abgabe an die Konfessionen hat, die ein staatlich garantiertes Recht auf ein Zehntel unserer Lohn- und Einkommensteuer haben. Das glaubt mir kein Ausländer. Es ist so manches unglaublich, aber wahr am kirchlichen Leben in der Bundesrepublik.

Wer wie die katholische Kirche eine sakramental begründete, mystische Bindung fiskalisiert, sich diese Fiskalisierung garantieren läßt, sollte sich über nichts mehr wundern.

Aufbewahren für alle Zeit

Nachwort zu Lew Kopelew, »Aufbewahren für alle Zeit« (1976)

Während der Lektüre dieses Buches, das Züge eines »Simplicissimus« hat, sollte man keinen Augenblick lang das Motto vergessen: Das war der Standardvermerk auf allen Gerichtsakten für Vergehen nach Paragraph 58, dem Paragraphen der Staatsverbrechen. Und hinter diesem Motto der persönliche Vermerk des Autors: »Dies ist die Geschichte *eines* Falles und zugleich der Versuch eines Bekenntnisses.« Das Buch beginnt dann auch mit dem Titel »Die ersten Tage der Ewigkeit«, und sein Schlußkapitel heißt »Die Ewigkeit dauert an«.

Liegen schon die Begriffe »ewig« und »Ewigkeit«, wie Lew Kopelew die diesseitig bürokratische Anweisung »für alle Zeit« versteht, außerhalb aller marxistischen Kategorien und deuten sie eine überraschende Wende ins fast Metaphysische an, so bietet das Buch selbst weit mehr Überraschungen. Es enthält zwischen diesen beiden Überschriften ein umfassendes Kompendium und Bestiarium, es werden verschiedene Prozesse ineinander und übereinander geschildert, Prozesse im doppelten Sinne des Wortes: im Sinne von Gerichtsverhandlung und im Sinne von Entwicklungsprozeß, und auch dies wieder jeweils doppelt zu verstehen: ein Prozeß der Behörden der Sowjetunion gegen den Autor, ein Prozeß des Autors gegen die Sowjetunion; die Entwicklung der Sowjetunion, die Entwicklung des Autors und die Entwicklung der Gesellschaft und des Bewußtseins auf den verschiedensten, auf fast allen Stufen der sowjetischen Gesellschaft, von Dirnen und Dieben bis zu Generälen und Staatsanwälten.

Man sollte auch während der Lektüre nicht vergessen, womit es angefangen hat bei diesem Major Kopelew, einem überzeugten Kommunisten, der Überzeugung und Dogmatismus nie miteinander verwechselt, schon gar nicht miteinander identifiziert – und darüber stolpert, daß er angeklagt wird, kein Partei-Rückgrat zu haben. Es fängt an im Jahre 1945 bei der Eroberung und Besetzung der ersten deutschen Provinz, Ostpreußens, durch die Armee, der Kopelew angehört. Er wird Augen- und Ohrenzeuge von Vorgängen, die nicht nur seinem *sozialistischen* Gewissen und Instinkt widersprechen, für die es auch in keiner marxistischen Theorie eine Rechtfertigung gibt. Er protestiert dagegen und wird schließlich denunziert, »Deutsche und ihre Habe gerettet und Mitleid mit den Deutschen gepredigt zu haben«. Bevor ich eine entscheidende Passage aus dem ersten Teil des Buches, das von diesem Konflikt bestimmt wird, zitiere, möchte ich darauf aufmerksam machen, daß dieses Problem nicht nur ein deutsch-russisches ist, nicht nur ein nationales, wenn es sich auch auf beiden Seiten in nationale Empfindlichkeit verwandelt hat. Immerhin spielen die Bundesrepublik Deutschland und die Deutsche Demokratische Republik innerhalb der internationalen Politik eine gewisse Rolle, und es ist wichtig, zu wissen, daß sich manche deutsch-russische Annäherung über die Deutsche Demokratische Republik hinweg und an ihr vorbei entwickelt hat. Man kann die Entwicklung und Entstehung, man kann die Politik dieser beiden deutschen Staaten nicht verstehen, wenn man nicht weiß, daß der eine, die DDR, die Vorgänge, die zum Prozeß gegen Kopelew führten, einfach geleugnet oder übergangen hat, während der andere, die Bundesrepublik Deutschland, fast immer die Vorgeschichte, den Krieg gegen die Sowjetunion mit seinen unbeschreiblichen Verheerungen (zwanzig Millionen Tote allein) übergeht und immer erst mit den Vorgängen, die bei der Besetzung Deutschlands stattfanden, zu denken und zu reagieren anfängt. Betrachtet man immer wieder den Wortlaut der Anklage gegen Kopelew, die Entstehung der Denunziation, die Verhandlungen gegen ihn, die sich durch das ganze Buch ziehen, dann wird man verstehen, wie *international* wichtig das Problem ist: denn anläßlich dieser Vorgänge in Ostdeutschland im Jahre 1945 hat in manchem sowjetischen Intellektuellen ein Umdenkprozeß begonnen, der für die innere Entwicklung in der Sowjetunion und damit für die ganze Welt wichtig, interessant und schmerzlich ist – und man versteht auch, warum dieser Umdenkprozeß systematisch unterdrückt oder besser: die Auseinandersetzung mit ihm verdrängt wird. Ein ähnlicher Prozeß findet in allen sozialistischen Ländern statt oder wird in ihnen unterdrückt: nicht nur die Behandlung der Deutschen nach 45, auch die Behandlung der verschiedensten Arten von Verrätern und »Verrätern«.

Der Zweite Weltkrieg hat in den meisten Ländern, die in ihn verwickelt waren, Entwicklungen verlangsamt oder gar gestoppt, die schon im Gange waren, als er ausbrach, und es gab dann allenthalben jene notwendige »Einigkeit«, die darin bestand, erst einmal den äußeren Feind zu besiegen, dann sich den inneren Problemen zuzuwenden. Es war für den größten Teil der Welt eine Überraschung, fast ein Schock, als man Churchill kurz nach Kriegsende abwählte; und mir scheint, daß eine innere Umwandlung der Sowjetunion lange fällig war, bevor man mit Begriffen wie Stalinismus oder Entstalinisierung das Problem personifizierte. In Diktaturen enden Epochen eben nur mit dem Tod oder Sturz des Diktators; in den parlamentarischen Demokratien enden Perioden durch Abwahl. Es kommt, was Rußland und die Sowjetunion betrifft, etwas hinzu: Fremdenfurcht und Angst vor der Verachtung durch die Fremden. Bis auf den heutigen Tag, dreißig Jahre nach Kriegsende, leben die sowjetischen Truppen, etwa in der DDR, fast völlig isoliert von der Bevölkerung. Durchlässigkeit herrscht nur in der Internationale der Intellektuellen. Es läßt sich an der russischen wie der westlichen Literatur ab-, es läßt sich aus ihr herauslesen, was es da alles an gegenseitiger Bewunderung, an Einflüssen, auch an Mißtrauen, Haß und Furcht gegeben hat – ein gegenseitiges Gefälle von Ablehnung, Arroganz und Bewunderung, und ich halte es für eine der wichtigsten Erkenntnisse aus Kopelews Bekenntnis, daß er ein wahrer Internationalist ist, den die Liebe und Bewunderung zu Rußland, zur Sowjetunion, seine Kenntnis der großen russischen Kultur keinen Augenblick lang veranlassen kann, andere Völker und ihre Kultur pauschal zu sehen, in überlieferten oder gar von irgendeiner Propaganda gelieferten Klischees. Schließlich ist er als Germanist, als Kenner der deutschen Sprache, Literatur und Kultur, als Aufklärer an den deutsch-sowjetischen Fronten im Kampf gegen den Faschismus tätig gewesen. Es gehört zu den – und nicht nur für einen Deutschen – erstaunlichsten Szenen, als er im Kapitel 14 den deutschen Kriegsgefangenen ihre eigene Kultur, von der sie wenig wissen, nahezubringen versucht; er lehrt die Deutschen, was Deutschland außer Hitler war, ist, sein könnte, er spricht zu ihnen über Gutenberg, Dürer, Cranach, Holbein, über Hölderlin, Heine und Luther, Kant, Leibniz, Hegel; und diese Vorlesung vor den Kriegsgefangenen wird später als »Glorifizierung der bürgerlichen deutschen Kultur« einer der Anklagepunkte gegen ihn. Daß er auch Brecht, Weill, Weinert, Seghers und Thälmann einbezogen hatte, wird dann nicht mehr erwähnt.

Kopelew wußte genau, unter welchen Bedingungen, mit welchen Erfahrungen konfrontiert die Rote Armee nach Deutschland einmarschierte. »In unserer Armee kämpfen 20 Millionen Mann. Klar, daß in dieser Riesenarmee auch Schweinehunde dabei sind. Und viele unserer Leute sind sehr verbittert. Wir kamen hierher aus Moskau, aus Leningrad, aus Stalingrad, von der verbrannten Erde, aus Ruinen, rauchenden Trümmer- und Brandstätten. In jeder Familie gab es Tote.«

Dagegen die Position des Vorgesetzten und Hauptfeindes Sabaschtanskij in einem Gespräch mit Kopelew: »... der Soldat muß den Feind hassen wie die Pest, muß ihn mit Stumpf und Stiel vernichten wollen. Und damit er seinen Kampfwillen nicht verliert, damit er weiß, wofür er aus dem Graben springt, dem Feuer entgegen in die Minenfelder kriecht, muß er wissen: Er kommt nach Deutschland und alles gehört ihm – die Klamotten, die Weiber, alles! Mach, was du willst! Schlag drein, daß noch ihre Enkel und Urenkel zittern!« Kopelew: »Heißt das also, er darf Frauen und Kinder umbringen?« Sabaschtanskij: »Was kommst du mit Kindern, Idiot. So was gibt's doch nur in Ausnahmefällen. Längst nicht jeder wird Kinder totschlagen. Wir beide jedenfalls nicht. Aber wenn du schon davon anfängst: Laß die, die es in blinder, wilder Aufwallung tun, auch kleine Fritzen töten, bis es ihnen selbst über ist ... Das ist Krieg, Bruder, keine Theorie und keine Literatur. In Büchern, natürlich, da muß es das alles geben: Moral, Humanität, Internationalismus. Das ist alles schön und gut und theoretisch richtig. Aber jetzt lassen wir erstmal Deutschland in Rauch und Flammen aufgehen, danach kann man dann wieder richtige und schöne Bücher schreiben über die Humanität und den Internationalismus. Jetzt kommt es darauf an, im Soldaten den Kampfwillen zu stärken. Das ist der Kern der Sache!«

Nach diesem Teil *eines* von vielen Dialogen zwischen Kopelew und seinem Vorgesetzten ist festzustellen: Die Veränderung des Menschen in einen sozialistischen Menschen hat noch nicht stattgefunden; der Mensch, der Rache und Nationalität nicht kennt, ist nicht entstanden. Ein Mensch, der nicht etwa »verzeiht«, sondern marxistischen Maximen gemäß »historisch denken« und sich sagen würde: diese Menschen, mögen auch viele von ihnen Faschisten sein, mögen sie dumm sein, haben noch viel zu lernen; aber sie waren ihrem eigenen historischen Prozeß unterworfen, und wir müssen ihnen zeigen, daß der Sozialismus Rache nicht kennt.

Kopelew schildert dann erschütternde Einzelfälle, die leider einer Gesamttendenz entsprechen, und er zitiert auch den Tagesbefehl des Oberkommandierenden in diesem Frontabschnitt, des Marschalls Rokossowskij: »Für Plündern, Vergewaltigung, Raub, Mord von Zivilpersonen das Kriegsgericht; wo notwendig – auf der Stelle erschießen.« Und es gibt auch Fälle, wo diese Vergehen bestraft werden, aber das ändert wenig an der Politik gegenüber den Deutschen. Es ist nur logisch innerhalb der Absurditäten der Besetzung, daß auch der erste und einzige wahre Genosse, ein Mitglied der illegalen KPD, den Kopelew in Ostpreußen trifft, nicht anders behandelt wird als der übrige Teil der Bevölkerung; und hier sehe ich wieder einen Ansatz für die nicht nur nationale, sondern auch internationale Wichtigkeit des Buches. Hat man sich je überlegt, ist man sich je klar darüber geworden innerhalb der westlichen Kommunistischen Parteien, innerhalb der gesamten »linken« internationalen Szene, warum Deutschland, das einst die stärkste KP hatte, auf die man viele Hoffnungen setzte, nach 1945 die schwächste kommunistische Bewegung gehabt hat – *trotz* aller Einsicht in den Wahnsinn des Faschismus? Ob für die überlebenden und heimkehrenden Kommunisten dieser Anschauungsunterricht nicht weitaus abschreckender war als aller gepredigter Antikommunismus – und wie viele ehemalige Kommunisten haben in ihn eingestimmt? Ob das ohne Verrenkungen, ohne Krämpfe ausgeht in einem Land, das nicht nur Fachleute im Sinne von informierten Leuten, das profunde Kenner der ausländischen Kultur und Literatur hat? Es gab ja nicht nur den einen Major Kopelew, es gab viele Germanisten, und es gibt viele sowjetische Intellektuelle, die besser über Geschichte und Kulturgeschichte des Landes informiert sind als mancher Intellektuelle, der aus dieser Kultur nach Moskau kommt und sich – meist ziemlich verlegen – mit Zitaten, Analysen, genauen Kenntnissen seiner eigenen Kultur konfrontiert sieht. Das Bewußtsein und Wissen der eigenen großen Literatur und Kultur macht die sowjetischen Fachleute so souverän, über fremde Kulturen informiert zu sein, und es macht die sowjetischen Leser zu so erstaunlichen Büchernarren. Diese Kenntnis, dieses Wissen und diese Einsicht vergrößern die Scham und auch die Empfindlichkeit.

Es besteht wenig Ursache für einen Deutschen, den Sowjetbürgern, was die Konfrontation und die mögliche Verarbeitung unerfreulicher geschichtlicher Vorgänge betrifft, Vorwürfe zu machen. Als Volk, als Ganzes pochen wir noch zu sehr auf das, was uns *nach* 1945 angetan worden ist, und vergessen zu leicht, was wir vor 1945 anderen angetan haben; und wenn wir Kopelews Bekenntnis akzeptieren oder es gar propagandistisch auswerten oder ausnutzen wollen, so mißverstehen wir Kopelew auf eine Weise, die der der sowjetischen Behörden vergleichbar ist. Der *ganze* Zusammenhang muß hergestellt, gemeinsam erörtert und analysiert werden; und dazu ist Kopelews Buch besser geeignet als manche andere Publikation. Sein Einstieg ist nicht die Auseinandersetzung mit den inneren Vorgängen in der Sowjetunion, seine Reflexion, der eine ganze Abwicklung von anderen Reflexionen folgt, setzt in dem *historisch* wichtigen Augenblick ein, in dem die Rote Armee zum ersten Mal ein fremdes Land besetzt und beweisen muß, wie oder ob sie überhaupt sozialistisch ist oder nicht. Was sich bei der Besetzung Polens im Jahre 1939 nach dem Stalin-Hitler-Pakt im Bewußtsein der Offiziere und Soldaten der Roten Armee abgespielt hat, wie dieser absolut »unsozialistische«, rein imperiale Akt verarbeitet worden ist, wäre gesondert zu analysieren, als psychologische Vorbereitung. Wie die Polen diese von Marxisten und Faschisten gemeinsam betriebene vierte Teilung Polens (eine fünfte folgte dann nach 1945) empfunden haben, welche Folgen sie gehabt hat, wie sie das traditionell schlechte polnisch-russische Verhältnis bis auf den heutigen Tag bestimmt, daran ändern auch brüderliche Umarmungen und Küßchen auf Flugplätzen und an Bahnhöfen wenig.

Kopelew macht der Sowjetarmee und der Sowjetunion diesen Prozeß, aus dem sein Bericht besteht: Es ist der Bericht eines Angeklagten, der zum Ankläger wird, weil man ihm etwas menschlich und allen sozialistischen Theorien gemäß Selbstverständliches vorwirft: sich gegen Haß, Rache, Vergewaltigung, Plünderung ausgesprochen zu haben. Erst nachdem er selbst zum Häftling geworden ist, führt dieser Prozeß ihn zur Erkenntnis der Problematik sowjetischer Anklage- und Strafpraktiken, und aus dieser Optik heraus beschäftigt er sich auf seine Weise mit dem, was wir aus anderen Publikationen kennen, die sich mit der stalinistischen Ära befassen. Er ist Russe, aber nicht russozentrisch: er bleibt nicht in der innersowjetischen Problematik: er wird von außen nach innen auf sie gestoßen und sieht sie im internationalen Zusammenhang und das macht sein Bekenntnis international so wichtig.

Die ganze unermeßliche Skala absurder »Vergehen« und Anklagen, die sowjetische Gesellschaft »umgestülpt« in Zellen und Lagern, wo die Opfer eines wahnwitzigen Mißtrauens auf ihre Prozesse warten oder ihre Strafe absitzen: vom General oder Staatsanwalt bis hinunter zum einfachen Soldaten oder der Kuhmagd, wird die »Klassenlosigkeit« des Wahnsinns sichtbar gemacht. Hier wird die sowjetische Prominenz, werden alle Privilegierten, zu denen man auch Kopelew selbst zählen kann, mit sich selbst und den unfaßbaren Schicksalen ihrer weniger begünstigten Landsleute konfrontiert, und man beginnt zu begreifen, welche Furcht da geherrscht haben muß: in den Lagern und Zellen – und draußen. Da trifft man Walja, die sieben Jahre Haft bekommen hat, weil sie zwei Rollen Garn unterschlagen hat; ein anderer hat fünf Jahre bekommen, weil er »die Technik des Feindes gelobt« hat. Man trifft den Staatsanwalt, der – wie so viele, denen er es nicht geglaubt hat – seine Unschuld beteuert.

Jede Variation politischer Häftlinge: weiße, rote, rot-weiße. Jugoslawen, Deutsche, Polen, jede Variation von Wlassow-Männern, alle Variationen von Verrätern und Spitzeln und »Spitzeln« und »Verrätern«, von Kriminellen, die man wieder in »echte« einteilt, die keine Spitzeldienste tun, und »unechte«, die beides zugleich sind: echte Kriminelle und echte Spitzel. Ein Dschungel, in dem keiner weiß, wer nun – nach welchen Gesichtspunkten immer – »echt« ist. »An der Front«, sagt einer, »weiß ein Soldat wenigstens, wo der Feind steht, und wo die eigenen Leute sind. Aber hier ist ringsum und überall Gesindel, kannst überhaupt nicht erraten, von wo du was zu erwarten hast.« Ist nun der Lagerkommandant »echt« – im Sinne von: ein überzeugter Sozialist, von dem man ungefähr wissen kann, wie er sich in einer Situation verhalten wird – oder ist der zum Spitzel degenerierte Dieb »echt«? Es gibt Kämpfe, ja Kriege zwischen Kriminellen, Halbkriminellen, von kriminellen Gruppen gegen politische und alle Möglichkeiten der »Koalition«. Kaum abzusehen, wieviel Möglichkeiten von Verwicklungen und Verstrickungen.

Indem Kopelew seinen Weg von der Verhaftung durch verschiedene Gefängnisse, Zellen, Lager schildert – mit einem Blick für Menschen und Schicksale, die ihm alle gegenwärtig bleiben, ausgestattet mit seiner unersättlichen Neugierde und einer unglaublichen Portion Leichtsinn, Opfer nicht nur von Denunziationen, auch von Eifersüchteleien (man müßte da an verschiedenen Stellen an den Rand schreiben: cherchez les femmes!), rutscht er von Unglück in noch mehr Unglück, wieder zurück in etwas mehr Glück oder weniger Unglück, wieder weiter in etwas weniger Glück oder mehr Unglück – man darf nicht vergessen, daß es die Deutschen sind, die sein Unglück verursacht haben, nachdem sie erst sein Land ins Unglück stürzten – rutscht er weiter auf dieser schiefen Ebene der Paradoxie, wie sie nur einem hartnäckigen und uneinsichtigen Intellektuellen blühen kann, und es gibt da keine moralische Pose außer der des Sozialisten und Marxisten, der seine Schwächen, seine geringe Disziplin, seine lebensgefährliche Spontaneität, seine Naivität und seinen Leichtsinn nicht verbirgt. Er schildert seine Verstrickungen mit – und weiß gleichzeitig als »Materialist«, daß sie dazugehören. So leidet und erleidet Kopelew sehr viel, und doch ist sein Bekenntnis keine Leidensgeschichte. Er selbst ist gar nicht der Mittelpunkt seiner Geschichte – und doch tritt er in jedem Satz heraus und hervor.

Man vergesse nicht: Hier schreibt einer, der gegen seinen Parteiausschluß protestiert; der die absurd verlogene »Korrektheit« mehrerer Gerichtsverfahren erlebt, mit umfangreichen Akten, zahlreichen Zeugenaussagen, bei denen scheinbar gute Freunde sich als Denunzianten erweisen und andere, die er unterschätzt hat, als zuverlässig. Diesem Dickicht von verlogenem Formalismus stellt Kopelew mit seinem Buch seine Anklageschrift entgegen; und doch – das ist die Überraschung –: Er ist kein Don Quichote und ebenfalls kein Sancho Pansa. Er ist beides zu seiner Zeit; in ihm, auch im Menschen Kopelew, wie ich ihn persönlich aus zahlreichen Gesprächen und Begegnungen kenne, ist die klassische Spaltung aufgehoben, und ich denke mir, das macht ihn so »gefährlich«, weil er – jeweils zu seiner Zeit – beides ist. Und in diesem Sinne ist er auch kein »Intellektueller«, was bedeutet: natürlich ist er einer und doch versteht er das »Volk«, zählt sich zu ihm, gehört zu ihm, versteht seine Sprache und seine Probleme – und wahrscheinlich macht auch das ihn so gefährlich. Ideologisch – als Theoretiker – ist er uneingeschränkt Don Quichote: Er diskutiert und argumentiert nach seiner Vorstellung von Internationalismus, läßt nichts, gar nichts durchgehen, und er tut das unerschrocken, unermüdlich und logisch gegen diese übermächtigen, langweiligen Windmühlen, den grausam phantasielosen Funktionären ins Gesicht. »Privat« ist er eingestandenermaßen menschlichen Schwächen erlegen; in seinem fast schon metaphysischen Materialismus weiß er, was eine Zigarette, und wären es nur ein paar Züge aus einer Kippe, für jemanden bedeutet, der lange nichts zu rauchen gehabt hat, und er weiß immer noch und immer wieder, was Wasser für den Durstigen und Brot für den Hungrigen bedeutet; seine Dulcineen – es gibt deren einige – sind keine platonischen Phantasiegebilde, sondern, was er keineswegs verachtet, aus Fleisch und Blut. Er läßt alle seine Schwächen nicht aus, er bekennt sie (gelegentlich bereut er sie sogar!) – und doch bleibt und ist sein Bekenntnis keine Verteidigungsschrift, sie ist und bleibt eine Anklageschrift, alle Probleme der sowjetischen Rechtsprechung und des Strafvollzugs werden aufgewickelt an Lebensläufen, Prozeßakten, und sie werden gleichzeitig international, marxistisch als Internationalismus analysiert; und nicht nur »humanistisch«, sondern, das ist eine weitere Dimension der Gefährlichkeit Kopelews – human! Daß sich das alles nach 1945 abspielt, nach einem glorreich gewonnenen Krieg, beweist den Umfang des Mißtrauens.

Der Prozeß gegen Lew Kopelew hat viele Vorstufen: Verhöre, Einzelhaft, Transporte – lange bevor die erste offizielle Verhandlung gegen ihn stattfindet, und es wird im Verlauf seiner Bekenntnisse sichtbar, worin wahrhaft der »neue Mensch« besteht: Es ist der wie geölt arbeitende, funktionierende Funktionär, das Muster des Apparatschiks, der inzwischen international auch im Bereich anderer Ideologien etabliert ist, eines Formalisten ganz besonderer und besonders liebenswürdiger Art, der den Angeklagten sofort als Formalisten beschimpft, sobald er sich auf seine Rechte beruft, gleichzeitig aber einen Funktionärsformalismus gegen ihn anwendet. Ob die Kulturpäpste deshalb so schrecklich zornig auf »Formalisten« sind? Was Kopelew letzten Endes sowohl zum Verhängnis wird wie ihn in der Haftzeit rettet: seine ungebrochene Naivität, sein Humor und seine unersättliche Neugierde für alle Formen und Erscheinungsweisen des menschlichen Lebens, bis hinab zu den proletarischen und sogar kriminellen und allen Formen und Mischformen der Prostitution. Außerdem eine Eigenschaft, die osteuropäischer Provenienz zu sein scheint, vielleicht auch speziell sich in Lagern entwickelt: ein verblüffendes Gedächtnis.

Manche Kapitel sind Charakterstudien besonderer Art, in anderen erfährt der Leser, wie ökonomisch sinnlos, wie verschwenderisch, wie absurd die Sklavenarbeit in den Lagern ist: das wird exakt nachgewiesen; und den zahlreichen absurden Dimensionen wird damit eine weitere hinzugefügt: daß nicht einmal vom ökonomischen Standpunkt dieser gigantische Apparat des Mißtrauens etwas eingebracht hat; und dann schildert der »freundliche und gesellige Fedja«, ein Dieb, seelenruhig einen Fall von Kannibalismus. Daß es trotz der offiziellen Prüderie in den Kriegs- und Nachkriegsjahren in der Sowjetunion, auch in ihren Lagern jede Art von camp-love gegeben hat, Ansätze einer permissive society, ist eine weitere Überraschung, und daß die (wieder eine Überraschung) Räume, die in den Lagern für vierundzwanzigstündige Besuche von Ehegatten zur Verfügung standen, nicht nur *ehelichen* Besuchen dienten, wird offensichtlich. Eine Dimension der verhängnisvollen Entwicklung zur Funktionärsherrschaft wird ebenfalls sichtbar: daß die Funktionäre es sind, die die Intellektuellen vom Volk trennen; die Sensibilität, mit der sie eben Don Quichote und Sancho Pansa, also Klerus und Volk, zugleich sind, macht sie wahrscheinlich so gefährlich.

Doch Kopelews Bekenntnis hat noch eine Dimension, von der ich nur zögernd spreche, weil ihre Bezeichnung so mißverständlich, eine der mißverständlichsten überhaupt ist: eine religiöse. Nimmt man das Wort Religion beim Schopf, so bedeutet es immer noch Bindung, und in diesem Bekenntnis Kopelews wird eine Bindung an den Menschen, ans Menschliche und auch Allzumenschliche sichtbar – und noch mehr: eine, ich möchte fast sagen, neue Sakramentallehre der elementaren Bindungen des Menschen, die vielleicht nur möglich war nach der Erfahrung des Materialismus, der eine Erkenntnis jenes Materials, aus dem das Menschliche besteht, nicht ausschließt. Die »Heiligkeit« einiger Züge an einer Zigarette, die er an sich selbst erfährt, die ihm aber aus dem Mund des kriegsgefangenen deutschen Hauptmanns König zu einer hymnisch intonierten Litanei wird, weil Rauchen für ihn mehr ist als Tabak für den Süchtigen: es ist Brüderlichkeit, Barmherzigkeit, Liebe in ihrer Verkörperung. Dieser kriegsgefangene deutsche Hauptmann, dem es an nichts gefehlt hat, dessen Leben – nach seinen Kategorien und denen seiner Umwelt – das eines »Glückspilzes« gewesen ist, wird durch ein paar Züge an einer Zigarette fast franziskanisch. Es gibt andere Situationen ähnlich sakramentaler Art, die Verteilung von Brot und Wasser im Gefängnis von Brest etwa, die unter Kopelews Leitung und Aufsicht stattfindet: Er wird zum Priester, fast Hohenpriester des Brotes und des Wassers. Wer je in einem Lager oder in einer Zelle saß, wird sich erinnern, welche von absolutem, fast geheiligtem Vertrauen getragene Bedeutung der Brotverteiler hatte (wer gegen dieses Vertrauen verstößt, begeht wirklich ein Sakrileg). Kopelew wird zum Joseph des Alten Testaments – und vielleicht ist die Qualität des Verteilten in solchen Augenblicken wichtiger als die Quantität: das wäre eine neue Interpretation der wunderbaren Brotvermehrung (weil eben Brüderlichkeit und Barmherzigkeit *mit*gegeben werden, die ja auch den Begriff der Sättigung relativ, zumindest dehnbar machen). In dieser Nacht im Gefängnis von Brest geschieht noch mehr: Es gibt da einige »Augenblicke«, die fast eine halbe Stunde lang dauern, wo Wärter und Gefangene eins werden. »Und in diesem Augenblick wurde sichtbar, daß sie, die Wärter selbst, Bauernsöhne waren, daß sie Ehrfurcht vor dem Brot haben, ja, es verehren, daß sie wissen, was Hunger ist, und sie haben gesehen, was Durst ist (– es gibt da ein gewisses Neues Testament, wo gesagt wird, man soll die Hungernden sättigen und den Dürstenden zu trinken geben). Brot und Wasser waren die einfachsten, die ältesten Quellen der Lebenskraft. Brot und Wasser, danach begehrte man jetzt mehr und brauchte sie mehr als ›Schätze‹.« Und es gibt da, in späteren Partien, einen merkwürdigen, bemerkenswerten Gottesdienst völlig unkirchlicher Art, den Tante Dunja und Onkel Ssenja abhalten, wo die Frage, ob einer gläubig *war* oder ist, ob er Atheist war oder *ist*, wo der Übergang von einem ins andere sich in einer neuen, einer brüderlich barmherzigen Menschlichkeit darstellt – und bei diesem Abendmahl ist natürlich der Verräter (der in diesem Fall Stepan heißt) ebenfalls anwesend. Zu dieser neuen Art der Religiosität und der Sakramentalität zählen wohl auch die verschiedenen Formen des »Beilagers«, des legitimen und illegitimen, wie Kopelew eins, das voller Zärtlichkeiten ist, schildert. Aus dem scheinbar so nackten Materialismus wird mehr, weitaus mehr als aus einer abstrakten, total entsinnlichten Sakramentallehre, wenn man Brüderlichkeit und Barmherzigkeit *mit*empfängt, außerhalb der Rechtlichkeit, denn es handelt sich immer um »unrechtmäßige Situationen«.

Kopelews Religiosität ist nicht angenommen oder aufgesetzt, sie ist erfahren – nicht wie ein deus ex machina, der alles regelt und auf seiner »Rechtmäßigkeit« besteht. In diese neue Kategorie der Religiosität zähle ich auch die Rebellion der Frauen und einiger Kriegskrüppel auf einer Bahnstation, die *gegen* den

Befehl der Wachsoldaten und Funktionäre, diese sogar beschimpfend: »Ihr habt Euch vollgefressen, während sie an der Front waren«, an die Häftlinge Lebensmittel verteilen.

Kopelews Bekenntnis gibt Auskunft über viele Unmenschlichkeiten und erbringt dennoch den Nachweis einer tiefen, alten Reserve an Menschlichkeit, die sich gerade an dieser Szene auf dem Bahnhof erweist.

Über Miklós Haraszti, »Stücklohn«

(1975)

Auf den ersten Blick erscheint *Stücklohn* wie eine längst fällige notwendige Ergänzung zu unserer Literatur der Arbeitswelt, eine Ergänzung aus einem sozialistischen Land, überfällig, weil die offizielle Literatur über Arbeiter und ihre Welt mit ihrer euphorisch funktionierenden Kritik (der Korrupte ist dann in den meisten Fällen ein eingeschleuster Saboteur vom CIA) wenig Einblick verschaffte. Das so wenig »Erhebende« an *Stücklohn* ist, daß diese Analysen und Berichte letzten Endes in der niederschmetternden Banalität münden: »niemand bekommt etwas geschenkt«. Und wenn man das ganze Gerede über Osteuropas Bitten um westliches »Know-how« einmal analysiert, dann steht dahinter nicht viel mehr als der dringende Wunsch zu erfahren, wie man aus den Arbeitern – durch geschicktes »Management« – mehr herausholen kann als bisher. Es ist ja schon ein offenes Geheimnis, daß einem sowjetischen Funktionär natürlich viel mehr an einem Gespräch mit einem erfahrenen Manager liegt als an einem Gespräch mit irgendeinem westlichen Sozio- oder Ideologen, sei er nun Kommunist, »Kommunist«, liberal, rechts oder links. Wenn man voraussetzen darf, daß die geringere Effektivität der Industriearbeit (und Verwaltungsarbeit) in den sozialistischen Ländern nicht nur aus möglicherweise absurden Planungsfehlern und Überbürokratisierung resultiert, auch aus der weit geringeren Arbeitsleistung, also menschlicher Faktor ist, dann kann man sich ausrechnen, daß jener Teil der Entspannung, der darin besteht, daß ein sowjetischer oder ungarischer Industriefunktionär sich mit einem westlichen Effektivisten am Datscha-Kamin bei Moskau oder am Plattensee freundschaftlich unterhält, daß dieser Teil der »Entspannungspolitik« für die Arbeiter in diesen Ländern nicht der erfreulichere Teil ist.

In Miklós Harasztis *Stücklohn* geht es um die Effektivität von

Fabrikarbeit und ihre Auswirkungen auf die Arbeiter. Auch in dieser Fabrik bekommt »niemand etwas geschenkt«. Im Gegenteil: Auch dort gibt es den Leistungslohn, gibt es das absurde Dreieck Stücklohn-Stundenlohn-Ersatzlohn, und der Stücklohn wird für jedes Stück ständig herab-, also die erwartete Stückleistung heraufgesetzt. Und »zu den Verlusten ohne Ersatzlohn gehört auch die Zeit, die ich – oft ohne Erfolg – darauf verschwende, Ersatzlohn zu verlangen«. Es bleibt beim grausamen Wettlauf zwischen Hase und Igel: der Igel ist immer schon da, grinst oder schimpft, und er hat nur ein Gesicht, aber viele Namen: Chef, Werkmeister, Hallenleiter, Kalkulator. Die Arbeiter sprechen von ihnen als von »Die«, »Sie«, »Ihnen«, und das erinnert verblüffend an den Wallraff-Engelmann-Titel *Ihr da oben, wir da unten*. Und wenn die Chefs dann von »Wir« sprechen, dann wird's gefährlich, weil es dann unweigerlich heißt: »Wir müssen Opfer bringen«, womit gemeint ist »Ihr müßt Opfer bringen«, und das erinnert wiederum verblüffend an die pathetischen Opferreden westlicher Industriekapitäne.

Harasztis Buch ist weit mehr als eine Reportage (was schon genug wäre). Es setzt sich aus verschiedenen Elementen zusammen, und einige davon fehlen in der hiesigen Literatur der Arbeitswelt. Es ist zunächst eine exakte soziographisch-soziologische Analyse der Techniken und Termini der Arbeit in einer Metallfabrik und der Beziehung dieser Techniken, Termini, Kategorien zu jenem heiligen Etwas, um dessentwillen Arbeiter arbeiten müssen: den Lohn, ihr Leben. Es werden in dieser Analyse alle Details, alle Neben-, Um-, Auswege (auch der »gerade Weg« dorthin, versteht sich) auf dem mühsamen Weg zwischen Arbeit und Lohntüte ausgemessen. Einleuchtend wird die Analyse dadurch, daß es sich gleichzeitig um einen Erfahrungsbericht handelt: hier steht und stand jemand, ausgestattet mit den Mitteln soziographischer Analyse und Auswertung, an den Fräsmaschinen.

Eine dritte Ebene wird sichtbar durch eine – nicht fiktive, aber abstrakte Komponente, die desto abstrakter wird, je konkreter das Erlebte und Erfahrene ist. Wenn man bestimmte Arbeitsvorgänge exakt beschreibt, heben sie sich von selbst ins Abstrakte. Wenn man heute etwa bestimmte Partien der Heeresdienstvorschrift der Deutschen Wehrmacht *zitiert*, gerät man in Verdacht, Kafka zu kopieren (etwa die Grußvorschriften: im Gehen, im Stehen, im Liegen, auf dem Fahrrad, Pferd, im Auto etc.). Beschreibt man bestimmte bürokratische Rituale in Amtsstuben, etwa das Hinundherrücken und Spitzen von Bleistiften, das Abnehmen, Säubern, Aufsetzen von Brillen – oder die etlichen tausend Bewegungen eines Kellners, der in einem überfüllten Lokal bedient, so wird das, obwohl es doch nur exakt ist: abstrakt und komisch. So sehr, daß einer, dessen Arbeitswelt da beschrieben wird, diese Beschreibung kaum als »realistisch« anerkennen würde.

Doch bei Haraszti kommt noch etwas hinzu, glücklicherweise am Schluß des Buches, so daß es nicht verlorengehen kann: eine utopisch ästhetisch-soziale Dimension, die sich aus der »Schwarzarbeit« entwickelt und in dem verblüffenden Satz mündet: »Die meisten Freundschaften fingen mit gemeinsamer Schwarzarbeit an.« Der Anfang dieser Passage ist fast euphorisch: »Wir (die Schwarzarbeiter) gewinnen die Macht über die Maschine, die Freiheit von der Maschine zurück, die Fachkenntnis wird dem *Schönheitssinn* (Betonung von mir!) untergeordnet. Trotz der Bedeutungslosigkeit des Gegenstandes ist die Formgebung künstlerisch. Das wird dadurch gesteigert, daß der Schwarzarbeiter (um den Vorwurf des Stehlens zu entkräften) selten mit teurem, dekorativem, halbfertigem Material arbeitet; er bemüht sich, aus Abfällen, unnützen Eisenstücken, aus Überflüssigem etwas zu formen: er will möglichst viel Schönheit im Produkt seiner Arbeit verwirklichen. Wenn die Schwarzarbeit der Stücklöhner nicht nur die Arbeit von einigen herausgeschundenen Minuten wäre, zu der wir oft erst nach Wochen zurückkehren können, wenn sie also nicht von verschwindender Quantität wäre, könnten wir diese Bestrebungen sogar als Stilrichtungen bezeichnen: die erstere (die normale Stücklohnarbeit) als ›Funktionalismus‹, die letztere (die Schwarzarbeit) als ›Sezession‹.«

Hier werden also Begriffe der *Kunst*geschichte in die Arbeitswelt übertragen. Man stelle sich einmal vor, irgendwo würde irgendein Gewerkschaftsfunktionär den Slogan ausgeben: »Nur in der ›Schwarzarbeit‹ verwirklichst Du Dich selbst, Genosse!«

und er würde diesen Slogan auch auf gewerkschaftseigene Betriebe anwenden! Da wären sich Regierung und Opposition (vollkommen gleichgültig, wer da gerade zufällig die Regierung oder die Opposition stellt) im Handumdrehen einig, daß solchen Parolen der Prozeß gemacht werden müßte: nicht entfremdete Arbeit, Humor, Schönheit, Spaß gibt es nur nach Feierabend; wenn das die Effektivität gefährdet, ist das »Anarchie«. Darin sind sich westliche wie östliche und fernöstliche Technokraten gewiß rasch einig. Käme man da gar mit dem ominösen Wort »Poesie«, so wären sich nicht nur Ost, West, Fernost, auch Rechts und Links rasch einig. Sollte etwa Arbeit nur in Form von »Schwarzarbeit« Freude, Spaß machen? Und was wird dann aus diesem Heiligen, dem Lohn? »Sie (meine Kollegen) würden jeden für bekloppt halten, der am Zahltag seiner Familie damit käme, daß er zwar kaum Geld, aber die technologischen Vorschriften eingehalten und die Norm erfüllt hat.« Es gibt da nämlich Sprüche, die einem verflucht bekannt vorkommen: »Die Genossen werden verstehen, daß wir nur verteilen können, was wir produziert haben, das ist klar und verständlich.« Und hier wird es wieder sichtbar und hörbar, das verdächtige »Wir« von »denen«, und die Hasen beginnen zu rennen, und die Igel spielen »Bäumchen wechsel dich«; obwohl die Hasen in der Überzahl sind, machen die Igel das Rennen.

Wenig wird über das Privatleben eines solchen Stücklöhners gesagt, für den die so erfreuliche »Schwarzarbeit« eben doch nur ein gelegentlicher Seitensprung bleibt. Immerhin: »Ein liebloser Geschlechtsverkehr, der Rhythmus leitet mich, ich *weiß*, was ich spüre und was ich spüren werde, aber ich *spüre* es nicht.«

Schließlich spricht Haraszti in der Weiterentwicklung des Gedankens der »Schwarzarbeit« von der »Errichtung von Luftschlössern in dieser Wüste. Wären die Sachverständigen der Produktion nicht gleichzeitig auch die Verteiler unseres Lohnes, die Kommandanten der Disziplin und der Leistung, so würde das ›Zeitalter der Großen Schwarzarbeit‹ anbrechen.« Und dieses Zitat wiederum knüpft an ein bitteres vorhergehendes an, auf die Passivität seiner Kollegen gemünzt: »Wir gleichen den Eingeborenen aus der ersten Zeit der Kolonisation, die ihre Schätze, ihren Boden, sich selbst, alles, was sie besaßen, für wertlose Kinkerlitzchen hergaben und sich erst dann unbezahlt fühlten, als sie für irgendeine Leistung den üblichen Ramsch nicht bekamen.«

Einer der Vorwürfe, die man Haraszti, dem damals vierundzwanzigjährigen, im Jahre 1969 gemacht hat: »uferlose Demokratie und revolutionäres Asketentum«. Setzt man für »uferlose Demokratie« die hiesige wachsende Abneigung schon gegen das Wort Demokratisierung, setzt man für »revolutionäres Asketentum« Konsumverzicht, ein ebenfalls lange verteufeltes Wort, so weiß man, wo Haraszti hingehört: er ist kein »kapitalistischer Agent«, er ist hier wie dort unwillkommen, er weiß zu genau, wie die Hasen hinter dem Stücklohn herrennen, wie »Sie« und »Die«, die immer »Wir« sagen, dafür sorgen, daß keinem etwas geschenkt wird. Haraszti weiß, daß dieses »Know-how« der Technokraten auch eine Folge der »Entspannung« sein kann und daß der Trost, die Fabrik gehöre ja den Arbeitern, für sie nur »leeres Geschwätz« ist.

Daß »Die« ein solches Buch nicht mögen, »die da oben« und »die da drüben«, ist selbstverständlich, ihre Schwäche und Schwächlichkeit zeigt sich dann vor Gericht, wo sie dann allerdings ihre *Macht* demonstrieren und mit Erfolg anwenden. Es besteht kein Anlaß, hierzulande über den Prozeß gegen Haraszti und seine Freunde mit einem »Aha« zu triumphieren.

Boris Birger

(1975)

Ich kann mir nicht anmaßen, die gegenwärtige Malerei in der Sowjetunion umfassend zu kennen. Ich bin sicher, daß sie ebenso viele, wahrscheinlich mehr Aspekte und Variationen hat als die Malerei anderer Länder. Gewiß ist auch, daß die offizielle, die vorgezeigte Malerei der Sowjetunion nicht einmal andeutungsweise den Reichtum der sowjetischen Malerei zeigt. Unter den sowjetischen Malern, deren Werk ich kennenlernte, ist Boris Birger eine herausragende Erscheinung. Es ist absurd und beweist, wie gewaltsam Traditionen in der Sowjetunion nicht nur unterbrochen worden sind, auch, wie das Entstehen einer eigenständig sowjetischen Tradition verhindert wird, wenn man Boris Birger als »dekadent«, »modernistisch« etc. einstuft, sein gesamtes Werk regelrecht verleugnet. Denn Birger, so scheint mir, steht ganz und gar in der Tradition der europäischen Malerei. Als ich das erste seiner Bilder sah, dachte ich an Rembrandt, an die malerische Materialisation des Lichts bei Rembrandt, und es ist gewiß kein Zufall, daß Boris Birger über Rembrandt geschrieben hat. Und wer etwas genauer auf Birgers Bilder schaut, genauer als ein dogmatisches, mit Vorurteilen justiertes Auge es zuläßt, stellt fest, daß er auch in der russischen Tradition, etwa Lewitans, steht.

Am Beispiel Birgers läßt sich ablesen, wie verstellt und verkehrt das Verhältnis der sowjetischen Kunstpolitik und -theorie zu einem so vieldeutigen und mißbräuchlichen Begriff wie »Realismus« ist. Selbst wenn man diesen Begriff (den man besser eines Tages ganz aus dem Verkehr ziehen sollte!) im konventionellen Sinn der klassischen Kunstgeschichte anwendet, ist Boris Birger – das beweisen seine zahlreichen Porträts, vor allem das großartige von Frau Mandelstam – durchaus »Realist«, und das ist er ebenfalls in einem weiterentwickelten, höheren Sinn, denn was er an »Wirklichkeit« schafft, ist weitaus mehr, als was er an

»Wirklichkeit« nimmt. Das beweisen auch seine Bilder aus den frühen und mittleren sechziger Jahren, ich meine die mit geringen malerischen Mitteln verwirklichten »Lichtecken«, wie ich sie nenne, die mich an Samuel Beckett erinnerten, den ich selbstverständlich auch zu den »Realisten« zähle. Und ich denke an das große und großartige Licht, das über Boris Birgers Landschaften (Don Quichote und Sancho Pansa) fällt – und aus diesen Landschaften heraus.

Für die meisten sowjetischen Maler der Gegenwart trifft wohl zu, was auch für die gegenwärtige, sowjetische Literatur und Poesie zutrifft: zuviel wird verleugnet, in eine peinliche Illegalität gezwungen, was vorzuzeigen der Sowjetunion durchaus zur Ehre gereichen und sie aus Vorurteilen befreien könnte, die sie leider immer wieder selbst durch ihre Kulturpolitik bestätigt; indem sie einen Autor wie Woinowitsch »diszipliniert« und einen Maler wie Boris Birger verleugnet.

Als ich die ersten Bilder von Boris Birger sah, vor zwölf Jahren in einem winzigen düsteren Atelier in einer Moskauer Vorstadt, fiel mir als erstes das Licht auf, das aus seinen Bildern herausstrahlt, in ihnen auf eine geheimnisvolle Weise entstanden, still, ohne Effekthascherei, aus rötlichen, gelblichbräunlichen Tönen, fiel es in die von Boris damals gemalten »Ecken« – und es kam aus ihnen heraus auf mich zu. Später sah ich seine Porträts, vor allem das großartige von Frau Mandelstam, ein Porträt, von dem ich sicher bin, daß es in die Geschichte der sowjetischen Malerei eingehen wird, ich sah Akte, die stark, aber völlig »uneffektvoll« beleuchtete Hochebene, über die Don Quichote und Sancho Pansa reiten.

In den Bildern von Boris Birger ist der widersprüchliche und mißbräuchliche Begriff »Realismus« neu gefaßt, neu – mit dem Pinsel und im Geist des Malers – definiert. Mehr als diese permanente Neu-Definition von »Wirklichkeit« können Malerei (und natürlich Poesie und Literatur) nicht schaffen. Gefundene und geschaffene Wirklichkeit vereinen, das ist, wenn dann dieser verschlissene Begriff überhaupt einen Sinn haben kann: fortschrittlich. Boris Birger leugnet die Tradition nicht, weder die russische noch die westeuropäische, und ist doch gegenwärtig.

Stimme aus dem Untergrund

Über Bommi Baumann, »Wie alles anfing«

(1976)

Dieses Buch von Michael Baumann zu beschlagnahmen, zu unterdrücken, den Trikont-Verlag des Buches wegen so erheblich zu molestieren, ist der falscheste Weg, den man einschlagen kann. Man sollte zur Verbreitung des Buches beitragen, es nicht als Pflichtlektüre, sondern vorschlagsweise in Schulen lesen, mit Kommentar versteht sich. Und um das Idiotenwort von der Ausgewogenheit einmal so richtig voll anzuwenden, sollte man es kommentieren lassen: von einem Rechten, von einem Linken, von einem aus der Mitte, von einem aus der Mitte der Mitte, von einem Evangelischen, Katholischen, einem Christen und von je einem Vertreter aller, nicht nur der in den Parlamenten vertretenen Parteien.

Nehme ich ein paar (nicht viele) Veteranentöne, ein paar bramarbasierende (nicht viele) Töne weg und unterstelle, was ich nicht nachprüfen kann: daß es authentisch sei, so stelle ich fest, daß ich noch kaum etwas so Aufschlußreiches aus dem Untergrund gelesen habe. Hier schreibt und erklärt eines jener Wunderwesen, von denen die abstrakt (und gelegentlich arrogant) orientierte intellektuelle Linke so oft und ausgiebig geträumt hat, ein *Arbeiter*. Er schildert seinen Weg in den zunächst privaten, dann den organisierten Anarchismus. Bedrückende Wohn-, nicht sehr erfreuliche häusliche Verhältnisse, die plötzliche Erkenntnis der vierzig, fünfzig Jahre währenden Tretmühle, die vor einem jungen Arbeiter liegt. Weg in die Kommune, Erkenntnisse über diese: die unfaßbare Leichtfertigkeit, mit der das Bombenbasteln erst als Spiel, dann im Ernst betrieben wird.

Ich kann mir nicht vorstellen, daß ein Jugendlicher, der nicht *ohnehin* zu »Mollies« oder Bomben neigt, durch dieses Buch dazu verführt wird, nicht mehr jedenfalls als durch die harten

Aus-der-Hüfte-Knaller, die er fast täglich im Fernsehen bewundern darf: diese raschen, harten Männer der »Tat«, die so manchem Vorbild sind. Der »Radikalenerlaß« oder »Extremistenbeschluß«, diese Schändlichkeiten, werden ja Hunderte, vielleicht Tausende von Jugendlichen, die nicht nur im »öffentlichen Dienst«, auch auf Grund kursierender schwarzer Listen in der Privatwirtschaft untragbar geworden sind, in den Untergrund treiben – und was sie dort ausbrüten, was sie möglicherweise anrichten werden, das mögen die Parteien verantworten, die solche Erlasse und Beschlüsse »tragen«. Da wird noch manches zu »tragen« sein, durch diese Beschlüsse und Erlasse werden Radikale, Extremisten, potentielle Terroristen eher ausgebrütet als verhindert. Es wird für Leitartikler und Kolumnisten der einschlägigen Presse Stoff genug geben. Vielleicht braucht man ihn, muß man Extremisten auf diese Weise züchten, um immer härtere Gesetze durchzubringen. Der *legal* in den Untergrund Verwiesene wird ganz andere Formen, Inhalte, ganz neue Frustrationen entwickeln als die vielen, die – wie Michael Baumann – von vornherein die Illegalität gewählt haben. Ihnen kann er nicht Vorbild sein, sie wollten ja legal arbeiten, am gesellschaftlichen Leben teilnehmen. Mag sein, daß einige von ihnen sich eines Tages Dregger und Carstens als Vorbilder an die Wände hängen.

Michael Baumann *erklärt* vieles, auf seine Weise, von der ich bürgerlicher Stilist, der ich nun einmal bin, nicht feststellen kann, ob sie stellenweise künstlich schnoddrig ist. Er erklärt »wie alles anfing«; wie es aufhörte, erfährt man aus dem Buch selbst, wußte man schon aus dem *Spiegel*-Interview: »Bei Beelitz (einem Opfer von Baumanns Bomben) kam das Entsetzen. Bei Georg von Rauch noch einmal Haß.« Baumann ergänzt das *Spiegel*-Interview um einige Bemerkungen: »Die Linke hat aus ihm (von Rauch) einen christlichen Märtyrer gemacht, ein richtiger christlicher Humanitätstrip rollt da ab. Der Typ war er nicht, er war genau der Typ, der gesagt hat, klar, wir schießen.« Ob von Rauch wirklich als erster geschossen hat, wird aus Baumanns Zusätzen nicht klar. Und Baumann schreibt außerdem: »Urbach hatte uns früher schon einmal Waffen gegeben, damit hat der Verfassungsschutz die Waffen geliefert, mit denen Polizisten umgeschossen werden.«

Gewalttätig geworden, und das *bewußt*, ist auch Baumann erst nach der Erschießung Ohnesorgs, nach dem Attentat auf Dutschke. Und: Es muß immer wieder gesagt, kann nicht oft genug wiederholt werden: durch die Hetze der Springer-Presse, speziell in Berlin, wo sie den Markt beherrscht und den Markt, den sie nicht beherrscht, einschüchtert. Eines Tages wird wohl eine Forschungsgruppe diese Entwicklung von Schlagzeilengewalt und Gegengewalt Schritt für Schritt, Tag für Tag nachzeichnen. Man kann die Gewalt, an der Michael Baumann teilgehabt hat, nicht aus diesem Zusammenhang von Hetze, Denunziation, Aufheizung der öffentlichen Stimmung lösen. Mag Michael Baumann, wenn er gefaßt wird, zur Verantwortung gezogen werden, wie das geschriebene Gesetz es befiehlt. Die noch ungeschriebenen Gesetze gegen Volksverhetzung, permanente Provokation, für die gibt es noch keinen Richter.

»Wir«, schreibt Baumann, und er meint damit die Gruppenmitglieder proletarischer Herkunft, »wir haben mit der Gewalt von Kindsbeinen an gelebt, das hat eine materielle Wurzel. Wenn Zahltag ist, der Alte kommt besoffen nach Hause und verprügelt erst mal seine Alte, das sind doch die ganzen Geschichten. In der Schule, da keilst du dich, sich mit Fäusten durchsetzen, das ist für dich eine normale Sache, du keilst dich auf der Arbeitsstelle, du keilst dich in Kneipen, du hast dazu ein gesünderes Verhältnis. Für dich ist Gewalt eine ganz spontane Sache, die du ganz leicht abwickeln kannst. Da war auch immer der Sprung zwischen der RAF und uns, in der Entstehung der Gewalt, wo sie herkommt.«

Das Kapitel »Terror oder Liebe?« beginnt: »Daß du dich für den Terrorismus entscheidest, ist schon psychisch vorprogrammiert. Ich kann es heute bei mir sehen, das ist einfach Furcht vor der Liebe gewesen, bei mir selbst, aus der du dich flüchtest in eine absolute Gewalt. Hätte ich die Dimension Liebe für mich vorher richtig abgecheckt, hätte ich es nicht gemacht. Dann hätte ich es auf Umwegen richtig erkannt.« Das sind direkte, große, aufschlußreiche Worte und schon ihretwegen – es gäbe viele Zitate ähnlicher Art – sollte man das Buch verbreiten. Sexuelle Unterdrückung, oder: unterdrückte Sexualität (Baumann nennt es *Liebe*, mit Recht), wo findet man direktere, eindeutigere Auskunft über ihren Zusammenhang mit dem Terrorismus, und diese Auskünfte, von denen einige lyrische Qualität haben, sind nirgendwo, auch nicht für mein bürgerliches Empfinden, auch nur andeutungsweise »obszön«.

Es wird in Baumanns Bekenntnis wenig entschuldigt, einiges bereut, alles *erklärt*, nicht aus der Theorie, aus der Analyse und Erkenntnis von Praxis, Erfahrung, Herkunft, Werdegang. Das Buch ist Lehrern, Eltern, Politikern und Psychologen, Polizeibeamten und Pfarrern zur Erweiterung ihrer Erkenntnisse und Information zu empfehlen. Empfehlenswerte Lektüre auch für Jugendliche, die möglicherweise aus Langeweile – oder weil ihnen Dregger oder Carstens als Vorbilder partout nicht passen – mit Untergrund- und Anarchistengedanken *spielen*. Besonders empfehle ich einen intensiven Blick auf das Foto des adrett gekleideten, netten, ausgehfertig angezogenen Arbeiters Michael Baumann auf Seite 7, und ich wünsche ihm, daß er, wo immer er sein mag, eine Braut hat.

Es wäre nützlich, wenn in einer weiteren oder gar erweiterten Auflage die Zeitungsausschnitte, Fotos etc. mit Daten versehen würden.

Die Eiche und das Kalb

Über Alexander Solschenizyn, »Die Eiche und das Kalb«

(1976)

Ich beginne mit einem Zitat von Seite 606 dieses Buches, über das man einige Stunden lang referieren und diskutieren müßte, wenn man ihm gerecht werden wollte; gerecht werden nicht nur dem Buch und seinem Autor, auch den beschriebenen und gedeuteten Vorgängen und Entwicklungen. Das Zitat lautet: »Nun stimmen Sie ab, hinter Ihnen steht die Mehrheit. Vergessen Sie nicht: Die Literaturgeschichte wird sich für unsere heutige Sitzung noch interessieren.« Das sagte Alexander Solschenizyn am 4. November 1969 auf jener Sitzung des Rjasaner Schriftstellerverbandes, die mit seinem Ausschluß endete. Ich möchte dieses Zitat nur durch eine kleine Variante verstärken. Diese historische, diese blamable Sitzung hat nicht nur Literaturgeschichte, sie hat Geschichte gemacht. In keinem Land der Welt ist die Geschichte so genau an der Literaturgeschichte abzulesen wie in der Sowjetunion und im zaristischen Rußland. So ist das Buch *Die Eiche und das Kalb* auch ein Beitrag zur Geschichte.

Es besteht aus sechs Teilen, ist mehr als eine Dokumentation, es ist der Roman einiger Romane, ein Roman der Zensur, des Geheimdienstes, der Roman zahlreicher Verflechtungen des Literaturbetriebs mit Zensur und Geheimdienst. Als handelnde Hauptpersonen sind drei zu erkennen: der Autor Alexander Solschenizyn, Alexander Twardowski, sechzehn Jahre lang Chefredakteur der sowjetischen Zeitschrift Novy Mir und gefeierter sowjetischer Dichter; die dritte handelnde Kraft ist nur zum Teil sichtbar, nur zum Teil artikuliert, es ist die breite, zum größten Teil unfaßbare Bürokratie, zu der man in diesem Fall nicht nur die Politbüros, nicht nur den Geheimdienst, auch die Autorenverbände, die Redaktionsstäbe in ihrer vielfachen Verflechtung mit den anderen Instanzen zählen muß.

Fünf Teile des Buches entsprechen fünf Entwicklungsstufen, die der Entwicklung des Autors Solschenizyn zum *Fall* Solschenizyn entsprechen. Der erste Teil ist zwischen dem 7. April und dem 7. Mai 1967 geschrieben, der zweite, als I. Nachtrag bezeichnet, im November 1967, der dritte Teil im Februar 1971, ein weiterer Teil im Dezember 1973 und der letzte im Juni 1974, nach Solschenizyns Ausweisung aus der Sowjetunion. In einem sechsten Teil, dem Nachtrag, sind die wichtigsten Briefe und Protokolle, auch Statements gesammelt, die die fünf Hauptteile ergänzen.

Nicht nur für Autoren, ob sie nun aus politischen oder kommerziellen Gründen zu Konzessionen gezwungen werden sollen oder sich zwingen lassen, für jeden Zeitgenossen ist dieses Buch eine nicht nur im oberflächlichen Sinn interessante und lehrreiche, auch, wie ich finde, eine spannende Lektüre. Es erklärt – und dabei ist die Datierung der einzelnen Teile über sieben Jahre hinweg wichtig; es belegt die Steigerung – die Entwicklung eines Menschen, in diesem Falle eines Autors, in jene weltpolitische Position hinein, die wir aus Solschenizyns Schicksal kennen. Nach der Lektüre dieses Buches, das die Genese und die Genesis aller Werke und Manuskripte von Solschenizyn enthält, wurde mir erst klar, daß er ja wirklich und wahrhaftig im Geist der Kooperation, mit dem leidenschaftlichen Wunsch, die zahlreichen Verfilzungen der sowjetischen Gesellschaft von *innen* heraus zu heilen, in die Literatur eintrat – und durch sie nach *außen* gedrängt wurde, wo er nie hinwollte. Man vergißt zu schnell, daß der heute siebenundfünfzigjährige Solschenizyn zwar schon als junger Mensch schrieb, daß er aber erst als dreiundvierzigjähriger, vor fünfzehn Jahren erst, einen ersten Publikationsversuch unternahm, und es war nicht er selbst, es war Lew Kopelew, sein Gefängnisfreund, wie er ihn nennt, der sein Manuskript in die Redaktion des Novy Mir brachte. Und noch vor zehn Jahren, im Frühjahr 1966, nach einer schon langjährigen Erfahrung mit den Intrigen des Literaturgeschäfts, Erfahrungen mit Drohungen und Verleumdungen, mit Tapferkeit und Feigheit, mit Eitelkeiten aller Art, noch im Frühjahr 1966 verfährt er nicht mit jener absoluten, puristischen Moral, sondern strategisch. Ich zitiere: »Als ich im Frühjahr 1966 begriffen hatte, daß mir ein längerer Aufschub gewährt worden war, erkannte ich, daß ich nun ein *offizielles* (die Betonung stammt von Solschenizyn selbst), allen zugängliches Werk schreiben mußte, um zunächst einmal zu beweisen, daß ich lebte und arbeitete und um im Bewußtsein der Gesellschaft jenen Raum zu füllen, in den die konfiszierten Werke nicht eindringen konnten. Die *Krebsstation*, die ich vor drei Jahren angefangen hatte, eignete sich sehr gut dafür. Jetzt wollte ich sie fortsetzen.« Er schrieb die *Krebsstation* zu Ende, und ausgerechnet an ihr, um sie herum, die er selbst, politisch betrachtet, ein harmloses Buch nennt, sollte sich sein Schicksal innerhalb der sowjetischen Literatur mit entscheiden. Allein das Hin und Her um diesen Roman, die Besprechungen in der Redaktion, die Diskussion im Schriftstellerverband, seine Publikation im westlichen Ausland, gegen die Solschenizyn protestierte; die Mäkeleien an dieser oder jener Figur im Roman, über Pessimismus, Optimismus, das Hinundherschieben und -schicken des Manuskripts von einer Behörde zur anderen und wieder zurück an die Redaktion – allein das wäre der Roman eines Romans, in dem man die Befangenheit, die Empfindlichkeit und die Beschränktheit sowjetischer Kulturfunktionäre herauslesen könnte, aber nicht nur diese: auch ihre Intelligenz, ihre Schläue, ihre analytische Erfahrung, ihr gesamtes Instrumentarium.

Erst in der Auseinandersetzung mit allen diesen Instanzen, mit diesen sowohl überzeugten wie erheuchelten Argumenten und Einwänden, wird Alexander Solschenizyn zu dem, wozu er angelegt war, durch Begabung, seinen unbeugsamen Willen, seine Ausdruckskraft. Er wird zum Einzelkämpfer historischen Formats, der wohl erkennt, daß es hier nicht um Literatur oder Politik, daß es um beides geht, und es zeigt sich, daß er zu all seinen Begabungen eine weitere hat, die man bei einem Autor nicht vermuten würde: eine strategische: Er erkennt seine Position, er weiß, welche Waffen er hat, er weiß, worum es geht, er erkennt seine internationalen Verbündeten, erkennt die Schwächen seiner Gegner, und in diesem Labyrinth von Feinden und Freunden, von halben Feinden und halben Freunden, wo ihm wohl Hunderte von Ratschlägen erteilt worden sind, Ratschläge, was er wie und wo da und dort tun sollte, oder hätte tun sollen, entscheidet er allein, was getan werden muß: keinen Millimeter zurückweichen, ohne Angst, wenn auch vielleicht nicht ohne Furcht um die Seinen und seine Freunde, hält er durch bis zur Verhaftung und Ausweisung im Februar 1974.

Erregend ist das Buch nicht nur durch die Dramatik der äußeren, mehr noch durch die Dramatik der inneren Vorgänge in der Sowjetunion, in der es eine Zeitlang – nach der Veröffentlichung des *Ivan Denissowitsch* – eben so aussah, als würden die Schleusen geöffnet. Der Angel- und Brennpunkt dieser erwartungsvollen Situation, mit ihren vielen Hintergründen, war und wurde eben Alexander Solschenizyn, der nur eine Waffe hatte: sein Werk, später eine weitere, die er bewußt ansetzte: seinen Ruhm.

Sein Sieg freilich wurde teuer bezahlt, mit der Ausweisung aus einem Land, in dessen Innerstes er gehört.

Die Schäbigkeit seiner Feinde in der Sowjetunion ist im Anhang ausreichend dokumentiert. Seiner Größe werden auch die gelegentlich schäbigen Kommentare hier nichts antun, sowenig wie die Krokodilstränen heuchlerischer Freunde. Zum Schluß noch ein Zitat aus seinem Nachruf auf Alexander Twardowski, den mutigen Förderer, den letzten Endes gebrochenen Freund: »Es gibt viele Arten einen Dichter umzubringen. Bei Twardowski beschloß man: nehmt ihm sein Kind, seine Passion, also seine Zeitschrift. Es war noch zu wenig, daß man diesen Menschen sechzehn Jahre lang Erniedrigungen aussetzte, die er geduldig ertrug – nur damit die Zeitschrift durchgebracht wurde, nur damit die Literatur nicht abriß, nur damit Menschen gedruckt wurden und Menschen lasen. Zu wenig! – man fügte das zehrende Feuer der Auflösung, der Zerschlagung, der Ungerechtigkeit hinzu.«

An die Redaktion des Kölner Volks-Blatt

(1976)

Es ist sehr verdienstvoll, daß Sie die Kontroverse um die beiden peinlichen Karnevalswagen aufgenommen haben. Der Kölner Humor hat seine Meriten, auch in seiner Erscheinungsform als Karneval; aber Humor, der seine Grenzen nicht kennt, ist keiner mehr. Ursprung und Tradition der Karnevalszüge bestanden in der Verspottung der Obrigkeit, der Prominenz, der »gesicherten Autoritäten« – niemals in der Verspottung von Minderheiten, erst recht nicht, wenn es sich um Minderheiten in extremen Situationen handelt – wie Arbeitslose und türkische Gastarbeiter. Die Anspielungen, die auf den beiden fraglichen Wagen – bildhaft, also eindringlich – gemacht werden, schaffen und bestärken Vorurteile. Nur wer die Grenzen des Humors kennt, hat Humor. Diese Wagen entspringen miesen spießerhaften Geschmacklosigkeiten. Es ist mir unverständlich, wie die Arbeitslosen Kölns einen solchen Wagen hinnehmen können. Die Erinnerung an die Arbeitslosigkeit der 20er und 30er Jahre sollte genügen, Arbeitslose vom Hohn auszuschließen. Im vorigen Jahr war ein Wagen zur Herstatt-Pleite geplant – da wäre nun wirklich sowohl Obrigkeit wie Prominenz »fällig« gewesen. Der Wagen wurde weder entworfen noch gebaut. Es gibt Prominenz und Obrigkeit genug, warum da auf Minderheiten ausweichen?

Ihr
Heinrich Böll.

Es zittern die jungen Lehrer

(1976)

Zu Alfred Anderschs Gedicht »Artikel 3 (3)« in der F. A. Z. vom 29. Januar: Gerade weil es keine KZ hier gibt, gerade weil das jedermann weiß, muß man Alfred Andersch das Kunstmittel der Übertreibung als poetisches Instrument zubilligen. Er weiß ja aus Erfahrung, wie es in einem KZ zugeht, und aus seinem Gedicht sprechen: Angst, Warnung, Zorn. Es gehört wenig Phantasie dazu, sich vorzustellen, was 500 000 Prüfungsverfahren für Anwärter im öffentlichen Dienst bedeuten: sie bedeuten das Mehrfache oder Vielfache an Ermittlungsvorgängen, Vernehmungen, vielleicht Verhöre, Befragungen von Nachbarn, Vermietern, Auswertung von Informationen über politische Aktivitäten. Schließlich muß jedes einzelne dieser Dossiers zusammengetragen und geprüft werden.

Wenn man sich dieses fast unübersehbare Dickicht als »Stacheldraht« vorstellt, hat man schon ein Recht auf Angst, Zorn und hat die Pflicht, zu warnen. Bedenkt man außerdem die unvorstellbare Blindheit der SPD, die mitverantwortlich dafür ist, daß diese ungeheure »Stacheldrahtproduktion« gegen ihre eigenen Mitglieder verwendet werden kann, so kann man die Bundesrepublik nur beglückwünschen zu einer neuen Generation von Heuchlern, Kriechern, Eingeschüchterten, Opportunisten und Angsthasen, die möglicherweise braver sein werden als die Hitlerjugend, zumal man sie durch Arbeitslosigkeit, Numerus clausus noch mehr verängstigen kann. Nein, es gibt keine KZ, aber »Stacheldraht« genug, auch »Wächter«, zu denen ich die uniformierten Polizeibeamten am wenigsten zähle. Hierzulande muß sich ja die Polizei immer wieder gegen Waffen wehren, die ihnen manche Politiker so gern aufdrängen möchten. Nimmt man das neuerlich in Mode gekommene Gerede von der »Volksfront« hinzu, so muß man schon fast von Verblödung sprechen, denn wer – wer? – sollte hier mit wem eine

»Volksfront« bilden können? Wer mit wem? Es wird einem schon arg viel zugemutet, und man könnte auf die Idee kommen, in Erinnerung an die zitternden morschen Knochen, ein Lied zu verfassen, das anfangen könnte: »Es zittern die jungen Lehrer...«.

Völlig außer acht gelassen wird in den meisten Medien eine weitere Gefahr dieser Einschüchterungspolitik: die außenpolitischen, die kulturpolitischen Folgen: die Bundesrepublik isoliert sich, wird sich weiter isolieren – und es wird der Tag kommen, wo wir mit Neid auf das kulturelle und politische Leben in Spanien blicken, dessen republikanische und demokratische Reserven auch nach 40 Jahren Franco stärker und lebhafter sind als unsere. Wir sind dabei, unsere letzten Reserven zu verspielen. Wohl bekomm's.

Nachwort zu Horst Herrmann: »Die 7 Todsünden der Kirche«

(1976)

Es wäre schade, wenn auch dieses Buch bloß zu einem der zahlreichen Skandale würde, rasch in ein paar Schlagzeilen, Gegendarstellungen, Leserbriefen verschlissen. Schade wäre es auch, wenn es dem Rivalitätsmechanismus zum Opfer fiele, der darin besteht, daß der eine Theologe findet, er habe ja schon viel Skandalöseres gesagt, und es sei untergegangen, und der andere Theologe darauf verweist, daß er das alles ja schon früher, möglicherweise in anderer Form, gesagt habe. Besser wäre es, wenn alle umstrittenen und vergleichbaren Thesen vergessener oder ad acta gelegter Publikationen durch dieses Buch wiederbelebt würden. Die Theologie als wissenschaftliche Disziplin unterscheidet sich ja leider nicht von anderen Disziplinen, sie ist »systemimmanent«, ihr akademischer Charakter setzt den Abschuß unerfreulicher Thesen auf der Ebene akademischer Eitelkeit voraus. Die Kirchen in ihrer Amtlichkeit können sich auf dieses System verlassen: es funktioniert, und angesichts der Publizitätsindustrie funktioniert es immer besser. Die Sache, die Materie, die Substanz geht in diesem schwer definierbaren Mischmasch aus innertheologischer Auseinandersetzung, in die sich die Publizitätsindustrie um des Skandals willen einmischt, verloren. Die Kirchen in ihrer Amtlichkeit wissen inzwischen, wie sie sich verhalten müssen: abwarten, wie sich die »Sache« entwickelt. Gerät sie aufs Karussell der Eitelkeiten, zuschlagen, verdecken, zeigt sich aber öffentliches Interesse über das »Skandalöse« hinaus: Rückzug, Einlenken, Vertuschen; zeigt sich gar Solidarität: Vorsicht! Und vielleicht den Umweg über die Denunziation wählen, die »Glaubwürdigkeit«, die »persönliche Integrität« des Betreffenden und damit seine »Sache« anzweifeln. Nun sollte jeder, und natürlich auch jeder Theologe ein

Recht auf seinen statistischen Anteil an Nicht-Integrität haben und beanspruchen. Jede Gesellschaft, ganz gleich welcher politischen Konzeption, produziert ja eine bestimmte Masse »Schmutz«, und es sollte jedes Glied dieser Gesellschaft einen Anspruch auf seinen statistischen Anteil erheben, und sollte er seinen Anteil nie beansprucht haben, dann gebührt ihm ein entsprechender Kredit. Es ist doch merkwürdig, daß die Kirchen, wenn man Schwächen an ihnen entdeckt, sich immer auf das Menschlich-Allzumenschliche berufen, es aber nie denen zubilligen, die Schwächen an ihnen entdecken. Ich glaube nicht, daß Horst Herrmann diesen Kredit wird beanspruchen müssen – er sollte nur für ihn in Reserve stehen, er sollte nicht durch Denunziationen erpreßbar sein.

Herrmanns Buch mit dem provokanten Titel enthält nicht nur Polemik, Kritik, nicht nur die üblichen »Abrechnungen«, es enthält auch viele Angebote, und es wäre schade, wenn sie alle in Gekränktheiten, Ärgerlichkeiten verlorengingen oder in den Medien, die dem Milieu leider zur Verfügung stehen, etwa auf dem Niveau der *neuen bildpost* abgefertigt würden. Es wäre schade, aber die Hoffnung, daß es nicht so kommen möge, ist gering. Im Vorfeld dieser Publikation ist so einiges vorprogrammiert, unter anderem der personalpolitische Konflikt zwischen den Herren Tenhumberg, Herrmann und dem Wissenschaftsminister des Landes Nordrhein-Westfalen, Rau. Es wird sich ja zeigen, was es mit der Freiheit von Lehre und Forschung für Theologen auf sich hat, und es wird sich zeigen, ob der »Bund Freiheit der Wissenschaft« hier eingreifen wird. Merkwürdige, spannende Situation, auch gespannt. Herrmann hat wenig Solidarität oder Solidarisierung zu erwarten, er greift nicht nur die Kirche in ihrer Amtlichkeit an, auch seine eigene Disziplin, die Theologie und deren fast asoziale Privilegiertheit. Da wird es nicht mehr darum gehen, ob einer »links« oder »rechts« steht, im Getto der beamteten Theologie wird Angst ausbrechen. Die fast risikolose Erziehung, die wohlabgestufte Verwöhnung, dieses Auf- und Hineinwachsen des gesamten bundesrepublikanischen Klerus in eine geschmäcklerische und geschmackvolle Verwöhntheit, die bis in den einzelnen Gestus hinein ihre Peinlichkeit offenbart, sollte nicht Ärger, eher Mitleid erregen; und innerhalb dieser Verwöhntheit der »geistlichen *Herren*«, ihrer gesteigerten Deformiertheit, spielt die professoral ausgeübte Theologie ja eine besondere Rolle, bei der ihr auch noch Ruhm, Ruf und Last des Hochschullehrers zufällt und aufgebürdet 5 wird.

Herrmann will – und keineswegs als erster – aus diesem Getto heraus, und es wäre schade, wenn alle die, die es vor ihm versucht haben und möglicherweise gescheitert sind, es bei Resignation oder Schadenfreude belassen würden. Wenn die Theo- 10 logie wirklich beansprucht, Wissenschaft zu sein, kann es für ihre Erkenntnisse keine episkopalen oder papalen Grenzen geben. Strittigkeiten, Zwistigkeiten, interne, innerliche und verinnerlichte theologische Auseinandersetzungen, antiklerikale Witzchen, Generalvikariatsanekdoten – das alles ist pubertär, 15 pennälerhaft, bestenfalls hat es Kommerscharakter, Bierzeitungsdimension. Diese Konveniatsgemütlichkeit, bei Pfeifenrauch und Geplauder über Weinmarken – ein peinlicher Unernst, hat seine Zeit, vielleicht sogar seine Funktion gehabt. Doch diese Zeiten sind vorbei; es ist nicht mehr die Zeit, auf 20 Privilegien auszuruhen, sie zu verteidigen, möglichst noch zu erweitern, während ringsum alles abstirbt. Auf der statistischen Masse von rk. oder ev. Kirchensteuerzahlern läßt sich gut ruhen. Die Sache ist nicht mehr witzig, nur noch peinlich, und es sind Theologen wie Herrmann – der viele, viele Vorgänger hat –, 25 die sich dieser Peinlichkeit bewußt sind und aus ihr herauswollen. Das ist nicht mit ein paar miesen Artikeln in kirchentreuen Blättchen zu bereinigen.

Die Theologie muß sich klar darüber werden, ob sie noch teilen, ob sie noch mitteilen kann – oder zu einem Käfig wird, in 30 dem es dann zahlreiche linke und rechte Glasperlenspiele gibt. Manche verlassen diesen Käfig »gerupft«, andere werden mit Sonderbröckchen abgespeist, viele verbittern, vertrocknen, resignieren. Was bringt es denn Herrn Tenhumberg ein, wenn sein Disziplinierungsversuch via Konkordat gelingt? Herrmann 35 »entlarvt« ja nicht nur, »klagt nicht nur an« – es wäre ja auch sinnlos, nachdem es so viel Entlarvungen und Anklagen gegeben hat. Das einige Male im voraus zitierte »Tote Kirche, lebe wohl«, die Überschrift des Schlußkapitels, wird ja nicht von

Herrmann an die Kirche gerichtet, es wird für andere gesagt, die nicht etwa am Glauben scheitern, sondern an der Unglaubwürdigkeit der Kirche. Diese provokant klingende Überschrift ist ja nicht an eine Leiche gerichtet, sie hat den Charakter eines Belebungsversuches an einer möglicherweise nur Scheintoten. Es ist schon peinlich, wenn auch nicht unwiderruflich, wenn der Münchner Kardinal Döpfner das Schicksal der Kirche mit dem Schicksal der freien Marktwirtschaft gleichsetzt. Wenn da Sozialisten – ich nehme an, es sind Sozialisten aller Schattierungen gemeint – die »freiheitliche Gesellschaft« bedrohen – wer hat da die Freiheit der Herren Küng, Vorgrimler, Rahner und anderer bedroht? Gibt es da etwa nur Freiheit innerhalb bestimmter Grenzen? Auch für Horst Herrmann? Und muß ein Wissenschaftsminister diese Grenzen respektieren? Freie Marktwirtschaft für Theologie gibt es offenbar nicht. Die Kirche verliert ja nicht an Glaubwürdigkeit wegen ihres metaphysischen Anspruchs, sie verliert wegen ihrer physikalischen Verhaftung an und chemischen Symbiose mit einem Materialismus, wie es ihn krasser noch nicht gegeben hat.

Gegen die Titel *Die sieben Todsünden der Kirche* ließe sich höchstens einwenden, daß die Zahl sieben zu gering ist, die klassischen sieben Todsüden kaum noch greifbar, vielleicht nur noch in der paradoxen Gegenüberstellung, die Herrmann wählt, indem er von der Hoffart der *Unschuldigen*, der Trägheit der *Satten*, der Unkeuschheit der *Keuschen*, dem Zorn der *Klassenbewußten*, der Unmäßigkeit der *Besitzenden*, dem Neid der *Dienenden*, dem Geiz der *Opferwilligen* spricht. Aber auch neue Sünden deutet Herrmann an, die Sünden etwa des Zeitmangels, diese Krankheit, die uns alle befallen hat, diese schnöde Unbarmherzigkeit, die er in einem Zusammenhang zwischen Geld, Zeit und Angst sieht, der noch zu klären sei. Mag eine neue Theologie diesen Zusammenhang klären. Eine andere Sünde, die man Unbarmherzigkeit gegen die Natur und die Elemente nennen könnte, ein durch das Schlagwort »Umweltschutz« bisher lediglich säkular besetzter Begriff. Was Carl Amery »Das Ende der Vorsehung« genannt und theologisch interpretiert hat, müßte mit dem »Macht euch die Erde untertan« konfrontiert werden. Und beides, die Unterwerfung der

Erde, die uns dazu zwingt, »keine Zeit zu haben«, dieses rastlose Dasein zwischen ein paar Schlagzeilen, wäre schon theologischer Sorgfalt wert. Es gibt Ansätze genug in Herrmanns Buch. Es wäre schade, wenn sie alle in dem wohleingeübten Mechanismus von Kränkungen und Gekränktheiten, wenn sie auf dem Jahrmarkt theologischer Eitelkeit verlorengingen.

Jahrgang 1922

Zum Tode Paul Schallücks

(1976)

Moralist zu sein, gilt hierzulande immer noch als ein wenig peinlich. Es ist nicht das geringste von Paul Schallücks Verdiensten, gemeinsam mit einer ganzen Generation von Autoren an die humanistische, moralistische Tradition wieder angeknüpft, sie nach 1945 neu gegründet zu haben. Es war ein schwieriges und auch ein schweres Beginnen, gegen die Verkommenheit und Verlogenheit der deutschen Sprache in ihrem Zustand nach 1945 anzuschreiben. Paul Schallück hat daran teilgehabt und teilgenommen. Und es ist kein Zufall, daß sein erster Roman den Titel trug *Wenn man aufhören könnte, zu lügen*. Dieser Roman hat bekenntnishafte Züge, war eine Bilanz und ein Programm, das sich in zahlreichen Aufsätzen, Zeitungs- und Rundfunkkommentaren bis zu seinem Tode fortsetzte.

Man kann Paul Schallücks erzählerisches Werk nicht von seinem essayistischen trennen, kann auch das eine nicht gegen das andere ausspielen. Oft war das eine der Anlaß zum anderen oder das andere der Übergang zum einen.

Paul Schallücks Biographie ist mit seinem Geburtsjahr bezeichnet: 1922. Das bedeutet, 1933 elf, 1945 23 Jahre alt. Geburtsjahr 1922, das bedeutet zum am meisten geschundenen aller Jahrgänge dieses Jahrhunderts in Deutschland gehört zu haben, nicht freigesprochen von Schuld, nicht unbefangen, sondern gequält von der Teilhabe an der Zeit und dem, was während dieser Zeit geschah. Und so war Paul Schallück denn auch ein leidenschaftlicher *Zeitgenosse*. Er war wachsam, empfindlich, aufmerksam. Er war unerbittlich gegen nationalistische oder gar faschistische Töne. Er war ein Humanist. Das klingt heute im Zeitalter etablierter Häme schon fast anachronistisch.

Schallück hat über sich selbst geschrieben. »Er war ein Verwundeter von Anfang an«, und das bezog sich nicht nur auf seine Kriegsverwundung. Es bezog sich auch auf die Verletzlichkeit seiner Existenz. Er war verletzt von der Geschichte, wie sie über den Elfjährigen hereinbrach und den 23jährigen brutal entließ.

Er war Demokrat, was ebensowenig wie Moralist und Humanist zu sein ein leichtes Leben in Deutschland verspricht. Mag er als Elfjähriger die Anpassung der Deutschen nicht so präzis hat wahrnehmen können, die ebenso rasche, auf ihre Weise ebenso gespenstische Anpassung nach 1945 machte ihn mißtrauisch und erhielt ihn wachsam.

Und es war diese Wachsamkeit, dieses Mißtrauen, das ihn nicht nur verletzlich hielt, ihn auch aufrieb. Sein Werk ist umfangreicher und vielseitiger, als der Markt bisher wahrgenommen hat. Doch er war nicht nur Autor; oder auch als Autor war er Freund, Gesprächspartner, gesellig, und es blieb ihm über Krankheiten und Rückschläge hinaus erhalten eine stets sich erneuernde, nie ermüdende Kindlichkeit, die ihm immer wieder Annäherung an Menschen und Probleme ermöglichte.

In seinem Werk enthalten ist eine große Zuneigung zu Köln, dieser, andeutungsweise sei es gesagt, dieser merkwürdigen Stadt, in die sich Paul Schallück immer wieder vertiefte als Zeitgenosse, Erzähler, Essayist, in Hörbildern, in Gesprächen und Diskussionen. Vielleicht ist Köln gar nicht so tief, wie Paul Schallück manchmal dachte. Köln ist ohne Zweifel alt, und Alter täuscht manchmal Tiefe vor. Vielleicht. Eines ist sicher: die Stadt Köln ist Paul Schallück einiges schuldig.

»Ich hab gut reden«

(1976)

Voraussetzung ist: *Ich hab gut reden*, und das, obwohl ich weder Flick- noch Sachs-Erbe bin, auch nicht Steuerausländer, nicht nur Deutscher also, sondern Steuer-Deutscher. Und wenn ich sage, daß meine Einstellung zum Geld, seitdem ich welches habe, unverändert aus der Zeit übernommen ist, in der ich keins hatte, so ist das mit jener Vorsicht zu genießen, die ich selbst bei dieser Formulierung spüre. Wenn ältere Herrschaften über Notzeiten sprechen, die sie überstanden haben, sollte man – wie in der griechischen Tragödie – permanent einen zwischenrufenden Chor einschalten, der da brüllt: *Vorsicht, Nostalgie*! Besser noch: *Achtung, Selbstschüsse* – und so soll's mich denn treffen, möglichst nicht gerade mitten ins Herz, aber ein Denkzettel sollte fällig sein.

Voraussetzung also: *Ich hab gut reden*. Im Augenblick jedenfalls. Mir wird immer bange, wenn die Fachleute, Bankiers, Wirtschafts- und Finanzminister, Volkswirte, Sachverständige, von Geld als von einer rationalen Materie sprechen; wenn sie alles so genau berechnen, planen, wissen und sagen: Wir werden das schon *machen*. Nähme man die Macher beim Wort, so müßte sich herausstellen, daß sie die wahren Poeten sind; das griechische Wort poiein, von dem die Poeten abstammen, bedeutet ja auch *machen*. Da sitzen also die wahren Poeten in den Bankzentralen, an den Börsen, in den Ministerien. Welch eine Überraschung: Wir werden von Poeten regiert! Und wenn diese Poeten da »am Geld 'rummachen« – mal gibt's viel, mal wenig, mal mehr oder weniger –, dann hoffe ich, daß sie – wahre und reine Poeten, die sie sind – so viel Angst dabei haben wie ich habe, wenn ich bedenke, daß ich innerhalb von dreizehn Jahren bei gleichbleibender Währung für eine Zigarette zwischen 1 Pfennig (für eine geschmuggelte, holländische *Aktive* im Jahr 1932) und 120 Mark (für eine *Gedrehte* in einem amerikanischen Gefangenenlager 1945) bezahlt habe. Wenn ich den (erheblichen!) Unterschied zwischen einer gedrehten und einer aktiven Zigarette nicht berücksichtige, so komme ich auf eine »Preissteigerung« von 1 199 900 Prozent innerhalb von dreizehn Jahren für ein und denselben Artikel bei gleichbleibender Währung. Das nenn' ich mir Preisgefälle! Ich weiß sehr wohl: Das ist ein extremes Beispiel, aber es ist eins, und es ist – wie nennt man das doch? – ach ja, realistisch; es ist nicht gemacht, nicht erfunden, es ist reine Poesie, und außerdem – ach ja – *erlebte* Währungsgeschichte, *erlebte* Marktwirtschaft.

Was wäre, wenn die tabak- und kaffeeproduzierenden Länder auf ähnliche Ideen kämen wie die ölproduzierenden? Wenn diese Länder sich nicht nur ihrer Macht über die Nerven der Menschheit bewußt würden, sie auch anwenden könnten? Wenn Beamte, Arbeiter, Angestellte (und natürlich auch Schriftsteller) auf ihren Kaffee und ihre Zigaretten verzichten müßten? Wie sähe es dann mit unserer Produktion aus? Was weiß ich, was morgen auf welchem Markt wieviel kosten wird; wer sagt mir, was eine Ware wirklich wert ist, wer den Preis für was bestimmt? Wer setzt die *Spannen* fest?

Ein Autor verdient sein Honorar offen, fast öffentlich. Jedes Schulkind im sechsten oder siebten Schuljahr kann ausrechnen, wieviel Honorar dieses oder jenes Buch einbringt. Man braucht sich nur einen normalen Verlagsvertrag zu besorgen (den möglicherweise der regionale Autorenverband zur Verfügung stellt und in dem auch die Bedingungen für Nebenrechte – Taschenbuch, Buchclub, Ausland etc. – vermerkt sind), und das Schulkind braucht sich nur beim Verlag über die Höhe der Auflage zu informieren (Verlage geben da gern, meistens »abgerundete« Auskunft) und braucht dann für seine Ausrechnung nicht einmal einen Taschenrechner, nur einen Bleistift und den Rand einer Zeitung, um zu dem Ergebnis zu kommen, daß ich – im Augenblick jedenfalls und *obwohl* weder Flick- noch Sachs-Erbe – sogar als normaler *Voll-Steuerdeutscher*, wenn ich über Geld spreche, voraussetze: *Ich hab gut reden.*

Ich möchte an den Selbstschüssen mich vorbeimanövrieren und *nicht* von den Zeiten sprechen, in denen wir wenig, manchmal gar kein Geld hatten. Immerhin weiß ich noch, was Geld für die bedeutet, die keins haben, und nun muß ich wohl doch mitten ins verminte Gelände: *ich erinnere mich*, nein, nicht nur an die einemillioneinhundertneunundneunzigtausendneunhundertfache Erhöhung des Zigarettenpreises innerhalb von dreizehn Jahren, ich erinnere mich auch: daß wir zu Hause jahrelang in ständiger Angst vor Räumungsklage, Gerichtsvollziehern, Zwangsversteigerung des allerletzten kleinen Familienbesitzes lebten, Angst vor jener legal verankerten *Vertreibung*, wie sie die *Grausamkeit* des Geldes mit sich bringt, die *Grausamkeit* des Geldes, das da wachsen, über sich hinauswachsen, möglichst in den Himmel wachsen will.

Man stelle sich das einmal konkret vor, wie so ein Zehnmarkschein, so ein nüchtern bedrucktes Stück Papier, zu einem Zwanzigmarkschein heranwächst, wie er dann zum Fünfzig-, der letztere zum Hundertmarkschein heranwächst – und welche Prozesse, nicht nur Arbeitsprozesse, welche internationalen und nationalen Manipulationen, legale, illegale, diesen Scheinen zu diesem *Wachstum* verhelfen, dann komme mir noch einer und sage mir, das sei (oder wäre – mögen Mammon und seine Satelliten bestimmen, welcher Ausdruck hier angebracht ist) ein rationaler Vorgang: Ich werde ihn zum Hofpoeten ernennen, zum Hofpoeten seiner Majestät des Geldes. Ihre Majestät wird sehr erheitert sein, sie wußte noch gar nicht, daß sie poetische Qualitäten hat, sie denkt doch immer nur daran, sich selber *einzumachen*, und da sie von sich selbst natürlich immer genug hat (im doppelten Sinn: Denn manchmal kotzt sie sich selber an, wenn sie feststellt, daß sie nun wirklich und wahrhaftig nicht *alles* mit und für sich selber kaufen kann, und da käme dann so etwas wie die Bitterkeit unserer grausamen Majestät zutage) – da sie also von sich selbst immer genug hat, kommt sie nie auf die Idee, daß das »Eingemachte« ja dazu da ist, in Notzeiten verzehrt zu werden, und da sie ja nur für sich selber immer nur sich selber kaufen kann, hat unsere Majestät keinen Sinn für die Poesie des »Eingemachten«.

Meine Mutter war, was das »Eingemachte« betraf, von einem so sträflichen wie wunderbaren Leichtsinn. Sie lebte etwa in der 48. Zuteilungsperiode immer schon auf den Kredit der 52. Zuteilungsperiode: Es war nur logisch, damit zu rechnen, daß eines

Tages die Rationierung aufgehoben würde (der Krieg dauerte zwar eine Ewigkeit, aber ewig würde er nicht dauern) – und dann war's gleichgültig, ob man in der 902. Zuteilungsperiode schon von der 906. gelebt hatte. Zugegeben, die Macher, die wahren Poeten, die für die gesamte Volkswirtschaft eines Staates verantwortlich sind, können so nicht wirtschaften. Vielleicht aber könnten sie hin und wieder darüber nachdenken, welch ein grausames Phänomen das »wachsende Geld« ist. Ein Zehnmarkschein, der zum Zwanzigmarkschein heranwächst, ist eine beängstigende Vorstellung. Zehn Milliarden Mark, die zu zwanzig Milliarden Mark heranwachsen, das ist ein apokalyptischer Vorgang – und wir leben mitten in solchen Vorgängen, nehmen daran teil.

So notgedrungen wie notwendigerweise nehme und habe auch ich teil an diesem grausamen Wachstum, seitdem mir klargeworden ist, daß mein Geld nur zum Teil mein Geld ist; seitdem mir eindringlich eingeschärft worden ist, daß ich einen Teil, manchmal den größeren Teil nur für jene notwendige Behörde verwalte, die man Finanzamt nennt, und diese Feststellung erhärtet meine Voraussetzung: *Ich hab gut reden.* Jedenfalls im Augenblick.

Da ich – wie alle meine Kollegen –, obwohl ich keiner bin, fiskalisch wie ein Unternehmer behandelt werde, möchte ich zum Schluß direkt, konkret, vulgär, vielleicht sogar proletarisch werden. Für einen, der was unternimmt (etwa ein Buch oder einen Artikel schreibt), gibt es, auch wenn er durch seine Arbeit noch nicht zum Unternehmer wird, natürlich Unkosten und so etwas, das man »anteilige Betriebskosten« nennen kann.

Wenn das Schulkind also ausgerechnet hat, was so ein Buch möglicherweise einbringt, ziehe es den Mittelwert von 30 Prozent für Unkosten ab, besorge sich dann eine Einkommensteuertabelle für *nicht*-Flick- oder -Sachs-Erben, für gewöhnliche *Steuerdeutsche*, dann weiß es ungefähr, was da so übrigbleibt.

Die Ängste des Chefs

Über Horst-Eberhard Richter, »Flüchten oder Standhalten«

(1976)

Vorweg sei gesagt: Hier ist ein Systemveränderer am Werk, keiner, dem man unterstellen könnte, was üblicherweise als erstes unterstellt wird, daß einer »da unten« grollt, von Neid oder gar Brotneid erfüllt. Hier ist einer selbst Chef und äußert – unter anderem – seine Zweifel am Chefsystem, nicht nur gegen, mehr im Interesse der Chefs und der »Sache«, die sie jeweils betreiben. Isoliert sind laut Richter nicht nur die Unterprivilegierten, auch die Chefs, und nicht nur die medizinischen, und möglicherweise sind die Ängste beziehungsweise Isolationsängste, von oben nach unten gereicht, von unten nach oben zurückgegeben, sogar der Herd aller Ängste. Nicht nur medizinische, auch kirchliche Chefs, Wirtschaftsmanager, Chefliteraten und -redakteure sollten wenigstens über die vielsagende Überschrift eines Kapitels meditieren »Die Karriere vollendet oft die psychische Selbstaufgabe in Raten«. Besser noch: Sie würden es lesen, dieses Kapitel und einiges mehr. Vielleicht wächst ja dem einen und anderen Chef Macht zu, der er nicht gewachsen ist und die er gern teilen möchte. Horst-Eberhard Richter hat offenbar die Fähigkeit: zu teilen, und was für einen Autor ebenso wichtig ist: mitzuteilen.

Richter ist sich des Dilemmas bewußt: Sozialer Fortschritt, der darin besteht, in Recht zu verwandeln, was früher Gnade war, ist ohne Bürokratie nicht denkbar und doch durch Bürokratie allein nicht zu verwirklichen; sie bedarf der Ergänzung, vielleicht sogar der Ermutigung, der Spontaneität und Phantasie der Außenseiter, und das betrifft nicht nur die Sozial- und Krankenverwaltung, es mag die Verwaltung des Rechts (und der Kunst und Literatur) ebenso betreffen.

Und gerade der Wissenschaftler Richter warnt ausdrücklich

vor unkritischer Wissenschaftsgläubigkeit: »In der Tat fließt der Wissenschaft im Augenblick viel von der Gläubigkeit zu, die zuvor anders gebunden war.« Und: »In Wirklichkeit gedeihen in den Institutionen der Wissenschaft die gleichen Ängste, Rivalitäten und Manipulationen wie auch sonst im menschlichen Zusammenleben.« (Als Literat erlaube ich mir, eine Warnung vor Literaturgläubigkeit einzuflechten, und Rechtsgelehrte möchten vielleicht vor der Rechtsgläubigkeit warnen.) Richters Buch ist voll, reich und gefüllt, zu sehr, nicht für den Leser, doch für den Rezensenten, der nicht über alle Probleme, Details, Analysen, Erkenntnisse, Diagnosen und Therapien ausführlich referieren kann; viel Stoff, viele Erfahrungen und Reflexionen, Kritik und Selbstkritik. Es wird über den Patienten als Individuum reflektiert und über den »Patienten Gesellschaft«, der da produziert und produziert, ohne zu ahnen, wieviel Angst und Krankheit und wieviel da an menschlichem »Abfall« mitproduziert wird. In einer Welt, die fast nur noch auf den Markt schielt, drohen der Patient als Individuum und der Patient Gesellschaft zur nur noch verwalteten Einheit zu werden; sie werden nur noch als Verwaltungs- oder statistische Erfolgs- beziehungsweise Mißerfolgsdaten registriert. Weder Macht als solche noch Bürokratie als solche kritisiert Richter, er macht nur auf die Gefahren aufmerksam, wenn beide in Selbstzweck und Erfolgsselbstgefälligkeit revolvieren. Warum auch sollte Fortschritt so »emotionale« Instanzen wie Sympathie, Gnade, Erbarmen oder Barmherzigkeit ausschließen? Und warum sollten sie abstrakter oder karitativer Selbstzweck sein, warum sollten nicht auch, die sie ausüben, mitgeheilt werden können?

Flüchten oder Standhalten, das bedeutet natürlich: Standhalten, denn wohin sollte man vor der Angst, der Isolation noch fliehen: in mehr Angst, noch mehr Isolation, zur Flasche oder Droge hin? Standhalten, das klingt heroisch; gewiß ist nicht mehr oder nicht nur der »Einzelkämpfer« gemeint, der ja auch eine Art »Chef« ist, eher die Gruppe, vielleicht die Gruppe als »Held«? So muß man dieses Buch als Fortsetzung verstehen und lesen, von *Patient Familie, Die Gruppe* und *Lernziel Solidarität*; vielleicht hätte Flüchten oder Standhalten den Untertitel haben können: »Patient Gesellschaft und Patient Hierarchie«.

Das bedeutet nicht oberflächlich propagierte Demokratisierung, die oft genug scheitert, es schließt den Hinweis auf eben jenen Richterschen Grundbegriff, den der Gruppe, ein. Als Gruppe Probleme angehen, nicht gegen Bürokratie und Verwaltung, mit ihnen, die man beleben und wiederbeleben muß. Staatlich oder kommunal basierte Gruppen gemeinsam mit Initiativgruppen. Richter führt Beispiele dafür an, ein besonders eindrucksvolles auf Seite 258. Es wäre auf manches Kapitel besonders hinzuweisen, etwa »Menschen vor dem Sterben«; eine Fußnote zu diesem Kapitel bedarf der besonderen Erwähnung, in der Richter Hildegard Knefs *Das Urteil* gegen die Reduzierung auf bloße Kritik an der Ärzteschaft verteidigt, es als eine Darstellung der »psychischen Einsamkeit des Schwerkranken in Institutionen der Medizin« verteidigt.

Die sterile, phantasielose Ausstattung der Krankenhäuser, die Angst des Beförderten vor der mit ihm beförderten Angst, die Angst des Angepaßten in dem Augenblick, wo er erkennt, daß die Tarnung zu seiner neuen Haut geworden ist. Richters Warnung an die Politiker, im Umgang mit Wissenschaftlern nicht zu ängstlich zu sein, wenn sie sich fürchten, für »dumm« gehalten zu werden. Er belegt die Fehlbarkeit der Wissenschaften mit dem Hinweis auf ein Untersuchungsergebnis an einer technisch hochentwickelten Universitätsklinik, wo in nur 40 Prozent der Fälle die Todesursache der Diagnose entsprach, bei 60 Prozent der Patienten die Ärzte nicht wußten, woran sie gestorben waren. Ich nehme an, diese Irrtumsproportion läßt sich auf andere Wissenschaften übertragen, Theologie und Literaturwissenschaft inbegriffen.

Nur scheinbar widersprüchlich ist der bei Richter an einigen Beispielen nachgewiesene Zusammenhang zwischen Anpassung und Isolation. Als unbedarfter Laie sollte man doch meinen (hätte ich gemeint), Anpassung durchbreche wenigstens die Isolation; das Gegenteil scheint zuzutreffen: Angepaßt – etwa an den »Chef« – paßt man sich auch seiner Angst, seiner Isolation an, tritt nicht aus seiner Angst heraus, nur in deren Zirkulation ein bis zur Selbstaufgabe. Altmodisch ausgedrückt »verkauft da einer seine Seele«, und was Seelenlosigkeit oder gar Entseeltheit bedeutet, bedarf wohl keiner Erläuterung.

Im Zusammenhang mit Anpassung und Funktionieren ist wichtig, was Richter bei der Auswertung der berühmt-berüchtigten Milgram-Experimente fragt: »Wo überall reagieren wir bereits so wie Milgrams Versuchspersonen? Und wer sind die Autoritäten, die uns unter Umständen schon seit längerem ähnlich suggestiv steuern wie jener Versuchsleiter?« In diesen Problemkreis gehört die in fast allen Institutionen mitgegebene Warnung: Nicht zu nahe an den Schüler, an den Patienten, an den Klienten heran, ihn nicht zu nahe kommen lassen, schon gar nicht sich mit ihm identifizieren. Die Chef-Angst (die nicht die Angst *vor* dem Chef, sondern die Angst *des* Chefs ist) wird zur Berührungsangst. Zur Illustration dieses Problems zitiert Richter den Bericht eines Referendars.

Fast nirgendwo wird Richter »direkt« politisch; wie hochpolitisch die Probleme sind, ergibt sich von selbst. Radikalenerlaß, Numerus clausus, Arbeitslosigkeit, eine finanziell bedingte, nostalgisch gestimmte Reformmüdigkeit (»Ach, wie schön war Opas Schule«), all das signalisiert eine innere Bedrohung, die rasch zur äußeren werden kann: Was wird, wenn die jetzt 18– bis 25jährigen Angepaßten uns in 10 bis 20 Jahren regieren, sie, die gezwungen werden, auf den Markt zu schielen, ihren eigenen Marktwert, ihre Marktchancen immer zu bedenken; die man vor »Emotionen« wie vor einer ansteckenden Krankheit warnt; denen man Sexualität und Eros wie eine Ware anpreist, als wären sie so beliebig reproduzierbar wie Kugelschreiber?

Es wird schon fast Mode, Moralisten und »Moralisten« zu belächeln, meistens tun's die, die zugleich auf die Autorität von Staat und Kirche pochen. Da wäre zu fragen: Wer setzt denn moralische Maßstäbe, wer macht die Gesetze, die sittliche Normen bilden sollen? Es sind die Staaten in ihren Legislativen und die Kirchen in ihren diversen Gremien. Nicht die Moralisten machen die Gesetze und Gebote. Sie messen nur die durch Legislativen gesetzten Normen an ihrer Verwirklichung durch die Exekutiven.

Trotz aller wenig erfreulichen Analysen, Erkenntnisse und Feststellungen ist Richter keineswegs entmutigt. Das beweist nicht nur sein Hinweis auf verschiedene erfolgreiche Aktivitäten, auch die Schilderung des skandalösen Falles der Frau M., die, obwohl auf Grund ihrer Herkunft kaum mit Schulbildung gesegnet, nicht floh, sondern standhielt, in einer Situation hoffnungsloser »Asozialität«. Sozialarbeiterin und später Richter ermutigten sie, halfen ihr. Doch Frau M. hatte mehr Glück als die meisten vergleichbaren Fälle: Das ZDF brachte ihren Fall in die Öffentlichkeit, und die zuständigen Behörden, die sie in diesem Fall peinlich entblößten, reagierten erst, als die »Blamage« drohte.

Wer hat schon das Glück, durch Fernsehen der zuständigen Behörde auf die verantwortliche »Seele« gebunden zu werden? So viele Sender und so viel Sendezeit gibt es gar nicht, wie da notwendig wäre. Konsequent warnt Richter dann auch vor »Modellen«, die ja dann wohl wie »Chefs« isoliert da stehen bleiben. Er lehnt Modelle nicht ab, warnt nur vor ihrer Vorzeigefunktion: »... und die Politiker haben den Vorsatz vergessen, daß sie hier ursprünglich nur Probierwerkstätten für allgemeine anwendbare Neuerungen einrichten wollen.«

Verse gegen die Trostlosigkeit

Wolfgang Bächlers Gedichte aus 30 Jahren

Über Wolfgang Bächler, »Ausbrechen«
(1976)

5 Dieser Band, nicht sehr umfangreich, sollte der Aufmerksamkeit derer gewiß sein, die Lyrik, Literatur, so gern auf ihren »Marktwert« reduzieren möchten. Gedichte aus dreiunddreißig Jahren legt der eben fünfzigjährige Wolfgang Bächler vor, und es gehört zu den Merkwürdigkeiten unserer Verschleißübun-
10 gen, daß hier ein Lyriker wiederentdeckt werden muß, der längst entdeckt war. Zwischen den ersten, noch gereimten Gedichten des kindlichen Bächler: »Als ich Soldat war, sprach ich kein Gebet. Die ersten, schrillen Kugeln trafen Gott« (1943) und den beiden letzten Zeilen des Bandes »Ausbrechen – in die
15 Freiheit des Schweigens«, läßt sich nicht nur die Entwicklung Bächlers als Lyriker ablesen, auch die fortschreitende, über so manches hinwegschreitende Zeit. Die Bächlersche Schwermut, mitgegeben die Sensibilität des in ihr Versunkenen, persönlich, nie privat, registriert nicht nur das innere, auch das äußere Er-
20 lebnis. Da gibt es Kriegsängste, Todesträume, die Drohungen der Pflicht (»An der Straßenecke wartet der Vater, wartet der Lehrer, der Schutzmann, der Hauptmann, der Führer, der Chef, und hinter dem Vorhang aus Insekten – die rosenköpfige Frau in Schwarz«). Das steht am Ende der großen *Ballade von den*
25 *schlaflosen Nächten*, in der sich eine Biographie von Angst und Schwermut verbirgt. Da wird auch in *Rattenpfiffe und Möwenschreie*, Paris, 1956, auf dem Höhepunkt des Algerienkrieges wahrgenommen und, ebenfalls 1956, Budapest, eine Hommage in Trauer auf die Stadt, ihre Poeten und Georg Lukács.
30 Daß Bächler in die Geschichte der Nachkriegslyrik gehört, ist selbstverständlich, muß aber wohl wiederholt werden, und

etwas ebenso Selbstverständliches außerdem: daß ein schmales (was nicht bedeutet: kleines) Werk, nicht nur Gewicht behält, möglicherweise an Gewicht zunimmt. Was damals, während die neue nationale Emsigkeit sich gerade zu rühren begann, als Provokation empfunden worden sein mag, klingt heute fast wie eine Prophetie, die eingetroffen ist: »Bürger, nehmt euch in acht vor dem Fremden mit leichtem Gepäck« (worunter man den Tod, die ausländischen Arbeiter, wohl auch den rasch daherkommenden Herzinfarkt verstehen kann) – und zum Schluß die Warnung: »Steigert die Umsätze, Männer, erhöht die Absätze, Frauen, setzt eure Männer mit um, setzt eure Frauen und Kinder mit ab, sichert euch Nachlaß, sichert euch Ablaß, sichert euch und versichert euch, und zahlt die Reststeuer pünktlicher.« Natürlich kann man ein plakatives Gedicht gegen Rüstung und Aufrüstung schreiben, doch man kann's auch so sagen wie Bächler eben: »Wenn du die neue Brücke betrittst, wirf die Zigarette nicht weg, und stolpere nicht, gib acht – auf die Zündschnur unter dem Staub.« Ist das zu lyrisch, zu poetisch – »und nicht engagiert«? Bächler hebt – und nicht nur in diesem Gedicht – die törichte (fast schon dumme) uralte Alternative auf und wird sogar »deutlich«: »Bilbao ist eine besetzte Stadt, so groß ist ihr Wille zur Freiheit.«

Da sind alle Kategorien vertreten: Naturlyrik, an der Normandie, am Elsaß (»Vor gehen die Uhren, die Jahre nach«), am Süden Frankreichs empfunden, und da ist »Rachel, die nicht getröstet sein will«, die aus der Bibel und jene andere da in Arles, der Vincent van Gogh sein Ohr schenkte.

Nicht nur Unheil, Todesahnung, Drohung, Schwermut, Warnung – auch der Traum, nein, nicht von der »heilen Welt«, doch vom möglichen, vom immerhin versprochenen Heil der Welt, in *Zwischen Mond und Milchstraße* und im *Kindheitstraum von der Arche*, wo zu lesen ist: »Erwählt zu sein, erkannt und verstanden, von Noah, dem besseren Vater, wissend, gütig, gerecht, zu Hause zu sein und zugleich unterwegs, durch die Welt, vorwärts getragen vom Wind, gelöst und erlöst vom vergangenen Schicksal« – dann aber, in *Der verlorene Sohn*, die Feststellung: »Doch da ist kein Vater, der ihn erwartet, kein Tor, das sich öffnet.« Mythisches, Religiöses, Politisches, Ironisches,

Aphorismen und die immerwährende Klage des Untröstlichen, der, indem er die Untröstlichkeit ausdrückt, gegen die Trostlosigkeit angeht und beides bewirkt: Bewegung und Ruhe.

Es ist dem Fischer Verlag hoch anzurechnen, daß er diese Wiederbegegnung mit Wolfgang Bächler ermöglicht: eine lyrische Biographie und ein Einblick in die verstrichene Zeit.

Deutscher Schneid in Europa. Über Alfred Dregger
(1976)

Sein Aufstieg begann vor ungefähr fünf Jahren auf einem CDU-Parteitag in Düsseldorf, wo sich die nordrhein-westfälische CDU in ihrem ureigenen Land von ihm abkanzeln und ihren sozialpolitischen Schneid schneidig abkaufen ließ. Seitdem ist er unaufhaltsam, der Eroberer Hessens, er bringt Stimmen und Stimmung, Alfred Dregger. Er ist ein Sieger, nicht angekränkelt von der Scham oder gar Schamhaftigkeit, die jedem Sieger wohl anstünde. Mag sein, daß ein politischer Sieger, der sich von Scham ankränkeln ließe, undenkbar ist, aber es wäre ja vorstellbar, daß da irgendwo so etwas wie der »Charme christlicher Tristesse« sichtbar würde, ein Anhauch von Gebrochenheit am ehemaligen Amtssitz des heiligen Bonifatius. Nein, ungebrochen, nicht angekränkelt, und immer feste druff!

Ein Innenminister Alfred Dregger, das wäre *unsere* Sorge. Warten wir ab: noch ist er's nicht, noch rasselt der Säbel des ungebrochenen Siegers nicht über den Häuptern der Radikalen. Dregger ist so etwas wie das Gegenteil von Erhard Eppler, der zwar den Sieg im Ländle nicht fürchten muß und ihn doch fürchtet oder fürchten würde. Warten wir den Innenminister Dregger ab. Er wird unsere Sorge sein.

Nun erlaube ich mir aber, mir den potentiellen Innenminister Dregger auf europäischen Konferenzen vorzustellen: gewiß, ein Herr mit Manieren, auch zu klug, um etwa in Brüssel, Oslo, Amsterdam oder Rom den blanken Säbel zu zücken. (Es ist ja doch bemerkenswert, daß etwa Herr von Hassel für die Zulassung der KP in Spanien ist – die spanische KP wird's ihm danken, ich nehme an, man wird vor der nächsten Madonna Kerzen für ihn aufstellen, möglicherweise mit einer Votivtafel: »Dank der deutschen CDU für die Rettung der spanischen KP. Heilige Maria Mutter Gottes – bitte für sie!«)

Wenn ich voraussetzen darf, daß ein Innenminister Dregger

sich noch einmal und immer wieder *unserer* Radikalen annehmen wird, was wird er mit den europäischen Radikalen anfangen? Mit einem möglicherweise kommunistischen Kollegen in Italien und einem möglicherweise Volksfrontinnenminister in Frankreich? Es ist doch eine merkwürdige Sache, daß die CDU/CSU und die ihr nahestehenden Blätter immer wieder die Wahlergebnisse etwa in Italien und Frankreich beklagen, Ergebnisse *freier* Wahlen; und es ist eine ebenso merkwürdige Sache, daß die CDU/CSU mit ihrem Plan, so etwas wie eine europäische Christdemokratenunion zu gründen, gar nicht vorankommt, daß sie weder in Holland, Belgien noch Frankreich oder Italien, nicht einmal in Spanien auf Gegenliebe stößt.

Wird da keiner nachdenklich? Nachdenklich genug, um sich zu überlegen, ob der »Profilierte«, der Sieger (der, obwohl er's nicht ist, genau so aussieht, wie man sich im romanischen Teil Europas einen deutschen Protestanten vorstellt) im europäischen Konzert vielleicht fehl am Platz sein könnte? Nein, nicht weil er Nazi wäre oder gewesen wäre, nein, kein Faschist oder »Faschist«, nur: bei dieser Art Schneidigkeit zuckt man immer noch in West-Europa zusammen. Es ist nicht einmal der Charakter, es ist der Habitus, dessen »Weltläufigkeit« nur eine scheinbare ist.

Es ist etwas Kasinohaftes, das für einen Verteidigungsminister möglicherweise angehen könnte, der Charme nicht nur des Herren, auch des Herrenmenschen, wie er auch aus so manchem Leitartikel, mancher Kolumne der unersetzlichen FAZ spricht; ein Herrencharme, den man irrtümlicherweise für »weltläufig« hält, der aber schon an der Grenze der Londoner City zu wahrer Provinzialität zusammenschrumpft.

Vielleicht wäre es doch besser, auch für uns, wenn Herr Dregger Verteidigungsminister würde. *Das* könnte den Europäern halbwegs einleuchten. Paraden abnehmend, jovial an Manövern teilnehmend, in Tarnjacke und mit Käppi europäische Armeesuppen kostend: das könnte angehen. Nun ist es (um Gottes willen!) nicht meine Sache, Herrn Wörner um ein Ministeramt zu schreiben oder auch nur um eine Kandidatur! Am besten wäre natürlich, wenn Herr Dregger weder das eine noch andere würde. Ein Innenminister Filbinger, wie er uns 1972 gelegentlich avisiert wurde, ist uns ja erspart geblieben. Ein Innenminister Dregger? Ich fürchte, nicht einmal die Spanier wären davon sehr begeistert, und für die Osteuropäer wär's geradezu ein Fressen. Anläßlich des Radikalenerlasses ist die deutsche Innenpolitik wieder internationales Gesprächsthema geworden, zum Glück gibt es ja wieder »Einmischung«, wie wir sie ja auch allenthalben (und legitimerweise) betreiben.

Es ist also nicht nebensächlich, wer da mit schon vorhandenen und noch zu erwartenden Einmischungen konfrontiert sein wird. Europa erwartet viel (und immer mehr) von der Bundesrepublik: Schneid erwartet es nicht.

Die Angst der Deutschen und die Angst vor ihnen

(1976)

Wenn Amerikaner und Deutsche oder Engländer und Deutsche über Inflation sprechen, ich weiß nicht, ob sie dann dasselbe meinen. Wenn Brot, Butter, Kaffee und Zigaretten plötzlich das Doppelte kosten würden, würde es mich noch nicht an die beiden *totalen* Inflationen erinnern, die ich erlebt habe.

Als ich drei – vier Jahre alt war, begleitete ich morgens immer meinen Vater nach dem Frühstück die Treppe hinunter bis vor die Haustür; von dort fuhr er per Fahrrad in seine Werkstatt, und bevor er aufs Rad stieg – er war ein altmodischer Radfahrer und stieg von einem Pinn, der am Hinterrad angebracht war, von hinten auf den Sattel (fast wie ein Reiter aufs Pferd) – steckte er mir manchmal einen Geldschein zu, für den ich mir im gegenüberliegenden Laden eine Handvoll Bonbons oder eine Zuckerstange kaufen durfte. Ich erinnere mich an ziemlich viel Nullen auf dem Geldschein, erfuhr später, daß es sich um eine Milliarde oder gar eine Billion gehandelt hatte; der Gegenwert, den ich für diesen nullenreichen Schein bekam, mag fünf Pfennige betragen haben. Das war in den Jahren 1921–22, wo ich morgens für ein bis zwei Minuten Milliardär oder Billionär war. Es war keineswegs so, daß die Einkommen in entsprechend vielen Milliarden bestanden hätten; später erfuhr ich von meinen Lehrern, daß sie für ihr Monatsgehalt sich eine Vase oder, wenn sie Glück hatten, einen Regenschirm hatten kaufen können. Eine Milliarde, das war 10 Jahre vorher, etwa 1912, selbst für Krupp wahrscheinlich eine respektable Summe – nun gab es dafür eine Handvoll Bonbons. Sobald das deutsche Geld wieder stabil wurde, gab es weniger davon. Es gab in den Jahren 1928 bis 1932 für *eine* Mark etwa zwanzigmal soviel Süßigkeiten wie sechs Jahre vorher für eine Milliarde. Es gab für eine Mark 40 Zigaretten der billigsten Sorte, 100 geschmuggelte holländische, man konnte für eine Mark zweimal ins Kino gehen, bekam dafür zwei volle Spielfilme und einige Extras zu sehen, und in manchen Kinos gab es noch ein Glas Bier dazu; man konnte für eine Mark zweimal ein Mädchen ins Café einladen und ihr sogar einmal ein Stück Kuchen spendieren (also: vier Tassen Kaffee und ein Stück Kuchen für eine Mark). Die Mark war stabil und knapp.

In den Jahren 1936 bis 1939 fing die Mark wieder an, reichlicher zu fließen – und an Wert zu verlieren. In der Zeit der ersten Rationierungen (die schon vor Kriegsausbruch begannen, man erinnere sich an Meier-Görings Ausspruch: »Kanonen statt Butter« – man sollte sich überhaupt öfter an Meier-Göring erinnern), bildeten sich – trotz hoher Strafen – die ersten Schwarzmärkte. Sobald die Zigaretten rationiert wurden – ich weiß nicht mehr genau, wann das geschah – kosteten sie statt 2 1/2 oder 3 1/3 Pfennige auf Karten, auf dem Schwarzmarkt 20 Pfennige, also ungefähr das Sechs- bis Achtfache. An Milliarden gewöhnt, fanden wir diese Preise zwar hart, aber tragbar; es erinnerte uns noch nicht an das Schreckenswort »Inflation«. Das kam später, als – etwa 1944 – der Zigarettenpreis »floatete«; er hing von der jeweiligen Nachschublage ab. Als die deutsche Wehrmacht Frankreich – ziemlich schnell, wie mir heute scheint – räumte und ihre Beute umsetzen mußte, sank der Zigarettenpreis vorübergehend auf 3–4 Mark, und sobald diese Nachschubquelle versiegte, so ungefähr um die Zeit, als die amerikanische Armee zum ersten Mal die deutsche Grenze überquerte, stieg er auf bis zu 12 Mark, sank dann erst wieder, als der Krieg zu Ende war, und sich die Camel-Lucky-Strike-Chesterfield-Währung etablierte. Kurz vor der Währungsreform im Jahre 1948 stieg er auf 7 bis 9 Mark, blieb aber doch im großen und ganzen von 1945 bis 1948 zwischen 5 und 6 Mark stabil. Man darf nicht vergessen, daß die Einkommen keineswegs entsprechend gestiegen waren. Ein Hilfsarbeiter verdiente damals 1 Mark die Stunde (die ihm durch zusätzliche Lebensmittelkarten verzuckert wurde), aber eine Realschullehrerin (die keinerlei Zusatzkarten bekam) verdiente zwischen 300 und 350 Mark im *Monat*. In einer Zeit, in der kein Mensch von den Rationen leben konnte, kostete ein Brot auf dem Schwarzmarkt 25 bis 40 Mark, ein Pfund Kaffee 600, Butter ungefähr ebensoviel. Woher nahmen die Deutschen das Geld, um zu überleben? Es gab nicht nur den Schwarzmarkt, auch den Tauschhandel, es gab, wenn man kein Tauschobjekt mehr besaß, den demütigenden Weg des Hamsterns bei Bauern, der eine verkappte Art des Bettelns war. Jedenfalls verscheuerte man, was nicht niet- und nagelfest war, und hin und wieder (und das auch von *sehr* anständigen Leuten) wurde natürlich auch *gestohlen*: Kohlen und Kartoffeln, Ziegelsteine und einiges mehr. Es war die zweite totale Inflation, in der so manches Deutschen wenn nicht Ehre, so doch Ehrenhaftigkeit einen Knacks bekam.

(Und für viele war's der zweite Knacks!) Und wieder geschah ein Wunder: es gab wieder einmal eine stabile, eine eisenharte Deutsche Mark – und sie war knapp, sehr knapp. Und wer da nach der Währungsreform noch erspartes Geld übrig hatte, bekam es mit 7 % aufgewertet.

Aktien wurden zu 100 % aufgewertet, und noch etwas hatte nach diesen beiden Inflationen, diesen Totalrasuren, seinen Wert behalten: Grundbesitz. Er wurde zwar durch Zwangshypotheken im Zusammenhang mit dem Lastenausgleich belastet. (Der Lastenausgleich diente dazu, Leute zu entschädigen, die in den östlichen Teilen des Deutschen Reiches oder durch Bombenschäden ihren Besitz verloren hatten – aber die, die keinen Besitz zu verlieren gehabt hatten, bekamen natürlich nicht viel Lastenausgleich!)

Es ist also eine ziemliche Frechheit, wenn da von Chancengleichheit gesprochen wird. Da Geld und Bildung, Bildung und berufliche Chancen immer noch einen nachweisbaren Zusammenhang haben, wird das Wort Chancengleichheit geradezu zur Frivolität. Man muß wenigstens diese einfachen Fakten wissen, wenn man die Deutschen verstehen will (falls überhaupt irgendein Volk ein anderes oder irgendein Volk sich selbst verstehen kann!)

Grundbesitz, Hausbesitz – das haben die Deutschen gelernt – sind die einzig stabilen Faktoren geblieben, und eine Währung, eine Mark, die jetzt schon achtundzwanzig Jahre alt geworden ist (nachdem innerhalb von 25 Jahren zwei Marken dahingestorben waren), ist ebenfalls zum stabilen Faktor geworden, und wer an einem dieser Faktoren, und sei es nur scheinbar, rüttelt, hat wenig Chancen auf Wählerstimmen. Es gehört zu den erfolgreichen Absurditäten reaktionärer Propaganda, daß sie immer wieder die Angst schüren können bei denen, die sehr wenig von dieser Erde besitzen (etwa auch bei den Kleinbauern in Portugal), um den Besitz derer zu schützen, die sehr viel von dieser Erde besitzen. Ein großer Teil des Grundbesitzes ist immer noch in den Händen des deutschen Adels, der in den meisten Fällen – absurderweise – immer noch die Interessen der deutschen Bauern vertritt. Da wird das »Bauernsterben« beklagt (obwohl es ein intereuropäisches Phänomen ist), aber mir ist nicht bekannt geworden (bisher nicht), ob irgendein Großgrundbesitzer den Besitz eines sterbenden Kleinbauern arrondiert habe, um ihm das Überleben zu ermöglichen (durch ein *Geschenk*). Wenn man im Adelsalphabet nur bis G zählt, nur die Namen Arco, Arenberg, Aretin, Baden (Markgraf von), Bayern (Herzöge von und in), Bentheim, Bismarck, Castell, Faber-Castell, Finck, Fürstenberg, Fugger, Guttenberg aufzählt, und addierte deren Anteil an deutschem Boden, so käme man wahrscheinlich auf das Territorium eines mittelgroßen Bundeslandes, und das Alphabet geht ja bis Z – also noch dreieinhalbmal so weit. Nach zwei totalen Inflationen, die zwei total verlorenen Kriegen folgten, nach *keiner* Revolution – und rechnet man das Potential der Großindustrie und deren vielfältige Verflechtung mit dem Adel hinzu, und bedenkt man außerdem, daß dieser Grundbesitz seit Jahrhunderten seine Besitzer nicht gewechselt hat (wahrscheinlich gehörte er schon den gleichen Familien, lange bevor der erste Fuß eines Weißen – sieht man von ein paar versprengten Iren oder Wikingern ab – eines der beiden Amerika betrat) –, so muß es auf makabre Weise komisch wirken, wenn von der Bundesrepublik Deutschland von einem »sozialistischen Staat« oder von der »klassenlosen Gesellschaft« hier gesprochen wird. Zwei totale Inflationen haben die Arbeit ganzer Generationen von Arbeitern, kleinen und mittleren Gewerbetreibenden und Geschäftsleuten annulliert. Diese Erfahrung hat den Fleiß der Deutschen nicht entmutigt, sondern merkwürdigerweise angespornt – so ist das Wirtschaftswunder nach der Zerstörung Deutschlands und zig Millionen besitzloser Flüchtlinge zu erklären. Der Grundbesitz, der zum größeren

Teil nicht erworben ist, was die Begründung: Tüchtigkeit, zuließe, ist nicht nur völlig unangetastet geblieben, er hat eine Wertsteigerung erlebt, die sich in einem Land wie der Bundesrepublik einfach von selbst ergibt. Man darf nicht vergessen, daß die Bundesrepublik nur ungefähr 1/30 der Fläche der USA umfaßt bei knapp 1/4 von deren Einwohnern. Und in einem Land, das auf wirtschaftliches »Wachstum« setzt, auf Ausdehnung seiner Kapazitäten, werden notwendigerweise eines Tages auch die stilleren Ecken, die bisher noch nicht an dieser Wertsteigerung profitiert haben, daran teilhaben.

Immerhin gibt es in unserem Grundgesetz einen Artikel, der da lautet: »Eigentum verpflichtet. Sein Gebrauch soll zugleich dem Wohl der Allgemeinheit dienen.« Worte wie »Verstaatlichung«, »Vergesellschaftung«, sogar »Enteignung« bekommen angesichts dieser Besitzverhältnisse einen anderen Klang – und sind keinesfalls verfassungswidrig. Man muß auch den Radikalenerlaß, der sich hauptsächlich gegen Systemveränderer richtet, also solche jungen Leute, die von einem verfassungsmäßig verbürgten Recht Gebrauch machen, im Zusammenhang mit diesen Besitzverhältnissen sehen. Man mag über die Brutalität moderner Landnahmen streiten, ob es nun die Konquistadoren, Kolonisatoren waren oder die nordamerikanischen Siedler, der größere Teil des Grundbesitzes in der *Bundesrepublik* ist weder erworben noch erkämpft. Er ist seit Jahrhunderten unangetastet und selbstverständlich, und diese unglaubliche Selbstverständlichkeit wird von dem Untertanen wortlos hingenommen. Er wird nicht nur nicht angezweifelt, er dient zusätzlich noch als Angstvehikel, um diejenigen in Schrecken zu versetzen, die vielleicht 300 qm besitzen, auf denen sie sich ein Häuschen und eine Garage gebaut haben. Es ist ein großer, ein entscheidender Fehler aller Sozialisten und auch der Sozialdemokraten (auch in anderen Ländern), daß sie das magische Wort »Enteignung« (das lt. Grundgesetz der Bundesrepublik legal ist) nie quantitativ definiert haben, und so kommt es zu geradezu unnatürlichen Emotionskoalitionen, zwischen denen, die sich da bis zum Herzinfarkt (und manchmal über ihn hinaus) auf ihren 300, 400 Quadratmetern ihr Häuschen gebaut haben, und denen, die seit Luthers Zeiten halbe und ganze Provinzen besitzen. Dieser uralte Grundbesitz ist stabiler, massiver, er ist lautlos, fast unsichtbar – und politisch mindestens so einflußreich wie die Großindustrie, die ja immerhin Risiken unterliegt; sie muß ja immerhin entwickeln, investieren, riskieren, während der Landbesitz »in sich ruht«, und diese unheimliche Ruhe ist ein politischer Faktor in der Bundesrepublik, von dem man zu wenig weiß. Man kann einen kleinen und mittleren Bauern durch das Wort »Enteignung« leicht in Panik versetzen, und nach den Erfahrungen, die Landwirte in den sozialistischen Ländern gemacht haben, ist diese Panik verständlich – in einem Land aber wie der Bundesrepublik stützt man durch diese Panikmache den alten, uralten, nie angetasteten Besitz. Die Sozialdemokraten in der Bundesrepublik haben bis auf den heutigen Tag weder den Mut noch die Definitionskraft gefunden, klarzumachen, daß es – sollte überhaupt so etwas wie »Enteignung« erwogen werden – um den Besitz von möglicherweise bis zu 350 Familien geht, nicht um den Besitz von 62 Millionen.

Zwei ergänzende Bemerkungen sind hier notwendig: nicht jeder, der einen adeligen Namen trägt, ist Großgrundbesitzer oder auch nur wohlhabend, und außerdem: dem großgrundbesitzenden deutschen Adel ist kein Vorwurf zu machen: kaum jemals in der Geschichte ist Besitz (und so erheblicher) freiwillig geteilt oder aufgegeben worden, und warum sollte da eine Gruppe von Besitzenden den Grundgesetzspruch: »Eigentum verpflichtet« – ernster nehmen als andere? Die Frage wäre, ob eine Gruppe, eine Klasse, die nichts weiter tut, als ihren Besitzstand zu halten und zu mehren, noch Anspruch darauf erheben kann, zur Elite oder gar zur kulturellen Elite gezählt zu werden. Noch immer nicht, und wahrscheinlich für eine Weile nicht, sind Besitz und Kultur identisch, und so spielt der großgrundbesitzende Adel in seiner Mehrheit (nicht in seiner Gesamtheit) nur eine dekorative, illustrative, manchmal auch nur eine Illustrierten-Rolle. Eine peinliche Art von heimlich (und manchmal unheimlich) bewunderter Sub- oder Superkultur. Die kulturell *produktiven* Kräfte der Bundesrepublik Deutschland stammen immer noch und immer wieder aus dem Kleinbürgertum, dem Bürgertum und der Arbeiterschaft. In ihrer Mehrheit. Ich frage mich, ob diesen Familien, die »das Land besitzen«, das im Evangelium den Sanftmütigen versprochen ist, nicht manchmal unheimlich wird. *Nicht*, weil irgendwelche Revolutionäre ihnen ernsthaft gefährlich werden könnten (Systemveränderer haben wenig Chancen hier – und der Radikalenerlaß hat sogar die Reformer, nicht nur die Revolutionäre entmutigt und entwaffnet) – sondern weil sie in einer unwirklichen totalen Sicherheit ruhen, die im Gegensatz zu ihrer Umwelt steht, in einem Elfenbeinturm besonderer Art, den sich nicht einmal hochbezahlte, sehr beschäftigte, nervöse Manager leisten können. Die Landbesitzer geraten selten, fast nie in Panik und haben auch keinerlei Grund dazu – die wortlose Hinnahme ihrer Privilegien ist Garantie genug.

Wenn man versuchen will, die Deutschen, ihr Verhältnis zum Geld, zum Besitz, wenn man versuchen will, ihre Angst und ihre Ängste zu verstehen – und die Angst und die Ängste von mehr als sechzig Millionen da mitten in Europa sind ein politischer Faktor hohen Grades –, dann muß man wenigstens andeutungsweise etwas von diesen beiden totalen Inflationen wissen, die fast alle Klassen getroffen haben, nur den grundbesitzenden Adel nicht (der ja in den meisten Fällen auch noch international abgesichert ist), und lange bevor man über Faschismus spricht und nicht nur über den potentiellen, auch den historischen, muß man wissen, daß Angst eine der Ursachen des Faschismus ist. Man muß wissen, daß Zeitungen und Stimmungen immer noch von den Besitzenden gemacht werden – und man braucht dann nur diesen armen Schluckern, die sich ihre 350–600 Quadratmeter deutschen Bodens mit ihrem Häuschen drauf mühsam erschuftet haben, *ihnen* (und wären es gutverdienende, aber schwer arbeitende Ärzte) muß man einhämmern, daß mit Enteignung *sie* gemeint sind, dann hat man die Angst zu einem Wahlhelfer gemacht, der kaum Argumente braucht und wenig Geld kostet. Man erinnere sich an die obskuren Wahlhilfefonds der CDU/CSU aus dem dramatischen Wahljahr 1972; man denke an die Anzeigenkampagnen gegen Brandt und alle Formen des Sozialismus, an diese düsteren Machenschaften, deren sich die Verantwortlichen möglicherweise heute schämen. Das war klassischer *Klassenkampf*, von oben, nicht von unten.

Es ist zu befürchten, daß auch in diesem Wahlkampfjahr die Angst und die Ängste mobilisiert werden. Die düsteren Kampagnen von 1972 haben letzten Endes nicht den Sieg gebracht, möglicherweise hat man auch damals die Wähler unter- oder falsch eingeschätzt: es hat nichts eingebracht, potentiellen Wählern eine Katastrophe auszumalen, deren *wirkliche* Sorge – damals – darin bestand, über die Verkehrslage auf den Autobahnen bei der Rückkehr aus dem Urlaub informiert zu sein.

In diesem Wahljahr Argumente zu finden, dürfte schwer sein. Eine angesichts der hohen Arbeitslosigkeit – bisher jedenfalls erstaunlich geringe Angst. Sinkender Einfluß der katholischen Kirche auf die Wahlen. Völlige Aussichtslosigkeit, der Regierung Schmidt vorzuwerfen, sie ermutige Terroristen. Ob man in einer Republik, in der in keinem einzigen Landesparlament, auch nur *ein* Radikaler aufzutreiben wäre, immer noch mit Radikalen Angst machen kann? Versucht wird es. Es ist verantwortungslos, einem Volk Angst zu machen, das oft genug in den vergangenen 60 Jahren *Grund* zur Angst gehabt – und auch oft genug anderen Angst eingeflößt hat – auf diesem Terrain mit Angst zu spielen, ist klassische Demagogie. Im streikbravsten Land der Welt mit den bravsten aller Gewerkschaften. In einem Land, in dem der Schah und andere Ölpotentaten Milliarden investieren, mit der Angst vor dem Sozialismus zu drohen, dürfte ziemlich weit hergeholt sein (was kein Trost ist: man kann ja weit ausholen!). Woher die Angst also nehmen, ohne zu stehlen? Werden es wieder einmal die Jusos sein? Die Angst vor dem »Sozialstaat« dürfte den vielen Rentnern nicht mehr sehr einleuchten. Die Ostverträge, die doch ganz schön Geschäfte gebracht haben? Es könnte sein, daß sich die Großindustrie in diesem Wahljahr nicht zu obskuren Wahlfonds, nicht zu übelriechenden Anzeigen entschließt. Schließlich hat die SPD/FDP-Regierung, diese 1972 als Untergangskoalition avisierte, der Industrie keinen Schaden zugefügt. SPD-freundliche Großgrundbesitzer wird man kaum auftreiben können: der Klassenkampf (und die Klassenangst) von oben wird da in Kränzchen und Kreisen, in teilweise kirchlich (katholischen) untermauerten Stimmungscliquen eifrig betrieben – oder ob die Großindustrie mitmachen wird?

Und es gibt da nicht nur die alte »Nobilty«, nicht nur alte und neu-alte Großindustrie, es gibt da noch die fast ganz und gar neuen Herzöge. Könige, Kardinäle und Königsmacher, deren Herrschaft über ihre Provinz in den meisten Fällen auf einem Stück Papier, der modernen Art des Lehens, einer Zeitungslizenz von einer der Besatzungsmächte beruht: die Zeitungs-, Illustrierten-, Magazin- und Zeitschriften-Könige, dieser neue Adel, der natürlich »seine Schwierigkeiten« hat, diese »Konzentrierten und Konzentrierer« – was werden sie tun? Hoffen wir, daß sie gut gelaunt, daß sie gnädig sind. Ihre Leser, Zuhörer, Zuschauer, diese 62 Millionen Deutschen, sind brave Leute, kein Grund, Angst vor ihnen zu haben, wenn man ihnen nicht allzuviel Angst macht. Herr Kissinger braucht keine Angst zu haben: auch die Sozialdemokraten sind brave Leute, man könnte sogar auf die kränkende Idee kommen, daß ihre Gesetze von der CDU gemacht werden. Wozu braucht die dann noch regieren?

Dieser Aufsatz entstand in dem Augenblick, als die konservative Opposition in der Bundesrepublik im Wahljahr 1976 mit dem Schreckgespenst der »Volksfront« zu drohen begann; als man Willy Brandt vorwarf, er bereite eine Volksfront vor. Ich fragte mich, als die New York Times mich um diesen Artikel bat: wer sollte wohl mit in der Bundesrepublik eine Volksfront bilden? Diese Angst vor der Volksfront ist lächerlich, aber es sieht so aus, als wäre keine Angst lächerlich genug, als daß man sie nicht schüren könnte. Beim Nachdenken über Herrschaftsverhältnisse in der Bundesrepublik kam ich zu Überlegungen, die ich in diesem Aufsatz auszudrücken versuche: Wem gehört die Bundesrepublik Deutschland, wer beherrscht sie? Es mag sein, daß manche Bitterkeit in diesem Aufsatz zu sehr ironisch verbrämt ist, daß manche Einzelheit mehr Einblick in die bundesdeutschen Verhältnisse voraussetzt, als ich vermitteln kann. Ich kann nicht gleichzeitig mit diesem Essay die Voraussetzungen für ihn schaffen: es gehörte das Studium ganzer Bibliotheken deutscher Geschichte und deren Vermittlung in wenigen Sätzen dazu – das ist unmöglich. Dieser Aufsatz ist ein *Versuch*, sich einem komplizierten Problem *anzunähern*. Wie kläglich die konservative Opposition Politik zu machen versucht, hat sie erst kürzlich bei der Behandlung der Polenverträge bewiesen, die nicht nur für Polen und die Bundesrepublik, auch für Europa und die Welt wichtig sind. Noch kläglicher sind jetzt ihre Rückzugsgefechte in dieser Frage. Würde ich gefragt, was ich bei einem Wahlsieg der Opposition empfinden würde, ich würde sagen: Angst, Angst vor Isolation. Würde ich gefragt, von wo die Bundesrepublik bedroht ist: ob von rechts oder von links, ich würde sagen *von rechts*.

Dürfen Russen lachen?

(1976)

Dürfen Russen lachen? Würde man Radio Eriwan diese Frage stellen, ich bin sicher, die Antwort würde lauten: »Im Prinzip nein. Ausnahmen sind gestattet.«

Ich möchte diese Frage nicht Radio Eriwan stellen, sondern einer ebenso fiktiven Instanz: der Menschenbild-Kommission der CDU/CSU. Ich bin mir der Antwort nicht sicher, fürchte aber, sie würde ungefähr so lauten wie die fiktive Antwort von Radio Eriwan. Im Prinzip, fürchte ich, kann – oder besser gesagt *darf* – niemand glücklich sein, der nicht der Segnungen der Freien Marktwirtschaft teilhaftig wird. Ich hoffe, daß ich den Grafen Franz Ludwig Schenk von Stauffenberg nicht allzusehr mißinterpretiere, wenn ich seine Äußerung am 29. Januar 1976 im Bundestag über ein Zitat von Heidemarie Wieczorek-Zeul nicht direkt so, aber in dieser Richtung verstehe. Das Zitat selbst ist dabei unwichtig.

Frau Wieczorek-Zeul *sollte* gesagt haben, die Menschen dort (in der Sowjetunion!) seien fröhlich und entspannt, der Sozialismus mache Freude, sogar Spaß. Inzwischen hat Heidemarie Wieczorek-Zeul dieses Zitat glaubwürdig dementiert. Unwichtig ist auch, aus welch obskuren Ecken die eine Partei polemisches Material gegen die andere zusammenkratzt. Geschenkt. Merkwürdig bleibt, daß für einen Bundestagsabgeordneten der CSU *Nowosti* plötzlich zu einer glaubwürdigen, im Bundestag zitierbaren Quelle wird. Aber auch das: geschenkt.

Mich interessiert – ich bitte nach links, nach rechts und in die Mitte hin tausendmal um Verzeihung – der metaphysische Ansatz einer solchen Polemik. Sind Russen, Sozialisten, Kommunisten und alle möglichen Mischungen, ohnehin, was die Ewigkeit betrifft, in die Hölle verwiesen, sollen sie auch auf dieser Erde zur totalen Freudlosigkeit verdammt sein? Ich finde das nicht nur unchristlich, auch ungerecht. Ich würde gern das links unterschätzte, rechts mißbrauchte Genie der Sachlichkeit, Thomas von Aquin, diesen beharrlich und leidenschaftlich nach Wirklichkeiten suchenden »stummen Ochsen« (nein, nicht Marx und Marcuse, sondern diesen für die CDU/CSU ja eigentlich zuständigen »stummen Ochsen«) gelegentlich mal fragen, ob eine solch doppelte Verdammung der metaphysischen Wirklichkeit entspricht.

Die Menschen in der Sowjetunion haben natürlich ihren Kummer (sogar manchmal so etwas Unmarxistisches wie Liebeskummer), sie haben ihre Sorgen, ihre Nöte, ihre Ängste, materielle und (ja!) nicht materielle. Sie leben – wie wir! – in diesem irdischen Jammertal, und es bedarf keiner marxistischen, auch keiner antimarxistischen Argumente, es bedarf nur des äußerst reaktionären Hinweises auf die auch in der Sowjetunion noch nicht so sehr veränderte Natur des Menschen, um festzustellen, daß man auch in den jämmerlichsten Versionen des Jammertals nicht permanent jammert. Unter den jämmerlichsten Versionen des irdischen Jammertals verstehe ich *nicht* die Sowjetunion, sondern extreme Situationen wie Lager, Gefängnisse, auch die Stationen des Archipels Gulag.

Im *Ersten Kreis der Hölle* zum Beispiel herrschen Terror, Bürokratie, bürokratischer Terror, und doch erlauben sich die Häftlinge luxuriös-ausgiebige Gespräche, Referate ideologischer Art, wie sie etwa zwischen Rubin und seinen Mithäftlingen stattfinden, die nicht nur, aber auch clowneske Züge haben. Und es gibt da kleine und größere Flirts zwischen Häftlingen und »freien« Mitarbeiterinnen, Neckereien, die jemand, der nie gefangen war, vielleicht neckisch vorkommen. Kleine Freuden werden zu großen. Es ist noch lange nicht erwiesen, daß Menschen, die in Freiheit und Luxus leben, permanent fröhlich und entspannt sind. Und wer nicht das nötige Kleingeld hat, um alle Angebote der Freien Marktwirtschaft anzunehmen, der mag weitaus weniger fröhlich sein als der, dem die Verführungen dieses Marktes gar nicht erst zur Hand sind.

Ich mag den linkischen Seitenhieb des Grafen Stauffenberg nicht überstrapazieren (besonders nicht, seitdem als erwiesen gelten darf, daß CSU-Mitglieder und Jusos *wirklich* hilflose Kinder *nicht* beißen!)

Ich warne nur vor der Illusion, das Leben in der Sowjetunion wäre freudlos. Meine Lieblingsbeschäftigungen, wenn ich dort bin: mit Freunden zusammensein oder spazierengehen, und letzteres wird weder von Funktionären verstanden, die – völlig unberechtigterweise! – Unheil wittern, Konspiration ahnen, noch wird es immer von meinen Freunden verstanden, die das manchmal »banal« finden. Aber ich sehe nun einmal gern die Gesichter von Menschen und in die Gesichter von Menschen und denke mir das meine dabei: unpolitisch, unliterarisch, ein bummelnder Zeitgenosse, der beobachtet, wie man *dort* mit Kindern umgeht: energisch und zärtlich zugleich, besorgt, und ich erinnere mich eines Taxifahrers, mit dem ich ziemlich lange fuhr: Er hatte (illegalerweise, nehme ich an!) sein dreijähriges Töchterchen bei sich, solange seine Frau einkaufen war.

Auch *dort* gehen oder kommen die Menschen vom Einkaufen, gehen zur Arbeit oder kommen von ihr, eilen zu Rendezvous (legitimen und illegitimen), sie gehen ins Kino, ins Theater, zum Konzert, zum Tanz, treffen sich mit Freunden. Möglicherweise muß der eine oder andere in eine Parteiversammlung, und ich will nicht einmal behaupten, daß es gerade die sind, die mürrisch wirken.

Ja, ich weiß, diese Völkerscharen, die sich durch Moskaus Straßen bewegen, haben nicht ihr Auto um die Ecke stehen, die meisten wohnen zu eng, viele von ihnen hätten gern westliche Schuhe, einen westlichen Hut oder eine westliche Bluse, aber ich bin mir nicht sicher, ob sie – plötzlich in den Westen versetzt – fröhlicher oder entspannter wären. Nur wenige Emigranten sind hier so glücklich, wie wir sie gern hätten. Es fehlt ihnen etwas – nein, nicht die sowjetischen Hüte, Schuhe, Blusen: es fehlt ihnen – mag man die gesamte russische Literatur in einen Computer füttern, um endlich herauszufinden, was das ist – es fehlt ihnen Rußland. Ich nehme an, es fehlt ihnen, um fröhlich zu sein, und es fehlt ihnen, um richtig traurig zu sein, und es fehlt ihnen möglicherweise sogar, was ihnen *dort* fehlte. Ich werde mir nicht anmaßen, die russische Seele zu ergründen, ich möchte nur feststellen: Es gibt sie.

Die Feststellung, *dort* wären die Menschen fröhlich und entspannt, wäre zu generell, um gültig zu sein. Aber es wäre die

Gegenfrage zu stellen: Wo sind die Menschen denn fröhlich und entspannt? In New York, in Paris, in Rom oder etwa in Bonn? Mir sind immer die Menschen in London als die entspanntesten erschienen – und bedenkt man die nationalökonomische Lage Englands, den ständigen, überall und jederzeit zu erwartenden politischen Terrorismus und den Tiefstand des englischen Pfundes, so wäre das schon überraschend genug; englische Freunde haben mich vor diesem Eindruck oft genug gewarnt und darauf hingewiesen, daß unter dieser (wie sie sagen) Maske der Entspanntheit sämtliche Krämpfe des Puritanismus lauern (was ich nicht glaube). Ebenso entspannt erschienen mir die Menschen in Dublin und Kopenhagen, und auch dort gab es entsprechende Warnungen. Ob die Chinesen so entspannt und fröhlich sind,wie sie wirken?

Und wir? Wie entspannt und fröhlich sind wir denn, die wir so gern unser »Menschenbild« preisen. Ich riskiere die banale Frage, wie entspannt und fröhlich ist er denn, *der Mensch*? Man sollte nicht nur Thomas von Aquin fragen, auch Marx und Marcuse – noch besser wäre es, die gesamte Weltliteratur zu Rate zu ziehen. Ich habe die Empörung des Grafen Stauffenberg nur zitiert, weil sie mir typisch für ein bestimmtes Denkdogma und eine gestiefelte Art von Humorlosigkeit erscheint.

Natürlich gibt es in der Sowjetunion unzählige Menschen, die unter dem gegenwärtigen System leiden und gelitten haben, materiell und (noch einmal: ja) nicht materiell. Das russische Volk ist älter als das sowjetische System, und wir, die Deutschen, sind älter, viel älter als unsere schüchternen Versuche zur Demokratie, die insgesamt weniger lange dauern (und gedauert haben) als das sowjetische System alt ist. Wir sollten uns nicht zu viel einbilden. Wenn sich die Menschenbild-Kommission der CDU/CSU wirklich bildet, sollte sie oft nach Moskau fahren und dort spazierengehen, nicht als Delegation, sondern privat – wenn man sie läßt.

Statt oder statt oder statt statt oder?

(1976)

Diese scheinbare sinnlose Komposition aus zwei Bindewörtern ergibt durchaus einen Sinn, wenn man, um die Intonation zu erleichtern (hilfsweise oder vorübergehend) so formuliert: anstelle von oder statt oder anstelle von statt oder? Oder eine andere Version: an oders statt statt oder an statts statt oder? Weiterer Vorschlag: oder oder statt oder statt statt oder?

Das klingt wie gekonntes Stottern, wie ein Duo für zwei gedämpfte Pistolen oder wie ein partiell verstopftes Maschinengewehr. Das Spiel läßt sich fortsetzen als eine Variante auf das berühmte »In Ulm, um Ulm und um Ulm herum«; als Leckerbissen für ausländische Germanisten, die das Wesen der deutschen Sprache ergründen möchten; als Übung auf dem mühsamen Weg zur Zungenfertigkeit; da würde die deutsche Sprache in ihrem unerforschlichen Tiefsinn endlich einmal als Spielmaterial benutzt, endlich einmal könnte man ihr rhythmische Reverenz erweisen. Vertont zu werden braucht keine der Varianten, sie intonieren sich selbst. Sie sind alles in einem: konkrete Poesie, Musik und Grafik der Gegenwart, man kann darauf (oder danach) tanzen, und ich fordere Joseph Beuys auf, daraus eine Plastik zu machen. Verbindender Titel: Variationen auf zwei Bindewörter.

Nun aber Schluß mit diesem frivolen, höchst verwerflichen *Formalismus*, kommen wir endlich zum *Inhalt*: nun müssen die Wähler sich endlich klar darüber werden, wie unfrei sie geworden sind, wie sozialistisch die Bundesrepublik in den vergangenen sieben Jahren geworden ist. Natürlich gibt es da ein paar Leute, die sich durch den Radikalenerlaß erheblich in ihrer Freiheit eingeschränkt sehen, andere sehen sich durch Radikale in ihrer Freiheit behindert. Gleichzeitig aber steigen sowohl die Spareinlagen wie die Buchungen für Urlaubsreisen, es muß also die Unfreiheit des Bürgers, der mit Radikalen – so oder so – nicht zusammenkommt, tief, sehr tief versteckt sein.

Wo? Der *Neid* auf die Bundesrepublik wird im Ausland immer größer. Wird also der Wähler ein beneidetes Land in ein weniger beneidetes Land verwandeln wollen? Oder werden wir, wenn die CDU/CSU regiert, noch mehr beneidet werden? Da wird auf einem so schlanken Wörtchen wie statt und einem so lieben Wörtchen wie oder wahre Gewichtheberei betrieben, Vorsicht, die beiden Wörtchen könnten daran zerbrechen, das hält kein oder aus und ein statt schon gar nicht, und die deutsche Sprache würde noch ärmer; wie wär's, wenn man das gebräuchlichste aller Bindewörter, das da heißet UND, wieder zu Ehren brächte, und wär's auch nur, um die Vokale vollständig zu haben: statt statt und und statt oder und (zur Erleichterung: anstelle von statt und und anstelle von oder und).

Konkrete Poeten, Musiker, Maler, Bildhauer sind eingeladen, das verachtete UND in ihre Kompositionen einzubeziehen (möglicherweise auch noch das aber, aber mit *vier* Bällen jonglieren – ich weiß nicht: Freiheit *und* Sozialismus, Freiheit *aber* Sozialismus); je länger ich darüber nachdenke, gefällt mir das *aber* am besten, aber ich will nun endlich aufhören mit diesen (verfluchten) formalistischen Spielereien, und ich möchte nicht auch noch jenes umstrittene Hauptwort ins Spiel bringen, das da heißt: Kapitalismus. Nein, den gibt es doch gar nicht, und wenn es ihn gäbe, wäre er keine Gefahr.

Zurück zum *Inhalt*. Seitdem ich die CDU/CSU-Slogans kenne, frage ich mich, wie tief welche Überlegungen die Wähler über die Unfreiheit anstellen und was sie sich unter Sozialismus vorstellen könnten? Natürlich möchte der Halbzeitbauer da im bayrischen Wald, der sein Arbeitslosengeld bekommt, es lieber vom Apfelbaum pflücken, anstatt es von einem Geldbriefträger (so einem verfluchten Bürokraten!) zugestellt zu bekommen oder es bei irgendeinem Amt (wieder bei so einem verfluchten Bürokraten!) abzuholen. Die Frage wäre, ob die CDU/CSU geldtragende Apfelbäume (oder Johannisbeersträucher) in Reserve hält. Wenn die Wähler also über ihre Unfreiheit, über die fürchterliche Versklavung durch Bürokraten nachzudenken beginnen – das könnte danebengehen. Hoffen wir's. Das erinnert alles an die »Sorge um Deutschland«, die 1972 umging, da sah man (ich möchte fast sagen) haufenweise umwölkte Stirnen,

Grabesstimmen erklangen, keine der düsteren Prognosen ist eingetroffen: von Arbeitslosigkeit sprach damals niemand, aber die kam dann wirklich. Es ist wirklich schon ziemlich viel mehr als komisch, Helmut Schmidt in düsterem Schattenspiel als den Linkesten aller Linken an die Wand zu werfen, als trojanisches Pferd des drohenden Sozialismus. Ich weiß nicht, ob das alles wirklich und wo »ankommt«. Hoffen wir, an der falschen Adresse, wie so mancher Bumerang, der nicht das gejagte Wild, sondern des Jägers Stirn trifft. Noch etwas macht mich besorgt um die CDU/CSU: wieder einmal, wie schon 1972, schlägt sie zu früh und zu heftig los, und wieder einmal, wie schon 1972, spürt man zu deutlich: so total, so ganz und gar überzeugt von ihren Kandidaten sind sie nicht. Helmut Kohl ist nun einmal kein guter »Brüller«, was ich keineswegs unsympathisch finde, man sieht, spürt, hört, daß er zu intensiv auf »die Tube drücken muß«, wenn er loswettert. Er hat – finde ich – nun einmal keine »Schnauze«. Warum ihm da eine vorhängen? Überhaupt, wie wär's mal ausnahmsweise mit einem *leisen* Wahlkampf? Kohl piano, Strauß freundlich säuselnd, Schmidt ganz sanft, Wehner mit Honigmund, Carstens gezuckert, Genscher ein bißchen weniger besorgt, nicht immer so ernst. Natürlich wissen wir alle: Europa braucht Deutschland, Deutschland ist tüchtig – aber sind die Tüchtigen immer beliebt? Deutschland ist fleißig, es ist sparsam – aber wo bleibt seine Liebenswürdigkeit, wo bleibt sein Charme? Da hilft kein statt und kein oder, kein und und kein aber. Mit Bindewörtern ist nicht viel Staat zu machen (höchstens als Material für konkrete Poesie).

Edvard Kocbek

(1976)

Wie ärmlich, erbärmlich, wenn nicht gar dümmlich müssen die wahren Motive für die Verfolgung von Kocbeks Freunden in Slowenien wirklich sein, wenn man ausgerechnet ihn des »Klerikalismus« verdächtigt. Ein solches Argument kann man nur einer Leserschaft anbieten, der man gleichzeitig Kocbeks Herkunft, seinen Werdegang, seine Gedankenwelt und seinen Charakter vorenthält. Es ist zu hoffen, daß alle Slowenen, die sich noch zu erinnern vermögen, die Lächerlichkeit dieses Vorwurfs erkennen, und es wird sich wohl bald herausstellen, daß man Kocbeks Freunden Klavics und Blazic nichts wird nachweisen können. Bei dieser Gelegenheit möchte ich darauf hinweisen, daß ich nicht mehr Präsident des Internationalen PEN war, als ich mich für Kocbek verwandte. Ich habe dies als langjähriger Freund von Edvard Kocbek getan. Nicht einmal dieses Detail stimmt: Im Frühjahr 1974 wurde in Jugoslawien Victor Pritchett zu meinem Nachfolger gewählt.

Posaunensolo, gedämpft

Über Rainer Barzel, »Es ist noch nicht zu spät«

(1976)

Der Titel *Es ist noch nicht zu spät* lädt zur Meditation ein: »Noch nicht zu spät für Strauß«, »Zu früh für Dregger«, »Noch nicht zu spät, den Kommunismus aufzuhalten«. Und am Ende solcher Spielereien mit dem Titel fällt einem der alte Uhrenspruch ein: »Es ist später, als du denkst!« Die »Späteren« wären dann eben doch Filbinger, Dregger, Strauß: *Sie* geben den Ton an; und was schlimmer und in Wahlkampfzeiten überzeugender ist: *Sie* haben die Wahlerfolge, scheinen also den Ton zu treffen, der begehrt ist.

Rainer Barzels Tonlage ist spürbar gedämpft, denkt man an die Zeiten des unseligen Komitees »Rettet die Freiheit«; immer noch kämpferisch, doch ohne den fatalen Geruch der Denunziation, der dem Komitee anhaftete. Das überzeugendste an diesem Buch sind denn auch für mich seine Widersprüche. Da wird beklagt: »Ich habe die Sorge, daß die Lautstarken eher zur Befriedigung ihrer Ansprüche kommen als Schwache zu ihrem Recht« – und gleichzeitig wird gesagt, unsere freiheitliche Ordnung sei keine »Heimstatt für Fußkranke«. Da heißt es: »Militärische Vorsorge und antikommunistische Haltung genügen auf die Dauer immer weniger« – und doch ist Antikommunismus, Angst vor dem Kommunismus das Grundthema des Buches.

Natürlich ist es Barzels Recht, antikommunistisch zu sein. Doch wenn das nicht genügt, wie er selbst sagt – worin besteht dann seine Offerte? Da wird einige Male von »geistigen Werten«, »geistiger Führung« gesprochen, dann aber kommt ein merkwürdiger Satz: »Demokratische Wirklichkeit und soziale Gerechtigkeit auch durch ein – vordergründig ›nur‹ – ökonomisches System!«

Dieses »nur« ist auf eine fast liebenswürdige Weise verräterisch, im Zusammenhang mit »vordergründig« ist es fast Gold wert: Die beiden Wörtchen dämpfen doch ziemlich die Posaune der freien oder sozialen Marktwirtschaft. Und es muß sich doch einer fragen, was denn im Hintergrund angeboten wird, wenn im Vordergrund eben »nur« ein ökonomisches System geboten wird. »Nur« ökonomische Systeme bieten Kommunisten und Sozialisten, Maoisten aller Schattierungen im Vordergrund ja auch; im Hintergrund ihrer Theorien haben sie immerhin die Utopie von Solidarität, Gleichheit, Brüderlichkeit, die noch nirgendwo verwirklicht worden ist, als Utopie aber bleibt.

»Der Christ«, schreibt Barzel, »weiß um Erlösung und ist deshalb gegen *diesseitige* (Betonung von mir) Utopien; er weigert sich, alles auf ein irdisches Ziel »vorzuprogrammieren« und für dieses Ziel dann alles ohne Rücksicht und mit allen Mitteln einzusetzen.«

Nun, manche Christen, etwa in Portugal, Spanien, Italien, Chile und anderswo, haben nicht viel Rücksicht gezeigt; es gibt haarsträubende Formen christlicher Rücksichtslosigkeit, man braucht da nicht bis zu den Kriegen in den Niederlanden zurückzugehen. Es fragt sich auch, welche *jenseitigen* Ziele die freie oder soziale Marktwirtschaft denn zu bieten hat. Es leuchtet auch nicht sehr ein, daß die Christen, die da »um Erlösung« wissen und diesseitige Utopien verabscheuen, so beharrlich an diesseitigem Besitz hängen. Sie tun's, und es wird ihnen auch von Barzel empfohlen. Wo werden denn die Schwachen (zu denen ich als Ex-Infanterist gern die Fußkranken hinzuzählen möchte) getrampelt? Nicht auf dem Markt? Und wenn man erst sein Privateigentum hat, dann hat man gut »diesseitige Utopien« verachten.

Es liegt mir nicht daran, Barzel hier eine Beweislast zur Lösung eines Problems anzuhängen, das ziemlich alt ist. Es gab da einmal ein Ehepaar, Ananias und Saphira, die lebten in einer Gemeinschaft, die »ein Herz und eine Seele« war – nicht utopisch, sondern wirklich, wie überliefert ist; sie fielen tot um, weil sie der Gemeinschaft Privateigentum vorenthalten hatten. Ja, es ist lange her, weit weg, und würde Privateigentum heutzutage so grausam bestraft, Europa wäre ein Leichenfeld. Immerhin, denke ich, darf bezweifelt werden, ob Eigentum ein christlicher Wert ist; ein irdischer: ja; ein heidnischer: ja. Aber warum hängen die »Erlösten« so schrecklich daran? Da Barzels Buch streckenweise wie ein Posaunensolo für die soziale Marktwirtschaft klingt, gleichzeitig aber geistige Werte, geistige Führung, christliche Erlöstheit anführt, muß ich mir erlauben, an *vormarxistische* Formen des Kommunismus wie eben jene Gemeinschaft zu erinnern. Offenbar haben die »Erlösten« im Laufe der Geschichte wenig überzeugt; in Südamerika, in Afrika, im Süden Europas. Portugal hatte viel Zeit, Angola und Moçambique zu »erlösen«. Die »Erlösung« der Bundesrepublik beruht nicht auf geistigen, sondern auf materiellen Erfolgen. Vielleicht sollte man einfach das Wort »christlich« aus der Politik streichen, und es wüßte einer, woran er ist.

Da Barzel selber zugibt, daß Antikommunismus auf die Dauer nicht genügt, brauche ich darüber kein Wort zu verlieren. Es kommt da aber das magische Wort »Wiedervereinigung« vor, und mir scheint, man muß den (ein bißchen zu modisch gewordenen) Spieß von den »häßlichen Deutschen« einmal von West nach Ost drehen. Überraschenderweise gelten ja die Westdeutschen in Osteuropa (außer in der Propaganda, versteht sich) als gar nicht so »häßlich«, während es (außer in der Propaganda) kaum jemand gibt, der die Ost-Berliner Besserwisser »hübsch« findet. Schlimm ist (und das trifft auf West- wie Ostdeutsche zu), daß die Deutschen nicht nur zur Besserwisserei neigen: Daß sie (beide) auch Erfolge vorweisen können, das ist ein tatsächlich beunruhigendes Faktum.

Nun frage ich mich, ob der Sowjetunion daran gelegen sein könnte, nicht nur 17 Millionen erfolgreiche Besserwisser, sondern deren gleich 80 Millionen (und wären sie auch alle Kommunisten) an ihrer Seite zu wissen? Daß den anderen, kleineren, sozialistischen Staaten wenig an einem wiedervereinigten (wenn auch sozialistischen) Deutschland gelegen sein kann, setze ich voraus – wie ich voraussetze, daß keiner der Westmächte an einem wiedervereinigten kapitalistischen Deutschland gelegen sein kann.

Man sollte doch die Küßchen, das Lächeln und zärtliche Winken an den Gangways nicht überschätzen. Die Wiedervereinigung ist eine einsame deutsche Utopie (eine irdische, versteht sich), so erlaubt wie jede andere. Nein, es ist schon so, wie Barzel schreibt: »Ich glaube nicht, daß die Bundesrepublik geeignet ist, aggressive Spitze einer antisowjetischen Politik zu sein.« Nein, besser nicht. Die Opfer des Krieges sind nicht vergessen in der Sowjetunion, und dazu bedarf es keiner Propaganda: Jede Familie ist betroffen.

Wie könnte man nur aus einer »Marktführung« eine geistige Führung machen? Wenn Barzel sagt, Adenauer habe gewußt, daß der Pragmatismus in der Politik nicht ausreiche, muß ich feststellen: Davon hat man wenig gemerkt. Überhaupt weiß ich nicht, ob diese Fixierung auf die »Väter« der CDU so gut bekommt, wie sie immer noch zu glauben scheint (die CSU hat's mal wieder besser: Sie hat einen Vater, der zugleich Bruder, Vetter, Kumpel ist – und Hinterland genug besitzt!). Adenauer, der ja doch im Alter boshaft, wohl manchmal sogar zerstörerisch wirkte, ist doch immer noch die Ursache von Führungskrisen. Wem hilft schon diese Hagiographie? Ich weiß auch nicht, ob Barzels Ekel (an dessen Aufrichtigkeit ich nicht zweifle) über seine Teilnahme an den Praktiken des Gefangenen-Freikaufs nicht einem unpolitischen Anankasmus entspringt. Schließlich ist Gefangenen-Freikauf oder -Tausch uralter, auch abendländischer Brauch, längst nicht so schmutzig wie das schändliche »Abwasserabgabengesetz«, das gegen alle Expertengutachten durchgebracht wurde. Wenn die »Wacht am Rhein« nun zur »Wacht an der Kloake« wird – wovon sollen wir dann noch singen! Ich will dieses Gesetz nicht Herrn Barzel anlasten, nur darauf aufmerksam machen, welche Probleme mir wichtiger erscheinen.

Da Barzel einige Male Sacharow zitiert, erlaube ich mir, daran zu erinnern, daß Sacharows *erster* Aufruf der internationalen ökologischen Planung galt. Sollte man ein paar Flaschen Rheinwasser nach Moskau schicken, als Beweis für die Freiheit des Rheins, als Beweis für den selbstmörderischen Wahnsinn, der uns eines Tages zwingen könnte, Wasser zu importieren?

»Wir sollten nicht davor zurückschrecken, der Säkularisierung des Fortschritts allein auf das Materielle den Kampf anzusagen«, schreibt Barzel. »Unser Wasser, unsere Luft, unser

Lärm beweisen, daß das not tut.« Richtig. Die Frage ist nur, gegen wen wäre da zu kämpfen? Ist die soziale Marktwirtschaft vielleicht doch ein wenig zu frei geworden? Man hat uns immer gesagt, das Gegenteil von Planwirtschaft sei »freie Wirtschaft«. Könnte es sein, daß das Gegenteil von Planung doch Planlosigkeit ist – unser Wasser, unsere Luft, unseren Lärm betreffend?

Es wird in jenem merkwürdigen Text, aus dem ich ein bißchen (die Story von Ananias und Saphira) referierte, oft von lebendigem Wasser gesprochen, Wasser, das mehr ist als Wasser – *unser* Wasser, jedenfalls das des Rheins, ist nicht nur tot, es ist schon begraben, im »Abwasserabgabengesetz«. Diesem Grab wird kein »geistiger Wert«, keine »geistige Führung« entsteigen. Man könnte fast meinen, der Rhein wäre *auch* jenem überaus christlichen Wert zum Opfer gefallen, der da heißt: Privatbesitz. Wem gehört der Rhein?

Gelegentlich würde ich gern noch erklärt bekommen, was ich nicht verstanden habe in Rainer Barzels Buch: Was ist ein »*entschiedener* (Betonung von mir) Leutnant der Seeflieger«?

Nachruf auf einen unbedeutenden Menschen

(1976)

Langsam erst, beim Stöbern in unserer Korrespondenz, beim Sichten der Zettel mit seinen Bücherwünschen, beginne ich zu begreifen, daß Kostja – so nannten wir Freunde *Konstantin Bogatyrjew* – tot ist. Er gehörte zu unseren besten Freunden in Moskau, und es will mir, solange der Täter nicht gefunden und sein Motiv nicht geklärt ist, nicht gelingen, an einen Fall von Zufallskriminalität zu glauben. Fall oder Zufall also? Sie – wer, wer? – haben ihn also erschlagen. Es müßte einer nicht nur ein zum Mord entschlossener Räuber, es müßte einer schon ein völlig »unprofessioneller« Räuber gewesen sein, der bei Kostja Reichtümer hätte vermuten können. Sein einziger Reichtum waren seine Bücher, und die hatte er gewiß nicht mit: es ist eine umfangreiche, sorgsam behütete, pfleglich behandelte Riesenbibliothek, um die ich ihn manchmal beneidet habe. Natürlich: wir wissen, daß jede Gesellschaft ihre eigene Kriminalität gebiert, aber dann möchte ich doch wissen, was sind das für Leute, die da einfach auf jemand an seiner Wohnungstür lauern und ihn erschlagen? Kostja erschlagen.

Kostja sprach immer offen, er war auf eine völlig unvorsichtige Weise freimütig. Er hatte fürchterliche Jahre der Haft, auch der Einzelhaft hinter sich, schwerste physische und psychische Schädigungen erlitten. Oft genug, noch am Flughafen, an der aller-allerletzten Sperre, wo Sowjetbürger gerade noch hindürfen, hat er sich freimütig geäußert, nicht nur übers System, nicht nur über den Schriftsteller-Verband, auch über den leidenschaftlichen Wunsch, einmal den Westen Europas zu sehen. Kostja war der geborene Dissident, einer der ersten, die ich kennenlernte; er war es von Natur, aus Instinkt, aus Erfahrung, lange bevor die Dissidenten als Bewegung Ruhm erlangten und international Ränge verteilt wurden. Es lagen Einladungen für ihn vor, auch von mir, der Verband, die Behörden haben sie alle ignoriert, nicht einmal darauf reagiert. Kostjas Reden, Gespräche, Tischreden, waren die eines hochsensiblen Übersetzers, Philologen, Zeitgenossen, eines Kenners und Büchernarren, eines Tiefverletzten, dessen Mundwinkel immer noch, noch nach langer Zeit, von den erlittenen Demütigungen und Grausamkeiten zuckten. Ja, auch er war ein Offizier der Roten Armee, einer der am wenigsten militärischen Menschen, die ich je kennengelernt habe, er war nicht nur anti-, er war amilitaristisch, und auf den Fotos, die ihn als jungen Leutnant zeigen, sieht er aus, wie man sich Rilkes Cornet vorstellen könnte. Wenn die Bezeichnung »Opfer des Stalinismus« auf einen Menschen zutraf, dann auf ihn. Ich frage mich, welcher Art oder Abart des »Stalinismus« er letzten Endes zum Opfer gefallen ist. Wir wissen alle, daß es überall Kriminelle gibt, Rowdies, Räuber, Rabauken, aber was waren das für Räuber, die da auf Kostja vor seiner Wohnungstür gewartet haben! Wie ist der Stand der Ermittlungen? Ich denke mir, manch einer in Moskau fragt sich jetzt: wann bin ich an der Reihe? Keine Geringere als Anna Achmatowa hat Kostja als Mitglied für den Schriftstellerverband empfohlen, und wenn er auch nur »irgendein Mitglied« war, so sollte dieser mörderische Überfall nicht *einfach* als unerledigt zu den Akten gelegt werden. Es bleibt Mißtrauen, *und* es bleibt die Frage, wie berechtigt es sein könnte. Kostja war es, der – gemeinsam mit anderen – die Übersetzungsfehler in *Gruppenbild mit Dame* bis in die allerletzte Kleinigkeit hinein recherchierte; nur er brachte die philologische Akribie und Leidenschaft zu solch einer undankbaren und unbezahlten Arbeit auf (Übrigens: auch das wäre eine Aufgabe für den sowjetischen Autorenverband, der ja Mittel genug dazu hätte: Übersetzungen kontrollieren zu lassen). Kostja war ein »verrückter« Philologe, er war der Übersetzer von Erich Kästner und Rainer Maria Rilke.

Er verehrte Annemarie, meine Frau, als Kollegin, als Freundin, vielleicht auch als »halbe Landsmännin«, er war in Prag, sie ist in Pilsen geboren. Wir beide, Annemarie und ich, können nicht glauben, daß er *nicht* mehr am Bahnhof oder am Flughafen stehen wird. Städte sind ja nicht nur sie selbst, sind nicht nur das, was sie vor- oder darstellen möchten, sie *sind* auch die Menschen, die man in ihnen kennt (Manche Stadt wird erst durch sie, die Menschen, die man dort kennt, wirklich!), und so wird Moskau für uns nicht mehr das alte sein, Kostja wird uns nicht nur bei Ankunft und Abfahrt fehlen, die Stadt ist einfach eine andere ohne ihn, freundlicher wird sie nicht durch seinen Tod und die Art seines Todes. Wir werden seinen Freimut missen, seine Gastfreundschaft, die Gespräche mit ihm über Übersetzungsprobleme, seine Leidenschaft für Nachschlagwerke und das Gespräch über diese. Er war ein Narr, ein Büchernarr und ein Dissident von Geblüt, der nie Rang, Ruhm oder Namen in dieser Disziplin erlangte. Er hätte so gern einmal den Westen Europas kennengelernt, Sprache, Lebensart, Gerüche und Geräusche zwischen Stockholm und Neapel, und natürlich auch dieses merkwürdige, immer noch und trotz allem gerade für Russen so faszinierende, so bekannte und unbekannte Land, das da Deutschland heißt. Er hat es nur kennengelernt als sehr junger Offizier der Roten Armee, in einer Mission, die so unglücklich für ihn endete. Welche »Gefahr« hätte es bedeutet, ihn einmal ausreisen zu lassen? Er war ein völlig ungefährlicher, weil vollkommen offener Mensch. Freilich hatte er in der Autoren-Hierarchie dort, wo er lebte, keinen »Rang«. Keiner der hohen Herren wird mich noch einmal fragen, warum ich Kostja, diesen »unbedeutenden« Menschen, der so gar keinen Rang hatte, so oft besuchte, manchmal – dem Himmel und der Hölle sei's geklagt – dreimal, wenn ich nur eine Woche da war. Bedeutende Menschen – um Gottes willen, lieber Kostja, zähle ich etwa dazu? – besuchen eben nur bedeutende Menschen. Und nur bedeutenden Menschen ist es erlaubt, Westeuropa zu sehen. Die Frage nach dem Stand der Ermittlungen im Falle der Ermordung des Konstantin Bogatyrjew bleibt offen, und es bleibt für viele unbedeutende Dissidenten die bange Frage: wann bin ich an der Reihe? Nachdem – sie – wer, wer? – Kostja erschlagen haben, zittern unbedeutende Menschen mehr als bedeutende.

Anwälte der Freiheit

(1976)

Der Ausdruck »Anwalt der Freiheit«, der CDU als Wahl-Leibbinde verpaßt, kommt in Biedenkopfs programmatischer Rede auf dem Hannoverschen Parteitag mindestens sechsmal vor (ich habe danach aufgehört zu zählen; (Abdruck der Rede in der *Frankfurter Rundschau* vom 4. 6. 1976). Fast ebensooft kommt das Wort »ordnungspolitisch« vor.

Nun weiß ich natürlich, daß Ordnungspolitik und Freiheit nicht unbedingt einander ausschließen, und ein Wahlslogan »In Ordnung und Freiheit« könnte einen schon nachdenklich machen, weil sich einer überlegen müßte, wo die Ordnungspolitik gewisse Freiheiten oder gar Überfreiheiten einschränken müßte. Nicht nur die Freiheit der »Radikalen«, die man hierzulande auf eine schändliche Weise in einen Topf wirft mit Terroristen, Anarchisten, es ist ja nicht jeder »Radikale« ein Anarchist, es ist nicht jeder Anarchist ein Terrorist, und am wenigsten anarchistisch oder terroristisch sind zum Beispiel die Mitglieder oder Anhänger der DKP. Welch ein Durcheinander von Begriffen, welch eine Verwirrung, wieviel Tausende von Möglichkeiten des Mißverständnisses, der Verleumdung. Die »Anwälte der Freiheit« sollten sich einmal Gedanken darüber machen, was da alles angerichtet wird und worden ist.

Natürlich kann man mit »Differenzierungen« innerhalb dieser Springer-Terminologie keine Wähler gewinnen, und so ist denn auch in Biedenkopfs Rede nicht ein einziges Wort des – sagen wir – »Verständnisses« für einige Erscheinungsformen der Radikalität zu entdecken. Die Rede ist, was man »gut gebaut« nennt, das ist beste akademische Tradition, in Aufbau, Thematik, Ausführung, und doch fand ich sie auf eine enttäuschende Weise nichtssagend: Man würde doch gern einmal wissen, was die »Anwälte der Freiheit« mit diesen jungen Leuten vorhaben; ob sie sie mit etwas mehr als opportunistischen Argumenten und mit etwas mehr als Anpassungsmotiven aus ihrer Isolation herausholen wollen.

Die statistische Dimension – 462 von rund 480 000 abgelehnt – ist ja nur *eine*, und es wäre durchaus eines Politikers würdig, sich auch einmal Gedanken darüber zu machen, was aus diesen 462 einschließlich ihrer Angehörigen denn wird. Die zweite Dimension – Diffamierung innerhalb etwa des Wohnbezirks, Nachbarnhäme, ökonomische Folgen – wird ja kaum sichtbar, und sie betrifft weit mehr als 462. Das Argument, es brauche ja nicht jeder Beamter zu werden, ist geradezu Hohn: In der Bundesrepublik kann man nun einmal nicht Lehrer werden, ohne Beamter zu sein, und daß es schwarze Listen gibt, die den Betroffenen auch in der sogenannten freien Wirtschaft die Türen verschließen, dem wird ja nicht widersprochen. Die Anzahl der unmittelbar Betroffenen verdeckt die Anzahl der mittelbar Betroffenen, die noch keiner kennt.

Viel Arbeit für die Anwälte der Freiheit, die keinerlei Signal dafür geben, daß sie für so etwas wie »Amnestie« plädieren oder gar »Gnade vor Recht« erwirken wollen. Kein Signal dafür, daß sie diese Schande auslöschen wollen. Im Gegenteil: der Tonangeber in Baden-Württemberg, der außerdem noch einen hohen Wahlsieg aufweisen kann, weicht keinen Millimeter zurück; in seinem – des Tonangebers – Land gefährden 15 oder 17 chilenische Flüchtlinge (noch keinem einzigen chilenischen Flüchtling in der Bundesrepublik ist irgend etwas politisch »Radikales« nachgewiesen worden) die Freiheit, deren Anwalt die CDU sein will.

Eine weitere Folge des Radikalenerlasses: Einschüchterung. Nicht nur Studenten, auch schon Mitglieder der Lehrkörper (nicht linke, sondern brave Liberale) unterdrücken Gedanken, die möglicherweise als »radikal« verstanden werden könnten. Die lähmende Wirkung ist schon sichtbar. Da sitzt ja wohl irgendeiner, der nicht nur mithört, auch mitschreibt (nein, kein Beauftragter des Verfassungsschutzes, dessen braucht es gar nicht: Irgendeiner wittert eine »radikale« Äußerung möglicherweise über das Bodenrecht oder – um Himmels willen – Kritik an der sozialen Marktwirtschaft – und überall gibt es ja freiwillige »ordnungspolitische« Helfer, die so etwas gern zu Papier bringen und weiterleiten). Welch ein Gezücht wird da ausgebrütet! Oh, ihr Anwälte der Freiheit, wollt ihr wirklich so etwas wie eine Karnickelgesellschaft, ihr die ihr gleichzeitig nach geistiger Erneuerung ruft und euch auf christliche Werte beruft?

Man braucht kein Linker, und schon gar kein linker Intellektueller zu sein, um Biedenkopfs so vielbejubelte Programmrede nichtssagend zu finden. Viele große Worte, ein bißchen Angst vor dem Sozialismus (was ist das eigentlich?) geschürt – und aus. Nicht ein Funken »geistige Erneuerung«, und wenn das christliche Werte waren (die Biedenkopf diesmal nicht beschworen hat), dann müssen die christlichen Werte recht fad sein.

Was wird da geboten? Nichts und noch einmal nichts. Eine Passage in Biedenkopfs Rede läßt vielleicht doch die Ausnahme von »nichts« zu: »Es ist unsere Aufgabe als politische Partei, als Anwalt der Freiheit, diesem Prozeß (der Schritt für Schritt vorgenommenen Einschränkung der persönlichen Freiheit) entgegenzutreten, und zwar auch dann, meine Freunde, wenn bei einzelnen Schritten und einzelnen Maßnahmen gegen die Unterspülung des freiheitlichen Fundaments auch *Besitzstände in unseren eigenen Reihen betroffen oder gefährdet werden*«, (Betonung von mir).

Da horcht man ja dann doch auf: Sind also die Besitzstände der Freunde von Herrn Biedenkopf bisher noch nicht betroffen oder gefährdet, obwohl die Fundamente schon unterspült sind? Und will er seine Freunde veranlassen, *freiwillig auf* Besitzstände zu verzichten? Das ließe sich, etwa auf Grundbesitz angewendet, ja hören. Ich habe an dieser Stelle (man ist ja nicht verwöhnt) ein bißchen Hoffnung geschöpft, sie rasch wieder verloren, weil da so wenig konkret klingt, so widersprüchlich, und weil ich nicht erfuhr, welche Besitzstände da gemeint sein könnten. Und außerdem: Wer sollte die freiwillig aufgegebenen Besitzstände denn verteilen oder verwalten? Soll das einfach so »unters Volk« gestreut werden, wie die Kamellen des Prinzen Karneval in Köln? Müssen da nicht doch wieder »Bürokraten her«, die diese aufgegebenen Besitzstände verwalten? Und täten sie's auch nur »aus Liebe zu Deutschland« (das war übrigens süß, wie Margret Thatcher das »aus Liebe zu Deutschland« aussprach!).

Nein, ich bin froh, daß es da ein paar Anwälte der Freiheit außerhalb der Bundesrepublik gibt: Sie sollen sich nicht zu rasch beruhigen lassen. Es gibt nicht nur die statistische Dimension, nicht nur Verwaltungsakte, es ist inzwischen ein Problem der Vergiftung – der Kampf gegen die Langhaarigen war ein Witz dagegen, denn lange Haare kann man immerhin *sehen*. Was da jetzt angerichtet worden ist in Familien, Schulen, Universitäten, bei Lehrlingen und Professoren, welche Angst vor unvorsichtigen Äußerungen, Handlungen, (möglicherweise sogar Gedanken!) – ich kann mir nicht denken, daß irgend jemand, der sich ernsthaft konservativ definiert, daran Freude haben kann. Das Schlimme ist, daß wir den Verfassungsschutz, was *diese* Ebene der Beobachtungen angeht, in Zukunft kaum noch brauchen werden: Das regelt sich von selbst, spielt sich ein, die Angst der Eltern um die Zukunft ihrer Kinder tut ein Weiteres. Und so sieht dann unsere geistige Erneuerung aus; wir brauchen Orwells Visionen gar nicht zu bemühen, es braucht kein Telefon mehr abgehört, es brauchen keine Wanzen mehr installiert zu werden: Wo es so viele »Verfassungsfeinde« gibt, gibt es noch mehr – freiwillige und unbezahlte – Verfassungsschützer. Eine schöne Aufgabe für die Anwälte der Freiheit – und für Toxikologen! Wir wollen sein ein einzig Volk von Denunzianten!

Das große Menschen-Fressen

(1976)

Es wird so leicht dahin gesagt, Zahlen sprächen für sich; ich zweifle an dieser Feststellung. Große Zahlen verdecken eher, als daß sie offenbaren. Wenn es um Menschenleben geht, ist es immer noch die Ziffer und die Zahl eins, die uns nahegeht. Vor einiger Zeit – ungefähr um die Zeit, als der Film *Das große Fressen* lief – fand in der Bundesrepublik Deutschland eine Gerichtsverhandlung um ein verhungertes Kind statt. Der Gegenstand des Prozesses galt als im einzig wahren Sinn sensationell, und es war dann auch, wie es der absurden Logik unseres Publikationswesens entspricht, *nicht* die Sensationspresse, die über den Fall ausführlich, mit genauen Analysen und Milieubeschreibungen berichtete.

Dieser Prozeß um *ein* verhungertes Kind schreckte auf. In unserem Land war ein Kind verhungert!

Nach den Unterlagen der UNICEF verhungern jährlich zehn bis fünfzehn Millionen Kinder auf dieser Erde – ich muß feststellen, daß in dem Wörtchen »bis« die ganze Schnödigkeit und Grausamkeit enthalten ist, die man ziffernmäßig erfaßten Toten angedeihen läßt. Und es muß die Frage folgen: wer *führt* die zehn oder fünfzehn Millionen Prozesse, die da fällig waren? Wer klagt an, wer verteidigt, wer richtet? Angesichts dieser notwendigen Frage und ausgeliefert der Phantasie, die notwendig (und das einzig brauchbare Mittel) ist, sich fünfzehn Millionen Gerichtsverfahren vorzustellen, muß wohl festgestellt werden, daß diese Ziffer – bedenkt man, wieviel planerische Intelligenz wir entwickeln und angewendet haben – die Bilanz eines totalen Bankrottes ist. Und diese Feststellung trifft nicht nur die praktische und theoretische Politik, sie betrifft uns alle, die wir am »großen Fressen« beteiligt sind. Denn wir leben ja nicht nur *in*, sondern *von* unseren Wirtschaftsstrukturen. Wenn wir von Strukturhilfe sprechen, denken wir doch insgeheim, daß unsere

Strukturen auch für andere die einzig wahren, die einzig richtigen sind. Auch an der Richtigkeit dieser Annahme wage ich zu zweifeln.

Vor einhundertundfünfunddreißig Jahren gab es in Irland eine Hungersnot mit verheerenden Wirkungen und Auswirkungen. Man hat errechnet, daß von einer Bevölkerung von sechs Millionen Einwohnern eineinhalb Millionen verhungerten. Ebenso viele wanderten aus, und wenn man sich vorstellt, daß Irland damals so viele Einwohner hatte wie Polen, und feststellt, daß Polen heute fast dreißig Millionen Einwohner hat und Irland deren drei, so sind die Auswirkungen dieser Hungersnot sichtbar gemacht.

Der Konflikt, über den wir fast täglich – jetzt schon nicht mehr, denn der »blutigere« Konflikt im Libanon hat jetzt Vorrang – gehört und gesehen haben, hat sehr sehr viele, uralte Wurzeln, die Hungersnot und ihre Folgen, vor allem die Art, mit der man damals mit ihr »fertig zu werden« versuchte, ist nur eine der vielen Ursachen des Konflikts. Es gab damals endlose Debatten im britischen Parlament, auch in der britischen Öffentlichkeit, ob man angesichts der katastrophalen Lage in Irland Theorie und Ideologie des Free Trade, und die Besitz- und Pachtverhältnisse, die *eine* Ursache der Katastrophe waren, aufrechterhalten könne. Free Trade, Besitz- und Pachtverhältnisse wurden aufrechterhalten, und so geschah es, daß, während auf den Straßen Irlands Menschen vor Hunger starben, gleichzeitig hochwertige Lebensmittel exportiert wurden.

Und noch etwas: Es wurden zahlreiche Suppenküchen eröffnet, und da gab es welche, die nicht nur die Schöpfkelle, auch den Zeigefinger schwenkten, weil sie dachten: jetzt ist der Augenblick gekommen, wo wir diesen verfluchten Iren ihren abscheulichen Aberglauben, diesen Katholizismus, austreiben können, aber genau das, was die anderen Aberglauben nannten, war der Verhungernden letzter und einziger Besitz, und als man ihnen auch den noch nehmen wollte, wurden sie rebellisch und kippten den Missionaren die Suppe vor die Füße. Diese Demütigung wollten sie nicht auch noch erfahren (nicht alle natürlich, manche nahmen die Suppe und den »wahren Glauben« an).

Das erklärt nicht alles, aber einiges und es wäre wohl an der Zeit, es zu vergessen, aber ich frage mich, ob es unsere Sache ist festzustellen, was andere Völker vergessen sollten.

Es gab einige Umsturzversuche in Irland, solche mit, solche ohne Waffengewalt, und es waren – auch das gehört zur komplizierten Thematik und Problematik – fast immer protestantische Adelige und Intellektuelle dabei, solche aus der Schicht der *Besitzenden*, die zur Änderung des Systems aufriefen. Ich kann hier keinen Abriß der komplizierten und auf einigen Schichten tragischen und komplexen Geschichten Irlands geben. Mir fiel da nur einiges ein, als ich gebeten wurde, ein paar Worte zu sprechen zur Eröffnung einer UNICEF-Veranstaltung. Es fiel mir zum Beispiel ein, daß vor kurzem einer der ehrwürdigsten und verehrungswürdigsten (auch ein »Umstrittener«, wie könnte es anders sein) Staatsmänner und Politiker der jüngeren europäischen Geschichte gestorben war. Eamon de Valera, der knapp sechzig Jahre vor seinem Tod einer der meistgehaßten und meistgesuchten Terroristen des britischen Empire gewesen war.

Es blieb seinerzeit in Irland bei einer Kombination von Free Trade und Wohltätigkeit, und es scheint mir, an dieser Kombination hat sich bis heute in der Welt nicht viel geändert. Ich entnehme einem Bericht der amerikanischen Zeitschrift *Ramparts* über den Export von Nahrungsmitteln aus Ländern, in denen Hunger herrscht (und ich fand es bestätigt in einer Rede, die Willy Brandt am 12. 12. 74 vor der UNICEF in Genf gehalten hat): Jeder Amerikaner – vergessen wir das Wort Amerikaner sofort wieder, denn diese Untersuchungen wurden *in Amerika* nicht nur angestellt, sondern auch publiziert, und wir wollen uns nicht einbilden, wir lebten anders!: jeder Amerikaner verbraucht 2000 Pfund Getreide im Jahr, davon aber nur 200 für Brot und Backwaren, der Rest dient der Herstellung von Fleisch, Eiern, Alkohol; ein Pfund Weizen ergibt ein Pfund Brot: um ein Pfund Fleisch zu produzieren braucht man acht Pfund Getreide; wir essen also acht Pfund Brot, wenn wir ein Pfund Fleisch essen. Auf dem Umweg über verschiedene Absurditäten importieren wir also den Hunger in Länder, die wir zwingen, Nahrungs-, Futter- und Düngemittel zu exportieren, billig versteht sich, viel zu billig, wie die Bananen, die wir essen, und der Kaffee, den wir trinken – und dann geben wir ihnen einen Teil des Gewonnenen als Wohltätigkeit zurück. Ob angesichts solcher Absurditäten unsere Strukturen so verlockend für diese Länder sind, wage ich zu bezweifeln.

Lassen wir also den Zeigefinger unten und überlassen es den nachdenklichen jungen Politikern, Militärs und Intellektuellen in diesen Ländern, welche Strukturen sie für sich erproben wollen. Unsere Sorgen um die zukünftigen Strukturen Portugals sind ja geradezu rührend, nachdem wir uns fünfzig Jahre lang wenig Sorgen um Portugal gemacht haben. Wir beklagen die Ungeduld und die Unvernunft der Umstürzler – die Unvernunft derer, die keine andere Wahl als Umsturz gelassen haben, beklagen wir schon seltener. Das herabgelassene Gerede über die Volksrepublik China, die ja weiß Gott keine Freie Marktwirtschaft betreibt, ist Respekt gewichen. Bewundern wir also die Hartnäckigkeit, mit der man unsere Modelle abgelehnt hat. Wir haben noch nicht von den Chinesen gelernt, Berge zu versetzen: unseren Zucker-, Butter-, Müll- und Wohnungsberg, Gebirge von Absurditäten, aus denen wir nicht heraus wissen, ganze Ströme von Wein, ganze Meere von Milch: strukturelle Absurditäten, in der Welt des »großen Fressens!«

Antwort nach Prag
(1976)

Verehrter Jaroslav Seifert,
als mir Ihr Brief angekündigt wurde, las ich gerade zum zweitenmal das Buch von Reiner Kunze, *Die wunderbaren Jahre*, las es mit wachsendem Gruseln; und was Sie und Ihre Freunde mir dann mitteilten, erschien mir wie eine Illustration zu Kunzes Buch, das ja die »wunderbaren« Jahre der Heranwachsenden, nicht der Erwachsenen zum Gegenstand hat. Ihr Brief gibt einen trostlosen Tatbestand wieder, absurder, als man ihn sich ausdenken könnte, und doch empfand ich Ihren Brief als tröstlich: mir ist nicht bekannt, daß eine Gruppe von Dichtern, Philosophen, Professoren in irgendeinem anderen sozialistischen Land sich in Sachen *unbekannter* Jugendlicher, deren schweres Vergehen im Musizieren und Singen besteht, an die Öffentlichkeit außerhalb ihres Landes gewendet hat (daß sie sich nicht an die Öffentlichkeit innerhalb ihres Landes wenden kann, da ihr die Medien nicht zur Verfügung stehen, ist vorausgesetzt).

Am meisten beeindruckt hat mich die Tatsache, daß Sie das ablehnen, was Sie die Schutzfauna nennen, jene Aura der Prominenz, die überall in der Welt benutzt wird, um die Probleme zu vernebeln. Dieses Problem ist so international wie die Versuche, Jugendliche einzuschüchtern, zu ducken, ihres Ausdrucks zu berauben, sie auf die (gewöhnlich) reaktionäre Vorstellung von einer konfliktlosen Gesellschaft einzuschwören, mit vorgeschriebenen Gedanken, vorgeschriebener Musik und Lektüre, vorgeschriebenen Verhaltensweisen.

Ich kann nicht ermessen, ob die Verschiebung des Prozesses der Einsicht entspringt, daß »man« sich lächerlicher kaum machen kann als durch einen solchen Prozeß. Für die Betroffenen ist es keineswegs »lächerlich«, auch wenn der Prozeß nicht stattfindet, denn die Drohung bleibt ja bestehen.

Wenn ich Ihnen und allen Freunden, die den Brief mitunterzeichnet haben, mit besonderer Herzlichkeit danke, so deshalb, weil außer der Mitteilung über diesen bevorstehenden Prozeß, diese Definition der »Schutzfauna«, die Sie und Ihr Freund ablehnen, eine ganz neue Dimension in die »kulturelle Szene« einbringt. Daß auch wir hier Grund haben, unsere »Schutzaura« mit Mißtrauen zu analysieren, gehört zu den Selbstverständlichkeiten wie der Ausdruck der Verbundenheit, den Sie so herzlich betonen.

Ich danke Ihnen für Ihren Brief, den meine Freunde hier auch als an sich gerichtet empfinden, und wenn ich Sie herzlich grüße, allen Freunden, allen Mitunterzeichnern danke, darf ich die Grüße vieler Freunde hier einschließen.

Sehr herzlich, mit Grüßen auch an die jungen Musiker,

Ihr Heinrich Böll

Sprache ist älter als jeder Staat

Über Carl-Jakob Danziger, »Die Partei hat immer recht«

(1976)

Wie soll ich einem Buch gerecht werden, das sich als Autobiographie und Roman zugleich vorstellt, von einem Autor aus der DDR, der offenbar viel geschrieben und publiziert hat und sich wohl aus gutem Grund – hinter einem Pseudonym aufhält?

Da ich nicht detektivisch vorgehen und herausfinden will, wer das ist, was er geschrieben hat (das gehört ja bei einem Autor zur Biographie!), bleibe ich, und finde das ganz heilsam, im Grenzland zwischen Fiktion und deren Gegenteil hängen, hängen auch im Grenzstreifen zwischen DDR und Bundesrepublik, nicht gerade zwischen Minen und Selbstschußanlagen, vielleicht aber mit einem Knopfloch im Stacheldraht. Es weiß einer ja nie, was er anrichtet, wenn er Grenzen überschreitet, an denen nicht nur (etwa in die Luft!) geschossen, sondern auch gezielt und getroffen wird. Vorsicht ist geboten, auch wenn der Autor solche beiseite läßt und im Vorspruch schreibt: »Alle dargestellten Situationen in diesem Buch basieren auf eigenen Erfahrungen und Erlebnissen; gewisse Freiheiten im Umgang mit Personen und Schauplätzen erwiesen sich als unvermeidlich. Die subjektiven und gelegentlich auch einseitigen Urteile sind keine Fehlleistungen, sondern Absicht.«

Gehe ich als »naiv« an die Lektüre, entdecke ich zunächst einen Helden, dessen Naivität mich in Erstaunen versetzt. Hat er nicht schon 1951, ein Jahr nachdem er aus Israel in die soeben installierte DDR zog, geahnt, wohin das alles führen, wie das enden könnte? Nein, lassen wir ihm die Hoffnung, die so oft mit Illusion verwechselt wird, die Hoffnung eines Sozialisten, der mit einer gewissen Bitterkeit Israel verläßt, und ich schlage mich bereitwillig an die Autorenbrust und frage mich, wie naiv ich 1951 gewesen sein muß, weil ich nicht ahnen konnte, daß sich

1976 die Folgen eines 1972 ergangenen Radikalenerlasses wie eine Lähmung übers Land legen würden.

Was dem einen die Penetranz der frisch konvertierten Mustersozialisten, sollte dem anderen die Penetranz der frisch konvertierten deutschen Musterdemokraten sein dürfen, und es gibt da beim Danziger auf Seite 186 einen Satz, der treffen könnte: »Denn seitdem (seit 1955 die sowjetischen Redakteure der ›Täglichen Rundschau‹ abgefahren waren) war ich auf die Deutschen angewiesen, auf ihre übelste Provinz, die preußische (o armer Fontane!), in der man alles kommandieren und organisieren zu können glaubte, auch die Kunst.« Dann aber gibt Danziger zu: »Ich habe eine literarische Konditorei, Bestellungen auf Torten und bunte Schüsseln werden prompt entgegengenommen, solange noch ein Fünkchen Parteitreue in mir lebt, ist das nicht allzu schwer.« Und an anderer Stelle: »Ich war das treueste Mitglied der Partei, obwohl ich keines war.« Denn Parteimitglied ist er nie geworden, obwohl er's heftig begehrte. Intrigen, der Übereifer ehemaliger Nazis, eine winzige Unterschlagung in seinem Lebenslauf, geöffnete Briefe verhindern es, und an diesem Punkt – der Verbitterung über die Nichtzulassung zur Partei – bekenne ich mich unfähig zu begreifen, bei einem Autor, der offenbar eine Zeitlang ganz gut zurechtkommt. Danzigers schlimmste Sünde aber ist, daß er sich für Realismus und nicht für sozialistischen Realismus entscheidet, und da hilft ihm ehrenwerterweise auch seine Konditorbegabung nicht. Schon bei seiner ersten größeren Buchpublikation, einer Reportage über einen Großbetrieb, bekommt er jene Wirklichkeitsverleugnung zu spüren. Was er da herausgefunden, aufgespürt, aufgeschnappt hat und was nicht publiziert wird, ist genau die Stimmung, die zum 17. Juni 1953 geführt hat, soweit er aus der inneren Krise der DDR entstand. Daß diese Krise von außen geschürt, von Provokateuren, Aufheizern und Aufladern zum Sieden gebracht wurde, auch das ist in Danzigers Buch zu finden, und er findet das auch im Jahre 1976 noch so wenig erfreulich wie 1953.

Ich muß wiederholen: Ich weiß nicht, wer sich hinter dem Pseudonym Danziger verbirgt, ich kenne keine einzige Publikation dieses Autors außer dieser, und mir scheint, daß es letzten Endes dieser Unterschied zwischen realistisch und sozialistisch-realistisch ist, an dem Danziger scheitert: Es gibt offenbar eine Grenze, eine sprachliche Grenze (ein Sprachgewissen könnte man es nennen), an der auch jemand scheitert, der gewiß hin und wieder bereit war, sich aus sozialistischer Überzeugung zu beugen und anzupassen. Gerade weil er »parteitreu«, weil er Sozialist ist, möchte Danziger doch die Parteiführung informiert darüber wissen, was so im Lande vor sich geht, was gedacht, getan wird, wie übereifrige Opportunisten sich einrichten. Eine realistische Literatur würde der Führung der DDR ja Strömungen und Stimmungen im Lande zeigen, die nicht unbedingt von »faschistichen Agenten« eingeschleppt sind, die möglicherweise im System selbst ihre Ursache haben. Die hagiographische Folienliteratur vergoldet ja die Probleme, und durch Lektoren und Ideologen gebilligte Kritik ist ja keine mehr, sie ist noch verlogener als offene Erbauungsliteratur. Und was die Aufpasser betrifft, kann der Mauerbau ja keine Erleichterung gebracht haben. Wenn Danziger schreibt: »Ich machte die Beobachtung, daß es immer die schärfsten und suggestivsten Richter über ihre ungenügend parteitreuen Bürger waren, die schon die Koffer gepackt hatten«, und interpretiert man diese Feststellung vom Datum des Mauerbaus bis in die unmittelbare Gegenwart, dann kann sich einer ausrechnen, wieviel »schärfste und suggestivste Richter« in ungepackten Koffern blinde Ergebenheit und Denunziation verbergen. Ein weiteres Zitat: »Die Fähigkeit der deutschen Partei, aus Freunden Feinde zu machen, ist staunenswert.«

Der Lebenslauf eines Deutschen, der so um die sechzig Jahre alt sein muß, wenn er nicht gerade filmschauspielernd durch die Kulissen der Geschichte geholtert und gepoltert ist, der außerdem noch jüdischer Herkunft, Autor und Sozialist ist, ein solcher Lebenslauf, wie könnte er konfliktlos verlaufen?

Es ist erleichternd, daß Danziger auch Schwächen zugibt, nicht nur die »Konditorei«, auch familiäres Scheitern; daß er zugibt, in einem Gespräch Namen genannt zu haben: »Ich nannte Namen, wie ein Verräter beim Gestapo-Verhör. Gott sei ihnen gnädig, dachte ich, ihr Blut komme nicht über mich.«

Überraschende Details: der israelische Millionär, der sich

mitsamt seinem 1 : 1 eingetauschten Vermögen der sozialistischen Wirtschaft zur Verfügung stellt und an miesen Intrigen, Murks und Mißwirtschaft scheitert; die Mitteilung, daß die »besten Genossen den Konflikt zwischen Disziplin und Kritik mit Magengeschwüren, Herzinfarkten und klinischer Tobsucht bezahlten«; daß der Todesstoß für Danziger von einem Mitglied der westdeutschen KP kommt. Wie da Manuskripte hin und her geschoben, umgeschrieben werden, was an Publikationen verhindert, verfälscht, im günstigen Augenblick noch einmal überarbeitet, dann aus der Schublade gezogen wird. Noch 1958 verbot Danziger seiner Freundin Hilda energisch, den RIAS zu hören, ein Jahr später schaltet er selbst den Sender ein, »um einmal etwas anderes zu hören als das, was ich seit zehn Jahren schrieb«. Nein, er wollte »nicht den Kapitalismus restaurieren«, er wollte »nur den Sozialismus geistvoller und menschlicher. Nur. Es ist Selbstmord, das zu wollen.«

Das ist eine bittere Bilanz, in der einige Posten unklar bleiben, solange einer nicht weiß, *was* der Autor »Danziger« *wie* geschrieben hat. Danzigers Buch ist lehr- und aufschlußreich trotz der »offenen Posten«, für Politiker und Staatsmänner, auch in Ländern, wo die Partei nicht immer recht hat. Es könnte zu der Erkenntnis beitragen, daß Literatur und Kunst eines Landes immer noch die beste Auskunft über ein Land geben. Wenn ich heute blutig-düstere Nachrichten aus Argentinien höre, denke ich an Sabatos *Über Helden und Gräber*, an Murenas *Die Gesetze der Nacht*. Ich könnte dasselbe von Asturias für Guatemala, García Márquez für Kolumbien, Vargas Llosa und Arguedas für Peru sagen …

Politiker und Funktionäre bilden sich immer zu viel ein, wenn sie auf Literatur und Kunst nur gekränkt oder geschmeichelt reagieren, ganz gleich, in welchem System sie welcher Partei angehören. Sie sollten, wenn sie sich schon äußern oder einmischen, wenigstens das Einmaleins kennen, wenigstens ein paar Stile auseinanderhalten, wenigstens wissen, daß Satire (die eine Äußerung tiefster Trauer sein kann) nichts mit dem karnevalistischen »Veräppeln« zu tun hat. Was versäumen sie, die doch Realpolitik in dieser Gegenwart machen, an Auskünften und an Gegenwärtigkeit! Es geht immer um mehr als um Kränkung oder Schmeichelei! Ich zitiere den russischen Dichter Brodskij: »Sprache ist etwas viel Älteres und Unvermeidlicheres als der Staat.« Und damit nicht noch mehr Mißverständnisse entstehen: Brodskij wurde aus der Sowjetunion ausgewiesen, man könnte es vergessen haben, es ist ja schon vier Jahre her. Sowjetische Funktionäre und Politiker haben den Aus- und Aufbruch der sowjetischen Literatur nicht verhindern können, von Jewgenija Ginsburg bis Woinowitsch und Kornilow; und gewiß setzt sich bei vielen Unbekannten, die wir noch nicht kennen, der Aufbruch fort. Der Aufbruch der Literatur in der DDR in die Gegenwärtigkeit hat begonnen, nicht erst mit Danziger.

Die Faust, die weinen kann

Über Reiner Kunze, »Die wunderbaren Jahre«

(1976)

Auf ganz ganz andere Weise Auskunft über die DDR gibt Reiner Kunze: *Die wunderbaren Jahre.*

Der Titel stammt aus Truman Capotes *Glasharfe*: »Ich war elf und später war ich sechzehn. Verdienste erwarb ich mir keine, aber das waren die wunderbaren Jahre.« Dies zu zitieren, ist wichtig, denn in Kunzes Prosaband ist keine einzige Zeile zufällig, und so ist auch keine einzige Zeile überflüssig.

»Inhaltsangaben« will ich versuchsweise gar nicht erst angehen; wie sollte einer den Inhalt von Prosa referieren, von diesen etwa fünfzig Stücken, von denen keines länger als drei Seiten ist, viele nur Fünf- bis Fünfundzwanzigzeiler sind? Und doch sind es weder Aphorismen noch Anekdoten, keine Kürzestgeschichten; es sind – ich wage lieber einen graphischen Vergleich – scharf aus der DDR-Wirklichkeit herausgestochene Medaillons. Doch: Medaillon – das klingt so »koloriert«, fast lieblich, und ich denke dann doch lieber an unkolorierte, winzige Stiche, 5 × 8 Zentimeter, Rheinansichten, Stadtansichten, die ich jedem historischen Prachtschinken-Fresko von 5 × 8 Metern in irgendeiner Stadthalle vorziehe.

Die Stille, in der Kunzes Prosa sich steigert und fortbewegt, macht einen atemlos, vor Spannung auch. Schlimm, denkt man, doch dann kommt's schlimmer und noch schlimmer. Das fängt mit den *Friedenskindern* an, sechs winzigen Stücken auf die Sechs- bis Zwölfjährigen, die da im Schießen und Stechen geübt werden, und der Gegenstand des siebten Stücks ist logischerweise das Opfer eines Schießbefehls. *Federn* nennt sich die zweite Abteilung, *Verteidigung einer unmöglichen Metapher* die dritte. (»Sie ist die Faust, mit der Gott auf ihre Eltern niederfährt. Aber eine Faust, die weinen kann. Mit dieser unmöglichen Metapher leben.«) Die vierte Abteilung heiße *Café Slavia*.

Ganz gewiß ist an dieser Prosa nichts erfunden, außer eben dem Entscheidenden, der Form, die sie gefunden hat, und es läßt sich eben das eine vom anderen weder trennen noch abziehen. Die Form rechtfertigt die Mitteilung des Inhalts, und da gibt es nirgendwo Ab- oder Ausweichen, wie ein Roman es immer wieder erlaubt. »Inhalte« zu erfinden, das spürt man, wäre hier tödlich gewesen, und so ist dieser kleine Prosaband aufschlußreicher, gibt mehr Auskunft, als einige Romane geben könnten. Und da es gewiß wiederum kein Zufall ist, daß *Federn* eine gewisse Rolle spielen, käme ich – müßte ich einen ballistischen Vergleich suchen – auf Blasrohr. Wer mit dem Blasrohr arbeitet, muß sehr leise sein, beobachten, Geduld haben, auch gute Ohren – und darf doch nicht zögern, wenn der Augenblick gekommen ist, die Leute zu erwischen. Blasrohr – das beträfe das Aktive an Kunzes Prosa; das Passive wäre wohl am besten mit Seismograph ausgedrückt; und da es ja Leute gibt, die wütend auf den Seismographen einschlagen, wenn er ein Beben ankündigt, das ja nicht sein darf, so muß man sich drauf gefaßt machen, daß diese leise, scharf gestochene Prosa einigen Ärger verursachen wird, zumal darin auch der Un-Name Wolf Biermann natürlich nicht fehlt. Und wenn Pasternak und Solschenizyn im Literaturunterricht »Gesindel« genannt werden (es stellt sich heraus, daß mindestens das »Gesindel« Pasternak auch in der DDR erschienen ist; und die junge Dame, damit konfrontiert, repliziert: »Bei uns erscheint Gesindel?«), so wird sich das Gesindel wahrscheinlich mal wieder vermehren.

Das am meisten »ärgerliche« an dieser Prosa könnte sein, daß sie eigentlich weder satirisch noch polemisch ist; sie könnte die Prosa eines poetisch hochbegabten Chirurgen sein. Das Satirische in seiner bittersten Version kommt aus der beobachteten Wirklichkeit durch bloße Benennung hinein – und das erträgt die dargestellte »Wirklichkeit« in den meisten Fällen weniger als die »Überhöhung« durch Satire. Da wird einer plötzlich von stilistischen Winzigkeiten »gestoppt«. Ich nenne eine davon. Ein Jugendlicher, der von den Jugendfestspielen – zu denen er gar nicht will! – ferngehalten werden soll, wird auf die absurdeste

Weise auf einer privaten Fahrt behindert, verhindert, immer wieder aufgehalten (muß auspacken, einpacken, auspacken, einpakken); schließlich, beim letzten Verhör, wird ihm gesagt, er könne gehen, und er fragt: Wohin?« Von ihm wird gesagt: »Er ist sich keiner Schuld bewußt. Höchstens, daß er einmal beinahe in einem VW-Käfer mit Westberliner Kennzeichen getrampt wäre.«

Man muß diese Prosa langsam lesen, langsam einatmen (ich frage mich, ob wir mit unserem vergröberten Wahrnehmungsvermögen dazu noch fähig sind), um die Satire zu bemerken, die sich hier aus der dargestellten Wirklichkeit selbst »anliefert«. Vielleicht wäre die Formulierung angebracht: Kunze stellt die Wirklichkeit, die ihm in die Falle geht. Wie lange, wie geduldig, mit welcher Ausdauer, muß da einer auf der Lauer gelegen haben!

Und da gibt es ein Datum, den großen Wendepunkt, den man vielleicht schon vergessen hat, es ist ja schon acht Jahre her: Es gibt den 21. August 1968 (und man hat vielleicht auch schon vergessen, welche Rolle Solschenizyns Brief an den Sowjetischen Schriftstellerverband beim Prager Frühling gespielt hat). Und wiederum ist es gewiß kein Zufall, daß die vierte, die letzte Abteilung *Café Slavia* heißt: Prag, die Prager Freunde, die Prager Dichter, die Kunze übersetzt hat. Diese Prager »Stücke», mit den Gedichten von Mikulášek, Kolár, Bartusek, Kundera, Skácel, geben den protokollartigen Prosastücken über die DDR erst den rechten Hintergrund, sie machen auch den Unterschied zwischen DDR und ČSSR deutlich. Da wird dem Autor die Bedienung im Café Slavia verweigert, und während er über die Gründe für diese Unhöflichkeit grübelt, fällt ihm ein: »Mit einemmal wurde mir bewußt, daß von dort, wo ich herkam, Truppen in die Tschechoslowakei eingefallen waren«, und da sich der verweigerte Kaffee 'rumspricht, wird er von den Freunden mit Kaffee, sehr starkem, geradezu »überschüttet«. Und da gibt er auch noch seinen Mantel mit einem russischen DDR-Etikett an der Garderobe ab, schreibt außerdem noch Postkarten an russische Freunde!

Aber da gab's auch an jenem Tag des Wendepunkts Blumen für seine tschechische Frau in der Wohnungstür in der DDR, viele; mit drei Sträußen im Arm kam sie nachmittags aus der

Klinik (sie ist Ärztin), und diese drei Sträuße waren »nur ein Teil«. Angesichts der Kürze dieser Prosa kann es auch nicht Zufall sein, daß es »an Stelle eines Nachworts« schätzungsweise fünfzig Zellen gibt, die *Forstarbeiter* überschrieben sind. In ihnen unterliegt der Autor verschiedenen nachbarlichen Berufsverwechslungen, bis er schließlich klären kann, daß er Schriftsteller sei, worauf prompt die Frage kommt: »Hast du Hunger?« (»Mit soviel Schlüssigkeit hatte sich noch nie jemand nach meinen leiblichen Bedürfnissen erkundigt.«) Es wird ein Glas Wurst herbeibeordert, das Honorar aber erst ausgehändigt, als die Frage gestellt (aber nicht beantwortet ist, sie beantwortet sich selbst): »Schreibst du's, wie's in der Zeitung steht, oder wie's im Leben ist?«

Kunze schreibt offenbar »wie's im Leben ist«. Seine Prosastücke sind »wahre Geschichten«, in der DDR geschehen, undenkbar ohne den politischen, den literarischen, den persönlichen Hintergrund ČSSR. Solche Mitteilungen, »zimmerlautstark« vorgetragen, demonstrieren die Relativität des Begriffs »Zimmerlautstärke«: Was man darunter zu verstehen habe, hängt von der Entfernung zum Nachbarn ab, von der Dicke der Wände, von Vorhängen, Filzstreifen; und es könnte da einer schreien, und der Nachbar könnte es, weil er sich die Ohren verstopft hat, immer noch als zimmerlautstark empfinden. Es gibt da ein Stück, das *Beweggründe* heißt; es bringt – wie manche andere Partien – die Einsamkeit des Pfarrers Brüsewitz in Erinnerung (Reiner Kunzes Prosaband wurde vor dem März 1976 abgeschlossen!). Da hat sich ein Schüler erhängt, der Mitglied der jungen Gemeinde war, hat einen Zettel mit einem durchgekreuzten Totenkopf und der Aufschrift »Jesus Christus« hinterlassen. Es wird seinen Mitschülern verboten, schwarze Armbinden zu tragen Es wird ihnen verboten, an der Beerdigung teilzunehmen, und vorsichtshalber wird ein »Schülerwachdienst« eingeführt, die Schultür abgeschlossen.

Es sind *wunderbare Jahre*, offenbar besonders wunderbar für die Sechs- bis Sechzehnjährigen, deren Gegenwart, und Zukunft, darin zu bestehen scheint, Spitzel, bespitzelt oder gleich beides zu sein. Wer könnte da durch die Wirklichkeit selbst sich gekränkt fühlen, wer geschmeichelt? Wer ärgert sich da über »häßliche Deutsche«?

Angst um Kim Chi Ha

Ein Aufruf für den inhaftierten koreanischen Schriftsteller

(1976)

Es gibt nicht nur Anzeichen, auch Informationen, die darauf hinweisen, daß der südkoreanische Dichter Kim Chi Ha, der, schon mehrfach inhaftiert, gefoltert, freigelassen, wieder eingesperrt, zum Tode verurteilt, nach weltweiten Protesten zu lebenslänglich »begnadigt« wurde und nun auf einen weiteren »Prozeß« wartet, noch lange nicht außer Lebensgefahr ist.

Wer auch nur in seine Gedichte, seine Satiren, seine Prosa hineinschaut (Missio, das internationale katholische Missionswerk, hat einiges übersetzt, der Jugenddienst Verlag in Wuppertal wird demnächst Werke von Kim Chi Ha veröffentlichen), wird feststellen, daß hier ein außerordentlicher Poet, eine der ganz seltenen Begabungen am Werk ist, für die Poesie und heftiges Engagement keine Gegensätze sind. Und es könnte sein, es gehört nicht viel Phantasie dazu, sich vorzustellen, daß schon in wenigen Jahren die katholische Kirche, sowohl in ihrer Amtlichkeit wie als »mystischer Leib« (jenem Zweig, der Liebe und Brüderlichkeit nicht für Narretei hält), sich auf Kim Chi Ha als einen der wenigen (vergleichbar mit Ernesto Cardenal) berufen wird, die einer untergehenden, gelähmten, an Zweitrangigem überflüssigerweise »leidenden« Kirche einen Weg ins Überleben gewiesen haben, Überleben in die Dritte Welt hinein, die dann die erste sein wird. Er könnte einer der wenigen, einer der Kronzeugen dafür sein.

Frau Dr. Marietta Peitz, die mit Leben und Werk von Kim Chi Ha sehr vertraut ist, hat im *Publik Forum* und anderen Publikationen immer wieder auf Kim Chi Ha hingewiesen, im *Publik Forum* vom Juni 1976 zitiert sie aus einem langen Nachtgespräch mit dem südkoreanischen Bischof Tji von Wonju »Was sind die Prioritäten der Kirche in Südkorea?« Und die Antwort lautete: »Erstens: Kim Chi Ha. Zweitens: Kim Chi Ha. Drittens: Alles, wofür der Name Kim Chi Ha steht.«

Seit Jahren haben Autorenverbände, der PEN-Club, haben Bischöfe, darunter die deutschen Bischöfe und Prälaten Tenhumberg, Döpfner, Schäufele und der verstorbene Kölner Generalvikar Teusch, für Kim Chi Ha plädiert. Luise Rinser, deren Korea-Bericht man hierzulande mit einer peinlichen Herablassung und Schnödigkeit serviert hat, hat auf ihn hingewiesen, und immer wieder und immer noch ist Kim Chi Ha trotz eines Lungenleidens eingesperrt, erwartet der Fünfunddreißigjährige wieder einen Prozeß, dessen Ausgang man keineswegs optimistisch beurteilen kann, wenn man die Protokolle von Verhören und Vernehmungen liest, die eine Gruppe japanischer Autoren – es war verboten, mitzuschreiben und zu fotografieren – als Gedächtnisprotokoll publiziert hat.

Als eine gemeinsame Publikation von Missio und Weltmission liegt Kim Chi Has *Brief an die Priester*, seine »Gewissenserklärung«, vor, ein großes und großartiges Bekenntnis gegen Ausbeutung und Unterdrückung, und immer noch ist er eingesperrt, von seiner Familie getrennt, konfrontiert mit einem Prozeß, in dem der Antikommunismus in seiner stupidesten Form gegen jene Quellen mobilisiert werden wird, auf die Kim Chi Ha sich beruft: das Alte und das Neue Testament. In der Bundesrepublik werden koreanische Katholiken beim Gottesdienst bespitzelt, man erinnert sich der Entführung koreanischer Studenten und Intellektueller mitten aus der Bundesrepublik heraus – es gehört wiederum wenig Phantasie dazu, sich vorzustellen, wessen solche Regime fähig sind.

Es wäre Kim Chi Has Recht, sich als Kommunist zu bekennen, als Marxist. Er ist keiner, er hat seine eigene Vorstellung von Befreiung, Gewalt, begreift Revolution nicht als permanentes Bombenwerfen, Gewalt ist für ihn die »ordnende Gewalt der Liebe«. Es ist zu begreifen, daß dieser Poet »gefährlicher« ist als irgendein kommunistischer Agent; er hat die scharfe Feder eines Satirikers, den Mut und das völlig »unpathetische« Pathos eines Propheten. Er ist ein Zeitgenosse, ein Zeuge, und es besteht die Gefahr, daß er zum Blutzeugen gemacht werden wird.

Seit zwölf Jahren verfolgt, verhaftet, gefoltert, verurteilt, verhört – das könnte selbst für einen Menschen seiner unfaßbaren geistigen und physischen Widerstandskraft zuviel werden. Man hat ihm wohl Freilassung angeboten, wenn er sich verpflichtet zu schweigen. Das ist eine unannehmbare Bedingung in einem Land, das sich ja immerhin zur »freien« Welt zugehörig glaubt. Die »freie« und auch die freie Welt hat Grund zur Angst um das Leben des Dichters Kim Chi Ha. Wir brauchen ihn als Zeugen und Zeitgenossen, seine Frau und sein Sohn brauchen ihn als Gatten und Vater, Korea braucht seine Stimmgewalt. Ich wiederhole, was der katholische Bischof Tji von Wonju, nach den Prioritäten der Kirche in Südkorea gefragt, gesagt hat: »Erstens: Kim Chi Ha. Zweitens: Kim Chi Ha. Drittens: Alles, wofür der Name Kim Chi Ha steht.«

Zeitbombe des Zweiten Weltkriegs

Über Volker Schlöndorffs Film »Der Fangschuß«

(1976)

Im Jahr 1939, als *Der Fangschuß* von Marguerite Yourcenar erschien, als die Geier des Nazismus sich anschickten, über Europa auszufliegen, haben wohl wenige geahnt – ausgenommen wahrscheinlich nur Joseph Roth –, welche Bombe, die ihren Explosivstoff aus zahlreichen düsteren Quellen bezog, da tickte.

Eine Quelle, das Baltikum-Trauma mit seiner Romantik (»Nach Ostland wollen wir fahren«), hat M. Yourcenar im Psychologisch-Stimmungshaften festgehalten, in einer durchaus legitimen Dimension, die nur andeutungsweise übers Private hinausging.

Welcher Explosivstoff im Privaten verborgen liegt, können die Leser des Buches und die Zuschauer des Films ahnen, ahnen können sie auch, wieviel Dynamit – politisches – in der still brodelnden Verhaltenheit hetero- und homo-erotischer Beziehungen sich verbirgt, und daß inmitten dieser merkwürdigen »Keuschheit« eine junge Adelige einem jungen adeligen Offizier eine Liebeserklärung macht, anstatt gehörigst ihrerseits auf eine solche seinerseits zu warten – diese Sensation, dieser Befreiungsakt am Anfang, wird möglicherweise nicht erkannt, weil der Zuschauer verlernt oder nie gelernt hat, Befreiung in Beziehung zum historischen Zeitpunkt und dem jeweiligen Milieu zu sehen.

Die Logik, mit der nach der Befreiung aus Milieukonventionen Sophie von Reval zu den Roten übergeht, hat aber da ihren Ursprung, und das eine kann ohne das andere nicht verstanden werden.

Die Autorinnen des Drehbuchs hätten getrost sich weiter vom Buch entfernen, einiges hinzufügen, anderes weglassen sollen. Die Schwäche des Films ist, daß er mit dem Roman nicht freier umgegangen ist. Man hätte die Rollen der Frau Loew und ihres Sohnes erweitern können; sie in Kriegs- und Kampfverherrlichung, in der genüßlich-desperaten Einsamkeit des »verlorenen Haufens«, der für das Jahr 1919 mit viel später erschienenen Texten illustriert wird, getrost etwas vulgärer untermalen können. Ein paar ergänzende Dialoge hätten nicht geschadet.

Über die lettische Bevölkerung und ihren kolonialistischen Zustand erfährt man wenig; deutliche Verweise auf das Deutschrittertum wären angebracht gewesen.

Schließlich: die Frauen sind in diesem Film unterrepräsentiert. Das ruhige Gesicht der Margarethe von Trotta als Sophie von Reval, Herrin und Magd zugleich, ist eindrucksvoll ausdrucksvoll, die Rolle – bis auf die künstlichen Verworfenheiten, mit denen sie den Untergang ihrer Klasse an sich, mit sich und in sich vollzieht – überzeugend gespielt. Dieses Gesicht aber hat zuviel zu tragen und auszudrücken: Frauen – gegen Männerwelt, Frieden gegen Krieg, Leben gegen Tod und Todessehnsucht.

Im Film wird das stellenweise zum Duell dieses einen Frauengesichts gegen die Männergesichter, und diese Duelle gehen nicht immer zugunsten der Sophie von Reval aus; sie unterliegt gelegentlich und keineswegs nur in ihrer »Verworfenheit«, vor allem gegen das Gesicht, das diesen Film streckenweise beherrscht: Matthias Habich als Erich von Lhomond.

Man hätte eine Art »Solidarität der Frauen-Gesichter« herstellen können, durch eine mehr hervorgehobene Frau Loew, durch die eine oder andere lettische Magd, Gesichter, durch Dialoge verstärkt. Das hätte weder den Stoff noch die Story verfälscht. Die zweite Gegenfigur, Tante Prskovia, von Valeska Gert dargestellt, ist in makabrer Kabarettistik zu sehr dem Genuß des Untergangs ergeben und erlegen.

Die Stärken des Films überwiegen: Regie, Kamera, Schnitt, der Sprung ins Schwarz-Weiße zurück; die Schauspieler, die wieder einmal beweisen, welch ein Reservoir von Ausdruckskraft wir für jede mögliche Rolle haben – und wie lächerlich provinziell es ist, auf »Weltstars« zu schielen; die ausgedrückte Absurdität des Krieges als »inneres Erlebnis«, dieses Abenteuers, das auf Kosten jener erlebt wird, die nicht danach gefragt werden, ob sie daran teilhaben möchten; die Weltfremdheit einer Klasse, die ihren äußeren Untergang beklagt, den inneren Zusammenbruch (der sich eben in und an Sophie von Reval und ihrer Tante vollzieht) in den nächsten, den Zweiten Weltkrieg hinübergerettet.

Dieses Thema war's wohl auch, das Marguerite Yourcenar bewegt und gereizt hat – bevor der Zweite Weltkrieg ausbrach.

Inzwischen hat er stattgefunden, und ich frage mich, ob die deutschen Zuschauer, und nicht nur die jüngeren, den Zusammenhang mit dem Nazismus, die Baltikum- und Freikorpsromantik als eine seiner Quellen erkennen. Man kann auf dem Gesicht des Matthias Habich als Erich von Lhomond viel *mit*sehen.

Ihn etwa als noch jungen Hauptmann am Tag von Potsdam (21. März 1933), vielleicht – vielleicht – schon angeekelt von dieser Schmieren-Komödie, bei der einige »greise Marschälle« (die glauben, sie selbst zu sein, während sie in Wirklichkeit nur sich selbst spielen) beifällig zum Untergang des letzten Restes ihrer Ehre nickten, während ein Hitler im Frack seinen Triumph kaum unterdrückte; man kann auf Habichs Gesicht fünf Jahre später, 1938, einen nicht mehr ganz so jungen Major sehen, dem anläßlich der Affären Fritsch und Blomberg endgültig klar wird, welche Ehre da gesiegt hat, und vielleicht – vielleicht – sieht man ihn im Jahre 1944 erschossen auf dem Hof der Bendlerstraße, ihn, der 1919 vor einem schäbigen Eisenbahnschuppen in Lettland Sophie von Reval erschoß.

Ich weiß, das wären drei Filme, und doch denke ich, daß man bei einem historischen Film dieser Art einiges hinzusehen und hinzudenken muß. Die Phantasie des Zuschauers (die der des Lesers entsprechen sollte) ist im gewöhnlichen Kinofilm schnöde mißachtet worden. Die Plakate, die Proklamationen gegen die Roten, die einen Hauch von Gegenwart, fast von Gegenwärtigkeit in den »Fangschuß« bringen, werden nicht ausreichen, die Phantasie in Richtung Geschichte bis in die Gegenwart in Bewegung zu setzen.

Erkannt werden aber müßte das Ausschlagen »innerer« (und verinnerlichter) Probleme und Erlebnisse ins Politische, der Befreiungsakt der Sophie von Reval und nicht nur die Schuld, auch der Konflikt und die gefährliche Verhaltenheit einer Gruppe, die unweigerlich auf Goebbels, Göring, Hitler, Himmler und Schleicher zurennt, 1933 durch ein windschiefes Leitbild wie Papen getäuscht. 5

In einem Land, wo Links und Rechts sich um die Besetzung der Mitte streiten, die Mitte immer mehr nach rechts hin radikalisieren, wo der eine dem anderen keinen Konflikt mehr zubilligt, wird dieser Film Mißverständnissen ausgesetzt sein. Im Ausland, wo man sich an die deutsche Geschichte der vergangenen Jahre besser, von *außen* erinnert, wird man den Film eher verstehen, weil man das Ausschlagen des Nazismus nicht vergessen, seine Entstehung immer noch nicht verstanden hat, nach Erklärungen sucht. Dieser Film bietet eine an, eine von vielen. 10

Unfreiheit – kein Sozialismus

(1976)

Nun wird sie ja wohl ausbrechen, die Unfreiheit, der Sozialismus nicht. Es wird noch einige Jahre dauern, bis Herr Friderichs die chemische und die Stahlindustrie verstaatlicht, und Herr Vogel (der Justizminister) wird es nicht dazu kommen lassen, daß Anwälte weiterhin ungehindert Kriminelle oder kriminell Vereinigte verteidigen können. Es werden jetzt auch keine Bücher mehr beschlagnahmt, in denen historische Texte abgedruckt werden, die von Gewalt sprechen, solche gar möglicherweise empfehlen. Denn da es noch nie in der Geschichte Gewalt gegeben hat, können diese Texte nur gefälscht sein.

Und wenn da griechische Anwälte »Waffenlieferanten« von kriminellen Vereinigungen verteidigen, dann müssen sie wissen, was sie tun: Sie entfernen sich von der abendländischen Tradition, die in Griechenland einmal ihren Ursprung genommen haben soll. Wie können sie es auch wagen, jemanden zu verteidigen, der als Student ein Hilfskomitee für Juntagegner mitgegründet hat, während die in Bayern staatstragende Partei *gestern wie heute* unbeirrt ihren Kurs beibehält.

Diese Griechen, was die für Vorstellungen von Demokratie haben! Verteidigen einen Waffenlieferanten! Da denkt man doch gleich an Schneider-Creuzot, an Krupp, an Örlikon, denkt an Skoda, Lockheed und ähnliche. Und dann ist auch in Athen noch das Urteil des Areopag umstritten. Es ist schon eine Frechheit, daß auch jetzt noch griechische Anwälte das Urteil des Areopags für unangemessen halten. Das sollte deutschen Anwälten zur Warnung dienen – falls diese noch gewarnt werden müssen. Wer in Zukunft einen Mörder verteidigt, wird ein Mordverdächtiger; wer einen Räuber verteidigt, wird des Raubes verdächtigt.

Nun muß man einräumen, daß nicht alle Kriminellen kriminellen Vereinigungen angehören. Die Herstatt-Knacker waren keine kriminelle Vereinigung, sie haben wahrscheinlich nur kriminell im Verein gehandelt. Man muß wieder differenzieren lernen, obwohl Differenzierung nach wie vor eine gefährliche Sache ist. Es ist zum Beispiel sehr, sehr gefährlich, die Bezeichnung Waffenlieferant Differenzierungen zu unterwerfen. Da darf und kann es keinen Unterschied zwischen Rolf Pohle und Schneider-Creuzot geben: Waffenlieferant ist Waffenlieferant, und ob der eine da nun aus falsch verstandenem Idealismus ein paar Pistolen besorgt und der andere mit Gewinn etwas größere Posten verscheuert: Waffenlieferant ist Waffenlieferant.

Differenziert werden muß nur bei den Anwälten: Natürlich darf die Firma Schneider-Creuzot Anwälte haben, falls sie – was unwahrscheinlich ist – je vor Gericht eines solchen bedürfen sollte. Wer aber Pohle verteidigt, ist zwar noch kein Waffenlieferant, aber ein Terrorist. Nun, da die Unfreiheit endgültig ausbrechen wird, wird Herr Vogel – vielleicht nicht so rasch wie sein vorgesehener Nachfolger Spranger – uns bald klarmachen, daß die verfluchte Differenziererei aufhören muß. Vielleicht wird auch Herr Maihofer bald wieder auf Winterreise gehen (»Der Hut flog mir vom Kopfe, ich wendete mich nicht.«). Gemeint ist natürlich der Hut von Herrn Dregger.

Eins ist sicher: Herrliche Zeiten kommen: kein Sozialismus und doch weniger Freiheit. Wir sind ja nun doch Glückskinder. Dregger wird *nicht* Innenminister. Carstens *nicht* Außenminister. Mein Gott, haben wir ein Glück, wir sollten jetzt jubeln und tanzen, weil der oder jener *nicht* Minister geworden ist. Daß fast 49 % den oder jenen ungerührt als Minister akzeptiert hätten, sollte uns nicht ärgern. Und daß Herr Boenisch oder die Herren Kremp oder Löwenthal *nicht* ins Bundespresseamt rutschen, sollte uns doch aufrichtig erfreuen. Wir sollten glücklich sein über das, was *nicht* ist, wenn wir schon nicht so glücklich sein können über das, was ist.

So fängt man an, bescheiden zu werden, und Bescheidenheit ist die Tugend der Zukunft: für Anwälte, Schriftsteller, linke Verleger, linke Buchhändler, Bescheidenheit – der Deutschen ständige Zier – sollten wir nur nicht von Herrn Biedenkopf erwarten; seine Bescheidenheit, die angesichts seiner bescheidenen Erfolge angemessen wäre, liegt hinter einer demonstrativ hingelächelten Unbescheidenheit verborgen. Ein Mann, den man sich merken muß, weil er trotz seiner bescheidenen Wahlerfolge das Wohlwollen konservativer Zeitungen genießt.

Der einzig wahre, der wirkliche Sieger ist ja Strauß, und er hat vollkommen recht, wenn er sich um seinen Sieg betrogen sieht, den Betrug aber nicht hinzunehmen bereit ist. Er hat nicht den geringsten Grund, irgend etwas zu differenzieren. Wirklich nicht. Ich meine das ernst. Diese Schlappohren von der CDU schaffen nicht einmal Bochum, wo doch jeder Arbeiter im Ruhrgebiet hätte wissen müssen, daß Biedenkopf *der* Vertreter von Arbeitnehmerinteressen ist.

Es ist wirklich eine Schande, daß die CDU nicht doch ihre 50 Prozent bekommen hat. Die hätte es den Waffenlieferanten endlich einmal gezeigt, sie hätte es den Anwälten endlich gezeigt, vielleicht sogar den Schriftstellern, Buchhändlern, Verlegern. Das wäre eine Winterreise geworden, bei der manch einem der Hut vom Kopf gefallen wäre (und keiner hätte gewagt, sich zu wenden!). Jetzt – so wie es gekommen ist – haben wir nur die halbe Unfreiheit und keinen Sozialismus. Wir müssen nur unsere Hüte oder Mützen festhalten. Es wird ein kalter, scharfer Wind wehen.

Kein schlechter Witz

Über Charles Chaplins Film »König in New York«

(1976)

Der Film, den wir in seinem Gehilfen- oder Abiturientenalter endlich sehen dürfen, kommt spät, zu spät kommt er nicht, eher rechtzeitig. Als ich den Film vor 17 Jahren in einem dänischen Dorfkino sah, fand ich ihn amüsant, einige Szenen blieben haften: die Werbefallen, in die der harmlose und verführbare König hineintappt. Als ich den Film jetzt wiedersah, fand ich ihn frischer, aktueller, und das spricht nicht nur für den Film, es spricht gegen die Art, auf die sich unsere politische Landschaft verändert hat. Der McCarthyismus hat uns ein-, wir haben aufgeholt, Musterkinder, die wir nun einmal sind. Debatten im Bundestag über unsere innere Sicherheit (unvergeßlich die vom Juni 1972 und andere) haben das ihre getan, nicht die Lage ist da, sondern die Stimmung.

Das Aufholen betrifft auch den zweiten »Strang« des Films, die Werbung. Was die totale Vermarktung, nicht nur von Königen, betrifft, haben wir ebenfalls aufgeholt. Was vor zwanzig Jahren als boshafte Übertreibung empfunden werden konnte, ist von der Wirklichkeit eingeholt. Schmeichelhafteres kann man von einer Satire kaum sagen. Wie König Shahdov (sollte in der ersten Silbe etwa ein Schah versteckt sein?) da zurechtgemacht wird, geliftet, rückgeliftet, ist längst gängig, und was da vor dem Untersuchungsausschuß gefragt wird, könnte – inzwischen – aus einem Dokumentarstück über Berufsverbote stammen, und es ist durchaus legitim, wenn einige Kinos mit diesem Etikett für den Film werben. Doch es gibt da auch in der Gestalt des jungen Rupert McAbee den unbeirrt-doktrinären, lehrhaft-unbelehrbaren Gegentyp, mit dem ebenfalls ein Typ vorweggenommen wurde, der hierzulande etwa zehn Jahre nach dem Erscheinen des Films gelegentlich sichtbar wurde:

den Nicht-zu-Wortkommen-Lasser, der – um es im Demonstrationsjargon auszudrücken – das »Mikrophon nicht aus der Hand gibt«.

Diese Feststellung ist keine Pflichtübung gegenüber der »Ausgewogenheit«: Eine extrem winzige Minderheit hat gegenüber der unübersehbaren Masse der schweigenden Mehrheit auch ein Recht auf Verbissenheit und Verbitterung. Kürzlich kam heraus, daß in den USA von 2000 Mitgliedern einer marxistischen Partei zeitweise bis zu 1600 CIA-Spitzel waren. Solche Proportionen würde ein Satiriker nicht riskieren. Es gibt da einen feinen, sehr wichtigen Unterschied zwischen der im *König in New York* dargestellten Situation und der unseren: In satirischer Logik erhöht es den Werbewert Shahdovs, daß er des Kommunismus und sogar der Atomspionage verdächtig war – Publicity um jeden Preis, das ist die Parole. Hierzulande würde ich dieser satirischen Logik nicht trauen: In einem witzlosen Land, von verspäteten Musterschülern besiedelt, einer witzlosen deutschen Version des Kommunismus benachbart – da bringt derlei »Publicity« nichts ein. Oder sollte es ein notorisch »verfassungsfeindlicher« Referendar oder Lokomotivführer doch einmal mit Persilreklame versuchen?

Die Rahmenhandlung des Films ist schwächlich: der allzu gute, fortschrittliche, vertriebene König, auch noch um seinen Staatsschatz betrogen und von der schönen Königin Irene verlassen – da ist Charlie wieder zum armen Einwanderer geworden, diesmal als König verkleidet. Die starken Situationen lassen die schwache Rahmenhandlung bald vergessen: Man denkt nicht mehr an König und Königin, an das sagenhafte Land Estrovia. Man erlebt die totale Vermarktung von Prominenz, erfährt, daß man Menschlichkeit als Kommunismus, diejenigen, die auf der Verfassung bestehen, als deren Feinde verdächtigen kann.

Das Ende des Films ist keineswegs so happy: Man spürt sehr wohl, daß man den kleinen Rupert ganz schön zwischengenommen hat; daß er die Freunde seiner Eltern, mit deren Freilassung man ihn lockt, doch preisgegeben hat. Der König verläßt das Land, fliegt nach Europa zurück. Ich nehme an, in die Bundesrepublik fliegt er nicht. Was im *König in New York* vor zwanzig

Jahren als übertrieben erschien, erweist sich heute als fast prophetisch, wohl deshalb erweist sich der Film als so frisch, ein Film, den wir jetzt endlich sehen dürfen. Wer immer ihn mit welchen Argumenten bisher verhindert hat, hat sich, ohne es zu wissen, eines Bumerangs bedient. Das Argument, der Film wäre »schlecht«, war eins der dümmsten: als gäb's in unseren Kinos nur »gute« Filme zu sehen. Ein schlechter Witz.

Der Film hat Schwächen, Gott sei Dank; wäre er lückenlos gelungen, dann wäre er todernst, aber es ist ein Film, in dem gelacht werden darf und gelacht wird: Manchmal allerdings bleibt einem das Lachen im Hals stecken, das mag daran liegen, daß der Film spät und doch rechtzeitig kommt. Es hätte nichts geschadet, wenn der Verleih in seinem Programmheft ein wenig aus Chaplins Autobiographie zitiert hätte, jene Stellen, wo er seine Aktivitäten im Zweiten Weltkrieg für die zweite Front schildert, die die Rote Armee in Europa entlasten sollte. Diese Aktivitäten wurden zum Anlaß der Kampagne gegen ihn.

Der Film ist geeignet, vor innenpolitischen Ausschüssen, vor und an Schulen, Hausfrauen aller Altersstufen und so weiter gezeigt zu werden, manch einer mag sich – es ist ein witziger und intelligenter, unterhaltsamer Film – halb totlachen, ohne die innenpolitische Aktualität zu erkennen: Das schadet nichts – mit Witz und Gags, mit Slapsticks verbrämte »Botschaften« zünden manchmal später. Und wenn man's sich genau überlegt, gehören ja die extremsten Formen der Werbung und die hier gezeigte Form des Antikommunismus zusammen.

Vergebliche Suche nach politischer Kultur

Über Max Fürst, »Talisman Scheherezade«

(1976)

Max Fürsts Erinnerungen versprechen eine umfangreiche Ergänzung zur offiziellen, zur Geschichtsschreibung der Fachhistoriker zu werden. War der erste Band (*Gefilte Fisch*) notwendigerweise die Schilderung einer persönlichen Entwicklung vom Königsberger Kaufmannssohn jüdischer Herkunft, aus dem bürgerlichen Milieu heraus zum Tischler, von der Alternative Assimilation-Ghetto weg zum Internationalismus, in die sozialistische jüdische Jugendbewegung hinein, und war es gleichzeitig die Schilderung der Entwicklung eines Bewußtseins, so wird im zweiten Band deutlich, daß unser »Held« immer noch aktiv, immer noch nachdenklich und schweigsam (»Meine Rolle bei den großen Diskussionen war gering«) gegen eine innenpolitische Entwicklung und Strömung ankämpft, die ihn überrollt, zu den »Überflüssigen« zählt, die ihn unweigerlich, nicht nur nach der »Meinung«, auch nach der zerstörerischen Logik der neuen Machthaber dorthin befördert, wohin er »gehört«: ins KZ.

Die Leichtigkeit, auch die Heiterkeit, mit der Max Fürst seine Erinnerungen fortsetzt, könnte täuschen – wie sie ja auch bei Scheherezade täuscht, die um eine Bedrohung herum, an ihr vorbei und doch auf sie zu erzählt. Die bisher fast nie beschriebene Milieumischung aus Bohème, schwerster, auch körperlicher Arbeit unter proletarischen Lebensbedingungen, dieses Ein- und Hineingehen in Berlin (»Gehen durch Berlin, wenn die Nebel sich heben und der Geschmack von Rauch in den noch leeren Straßen steht«), diese absolute Unbürgerlichkeit bei höchster Belastung und Aktivität – wo hätte das heute noch einen Platz, welche andere Kategorie als »asozial« oder »anarchistisch« stünde dafür noch bereit (wobei man pflichtgemäß vergäße, daß Anarchisten ja nicht Unordnung, sondern herrschaftsfreie Ordnung anstreben). Es wird mir bei der Lektüre von *Talisman Scheherezade* klar, was die zwölf Nazijahre alles zerstört haben – und was »aufzubauen« nicht gelang.

In den ersten Nachkriegsjahren gab es Ansätze, doch der stupide Antikommunismus, die strikte, bis heute praktizierte Leugnung des kommunistischen Widerstands, haben das alles weggewischt, und wenn es Ansätze zu einer Wiederbelebung in den Jahren nach 1967 gab, so hat jene ideologische Drahtbürste, die man Radikalenerlaß oder Extremistenbeschluß nennt, sie hinweggefegt. Ein »Linker«, ein Sozialist, ein Kommunist muß sich immer noch rechtfertigen; verlangt man Rechtfertigung von einem Nazi, so wird das als peinliche Zumutung empfunden: man lese nicht nur die Zeitungen, vor allem die Leserbriefe. Ich hoffe, daß Max Fürst in seinen so schweigsamen Erinnerungen bald die Gegenwart erreicht und in seiner erfahrungssatten Weisheit seinen Kommentar zu dieser Entwicklung liefert. Was hat Max Fürst wieder-, was hat er vorgefunden, als er 1950 aus Israel in die Bundesrepublik zurückkehrte, und was findet er 25 Jahre später davon heute noch? Das Register zu *Talisman Scheherezade* umfaßt fast 250 Namen; man müßte diese Personen alle aufzählen, in Beziehung zu einander bringen, um den Kosmos darzustellen, den Max Fürst beschreibt – und man müßte die Überlebenden über die Toten befragen, die im KZ oder in stalinistischen Lagern starben.

Die vernichtende Nazi-Logik, die so genau wußte, wohin Max Fürst »gehörte«, ins KZ, ergab sich nicht nur aus Fürsts eigenen sozialen und politischen Tätigkeiten, auch aus seiner Freundschaft mit dem Anwalt Hans Litten, der die fürchterliche, die letzten Endes mörderische Ehre hatte, Hitlers persönlichen Zorn erweckt zu haben, weil er ihn als Zeugen vor Gericht zitierte und zu programmatischen Äußerungen zwang. Litten – über den ich in keinem Nachschlagwerk auch nur eine einzige Zeile fand – wäre wohl eine Biographie, mindestens eine umfangreiche Dissertation wert. Man stelle sich einen jungen Menschen vor, der unter mörderischen KZ-Bedingungen vor seinen Mitgefangenen eine eigene (und nicht nur originelle, auch einleuchtende) Ästhetik entwickelt, Kunst- und Literaturgeschichte neu interpretiert und über die Madonna eine Monographie schreiben möchte! Aber Litten hatte ja außerdem noch ein Verbrechen begangen: er verteidigte vor Gericht Rote, ja Kommunisten und er verteidigte sogar Leute, die Einbrüche begangen und ihre Beute an Ware und Geld an die hungernde Bevölkerung verteilt hatten. Die zeitgenössische Parallele, die Stimmungsmache gegen Anarchisten- und Terroristenverteidiger, ist deutlich genug. Lese ich von gewissen Äußerungen einiger Wortführer der Schüler-Union (die neuerdings sogar im Freien Deutschen Autorenverband zu finden sind), so gruselt's mich, und wenn dann dieses kesse Gequatsche auch noch mit reichlich Schulterklopfen belohnt wird, so wird das Gruseln zum Schaudern. »Linke« müssen oder sollen sich dauernd von irgendwas »distanzieren« (auch von dem, womit sie sich nie identifiziert haben) – Rechte haben das nicht nötig. Gewisse Sorten Schneid werden gesellschaftsfähig und von Politikern grinsend an die Brust genommen.

Diese Parallelen verhindern einen Einstieg in *Talisman Scheherezade*, der ganz falsch wäre: den nostalgischen, diese Nostalgie würde ja auch Nostalgie nach dem Ende der »schwierigen zwanziger Jahre« – das ist der Untertitel des Buches – einschließen. Es begann mit der Vernichtung des Rechts, die Vernichtung der Literatur kam erst später, und es begann mit der Bedrohung von Anwälten.

Bei Max Fürst ergibt sich das Politische immer aus dem Menschlichen, aus einer – ich möchte es so nennen – sozialen und sozialistischen Selbstverständlichkeit, die reflektiert, aber nie Theorie oder Ideologie braucht: So spricht er auch unbekümmert natürlich über die heikelsten Probleme, etwa die verschiedenen Strömungen innerhalb der jüdischen Jugendbewegung, die von rechts bis links verliefen – und, ob rechts oder links, sie alle wurden nicht verschont vom etablierten Antisemitismus. Die Jugendbewegung, dieses Wandern und Erwandern, dies »Er-fahren« der deutschen Landschaft, der deutschen Kultur, auch das war für einen Linken wie Max Fürst und seinen Freund Litten eine Selbstverständlichkeit. Auch das wurde im Getrampel der Jahre 33–45 zerstört. Etwas davon klingt ja hin und wieder noch auf, wenn Jugendgruppen alte Häuser vor dem

Abbruch retten, wenn sie Bäume vor der Zerstörung bewahren wollen oder aufs Land ziehen. Höhnisch kommentiert fast immer von Konservativen, die merkwürdigerweise für diese Art der Konservierung nie viel übrig haben.

Dieses zweite Erinnerungsbuch von Max Fürst hat viele Schichten, das entspricht der Vielschichtigkeit der Weimarer Republik und ihrer Hauptstadt Berlin. Politiker und – vor allem, was dieses Buch betrifft – Anwälte sollten sich nicht mit historischen Darstellungen von hoher, objektiver Warte begnügen, und erst recht nicht auf die Memoiren von prominenten Zeitgenossen allein verlassen. Max Fürst hat natürlich Geschichte gemacht, in sie eingegriffen während seiner Berliner Zeit, aber mehr noch war er ihr unterworfen, ihr ausgeliefert, bis ins KZ hinein, bis zur Emigration im Jahr 1935, und die Perspektive des Subjekts (des Unterworfenen) hat bei Fürst eigene Objektivität und Vorurteilslosigkeit.

Immer wieder sucht er nach Erklärungen, nie – auch nicht mit dem rechtesten Flügel der jüdischen Jugendbewegung – sucht er Konfrontation, immer wieder sucht er das, was er »politische Kultur« nennt. Er findet sie selten, auch nicht bei den Linken, denen um 33 herum Märtyrer lieber waren als Freigesprochene. Dieses Buch, in dem vieles erzählt, erklärt wird, manches in Andeutungen, ist umfang-, aber nicht wortreich, das mag angesichts seiner fast 450 Seiten paradox klingen, bedenkt man aber den Umfang der in ihm geschilderten und erlebten Geschichte, so ist es schon weniger paradox. Aus dem umfangreichen Kosmos von Personen und deren Beziehungen zum Autor und der Geschichte jener Zeit möchte ich wenigstens zwei noch erwähnen, zwei Frauen: das unersetzliche und nicht aus zweiter (aus Rezensenten-)Hand beschreibbare Hannchen, das mehr als einen Roman tragen würde, und eben jene eine, die nicht nur Max Fürsts Frau wurde, letzten Endes sogar legalerweise; sie war mehr: Gefährtin, Begleiterin auf dem Weg durch die Zeitgeschichte, außerdem seine Gehilfin: Margot. Und sie war noch mehr: Hans Littens Sekretärin.

Es ehrt Max Fürst, daß auch er zugibt, die Tatsache der Machtergreifung Hitlers unterschätzt zu haben: »Es machte wenig Eindruck auf uns, als Hitler im Januar 1933 an die Macht kam. Es waren so viele, zum Teil furchtbare Regierungen gekommen und gegangen. Wir hatten Zeit gehabt, uns an den Gedanken zu gewöhnen. In Thüringen und in Oldenburg gab es bereits nationalsozialistische Regierungen. Schlimmer als die Papen-Regierung, die Regierung der Barone, konnte es wohl nicht werden. Wir lebten schon längst unter einer Diktatur, und es waren dieselben Kräfte, die hinter Papen, Hugenberg und Hitler standen.«

Das Versprechen, das im ersten Band von Max Fürst enthalten war, ist im zweiten mehr als erfüllt. Dreißig seiner Lebensjahre sind mit diesen beiden Bänden »gedeckt«. Es fehlen noch vierzig: seine Zeit in Israel und die 25 Jahre nach der Rückkehr.

Hier muß er leben, dort gehört er hin

Über Wolf Biermanns Situation nach der Ausbürgerung

(1976)

Die Geschichte des deutschen Exils hat eine neue, keine freundlichere Variante bekommen. Wolf Biermann wird aus einem deutschen Staat ausgebürgert, in dem er gern weiter gelebt hätte. Aus einem Staat, den viele andere so gern verlassen würden. Ausgerechnet er, der immer wieder gegen das Verlassen dieses Staates gesungen und gesprochen, jeden, der diesen Staat verließ, betrauert und beklagt hat. Wolf Biermann wurde nicht etwa ausgewiesen, nicht an die Grenze bestellt. Man hat ihm nicht, sobald er aus der DDR ausgereist war, mit Genehmigung und dem Versprechen, wieder einreisen zu dürfen, die Ausbürgerung mitgeteilt. Man hat nach seinem ersten Auftritt noch zwei Tage gewartet, um die »Gekränktheit« so einigermaßen plausibel zu machen. Dabei hat Wolf Biermann sich in Köln loyaler zur DDR verhalten als je zuvor. Man kannte seine Lieder, seine Gesinnung. Daß er kritische Solidarität mit Reiner Kunze übte, die Unterscheidung zwischen Freund und Genossen vornahm, kann nicht der Grund sein – hat man wirklich erwartet, er würde sich von Kunze distanzieren? Hatte man wirklich erwartet, er würde in Köln neue »konfliktfreie« Lieder singen?

Für Wolf Biermann ist der Schrecken ein mehrfacher: nicht nur heimatlos im geographischen Sinn. Ostberlin war seine freiwillig gewählte Heimat, in der er fast 25 Jahre lebte. Fremdling zwar dort – wie überall – im Hölderlinschen Sinn, kommt er nun in eine Welt, die ihm nicht nur im Hölderlinschen Sinn fremd sein und bleiben muß, nun ist er hinausgeworfen auf den Markt, der schon so manchen freiwilligen wie unfreiwilligen Emigranten oder Exilierten verschlissen hat. Für viele Bewohner sozialistischer Staaten ist diese Marktwelt eine Traumwelt. Für Wolf Biermann ist sie ein Alptraum.

Ich bin mir der Absurdität bewußt, die darin liegt, daß ich mitten auf dem Markt vor der Vermarktung Biermanns und Biermann vor der Vermarktung warne. Wohin gehört ein Sänger denn anders als auf den Markt, und wer hat ihm bisher diesen Markt verweigert, den die kapitalistische Welt ihm nun bietet? Bei seinem Auftritt in Köln fiel ihm schon auf, daß er »hier« und »dort« unvermeidlicherweise verwechselte – das war noch vor der Ausbürgerung, und diese Hier- und Dort-Korrekturen hatten noch eine ironische Dimension, die ihnen etwas Spielerisches gab. Nun wird er »hier« leben müssen, obwohl er »dort« hingehört. Und dieses »hier« und »dort« wird ihm auf eine nicht mehr ironische Weise zu schaffen machen.

Und immer mehr DDR-Bürger werden ihn nicht nur vermissen wie jemanden, der verreist ist, aber wiederkommen wird, sie werden immer mehr spüren, daß er dorthin, zu ihnen gehört. In Wolf Biermanns Liedern wird – ich wage das zu prophezeien – ein Motiv auftauchen, dem so manche Ohren nicht »trauen« werden: Heimweh nach der DDR. Dieses Heimweh gilt nicht nur denen, die er liebt und die dort leben, nicht nur der Stadt und dem Land, wo er lebte, auch dem sozialistischen Gebilde DDR. Dieses Heimweh wird Spott und Hohn hervorrufen, hier wie dort.

Zweifel, ob Politiker immer wissen, was sie anrichten, werden durch die Ausbürgerung Biermanns verstärkt. Das haben sie wahrscheinlich weder gewollt noch geahnt. Sie ahnten nicht, was noch kommen kann. Weder bei ost- noch bei westeuropäischen Kommunisten ist die DDR sehr beliebt. Ihre Beliebtheit wird sicher nicht wachsen. Nicht einmal die Regierung der Sowjetunion wird sehr glücklich sein über dieses Aufsehen, das die Ausbürgerung eines Poeten verursacht. Vielleicht werden sogar bei Mitgliedern der DKP Zweifel aufkommen. Die Zweifel, ob Poesie und politische Poesie etwas ausrichten, dürften durch Wolf Biermann beseitigt sein.

In Sachen Michael Stern

(1976)

Herrn Leonid Breschnew,
Generalsekretär der KPdSU

Im Namen des Komitees, das Simone de Beauvoir und Jean-Paul Sartre gegründet, dem sich inzwischen mehr als 50 000 Wissenschaftler, Ärzte und Intellektuelle angeschlossen haben, erinnere ich Sie an den Appell für Dr. Michael Stern, den wir vor einem halben Jahr an Sie gerichtet haben. Das »Verbrechen« des Dr. Stern bestand darin, daß er sich dem Auswanderungswunsch seiner Söhne *nicht* widersetzt hatte. Er wurde mit acht Jahren Zwangsarbeit bestraft, die er seit zweieinhalb Jahren unter härtesten Bedingungen abbüßt. Dr. Stern wurde für ein »Verbrechen« bestraft, das nach allen Regeln der international geltenden Menschlichkeit keins ist. Die Bedingungen, unter denen er seine Strafe abbüßt, berauben ihn seiner physischen, seiner psychischen Identität und werden vielleicht seine Fähigkeiten als international anerkannter Endokrinologe zerstören. Wir erneuern unseren Appell und bitten um sofortige Freilassung von Dr. Stern. Die Regierung der Sowjetunion beharrt so oft und nachdrücklich auf ihrem Wunsch nach wissenschaftlichem Austausch zwischen Ländern verschiedener Ideologien. Die Freilassung Dr. Sterns würde die Beteuerungen glaubwürdiger machen und einen Zustand unerträglichen Unrechts beenden.

Heinrich Böll

Bis daß der Tod Euch scheidet

(1976)

Im Luftzug der ein- und ausschwingenden Portaltür ging ihr ein Zündholz aus, ein zweites zerbrach an der Reibfläche, und es war nett von ihrem Anwalt, daß er ihr sein Feuerzeug hinhielt, die Hand schützend davor; so konnte sie endlich rauchen; beides tat wohl: die Zigarette und die Sonne. Es hatte knapp zehn Minuten gedauert, eine Ewigkeit, und vielleicht war es die Ewigkeit und Dauerhaftigkeit dieser endlos langen Flure, die den Uhrzeiger außer Spiel setzte; und dieser Andrang, diese nach Zimmernummern suchenden Menschen erinnerten sie an den Sommerschlußverkauf bei Strössel. Welcher Unterschied bestand zwischen Ehescheidungen und Badetüchern im Sommerschlußverkauf? Schlangestehen bei beiden Anlässen, nur – so schien ihr – wurde bei Ehescheidungen die letzte Entscheidung rascher verkündet, und rasch hatte sie es ja haben wollen. Schröder/Schröder. Geschieden. Naumann/Naumann. Geschieden. Blutzger/Blutzger. Geschieden.

Würde der nette Anwalt jetzt wirklich sagen, was er sagen mußte? Das einzige, das er sagen konnte? Er sagte es: »Nehmen Sie's nicht so schwer.« Sagte es, obwohl er wußte, daß sie's gar nicht so schwer nahm, und doch mußte er es sagen, sagte es nett, und es war nett, daß er es nett sagte. Und natürlich hatte er wenig Zeit, mußte zum nächsten Termin, wieder vor die Schranke, wieder Schlange stehen. Klotz/Klotz. Geschieden.

Ähnlich war's ja auch beim Sommerschlußverkauf gewesen; geduldig, höflich, nie drängend und doch gespannt warten, bis die Frau, die zu alt war, auch nur noch ein Badetuch zu verschleißen, sich entschlossen hatte, das ganze Dutzend zu nehmen; dann zur nächsten Kundin, die sich drei Badeanzüge gegriffen hatte. Schließlich ging es auch bei Strössel noch individuell zu, das war nicht irgendso ein Hop- und Popladen, in dem offen verramscht wurde. Schließlich konnte der Anwalt nicht stundenlang bei ihr stehen bleiben, wo es doch kaum mehr zu sagen gab als »Nehmen Sie's nicht so schwer«. Die Position auf der obersten Stufe der Freitreppe erinnerte sie zu sehr an eine andere, vor sieben Jahren eingenommene, auf der obersten Stufe der Freitreppe vor dem Rathaus: Eltern, Trauzeugen, Schwiegereltern, ein Fotograf, die süßen kleinen Kinder von Irmgard, Ute und Oliver, die die Schleppe hielten; Blumensträuße, das mit weißen Rosen geschmückte Taxi, im Ohr noch das »Bis daß der Tod Euch scheidet«, und weiter mit dem Taxi zur zweiten Feierlichkeit, und noch einmal, diesmal kirchlich: »Bis daß der Tod Euch scheidet.«

Auch der Bräutigam war da, unten am Fuß der Freitreppe wartete er auf sie, strahlend wegen des Erfolgserlebnisses, und doch ein bißchen verlegen, und sichtbarlich stolz wegen des zweiten Erfolgserlebnisses an diesem Tag: daß es ihm gelungen war, hier, genau vor der Freitreppe, an einem der schwierigsten Parkplätze der Stadt, einen Platz für sein Auto zu finden. Erfolgserlebnisse verschiedener Art hatten im Scheidungsprozeß eine ziemliche Rolle gespielt.

Nun hatte nicht der Tod, das Gericht hatte sie geschieden, und weniger feierlich hätte es gar nicht sein können. Und wenn das Gericht, indem es die Scheidung aussprach, den Tod festgestellt hatte – warum fand dann nicht wenigstens eine Beerdigung statt? Katafalk, Trauergemeinde, Kerzen, Traueransprache? Oder warum nicht wenigstens die rückgespulte Hochzeit? Süße kleine Kinder, diesmal vielleicht Herberts Kinder, Gregor und Marika, die ihr die Schleppe abnahmen, den Brautkranz vom Kopf, das weiße Kleid mit einem Kostüm vertauschten, öffentlich auf der Freitreppe eine Art Hochzeitstrip, wenn schon keine Beerdigung stattfand.

Natürlich hatte sie gewußt, daß er hier auf sie warten würde; eine der sinnlosen Aussprachen, wo der Tod doch festgestellt worden war; sinnlos, weil er nicht begriff, daß sie gar nichts mehr von ihm wollte, seitdem sie mit dem Jungen in eine kleine Wohnung umgezogen war; nicht Geld, nicht ihren Anteil am »gemeinsam erworbenen Vermögen«, nicht einmal diese sechs Louis – der wievielte war es doch gleich? – Stühle, die ganz eindeutig ihr gehörten, aus der Erbschaft ihrer Großmutter.

Wahrscheinlich würde er sie ihr eines Tages vor die Tür stellen, weil er »unklare Besitzverhältnisse einfach nicht ertragen« konnte. Sie wollte weder die Stühle noch das Meißner (sechsunddreißigteilig), keinen »Wertausgleich«. Nichts. Sie hatte ja den Jungen, vorläufig, weil er ja noch unverheiratet mit dieser anderen – war's nun die Lotte oder die Gaby? – zusammenlebte. Erst wenn er die Lotte oder die Gaby (oder war's eine Conny?) geheiratet hatte, würden sie den Jungen »teilen« müssen (und da war kein Salomon, der das Schwert über den zu teilenden Jungen hielt), diese ekelhafte Tüftelei mit dem Sorgerecht war ja abgemacht, festgelegt, und da würde es dann Pflichtbesuche geben; man lieferte das Kind zur Abfütterung ab. (»Willst du wirklich keine Schlagsahne mehr, und der neue Anorak gefällt dir wirklich, und natürlich bekommst du das Modellflugzeug.«) Für einen Tag, für zwei, oder eineinhalben, und man holte ihn wieder zurück. (»Nein, ich kann dir wirklich keinen neuen Anorak kaufen, und auch zur Erstkommunion – oder war's die Konfirmation? – keinen tragbaren Fernseher. Nein.«)

Noch eine Zigarette? Besser nicht. Dieser Durchzug, den die Pendeltür verursachte, würde sie zwingen, jetzt, wo der nette Anwalt mit dem hübschen Feuerzeug ihr nicht mehr zur Seite stand, die neue Zigarette an der alten anzuzünden, und solche Kleinigkeiten würden den Eindruck der Nuttigkeit verstärken, und es würde ihr, wenn es endgültig um den Jungen ging, bestimmt angekreidet werden. Diese Angewohnheit, auf der Straße zu rauchen, war schon in die Scheidungsakten eingegangen, und da sie sich außerdem zugegebenermaßen des Ehebruchs schuldig gemacht hatte (vor ihm, wie ebenfalls zugegeben werden mußte), war sie ohnehin in die Gerichtsakten als eine Art Nutte eingegangen. Dieses Palaver, ob oder warum nicht Frauen auf der Straße rauchen sollten, könnten, dürften, war ihr vom Gegenanwalt als »pseudoemanzipatorisches« Getue angekreidet worden, das nicht zu ihrem »Bildungsstand« passe.

Gut, daß er nicht die Treppe heraufkam, sich auf einladendes Armeschwenken beschränkte, gut auch, daß er mißbilligend den Kopf schüttelte, als sie nun doch die zweite Zigarette anzündete, nicht an der ersten, sondern mit einem Zündholz, das nicht ausging, obwohl der Sommerschlußverkauf die Pendeltür in ständiger Bewegung hielt.

Wenn da schon weder Pfarrer noch Standesbeamter gekommen waren, wenn schon keine tränenfeuchten Mütter- und Schwiegermütteraugen, nicht Fotograf und süße kleine Kinder, so hätte man doch wenigstens einen Beerdigungsunternehmer schicken können, der irgendwas – was? – in einem Sarg davonfuhr, einäschern ließ und irgendwo – wo? – heimlich verscharrte.

Wahrscheinlich versäumte er ihretwegen sogar einen Termin (die Fusionsverhandlungen mit Hocker/Hocker vielleicht, bei denen er die Personalprobleme zu lösen hatte), aber würde er wirklich wegen ein paar Stühlen die Hocker/Hocker-Verhandlungen versäumen? Er begriff nicht, begriff nicht, daß sie ihn gar nicht haßte, daß sie nichts von ihm wollte, daß er ihr nicht einmal gleichgültig geworden war, nur fremd, jemand, den sie mal gekannt, mal geheiratet hatte, der ein anderer geworden war. Es war ihnen alles gelungen: Aufstieg und Hausbau, nur das eine nicht: den Tod aufzuhalten, und es war nicht nur er gestorben, auch sie; sogar die Erinnerung an ihn mißlang. Und vielleicht konnten und wollten die Kirchen – und die Verwaltungsleute nicht begreifen, daß dieses »Bis daß der Tod Euch scheidet« gar nicht den physischen Tod meinte, oder gar einen Tod vor dem physischen Tod, nur den Eintritt eines völlig Fremden ins eheliche Schlafzimmer, der sich Rechte holen wollte, die er gar nicht mehr besaß. Die Rolle des Gerichts, das diese Todesurkunde ausstellte und sie Scheidung nannte, war so nebensächlich wie die des Pfarrers und des Standesbeamten: niemand konnte Tote lebendig oder den Tod rückgängig machen.

Sie warf die Zigarette hin, trat sie aus und winkte ihm endgültig und energisch ab. Es gab nichts mehr zu besprechen, und sie wußte genau, wohin er mit ihr fahren würde: in das Café draußen im Haydnpark, wo um diese Zeit die türkische Kellnerin gerade winzige Kupferväschen mit je einer Tulpe und einer Hyazinthe drin auf die Tische stellte, die Tischtücher zurechtzupfte; wo – um diese Zeit – noch irgendwo im Hintergrund staubgesaugt wurde; er hatte es immer »Café der Erinnerungen« genannt, mit seiner Herablassung festgestellt, daß es »ganz gut, nicht fein und schon gar nicht vornehm« war. Nein, sie wiederholte ihre endgültig abwehrende Geste, einmal, zweimal, bis er kopfschüttelnd tatsächlich in sein rotes Auto stieg, aus der Parklücke heraussetzte und ohne ihr noch einmal zuzuwinken davonfuhr, »vorsichtig, aber energisch«, wie sie's an ihm gewohnt war.

5 Es war noch nicht halb zehn, und sie konnte jetzt endlich die Treppe hinuntergehen, sich eine Zeitung kaufen und ins Café drüben gehen. Welch eine Erleichterung, daß er die Treppe freigegeben hatte. Sie hatte Zeit, und es gab einiges zu bedenken. Um zwölf, wenn der Junge aus der Schule kam, würde sie ihm 10 Pfannekuchen mit Kirschkompott machen, und gegrillte Tomaten dazu, das aß er so gern; sie würde mit ihm spielen, Hausaufgaben machen und vielleicht ins Kino, vielleicht sogar in den Haydnpark gehen, den endgültigen Tod der Erinnerung festzustellen. Bei Kirschkompott, Pfannekuchen und gegrillten To-15 maten würde er sie natürlich fragen, ob sie wieder heiraten würde, und sie würde nein sagen, nein. Ein Tod genügte ihr. Und ob sie wieder bei Strössel arbeiten würde, wo er im Hinterzimmer sitzen, Schulaufgaben machen, mit Stoffmustern spielen konnte und wo der liebe Herr Strössel ihm manchmal freundlich über 20 den Kopf strich. Nein. Nein.

Das Tischtuch im Café gefiel ihr, tat ihren Händen wohl, das war wirklich reine Baumwolle, altrosa mit Silberstreifen, und sie dachte an die Tischtücher im Café im Haydnpark: maisgelb, ziemlich grob waren die ersten, damals vor sieben Jahren ge-25 wesen: später die grünen mit aufgedruckten Margeriten und schließlich die grellgelben, uni, mit einem fransigen Rand, und er hatte (und hätte heute) dauernd an den Fransen gespielt und ihr einzureden versucht, daß sie wirklich ein Recht auf eine Art Abfindung hatte, mindestens fünfzehn-, vielleicht zwanzigtau-30 send Mark, die er sehr leicht als Hypothek aufs unbelastete Haus aufnehmen konnte (und könnte), schließlich war sie ihm immer eine »gute, eine umsichtige, sparsame und doch nicht geizige, wenn auch ungetreue Ehefrau« gewesen und hatte am »Aufbau ihrer Existenz durchaus positiv und produktiv« teil-35 genommen, und diese Louis-Stühle und das Meißner, die standen ihr wirklich zu. Seine Wut darüber, daß sie von all dem nichts haben wollte, war heftiger als seine Wut über ihren Fehltritt mit Strössel gewesen – und schließlich riß er (und würde es heute auch getan haben) ein paar von den billigen Tischtuchfransen ab und warf sie auf den Boden – mißbilligender Blick der türkischen Kellnerin, die gerade Tee und Kaffee brachte, Tee für ihn, Kaffee für sie – ein weiterer Grund, drohende Bemerkungen über ihre Gesundheit zu machen und höhnisch auf den Aschenbecher zu zeigen (der übrigens häßlich war, dunkelbraun, fußbodenfarben – mit tatsächlich schon drei Kippen drin!).

Ja. Kaffee. Schon wieder trank sie einen, blätterte in der Zeitung. Hier im Café konnte sie auch ungestört rauchen, ohne blöde angeguckt oder gar angerempelt zu werden, und sie dachte an das Gerenne und Gedränge in den endlosen Gängen des Gerichtsgebäudes, wo sie alle hinauf- und hinunterliefen, die sich beleidigt fühlten oder beleidigt hatten, Miete nicht gezahlt oder nicht empfangen hatten; wo alles entschieden und nichts geklärt wurde, von netten Anwälten und netten Richtern, die den Tod nicht aufhalten konnten.

Immer wieder ertappte sie sich beim Lächeln, wenn sie über den Zeitpunkt des Todes, der sie geschieden hatte, nachdachte. Angefangen hatte es vor einem Jahr, als sie bei seinem Chef zum Abendessen waren, und er plötzlich von ihr sagte, sie käme »vom Textil her«, was so klang, als wäre sie Teppichknüpferin, Weberin oder Zeichnerin gewesen, wo sie doch einfach Verkäuferin in einem Textilgeschäft gewesen war, und wie gern war sie's gewesen, mit den Händen alles auseinander-, wieder ineinanderfalten, schön für die Hände, die Augen, und in den verkaufsstillen Stunden wieder Ordnung schaffen, in Regale, Schubladen, Fächer zurückordnen: Handtücher, Leintücher, Taschentücher, Hemden und Socken, und da war eben eines Tages dieser nette Junge gekommen, der jetzt verstorben war, und hatte sich Hemden vorlegen lassen, obwohl er gar nicht vor- (und auch kein Geld) hatte, eins zu kaufen, war gekommen, nur, weil er jemand suchte, dem er brühwarm von seinem Erfolgserlebnis erzählen wollte: daß er drei Jahre nach dem Abendabitur (»Ich komme von der Elektrotechnik her« – dabei war er einfach Elektriker gewesen) schon sein Diplom und schon ein Thema für seine Doktorarbeit bekommen hatte. Und nun also dieser Ausdruck »meine Frau kommt vom Textil her«, was mindestens nach Kunstgewerbe, wenn nicht nach Kunst klingen sollte, und wie er böse, vor Wut fast krank geworden war, als sie sagte: »Ja, ich war Verkäuferin in einem Textilgeschäft und helfe noch manchmal aus.« Im Auto auf der Rückfahrt kein Wort, nicht eine Silbe, eisiges Schweigen, die Hände ums Steuerrad verkrampft.

Der Kaffee war überraschend gut, die Zeitung langweilig (»Unternehmergewinne zu niedrig, Löhne zu hoch«), und was sie so um sich herum aufschnappte, klang alles nach Gericht. (»Tatsachenverdrehung.« »Die Couch gehört nachweislich mir.« »Den Jungen lasse ich mir nicht nehmen.«) Anwaltsroben, Anwaltsaktentaschen. Ein Bürobote brachte Akten, die mit Ernst aufgeschlagen, in denen sorgfältig geblättert wurde. Und wirklich: Die junge Kellnerin, die ihr jetzt den zweiten Kaffee brachte, legte ihr die Hand auf die Schulter und sagte: »Nehmen Sie's nicht zu schwer. Es geht vorüber. Ich habe wochenlang geheult, wochenlang sage ich Ihnen.« Sie wollte erst wütend werden, lächelte dann und sagte: »Vorüber ist's schon.« Und die Kellnerin sagte: »Und schuldig war ich auch.« Auch? dachte sie. Bin ich schuldig, und wenn ja, wieso sieht man mir das an: weil ich rauche vielleicht? Kaffee trinke, Zeitung lese und lächle? Ja natürlich war sie schuldig, sie hatte sich geweigert, den Tod früh genug festzustellen, und diese mörderischen Monate noch bei ihm und mit ihm gelebt. Bis er ihr eines Tages ein neues Abendkleid mitbrachte, knallrot, tief dekolletiert, und sagte: »Zieh das auf dem Firmenball heut abend an, ich möchte, daß du mit meinem Chef tanzst und ihm alles zeigst, was du hast«, sie hatte aber das alte silbergraue mit dem hübschen Glasschmuck angezogen, und einen Monat später, als die Sache mit Strössel herauskam, seine Wut, als er sagte: »Was du meinem Chef nicht zeigen wolltest, hast du deinem ja nun gezeigt.«

Ja, das hatte sie getan. Nicht lange, nachdem er aus dem Schlafins Gästezimmer gezogen war und am Morgen, nachdem er mit diesem Pornokram und der Peitsche ins Schlafzimmer zurückgekommen war und einen fürchterlichen Disput über seine geschlechtlichen Erfolgserlebnisse anfing, die sie ihm verweigere, die er aber dringend brauche, sie stünden in einem so krassen Gegensatz zu seinen beruflichen Erfolgserlebnissen, daß er in

Neurose, fast Psychose verfalle; sie hatte ihm nicht zu einem Erfolgserlebnis verhelfen können, ihm die Peitsche aus der Hand genommen und die Tür hinter ihm abgeschlossen; das Zeug hatte sie eiskalt gemacht, und es war ihre Schuld gewesen, daß sie immer noch nicht den Tod festgestellt, den Jungen genommen, ein Taxi bestellt und weggefahren war, und sogar am Ausbau des Hauses hatte sie noch teilgenommen: Gästezimmer, Gästebad, Fernsehraum, Bibliothek, Sauna, Kinderzimmer, und es war ihre Idee gewesen, zu Strössel zu gehen und um Rabatt zu bitten, für Bade- und Handtücher, Bett- und Kissenbezüge, für Vorhangstoffe. Natürlich war ihr ein bißchen unheimlich geworden, als Strössel ihr tief in die Augen schaute und den Rabatt von zwanzig auf vierzig Prozent erhöhte, und als sich seine Augen verschleierten und er versuchte, über die Theke hinweg nach ihr zu greifen, hatte sie gemurmelt: »Mein Gott, doch nicht hier, nicht hier«, und Strössel verstand das falsch (oder richtig) und meinte, anderswo sei's ihr recht, und sie war tatsächlich mit ihm nach oben gegangen, mit diesem dicklichen, kahlköpfigen Junggesellen, der zwanzig Jahre älter als sie war und selig, als sie sich mit ihm hinlegte. Und er hatte währenddessen den Laden offen und die Kasse unbewacht gelassen, und nicht einmal das unvermeidliche Auf- und Zuknöpfen von Kleidungsstücken war ihr peinlich gewesen. Und als er ihr später unten an der Kasse die Sachen einpackte, hatte er ihr keinen Rabatt gegeben, sondern sie den vollen Ladenpreis bezahlen lassen, und als er die Tür aufhielt, hatte er nicht versucht, sie zu küssen. Der Gegenanwalt hatte tatsächlich versucht, diese Behauptung – des »nicht gewährten Rabatts nach bezeugter Gunst« – von Strössel bezeugen zu lassen, aber es war ihrem netten Anwalt dann doch gelungen, Strössel rauszuhalten. Ja, sie war dann mehrmals zu Strössel gegangen. »Nicht um einzukaufen?« »Nein.« »Wie oft?« Das wußte sie nicht, wußte sie wirklich nicht. Sie hatte das nicht gezählt. Von Heirat war nie gesprochen, das Wort Liebe nie erwähnt worden. Es war diese weiche, gerührte und rührende Seligkeit bei Strössel, die ihr Angst machte, in einem rosa Kissen zu versinken.

Nein sie konnte nicht zu ihm zurückgehen, und doch wäre sein altmodischer Laden für sie das richtige gewesen, wo sie alle

Kästen und Kasten, Fächer und Schubfächer, das Lager kannte, wo es wirklich nur Wolle und Baumwolle gab; sie mit ihren Händen, die unfehlbar waren, wenn es galt, auch nur den kleinsten reingepfuschten Kunststoffaden herauszufinden. Nein, sie konnte auch nicht in einem der Hop- und Popläden arbeiten, wie Strössel sie immer nannte. Nein, nicht noch einmal heiraten, noch einmal dabeisein, wenn einer, der noch lebte, starb, und wieder einmal ein Tod sie schied. Es war wohl die Zeit gekommen, in der die Ehemänner auf eine brutale Weise obszön wurden und die Liebhaber auf eine altmodische, fast rosa Weise zärtlich und selig.

»Sehen Sie«, sagte die Kellnerin, als sie zahlte, »jetzt geht's uns schon besser. Sie sind doch noch eine junge und hübsche Frau, und« – tatsächlich, sie sagte es – »das Leben liegt noch vor Ihnen, und das Kind wird zu Ihnen halten.« Sie lächelte der Kellnerin noch einmal zu, als sie das Café verließ.

Sie würde dem Jungen noch einen Nußkuchen backen, die Zutaten auf dem Heimweg kaufen, und wenn er sie fragte: »Muß ich wirklich zu dieser Frau?« (Conny, Gaby, Lotte?) würde sie sagen: »Nein.« Und es gab ja noch die Firma Haunschüder, Kremm und Co., Strössels alte Konkurrenz, wo die Unfehlbarkeit ihrer Hände ebenso begehrt sein würde. Nur war's mehr ein Versandgeschäft, und sie würde nicht mehr so oft ein Hemd ausbreiten und glattstreichen können, wie damals bei dem sympathischen Jungen, der gerade sein Diplom gemacht und das Thema für seine Doktorarbeit bekommen hatte. Vielleicht würde sie doch statt Kirschkompott Bücklinge nehmen; die hatte er ebensogern, und er würde neben ihr stehen, wenn sie in der Pfanne kroß wurden, der Teig sie umschloß und bräunlich wurde. Wahrscheinlich konnte sie bei Haunschüder, Kremm und Co. Einkäuferin werden; auf ihre Hände konnte sie sich wirklich verlassen, kein eingepfuschter Faden ging ihnen durch.

Offene Briefe
(1976)

2. September 1976

Als im Dezember 1970 die Arbeiter in den polnischen Hafenstädten gegen die Preiserhöhungen streikten, schoß die Miliz, gab es Tote, wurde aber auch die verantwortliche Regierung gestürzt. Eduard Gierek erweckte als neuer Generalsekretär Hoffnung. Die Preiserhöhungen wurden zurückgenommen, eine grundsätzliche Reform, die eine Wiederholung polizeistaatlicher Praktiken für die Zukunft ausgeschlossen hätte, fand aber nicht statt. In der Verurteilung der Arbeiter, die gegen die Preiserhöhungen vom 25. Juni 76 gestreikt haben, sehen wir die traurige Wiederholung der Ereignisse von 1970. Wir appellieren an den Generalsekretär der vereinigten polnischen Arbeiterpartei, zu seinem Reformversprechen zu stehen und die Verantwortlichen im eigenen Bereich zu suchen. Kein Sozialist kann die Verurteilung streikender Arbeiter hinnehmen. Wir bitten unsere polnischen Freunde um Verständnis für unsere verspätete Antwort. Der volle Wortlaut ihres Briefes ist uns erst vor wenigen Tagen bekannt geworden.

Heinrich Böll
Günter Grass

Brokdorf und Wyhl

(1976)

Die Blut-und-Boden-Ideologie des Nazismus hat in ihrer Nichtigkeit verspätete Wirkungen erzielt; nach 1945 wagte kaum jemand, etwa die Erde als Wert zu erkennen, gar zu preisen. In einem oberflächlichen Reflex auf die Nazi-Ideologie, der man so glühend angehangen hatte, wurde alles verhöhnt, was auch nur andeutungsweise auf den Wert Erde verwies, und doch wußten und wissen wir, daß Kultur mit der Bebauung der Erde angefangen hat. Das »macht euch die Erde untertan« bedeutet ja nicht: zerstört und verhöhnt eure Erde.

Inzwischen stehen, wie mir scheint, zwei Werte gegeneinander: Erde und Wachstum. Hinter dem schönen, aus dem Bereich des Organischen entliehenen Begriff Wachstum steht eine unerbittliche Ideologie, die mit Wert materiellen Wert meint (siehe den Begriff: Wertpapiere). Was wächst da, was wächst da heran? Wachstum, das klingt nach Baum, nach Mensch, nach Tier und Pflanze. Was wächst da alles in Lateinamerika: kostbare Hölzer, Tabak, Kaffee, Kakao, Kautschuk, Baumwolle, Zuckerrohr, Bananen – was liegt und lag da alles in der Erde Lateinamerikas: Gold, Silber, Kupfer, Zinn, Blei, Eisen, Erdöl, Salpeter, und vor seinen Westküsten ist das Guano »gewachsen«, einer der reichsten Kontinente, der immer ärmer wird. In seinem Buch *Die offenen Adern Lateinamerikas* gibt Eduardo Galeano eine detaillierte Bilanz der Werte, die wir nach Lateinamerika gebracht haben – und die Werte (Wertpapiere), die herausgeholt worden sind. Offene Adern eines Kontinents, das bedeutet: er blutet aus.

Welche Wirtschaftschirurgen werden die Klammern und Tupfer erfinden, um das Verbluten zu stoppen? Welchen Profit hat die freie Marktwirtschaft denen zu bieten, auf deren Kosten sie betrieben wird? Wem gehört die Erde, wem gehören die Meere, wessen sind die Gewinne? Das »Metanoite« gehört zu unseren beliebtesten Bildungssprüchen. Wer muß hier umdenken? Natürlich nicht nur die Unternehmer, auch die organisierte und nicht organisierte Arbeitnehmerschaft. Nun gehen sie gemeinsam daran, dieses winzige Stück Erde, das Bundesrepublik Deutschland heißt, ich drücke es kraß aus, »auf den Strich zu schicken«, als wäre die Erde nur zum »Anschaffen« da. Kurz gesagt: in Brokdorf werden und in Wyhl wurden Werte verteidigt, und es soll sich doch keiner auf Kommunisten herausreden, die ja außerdem auch ein Recht auf ihre Erde haben.

Dieses Umdenken gilt keineswegs allein der ohnehin verachteten »Moral«, es gilt auch der Schönheit: man kann soviel Industrie-Design-Ästhetik investieren, wie man will und aufbringen kann: die Erde wird nicht schöner durch Atom- und andere Kraftwerke. Es gibt Werte genug, sie liegen auf der Straße, werden zertrampelt, nicht von Demonstranten. Schon ist jene Ader, die man Rhein nennt, vergiftet. Wird man eines Tages von den vergifteten Adern der Bundesrepublik und Westeuropas sprechen? Die Blindheit *rein* profitorientierter Ideologen ist aktenkundig. Die Politiker aller Parteien haben das Thema Atomkraft umgangen, sie haben die Hintertür gewählt. Die Werte Erde, Luft, Wasser werden mißachtet. Vielleicht wird man eines Tages auch von vergifteten Arbeitsplätzen sprechen. Es gibt solche schon.

Vorwort zu »Nacht über Deutschland«

(1976)

Es gehört zu den beängstigenden Merkwürdigkeiten der deutschen Geschichte, daß eines der am meisten verkauften und verschenkten, am meisten verbreiteten Bücher, Hitlers *Mein Kampf*, eines der wichtigsten Bücher, das man wirklich hätte lesen müssen, von nur sehr wenigen gelesen wurde. Der Vergleich mit der Bibel, der es Konkurrenz machte, trifft zu: auch die Bibel wurde nicht von sehr vielen gelesen. Wahrscheinlich hätte auch ich *Mein Kampf* nicht gelesen, wäre es nicht Pflichtlektüre in der Schule gewesen. Es war eine mühsame Lektüre, eine Zumutung: ich bewundere heute noch den Mut unseres Deutschlehrers, der auf eine trockene, wenn man genau hinhörte, verächtlich-verachtungsvolle Weise, diesen in den Jahren 1935/36 schon hochheiligen Text ohne jede Ehrfurcht »auseinandernahm«, zerlegte, und uns die Aufgabe stellte, ganze Abschnitte und Kapitel auf ein vernünftiges Maß zu kürzen und »verständlich« zu machen. Dieses unerträgliche Geschwafel wurde mir, als ich es »redaktionell«, als Deutschaufgabe bearbeiten mußte, vertraut, und es war schon eine seltsame Erfahrung, einen »an sich« unlesbaren Text lesbar zu machen. Unser Deutschlehrer, er hieß Karl Schmitz und war nicht von jenem »musischen« Deutschlehrertyp, der »Schwärmer« produziert, kann nicht geahnt haben, was er damals riskierte. Nicht damals gruselte mir, heute überläuft es mich kalt, wenn ich an diese riskanten Deutschstunden denke. Das hätte nicht nur schiefgehen, es hätte schauerlich enden können. Die Straßenbrutalitäten der Nazis waren augenfällig, *Mein Kampf* in seiner brutalen Verworrenheit, war die Anweisung dazu, die kaum jemand las. In Clément Moreaus Illustrationen zu *Mein Kampf* finde ich das Schaudern wieder: jenes Gruseln, das uns auf den von den Nazis besetzten und zerstörten Straßen befiel. Inzwischen gibt es ja schon wieder etwas wie Nazi-Nostalgie, irgendwo wird sicher *Mein Kampf* gedruckt und verbreitet. Das ist der richtige Zeitpunkt, um Clément Moreaus Illustrationen zu »Mein Kampf« wiederaufzulegen, das heißt: sie endlich den Deutschen bekanntzumachen. Mancher gebildete Deutsche, der sich bis heute die Lektüre von *Mein Kampf* versagt hat, der immer noch in jener Haltung verharrt, die da lautete: »Wenn das der Führer wüßte oder gewußt hätte ...«, sollte endlich erfahren, daß der Führer es nicht nur gewußt, daß er es gewollt hat. Alles, was geschehen ist, hat er gewußt und gewollt: so nachzulesen in *Mein Kampf*. Es ist keine Prophetie, sondern ein Programm. Es ist »an sich« unlesbar und enthält doch alles. Clément Moreau hat alles, was man wissen muß, aus *Mein Kampf* herausgelesen und dargestellt. Schon das Wort Faschismus birgt in sich die Gefahr einer Verharmlosung. Man sollte das Kind beim Namen nennen: Nazismus, Nazis, sie Faschisten zu nennen wäre fast zu schmeichelhaft. Auch das beliebte Wort »faschistoid« enthält diese Verharmlosung. Man hätte sagen sollen: Faschismus ist schlimm, Nazismus ist schlimmer, und es wäre durchaus angebracht gewesen, das Wort »nazistoid« zu prägen, denn diese deutsche Variante hatte ihre eigene Qualität, die sehr rasch ihre Quantität gebar. Clément Moreaus Illustrationen machen augenfällig, was aus *Mein Kampf* nur mühsam herauszulesen wäre und gewesen wäre. Wer wird sich schon die Mühe machen, *Mein Kampf* zu lesen? Die Nostalgie – man kann schon sagen – marschiert, Marschtempo in Schlagern ist beliebt, besonders das »Polenmädchen«, das »allerschönste Kind, das man in Polen findt«. Was dieser, euphemistisch Polenfeldzug genannte, Krieg gegen Polen für die Polen bedeutet hat und bedeuten sollte, für die polnischen Liberalen, für polnische Priester wie für polnische Sozialisten, das ist alles in *Mein Kampf* zu finden. Dieser Mensch, der Hitler hieß, *Mein Kampf* geschrieben hat, eine schauerliche Rassentheorie zusammengelesen hat, so wenig nordisch aussah, daß es eigentlich hätte auffallen müssen (aber was fiel den Deutschen schon auf!), hat alles gewollt, was unter seiner Verantwortung geschah, und das allerschönste Kind, das man in Polen findt, ist wahrscheinlich in Auschwitz oder Treblinka ermordet oder bei Straßenkämpfen in Warschau erschossen worden. Man redet sich gern drauf hinaus, Hitler habe ja seine Kriege gegen den Bolschewismus geführt. Waren Frankreich, England, Norwegen, Dänemark, Holland, Italien, Jugoslawien bolschewistisch? Und wo gab es den hartnäckigsten Widerstand gegen Hitler? Ausgerechnet in zwei Ländern, deren Bevölkerung man annähernd als »nordisch« bezeichnen kann: Holland und Norwegen.

Clément Moreaus Illustrationen zu *Mein Kampf* sind aktuell nicht nur, damit die Deutschen endlich das Buch kennen lernen, das in ihrer Geschichte eine so entscheidende Rolle gespielt hat, auch damit sich die Nostalgie endlich einem Gegenstand zuwendet, der immer noch aktuell ist: dem Antinazismus. Wenn die Verharmlosung des Nazismus, der lange Marsch in die Verlogenheit des gesungenen Kitsches fortschreitet, wird unsere Sehnsucht sich wieder denen zuwenden, zu denen Clément Moreau gehört: den Antifaschisten, die in der Emigration einen verzweifelten Kampf führten, um die Welt mit den Greueln, die man alle in *Mein Kampf* finden kann, bekanntzumachen.

Kommentar

⟨George Bernard Shaw: an Herbert Wehner⟩

Entstehung

Der Text trägt in Bölls Arbeitsbuch die Signatur »222/74« (*AB* II, Bl. 17; NE); er ist im April 1974 in Langenbroich als Beitrag für einen von Ulrich Greiwe (geb. 1945) herausgegebenen Band, »Alarmierende Botschaften. Zur Lage der Nation« (München, Desch, 1974) verfaßt worden. Unter dem Datum vom 1. 5. 1974 bedankte sich Greiwe bei Böll für dessen Beitrag und freute sich insbesondere »über den artistischen Spott« und »die politischen Tiefenbohrungen.« »Selbstverständlich«, heißt es weiter, »werde ich Ihren Wunsch respektieren und diese, Ihre Arbeit zunächst der Frankfurter Rundschau zum Vorabdruck anbieten. Anfang Juli gehen Ihnen die Korrekturfahnen zu. Das Buch wird Anfang August auftauchen« (HA 1326–4000, Nr. 12490).

Überlieferung

Typoskripte

TH^{1}: Erstschr.; 5 Bll., auf Bl. 1 eh. Sign.: »222/74« und eh. Notiz: »1. Version ungültig 10. 4. 74 HB«, Bll. eh. pag. 1–5.
(HA 1326–267, Bll. 90–94)

TH^{2}: Erstschr.; 5 Bll., auf Bl. 1 eh. Notiz: »2. Version ungültig 14. 4. 74 HB«, Bll. eh. pag. 1–5.
(HA 1326–267, Bll. 95–99)

TH^{3}: Erstschr.; 5 Bll., auf Bl. 1 eh. Notiz: »3. Version ungültig 16. 4. 74 HB«, Bl. 3 beschnitten.
(HA 1326–267, Bll. 100–104)

TH^{4}: Erstschr.; 11 Bll., auf Bl. 1 eh. Notiz: »4. Version ungültig 16. 4. 74 HB«, Bll. eh. pag. 1–10, Bl. 11 ohne pag., beschnitten.
(HA 1326–267, Bll. 105–115)

TH^{5}: Erstschr.; 10 Bll., auf Bl. 1 eh. Notiz: »5. Version ungültig 17. 4. 74«, Bll. eh. pag. 1–10.
(HA 1326–267, Bll. 116–125)

tH^{6}: Durchschr. (grün); 11 Bll., auf Bl. 1 eh. Sign. und Datierung: »April

74« sowie eh. Notiz: »unkorrigierte Fassung!«, Bll. eh. durchschr. pag. 1–11.
(HA 1326–267, Bll. 126–136)

Drucke

Z: *Frankfurter Rundschau.* – 30. Jg., Nr. 201 (31. 8. 1974), ›Zeit und Bild‹, S. III, u. d. T.: Heinrich Böll als George Herbert Shaw an Herbert Wehner.
D¹: *Alarmierende Botschaften. Zur Lage der Nation.* Idee und herausgegeben von Ulrich Greiwe. München, Desch, 1974, S. 7–16.
D²: *EE*, S. 148–156.
D³: *ESR* III, S. 143–152.
D⁴: *EAS* 5, S. 139–148.

Textgrundlage

Textgrundlage ist D².

Varianten

11. 5 *Sinn]* Sinne Z
16. 35–36 *da noch]* da auch noch Z

Stellenkommentar

9. 1 *Shaw]* George Bernard Shaw (1856–1950), ir. Schriftsteller, Dramatiker und Satiriker; Literaturnobelpreisträger (1925); Werke u. a.: *Pygmalion* (1913), *Die heilige Johanna* (1923).

9. 3 *Wehner]* Herbert Wehner (1906–1990), dt. Politiker (SPD); 1927–1942 KPD-Mitglied in hohen Funktionärspositionen; lebte von 1935–1941 zunächst im sowjet., dann bis 1946 im schwedischen Exil, wo er wegen Staatsgefährdung ein Jahr inhaftiert und anschließend bis Juli 1944 interniert war; gegen Ende des Zweiten Weltkriegs löste er sich von der KPD, trat am 8. 10. 1946 in die SPD ein und war bis 1983 Bundestagsabgeordneter; von 1949–1983 MdB, von 1958–1973 stellv. Vorsitzender der SPD, 1966–1969 Bundesminister für gesamtdeutsche Fragen, 1969–1983 Fraktionsvorsitzender im Bundestag.

9. 7–8 *angesichts der neuen ... eingebracht haben]* Herbert Wehner wurde neben seinem taktischen und organisatorischen v. a. ein rhetorisches Talent attestiert; er bestach durch einen ›verbalen Radikalismus‹, der in seiner Kritik weder vor der Opposition noch auch vor der eigenen Partei Halt machte; seine Aggressivität, scharfer Hohn sowie auch maßlose, provozierende Beschimpfungen während Bundestagsdebatten waren nicht nur Anlaß für tobenden Applaus, sondern auch für Unruhen und Zwischenrufe.

9. 17–18 *Eton in Oxford und Cambridge]* In Eton, einer 34 km westl. von London gelegenen Stadt, befindet sich eine der renommiertesten engl. »Public Schools«, die auf die von Heinrich VI. (1421–1471) gegr. Gelehrtenschule aus dem Jahre 1440 zurückgeht; der Besuch dieser höheren Privatschule mit dazugehörigem Internat ist weitestgehend Schülern aus begüterten Familien vorbehalten. Oxford und Cambridge sind die ältesten und bedeutendsten Universitätsstädte Englands.

10. 1 *Pianissimi, Furiosi, Moderati]* Hierbei handelt es sich um musikalische Termini (lat.-it.); Pianissimi: ganz leises Singen / Spielen; Furiosi: wild-leidenschaftliches Musikstück; Moderati: mäßig schnell gespieltes Stück.

11. 27 *im Jahr 1933 dieser Hindenburg]* Als Reichspräsident unter dem Einfluß von Kurt von Schleicher (1882–1934) sowie konservativer Kreise entließ Paul von Hindenburg (1847–1934) Heinrich Brüning (1885–1970) aus dem Amt des Reichskanzlers und setzte rechtsgerichtete Regierungen ein, um schließlich am 30. 1. 1933 Adolf Hitler (1889–1945) zum Reichskanzler zu ernennen und damit den Nationalsozialisten den Weg an die Macht zu bereiten.

11. 34 *Obristen]* Veraltet für Oberst.

11. 36–12. 1 *Der vernünftige Mensch ... Menschen ab]* Zitat aus G. B. Shaw: »Maximen für Revolutionäre«, in: Shaw, 1992, S. 320.

12. 22–23 *Ölkonzerne]* Im Oktober 1973 entbrannte zwischen Arabern und Israelis der Jom-Kippur-Krieg, in dem sich die arabischen Staaten der Ressource Öl als Druckmittel bedienten; der Ölexport wurde um über 25% gekürzt, die Niederlande und die USA wurden nicht mehr beliefert, in der Hoffnung, den Westen zu Verhandlungen mit Israel zu bewegen. Für die Bundesrepublik bedeutete dies neben der steigenden Arbeitslosenzahl und der ohnehin schon stagnierenden Wirtschaft, bedingt durch die zurückhaltende Geldpolitik der Bundesbank sowie die Haushaltspolitik der Bundesregierung, weitere Probleme v. a. für den industriellen Sektor. Da der Ölverbrauch aufgrund rapider Ölpreissteigerungen eingeschränkt werden mußte, kam es zu einem Produktionsrückgang. Um die Ölsparmaßnahmen zu unterstützen, waren bereits Ende 1973 allgemeine Fahrverbote für 8 Sonntage von der Bundesregierung verordnet worden.

12. 28 *ungeklärten Affären des Mr. Strauß]* Franz Josef Strauß (1915–

1988), dt. Politiker (CSU); Strauß' politische Laufbahn war von diversen Skandalen begleitet, die insbesondere vom *Spiegel* aufgegriffen wurden; neben angeblichen Begegnungen mit Prostituierten sorgten die »Onkel-Aloys-Affäre« (1957–1959), die »BMW-Affäre« (1960), die »FIBAG-Affäre« (Ende der 1950er bis Anfang der 1960er Jahre) sowie die »Starfighter-Affäre« (1960–1966) immer wieder für Schlagzeilen, doch erst die »*Spiegel*-Affäre« brachte ein vorläufiges politisches Aus für Strauß. Im Oktober 1962 fanden Durchsuchungen in den *Spiegel*-Redaktionsräumen in Bonn und Hamburg aufgrund des Verdachts auf Landesverrat statt. Auslöser war der Artikel »Fallex 62 – bedingt abwehrbereit« des stellvertr. Chefredakteurs und Militärexperten Conrad Ahlers (1922–1980), der mögliche atomare Pläne der BRD thematisierte; während der Haftbefehl gegen den *Spiegel*-Redakteur Rudolf Augstein (1923–2002) und andere Mitarbeiter sofort ausgeführt werden konnte, befand sich Ahlers gerade im Spanien-Urlaub; Strauß mischte sich als amtierender Verteidigungsminister in die laufenden Ermittlungen ein, woraufhin Ahlers noch in Spanien verhaftet wurde. Die Diskussionen um Pressefreiheit und Staatssicherheit führten zu einer Regierungskrise; anfänglich wollte Strauß trotz ihm nachgewiesener Falschaussagen und seines Fehlverhaltens nicht zurücktreten, aber als fünf FDP-Minister zurücktraten, verzichtete er Ende des Jahres auf sein Amt. Der damalige Innenminister Hermann Höcherl (1912–1989) gestand später ein, daß Ahlers' Verhaftung »etwas außerhalb der Legalität« geschehen war.

12. 31 *Mr. Mende]* Erich Mende (1916–1998), dt. Politiker, 1945 FDP-Mitbegründer und von 1960–1968 deren Vorsitzender; von 1949–1980 MdB; 1963–1966 Vizekanzler und Minister für gesamtdt. Fragen; Mende trat im Oktober 1970 zur CDU über.

12. 33 *entlenzt]* Anspielung auf Otto Lenz (1903–1957), CDU-Politiker, von 1953 bis zu seinem Tod Mitglied des Deutschen Bundestages und von 1951–1953 als Staatssekretär Chef des Bundeskanzleramtes.

12. 33 *entglobket]* Anspielung auf Hans Globke (1898–1973), Jurist, Nachfolger von Lenz als Staatsekretär, engster Vertrauter Adenauers, der bis zum Ende der eigenen Amtszeit 1963 an Globke festgehalten hat.

13. 25–26 *Heinrich den Vierten von Frankreich]* Heinrich von Navarra (1553–1610), frz. König als Heinrich IV. von 1589–1610; nach seiner Hochzeit mit Margarete von Valois (1553–1615) kam es in der Nacht zum 24. 8. 1572 in Paris zur sog. »Bartholomäusnacht« oder auch »Pariser Bluthochzeit«, zwischen 5 000–10 000 Hugenotten, deren Führung seit 1569 Heinrich übernommen hatte, wurden auf Geheiß der Königinmutter Katharina von Medici (1519–1589) ermordet, um einer Protestantisierung Frankreichs entgegenzuwirken; Heinrich IV. konnte sich die allgemeine Anerkennung erst sichern, nachdem er 1593 zum Katholizismus übergetreten war und ihm die Hauptstadt Paris zufiel; mit dem Edikt von Nantes (1598) läutete er das

Ende der frz. Religionskriege ein und sicherte den Hugenotten ihr Recht auf Aufenthalt sowie freie Religionsausübung. Lange Zeit stand Heinrich IV. in Konflikt mit der kath. Liga und dem span. König Philipp II. (1527–1598), der einen strengen Katholizismus vertrat.

14. 1 *Dreißigjährigen Krieg]* Den Höhepunkt des europ. Konfliktes zwischen Katholiken und Protestanten sowie des Aufbegehrens der Reichsstände gegen das absolutistische Regime stellt der Dreißigjährige Krieg 1618–1648 dar. Nach zahlreichen Feldzügen, mit Verwüstungen und Toten im Heiligen Römischen Reich sowie fehlender Überlegenheit einer Seite wurde am 24. 10. 1648 durch die Friedensabkommen von Münster und Osnabrück, dem sog. Westfälischen Frieden, der Krieg beendet.

14. 5 *Gegenreformation]* Die Gegenreformation der kath. Kirche fand als Reaktion auf die theolog. Bewegungen von 1555–1648 statt, die durch Martin Luthers (1483–1546) Kritik an der kath. Kirche initiiert wurde; Ziel war, die Macht des Papsttums zu stärken, so dass auf einem Konzil eine Reformation der Liturgie, der Heiligenverehrung und des Ablaßwesens erörtert wurden; neben den Päpsten spielte für den Reformerfolg der Jesuitenorden eine tragende Rolle, der bereits 1534 von Ignatius von Loyola (1491–1556) gegründet wurde; die Gegenreformation war Mitauslöser des Dreißigjährigen Krieges.

14. 6–7 *Hauptablaßprediger]* Unter Ablaß versteht die kath. Kirche den von der kirchl. Autorität gewährten Nachlaß zeitlicher Sündenstrafen, vor allem der Fegefeuerstrafe; der Ablaß bedeutet allerdings nie einen Nachlaß von Sündenschuld und ewiger Strafe, stets werden besondere Bußwerke (Gebet, Almosen, Kirchenbesuch) verlangt. – Der Dominikanermönch Johann Tetzel (1465–1519) gilt als einer der größten Ablaßprediger, der einen regelrechten Ablaßhandel – den Handel mit sog. Ablaßbriefen (»Sobald der Gülden im Becken klingt im huy die Seel im Himmel spring«, Motto Tetzels) – betrieb und Tetzelkästen, in denen die Bußgelder verwahrt wurden, einrichtete. Wen Böll sonst noch im Blick hat, ist nicht recht klar; er könnte wohl u. U. Johannes von Paltz (um 1445–1511) gemeint haben, der im Auftrag des Kardinals Raimund Peraudi von allem in Thüringen, Sachsen und Meißen als Prediger für Ablässe wirkte, mit denen dann der Kreuzzug gegen die Türken finanziert werden sollte.

14. 27 *Petrus Canisius]* Petrus Canisius, latinisiert aus Pieter de Hondt, eigentl. Kanijs (1521–1597), Kirchenlehrer und erster dt. Jesuit seit 1543; Canisius war v. a. im Bereich der Seelsorge und als Lehrender tätig, gründete Kollegien in München, Dillingen und Innsbruck; er wurde 1864 selig- und 1925 heiliggesprochen sowie zum Kirchenlehrer erklärt; zu seinen bedeutsamsten Schriften zählen die drei Katechismen: der große (Summa doctrinae christianae, 1555), der mittlere (1558) und der kleine (1556) Katechismus.

14. 37–38 *durch Lohnerhöhungen gefährdet]* Trotz der steigenden Ar-

beitslosigkeit, der stagnierenden Wirtschaft und der Inflation konnte die ÖTV (Gewerkschaft Öffentliche Dienste, Transport und Verkehr) Anfang 1974 unter Streikandrohung eine 11%-ige Lohnerhöhung durchsetzen. Die allgemein steigenden Lohnkosten trugen dazu bei, daß bis 1975 beinahe 9 200 Unternehmen in der Bundesrepublik Insolvenz anmelden mußten.

15. 34–35 *Radikalenerlasse zu planen]* Übereinkunft des Bundeskanzlers (Willy Brandt) und der Länderregierungschefs vom 28. 1. 1972, Bewerber für den öffentlichen Dienst bereits vor dem Eignungsverfahren regelmäßig auf eine Mitgliedschaft in extremistischen Organisationen hin zu überprüfen.

Aufgrund ihrer eingeschlagenen Ostpolitik (siehe Stellenkommentar zu 30. 27) versuchte die sozialliberale Regierung den Vorwürfen, ihre Koalition unterstütze und fördere Kommunisten, zu begegnen. In der Folge wurden beinahe 500 000 Bewerber für den öffentlichen Dienst überprüft. In den Grundsätzen ist u. a. festgehalten: »Die Einstellung in den Öffentlichen Dienst setzt nach den genannten Bestimmungen voraus, daß der Bewerber die Gewähr dafür bietet, daß er jederzeit für die freiheitlich-demokratische Grundordnung im Sinne des Grundgesetzes eintritt. Bestehen hieran begründete Zweifel, so rechtfertigen diese in der Regel eine Ablehnung« (vgl. dazu Steininger, 2002, S. 367).

16. 7–8 *Radikaler im öffentlichen Dienst]* Ein Essay Bölls über Gustav Heinemann (1899–1976) aus dem Jahre 1974 trägt eben diesen Titel: *Radikaler im öffentlichen Dienst. Zum Abschied von Gustav Heinemann*, in: *Süddeutsche Zeitung*, Nr. 147, 29./30. 6. 1974 (*KA*, Bd. 18, S. 319–321).

16. 9–10 *ein Drama von Kleist oder ein Gedicht von Hölderlin]* Heinrich von Kleist (1777–1811), dt. Dichter; Werke u. a. *Der zerbrochene Krug* (1808), *Prinz Friedrich von Homburg* (1810) und *Michael Kohlhaas* (1808), zu dem in der zeitgenössischen Rezeption Parallelen zu Bölls umfangreicher Erzählung *Ende einer Dienstfahrt* (vgl. *KA*, Bd. 15) gesehen worden sind; sowohl Kleist als auch Böll schildern in ihrer Erzählung ein Gerichtsverfahren, das in indirekter Rede wiedergegeben wird. Bölls Erzählung und seine Erzählweise stießen nicht nur auf Zustimmung. Während Bölls Werk in *Die Welt* vom 17. 8. 1966, das »unbedingt an jene großartigen Partien in Kleists Michael Kohlhaas denken läßt, in denen das Kunstmittel der indirekten Rede wie eine verborgene Glut den Menschen und sein Ereignis vorwärts treibt«, positiv bewertet wird, verreißt der *Bayern-Kurier* vom 15. 10. 1966 u. d. T. »Böll kontra Kleist. Müssen Stilübungen verlegt und gedruckt werden?« Bölls Roman; dort heißt es u. a., daß »eine solche Stilübung wohl kaum für einen Verleger, eher für den Papierkorb [...] brauchbar sei.« – Friedrich Hölderlin (1770–1843), dt. Dichter; Verfasser zahlreicher Elegien (u. a. *Menons Klage*, *Brot und Wein*) und des Briefromans *Hyperion oder der Eremit aus Griechenland* (1797/99, 2 Bde.). Sowohl

Kleist als auch Hölderlin wurden zu ihrer Zeit verkannt; während Hölderlin ab 1807 im Tübinger »Hölderlinturm« – als Geisteskranker abgestempelt – isoliert lebte, schied Kleist 1811 gemeinsam mit der befreundeten Henriette Vogel (1773–1811) freiwillig aus dem Leben.

16. 27 *Ludwig van Beethoven]* Ludwig van Beethoven (1770–1827), dt. Komponist und bedeutsamer Vertreter der ›Wiener Klassik‹; Beethoven war nachweislich einer von Bölls Lieblingskomponisten und galt darüber hinaus Böll als Demokrat, der sich u. a. über den servilen Fürstendiener Goethe mokierte. – Zu Beethoven siehe *KA*, Bd. 1, S. 298 u. ö.

17. 3–4 *daß Proudhon gesagt hat, Privateigentum sei Diebstahl]* Pierre Joseph Proudhon (1809–1865), frz. Frühsozialist, Anarchist und Schriftsteller; Böll zitiert hier indirekt Proudhons Schrift *Qu'est-ce que la propriété?* aus dem Jahr 1840 (dt. *Was ist Eigentum?*, 1844), in der die Eigentumsverfassung kritisiert wird.

17. 6–7 *law and order]* Engl. ›Gesetz und Ordnung‹.

17. 7 *Agnew und Nixon]* Spiro T. Agnew (1918–1996), amerik. Politiker (Republikaner); ab 1966 Gouverneur von Maryland, 1969–1973 Vizepräsident von Richard Nixon (1913–1994); außenpolitisch bemühte sich Nixon gemeinsam mit seinem Sicherheitsberater Henry Kissinger um eine weltweite Umorientierung us-amerikanischer Politik und konnte auch das Verhältnis zu China und der Sowjetunion verbessern; seine konservative innenpolitische Linie und sein autoritärer Regierungsstil hemmten jedoch u. a. einen Abbau der Diskriminierung von Farbigen. Als erster amerik. Präsident in der Geschichte der USA wurde Nixon am 8. 8. 1974 wegen der sog. Watergate-Affäre zum Rücktritt gezwungen. Im Sommer 1972 wurden fünf Männer bei dem Versuch, in den Watergate-Gebäudekomplex, dem demokratischen Wahlhauptquartier, einzubrechen, verhaftet; das bei ihnen sichergestellte Material ließ auf Spionage schließen. Trotz Verschleierungsversuchen wurde einem der Männer eine Verbindung zu Nixon nachgewiesen, und es konnten illegale Wahlkampfspenden und Tonbandmitschnitte Nixons aufgedeckt werden. Nixons Nachfolge trat der Republikaner Gerald Rudolph Ford (1913–2006) an.

17. 13–14 *in diesem Brüssel ... Milchsubventionen führt]* Anspielung Bölls auf die seiner Meinung nach damals fragwürdige Wirtschaftspolitik der Europäischen Wirtschaftsgemeinschaft (EWG), dem Vorläufer der Europäischen Gemeinschaft (EG), deren Sitz Brüssel ist.

18. 2 *Wilhelminismus]* Wilhelm II. (1859–1941), dt. Kaiser und preuß. König von 1888–1918; nach seiner Thronbesteigung 1890 erzwang Wilhelm II. den Rücktritt des bisherigen Reichkanzlers Otto Fürst von Bismarck (1815–1898), dessen sozialpolitischen Reformkurs er nicht teilte, neue Sozialreformen führte Wilhelm II. erst 1894 ein; viele falsche Berater und sein unstetes Auftreten schlugen sich in einer inkonsequenten Innen-

sowie Außenpolitik nieder; seine Vernachlässigung der Bündnisse, die Bismarck mit dem Ausland geschlossen hatte, seine Sprunghaftigkeit bei politischen Entscheidungen und der Ausbau der dt. Flotte führten zu einer kontinuierlichen Verschlechterung der außenpolitischen Beziehungen.

18. 13–14 *weniger als zum Beispiel Chile]* Chile wurde nach dem Sturz des sozialistischen Regierungschefs Salvadore Allende (1908–1973) am 11. 9. 1973 bis 1990 von einer Militärjunta unter Führung Augusto Pinochets (geb. 1915) regiert. Ungezählte Anhänger Allendes wurden verfolgt, inhaftiert, gefoltert und hingerichtet.

⟨Die Amtseinführung des neuen Stadtschreibers Wolfgang Koeppen⟩

Entstehung

Dieser kurze Text trägt im Arbeitsbuch die Signatur »273/74«; er ist dort auf den 26. 8. 1974 datiert und in Langenbroich geschrieben worden (*AB* II, Bl. 22; NE). Mit Datum vom 11. 7. 1974 hatte Böll vom ersten Stadtrat der Stadt Bergen-Enkheim, Schubert, einen Brief erhalten, der als erste Sitzung der Jury den Abend des 12. 8. 1974 vorsah; auf diese briefliche Einladung notierte Böll hs. seinen Vorschlag, nämlich Wolfgang Koeppen, und unter das Datum 6. 8. 1974 erledigt (siehe SBA – Resolutionen 2).

Überlieferung

Typoskripte

tH^1: Durchschr. (grün), 1 Bl.; eh. durchschr. Unterschrift; am roR eh. Vermerk der Arbeitsbuchsigle »274/74« (= *AB* II, Bl. 22; NE).
(HA 1326–267, Bll. 139)

Drucke

Z: *Frankfurter Allgemeine Zeitung*. – 26. Jg., Nr. 201 (31. 8. 1974), S. 21, u. d. T.: Die Amtseinführung des neuen Stadtschreibers Wolfgang Koeppen. Ein Beispiel: Bergen-Enkheim gibt Schriftstellern ein Haus, Geld und ein Amt.

Textgrundlage

Textgrundlage ist Z.

Stellenkommentar

19. 4 *Koeppen]* Wolfgang Koeppen (1906–1996), einer der bedeutendsten dt. Schriftsteller, dessen Romantrilogie *Tauben im Gras* (1951), *Das Treibhaus* (1953) und *Tod in Rom* (1954) zu den herausragenden Prosatexten der westdt. Nachkriegsliteratur zählen; Koeppen schildert darin die Restauration der jungen Bundesrepublik sowie das Weiterwirken der nationalsozialistischen Ideologie und entsprechender Denkmuster auf.

19. 11 *Bergen-Enkheimer »Stadtschreiber«]* Seit 1974 wird jährlich der Literaturpreis »Stadtschreiber von Bergen-Enkheim« vom Ortsbeirat und der Kulturgesellschaft Bergen-Enkheim vergeben; die Preisträger werden von einer unabhängigen Jury gewählt, dürfen für ein Jahr das Stadtschreiberhaus bewohnen und erhalten ein Preisgeld in Höhe von 30 000 D-Mark.

⟨Ansprache zum 25. Jubiläum des Verlages Kiepenheuer & Witsch am 20. September 1974⟩

Entstehung

Die Rede trägt im Arbeitsbuch die Signatur »277/74«; sie ist in Köln vermutlich zwischen dem 20. und 22. 9. 1974 entstanden (*AB* II, Bl. 23; NE).

Überlieferung

Notizen

N^1: 1 Bll.; eh. Konzeptentwurf; am loR eh. Vermerk der Arbeitsbuchsigle »277/74« (= *AB* II, Bl. 23; NE).
(HA 1326–269, Bl. 151)

Typoskripte

TH^1: Erstschr., 2. Bll.; am loR von Bl. 1 eh. Vermerk der Arbeitsbuchsigle (mit schwarzem Kugelscheiber) »277/74« (= AB II, Bl. 23) sowie unterhalb des Titels »vom 20. September 1974«.
(HA 1326–267, Bll. 152–153)

Drucke

Z: *Kölnische Rundschau*. – 29. Jg., Nr. 220 (23. 9. 1974), S. 7 u. d. T.: »Feier mit Böll und den Bläck Fööss«. [Auszug]

D^1: *ESR* III, S. 153–155.

D^2: *EAS* 5, S. 149–151.

Textgrundlage

Textgrundlage ist D^1.

Stellenkommentar

20. 15 *Odysseus]* Der griech. Dichter Homer erzählt im 8. Jh. v. Chr. in seiner *Odyssee* die Irrfahrten und die lange Heimreise des Odysseus; dem Mythos nach war Odysseus der König von Ithaka und Gatte der Penelope; durch seine List – z. B. im Trojanischen Krieg – konnte er zahlreiche Abenteuer bestehen.

20. 15 *Cäsar]* Cäsar, eigentl. Gaius Julius Caesar, (zw. 102 und 100–44 v. Chr.), röm. Staatsmann, Feldherr und Schriftsteller.

20. 15 *Augustinus]* Aurelius Augustinus (354–430), Kirchenlehrer und Heiliger (Tag: 28. 8).

20. 19 *Thomas von Aquin]* Thomas von Aquin, Thomas Aquinas (der Aquinate), mittelalterl. Theologe und Philosoph (1225 oder 1226–1274).

21. 24 *Malamud]* Bernard Malamud (1914–1986), amerik. Schriftsteller, dessen Werke Böll gemeinsam mit seiner Frau Annemarie (geb. Cech, 1910–2004) übersetzt und auch rezensiert hat (vgl. *KA*, Bd. 15, S. 584–587); Werke u. a.: *Der Gehilfe* (amerik. 1957; dt. 1960), *Das Zauberfaß und andere Geschichten* (amerik. 1958; dt. 1962), *Der Fixer* (1968).

21. 24 *Sarraute]* Nathalie Sarraute (1902–1999), frz. Schriftstellerin; Werke u. a.: *Tropismes* (1938; dt. Tropismen, 1959), *Le Planétarium* (1959; dt. Das Planetarium, 1960), *Les fruits d'or* (1961; dt. Die goldenen Früchte, 1963); sowohl Sarrautes als auch Malamuds Werke sind im Verlag Kiepenheuer & Witsch erschienen.

22. 1 *Joseph Caspar Witsch]* Joseph Caspar Witsch (1906–1967), dt. Verleger; gründete 1949 in Köln gemeinsam mit Gustav Kiepenheuer (1880–1949), den Verlag Kiepenheuer & Witsch; Heinrich Böll, dessen Werke bis 1951 mit geringem Erfolg vom Verlag Middelhauve ediert wurden, wechselte im April 1952 nach Vertragsauflösung zu Kiepenheuer & Witsch; im darauf folgenden Jahr wurde sein Roman *Und sagte kein einziges Wort* publiziert.

22. 8 *die amerikanischen Präsidenten]* Gemeint sind Richard Nixon (1913–1994), 37. Präsident der USA (20. 1. 1969 – 9. 8. 1974) und Gerald Ford (1913–2006), 38. Präsident der USA (9. 8. 1974 – 20. 1. 1977); Nixon war Quäker, Ford Episkopaler.

22. 10–11 *God bless you all and the Federal Republic of Germany!]* Engl. ›Gott schütze euch alle und die Bundesrepublik Deutschland!‹

⟨Dank und Beschwerde⟩

Entstehung

Der für die Jubiläumsschrift der Langenbroicher Schützenbruderschaft verfaßte Text entstand auf Bitten des damaligen Schriftleiters des Vereins und Nachbarn Bölls in Langenbroich Alfred Napp (geb. 1946). Der Beitrag wurde in Bölls Arbeitsbuch zuerst unter der Signatur »228/74« und dem Vermerk »Langenbroich Artikel für Napp, Alfred Mai 74« verzeichnet. Offenbar war zunächst eine ausführlichere Ausarbeitung erwogen worden, die jedoch zurückgestellt und dann laut Vermerk des Arbeitsbuchs als »Notiz über Langenbroich« ausgeführt wurde. Die Niederschrift des mit der neuen Sigle »231/74« versehenen Festschrifttextes datiert im Arbeitsbuch – entsprechend der Notiz auf der überlieferten Durchschrift – auf den 4. 5. 1974 (*AB* II, Bl. 17; NE).

Überlieferung

Typoskripte

tH[1]: Durchschr. (grün), 1 Bl.; am roR eh. Vermerk der Arbeitsbuchsigle (mit schwarzem Kugelschreiber) »231/74« (= *AB* II, Bl. 17; NE), darunter eh. Datum »4. 5. 74«.
(HA 1326–267, Bl. 141)

Drucke

Z: *Festschrift zum 50jährigen Bestehen der Marianischen Schützenbruderschaft Langenbroich-Bergheim* [September 1974], S. 2.

Textgrundlage

Textgrundlage ist Z.

Stellenkommentar

23. 3–4 *Bewohnern von Langenbroich ... seit acht Jahren]* Annemarie und Heinrich Böll wohnten ab 1976 zum überwiegenden Teil des Jahres in ihrem 1966 erworbenen Eifeler Haus in der Gemeinde Kreuzau-Langenbroich in der Nähe Dürens. Grundstück und Gebäude wurde 1966 von der Familie Napp erworben (siehe Entstehung). Amtlich galt diese Adresse ab dem 25. 8. 1970 als Hauptwohnsitz. Die 1969 bezogene Wohnung in der Hülchrather Straße 7 in der nördl. Kölner Neustadt (siehe *KA*, Bd. 18: *Hülchrather Straße 7*, S. 77–87) blieb bis zum Umzug zum Jahreswechsel 1981/82 in die zwischen Bonn und Köln gelegene Ortschaft Bornheim-Merten, Martinstraße 7, als Nebenwohnsitz die Stadtadresse.

23. 19 *Alexander Solschenizyn]* Nach der Verhaftung und Ausbürgerung am 12. 2. 1974 konnte der sowjet. Schriftsteller bereits einen Tag später in die Bundesrepublik fliegen, wo er dann von seinem Freund Böll empfangen wurde. Danach wohnte er zwei Tage in Langenbroich.

⟨Wo verbirgt der Weise sein Blatt?⟩

Entstehung

Die Rezension trägt in Bölls Arbeitsbuch die Signatur »278/74«; sie ist in Köln am 22. 9. 1974 geschrieben worden (*AB* II, Bl. 23; NE). Am 14. 8. 1974 richtete Rolf Michaelis die Anfrage an Böll, ob er nicht für die *Zeit* das neue Buch von Amery besprechen könne (vgl. HA 1326–4000, Nr. 13458). Und am 7. 9. 1974 bedankte er sich für Bölls Zusage (vgl. HA 1326–4000, Nr. 13754), am 25. 9. 1974 schließlich teilt er Böll mit, daß er die Rezension schon eine Woche später drucken möchte (vgl. HA 1326–4000, Nr. 13924.) Böll hatte Amerys Text vermutlich schon früher kennengelernt, denn Amery schickte am 31. 5. 1974 einen Brief, in dem er die Sendung einer »MS-Ablichtung meines im Herbst erscheinenden Romans« durch den Verlag ankündigte. Darin hieß es weiter: »Ich brauche Dir gar nicht zu sagen, daß diese Rückkehr (nach 14 Jahren!) ins ›heitere‹ Genre für mein Profil, mein Image etc. sehr riskant sein dürfte – aber vielleicht kannst Du mir – wiederum nach 11 Jahren – noch einmal in irgendeiner Form die Stange halten« (HA 1326–4000, Nr. 12769). Brieflich bedankte sich Amery mit Datum vom 9. 7. 1974 für Bölls Zusage, eine Rezension zu schreiben (HA 1326–4000, Nr. 13131).

Überlieferung

Typoskripte

TH[1]: Erstschr.; 3 Bll., alle Bll. durchstrichen, am loR von Bl. 1 eh. Vermerk der Arbeitsbuchsigle »278/74« (= *AB* II, Bl. 23;NE), darunter eh. Notiz: »1. Version«.
(HA 1326–268, Bll. 1–3)

TH[2]: Erstschr.; 4 Bll., auf Bl. 4 eh. Notiz: »2. Version«.
(HA 1326–268, Bll. 4–7)

tH[3]: tH[3]: Durchschr. (grün); 5 Bll., Bl. eh. pag. 1–5, auf Bl. 8 eh. Vermerk der Arbeitsbuchsigle « 278/74« (= *AB* II, Bl. 23; NE) und eh. Notiz »21/22. 9. 74 Amery Rezension – das Königsprojekt«.
(HA 1326–268, Bll. 8–12)

Drucke

Z: *Die Zeit* (Hamburg). – 29. Jg., Nr. 41 (4. 10. 1974), S. 25 u. d. T.: Galopp mit der Raum-Zeit-Maschine.
D[1]: *EE*, S. 157–162.
D[2]: *ESR* III, S. 156–161.
D[3]: *EAS* 5, S. 152–157.

Textgrundlage

Textgrundlage ist D[2]. Korr. wurde:
27 *MacDiarmid]* McDiarmid

Varianten

29. 30 *ruhmreichen]* ruhmredigen Z

Stellenkommentar

24. 1 *Wo verbirgt der Weise sein Blatt?]* Anspielung auf eine von Böll häufiger zitierte Passage aus einem Text Gilbert Keith Chestertons (1874–1936), »Die Legende vom zerbrochenen Säbel« (Orig.: »The Sign of the Broken Sword«): »›Wo verbirgt der Weise einen Kiesel?‹ / Und der Große antwortete leise: ›Am Strande.‹ / Der Kleine nickte und sagte, wieder nach kurzem Schweigen: ›Wo verbirgt der Weise ein Blatt?‹ / Und der andere antwortete: ›Im Walde.‹« (Chesterton, 1980, S. 216). Am Ende seines Textes greift Böll das Zitat noch einmal auf.

24. 2 *Amery]* Carl Amery, eigentl. Christian Anton Meier (1922–2005), dt. Schriftsteller und Publizist, mit dessen Werk sich Böll immer wieder intensiv beschäftigt hat (vgl. *KA*, Bd. 14 S. 9–13, *KA*, Bd. 15, S. 301–305); Werke: *Der Wettbewerb* (1954), *Die Kapitulation oder der Deutsche Katholizismus heute* (1963), *Das Königsprojekt* (1974).

24. 7 *Chesterton]* Gilbert Keith Chesterton (1874–1936), engl. Erzähler, der v. a. durch seine parodistischen, von seinem kath. Glauben geprägten Detektivgeschichten bekannt wurde; Werke u. a.: *The Flying Inn* (1914; dt. *Das fliegende Wirtshaus*), *The Napoleon of Notting Hill* (1904; dt. *Der Held von Notting Hill*), *The Man who was Thursday* (1908; dt. *Der Mann, der Donnerstag war*).

24. 23–24 *Schweizergardist namens Defeunderoll]* Die Figur des

Schweizergardisten Franz Defunderoll tritt in Amerys Roman relativ unscheinbar das erste Mal auf S. 65 in Erscheinung. Defunderoll hat sein Leben ganz und gar in den Dienst der Geheimorganisation CSAPF gestellt und wird im weiteren Verlauf des Romans von ihr speziell für den Einsatz in der MYST ausgebildet. Eine Mission verläuft nicht nach Plan, und Defunderoll kann nicht mehr in die Gegenwart zurückkehren; es kommt dabei zu dem von Böll beschriebenen Szenario (vgl. Carl Amery: *Das Königsprojekt*. München / Zürich, R. Piper Verlag & Co., 1974, S. 330 f.).

25. 27 *hardly yours]* Anspielung auf eine Szene aus Carl Amery: *Das Königsprojekt*; siehe Amery, 1974, S. 329.

25. 34–35 *Doktor Martin Luther]* Martin Luther (1483–1546), dt. Reformator und Begründer des Protestantismus.

26. 3–4 *GENESIS SIEBEN ... Sintflut berichtet]* Genesis (griech. ›Ursprung‹, ›Anfang‹) ist das erste Wort und das erste Buch des Alten Testaments, das die Schöpfungsgeschichte beinhaltet; in der Genesis sieben wird erzählt, wie Noah durch den Bau einer Arche seine Familie, sich und zahlreiche Tiere vor der Sintflut retten kann.

26. 10 *machina ingeniosa spacio-temporale]* Siehe Amery, 1974, S. 30.

26. 11 *Leonardo da Vincis]* Leonardo da Vinci (1452–1519), ital. Künstler, der aufgrund seines vielseitigen Schaffens – Malerei, Architektur, Technik, Anatomie – und seiner zahlreichen wissenschaftlichen Studien als Universalgenie angesehen wird.

26. 13 *mit dem Lohengrin Elsa davonfuhr]* Der ma. Gralssage zufolge kommt Lohengrin, der Sohn des Parzival, der Herzogin Elsa von Brabant auf Befehl von König Artus zu Hilfe und bringt sie in einem Schiff, das von einem Schwan gezogen wird, in Sicherheit.

26. 36 *Wahlen im Jahre 1974]* Bei den Wahlen im Oktober 1974 erhielt die Labour Party 39,2 % der Stimmen, die Konservativen 35,8 % und die Liberalen 18,3 %, doch zeigten die Wahlergebnisse in Schottland und Wales, daß 2,2 % der Stimmen auf Kosten der Labour Party an die nationalen Parteien gingen; die Scottish National Party gewann 11 Sitze hinzu, Plaid Cymru 3; daraus ergab sich folgende Sitzverteilung im Parlament: 319 Sitze gingen an die Labour Party, 277 an die Konservativen, und die anderen Parteien stellten insgesamt 39 Parlamentarier.

27. 4–7 *Wenn ich ... Sympathien liegen]* Amery, 1974, S. 43

27. 9 *Rupprecht von Bayern]* Rupprecht von Bayern (1869–1955), dt. Kronprinz als Sohn von Ludwig III. (1845–1921); war im Ersten Weltkrieg Oberbefehlshaber der Heerestruppe »Kronprinz Rupprecht«.

27. 11 *Triumvirat]* In der röm. Antike bezeichnete der Begriff Triumvirat einen Zusammenschluß von drei Männern, die die Staatsgeschäfte führten.

27. 12 *MacDiarmid]* Hugh MacDiarmid; Pseudonym des schott. Dich-

ters und Journalisten Christopher Murray Grieve (1892–1978); Herausgeber div. literarischer Zeitschriften, darunter *The Chapbook*, für das er 1922 zum ersten Mal sein Pseudonym benutzte; er lebte in verschiedenen Teilen von Schottland und Wales; seine Sprache und Wortwahl »Lallans« galt als zentraler Punkt der »Scottish Renaissance«-Bewegung; Gründungsmitglied der National Party of Scotland und Kommunist; verließ später beide Parteien, um 1956 wieder den Kommunisten beizutreten. Werke: *Annals of the Five Senses* (1923), *A Drunk Man looks at the Thistle* (1926), *To Circumjack Centratus* (1930).

28. 6 *Säumaß]* Hier ist eine Figur aus Amerys Roman gemeint; siehe Amery, 1974, S. 51 u. ö.

29. 18–31 *Mit dem schwarzen Freitag ... Namen gefärbt]* Amery, 1974, S. 270.

29. 38 *Wo verbirgt der Weise ein Blatt? Im Walde.]* Amery, 1974, S. 166.

⟨Ab nach rechts⟩

Entstehung

Der Essay trägt in Bölls Arbeitsbuch die Signatur »274/74«; er ist in Langenbroich entstanden und auf den 16./17. 9. 1974 datiert (*AB* II, Bl. 23; NE). Für die *Financial Times* geschrieben, hat sich Böll offensichtlich für die deutsche Veröffentlichung an den Brief des neuen *Konkret*-Herausgebers Hermann L. Gremliza (geb. 1940) vom 29. 7. 1974 erinnert, in dem Gremliza Böll zur Mitarbeit bei der neuen *Konkret* »als linkes, pornofreies Autorenheft« aufforderte (HA 1326–4000, Nr. 13328). Mit Datum vom 25. 10. 1974 bedankte sich Gremliza bei Böll für den Beitrag und wünscht sich, »daß es nicht der letzte war« (HA 1326–4000, Nr. 14222).

Überlieferung

Typoskripte

TH^{1}: Erstschr.; 3 Bll., auf Bl. 1 eh. Vermerk: »1. Version / Artikel / für / Financial / Times«; Bl. 19 mit Textverlust durch Abriß.
(HA 1326–268, Bll. 17–19)

TH^{2}: Erstschr.; 6 Bll., auf Bl 1 eh. Titel, Bl. 20–25 eh. pag 1–6, auf Bl. 6 eh. Unterschrift.
(HA 1326–268, Bll. 20–25)

Drucke

Z^{1}: *L'Espresso* (Roma). – 20. Jg., Nr. 43 (27. 10. 1974), S. 66–69 u. d. T.: Fianco destr e avanti di corsa (in ital. Sprache).

Z^{2}: Dt. *Konkret* (Hamburg). – 20. Jg., Nr. 11 (31. 10. 1974), S. 2. [Dt. Erstdruck.]

D^{1}: *EE*, S. 163–168.

D^{2}: *ESR* III, S. 162–166.

D^{3}: *EAS* 5, S. 158–159.

Textgrundlage

Textgrundlage ist D^2.

Varianten

30. 16 *Einpeitscher]* ein Einpeitscher Z^2
31. 6 *an]* in Z^2
31. 38 *Opposition nicht]* Opposition noch nicht Z^2
32. 2 *verschlissen]* schon verschlissen Z^2
32. 22 *gab es]* gibt es Z^2
33. 10 *Linken]* , und es gehört wenig Prophetie dazu, Ähnliches für den weitaus größeren Schriftstellerverband, der im November seinen Kongreß abhält, vorauszusagen Z^2

Stellenkommentar

30. 4 *Franz Josef Strauß]* Franz Josef Strauß (1915–1988), dt. Politiker (CSU); Mitbegründer der CSU; 1949–1978 MdB; verschiedene Ministerämter.

30. 18–19 *Löwenthal und Dregger]* Gerhard Löwenthal (1922–2002), dt. Journalist und Fernsehmoderator. – Alfred Dregger (geb. 1920), dt. Jurist und Politiker (CDU); 1972–1998 MdB, u. a. 1962–1972 Abgeordneter im hessischen Landtag, 1977–1983 stellvertretender Parteivorsitzender.

30. 27 *verteufelten Ostverträge]* Die von 1969 bis 1974 amtierende sozialliberale Regierung verfolgte eine Ostpolitik, die das angespannte Verhältnis zwischen den westl. und östl. Siegermächten als Folge des Kalten Krieges verbessern wollte. Einer ihrer größten Kritiker war Franz Josef Strauß, der v. a. von Alfred Dregger unterstützt wurde. Der damalige sozialdemokratische Bundeskanzler Willy Brandt (1913–1992) und sein FPD-Außenminister Walter Scheel (geb. 1919) führten Anfang 1970 Verhandlungen mit der Sowjetunion, der Tschechoslowakei, Polen und der DDR. Die Ostverträge – bestehend aus dem Moskauer Vertrag, dem Warschauer Vertrag, dem Berlinabkommen, dem Vertrag mit der Tschechoslowakei und dem sogenannten Grundlagenvertrag mit der ehem. DDR – zielten v. a. auf Rüstungskontrolle sowie die Belebung wirtschaftlicher und kultureller Zusammenschlüsse. Kurz vor der angestrebten Ratifizierung des Moskauer und Warschauer Vertrages legte die CDU/CSU-Opposition am 9. 2. 1972 zwölf Einwände gegen die Ostverträge vor, die von der Brandt-Scheel-Regierung zurückgewiesen wurden. Die mehrheitlich im Bundestag

vertretene Opposition stellte als Folge ein konstruktives Mißtrauensvotum gegen Willy Brandt; man hoffte darauf, Rainer Barzel (1924–2006), den damaligen CDU-Vorsitzenden, als neuen Bundeskanzler durchsetzen zu können. Doch am 27. 4. 1972 blieben zwei Stimmen für die erhoffte Mehrheit aus; am folgenden Tag scheiterte durch ein Stimmenpatt die Verabschiedung des geplanten Haushalts der Regierung, und es wurde befürchtet, diese Situation könne sich bei der Abstimmung über die Ostverträge wiederholen. Neben intensiven Gesprächen mit Rainer Barzel und anderen CDU/CSU-Mitgliedern richtete Brandt eine Kommission zur Realisierung der Ostverträge ein; der Ausschuß setzte sich aus Regierungs- und Oppositionsvertretern zusammen, die eine gemeinsame Interpretation der Ostverträge ausarbeiteten. Mit dieser parteiübergreifenden, verbindlichen Auslegung der Verträge konnten die CDU/CSU-Abgeordneten gegen den Widerstand von Franz Josef Strauß dazu bewegt werden, nicht gegen die Verträge zu votieren, sondern sich der Stimme zu enthalten, wodurch eine Mehrheit für die Ostverträge erzielt werden konnte; die Ostverträge wurden am 17. 5. 1972 verabschiedet und traten am 3. 6. 1972 gemeinsam mit dem Berlin-Abkommen in Kraft

30. 30 *der Schah Milliarden bei Krupp investiert]* Ende der 1960er Jahre konnten finanzielle Probleme der Unternehmensgruppe Krupp noch durch staatliche Interventionen aufgefangen werden, unter der Bedingung, das Unternehmen in eine Kapitalgesellschaft umzuwandeln. Daher wurde 1968 die Friedrich Krupp GmbH gegründet. An ihr ist die 1967 durch eine testamentarische Verfügung von Alfried Krupp von Bohlen und Halbach (1907–1967) ins Leben gerufene, gleichnamige Stiftung grundlegend beteiligt; sie verfügt über das Privat- und Konzernvermögen. Der Kuratoriumsvorsitzende Berthold Beitz (geb. 1913) gewann 1974 den pers. Schah Reza Pahlewi (1919–1980) als Investoren, dem zwei Jahre später bereits ein Viertel aller Konzernanteile gehörte.

31. 10–11 *Bund Freies Deutschland]* Berliner Regionalpartei von 1974–1977; politisches Ziel war v. a. die Bekämpfung der von SPD und FDP eingeleiteten Ostpolitik, da diese eine permanente Bedrohung der Existenz Berlins darstelle; im *Berliner Manifest* schriftlich festgehalten.

31. 21–22 *von Norbert Blüm … Biedenkopf]* Norbert Blüm (geb. 1935), dt. Politiker (CDU), seit 1950 Parteimitglied, u. a. 1969–2000 CDU-Bundesvorstandsmitglied. – Richard Karl Freiherr von Weizsäcker (geb. 1920), dt. Politiker (CDU); 1969–1981 MdB, 1973–1979 stellvertr. Vorsitzender der CDU-CSU-Bundestagsfraktion, 1979–1981 Vizepräsident des Deutschen Bundestages, 1984–1994 Bundespräsident der BRD und Nachfolger von Walter Scheel (geb. 1919). – Helmut Kohl (geb. 1930), dt. Politiker (CDU); ab 1966 CDU-Landesvorsitzender und ab 1969 Ministerpräsident von Rheinland-Pfalz, ab 1973 CDU-Parteivorsitzender, 1982–1998 Bundes-

kanzler. – Kurt Hans Biedenkopf (geb. 1930), dt. Wirtschaftsjurist, Hochschullehrer und Politiker (CDU), 1976–1980 und 1987–1990 MdB, 1973–1977 im Amt des Generalsekretärs der CDU.

31. 30 *Waigel]* Theodor Waigel (geb. 1939), dt. Politiker (CSU); 1972–2002 MdB, 1982–1989 erster stellvertr. CDU/CSU-Fraktionsvorsitzender im Bundestag und CSU-Landesgruppenvorsitzender, von 1989–1998 Finanzminister unter Kanzler Helmut Kohl.

31. 30 *Tandler]* Gerold Tandler (geb. 1936), dt. Politiker (CSU); u. a. 1970–1991 Mitglied des Bayerischen Landtages.

31. 37–32. 1 *Zwei Jahre vor … Kanzlerkandidaten zu benennen]* Für die Bundestagswahl 1976 faßten CDU/CSU sowohl Franz Josef Strauß als auch Helmut Kohl als mögliche Kanzlerkandidaten ins Auge; da die CSU – und somit ihr Spitzenmann Strauß – nur drittstärkste politische Kraft war und seit Adenauer alle Kanzlerkandidaten von der größeren CDU aufgestellt wurden, entschloß man sich parteiintern für Helmut Kohl, dessen Kandidatur im Frühsommer 1975 ohne Wissen der kleinen Schwesterpartei bekanntgegeben wurde. Die CDU/CSU unterlag dann 1976 der sozialliberalen Koalition unter Führung von Helmut Schmidt (geb. 1918) mit 48,6 % zu 50,5 %.

32. 10 *Griechenland der Junta]* Von 1967–1974 regierte in Griechenland eine Militärdiktatur aus Obristen und Offizieren, die angeführt von Giorgios Papadopoulos (1919–1999) durch einen Putsch gegen die Mitte/Linksregierung von Georgios Papandreou (1888–1968) an die Macht gekommen war; erst der von der Junta unterstützte Putsch in Zypern und die türkische Invasion führten zum Fall der Junta; die Demokratie konnte unter Ministerpräsident Kostantinos Karamanlis (1907–1998) wiederhergestellt werden.

32. 10–11 *Portugal vor Spinola]* Damit ist das Portugal zur Zeit der Diktatur des Salazar-Regimes gemeint; Antonio Sebastiao Ribeiro de Spinola (1910–1996), portug. General und Politiker, wurde in der sog. Nelkenrevolution 1974 zum ersten provisorischen Staatspräsidenten der Dritten Republik gewählt, mußte jedoch bereits im September desselben Jahres wieder zurücktreten.

32. 12 *Chile der Junta]* Siehe Stellenkommentar zu 18. 13–14.

32. 16 *Kiesinger]* Kurt Georg Kiesinger (1904–1988), dt. Politiker (CDU); von 1949–1959 und von 1969–1980 MdB, 1966–1969 Bundeskanzler der Großen Koalition.

32. 16 *Adenauers]* Konrad Adenauer (1876–1967), dt. Politiker (CDU); bis 1966 CDU-Parteivorsitzender, von 1949–1963 im Amt des ersten Bundeskanzler der Bundesrepublik Deutschland.

33. 2–6 *der vergangene Katholikentag … auszupfeifen]* Der 84. Katholikentag fand vom 11. bis 15. 9. 1974 in Mönchengladbach zum Thema »Für das Leben der Welt« statt.

33. 9 *PEN-Club]* Die Situation des westdt. PEN-Zentrums war in den 1970er Jahren durch eine rasch fortschreitende Politisierung vieler seiner Mitglieder gekennzeichnet, die sich v. a. in einer Polarisierung der konservativen, älteren Garde und der »Neuen Linken«, der jüngeren Autorenschaft, niederschlug. Heftige Diskussionen entstanden um die Zuwahl von DKP-Mitgliedern in den PEN, besonders im Zusammenhang mit dem 1972 erlassenen Radikalenerlaß. Die Spannungen eskalierten während der Präsidiumssitzung am 14. 10. 1974, als die drei, aus der linken Fraktion kommenden Beiräte Bernt Engelmann (1921–1994), Elisabeth Endres (1934–2000), und Martin Gregor-Dellin (1926–1988) geschlossen zurücktraten und ein fehlgeschlagenes Mißtrauensvotum gegen Thilo Koch (1920–2006) initiierten, denn sie forderten »einen Generalsekretär, der nicht unterscheidet zwischen ihm genehmen und nicht genehmen Clubmitgliedern, der die Beschlüsse des Plenums achtet und keine politischen Intrigen hinter dem Rücken des Präsidiums anzettelt« (vgl. Hanuschek, 2002, S. 349).

33. 31 *Das Schicksal Wolf Biermanns]* Wolf Biermann (geb. 1936), dt. Schriftsteller; lebte ab 1953 als Verfechter eines kritischen Sozialismus in der DDR, was schon zu Beginn der 1960er Jahre zu ersten Auftrittsverboten führte; Anlaß war das Stück *Berliner Brautgang*, das sich kritisch mit dem Mauerbau auseinandersetzt; 1965 publizierte Biermann im Westberliner Wagenbach-Verlag den Lyrikband *Die Drahtharfe*, was die Behörden in der DDR veranlaßte, ihn mit einem weiteren Auftritts- und Publikationsverbot zu belegen. 1974 legte die SED Biermann dann nahe, die DDR zu verlassen, zwei Jahre später wurde ihm während einer Tournee in der BRD im Zusammenhang mit der TV-Ausstrahlung eines Konzerts in Köln die Staatsbürgerschaft entzogen.

34. 31–32 *die Affären Guillaume, Wienand und Steiner]* Das Mißtrauensvotum gegen Willy Brandt (siehe Stellenkommentar zu 30. 27) zog div. Affären nach sich: Julius Steiner gab 1973 die Korruption zu, für seine Stimme gegen den CDU-Parteivorsitzenden Rainer Barzel von der Stasi 50 000 DM kassiert zu haben; das Geld überreichte ihm Karl Wienand, der damalige Vertraute des SPD-Bundestagsfraktionsvorsitzenden Herbert Wehner (1906–1990). Die Spionageaffäre um Günter Guillaume (1927–1995) veranlaßte Brandt am 6. 5. 1974 zum Rücktritt; Guillaume, der persönliche Referent Brandts, wurde am 24. 4. 1974 wegen des Spionageverdachts für die DDR verhaftet; er und seine Frau Christel wurden am 15. 12. 1975 wegen Landesverrats zu 15 bzw. 8 Jahren Haft verurteilt, 6 Jahre später dann bei einem Agentenaustausch vorzeitig entlassen; gemeinsam kehrten sie in die DDR zurück, wo Günter Guillaume als Oberst der Nationalen Volksarmee den Agentennachwuchs betreute. – Seinen Rücktritt wertete Brandt später als Fehler: »Ich meine, daß ich Kraft hätte finden können, die Widerwärtigkeiten, die dem großen Wahlerfolg folgten, zu überwinden und in der Innen-

wie Außenpolitik neue Seiten aufzuschlagen« (zit. nach: Handbuch, 2002, Bd. 1, S. 92).

35. 11 *Marx und Engels]* Karl Marx (1818–1883) und Friedrich Engels (1820–1895), dt. Philosophen und Publizisten.

⟨Zur Vorlage bei Gericht⟩

Entstehung

Laut Arbeitsbuch ist das Gutachten zu Frank Geerks Gedichten – abweichend von der Datierung auf dem Typoskript – am 23. 8. 1974 in Langenbroich geschrieben worden; es trägt die Nummer »272/74« (*AB* II, Bl. 22; NE). Unter dem Datum vom 23. 9. 1974 bedankte sich Geerk, der sich »einen Monat lang aus Basel entfernt« hatte, »um bei dänischen Verwandten endlich wieder einmal arbeiten zu können«, bei Böll für dessen Gutachten und legte seinem Brief drei weitere Gedichte bei (HA 1326–4396/4403, Nr. 13908).

Hintergrund

Die beiden von Böll begutachteten Gedichte von Frank Geerk, »Jürgen Bartsch feiert Weihnachten« und »Geistlicher Brief«, lauten:

Jürgen Bartsch feiert Weihnachten

Er sagte sich: Heut wird ein Kind geboren,
Dabei laufen schon so viele traurig herum!
Drum hat er eins geschnappt, das war verloren
Mit Seel und Geist und um den Steiss herum.

Bei Wunderkerzenduft hat er das Kindlein ganz
Abgeküsst und es gepellt wie ein gekochtes Ei
Und hatte ein Gefühl von Weihnachten dabei,
Als er es zerschnitt wie eine Weihnachtsgans.

Als dann Jürgen Bartsch zum Richter sprach:
Mein Motiv war Nächstenliebe, glaubt es mir,
Auch fühlte ich mich fröhlicher als Ihr,
Da wusste man, dass er die Wahrheit sprach.

(*Poesie*. Zeitschrift für Literatur. Hg. von Frank Geerk. Heft 1/1972)

Geistlicher Brief

Falls Sie zurückkommen sollten, Herr Jesus,
knüpfen wir Sie an die Autobahnbrücke, ganz unverbindlich.
Schrubben dann weiss Ihren Leib mit Persil,
hupen Sie an, bis die Ohren zerspringen
und schneiden Ihr Haupthaar und Schamhaar für die Reliquiensammler,
Sie entschuldigen schon. – Dann pumpen wir uns noch Ihr Blut in den Tank
Und verabschieden uns mit ergebenst Dank,
na ja.

(*ProTHESE*. Versuchszeitschrift für neue Literatur und Anderes, Nr. 2, 2. Quartal 1973)

Auf Antrag des Schweizer Nationalrats Albin Breitenmoser (1920–1983) leitete die Staatsanwaltschaft Basel-Stadt am 5. 1. 1974 ein Ermittlungsverfahren gegen den in Basel Philosophie studierenden Kieler Frank Geerk wegen »Störung der Glaubens- und Kultusfreiheit und unzüchtiger Veröffentlichungen« durch die vier Gedichte »Apokalypse (zum Weitermachen)«, »Sonett vom Stummen Frühling«, »Jürgen Bartsch feiert Weihnachten« und »Geistlicher Brief« ein. Nach Beschluß der Staatsanwaltschaft Basel-Stadt vom 12. 3. 1974 wurde die Veröffentlichung der Gedichte »Apokalypse« und »Sonett« nicht weiter verfolgt, während die Anklage gegen den »Geistlichen Brief« und »Jürgen Bartsch feiert Weihnachten« aufrecht erhalten blieb, aber nur noch wegen »wiederholter Störung der Glaubens- und Kultusfreiheit«. (Zu den Hintergründen der gerichtlichen Auseinandersetzung s. a.: »Blasphemie oder Ausdruck literarischer Freiheit?«, *Tages-Anzeiger* [Zürich], 14. Mai 1974.) Erstmals wandte sich Frank Geerk in einem Brief vom 16. 4. 1974 mit der Bitte um Unterstützung an Böll. Darin heißt es u. a.: »So peinlich mir diese Selbstvorstellung ist, ist sie vielleicht doch notwendig, da ich ja irgendwie Ihr Vertrauen gewinnen muß. Es geht um folgendes: im Sommer 1973 hat ein Basler Journalist aus heiterem Himmel die Öffentlichkeit dazu aufgerufen, mich wegen meines Gedichtes »Geistlicher Brief« zu verklagen. [...] Nachdem nun eine heftige Diskussion um das Gedicht entstanden ist, glaubten wir, die Sache sei erledigt, bis sich im letzten Herbst plötzlich Detektive bei den Basler Buchhändlern, meinen Freunden, bei meinem Philosophieprofessor Dr. Salmony, bei meinen ehemaligen Zimmervermietern einstellten, um genaue Erkundigungen über meine Person einzuziehen. Anfang 1974 erhielt ich eine Vorladung zur Staatsanwaltschaft und mußte meine Gedichte in einem fünfstündigen Verhör zu Protokoll interpretieren. [...] Meine Bitte an Sie wäre nun, irgendwo die beiden verklagten Gedichte mit der einzigen, wirklichen Interpretation zu decken, die ihnen zukommt« (HA 1326–268, Bll. 41–41a). Zur Verhandlung am 24. 10. 1974 lagen nicht nur das Gutachten Heinrich Bölls vor, sondern auch Stellungnahmen u. a. des Schweizer Pfarrers und Schriftstellers Kurt Marti, von Christoph Meckel und Marie-Luise Kaschnitz. Nach mehrstündiger Verhandlung, die von Vertretern der internationalen Presse beobachtet wurde, endete der Prozeß mit einem Freispruch für Frank Geerk. (Zum Verlauf des Prozesses siehe auch: »Ein Gedicht vor Gericht«, *Nürnberger Nachrichten* v. 8. 11. 1974.)

Überlieferung

Typoskripte

TH[1]: Erstschr.; 1 Bl., unvollst. mit eh. Vermerk: »1. Entwurf«.
(HA 1326–268, Bl. 38)

tH[2]: Durchschr. (grün); 2 Bll., Bl. 1 mit eh. Vermerk der Arbeitsbuchsigle »272/74« (= *AB* II, 22; NE) und durchschr. Vermerk: »Gutachten Geerk«, auf Bl. 2 eh. Sign. und durchschr. Unterschrift mit der Ergänzung: »Köln, 22. 8. 74 / Hülchratherstr. 7«.
(HA 1326–268, Bll. 39–40)
Beiliegend: Brief von Frank Geerk, Basel, vom 16. 4. 1974 mit der Bitte, eine Interpretation der Gedichte zu erstellen (Bll. 41–41a); masch. Erstschr. eines weiteren Briefes von Frank Geerk vom 16. 5. 1974 mit der erneuten Bitte um eine Interpretation der Gedichte als Gerichtsvorlage (Bl. 42); Fotokopie eines Berichts aus dem *Tagesanzeiger*, Zürich, vom 14. 5. 1974 über den Umgang mit den beiden inkriminierten und zitierten Gedichten »Geistlicher Brief« und »Jürgen Bartsch feiert Weihnachten« mit einem Gutachten des Theologen Kurt Marti (Bl. 43); Fotokopie der »Ankündigung der Anklage durch die Staatsanwaltschaft« und den »Beschluss der Staatsanwaltschaft« des Kantons Basel-Stadt vom 12. 3. 1974 (Bl. 44–46); Vorladung wegen »Störung d. Glaubens- u. Kulturfreiheit und unzüchtiger Veröffentlichungen« für Frank Geerk durch die Staatsanwaltschaft des Kantons Basel-Stadt vom 5. 1. 1974 mit einer Abschrift der inkriminierten Gedichte (Bl. 47–48); Anklageschrift der gleichen Staatsanwaltschaft vom 23. 4. 1974 (Bl. 50–51); Berichte über das Verfahren und seine Hintergründe in: *Tages-Anzeiger*, Zürich v. 18. 7. 1974 (Bl. 52); in der *Deutschen Volkszeitung* (*Der Ausschnitt*) vom 7. 11. 1974 (Bl. 53), in den *Nürnberger Nachrichten* v. 8. 11. 1974 (*Der Ausschnitt*) (Bl. 54) und dem *Darmstädter Echo* v. 30. 10. 74 (Bl. 55).
(HA 1326–268 Bll. 41–55)

Drucke

Zitate in Vor- und Prozeßberichten.

Textgrundlage

Textgrundlage ist tH².

Stellenkommentar

36. 2 *Geerk]* Frank Geerk (geb. 1946), dt. Schriftsteller, Verfasser von Lyrik und Prosatexten; bereits während seines Philosophie- und Psychologiestudiums veröffentlichte Geerk erste Texte, vor allem Gedichte in kleinen Literaturzeitschriften; einem größeren Publikum bekannt wurde Geerk dann 1984 mit seinem Roman *Herz der Überlebenden*, worin er eigene Erfahrungen während einer Gastprofessur in Texas verarbeitet hat.

36. 4 *Jürgen Bartsch]* Eigentl. Karl-Heinz Sadrozinski (1946–1976), pädosexueller Serienmörder, der in der Kleinstadt Velbert zwischen 1962 und 1966 vier Jungen ermordete.

36. 13–16 *Bilder … hinnimmt]* Anspielung auf die Berichterstattung über die großen Hungerkatastrophen 1972–1974 aufgrund dürrebedingter Ernteausfälle in Äthiopien ebenso wie auf die Katastrophen in Bangladesh (1971–1972 und 1974).

37. 1–2 *Swift … durch Anthropophagie zu lösen]* Bereits in seinem *Irischen Tagebuch* weist Böll auf Swifts bitterste Satire von 1729 hin, nämlich den »Bescheidenen Vorschlag, zu verhüten, daß die Kinder armer Iren ihren Eltern oder dem Lande zur Last fallen«, worin der Regierung von Swift nahegelegt wird, »die geschätzte Zahl jährlicher 120 000 Neugeborener den reichen Engländern […] als *Speise anzubieten* –; […]« (*KA*, Bd. 10, S. 225).

37. 10–11 *Es … verwiesen]* Am 16. 3. 1968 überfielen Angehörige der US-Armee das südvietnam. Dorf My Lay, brannten es nieder und massakrierten in wenigen Stunden zwischen 400 und 500 Zivilisten.

37. 12 *Film »Wintersoldaten«]* Es handelt sich um den amerik. Dokumentarfilm *Winter Soldier*, der 1972 von einer Gruppe von Filmemachern, »Winterfilm«, realisiert worden ist und damals bei den Filmfestivals von Cannes und Berlin für Furore sorgte; der Film ist dann auch im frz. und dt. Fernsehen gesendet worden. Er dokumentiert das Treffen von 125 Vietnam-Veteranen, die sich im Februar 1971 in einem Motel in Detroit trafen, um während eines dreitägigen Hearings die Verbrechen und Gewalttaten in Vietnam zu gestehen (Re-released by Milestone Films, 2005).

⟨Spurensicherung⟩

Entstehung

Diese Rezension trägt in Bölls Arbeitsbuch die Signatur »284/74«; sie ist in Langenbroich im Oktober 1974 entstanden, vermutlich am 27. 10., wie auf Bl. 1 von tH vermerkt ist (*AB* II, Bl. 24; NE). Mit Datum vom 1. 11. 1974 erhielt Böll dann eine Fotokopie seines Artikels von der Redaktion der *FAZ* wieder zurück; auf dem Brief ist hs. vermerkt, daß der Text dann am 8. 11. 1974 noch einmal von Böll korrigiert worden ist (HA 1326–4000, Nr. 14260).

Überlieferung

Typoskripte

tH: Durchschr.; 3 Bll., eh. pag. 1–3; auf Bl. 1 eh. Vermerk der Arbeitsbuchsigle »284/74« (= *AB* II, Bl. 24; NE) und Titel: »Hochgradig geglückter Annäherungsversuch« sowie eh. Datum »27. 10. 74«, auf Bl. 3 eh. Unterschrift (durchschriftl.).
(HA 1326–268, Bll. 66–68)

t^1: Durchschr.; 4 Bll., Durchschr. der Druckvorlage für Z.
(HA 1326–268, Bll. 69–72)

Drucke

Z: *Frankfurter Allgemeine Zeitung.* – 26. Jg., Nr. 272 (23. 11. 1974), ›Bilder und Zeiten‹, u. d. T.: Spurensicherung. Johnson über Ingeborg Bachmann.

D^1: *EE*, S. 173–175.

D^2: *ESR* III, S. 167–168.

D^3: *EAS* 5, S. 163–164.

Textgrundlage

Textgrundlage ist D[2].

Varianten

40. 5–6 *»diskret«, »delikat«]* diskret, delikat Z

Stellenkommentar

38. 2 *Uwe Johnson]* Uwe Johnson (1934–1984), dt. Schriftsteller, dessen Werke vor allem den Nationalsozialismus sowie die Teilung Deutschlands und DDR-Erfahrungen thematisieren; Träger u. a. des Fontanepreises (1960) und des Georg-Büchner-Preises (1971); Werke: *Mutmaßungen über Jakob* (1959), *Das dritte Buch über Achim* (1961), *Zwei Ansichten* (1965), *Jahrestage* (4 Bde., 1970–1983).

38. 8–9 *Außerdem … Indiskretion]* Zitat aus Uwe Johnson: *Eine Reise nach Klagenfurt.* Frankfurt am Main, Suhrkamp, 1974, S. 7 (= suhrkamp taschenbuch 235). In diesem Text liefert Johnson ein Porträt Klagenfurts, das er mit Hinweisen und Zitaten aus Ingeborg Bachmanns (1926–1973) Texten versieht. Die Grabstätte Ingeborg Bachmanns, die längere Zeit in Rom gelebt hat und dort auch gestorben ist, befindet sich in Klagenfurt.

38. 14–16 *Man müßte … hier leben]* Johnson, 1974, S. 8 und S. 13.

38. 17–19 *Vor allem … wiederkommen]* Johnson, 1974, S. 15 und S. 18.

38. 23–24 *das berüchtigte Augsburg-Zitat aus Thomas Bernhards letztem Theaterstück]* Thomas Bernhard (1931–1989), österr. Schriftsteller; Werke u. a.: *Die Jagdgesellschaft* (1973), *Der Kulterer* (1974), *Die Macht der Gewohnheit* (1974), *Minetti* (1977), *Heldenplatz* (1988); Böll bezieht sich hier auf das Stück »Die Macht der Gewohnheit«, in dem Bernhard die Stadt Augsburg als »muffig« und »verabscheuungswürdig« bezeichnet, was für heftige Kritik an Bernhard gesorgt hat, auf die dieser wiederum in einem Leserbrief folgendermaßen reagiert hat: »Von Lissabon aus empfinde ich Augsburg noch elementarer scheußlich als in meinem neuen Theaterstück« (zit. nach: Dürhammer/Janke, 1999, S. 106).

39. 5–12 *»Es hat … Todesangst.«]* Johnson, 1974, S. 32 f.

39. 20–22 *»In den Geschäften … ausgingen«]* Johnson, 1974, S. 33.

39. 32–33 *»bis alles in Scherben fällt«]* Johnson, 1974, S 40.

‹Nachwort zu O. Henry, »Nebel in Santone und andere Stories«›

Entstehung

Das Nachwort zur deutschen Ausgabe der Kurzgeschichten O. Henrys (1862–1910) bildet den Schlußpunkt einer sich über mehrere Jahre erstrekkenden Übersetzungsarbeit, die Annemarie und Heinrich Böll den Texten des amerik. Erzählers widmeten. Ausgangspunkt war die vom Schweizer Verlag Walter initiierte Edition des Gesamtwerks in drei Bänden im Rahmen der von ihm veranstalteten Werkausgaben. Die erste Anfrage, ob Böll gemeinsam mit seiner Frau an der Übernahme eines Teils der Übersetzungsarbeit interessiert sei bzw. das Schreiben eines Vorworts übernehmen wolle, datiert auf den 22. 2. 1968 (HA 1326–1022, Bl. 118). Nach Sichtung des Textkorpus ging Böll mit einem auf den 4. 9. 1970 datierten Begleitschreiben ein Übersetzer-Vertrag zu (HA 1326–1022, Bl. 131). Den Großteil der von ihnen übernommenen Übersetzungen (32 von insgesamt 46) leiteten Annemarie und Heinrich Böll lt. Begleitbrief am 1. 1. 1973 dem in Olten ansässigen Verlag zu (HA 1326–1022, Bl. 142). Über einen den Übersetzungen möglicherweise zur Seite zu stellenden Essay spricht Böll erstmals in einem auf den 27. 1. 1973 datierten Schreiben: »[...] auf seine Weise ist er [sc. O Henry] einmalig und klassisch, sowie klassisch-amerikanisch. Gerade an seinen Schwächen, oder schwächeren Geschichten kann man viel lernen, und es würde mich schon reizen, einen kleinen Essay über ihn zu schreiben (keine 10, keine 20 – höchstens 6 bis 8 Seiten), aber ich kann ihnen diesen Essay ehrlicherweise nicht vor Ende dieses Jahres versprechen – [...].« (HA 1326–1022, Bl. 146). Die von Böll selbst gegebene Anregung wird im Zuge der Arbeit am dritten und abschließenden Band von ihm selbst als ein »kurz« annonciertes Nachwort bezeichnet, dessen Manuskript Böll als Anlage eines auf den 14. 5. 1974 datierten Schreibens an den Verlag zusandte (HA 1326–1022, Bl. 162). Im Arbeitsbuch wurde das Nachwort unter der Sigle »K 224/74 Nachwort zu O. Henrys – Kurzgeschichten – April Mai 74« verzeichnet (*AB* II, Bl. 17; NE).

Überlieferung

Typoskripte

tH: tH: Durchschr.; 5 Bll., auf Bl. 146 eh. Sign. »224/74« (= *AB* II, Bl. 17; NE), Bll. eh. durchschr. pag. 1–5.
Beiliegend: 4 Bll. mit eh. Notizen, Bl. 1 ms. Erstschr. mit eh Sign. (HA 1326–267, Bll. 142–150)

Drucke

D[1]: O. Henry: *Nebel in Santone und andere Stories*. Deutsch von Annemarie und Heinrich Böll, Thomas Eichstätt, Wilhelm Höck und Hans Wollschläger. – Olten: Walter Verlag, 1974, S. 381–387. (Gesammelte Stories. Bd. 3)

D[2]: *EE*, S. 169–172.

D[3]: *ESR* III, S. 78–81.

D[4]: *EAS* 5, S. 74–77.

Textgrundlage

Textgrundlage ist D[3].

Varianten

42. 2 *liebenswerte]* lebenswerte D[1]

Stellenkommentar

41. 4 *O. Henry]* O. Henry, eigentl. William Sydney Porter (1862–1910), amerik. Journalist und Schriftsteller, der vor allem wegen seiner zahlreichen Kurzgeschichten bekannt geworden ist. Der Sohn eines Arztes arbeitete zunächst in verschiedenen Branchen als Angestellter und wurde der Unterschlagung für schuldig befunden, woraufhin er sich einer Verhaftung durch die Flucht nach Honduras zu entziehen versuchte; nach seiner Rückkehr in die USA verbüßte er jedoch eine mehrjährige Haftstrafe in Ohio. Nach seiner Entlassung 1901 arbeitete O. Henry als Journalist für die *Houston Post* und avancierte schon bald zu den bestbezahlten Autoren der USA. Als wich-

tigste Sammlung seiner Short Stories gelten die 1906 publizierten Erzählungen *The Four Million*, eine Anspielung auf die vier Mio. in New York lebenden Menschen, deren Schicksale – insbesondere die von ›kleinen Leuten‹, Ladenmädchen und Angestellten – O. Henry berichtet. O. Henry, dessen Short Stories mehrfach verfilmt worden sind, hat großen Einfluß auf die amerikanischen Erzähler des 20. Jhs., namentlich auf Sherwood Anderson (1876–1941) und Ernest Hemingway (1899–1961), ausgeübt.

43. 36 *ums Geld geschrieben]* Anspielung Bölls auf die notorische Spielsucht des russ. Schriftstellers Fjodor Michailowitsch Dostojewski (1821–1881), zu dessen Hauptwerken *Die Brüder Karamasow* (1880) und *Die Dämonen* (1873) zählen und die – möglicherweise – aus pekuniären Zwängen heraus entstanden sind.

43. 38–44. 1 *Bekenntnisse eines Humoristen]* Vgl. O. Henry, 1974, S. 353–367.

〈»Verfälschende Infamie«〉

Entstehung

Dieser Leserbrief trägt in Bölls Arbeitsbuch die Signatur »292/74«; er wurde in Köln Anfang Dezember 1974 verfaßt (*AB* II, Bl. 26; NE). – Nach der Veröffentlichung seines Leserbriefs hatte sich Böll noch einmal brieflich, datiert auf den 4. 12. 1974, an die Feuilletonredaktion der *FAZ* gewandt. In diesem um Klarstellung bemühten Brief heißt es u. a.: »[...] so war's nun auch nicht gemeint: daß unsere Briefe publiziert werden sollten, und so hart wollten wir's Herrn Suter nun auch nicht geben. Meine Frau, die von meinem Brief an Sie nichts wußte (sie war verreist), ist sehr erschrocken, weil sie jede Form der publicity haßt. Ich dachte halt, wenn jemand eine Rezension auf einer Annahme aufbaut, das sei auf eine unverantwortliche Weise fahrlässig, und auch jetzt noch, nachdem der Zorn verraucht ist, finde ich es unverantwortlich, daß ein so wichtiges Buch an einer völlig unbegründeten Detail-Kritik ›verrissen‹ wurde« (vgl. HA 1326–268, Bl. 74).

Überlieferung

Typoskripte

Es liegen keine Typoskripte vor.

Drucke

Z: *Frankfurter Allgemeine Zeitung*. – 26. Jg., Nr. 279 (2. 12. 1974), S. 11.

Textgrundlage

Textgrundlage ist Z.

Stellenkommentar

45. 3–4 *Th. Weesner »Der Autodieb«]* Theodore Weesner: *Der Autodieb.* Roman. Aus dem Amerikanischen von Annemarie Böll. München, Ehrenwirth-Verlag, 1974.

45. 4 *Gody Suter]* Böll bezieht sich auf den Text von Gody Suter: »Die ungewöhnliche Läuterung eines Autodiebs«, in: *Frankfurter Allgemeine Zeitung*, Nr. 262, 11. 11. 1974, der mit dem Verdacht des Rezensenten endet, wonach allererst Annemarie Bölls Übersetzung für die bemängelten Schwächen des Buches verantwortlich sei, nicht jedoch der Originaltext. Annemarie Böll hat sich daraufhin ebenfalls in einem Leserbrief an die *FAZ* (2. 12. 1974) um Richtigstellung von drei strittigen Punkten ihrer Übersetzung bemüht. »Als Übersetzerin des von Gody Suter besprochenen Buches ›Der Autodieb‹ von Theodore Weesner [...] erlaube ich mir, zu den bemängelten Übersetzungsdetails folgendes mitzuteilen. – 1. Wie ich durch zwei aktive Basketballspieler erfuhr, wird der Vorgang, der im Amerikanischen ›rebound‹ heißt, auch im deutschen Basketballjargon ›rebound‹ genannt. – 2. Mir scheint, Gody Suter hätte sich schon die Mühe machen müssen, im Original nachzuschlagen, wenn er beanstandet, daß Alex' Vater mit einem Gewehr Selbstmord begeht und einfach unterstellt, es handele sich im Amerikanischen um das Wort ›gun‹. Auf Seite 356 der Originalausgabe hätte er fünfmal das Wort ›Rifle‹ gefunden, das sich wohl kaum mit ›Pistole‹ übersetzen läßt. – 3. Man kann natürlich darüber streiten, ob man ›state-line‹ mit Staats- oder Landesgrenze übersetzen soll. Da im Deutschen ›eine Staatsgrenze überschreiten‹ bedeuten würde ›ins Ausland fahren‹, habe ich mich entschlossen, state-line mit Landesgrenze zu übersetzen.«

46. 1 *(Behan, Salinger, Malamud, Shaw)]* Von Brendan Behan haben die Bölls sieben Texte übersetzt, darunter einige Theaterstücke und der Roman *Der Spanner*, von Jerome D. Salinger Romane und Erzählungen, u. a. *Der Fänger im Roggen*, von Bernard Malamud fünf Romane und Erzählbände, darunter *Die Mieter*, und von G. B. Shaw fünf Texte (siehe *Fortschreibung*, S. 362–373).

〈Ich habe die Nase voll!〉

Entstehung

Diese Rede trägt in Bölls Arbeitsbuch die Signatur »295/74«; sie ist auf den 8. 12. 1974 datiert und in Köln vermutlich einige Tage früher entstanden (*AB* II, Bl. 25; NE), da die Preisverleihung selbst am Sonntag, den 8. 12. 1974, in Berlin stattgefunden hat. – In einem dreiseitigen Brief an Böll vom 4. 3. 1975 warf der SPD-Politiker Peter von Oertzen (1924–2008) dem Schriftsteller vor, in seiner Wortwahl nicht eindeutig zu sein, ja, daß er »durch undifferenzierte Urteile und allzu leichtfüßige Formulierungen« selbst in Verdacht gerate und es den Politikern »gelegentlich nicht leicht gemacht« habe, seine »Haltung zu verstehen und zu verteidigen« (HA 1326–4000, Nr. 15623). Darauf antwortete Böll ausführlich und bezog sich dabei auf die Berliner Vorgänge: »Nun zu Berlin: Ihr Parteifreund Schütz hat sich da wirklich eine ziemliche Peinlichkeit geleistet: ausgerechnet bei der Verleihung der Ossietzky-Medaille an Gollwitzer und mich, während der Feier, an der teilzunehmen sich ein gewisser Herr Lummer geweigert hatte, sozusagen als eine Art ›laudatio‹ hielt Schütz eine Rede, die nicht nur Lummer-Töne enthielt, sondern in der er wahrscheinlich ohne es zu wissen (was die Sache nicht besser macht, irgendjemand hatte es ihm einfach untergejubelt, nehme ich an) Lummer wörtlich zitierte. Nun mußte ich improvisiert antworten, und da mir der Atem noch stockte von der Schütz-Rede [...] holte ich tief, vielleicht zu tief Luft und machte mir Luft. Ja. Im übrigen galt meine Bemerkung über das Abschießen der Linken, Linksliberalen etc. nicht einmal ihrem Parteifreund Schütz, sondern eindeutig Herrn Lummer [...] und ich bleibe dabei: es wird abgeschossen und es wird eingeschüchtert und leider leider hatte Herr Schütz nicht einmal andeutungsweise Sensibilität genug, um zu spüren, daß er bei dieser Gelegenheit so nicht hätte sprechen dürfen, auch nicht in der allzu sehr betonten speziellen Berliner Situation. Es hätte mich gar nicht gekränkt, oder zur Replik gereizt, wenn Herr Schütz sich eindeutig von Gollwitzer und mir distanziert hätte, aber den verschwommenen Unsinn von Lummer zu übernehmen [...] nun, das fand ich ein bißchen stark« (HA 1326–4000, Anlage zu Nr. 15623).

Hintergrund

Anläßlich der Verleihung der Carl-von-Ossietzky-Medaille durch die Liga für Menschenrechte hielt der damalige Regierende Bürgermeister von Berlin, Klaus Schütz, eine kleine Eröffnungsrede, in der es u. a. heißt: »Heute leben wir in einem Staat, der dem Recht und der Menschenwürde die allerhöchste Priorität einräumt. Wir sollten stolz darauf sein, daß es gelungen ist, unseren Staat, der ein sozialer und liberaler Rechtsstaat ist, zu festigen und seinen Wert im Bewußtsein der Bürger zu mehren. – Heute wehrt sich dieser freiheitlich-demokratische Staat gegen seine Feinde. Es gibt davon nicht wenige. Und unter diesen gibt es einige, die ihn – und sie bekennen sich offen dazu – durch Terror aus den Angeln heben wollen. – Sie versuchen, die Bürger durch Brandstiftungen zu verunsichern. Sie möchten durch Chaos eine angeblich bessere Welt errichten. Auf ihrem blutigen Weg haben sie unter anderen den Berliner Richter Günter von Drenkmann erschossen. – Die Täter sind Idealisten, die in ihrem Übereifer zu weit gehen. Sie sind keine Freiheitskämpfer, keine Helden im Untergrund. Sie sind vielmehr Mörder, Brandstifter und Gewalttäter, die Menschenrechte und Grundrechte mit Füßen treten. – Mancher in unserem Land wird sich fragen müssen, ob er nicht durch sein Verhalten, ob er nicht durch Opportunismus, vielleicht sogar durch Sympathie-Erklärungen oder durch mißverständliche Bekundungen Beihilfe im weitesten Sinne dieses Wortes geleistet hat. Und mancher wird sich fragen müssen, ob er alles, wirklich alles getan hat, um labile und zum Haltlosen neigende junge Menschen zurückzuhalten und um sie an ihre Verantwortung in dieser Gesellschaft zu erinnern. – Wir haben unseren Staat als demokratischen Rechtsstaat eingerichtet, auch um die Bürger vor seinen Zugriffen zu schützen. Dieser Rechtsstaat ist kein verfaulender Rest von Macht, sondern eine freiheitliche Grundordnung, die sich – trotz manchen Rückschlages und angesichts vieler Schwierigkeiten – bisher als stark und widerstandsfähig erwiesen hat« (zit. nach: Landespressedienst. Berlin. [Hg.] Presse- und Informationsamt des Landes Berlin. Nr. 236, 6. Dezember 1974, S. 1 f.). Böll nimmt in seiner Rede auf diese Eröffnungsworte ausdrücklich Bezug. Die Laudatio für Böll von Helmut Gollwitzer unter dem Titel »Parteilichkeit für die Opfer der Macht. Laudatio für Heinrich Böll«, auf die sich Böll ebenfalls in seiner Rede bezieht, ist erstmals abgedruckt in dem Heft »Kirche in der Verantwortung«, herausgegeben im Selbstverlag der Ananias-Gemeinde, Berlin 1974, S. 46–56. Darin heißt es u. a.: »[...] Ihre Arbeit von ›Der Zug war pünktlich‹ (1949) an und Ihr Erfolg war und ist Ihnen eine Verpflichtung, nicht nur im dichterischen Werk der Anwalt der Opfer der Macht zu sein – und das heißt auch: der Anwalt der Aufklärung, der Anwalt der Entmythologisierung Verehrung heischender Institutionen –, ›die lebenslängliche Opposition, das Mißtrauen gegen die Götzen der Zeit‹, wie es Ossietzky einmal Arno Holz nachrühmte (1929). Sie sind darüber hinaus zu einer Zuflucht der Verfolgten geworden, der sowjetischen Dissidenten ebenso wie der chilenischen Flüchtlinge. Nicht zu zählen sind Ihre Aktivitäten für menschliche Nöte und gegen politische Gemeinheiten, und kein Name wird mir häufiger als der Ihrige genannt, wenn ich bei irgendeiner Aktion für bedrängte Menschen irgendwo auf dem Erdball nach eventuellen Mitfürsprechern gefragt werde. Nicht zu zählen sind deshalb auch die Beschimpfungen, mit denen Sie bedacht werden. Das ist die Ehre Heinrich Bölls. Darum darf er, sein bisheriges Leben überschauend, doch sich selber sagen: er sei dieses Carl von Ossietzky-Preises ›nicht ganz unwert‹, gerade wenn er immer wieder Ossietzyks Erfahrung macht: ›Ein gutgezieltes Wort genügt, um Hände in Bewegung zu bringen. In dieser Zeit liegt viel Blutgeruch in der Luft.‹ – Als Ossietzky dies 1932 schrieb, war schon viel mehr Blut auf den Staßen geflossen als in der Geschichte der Bundesrepublik, und kurz darauf brach die Blutzeit des Naziregimes an. Die Dinge wiederholen sich nicht in gleicher Form: ein neuer Faschismus, wenn er über uns kommen sollte, wird andere Farben und Ideologien haben als der frühere. Aber es gibt Analogien, und zwar auch in den Vorstadien: Zunehmende Hetze gegen unbequeme Warner damals wie heute und zunehmende Versuche der Kriminalisierung. Denn ein Versuch der Kriminalisierung ist es doch, wenn jemand, wie es heute bedenkenlos von Regierungsmitgliedern an abwärts geschieht, in die Sympathisanten politisch motivierter Verbrecher eingereiht wird nur deshalb, weil er, wie Sie es so kühn schon vor 2 1/2 Jahren während der Jagd auf die Baader-Meinhof-Leute getan haben, zu menschlichem Verständnis und Verhalten auch gegenüber diesen wahnwitzigen Bombenwerfern auffordert, oder weil er, wie es Bürgerpflicht ist, verlangt, daß die Beschwerden gegen die Haftbedingungen und die Ursachen eines Hungertodes im Gefängnis wenigstens überprüft werden. Wie prophetisch erscheint uns heute schon – nach einem Vierteljahr! – Ihre Erzählung von der Ehre der Katharina Blum! Sie bekommen diesen Preis in einer Stadt verliehen, in der sich diese Hetze in den letzten Wochen überschlagen hat, besonders nachdem die Polizei nach einem abscheulichen Mord mangels anderer Erfolge in der Fahndung meinte, zwei kirchliche Mitarbeiter festnehmen zu sollen, deren Nichtbeteiligung und Unschuld jedem Denkenden von vornherein klar sein konnte. Einem Bischof, dem im Unterschied zu vielen Kirchenoberen in Ihren Romanen die Bergpredigt kein ›Einschiebsel‹ ins Evangelium ist, wird von Presse, Politikern und auch Kirchenleuten klargemacht, wie ungewohnt und unerträglich es ist, wenn ein Bischof christlich handelt, – ein Vorgang, bei dem uns noch die Hoffnung bleibt, daß die mit dem Bischof zusammen systematisch und künstlich ins Zwielicht gebrachte Berliner Kirchenleitung nicht aus falschverstandenem Selbstschutz eines der beiden

Rufmord-Opfer wie eine heiße Kartoffel fallen läßt« (Gollwitzer, 1974, S. 50 ff.).

Überlieferung

Typoskripte

TH: TH: Erstschr.; 5 Bll., Abschrift eines Bandmittschnitts (?) mit einer Reihe hs. Änderungen und Korrekturen.
(HA 1326–268, Bll. 79–83)

Drucke

Z: *Neues Forum* (Wien). – 22. Jg. (1975), Heft 253/254 (Januar/Februar), S. 3–4.
D[1]: *EE*, S. 183–188.
D[2]: *ESR* III, S. 169–174.
D[3]: *EAS* 5, S. 165–170.

Textgrundlage

Textgrundlage ist D[2].

Stellenkommentar

47. 11–12 *in einem Fernsehfilm]* Gemeint ist der Dokumentarfilm »Die Sprache der kirchlichen Würdenträger« von 1971; gesendet im *WDR* am 29. 12. 1971. Darin wirft Böll Bischof Kurt Scharf (1902–1990), der 1966 bis 1976 Bischof von Berlin-Brandenburg und von 1961 bis 1967 Ratsvorsitzender der Evangelischen Kirche Deutschlands (EKD) gewesen ist, an einer Stelle ein Versanden »in Banalitäten« vor, wenn es um die Einschätzung des Verhältnisses der evangelischen Kirchen in Ost und West geht (siehe *KA*, Bd. 18, S. 26).

47. 18 *Bischof Scharf, Frau Zühlke und Herrn Burghardt]* Vgl. dazu auch Heinrich Albertz u. a. (Hg.): *Pfarrer, die dem Terror dienen? Bischof Scharf und der Berliner Kirchenstreit 1974.* Eine Dokumentation. Reinbek: Rowohlt, 1975.

48. 7 *Baader-Meinhof-Gruppe]* Baader-Meinhof-Gruppe, später auch

RAF (= Rote Armee Fraktion), eine 1970 von Andreas Baader, Gudrun Ensslin, Horst Mahler, Ulrike Meinhof und einigen anderen gegründete, im Untergrund als kommunistische, antiimperialistisch ausgerichtete Stadtguerilla nach südamerikanischem Vorbild agierende Organisation; als erste Aktion und sozusagen Auftakt der politischen Betätigung gilt allgemein die Befreiung Andreas Baaders aus der Haft am 14. Mai 1970.

48. 26 *was Sie gesagt haben]* Siehe Abschnitt ›Hintergrund‹, S. 403.

48. 29–31 *Es ist ... Januar 72]* Böll weist hier auf *ZDF*-Sendungen vom 26. 1. 1972 hin, in denen der damalige Chefredakteur Rudolf Woller (1922–1996) in einem Kommentar innerhalb der Nachrichtensendung sich zu der Aussage verstiegen hatte: »Er [Böll] wird nicht müde, diesen unseren Staat als das gesetzgewordene Böse zu diffamieren. Er möchte anderen, die anderer Meinung sind, mit dem Urteil ›faschistisch‹ den Mund verbieten« (siehe *Freies Geleit*, S. 106). Böll hat sich mit diesem Kommentar kritisch in dem Text *Schwarzer Mittwoch beim ZDF* (1972) auseinandergesetzt, der für die *Frankfurter Rundschau* geplant, aber dort nicht publiziert worden ist. Der Erstdruck erfolgte in *KA*, Bd. 18 (S. 51–53).

48. 31–34 *Herr Walden ... zu bringen]* Walden-Kommentar für *Tagesschau* bei der Beerdigung des Berliner Kammergerichtspräsidenten Walter von Drenkmann am 10. 11. 1974; siehe im Abschnitt ›Hintergrund‹ von *Aussage im Prozeß gegen Matthias Walden*, S. 424 im vorliegenden Band.

48. 38 *Rede] Die Freiheit der Kunst. Dritte Wuppertaler Rede am 24. 9. 1966* (vgl. *KA*, Bd. 15, S. 210–215).

49. 7–9 *»Dort, wo der Staat ... Reste von Macht.«] Die Freiheit der Kunst*, *KA*, Bd. 15, S. 211.

49. 30 *den Titel »Christ« abgelegt]* Anspielung Bölls auf den Anfang seines Essays *Wer ist Jesus von Nazareth – für mich* von 1973, wo es heißt: »Da ich mich nicht mehr Christ nennen möchte und auch nicht mehr so genannt werden möchte angesichts der Tatsache, daß alle institutionellen Verwendungen des Wortes ›christlich‹ (bei der CDU/CSU etwa, in der sogenannten Amtskirche) es mehr und mehr zu einem Schimpfwort machen, kann ich nicht einfach auf Jesus ausweichen, der zwar Mensch war, aber mensch*geworden*« (*KA*, Bd. 18, S. 199).

50. 14 *»Sieben Werke der Barmherzigkeit«]* Hierzu zählen: 1. Hungrige speisen; 2. Durstige tränken; 3. Fremde beherbergen; 4. Nackte bekleiden; 5. Kranke pflegen; 6. Gefangene besuchen; 7. Tote bestatten (vgl. dazu Mt 25, 34–46 und Tobias 1,20).

50. 16–17 *Dorothee Sölle]* Dorothee Sölle (1929–2003), dt. ev. Theologin; nach Studium der Theologie, Philosophie und Literaturwissenschaft in Köln, Freiburg und Göttingen 1971 Habilitation; zunächst Lehrerin, dann von 1975–1987 Prof. für systematische Theologie am Union Theological Seminary in New York; Sölle engagierte sich in der Friedensbewegung so-

wie in linken kirchlichen Organisationen. 1966 arbeiteten Sölle und Böll gemeinsam an dem Fernsehfilmprojekt *Dunkel ist deine Stätte unter dem Rasen* (*KA*, 15, S. 239–248).

51. 9 *Lummer]* Heinrich Lummer, geb. 1932, CDU-Politiker, von 1967–1981 Mitglied des Abgeordnetenhauses von Berlin, von 1969 bis 1980 Vorsitzender der CDU-Fraktion des Berliner Abgeordnetenhauses. In einer kleinen Notiz unter dem Titel »CDU boykottiert Empfang für Gollwitzer und Böll« heißt es dazu in der *FAZ* v. 4. 12. 1974: »Wie der Vorsitzende der CDU-Fraktion im Berliner Abgeordnetenhaus, Lummer, in einem an den Regierenden Bürgermeister von Berlin, Schütz, gerichteten Brief mitteilte, werden an dem von Schütz für Böll und Gollwitzer im jüdischen Gemeindehaus gegebenen Empfang am 8. Dezember deshalb keine CDU-Vertreter teilnehmen, da beide zu jenen gehörten, ›die in unserem Land die Saat der Gewalt gepflegt und kultiviert haben, die jetzt ihre erschreckenden Blüten treibt‹.«

53. 5 *nach Israel fahren]* Zwischen dem 15. und dem 21. 12. 1974 fand in Israel der Pen-Kongreß statt, auf dem Böll eine in Israel z. T. heftig kritisierte Eröffnungsrede unter dem Titel *Ich bin ein Deutscher* (vgl. S. 54 ff. im vorliegenden Band) gehalten hat.

〈Ich bin ein Deutscher〉

Entstehung

Bölls Rede trägt im Arbeitsbuch die Signatur »289/74«; sie ist in Langenbroich zwischen dem 28. 11. und dem 1. 12. 1974 entstanden (*AB* II, Bl. 26; NE). Sie wurde als Eröffnungsrede für die 39. Tagung des Internationalen Pen-Clubs, in dem Böll damals als einer der Vizepräsidenten wirkte, in Jerusalem am 16. 12. 1974 verfaßt. Diese Tagung hat nach einem Jahr Verzögerung vom 15. bis zum 21. 12. 1974 unter dem Rahmenthema »Kulturelle Tradition und schöpferisches Gestalten in der zeitgenössischen Literatur« stattgefunden.

Überlieferung

Typoskripte

TH[1]: Erstschr.; 9 Bll., auf Bl. 1 eh. Überschrift: »Israel Vortrag« und Vermerk: »1. Version!«, Bll. 1–12 durch Ab- oder Ausschneidungen nicht vollst., Bl. 3–9 eh. pag 3–9.
(HA 1326–268, Bll. 106–114)

TH[2]: Erstschr.; 1 Bl., unvollst., mit eine eh. Notiz: »2. Version / ungültig!«
(HA 1326–268, Bl. 114a)

TH[3]: Erstschr.; 7 Bll., Bl. 1 zusammengeklebte Schnipsel, die auf einem DIN-A-4-Bogen angeklammert wurden; auf Bl. 5 aufgeklebte Zitate aus Böll-Essays; Bll. 1–6 eh. pag. 1–6, auf Bl. 1 eh. Notiz: »3. Version / ungültig«.
(HA 1326–268, Bll. 115–122)

tH[4]: Durchschr. (grün); 8 Bll., Bl. 1–8 eh. durchschr. pag. 1–8, auf Bl. 1 eh. Vermerk der Arbeitsbuchsigle »289/74« (= AB II, Bl. 26; NE).
(HA 1326–268, Bll. 123–130)

Drucke

Z: *Frankfurter Rundschau*. – 30. Jg., Nr. 296 (21. 12. 1974), ›Zeit und Bild‹, S. III.

D[1]: *EE*, S. 176–182.
D[2]: *ESR* III, S. 175–181.
D[3]: *EAS* 5, S. 195–197.

Ton-/Bildträger

TB: Heinrich Böll liest Die verlorene Ehre der Katharina Blum. Originalaufnahmen 1971–1975. München, Hörbuchverlag, 2003. 6 CDs. [Ich bin ein Deutscher, CD 6]

Sendungen

SR: *Südwestfunk* (Baden-Baden), Hörfunk, 16. 12. 1974.

Textgrundlage

Textgrundlage ist D[2].

Varianten

55. 27 *ein Urahne]* eine Urahne Z
56. 31 *beurteilen]* beurteilen kann Z
58. 6–7 *befreite. … Die Verächtlichkeit]* ⌊Z
59. 10–11 *Zerstörung: Immerhin]* Zerstörung: immerhin Z
61. 5–6 *selbstverständlich. … Den Luxus]* ⌊Z
61. 13–14 *keine. … Ich bin]* ⌊Z

Rezeption

Unter dem Titel »Biblisch bildhafte Sprache« hat die Schriftstellerin und Essayistin Hilde Spiel einen ausführlichen Artikel über die PEN-Tagung in Jerusalem veröffentlicht; darin heißt es u. a.: »Jehova hätte seinem Volk Erdöl schenken sollen als schönes Wetter für den Kongreß, hieß es in Jerusalem. Aber man muß dankbar sein auch für kleine Gnaden. Unter blauem Himmel zumeist, gleichwohl in einem Klima der Spannung, Ungewißheit und Besorgnis um das Schicksal des Staates Israel, fand die 39. Internationale Begegnung des PEN-Clubs statt. Den Gastgebern war sie um so mehr willkommen. Daß so viele Autoren aus fünf Kontinenten und 30 Ländern – die des Ostblocks und der arabischen Nachbarn freilich ausgenommen – vor Terror- und Kriegsgefahr nicht zurückgeschreckt, daß Leute wie Heinrich Böll, Saul Bellow, Eugène Ionescu angereist waren, betrachtete man als tröstliches Zeichen globaler Verbundenheit. – Den Delegierten wurde immer wieder für ihren ›Mut‹ gedankt. In der Tat gab es Zwischenfälle: einen Sprengstoffanschlag dicht am Jerusalem-Tower-Hotel, wo unter anderen auch deutschsprachige Teilnehmer abgestiegen waren, einen Überfall auf Touristen auf eben jener Straße nach Jericho, die tags zuvor vom Kongreß befahren worden war. Aber auch in Birmingham, Belfast, Buenos Aires wäre man nicht sicherer gewesen. ›We move from bomb to bomb‹ (›Wir bewegen uns von Bombe zu Bombe‹) – dies hatte am letzten Tag der PEN-Präsident V. S. Pritchett unserer Gegenwart attestiert. – Zweifellos lag es nahe, aus der Wahl des Tagungsortes politisches Kapital zu schlagen. Dies zu vermeiden waren die israelischen Schriftsteller, wenn auch nicht immer ihre Staatsmänner, ehrlich bemüht. Der internationale Generalsekretär Peter Elstob machte von Beginn an klar, daß Mitglieder des PEN nie und nirgends als Repräsentanten ihrer Regierungen gelten wollten und ihrem Treffen in dieser Stadt kein demonstrativer Charakter anzudichten sei. Dreihundert Privatmenschen, die sich in irgendeinem ›geistigen Raum‹ versammeln, um ihren Geschäften und literarischen Überlegungen nachzugehen. Das war gut gesagt, aber nicht strikt durchzuhalten. Pritchett selbst hob hervor, daß man sich unter dem Volk des Wortes, des Buches, befände, am Ursprung jener Bibel, die unser aller Erbgut, Inspiration und sprachliches Vorbild sei. – Das Aufgebot an lokaler Prominenz war ebenfalls groß genug, um das Ereignis aus der literarischen Sphäre herauszuheben. Präsident, Kultusminister und Bürgermeister traten in Erscheinung, die großen Gelehrten, die Archäologen des Landes, überlebende Helden des Warschauer Getto-Aufstandes, ein ehrwürdiger, nahezu erblindeter Dichter, der erste Lyriker des Kibbuz. Direkte Appelle, Beschwörungen, Aufrufe zur Solidarisierung gab es nicht, nur ab und zu ein paar bittere Worte, gerichtet an das Gewissen nicht der Anwesenden, sondern schlechthin der Welt. Ein Besuch in Yad Vashem, dem Mahnmal und Museum des ›Holocaust‹, wie die Israelis das Millionensterben der europäischen Juden nennen, mußte jeden Zweifel an der Notwendigkeit dieses Staates zerstreuen. – Dennoch war es Böll, der den verhängnisvollen Umstand betonte, daß ›Völkerwanderung immer auch Völkerverdrängung‹ gewesen ist. Die arabische Frage, Existenzproblem Israels, wurde bereits am ersten Abend an den Kongreß herangetragen. Der Israelische PEN hatte zwanglos ins ›Haus der Schriftsteller‹ in Jerusalems historischem Judenviertel der Altstadt eingeladen. Vor dem Eingang verteilten Araber ein Flugblatt, in dem Israel des Terrors, der Aggression, der Folter von Palästinensern beschuldigt wurde, und arabische Schriftsteller, die während des Kongresses etwa auftauchen sollten, als ›farblose, geschmacklose Figuren‹ bezeichnet wurden, von denen die Wahrheit nicht zu erfahren sei« (*FAZ*, 27. 12. 1974).

Stellenkommentar

54. 31–55. 3 *zum Schutz des amerikanischen Präsidenten ... drei Millionen streikten]* Böll spielt hier auf die schwere Wirtschafts- und Regierungskrise in Japan an, an deren Ende der damalige Premierminister Tanaka Kakuei (1918–1993) am 26. 11. 1974, nachdem unmittelbar zuvor noch der amerik. Präsident Gerald Ford (1913–2006) Tokio besucht hatte, zurücktreten mußte; vgl. dazu: »Schwarzer Nebel«, in: *Der Spiegel*, Nr. 46, 1974, S. 121 f.

56. 17 *Brodskij]* Jossif Brodskij (1940–1996), sowjet.-amerik. Lyriker, Nobelpreis 1987; nach seiner Ausreise aus der SU ging Brodskij (Brodsky) in die USA, wo er an der Michigan-University in Ann Arbor eine Poetikdozentur erhielt.

56. 18–23 *Sprache ... lebt]* Böll zitiert hier aus einem im *Kölner Stadt-Anzeiger* vom 28. 7. 1972 gedruckten Brief Brodskijs mit dem Titel »Die Sprache ist älter als jeder Staat. Ein Brief des sowjetischen Dichters Jossif Brodskij an Breschnew«.

57. 4–11 *Und es gibt ... Völkerverdrängung]* Insbesondere diese Passage aus Bölls Rede ist von israelischer Seite seinerzeit z. T. übel aufgefaßt und in Glossen, etwa in der Zeitung *Yediot Acharonoth* unter dem Titel »Auch du, Brutus?«, kommentiert worden; man glaubte eine versteckte Kritik an der israelischen Siedlungspolitik darin erkennen zu erkönnen. »In einer zweiten Pressekonferenz um eine nähere Erläuterung dieses Satzes gebeten, berief sich Böll auf das Recht des Schriftstellers der direkten und kommentarlosen Aussage; die Interpretation sei Sache der Leser und Hörer« (Erich Gottgetreu: »Autoren sind keine Diener der Gewalt. Schlußbericht vom Internationalen PEN-Kongreß in Jerusalem«, in: *Die Welt*, 23. 12. 1974; vgl. auch Rolf Michaelis: Streitaxt in der Friedensstadt. PEN im Exil – freiwillig, in: *Die Zeit*, 27. 12. 1974).

58. 2 *Bibelübersetzung des Martin Luther]* Die erste vollständige Bibelübersetzung von Martin Luther erschien bei Hans Lufft in Wittenberg 1534, nachdem Luther bereits seit 1522 zunächst das NT, danach dann das AT übersetzt hatte.

58. 22 *Blut-und-Boden-Lehre der Nazis]* Durch Richard Walther Darré mit seiner Schrift von 1930, *Neuadel aus Blut und Boden*, wurde die Formel vom ›Blut und Boden‹ zu einem Zentralbegriff der NS-Ideologie und zu einem festen Bestandteil der nationalsoz. Rassenlehre, die man bereits in den

obskuren Schriften des ›Rasseforschers‹ Hans Friedrich Karl Günther (*Die Rassenkunde des deutschen Volkes*, 1922) finden kann.

58. 25 *displaced persons]* Eine Verwaltungsbezeichnung der westl. Alliierten von 1944, womit Zivilpersonen gemeint waren, die sich aufgrund von Kriegsfolgen zwangsweise außerhalb ihrer Heimat aufhalten mußten. Die Bezeichnung dient heute allgemein für Menschen, die durch Krieg, Verfolgung oder aufgrund von Katastrophen ihr Heimatland verlassen müssen.

58. 28–29 *dreimal umgezogen ist soviel wie bankrott gemacht]* Altes Sprichwort, das auch in der Fassung »dreimal umgezogen ist einmal abgebrannt« bekannt ist und vermutlich auf Benjamin Franklin zurückgeht.

59. 17–21 *als unser ältester Sohn ... gewohnt hatte]* Raimund Böll (1947–1982), Bildhauer.

59. 30–31 *Herakles und Sisyphus]* Sowohl Herakles wie Sisyphus sind Helden der gr. Mythologie; Herakles mußte auf Geheiß des Orakels von Delphi zwölf Jahre lang zwölf Taten für den König Eurystheus bewältigen, während Sisyphus aus Strafe für einen Gottesfrevel in der Unterwelt einen Felsblock immer wieder einen steilen Abhang hinaufwälzen mußte (siehe dazu Homer: *Odyssee*, 11. Gesang).

60. 12 *Paralyse]* Gemeint ist die vollständige Lähmung der motorischen Nerven eines Körperteils.

60. 25–26 *It was ... not is]* ›Es war nicht besonders angenehm ein Deutscher zu sein – und ist es immer noch nicht.‹

⟨Mein lieber Gustav Korlén,⟩

Entstehung

Bölls Geburtstagsgruß trägt im Arbeitsbuch die Signatur »183/73« (*AB* II, Bl. 12; NE) und ist am 29. 12. 1973 in Köln auf Bitten des Deutschen Instituts der Universität Stockholm, das anläßlich von Korléns 60. Geburtstag eine Festschrift geplant hatte, entstanden (Brief v. 17. 6. 1973; HA 1326–268, Bl. 100). Neben Böll sowie einigen schwed. Germanisten beteiligten sich noch Walter Jens, Eberhard Lämmert, Hans Mayer und Marcel Reich-Ranicki an dem Projekt.

Überlieferung

Typoskripte

TH^{1}: Erstschr.; 3 Bll., auf Bl. 1 eh. Vermerk der Arbeitsbuchsigle »185/73« (= *AB* II, Bl. 12; NE) und Notiz: »1)«.
(HA 1326–268, Bll. 94–96)

tH^{2}: Durchschr. (grün); 3 Bll., auf Bl. 1 eh. Überschrift: »Geb. Tags Gruß für Gustav Korlén« sowie eh Sign. und Notiz: »Gültige / Fassung! / irrtümlich / durchstrichen! / HB / 29. 11. 73«.
(HA 1326–268, Bll. 97–99)

Drucke

D^{1}: *Germanistische Streifzüge*. Festschrift für Gustav Korlén. Hg. von Gert Mellbourn (u. a.). – Stockholm: Almquist & Wiksell International, 1974, S. 17–19.

D^{2}: *EE*, S. 192–194.

D^{3}: *ESR* III, S. 199–201.

D^{4}: *EAS* 5, S. 195–197.

Textgrundlage

Textgrundlage ist D^3.

Varianten

63. 14 *kanadische]* canadische D^1

Stellenkommentar

62. 1 *Korlén,]* Gustav Korlén (geb. 1915), schwed. Literaturwissenschaftler und Germanist, bis zu seiner Emeritierung Ordinarius für Germanistik an der Universität Stockholm; Mitglied der Gruppe 47, Konrad Duden-Preis 1967, von 1979–1993 Mitglied der Akademie der Künste, Berlin (West), Sektion Literatur; zahlreiche Veröffentlichungen über dt. Sprache und Literatur der Nachkriegszeit.

62. 7 *Oktober 1956]* Hinweis auf Bölls Reise nach Dänemark und Schweden, wo er Kopenhagen, Stockholm, Uppsala, Linköpping und Göteborg besuchte.

62. 24 *Annemarie]* Annemarie Böll, geb. Cech (1910–2004), Lehrerin und Übersetzerin, seit dem 6. 3. 1942 mit Heinrich Böll verheiratet.

63. 11–12 *Leila Vennewitz]* Leila Vennewitz (1912–2007), Übersetzerin, die neben Bölls Werken auch Romane, Erzählungen und Novellen u. a. von Martin Walser, Uwe Johnson, Hermann Hesse, Friedrich Dürrenmatt und Jurek Becker ins Englische übersetzte; für ihre Arbeiten erhielt Vennewitz zahlreiche Auszeichnungen und Übersetzerpreise, darunter 1968 für ihre Übersetzung von Bölls *Ende einer Dienstfahrt* den Schlegel-Tieck-Preis in London.

63. 22–23 *Wörterbuch der Brüder Grimm]* Böll paraphrasiert in seinem Text einige Bedeutungen des Eigennamens Heinrich aus Grimms Deutschem Wörterbuch; vgl. Grimm. Bd. 10. H-Juzen. München 1999. Sp. 886f.

⟨Die neuen Probleme der Frau Saubermann⟩

Entstehung

Diese Glosse trägt in Bölls Arbeitsbuch die Signatur »314/75« (*AB* II, Bl. 28; NE); der Text ist der erste im Jahr 1975 in Langenbroich geschriebene und von Böll auf den 3. 1. 1975 datiert. Mit einer Postkarte vom 8. 1. 1975 bedankte sich Rolf Michaelis von der *Zeit*-Redaktion für Bölls »Meditation über die Familie Saubermann«, die die Redaktion »Modernes Leben« gern drucken würde (HA 1326–4000, Bl. 14943).

Überlieferung

Typoskripte

TH[1]: Erstschr., 2. Bll.; eh. korr. (mit blauem Kugelschreiber).
(HA 1326–269, Bll. 1–2)

TH[2]: Erstschr., 3 Bll.; eh. korr. (mit blauem Kugelschreiber); 3/4 von Bl. 3 abgeschnitten.
(HA 1326–269, Bll. 3–5)

tH[3]: Durchschr. (grünes Papier), 4 Bll.; eh. pag. am loR (1–3), auf Bl. 1 am roR (mit schwarzem Kugelscheiber) eh. Vermerk der Arbeitsbuchsigle »314/75« (= *AB* II, Bl. 28; NE).
(HA 1326–269, Bll. 6–9)

Drucke

Z: *Die Zeit* (Hamburg). – 30. Jg., Nr. 4 (17. 1. 1975), S. 45.

D[1]: *EE*, S. 189–191.

D[2]: *ESR* III, S. 196–198.

D[3]: *EAS* 5, S. 192–194.

Textgrundlage

Textgrundlage ist D².

Stellenkommentar

65. 7 *Frau Saubermann]* Die »Familie Saubermann« ist eine Erfindung der OMO-Waschmittelwerbung für das Fernsehen (wohl aus dem Jahre 1966). Böll spielt auf diese Familie Saubermann bereits in *Brief an einen jungen Nicht-Katholiken* (1966) an (vgl. *KA*, Bd. 15, S. 31–42; vor allem S. 31, Z. 17).

65. 31 *Assisi]* Franz von Assisi (1181/82–1226), Heiliger der römisch-kath. Kirche; Anspielung Bölls auf das Wirken des Heiligen nach seiner Vision, auf die freiwillige Armut und das Bekenntnis zur Buße.

66. 7 *Anankastenindustrie]* Kunstwort Bölls (nach griech. ananke – ›Zwang‹), das auf den Anankasten anspielt, auf jmd., der unter Zwangsvorstellungen leidet, z. B. dem Waschzwang, was hier gemeint ist.

66. 17 *Devisenterminhandel]* Spielart des Devisenhandels, dessen Funktion das Risikomanagement ist; der Devisenterminhandel sichert das Kursrisiko ab, indem das Devisengeschäft zwar zum vereinbarten Termin getätigt wird, aber der Kurs bereits mit Abschluß des Geschäftes vereinbart wird.

66. 19 *Laokoon]* Name eines trojan. Priesters des Apollon oder Poseidon; im Trojan. Krieg warnte Laokoon die Trojaner davor, das »Trojan. Pferd« der Griechen in die Stadt ziehen zu lassen; daraufhin schickte die erzürnte Göttin Athene zwei Seeschlangen, die zunächst Laokoons Zwillingssöhne, dann Laokoon selbst ins Meer zogen und erwürgten.

66. 29 *Exkommunikation]* Der permanente oder zeitlich begrenzte Ausschluß aus einer religiösen Gemeinschaft.

67. 32 *Anankastentrommel]* Siehe Stellenkommentar zu 66. 7.

⟨Wer hat Maos Segen?⟩

Entstehung

Der Text trägt im Arbeitsbuch die Signatur »321/75« und ist von Böll auf den 20. 5. 1975 datiert und in Langenbroich geschrieben worden (vgl. *AB* II, Bl. 30; NE).

Überlieferung

Typoskripte

t: Durchschr., 1 Bl.; bis auf geringfügige Änderungen textidentisch mit den Druckfassungen.
(HA 1326–269, Bl. 9)

Drucke

Z: *Süddeutsche Zeitung* (München). – 31. Jg., Nr. 26 (1./2. 2. 1975), S. 96.
D[1]: *ESR* III, S. 202.
D[2]: *EAS* 5, S. 198.

Textgrundlage

Textgrundlage ist D[1].

Varianten

68. 18–19 *er ist der Kanzlerkandidat, wer hat Maos Segen?]* er ist der Kanzlerkandidat. Und wer ist zuerst zu Mao vorgedrungen? Wer ist der Sieger, der Favorit, der Kanzlerkandidat, wer hat Maos Segen? Z

Stellenkommentar

68. 3 *Maoisten]* Als Maoisten werden die Anhänger des Staatsmanns und Parteiführers Mao Tse-Tung (1893–1976) bezeichnet, der bis zu seinem Tod das politische China mit seiner spezifischen Auslegung des Marxismus-Leninismus bestimmte; bereits Ende der 1960er Jahre bildeten sich im Zuge der Studentenbewegungen erste K-Gruppen (Kommunistische Gruppen) in Westdeutschland, die sich politisch v. a. an der maoistischen bzw. stalinistischen Interpretation des Marxismus-Leninismus orientierten; 1968 wurde die Kommunistische Partei Deutschlands/Marxisten-Leninisten (KPD/ML) gegründet, in den 1970er Jahre folgten u. a. der Arbeiterbund für den Wiederaufbau der KPD (KPD/AB), der Kommunistische Bund (KB) und die Kommunistische Partei Deutschlands (Maoisten; KPD/AO), die nach dem Verbot vom 17. 8. 1956 als neue Partei, die freilich nichts mehr mit der alten, am Sowjetmodell festhaltenden und dann als DKP wiedergegründeten Partei zu tun hatte, am 10. 1. 1974 vom Bundesverfassungsgericht wieder zugelassen wurde

68. 4–5 *Nachdem Franz Josef Strauß ... gesprochen hat]* Franz Josef Strauß (1915–1988), dt. Politiker (CSU); Strauß wurde während seiner Chinareise vom 11. bis 26. 1. 1975 als erster deutscher Politiker am 16. 1. 1975 von Mao empfangen; Strauß wurde jedoch nicht, wie Böll am Ende seiner kurzen Glosse mutmaßt, Kanzler-Kandidat der CDU/CSU für die Wahlen 1976, sondern vielmehr Helmut Kohl.

68. 5 *Radikalenerlaß]* Siehe Stellenkommentar zu 15. 34–35.

68. 7 *Helmut Kohl in China]* Helmut Kohl (geb. 1930), dt. Politiker (CDU); als erster CDU-Vorsitzender erhielt Kohl 1974 eine Besuchseinladung der chinesischen Regierung.

68. 8 *Marx und Engels]* Karl Marx (1818–1883) und Friedrich Engels (1820–1895), dt. Philosophen und Publizisten.

68. 14 *Law and Order]* Engl.: ›Gesetz und Ordnung‹.

‹‹Lieber Herr Gottgetreu...››

Entstehung

Dieser Brief ist von Böll auf dem ersten Blatt des Durchschlags auf den 21. 1. 1975 datiert worden. Böll reagierte damit auf einen von Erich Gottgetreu, dem Israel-Korrespondenten der *Kölnischen Rundschau*, am 8. 1. 1975 in der *Rundschau* veröffentlichten Artikel, der, erweitert um einige in der Kölner Version gekürzte Passagen, am 10. 1. 1975 auch in den *Israel Nachrichten* publiziert wurde. Gottgetreu nahm in seinem Artikel eine Passage aus Bölls Eröffnungsrede zum 39. PEN-Kongreß zum Anlaß, um seine Position deutlich zu machen, daß die zionistische Bewegung tatsächlich eine Völkerwanderung ohne Völkerverdrängung gewesen sei und das Flüchtlingsproblem human gelöst habe. In einem Begleitschreiben bat Böll den Journalisten darum, seine Antwort weder in einem Organ der Springer-Presse noch in der *Kölnischen Rundschau* zu veröffentlichen (HA 1326–417, Bl. 97).

Überlieferung

Typoskripte

t: Durchschr., 2 Bll.; eh. Vermerk des Entstehungsdatums 21. 1. 1975 am roR von Bl. 1.
(HA 1326–417, Bll. 90–91)

Drucke

Z: *Chadashot Israel* (Israel-Nachichten), 7. 2.1975.

Textgrundlage

Textgrundlage ist t.

Stellenkommentar

69. 8–9 *die von Ihnen zitierte Formulierung]* Siehe Stellenkommentar zu 57. 4–11.

70. 3–6 *daß es ... eingetreten sind]* Böll bezieht sich hier auf eine Passage von Gottgetreus Text, in der es heißt: »Der starke Schuldanteil der arabischen Öl- und Politikgewaltigen konnte die seelische Unruhe vor allem eines Teils der israelischen Jugend wegen dieses Zustandes nicht auslöschen. Und wenn man ihr auch sagte, daß es für den jugendlichen Schuldanteil viele mildernde Umstände gab – so mancher litt unter dieser Hypothek der Geschichte. So kam es dann auch unter der Federführung von Yizhar Smilansky zu einer ganzen Literatur des schlechten Gewissens – kein schlechtes Gegengewicht zur Literatur derer, die es nie lernen wollen, auch die andere Seite der Münze oder vielmehr der Grenze zu sehen. Und nicht minder wichtig war auch die große Literatur der objektiven Wahrheitssuche und nationalen Selbstanalyse von all denjenigen Israelis, die sich dem Teilungsvorschlag widersetzt hatten und wie Martin Buber, Ernst Simon und die Männer der linkssozialistischen ›Mapam-Partei‹ für einen arabisch-jüdischen bi-nationalen Staat eingetreten waren, – wenn sie auch einsehen mußten, daß die Zahl der interessierten Partner auf der andern Seite nur sehr begrenzt war.«

⟨Eine Bombe der Ruhe⟩

Entstehung

Die Rezension trägt im Arbeitsbuch die Sigle »326/75«, ist auf den Februar datiert und in Langenbroich entstanden (*AB* II, Bl. 30; NE). Am 23. 9. 1974 fragte Rolf Michaelis brieflich bei Böll an, ob er bereit wäre, Sinjawskis Buch zu rezensieren (vgl. HA 1326–4000, Nr. 13904). Böll erhielt von der Redaktion am 7. 11. 1974 ein Besprechungsexemplar (HA 1326–4000, Nr. 14345), und mit Datum vom 4. 2. 1975 bedankte sich Michaelis bei Böll »für die Mühe, die Sie sich mit Sinjawski gemacht haben« (vgl. HA 1326–4000, Nr. 15315).

Überlieferung

Typoskripte

tH[1]: Durchschr. (grün), 6 Bll.; eh. pag. am loR (1–6), auf Bl. 1 eh. Titel (mit schwarzem Kugelschreiber) »Sinjawskij: Eine Stimme im Chor« sowie am roR eh. Vermerk der Arbeitsbuchsigle (mit Bleistift) »326/ 75« (= AB II, Bl. 30; NE).
(HA 1326–269, Bll. 10–15)
Beiliegend: Erstschr., 3. Bll.; Zitatauflistung aus Sinjawskijs Werk mit Seitenangaben, mit Bleistift am roR eh. Vermerk der Arbeitsbuchsigle »326/75« (= AB II, Bl. 30; NE), auf Bl. 3 eh. Notizen mit Bleistift aufgelistet.
(HA 1326–269, Bll. 16–18)

Th[2]: Erstschr., 6 Bll.; engl. Übersetzung des Essays mit dem Titel »Heinrich Böll speaks about Andrej Sinjawskij's book, A Voice from the Choir«, zeitl. Datierung »From Die Zeit, February 21, 1975 No. 8.«, eh. Korrekturen auf den Bll. 1, 5 und 6.
Beiliegend: 2 Bll.; *Bl. 1*: ms. Schreiben von Kirsten Michalski, der Sekretärin des PEN American Center, mit der Bitte, die Essayübersetzung von Richard Plant (siehe Th[2]) in *The American Pen* abdrucken zu dürfen, datiert auf den 3. 4. 1975; rechts unten befindet sich Bölls Einverständnis vom 22. 4. 1975: »Give you permission to print my

review-essay on Sinjawskij. HB«; *Bl. 2*: Dankkarte für die Druckgenehmigung von Kirsten Michalski.
(HA 1326–269, Bll. 19–27)

Drucke

Z: *Die Zeit* (Hamburg). – 30. Jg., Nr. 8 (14. 2. 1975), S. 17–18 u. d. T.: Eine Bombe der Ruhe. Über Andrej Sinjawskij, Stimme aus dem Chor. An diesem Buch sollten sich die kalten Krieger erwärmen.
D^1: *EE*, S. 195–199.
D^2: *ESR* III, S. 203–207.
D^3: *EAS* 5, S. 199–203.

Textgrundlage

Textgrundlage ist D^2.

Varianten

71. 10 *Arbeit an.]*⌈Z

Stellenkommentar

71. 2 *Sinjawskij]* Andrej Sinjawskij (1925–1997), russ. Schriftsteller und Literaturwissenschaftler, zunächst Dozent am Gorki Institut für Weltliteratur; schrieb unter dem Pseudonym Abram Terz seine ersten Bücher; nach Veröffentlichungen im Westen Internierung von 1965–1971, Emigration nach Frankreich 1973, wo er bis zu seinem Tod als Professor für russ. Literatur an der Sorbonne gewirkt hat.

71. 16–17 *Solschenizyn, Nekrassow, Maximow, Sinjawskij]* Zu Solschenizyn siehe die Besprechungen Bölls, S. 204 ff. und 254 ff. im vorliegenden Band. – Viktor Platonowitsch Nekrassow (1911–1987), russ. Schriftsteller und Autor von historischen Romanen, darunter: *Stalingrad* (1946), *In der Heimatstadt* (1954), *Kyra Georgijewna* (1961). – Wladimir Jemeljanowitsch Maximow (1930–1995), russ. Schriftsteller, der insbesondere den sowjetischen Alltag kritisch in seinen Romanen dargestellt hat, etwa in *Die sieben Tage der Schöpfung* (1971) und *Quarantäne* (1973); wie Sinjawski lebte auch Maximow seit 1974 in Frankreich.

72. 13 *Stifter]* Anspielung Bölls auf die Poetik Adalbert Stifters (1805–1868), die dieser im Vorwort seiner Novellensammlung »Studien« (1844) im Begriff des ›sanften Gesetzes‹ umschrieben hat.

72. 17–19 *Es besteht ... gesandt habe]* Sinjawski, 1974, S. 5.

72. 31–32 *Unendlichkeit ... Behagen]* Sinjawski, 1974, S. 265.

72. 33–34 *russischen Gott]* Sinjawski, 1974, S. 266.

72. 34 *am Herzen unter dem Hemd wohnt]* Sinjawski, 1974, S. 266.

73. 2–6 *Deshalb wirken ... beinahe tödlich]* Sinjawski, 1974, S. 25.

73. 6–9 *Kunst ... der Phantasie]* Sinjawski, 1974, S. 82.

73. 9–12 *Die wahre Kunst ... grenzt]* Sinjawski, 1974, S. 99.

73. 15–16 *Ein Pole ... fluchen muß]* Sinjawski, 1974, S. 133.

73. 17–18 *Im Laden ... dein Geld]* Sinjawski, 1974, S. 127.

73. 36 *Ich sage ... Paradiese sein]* Sinjawski, 1974, S. 108. – Hinweis auf Luk 23,43.

73. 37 *Ich sage dir, heute wirst du ...«]* Sinjawski, 1974, S. 108.

74. 5–8 *Als die Frau ... zu bewahren]* Sinjawski, 1974, S. 216.

74. 13–14 *dieses Papier, das Du anfassen wirst]* Sinjawski, 1974, S. 59.

74. 15 *Laß mich dein Hemd waschen]* Sinjawski, 1974, S. 77.

74. 19–21 *den ewigen Drang ... Romans]* Sinjawski, 1974, S. 275.

74. 22 *Mandelstam]* Ossip Emiljewitsch Mandelstam (1891–1938), russ. Lyriker, der – vom Symbolismus geprägt – seine ersten Texte 1910 verfaßte; in den 1920er Jahren entstanden die großen Gedichtsammlungen *Tristia* (1922) und *Das zweite Buch* (1923); 1935 wurde Mandelstam erstmals verhaftet und nach Tscherdyn, später Woronesch verbannt, erneute Verhaftung 1938 und Verurteilung wegen konterrevolutionärer Aktivitäten zu fünf Jahren Arbeitslager.

74. 23 *Poe und Stevenson]* Edgar Allan Poe (1809–1849), amerik. Schriftsteller, gilt u. a. als Begründer der Kriminalliteratur in den USA; zu den bekanntesten Texten zählt die Erzählung »Der Doppelmord in der Rue Morgue« (1841). – Robert Louis (Balfour) Stevenson (1850–1894), schott. Schriftsteller, bekannt vor allem als Verfasser von Abenteuer- und Reisegeschichten, darunter *Die Schatzinsel* (1897), aber auch von Horrorgeschichten wie *Der seltsame Fall des Dr. Jekyll und Mr. Hyde* (1889).

74. 24–26 *die Geschichte ... Grotesken]* Paulus Diakonus (zwischen 720–725 geb., gest. um 795–797), Mönch und Geschichtsschreiber; in seiner unvollendet gebliebenen sechsbändigen *Historia Langobardum* schildert er die Geschichte der Langobarden seit ihrem Einfall in Italien im Zuge der Völkerwanderung 568 bis zum Tod des Königs Luitprand 747. Diese Geschichte hat eine umfangreiche ma. Überlieferung in über 100 Handschriften und Fragmenten erfahren.

74. 28–32 *Das Wort ... Geschichte ab]* Sinjawski, 1974, S. 275.

75. 7–12 *Das Wort ›Pokrow ... ›Mantelkinder‹)]* Sinjawski, 1974, S. 365.

⟨Aussage im Prozeß gegen Matthias Walden⟩

Entstehung

Der Text trägt in Bölls Arbeitsbuch die Signatur »325/75«; er ist im Februar 1975 in Köln entstanden (*AB* II, Bl. 30; NE).

Hintergrund

Im Dezember 1981 wurde durch ein Revisionsurteil des VI. Zivilsenats des Bundesgerichtshofs zugunsten Bölls ein siebenjähriger Rechtsstreit mit dem ehem. Chefkommentator des *Senders Freies Berlin* (*SFB*) Matthias Walden (d. i. Otto Freiherr von Sass; 1927–1984) beendet. Walden wurde zu einer Schmerzensgeldzahlung in Höhe von 40 000 DM verurteilt. Anlaß für die gerichtlichen Auseinandersetzungen war ein am Tag des Staatsaktes (21. 11. 1974) für den von Terroristen ermordeten Berliner Kammergerichtspräsidenten Günter von Drenkmann (1910–1974) in der Spätausgabe der ARD-Tagesschau gesendeter Kommentar Waldens. In seinem Beitrag hatte Walden Böll bezichtigt, durch seine ›Sympathiebekundungen‹ für die Gewalttäter den »Boden der Gewalt gedüngt« zu haben und hielt ihm Zitate vor, in denen er den Rechtsstaat als »Misthaufen« bezeichnet und diesen darüber hinaus beschuldigt habe, Terroristen »in gnadenloser Jagd« zu verfolgen. Die in den Ausführungen weder plazierten noch datierten Zitate hatte Walden sinnentfremdend zum einen der von Böll am 24. 9. 1966 im Wuppertaler Schauspielhaus gehaltenen Rede *Die Freiheit der Kunst* entnommen (siehe *KA*, Bd. 15, S. 210–215, dort: S. 211*:* 21–24), zum anderen seinem am 10. 1. 1972 im Spiegel erschienenen Essay *Soviel Liebe auf einmal. Will Ulrike Meinhof Gnade oder freies Geleit?* entlehnt (*KA*, Bd. 18, S. 41–49; dort: S. 47. 26–31). Böll hatte daraufhin gegen Walden und den *SFB* am 6. 12. 1974 über seine Anwälte beim Kölner Landgericht eine Klageschrift auf Zahlung eines Schmerzensgeldes in Höhe von 100 000 DM eingereicht. Die vor der 28. Zivilkammer am 26. 2. 1975 mit eigenem Vortrag Bölls (*Aussage im Prozeß gegen Matthias Walden*) verhandelte Klage wurde laut Urteil vom 26. 3. 1975 jedoch zurückgewiesen. In nächster Instanz erkannte das Oberlandesgericht Köln in seinem Urteil vom 11. 5. 1976 auf eine Teilzahlung des Schmerzensgeldes in Höhe von 40 000 DM. Nachdem der Journalist Dr. Ernst Müller-Meiningen (1908–2006) in einem Kommentar für die *Süddeutsche Zeitung* vom 15./16. 5. 1976 ein Plädoyer für Böll gehalten hatte, antwortete ihm Matthias Walden in einem Leserbrief, »Böll, Walden und die Gewalt« (*Süddeutsche Zeitung*, Nr. 123, 28./29. 5. 1976), worin er erneut die fraglichen Zitate Bölls verwendet, um zu resümieren: »Obwohl es meine Absicht war, mit meinem Kommentar zur Reinigung vergifteter Brunnen in unserem Lande beizutragen und ich Ihre Polemik gegen mich als ehrenrührig empfinde, werde ich Sie nicht auf ein sechsstelliges Schmerzensgeld verklagen, sondern bitte Sie nur, meine Entgegnung als Leserbrief zu veröffentlichen.« Darauf entgegnet dann Böll brieflich am 11. 6. 1976, nachdem Müller-Meiningen ihm seinen eigenen Text sowie Waldens Einlassung übermittelt hat: »Ich halte solche Äußerungen, wie Herr Walden sie in der SZ gemacht hat (sowohl Ihren Kommentar wie W.s Brief habe ich natürlich gelesen) einfach für undelikat, zumal Walden in seinem Brief auch nicht mehr ›bietet‹, als er und seine Anwälte in zwei Riesenschriftsätzen schon zusammengesucht hatten; nichts Neues also. Ich habe in Köln vor Gericht (und da Journalisten anwesend waren, also notgedrungen ›öffentlich‹) erklärt, dass er Walden für mich *nach* diesem Kommentar nicht mehr satisfaktionsfähig ist, ich habe seinen Anwalt vor Gericht (also ebenfalls öffentlich) bevollmächtigt, seinem Mandanten zu erklären, dass er als Journalist und Publizist über mich schreiben kann, könnte, mag, was immer ihm einfällt – und daß ich nicht klagen werde [...]. Ich habe außerdem vor Gericht erklärt, daß es nicht um Walden den Publizisten geht (dessen politischer Standort und Methoden mir ja bekannt sind), sondern um das Instrument ›Anstalt des öffentlichen Rechts‹, die ihm zur Verfügung stand. Insofern sei mein Gegner nicht so sehr Walden, sondern der SFB. – Es ging ja auch gar nicht um die »Grenzen der Kritik«, wie es in Ihrem Kommentar heißt, sondern um die Grenze zwischen Meinungsfreiheit (ein zu großes Wort) und Verleumdungsfreiheit. Selbst wenn ich ein Prediger der Gewalt wäre, hätte W[alden] sich die Mühe machen müssen, mich wenigstens genau zu zitieren. Da es nun einmal das Schicksal von Zitaten ist, aus dem Zusammenhang gerissen zu werden, sollten sie wenigstens stimmen, sollten datiert und plaziert werden; nichts davon! Kein einziges Zitat stimmte, keins war datiert oder plaziert – und selbst in den Schriftsätzen waren erhebliche Ungenauigkeiten (ein Zitat wurde einfach aus dem Jahr 68 ins Jahr 74, also nahe an den Kommentartermin vorverlegt!). Noch bei der mündlichen Verhandlung vor dem Oberlandesgericht in Köln unterlief Ws Anwalt ein Ungenauigkeitsfehler: er verwechselte einen Artikel, den ich geschrieben hatte, mit einer Rede. Etc. etc. Was mich an dieser ganzen Angelegenheit noch interessiert: die sagenhafte siegessichere Fahrlässigkeit. Nicht weil es [um] W[alden] oder mich geht, sondern wegen der exakten Begründung ist das Urteil des Oberlandesgerichts interessant: es ist eine sowohl juristische wie *philologisch* exakte Studie, bei der es kaum noch um meine Gesinnung geht, sondern um die bewusst gefälschte, verfälschte Zitierungsmethode des W[alden], der, ich wiederhole, als Privatperson für mich nicht mehr satisfaktionsfähig ist, nur noch in seiner Eigenschaft als Kommentator einer Anstalt des öffentlichen Rechts« (HA 1326–274, Bll. 170–171). – Nachdem dieses Urteil am 30. 5. 1978 vom Bundesgerichtshof (BGH) aufgehoben worden war, legte Böll Verfassungsbeschwerde vor dem Bundesverfassungsgericht (BVG) mit der Begründung ein, daß es in diesem Rechtsstreit um eine Abwägung der Grundrechte des Persönlichkeitsschutzes und der Pressefreiheit zu tun sei. Am 18. 7. 1980 meldete die *Frankfurter Allgemeine Zeitung* die Aufhebung des BGH-Urteils durch das BVG, das die Klage zur erneuten Verhandlung an den BGH zurückwies, da in diesem Fall das Grundrecht des Persönlichkeitsschutzes höher zu bewerten sei als das der Pressefreiheit. Der VI. Zivilsenat des Bundesgerichtshofs entschied am 1. 12. 1981 dann im wesentlichen zugunsten Bölls mit der Begründung, das »ungenaue entstellte oder gar falsche Zitate nicht durch die Verfassungsgarantie der freien Meinungsäußerung nach Artikel 5 Grundgesetz gedeckt sind« (anon., 1981).

Überlieferung

Notizen

N: 1 Bl. mit hs. Stichworten unter dem Titel »Notizen zum Walden Termin 6. 4. 76 Köln. 11. 30 Zimmer 145«; 1 Bl. Typoskript mit einer Erklärung anläßlich des Sitzungstermins.
(HA 1326–274, Bll. 178–179)

Typoskripte

TH[1]: Erstschr., 6 Bll., mit diversen eh Änderungen, von Böll am loR als »1. Version Walden-Plädoyer« bezeichnet und eh am roR durchpaginiert.
(HA 1326–274, Bll. 95–100)

TH[2]: Erstschr., 5 Bll., gegenüber TH[1] von Böll am loR von Bl. 1 a.s »2. Version Walden-Plädoyer ungültig« bezeichnet.
(HA 1326–274, Bll. 101–105)

t[3]: Durchschr., 8 Bll., gegenüber TH[1] undTH[2] überarbeitete und erweiterter Fassung, von Böll am loR von Bl. als »3. Version Walden-Plädoyer ungültig« bezeichnet.
(HA 1326–274, Bll. 106–113)

TH[4]: Erstschr., 9 Bll., wiederum erweiterte Fassung (es fehlt Bl. 1), von Böll eh. am roR pag.; beiliegend noch 3 Bll. mit hs Notizen. (HA 1326–274, Bll. 114–122)

tH[5]: Durchschr., 9 Bll., mit einer ganzen Reihe von eh. Ergänzungen und Korrekturen, am loR von Bl. 1 eh. Vermerk der der Arbeitsbuchsigle »325/75« (= *AB* II, Bl. 30; NE); (es existieren von dieser Fassung noch zwei Durchschläge, rot und grün) (HA 1326–274, Bll. 123–131)

TH[6]: Erstschr., 10 Bll., endgültige Fassung, die geringfügige hs Korrekturen aufweist, auf Bl. 1 eh. Vermerk der der Arbeitsbuchsigle »325/75« (= *AB* II, Bl. 30; NE) (es existiert noch ein Durchschlag, gelb). (HA 1326–274, Bll. 150–159)

Drucke

Z: *Frankfurter Allgemeine Zeitung*. – 27. Jg., Nr. 50 (28. 2. 1975), S. 25 u. d. T.: Sache und Meinung. Aus dem Prozeß Heinrich Bölls gegen Matthias Walden. [Auszug]

D[1]: *ESR* III, S. 208–215.

D[2]: *EAS* 5, S. 204–211.

Textgrundlage

Textgrundlage ist D[1].

Varianten

76. 3–10 *Zunächst möchte … erscheinen würde.] Fehlt* Z
76. 12–14 *die nicht … beweiskräftig –,] Fehlt* Z
76. 28 *Bild-Zeitung]* BILD-Zeitung Z
76. 32–33 *des Spiegel-Artikels]* des Artikels Z
76. 33–77. 21 *Ich muß hier … tun kann.] Fehlt* Z
77. 32 *Pfennige]* Pfennig Z
78. 13 *und ich werde beweisen,] Fehlt* Z
78. 18 *noch: was]* noch: Was Z
78. 18–19 *beim Mord an Herrn von Drenkmann] Fehlt* Z
79. 10 *bezeichnet]* bezeichnete Z
79. 11 *richtet]* richtete Z
79. 13 *»Misthaufen«]* Misthaufen Z

79. 34–37 *an der entscheidenden Stelle ... dem Artikel] Fehlt* Z
80. 1 *ja]* je Z
80. 2 *krähe.«]* ⌈Z
80. 5 *«Misthaufen«]* Misthaufen Z
80. 15–16 *die Witwe, Frau von Drenkmann]* die Witwe des Herrn von Drenkmann Z
80. 28 *dreißig Jahren]* 30 Jahren Z
80. 28–34 *Ich habe ... ins Deutsche übersetzt,] Fehlt* Z
81. 2–4 *Ein einziges Mal ... Das ist alles.] Fehlt* Z
81. 5 *Zeitungsjournalisten]* Journalisten Z
81. 10–11 *, während ich für sieben Wochen im Ausland war,] Fehlt* Z
81. 14–20 *In der ersten ... zu führen] Fehlt* Z
81. 24–27 *1. ... unplaziert,] Fehlt* Z
81. 30–84. 9 *Schließlich habe ... Tatsachenbehauptungen enthielt.] Fehlt* Z

Stellenkommentar

76. 26–27 *mein umstrittener Artikel] Soviel Liebe auf einmal. Will Ulrike Meinhof Gnade oder freies Geleit?*, in: *Der Spiegel*, Nr. 3, 10. 1. 1972, S. 54–57 (*KA*, Bd. 18, S. 41–49).

77. 6–7 *letzte direkte Äußerung]* »Gefühle sind die ›Syphilis der Seele‹. Sternredakteur Paul-Heinz Koesters fragte den Schriftsteller, warum er sich für die Baader-Meinhof-Gruppe einsetzt«, in: *Der Stern*, Nr. 9, 20. 2. 1972, S. 148–150. Das Interview schließt mit Bölls Antwort auf die Frage, ob er Gewalt ablehne: »In unserem Staat ist es strategisch völlig unrealistisch, Waffengewalt anzuwenden. Ulrike Meinhof kann ja in einem Funkhaus nichts klauen und abhauen, sondern sie muß es besetzen. Dazu braucht man einfach viele Truppen, eine gut trainierte Mannschaft. Vielleicht würde ich in Südamerika mit einem Gewehr herumlaufen. Aber das ist hypothetisch: Ich lebe hier, und ich möchte hier Veränderungen des öffentlichen Bewußtseins bewirken.«

77. 9 *Bombenattentat in Heidelberg]* Gemeint ist der Bombenanschlag der RAF auf das Europa-Hauptquartier der United States Army am 24. 5. 1972, bei dem drei amerik. Soldaten getötet und fünf weitere verletzt wurden.

77. 10–15 *im Deutschen Bundestag eine Debatte ... gab ich eine Art Schlußstatement] Das Wort Intellektuellenhetze ist berechtigt*, in: *FAZ*, Nr. 140, 21. 6. 1972 (*Nicht Humus, sondern Wüstensand*, *KA*, Bd. 18, S. 120–123).

77. 23–24 *Interview] Größte Gefahr: Resignation*. Interview mit Wolfram Schütte, in: *Frankfurter Rundschau*, Nr. 265, 14. 11. 1974, S. 5.

77. 25–26 *Ermordung Herrn von Drenkmanns]* George Richard Ernst Günter von Drenkmann (1910–1974), dt. Jurist und Präsident des Kammergerichts Berlin. Am 10. 11. 1974 drangen mehrere Täter in v. Drenkmanns Haus ein, nachdem am Tag zuvor das RAF-Mitglied Holger Meins im Gefängnis während eines Hungerstreiks gestorben war. Im Handgemenge wurde v. Drenkmann schwer verletzt und starb noch am gleichen Tag. Zur Tat bekannten sich Mitglieder der »Bewegung 2. Juni«. – Im Interview mit Wolfram Schütte äußert sich Böll zur Frage, ob es einen Zusammenhang zwischen dem Tod v. Drenkmanns und dem von Holger Meins gebe: »Ich glaube, diese Frage kann man nicht beantworten. Ein anonymer Anrufer, der behauptet: ›Wir sind eine RAF-Nachfolgeorganisation‹, ist ein etwas mageres Zusammenhangsvehikel. Ich fürchte aber, daß es wohl einen Zusammenhang hat. Und wenn der Zusammenhang besteht, dann, finde ich, ist das ein Verbrechen ganz besonderen Grades, weil nicht nur die Ermordung von Herrn v. Drenkmann schrecklich ist, sondern auch die politischen Folgen auf das Konto der Täter gehen werden.«

78. 36–37 *Frau Zühlke und Herrn Burghardt ...]* Vgl. dazu auch Heinrich Albertz u. a. (Hg.): *Pfarrer, die dem Terror dienen? Bischof Scharf und der Berliner Kirchenstreit 1974*. Eine Dokumentation. Reinbek: Rowohlt, 1975.

79. 23 *Artikel]* Gemeint sind die »Notstandsnotizen«, in: *konkret*, Nr. 10, 1968, S. 38–41 unter dem Titel: *Nachtrag zum Notstand. zersetzen – zersetzen – zersetzen* (*KA*, Bd. 16).

80. 7 *Rede] Die Freiheit der Kunst. Dritte Wuppertaler Rede am 24. 9. 1966*, in: *Die Zeit*, Nr. 40, 30. 9. 1966 (*KA*, Bd. 15, S. 210–215)

80. 17 *Herr Benda]* Ernst Benda (geb. 1925), dt. Jurist und CDU-Politiker; von 1971 bis 1983 Präsident des Bundesverfassungsgerichts.

81. 2–3 *Beschwerdebrief wegen einer Rezension] Verfälschende Infamie*, in: *FAZ*, Nr. 279, 2. 12. 1974 (siehe S. 45 im vorliegenden Band).

81. 8–9 *Prozeß gegen Herrn Gerhard Löwenthal]* In einer Anmoderation zu einem Beitrag über die politische Situation an deutschen Hochschulen im *ZDF*-Magazin am 26. 1. 1972 hatte Gerhard Löwenthal (1922–2002) u. a. ausgeführt: »Der rote Faschismus (...) unterscheidet sich in nichts von dem braunen Faschismus. Und die Sympathisanten dieses Linksfaschismus, die Bölls und Brückners und all die anderen sogenannten Intellektuellen sind nicht einen Deut besser als die geistigen Schrittmacher der Nazis, die schon einmal soviel Unglück über unser Land gebracht haben« (zit. nach *Freies Geleit*, S. 104). Daraufhin beantragte Böll eine einstweilige Verfügung beim Landgericht Köln am 9. 2. 1972 auf Unterlassung dieser Äußerung. Bei der mündlichen Verhandlung vor dem Landgericht in Köln am 29. 3. 1972, bei der Böll und Gerhard Löwenthal anwesend waren, wurde die Klage »in der Hauptsache für erledigt erklärt« (HA 1326 – EK 8,

Beschluß des Landgerichts Köln vom 12. 4. 1972, S. 3), weil Löwenthal in der Sendung des *ZDF*-Magazins am 16. 2. 1972 in Unkenntnis von Bölls Klage-Einreichung seine Meinung relativiert hatte.

81. 12 *zweite gerichtliche Auseinandersetzung]* Böll hatte am 29. 1. 1975 gegen den Berliner CDU-Fraktionsvorsitzenden Heinrich Lummer (geb. 1932) eine einstweilige Verfügung erwirkt, da dieser in einem Schreiben die Einladung zu dem Empfang anläßlich der Verleihung der Carl-von-Ossietzky-Medaille an Böll und Heinrich Gollwitzer abgelehnt und dies damit begründet hatte, daß beide, »die in unserem Lande die Saat der Gewalt gepflegt und kultiviert haben [...] sich zumindest leichtfertig der geistigen Mittäterschaft schuldig gemacht« hätten (anon., 1972). Das Gericht entschied gegen die einstweilige Verfügung. Auch in nächster Instanz wurde Bölls Antrag abgewiesen, da sich Lummer auf seine Immunität als Parlamentarier bezog.

81. 17 *Indemnität]* Gemäß Artikel 46 des Grundgesetzes darf ein Abgeordneter zu keiner Zeit wegen seiner Abstimmung oder wegen einer Äußerung, die er im Bundestag oder in einem seiner Ausschüsse getan hat, gerichtlich oder dienstlich verfolgt oder sonst außerhalb des Bundestages zur Verantwortung gezogen werden.

82. 30–31 *Verleihung der Carl-von-Ossietzky-Medaille]* Vgl. *Ich habe die Nase voll*, S. 47 ff. im vorliegenden Band.

83. 27 *die englischen Posträuber]* In der Nacht v. 6. auf den 7. 8. 1963 brachte eine 15köpfige Bande durch die Manipulation eines Streckensignals einen zwischen Glasgow und Londen verkehrenden Postzug zum Halt und erbeutete Lohngelder in Höhe von umgerechnet etwa 15 Mio. Euro.

〈Gesprochener Atem〉

Entstehung

Der Essay trägt im Arbeitsbuch die Sigle »327/75«, wurde von Böll auf den 7. 2. 1975 datiert und entstand in Köln (*AB* II, Bl. 30; NE). In einem Brief vom 5. 1. 1975 wandte sich Hans Peter Keller mit der Bitte an Böll, sein Buch in der *Zeit* zu rezensieren: »Dies wäre – ganz geradeheraus gesprochen – die Krönung meiner literarischen Experimente, ganz gleich, wie kritisch Ihre Rezension ausfallen würde« (HA 1326–4000, Nr. 14925). Am 30. 1. 1975 erhielt Böll von Keller ein Exemplar seines Buches (vgl. HA 1326–PEB Bd. 10, Nr. 15248). Rolf Michaelis von der *Zeit*-Redaktion schrieb am 4. 2. 1975, daß er Bölls »Text zum Geburtstag von H. P. Keller« erwarte (vgl. HA 1326–4000, Nr. 15315). Acht Tage später, am 12. 2. 1975, bedankte sich Michaelis für Bölls Manuskript über Keller (vgl. HA 1326–4000, Nr. 15403). Keller bedankte sich seinerseits in einem Brief, der Böll am 7. 3. 1975 erreichte (vgl. HA 1326–PEB Bd. 10, Nr. 15611).

Überlieferung

Notizen

N[1]: 8 Bll. (verschied. Papiersorten und -größen); eh. Notizen mit Stichwörtern sowie div. eh. und ms. Seiten mit den von Böll zitierten Stellen; ein eh. Dankschreiben Kellers an Böll.
(HA 1326–269, Bll. 36–43)

Typoskripte

TH[1]: Erstschr., 3 Bll.; am roR eh. Vermerk mit Bleistift »1. Version ungültig«.
(HA 1326–269, Bll. 28–30)

tH[2]: Durchschr. (grün), 5 Bll; auf Bl. 1 eh. Vermerk der Arbeitsbuchsigle »327/75« (= *AB* II, Bl. 30; NE).
(HA 1326–269, Bll. 31–35)

Drucke

Z: *Die Zeit* (Hamburg). – 30. Jg., Nr. 11 (7. 3. 1975), S. 25.
D^1: *EE*, S. 200–203.
D^2: *ESR* III, S. 216–219.
D^3: *EAS* 5, S. 212–215.

Textgrundlage

Textgrundlage ist D^2. Korrigiert wurde:
87. 4 *Haecker]* Haekker; *offensichtlicher Druckfehler*

Stellenkommentar

85. 3 *Keller]* Hans Peter Keller (1915–1989), dt. Schriftsteller, der vor allem als Lyriker hervorgetreten ist; nach Kriegsteilnahme und schwerer Verwundung 1942 Entlassung aus der Wehrmacht, nach dem Krieg zunächst Arbeit als Lektor, von 1955 bis 1983 an der Düsseldorfer Buchhändlerschule tätig, seit 1973 auch Leiter der Volkshochschule in seinem Wohnort Büttgen (bei Neuss). Für sein lyrisches Oeuvre hat er u. a. 1956 den Förderpreis zum Heinrich-Droste-Preis und 1958 den Förderpreis zum Immermann-Preis der Stadt Düsseldorf erhalten.

85. 5 *Benn]* In der Vorbemerkung zur von ihm selbst herausgegebenen Sammlung seiner frühen Lyrik und Dramen von 1952 empfindet Benn im Unterschied zu den von ihm bewunderten Ausländern, etwa Mallarmé oder auch Henry Miller, »diese deutschen Bewisperer von Gräsern und Nüssen und Fliegen so, als lebten sie etwas beengt durch wirtschaftliche und moralische Nöte, zwischen Kindern und Enkeln und in Einehen – ich kann sie nicht als die alleinigen Vertreter unserer Lyrik ansehen« (Benn, 1968, Bd. 7, S. 1867).

85. 13 *Lec]* Stanislaw Jerzy Lec (1909–1966), poln. Schriftsteller, dessen Aphorismensammlungen auch international große Verbreitung gefunden haben: *Unfrisierte Gedanken* (1959), *Neue unfrisierte Gedanken* (1964); vgl. auch den Sammelband *Sämtliche unfrisierte Gedanken* (1996).

85. 13 *Popa]* Vasko Popa (1922–1991), serb. Schriftsteller und Publizist rumän. Herkunft, der vor allem mit acht Lyriksammlungen hervorgetreten ist.

85. 19 *Wankenden Stunde]* Hans Peter Keller: *Extrakt um 18 Uhr*. Verse, Bruchstücke, Prosa, Spiegelungen. Ausgewählt von Marguerite Schlüter. Wiesbaden, Limes, 1975, S. 13

85. 26 *Jeder lebt von sich getrennt]* Anfang des Gedichts »Du oder ich oder wer«; Keller, 1975, S. 20.

85. 27–29 *»Es scheint … in der Tasche.«]* Letzte Strophe des Gedichts »Mode«; Keller, 1975, S. 28.

86. 4–9 *Gesundheitspflege … Aufrichtigkeit.«]* Keller, 1975, S. 59.

86. 10 *»Laß dich gehen, aber zieh Stiefel an]* Keller, 1975, S. 108.

86. 10–11 *Im Ernstfall wird der Spaß fällig.«]* Keller, 1975, S. 91.

86. 12–13 *»Kein Transport von Träumen: zu teuer die Holzwolle.]* Keller, 1975, S. 75.

86. 22–24 *das erinnert mich an Breughel und Bosch … unverschnittenen Licht, diesem Rembrandt-Himmel]* Bölls Hochschätzung der niedl.-fläm. Malerei bekundet sich noch in anderen Texten, etwa in *Gruppenbild mit Dame*, wo Böll vom »Lichtgeheimnis der niederländischen Malerei« spricht (KA, Bd. 17, S. 117), oder auch im *Boris Birger*-Essay (in diesem Band), wenn Böll darin bei der Betrachtung von Birgerschen Bildern »an die malerische Materialisation des Lichts bei Rembrandt« denken muß.

86. 30–31 *»Marschmusik hat was Belebendes. Wäre man gelähmt! Seufzen die Toten«]* Keller, 1975, S. 135.

87. 3 *»Satire, Liebeserklärung!«]* Keller, 1975, S. 147.

87. 4–5 *Haecker … Satiriker und Lyriker nah beieinander wohnen]* Anspielung auf eine Passage in Theodor Haeckers Essay »Der katholische Schriftsteller und die Sprache« (1930), in der Haecker im Blick auf die spätantike Literatur formuliert: »[…] im untergehenden Rom [entriß] Juvenal die lautere Sprache Roms, nachdem er lange nur zugehört hatte: *semper ego auditur tantum*? – und rettete sie, ihre Majestät und Schönheit, in das, was der Lyrik Gegensatz zu sein schien und doch nur ihre rettende Rüstung war: in die Satire« (zit. nach: Haecker, 1958, S. 350).

87. 18 *Mein Standpunkt]* Es handelt sich um kein Buch, sondern um einen kleinen Essay mit dem Titel »Mein Standpunkt«, der bei Keller, 1975, S. 7–9 abgedruckt ist. Zitate S. 8.

88. 9 *Norbert Mennemeier]* Franz Norbert Mennemeier (geb. 1924), Literaturwissenschaftler und Hochschullehrer in Gießen, Braunschweig, Berlin und Mainz, hat jahrzehntelang für das *Neue Rheinland* literarische Neuerscheinungen besprochen; das Zitat stammt aus Mennemeiers Rezension, die u. d. T. »Stichwörter, Flickwörter« im *Neuen Rheinland*, H. 4, April 1970, S. 30, erschien. Böll hat dieses Zitat, mit dem der Verlag den Band beworben hat, in dem Keller-Band gefunden.

88. 13 *Nijmwegen]* Böll bildet hier eine Art Mischform, um die niederl. Stadt ›Nijmegen‹, dt. ›Nimwegen‹ zu bezeichnen.

88. 24–25 *im Landtag des Landes Nordrhein-Westfalen schlimme Vorwürfe]* Nachdem im *Neuen Rheinland* (H. 4.1974) darüber berichtet worden war, daß der Nachlaß Bölls von der Universität zu Boston (USA) ge-

sammelt werde, gab es im nordrhein-westfälischen Landtag eine Anfrage des CDU-Abgeordneten Dr. Petermann, die aus drei Punkten bestand: »1. Welche Maßnahmen hat die Landesregierung getroffen, um Nachlässe, Autographen und sonstige Schriften nordrhein-westfälischer Dichter und Schriftsteller oder Komponisten im Lande zu sammeln und zu archivieren?; 2. Welche Mittel stehen zu diesem Zweck zur Verfügung, wie werden sie verwandt?; 3. Ist die Landesregierung bereit, eigene Maßnahmen (welche?) einzuleiten, ggf. einen Gesetzentwurf vorzulegen, in dem die Landschaftsverbände mit entsprechenden Zuständigkeiten (und Mitteln) ausgestattet werden?« (Kleine Anfrage 1446; Landtag Nordrhein-Westfalen. 7. Wahlperiode. Drucksache 7/3781; 22. 4. 1974). – Darauf antwortete die Landesregierung mit einer umfassenden Erklärung, in der es im Blick auf die dritte Frage u. a. heißt: es werde auch »die Notwendigkeit und Möglichkeit einer etwaigen Zuständigkeitserweiterung der Landschaftsverbände zu behandeln sein, ebenso die Frage der Erfassung der Materialien und Schriften der ostdeutschen Schriftsteller und Dichter Nordrhein-Westfalens, der wegen des Verlustes dieser Gebiete besondere Bedeutung zukommt. Für die Einleitung entsprechender Maßnahmen zeichnet sich schon jetzt eine Einteilung in örtliche, regionale und ggf. Sammlung auf Landesebene ab, wobei die Auswahlsammlung auf Bundesebene weiterhin als Aufgabe des ›Deutschen Literaturarchivs‹ in Marbach oder sonstiger Stellen anzusehen ist« (Landtag Nordrhein-Westfalen. 7. Wahlperiode. Drucksache 7/3970; 14. 6. 1974).

88. 33 *Heinrich Heine]* Die Heinrich-Heine-Univerisät in Düsseldorf, 1965 zur Volluniversität mit einer juristischen, medizinischen, philosophischen, mathematisch-naturwissenschaftlichen und eine wirtschaftswissenschaftlichen Fakultät ausgebaut, trägt ihren Namen erst seit 1989, nachdem es in den Jahren zuvor immer wieder zum erbitterten Streit über den Namensgeber gekommen ist.

⟨Handwerker sehe ich, aber keine Menschen⟩

Entstehung

Die Rezension, die im Arbeitsbuch die Sigle »324/75« trägt, ist über einen vergleichsweise langen Zeitraum zwischen Juli 1974 und Februar 1975 entstanden und in Langenbroich abgeschlossen worden (*AB* II, Bl. 30; NE). Am 24. 2. 1975 schrieb Marcel Reich-Ranicki von der *FAZ* über die Besprechung des Romans: »Sie ist sehr aufschlußreich und interessant und macht auch, glaube ich, die Grenzen des Buches deutlich. Wir werden mit dieser Kritik unsere Frühjahrsliteraturbeilage, die am 11. März erscheint, aufmachen« (HA 1326–4000, Nr. 15482). Rund um die Publikation des Romans, aber auch noch im darauffolgenden Jahr existiert eine umfangreiche Korrespondenz zwischen Böll und Struck, aus der deutlich wird, daß Böll nicht nur intensiven Anteil an der letzten Fassung von Strucks Roman genommen hat, sondern auch über einige Monate hinweg von Karin Struck sehr eng, auch im Blick auf private Dinge (Beziehungsprobleme, Umzugsüberlegungen) ins Vertrauen gezogen worden ist. Unter dem Datum vom 21. 2. 1975 bedankte sich Karin Struck bei Böll für dessen Rezension, deren »leise Kritik« sie aufnehme (HA 1326–4000, Nr. 15465).

Überlieferung

Notizen

N[1]: 8 Bll.; Bl. 1 eh. mit blauem Kugelschreiber Stellen- und Zitatangaben aus Karin Strucks *Die Mutter*, am roR eh. Vermerk der Arbeitsbuchsigle (mit Bleistift) »324/75« (= *AB* II, Bl. 30; NE); 7 Bll. eh. Vermerke mit Bleistift zur inhaltlichen Struktur, Zitatangaben, Kapitelgliederung sowie Textbezüge zu *Die Mutter*.
(HA 1326–269, Bll. 44–51)

N[2]: 3 Bll.; ms. Auflistung von Zitaten aus *Die Mutter* und der Bibel, am roR von Bl. 1 eh. Vermerk der Arbeitsbuchsigle (mit blauem Kugelschreiber) »324/75« (= *AB* II, Bl. 30; NE) sowie am rmR mit Bleistift Kapitelgliederung; div. angeführte Zitate sind mit Bleistift eingekreist.
(HA 1326–269, Bll. 52–54)

Typoskripte

TH[1]: Erstschr., 6 Bll.; erster Entwurf, unvollst., am loR eh. pag. 1–6 (mit schwarzem Kugelschreiber), auf Bl. 1 eh. Vermerk der Arbeitsbuchsigle (mit blauem Kugelschreiber) »324/75« (= *AB* II, Bl. 30; NE) sowie div. eh. Anmerkungen am rechten Rand der Bll. 1–2; auf den Bll. 4–6 einige Passagen mit rotem Filzschreiber markiert.
(HA 1326–269, Bll. 55–60)

TH[2]: Erstschr., 7 Bll.; am loR eh. pag. 1–7 (mit schwarzem Kugelschreiber) sowie am roR eh. Vermerk der Arbeitsbuchsigle »324/75« (= *AB* II, Bl. 30; NE), auf Bl. 1 eh. Titel (mit Bleistift) »Handwerker sehe ich aber keine Menschen«, am rechten Rand eh. Notiz »2. Version ungültig«.
(HA 1326–269, Bll. 61–67)

tH[3]: Durchschr. (grün), 7 Bll.; durchschr. eh. pag. am loR (1–7), eh. Vermerk mit blauem Kugelschreiber am roR von Bl. 1 eh. Vermerk der Arbeitsbuchsigle (mit blauem Kugelschreiber) »324/75« (= *AB* II, Bl. 30; NE).
(HA 1326–269, Bll. 68–74)

Drucke

Z: *Frankfurter Allgemeine Zeitung*. 27. Jg., Nr. 59 (11. 3. 1975), Literaturbeilage, S. 1.

D[1]: *ESR* III, S. 220–225.

D[2]: *EAS* 5, S. 216–221.

Sendungen

SR: Karin Struck: *Die Mutter*, vorgestellt von Heinrich Böll, in: *Rias*. Kulturelles Wort. Sendung, 28. 5. 1975.

Textgrundlage

Textgrundlage ist D[1].

Stellenkommentar

89. 2 *Karin Struck]* Karin Struck (1947–2006), dt. Schriftstellerin; zu den bekanntesten Werken zählen neben *Klassenliebe* (1973) und dem von Böll besprochenen zweiten Roman *Die Mutter* noch die Prosatexte *Lieben* (1977) und *Kindheits Ende* (1982). Unter dem Titel *Schreiben und Lesen* ist auch ein Gespräch zwischen Heinrich Böll und Karin Struck im *WDR* am 28. 12. 1973 gesendet worden.

89. 4 *Klassenliebe] Klassenliebe* ist Karin Strucks erster, 1973 publizierter Roman; zählt zur biographischen Bekenntnisliteratur der 1970er Jahre, zur Literatur der »Neuen Subjektivität«; ausgehend von der unmittelbaren Gegenwart des Jahres 1972 beschreibt die Ich-Erzählerin Karin S. ihre Jugend und ihr Leben im ostwestfälischen Schloß Holte, Arbeits- und Studienerfahrungen, die Vorbereitungen für eine Dissertation, schließlich ihre Schwangerschaft und Ehe mit H. Dazu wählt sie die Briefform, Tagebuchnotate und Traumprotokolle, die mit narrativen Passagen vermischt werden. Vor dem Hintergrund der ausklingenden Studentenbewegung beschreibt Struck die Nöte und Ängste einer Generation – zumal aus einem bildungsfernen Milieu.

89. 18 *Jahr der Frau]* Unter dem Leitspruch »Gleichberechtigung, Entwicklung, Frieden« wurde am 1. 1. 1975 von den Vereinten Nationen das Jahr der Frau ausgerufen; im Mittelpunkt standen dabei insbesondere die Themenbereiche Liebe und Sexualität, der Kampf gegen die Gewalt gegenüber Frauen, sexueller Mißbrauch und Zwangsprostitution; der Internationale Tag der Frau existiert bereits seit dem 19. 3. 1911 und wird seit 1921 immer am 8. 3. jeden Jahres gefeiert, während am 25. 11. der Internationale Tag für die Beseitigung von Gewalt gegen Frauen ist.

89. 20 *das Karlsruher Urteil]* Am 25. 2. 1975 führte eine Entscheidung des Bundesverfassungsgerichts zu heftigen öffentlichen Kontroversen und zahlreichen Protesten. Die von der SPD-FDP-Regierung ein Jahr zuvor erlassene Änderung des § 218, wonach der Schwangerschaftsabbruch innerhalb der ersten drei Monate straffrei ist, wurde wieder aufgehoben. Die Mehrheit der Richter begründete die Entscheidung mit Artikel eins des Grundgesetzes, wonach die Würde des Menschen, einschließlich derjenigen des Embryos, unantastbar sei; eine Abtreibung sei somit nur möglich, wenn aus medizinischen Gründen Gefahr für Mutter und/oder Kind bestehe, eine soziale Notlage unabwendbar wäre bzw. ein Kind durch eine Vergewaltigung gezeugt wurde.

89. 27 *Blut und Boden]* Siehe Stellenkommentar zu 58. 22.

90. 6 *nicht der letzte Dreck]* Zitat aus: Karin Struck: *Die Mutter. Roman.* Frankfurt am Main, Suhrkamp, 1975, S. 326.

90. 11 *Die Mutter ist der wichtigste Mensch]* Struck, 1975, S. 11.

90. 11–13 *Die Zeit … arbeitslos]* Struck, 1975, S. 16.

90. 22 *herauskommt]* Struck, 1975, S. 231.

90. 34 *Parteien]* Struck, 1975, S. 341.

91. 13–17 *Ein Vierteljahrhundert … leibhaftig]* Struck, 1975, S. 97.

91. 26–27 *Bezugsperson, sondern Mutter]* Struck, 1975, S. 168; das Originalzitat lautet: »Keine Bezugsperson, nein: eine Mutter.« Und a. a. O. Kap. 6, S. 323; das Originalzitat lautet: »keine Bezugsperson, sie will eine Mutter.«

91. 29–30 *Die Gebärmutter … Muskel]* Struck, 1975, S. 364.

91. 32–33 *Fünfundfünfzig Plazenten … Abholers]* Struck, 1975, S. 215.

92. 6 *Wachset und mehret euch]* Struck, 1975, S. 327; das Originalzitat lautet: »seid fruchtbar und mehret euch.« Auch Gen 1,28.

92. 8–9 *Selig … gesäugt haben]* Struck, 1975, S. 50; das Originalzitat lautet: »Selig sind die Unfruchtbaren und die Leiber, die nicht geboren, die nicht genährt haben.« Auch Lk 23,29

92. 12 *Hölderlin-Zitat]* Friedrich Hölderlin (1770–1843), dt. Dichter.

92. 12–13 *Unfreundlich … die Mutter]* Struck, 1975, S. 5. Vgl. auch: Friedrich Hölderlin: »Die Wanderung«, in: Hölderlin, 1992, S. 336–339. Das Zitat befindet sich auf S. 339.

92. 17–18 *Ein Buch … Christa T.‹]* Struck, 1975, S. 255; Hinweis auf Christa Wolfs Roman von 1968, der als einer der einflußreichsten Dokumente einer neuen, an westl. Tendenzen orientierten Ästhetik gilt und überaus kontrovers in der DDR besprochen worden ist.

92. 29 *Man muß die Menschen lieben]* Struck, 1975, S. 47; das Originalzitat lautet: »Man muß die Menschheit lieben […].« Und a. a. O. Kap. 4, S. 232; das Originalzitat lautet: »Man muß die Menschheit lieben.«

92. 30 *Dem Volk etwas sein]* Struck, 1975, S. 335.

93. 4–5 *Sie (Nora) könnte … einkaufen]* Struck, 1975, S. 231.

93. 11–16 *Nora haßt … werden müßte]* Struck, 1975, S. 306.

93. 24–25 *ungelernter Leichtlohnarbeiterinnen]* Struck, 1975, S. 162 und S. 171.

93. 30–31 *Handwerker … keine Menschen]* Struck, 1975, S. 216, 219 und 247. – Karin Struck parodiert hier Friedrich Hölderlins Briefroman *Hyperion oder der Eremit aus Griechenland* (1797/1799, 2 Bde.); Hyperion, getragen von einem ausgeprägten Freiheitspathos, schildert in lyrisch-elegischen Briefen an seine Freunde seine Vita und seinen Wunsch, einem Leben nach den Vorstellungen der griech. Antike nachgehen zu können. Nach dem Befreiungskampf gegen die Türken und dem Tod seiner Geliebten Diotima kehrt Hyperion in den Westen zurück, doch auch dort kann er seine Ideale nicht verwirklichen: »Handwerker siehst du, aber keine Menschen, Denker, aber keine Menschen, Priester, aber keine Menschen, Herrn und Knechte, Jungen und gesezte Leute, aber keine Menschen – ist das nicht wie ein

Schlachtfeld, wo Hände und Arme und alle Glieder zerstückelt untereinander liegen, indessen das vergoßne Lebensblut im Sande zerrinnt?« (Hölderlin, 1992, S. 754 f.)

93. 34–35 *Mutterliebe ist Kunst]* Struck, 1975, S. 44.

94. 11–13 *Schreiben … vorstellen kann]* Struck, 1975, S. 99.

94. 24 *Kinderreichtum ist Sünde]* Struck, 1975, S. 156.

94. 24–25 *Heimat war nur ein Schimpfwort]* Struck, 1975, S 115.

94. 31–32 *nicht der letzte Dreck]* Siehe Stellenkommentar zu 90. 6.

⟨Was las Hindenburg?⟩

Entstehung

Der Text trägt im Arbeitsbuch die Sigle »333/75«, ist dort auf März 1975 datiert und in Langenbroich entstanden (*AB* II, Bl. 32; NE). Am 3. 4. 1975 schrieb Wolfram Schütte von der *Frankfurter Rundschau*, in der die Besprechung ebenfalls gedruckt worden ist (*Was las Hindenburg? Fragen nach dem Lesen von Peter Brückners Untersuchung ›Sigmund Freuds Privatlektüre‹*, in: *Frankfurter Rundschau*, Nr. 79, 5. 4. 1975), daß er auf die Brückner-Rezension warte (HA 1326–4000, Nr. 15597).

Überlieferung

Notizen

N: 9 Bll.; auf Bl. 1 eh. Stichworte und Exzerpte, Bll. 2–3 ms. »Zitate und Hinweise aus Brückner«; Bll. 4–9 Kopien von Seiten der Fahnen aus Brückners Buch.
(HA 1326–269, Bll. 115–123)

Typoskripte

T: Erstschr., 2 Bll.; am loR von Bl. 1 eh. Notiz »1. Versuch ungültig«.
(HA 1326–269, Bll. 108–109)

t^1: Durchschr., 5 Bll.; am roR eh. paginiert 1–5, am loR (fälschlicher) Vermerk der Arbeitsbuchsigle »335/75« (= *AB* II, Bl. 32; NE; dort »333/75), auf Bl. 5 eh. Unterschrift.
(HA 1326–269, Bll. 110–114)

Drucke

Z: *National Zeitung* (Basel). – 133. Jg., Nr. 97 (27. 3. 1975), ›NZ am Wochenende‹ S. V u. d. T.: Was las Sigmund Freud?

D^1: *EE*, S. 210–214.

D²: *ESR* III, S. 233–237.
D³: *EAS* 5, S. 229–233.

Textgrundlage

Textgrundlage ist D².

Varianten

95. 6 *Marktforschung]* MARKTforschung Z
95. 16 *sein Leben]* ein Leben Z
95. 24 *Privatlektüre]* PRIVATlektüre Z
95. 27 *(Privat)-Lektüre]* (Privat)Lektüre Z
96. 12 *noch]* n o c h Z
96. 20 *auch]* a u c h Z
96. 26 *Leser]* L e s e r Z

Stellenkommentar

95. 2–3 *Brückners … Sigmund Freuds Privatlektüre]* Peter Brückner (1922–1982): *Sigmund Freuds Privatlektüre*. Köln 1975. – Nach dem Studium der Psychologie und Promotion arbeitete Brückner zunächst im sozialpädagogischen Bereich, ehe er sich – nach dem Kontakt mit dem Frankfurter Psychologenpaar Alexander und Margarethe Mitscherlich – auf dem Feld der Sozialpsychologie engagierte und 1967 einen Ruf an die Universität Hannover erhielt und den Lehrstuhl für Psychologie besetzte. Durch sein positives Verhältnis zur Studentenbewegung wurde er zu einem der populärsten linken dt. Akademiker; 1972 warf die niedersächs. Landesregierung ihm eine Unterstützung der RAF vor und suspendierte ihn für zwei Semester vom Dienst. Im Zuge der sog. »Mescalero«-Affaire, als Studenten nach der Ermordung des damaligen Generalbundesanwalts Siegfried Buback durch die RAF einen fragwürdigen Nachruf publizierten und darin ihrer ›klammheimlichen Freude‹ Ausdruck gaben, wurde Brückner 1977 wegen der Solidarität mit den Studenten erneut vom Dienst suspendiert. Erst 1981 wurden die Disziplinarmaßnahmen gegen ihn aufgehoben. Zu seinen bekanntesten Arbeiten zählen *Sozialpsychologie des Kapitalismus* (1974) und *Ulrike Meinhof und die deutschen Verhältnisse* (1976).

95. 11 *Stendhal oder Sterne]* Stendhal (eigentl. Marie-Henri Beyle) (1783–1842), frz. Schriftsteller. – Laurence Sterne (1713–1768), engl. Schriftsteller.

95. 13 *Und keiner weint mir nach von Siegfried Sommer]* Siegfried Sommer (1914–1996), Münchner Journalist und Schriftsteller, dessen bekanntester Roman *Und keiner weint mir nach* erstmals 1954 erschienen ist (Neuausgabe 2008); Böll hat den Roman Sommers seinerzeit neben Stefan Andres' *Der Knabe im Brunnen* in einer Doppelbesprechung für die *Welt der Arbeit* unter dem Titel *Der Knabe im Brunnen und der in der Mietskaserne* rezensiert (vgl. *KA*, Bd. 7, S. 289–291).

95. 14–15 *Jack Londons Martin Eden]* Der autobiographisch geprägte Bildungsroman *Martin Eden* des amerik. Schriftstellers Jack London (1876–1916) erschien erstmals 1909; er erzählt die Geschichte eines jungen Matrosen, der sich zum Schriftsteller entwickelt, aber sich aus persönlicher Zurücksetzung und Enttäuschung über das Unverständnis sowie der Heuchelei der zunächst von ihm bewunderten gebildeten Schichten auf hoher See umbringt.

95. 22 *»Das Buch, ein Schwert des Geistes.«]* Anspielung bzw. Verballhornung der Bibelstelle Eph. 6, 17: »Nehmt den Helm des Heils und das Schwert des Geistes, das ist das Wort Gottes!«

95. 25 *Sigmund Freud]* Sigmund Freud (1856–1939), österr. Psychoanalytiker.

95. 28 *Hindenburg]* Paul von Hindenburg (1847–1934), dt. Generalfeldmarschall und Reichspräsident.

95. 28 *Lyndon B. Johnson]* Lyndon B. Johnson (1908–1973), amerik. Politiker, Präsident 1963–1969.

95. 32 *Alfred Döblin]* Zit. nach Brückner, 1975, S. 4.

96. 2–3 *L. Marcuse]* Zit. nach Brückner, 1975, S. 4.

96. 7 *Joseph Conrad]* Zit. nach Brückner, 1975, S. 9.

96. 19–20 *Dostojewskijs]* Fjodor Michajlowitsch Dostojewski (1821–1881), russ. Schriftsteller. – Siehe zu Böll-Dostojewski ferner Stellenkommentar zu 100. 14.

97. 6 *Jacobsen]* Jens Peter Jacobsen (1847–1885), dän. Schriftsteller, dessen Entwicklungsroman *Niels Lyhne* (1880) auf die Zeitgenossen wie ein Werther ihrer Zeit, so Stefan Zweig, gewirkt hat.

97. 7 *Multatuli (Dekker)]* Multatuli (Pseudonym für Eduard Dowes Dekker) (1820–1887), bedeutender ndl. Schriftsteller, von Anatol France als holländischer Voltaire bezeichnet, der vor allem als Autor humoristischer wie sozialer Romane bekannt geworden ist, darunter *Max Havellar* (1860).

97. 7 *Cervantes]* Miguel Cervantes Saavedra (1547–1615), bedeutendster span. Schriftsteller, Autor des Romans *Don Quijote* (1605–1615).

97. 8 *Milton]* John Milton (1608–1674), engl. Schriftsteller; Verf. des Versepos *Paradise Lost* (endgültige Fassung 1674).

97. 9 *Fielding]* John Fielding (1707–1754,) engl. Schriftsteller, Mitbegründer des sentimentalen bürgerlichen Romans.

97. 9 *Sterne]* Laurence Sterne (1713–1768), engl. Schrifsteller, einflußreicher Romanautor, der mit seinem Roman *The Life and Opinions of Tristram Shandy, gentleman* (1759–67) auf die Entwicklung erzählender Literatur in Europa gewirkt hat.

97. 10 *Thackeray]* William Thackeray (1811–1863), engl. realistischer Schriftsteller.

97. 10 *Dickens]* Charles Dickens (1812–1870), engl. Schriftsteller, Mitbegründer des realistischen Romans in England.

97. 10–11 *Eliot (Mary Ann Evans)]* George Eliot (1819–1880), engl. Schriftstellerin.

98. 16–17 *Niels Lyhne]* Brückner, 1975, S. 50.

99. 8 *Balzacs Bemerkung]* Zit. nach Brückner, 1975, S. 146.

99. 18 *Adenauer]* Konrad Adenauer (1876–1967), dt. Politiker (CDU).

99. 18 *englische Königin]* Elisabeth II. (geb. 1926).

⟨Das meiste ist mir fremd geblieben⟩

Entstehung

Dieser Essay ist unter der Signatur »328/75« im Arbeitsbuch verzeichnet, von Böll auf den 19./20. 1. 1975 datiert und in Langenbroich geschrieben worden (*AB* II, Bl. 31; NE). Am 24. 2. 1975 bedankte sich Marcel Reich-Ranicki von der *FAZ* für das Manuskript über Ernst Jünger, in dem ihm auffiel, »daß Sie immer wieder die Fremdheit betonen und daß gleichzeitig, ob Sie das wollten oder nicht, eine Art Faszination durchschimmert. So ist ein Manuskript entstanden, das von einem ambivalenten Verhältnis zeugt – und gerade das war beabsichtigt« (HA 1326–4000, Nr. 15482).

Überlieferung

Typoskripte

T: Erstschr., 2 Bll.; unvollst. erster Entwurf; am loR von Bl. 1 eh. Vermerk der Arbeitsbuchsigle »328/75« (= *AB* II, Bl. 31; NE), darunter der eh. Vermerk »1. Version ungültig«.
(HA 1326–269; Bll. 124–125)

Th[1]: Erstschr., 4 Bll.; unvollst., gegenüber T erweiterte Fassung; am lmR von Bl. 1 eh. Notiz »2. Versuch ungültig«.
(HA 1326–269; Bll. 126–129)

t[2]: Duchschr., 4 Bll.; am oberen Rand von Bl. 1 eh. Titel »Über Ernst Jünger«, am loR Vermerk der Arbeitsbuchsigle »328/75« (= *AB* II, Bl. 31; NE); der Textstand entspricht weitestgehend den Druckfassungen.
(HA 1326–269; Bll. 130–133)

Drucke

Z: *Frankfurter Allgemeine Zeitung*. – 27. Jg., Nr. 74 (29. 3. 1975), ›Bilder und Zeiten‹.

D[1]: *EE*, S. 215–218.

D[2]: *ESR* III, S. 226–229.

D[3]: *EAS* 5, S. 222–225.

Textgrundlage

Textgrundlage ist D². Darüber hinaus wurde korrigiert:
100. 14 *Dostojewskij]* Dostojewski;
101. 29 *Dostojewskij]* Dostojewski;

Varianten

100. 28 *Gerhard Nebel.]* ⌈Z

Stellenkommentar

100. 4 *Jünger]* Ernst Jünger (1895–1998), dt. Schriftsteller; als Gymnasiast 1913 bei der frz. Fremdenlegion, Kriegsfreiwilliger 1914 bis 1918, mit dem Eisernen Kreuz sowie dem Orden ›Pour le Mérite‹ ausgezeichnet, bis 1923 in der Reichswehr, dann Studium der Zoologie und Philosophie ohne Abschluß in Leipzig, seit 1926 freier Schriftsteller; die großen, kontrovers diskutierten Essaybände *Das Abenteuerliche Herz* und *Der Arbeiter* erschienen 1929 bzw. 1932, der Roman *Auf den Marmorklippen* 1939; im Zweiten Weltkrieg war Jünger ab 1940 als Offizier in Paris, ab 1941 im Stab des dt. Militärbefehlshabers, Publikationsverbot zwischen 1945 und 1949; 1955 Literaturpreis der Stadt Bremen, 1959 Großes Bundesverdienstkreuz, 1982 Goethe-Preis der Stadt Frankfurt/M. – Bölls zwiespältige Haltung gegenüber Jünger drückt sich nicht allein in diesem Essay aus, sondern zieht sich durch die gesamte Biographie des Kölner Schriftstellers, für den Jünger so etwas wie der Gegenpol zu den frühen Lieblingsautoren Bloy und Dostojewski bedeutete. Bereits in den Kriegsbriefen finden sich etliche Stellen, die die Jünger-Lektüre bezeugen. Im Januar 1943 hatte er nach der Lektüre von *Gärten und Straßen* und *Feuer und Blut* geschrieben: »[...] ach, es ist doch sonderbar, daß ich so gerne Jünger lese, der mir so absolut wesensungemäß ist, wirklich, meine ich, marmorn... stählern auch; absolut kriegerisch, wirklich der absolute Soldat – und ich bin der absolute Zivilist [...]« (*KB*, S. 1597). Und in einem Brief vom 28. 4. 1943 heißt es: »[...] es sind phantastische Bücher, und ich möchte sie nicht missen, aber es fehlt etwas darin: eine menschliche Note; weißt Du, was ich mir niemals vorstellen könnte: daß Jünger einmal richtig vollkommen berauscht gewesen ist [...]« (*KB*, S. 733).

100. 14 *Dostojewskij und Chesterton]* Bölls Angaben datieren die Begegnung mit dem Werk Dostojewskis in die Jahre 1934 oder 1935. Im März 1943 schrieb Böll: »Ich sehne mich sehr nach einem Dostojewski; manchmal

dünkt mich, er sei der König, der christliche König aller Armen und Leidenden und Liebenden – und woraus sonst besteht die Gemeinde Gottes hier auf Erden als aus Armen, Liebenden und Leidenden« (Brief v. 26. 3. 1943, *KB*, S. 670). – Gilbert Keith Chesterton (1874–1939), engl. Schriftsteller. Chesterton zählte Böll in seinem 1938 entstandenen Essay ‹Wenn ich danken müßte...› zu den einflußreichten Autoren jener Jahre (siehe *KA*, Bd. 1, S. 282–283). Vgl. auch Bölls Feldpostbrief v. 30. 7. 1941, in dem er Chesterton – neben Dostojewski, Bloy und dem dän. Philosophen und Theologen Sören Kierkegaard (1813–1855) – als einen jener »Männer« hervorhebt, »die ich am meisten verehre, von allen modernen Christen« (*KB*, S. 231).

100. 19 *Léon Bloy und Georges Bernanos]* Leon Bloy ebenso wie Georges Bernanos gehörte dem um 1870 in Frankreich aufkommenden ›renouveau catholique‹ an, zu dem ebenfalls Paul Claudel (1868–1955), Charles Péguy (1873–1914), Francis Jammes (1868–1936) und François Mauriac (1885–1970) zählten – Autoren, die Böll in den 1930er und 1940er Jahren rezipierte und deren Werke er bis in die 1960er Jahre auch rezensierte (siehe *KA*, Bd. 7, 14; zu Bernanos siehe *KB*, S. 109, 568, 683, 698). – Zum ›renouveau catholique‹ vgl. Böll im Gespräch mit René Wintzen: »Sie müssen sich vorstellen, daß zum Beispiel meine Mutter, die eine sehr intelligente, sehr sensible Person war und gar nicht so untertänig gegenüber der kirchlichen Autorität, wahrscheinlich vor Schrecken blaß geworden wäre, wenn es bei uns im Hause einen Roman von Zola gegeben hätte. Zola war für diese Generation der Teufel in Person. [...] Und innerhalb dieses Milieus kamen plötzlich Namen auf von Franzosen, von denen man sagte, sie seien Katholiken. Ja, Mauriac, Bernanos, Bloy [...]. Die Darstellung des katholischen Milieus bei Mauriac etwa ist so intensiv, fast penetrant, daß man's riechen kann. [...] Diese im Grunde kritische Schilderung des bürgerlichen katholischen Milieus, die sehr kritische Schilderung des Klerus und seiner Verstrickungen bei Bernanos etwa, war eine Befreiung in diesem Augenblick, 1936 bis 38« (*Int.*, S. 530). Vgl. auch »[...] ich hab natürlich, natürlicherweise, als Junge gelesen, was so aus dem Milieu kam. Wir haben *Hochland* gehabt, diese katholische Zeitschrift, die ein hohes Niveau hatte, ich hab Bergengruen gelesen, Gertrud von Le Fort, Reinhold Schneider; und dann kam, das hat mir den Anstoß zum Schreiben gegeben, das Bekanntwerden mit der Literatur, der renouveau catholique in Frankreich, angefangen mit Bloy, Péguy, Mauriac, Bernanos, und da spürte ich, das sage ich jetzt nachträglich, das hab ich damals nicht bewußt gespürt, daß das ein ganz anderer, befreiender Ton war, als der deutsche Katholizismus ihn je hervorgebracht hat. Ich bin davon sehr beeinflußt worden. Ich hab meine ersten Kurzgeschichten, einen Roman geschrieben, Gedichte zunächst unter dem Einfluß dieses sehr umstrittenen, aber sehr wortstarken Léon Bloy – ich

weiß nicht, ob Ihnen der ein Begriff ist –, dann kam Bernanos, der mir noch näher war, verstehen Sie, ich bin also in diese Entwicklung reingekommen so etwa mit zwanzig, einundzwanzig, nach dem Abitur, als ich Lehrling war« (Böll/Lenz).

100. 23 *Jünger]* Friedrich Georg Jünger (1898–1977), Bruder von Ernst Jünger, dt. Schriftsteller, Lyriker und Essayist; zu den bekanntesten Texten zählen der kultur- und zivisisationskritische Essay *Die Perfektion der Technik* (1939 geschrieben, allerdings erst 1946 publiziert) sowie die beiden im Trend der Nachkriegsdichtung liegenden unpolitischen Sammlungen von Naturlyrik *Die Silberdistelklause* und *Das Weinberghaus* von 1947.

100. 24 *Nebel]* Gerhard Nebel (1903–1974), Schriftsteller und Essayist; nach Studium und Promotion in den Fächern klass. Philologie und Philosophie Lehrer, zunächst in Köln, später in Düsseldorf, Krefeld und Neuwied, nach dem Krieg in Wuppertal bis zur frühzeitigen Pensionierung 1955; seit 1939 Bekanntschaft mit Ernst Jünger, seit 1946 Freundschaft mit Carl Schmitt. Nach dem Krieg erscheinen in rascher Folge u. a. die Essaybände, Tagebücher und Monographien *Tyrannis und Freiheit* (1947), *Bei den nördlichen Hesperiden. Tagebuch aus dem Jahre 1942* (1948), *Ernst Jünger. Abenteuer des Geistes* (1949), *Weltangst und Götterzorn. Eine Deutung der griechischen Tragödie* (1951). – Über seine Zeit als Lehrer berichtet Nebel in: *Alles Gefühl ist leiblich. Ein Stück Autobiographie* (Stuttgart, 2003); darin heißt es im Blick auf die erste Kölner Zeit: »Ich wurde an das Kaiser-Wilhelm-Gymnasium geschickt, das heute nicht mehr besteht, aber im Zuge der Enthohenzollerung der Schulnamen sicherlich auch nicht mehr so hieße, sondern etwa Katharina-Emmerich-Gymnasium benannt wäre – hat dieses Schicksal doch auch meine alte Koblenzer Schule, das Kaiserin-Augusta-Gymnasium, getroffen, das heute ein Joseph-Görres-Gymnasium ist. In Köln sprach man vom ›Armen Heinrich‹, weil die Schule an der Heinrichstraße lag, im Zentrum der südlichen Altstadt, nicht weit vom Perlengraben, und weil dort alles ein wenig dürftig war, die Lage, der Bau, die Tradition, das Kollegium, Verstand, Geschmack und Anmut der Schüler, Einkommen und Bildung der Eltern. Wer in Köln etwas auf sich hielt, schickte seine Buben, wenn er prononcierter Katholik war, auf das Tricoronatum, als Protestant auf das Friedrich-Wilhelm-Gymnasium. Über dieses später, es war von ganz anderer Struktur wie der ›Arme Heinrich‹, wenn auch seine Rückseite von derselben dicken Kölschen Suppe bespült wurde, die jenen von allen Seiten umgab. Aber der bemühte Klassizismus der Front zeigte, daß hier besondere Interessen waren: die Schule war als preußische Gegengründung gegen das sonst katholische Unterrichtswesen Kölns geplant« (S. 170). Als Nebel im Jahre 1935 Vertretungslehrer in Köln war, zählte Heinrich Böll zu seinen Schülern.

101. 5–6 *Hindenburgianer]* Hier eine Bezeichnung für die Deutschna-

tionalen, auf Paul von Hindenburg (1847–1934) zurückgehend, der – persönlich der Monarchie zuneigend und dem republikanischen Staat und seinem parlamentarisch-demokratischen System mißtrauisch gegenüberstehend – nach dem Tod des Reichspräsidenten Friedrich Ebert 1925 von den vereinigten Rechtsparteien als Kandidat für die Wahl zum Reichspräsidenten aufgestellt und mit einer Mehrheit von 14,6 Mill. Stimmen gewählt wurde.

101. 21 *das Buch des Widerstandes]* Eine bemerkenswerte Einschätzung der Jüngerschen *Marmorklippen*, die die Haltung vieler junger Menschen damals ausdrückt, stammt von Ernst Nebel, der in seinen autobiographischen Aufzeichnungen *Alles Gefühl ist leiblich* schreibt: »Außerordentlich wirkten auf mich die *Marmorklippen*, gänzlich unabhängig von ihrem literarischen Rang – [...]. Die Wirkung der *Marmorklippen* war eine politische und sittliche, kein Leser, der dabei nicht auf Hitler geblickt hätte. Wieder der Todesmut, den Jünger den äußeren Feinden des Vaterlandes gegenüber gezeigt hatte, nun seinem inneren Verderber gegenüber – Tausende und Tausende wurden in ihrer Reserve bekräftigt, und diese Zurückhaltung, diese Verweigerung der Akklamation war doch damals der höchste sittliche Akt, der in Deutschland war. Die *Marmorklippen* haben viele vor dem sittlichen Ruin gerettet« (Nebel, 2003, S. 156).

102. 26–27 *Scholochows Nicht-Autorschaft]* Vgl. dazu den Artikel des Schweizer Literaturwissenschaftlers und Schriftstellers Felix Philipp Ingold: Geklonter Nobelpreisträger. Ein epochaler Betrug – neue Debatten um Michail Scholochow, in: *Neue Zürcher Zeitung*, 23. 8. 2006, der noch einmal die Plagiatsvorwürfe gegen den sowjet. Nobelpreisträger Michail Alexandrowitsch Scholochow (1905–1984) untersucht; darin heißt es u. a.: »Kein Geringerer als Alexander Solschenizyn war es, der bereits 1974 diesbezügliche, viel ältere Gerüchte zur Gewissheit erhob und zur Anklage verdichtete, Scholochow habe das Bürgerkriegsepos ›Der stille Don‹ nicht selbst geschrieben, sondern zu großen Teilen aus einem unveröffentlichten Manuskript des kosakischen Militärschriftstellers Fjodor Krjukow übernommen und unter eigenem Namen veröffentlicht. In der Folge haben sich manche Kritiker und Wissenschaftler innerhalb wie außerhalb Russlands – darunter I. N. Medwedewa, Zeev Bar-Sella, Geir Kjetsaa, F. F. Kusnezow, Jewgeni Dobrenko der Echtheitsfrage angenommen, doch weder die detektivische philologische Spurensuche noch computerlinguistische Analysen und auch nicht detaillierte biografische und zeitgeschichtliche Recherchen erbrachten, trotz erdrückender Beweislast, den definitiven Nachweis einer Usurpation.«

102. 27 *Heeresdienstvorschrift]* Ernst Jünger hat zwischen 1920 und 1922 aufgrund seiner großen Erfahrungen als Frontoffizier an der Heeresdienstvorschrift für die Infanterie mitgewirkt (vgl. Martin Meyer: *Ernst Jünger*. München: Hanser, 1990, S. 66).

103. 1 *Bert Brecht]* Gemeint sind hier vermutlich Brechts Lehrstücke (1928–1931), etwa *Die Maßnahme* oder auch *Die Mutter*, sowie seine poetologischen Schriften zum Theater, etwa *Kleines Organon für das Theater* (1949).

103. 23 *Strahlungen]* Unter dem Titel *Strahlungen* hat Ernst Jünger sechs Tagebücher zusammengefaßt (*Gärten und Straßen*, 1942; *Das erste Pariser Tagebuch*, *Kaukasische Aufzeichnungen*, *Das zweite Pariser Tagebuch* und *Kirchhorster Blätter*, 1949; *Jahre der Okkupation* [späterer Titel: *Die Hütte im Weinberg*], 1958); eine systematische Bibellektüre zieht sich durch die gesamten Aufzeichnungen, wie sich überhaupt eine Art von Rückzug in die Literatur, von der Trost in einer trostlosen Zeit ausgehen soll, findet (vgl. Wolfgang Brandes: *Der ›Neue Stil‹ in Ernst Jüngers ›Strahlungen‹*. Bonn: Bouvier, 1990).

‹‹Elsevier-Rede››

Entstehung

In Bölls Arbeitsbuch trägt der Text unter der Bezeichnung »Referat Amsterdam« die Signatur »344/75«; er ist dort auf den 25. 4. 1975 datiert (*AB* II, Bl. 34; NE). Brieflich erhielt Böll noch einmal einen ausdrücklichen Dank für seinen Besuch von Prof. Vinken am 15. 5. 1975 (vgl. HA 1326–PEB Bd. 10, Nr. 16178). – In knapper Form faßte Böll einige poetologische Zentralüberlegungen zusammen und setzte sich dabei auch vom damals modischen Trend der ›Neuen Subjektivität‹ ab.

Von und über Heinrich Böll
in: *Deutsche Bücher* (Amsterdam). – 5. Jg. (1975), Heft 3 (Herbst), S. 163–168.

Auf Einladung des Verlags Elsevier, dessen Tochtergesellschaft ›Elsevier Nederland‹ seit Jahren seine Werke in niederländischer Übersetzung herausgibt, diskutierte Böll am 25. April 1975 in Amsterdam über die Rolle des Schriftstellers in der heutigen Gesellschaft. Einige kleinere, zusammenhängende Ausschnitte der Diskussion werden hier wiedergegeben. Der Text blieb weitestgehend unbearbeitet. Gegen Ende seiner einführenden Bemerkungen äußerte sich Böll zum Thema ›littérature engagée/littérature pure‹:

HEINRICH BÖLL: Da gibt's ein weiteres Cliché, das uns leider noch immer beschäftigt und auch trennt. Das ist die Trennung in littérature engagée und littérature pure. Ich habe das nie begriffen, ich habe diese Trennung nie wahrgenommen, und ich glaube, daß jeder, so engagiert er sein mag, sich so ›pure‹ ausdrücken sollte, daß er die Trennung in engagée und pure in sich, in dem, was er schreibt, aufheben muß. Denn die Trennung in littérature pure und engagée hat sich ja umgewandelt eigentlich in ein divide et impera der Gesellschaft gegenüber den Autoren. Man kann diese dann sehr gut einteilen, man kann sagen, also du bist ein Engagierter, du bist ein Reiner, was im Grunde heißt: du bist der Bessere und du bist der Schlechtere. Ich denke mir, daß wir Autoren diese Teilung nicht mehr akzeptieren sollten. Was einer sagen will, was einer schreiben will, soll er so schreiben, daß er auch als Literat ›pure‹ gelten kann.

Der niederländische Schriftsteller Harry Mulisch stellte die Frage, ob nicht ein Unterschied bestehe zwischen einem Essay – einem Buch über gewisse Zustände, wo der Autor etwas Bestimmtes sagt, was der Leser denken soll und verstehen – und einem Roman, einem Werk der Kunst und damit der Freiheit; er glaube nicht, daß es so etwas geben könne wie einen engagierten Roman.

BÖLL: Ich glaube schon. Wenn sie also bestimmte ideologische Dogmen einer kleinen Gruppe, sagen wir jetzt oberflächlich, der Linken, beobachten, wie sie sich äußern über Literatur und auch über Malerei – ich glaube, sie müßten immer mehr dabei bleiben, daß das nicht nur vergleichbar ist, sondern daß die Probleme einander berühren in der bildenden Kunst und in der Literatur –, dann gibt es doch schon Äußerungen, auch Romane, die eine gewisse Zwanghaftigkeit ausstrahlen. Also, nicht der ganze sozialistische Realismus – das ist ja ein sehr großes Wort, mit dem sehr viel gedeckt ist und das sowohl diffamiert wie auch überschätzt wird; man müßte lange darüber reden, wo er anfängt, wo er aufhört, wo die Grenze ist. Aber es gibt schon doktrinär-dogmatische Romane. Ich habe sie in Deutsch gelesen und einige russische Übersetzungen, wo versucht wird, den Leser eben nicht freizulassen. Und wir kennen doch das alte europäische Cliché oder Modell des sogenannten Erbauungsromans religiöser Art, sowohl von Christen wie Atheisten. Also es gibt die Möglichkeit, auch in einem Roman, der scheinbar ein freies Spiel ist, diesen Zwang zu versuchen.

MULISCH: Aber nehmen wir z. B. ›Oncle Tom's Cabin‹, das war ein richtiger engagierter Roman. Aber in dem Moment, wo die Sklaverei abgeschafft ist in den Vereinigten Staaten, ist es ein Buch für Kinder geworden.

BÖLL: Natürlich. Und wenn Sie noch etwas so Bösartiges wie ›Gullivers Reisen‹ nehmen, das ist eine der bösesten politischen und aktuell-politischen Satiren, die je geschrieben worden sind, – auch das ist ein Kinderbuch geworden. Also es war beides: es war engagiert im Moment des Erscheinens, hatte eine bestimmte Funktion, und ist dann in die...

MULISCH: Aber davon gibt's nur ganz wenige: ›Gulliver‹, ›Don Quichote‹ natürlich, aber viel mehr nicht, glaube ich. Denn von dem ganzen Sozialrealismus in der Sowjetunion ist doch kaum ein Buch übriggeblieben.

BÖLL: Das kann wiederkommen. Vielleicht täuschen wir uns. Aber sehen Sie, so manche Romane von Dickens, die ja auch engagiert sind, sind natürlich ein bißchen verstaubt für uns heute. Das kann alles wiederkommen.

MULISCH: Und Sie glauben nicht, daß die Verstaubung notwendig ist, die im Moment selbst natürlich nicht als Verstaubung empfunden wurde, sondern als Engagiertheit.

BÖLL: Verstaubtheit hat mit engagiert oder dem anderen nichts zu tun.

MULISCH: Die Engagiertheit ist nicht innerhalb eines Jahrhunderts zu Staub geworden?

BÖLL: Nein, ich glaube nicht, daß das, was wir Verstaubung nennen, an der Engagiertheit liegt, sondern an zeitlich, temporär bedingten stilistischen Vorstellungen, an Eigenarten des Autors, an Verrücktheiten, die er hat, immer wieder bestimmte Dinge zu wiederholen. Und wissen Sie, wenn man einmal einen Pfiff gelernt hat, dann pfeift man ihn dauernd. Ich glaube nicht, daß das Engagierte das Verstauben verursacht.

Für das Verständnis Bölls aufschlußreicher waren seine Ausführungen über das ›Fortschreiben‹, bezog er diesen Begriff doch hier viel deutlicher als in seinem Interview mit Dieter Wellershoff (*Akzente*, 1971/4, 331) und selbst in seinem neuesten Gespräch mit Christian Linder auf sein *gesamtes* Schaffen, also nicht nur auf das rein literarische.

BÖLL: Es gibt für mich da einen Prozeß, den ich nenne: Fortschreibung. Ich habe jetzt einen Roman geschrieben und dann schreibe ich einen Artikel, schreibe eine Buchbesprechung, einen Essay. Ich sehe das als permanente Fortschreibung. Das nächste ist dann wieder ein Roman oder eine Erzählung. Mißverständnisse entstehen, – und die sind also nicht dem Publikum anzulasten –, wenn man diese Reihenfolge nicht kennt. Ich kann ja nicht erwarten, daß jeder weiß, der hat das und das gemacht, jetzt hat er das gemacht, – es hat ja auch verschiedene Publikationsebenen: das eine schreibt man in der Zeitung, das andere da, und dann kommt ein Buch. Es hat für mich eine innere Fortschreibung, die ich nicht rekonstruieren kann. Dann müßte ich alle Komponenten kennen, die im Augenblick mitspielen – es kann Stimmung sein, es kann Laune sein, es kann auch eine Übererregtheit über bestimmte Phänomene sein –, aber alles, was ich auch an publizistischen Dingen mache, geschieht natürlich auf dem Untergrund oder Hintergrund und auf der Voraussetzung aller erzählerischen Dinge, die ich geschrieben habe. Womit ich gar nicht verlange, daß die Leute, die den Artikel lesen, sich das jetzt [realisieren]. Nein, das möchte ich nicht verlangen. Ich verlange vom Publikum nichts dieser Art, aber für mich innerlich, und für jemand, der sich verantwortlich über diesen Artikel äußern würde und öffentlich, dem muß ich zumuten, zu wissen, daß ich auch das geschrieben habe. Es kommt auf die Verantwortlichkeit an, auf den Grad der Verantwortlichkeit. Wenn mir irgendjemand sagt, mein Gott, was haben sie da für'n Mist geschrieben, dann sage ich, bitte schön, vielleicht haben Sie recht; aber wenn einer öffentlich verantwortlich sich dazu äußert, dann muß ich erwarten, daß er sich auch mit dem andern wenigstens andeutungsweise beschäftigt hat, das ist der Unterschied.

Auf die Frage, wen man denn bei der gegen ihn geführten Kampagne angreife, den Schriftsteller oder den Publizisten, lautete die Antwort:

BÖLL: Man greift natürlich den Publizisten von Artikeln an und macht sich nicht die Mühe, wenigstens sich aus zweiter Hand darüber zu informieren, daß die quantitative Proportion schon für die Romane und Erzählungen spricht. Sagen wir, ich habe mich vielleicht zu 10 Prozent, ich weiß es nicht genau, publizistisch-kritisch geäußert, aber die meisten Äußerungen sind innerhalb von Romanen und Erzählungen. Die Kampagne, oder sagen wir lieber Polemik über dieses Sprechen kann ich mir sehr gut erklären, – innenpolitisch erklären. Man muß natürlich einen relativ Harmlosen – Betonung auf relativ – zunächst abschießen und jemand, der, sagen wir, ein gewisses Ansehen hat. Dann kann man Hunderte, Tausende anderer – junge Lehrer, junge Redakteure, irgendwelche Intellektuelle oder auch Nicht-Intellektuelle, die sich engagieren, mit ihm zusammen einschüchtern. Das ist meine Analyse dieser Taktik. Ich nehme das gar nicht so persönlich, so wichtig und ernst, wie es manchmal aussieht, weil ich genau weiß, warum es so ist. Meine Angst betrifft die anderen. Ich kann mich wehren. Ich glaube, daß das eine ganz bewußte Einschüchterungskampagne gegen andere ist, sagen wir der Opposition, sagen wir der Radikalen, wobei man den Begriff gar nicht mehr definiert: da wird also jeder Engagist sofort ein Terrorist, jeder, der radikal denkt, wird auch ein Terrorist, da wird überhaupt nicht mehr differenziert, und es sieht so aus, als ob ich das beliebteste Opfer dieser Taktik wäre, im Moment oder für einige Zeit. Ich bin bereit, diese Position abzugeben. So erkläre ich mir das.

Im Zusammenhang damit nahm Böll auch dazu Stellung, ob die Äußerungen eines Schriftstellers seiner Position – eines Nobelpreisträgers – nicht vom Leser anders bewertet würden als die von anderen, und ob das von ihm auch entsprechend, z. B. als Beschränkung, berücksichtigt würde. Da diese Frage vom Pressereferenten der Deutschen Botschaft Den Haag gestellt war, spielte die Differenz zwischen offiziellen Verlautbarungen und den Äußerungen deutscher Schriftsteller eine Rolle.

BÖLL: Die Wirkung eines politischen Artikels, einer Buchbesprechung, einer Polemik kann man überhaupt nicht berechnen. Ich bin kein Diplomat. Das ist ein Nachteil, aber ich halte es eher für einen Vorteil. Sie glauben gar nicht, wie genau ich weiß, was ich schreibe, auch wenn ich einen polemischen Artikel schreibe, den ich fünf- bis sechsmal genau überlege, und ich weiß auch ganz genau, wo ich ihn, wenn ich ihn publizieren kann oder soll oder darum gebeten werde, publiziere. Das ist es ja gerade – ich finde es töricht, nicht von Ihnen, sondern vom Publikum überhaupt –, daß man einen Nobelpreisträger wichtiger nimmt als irgendeinen Autor. Durch einen Nobelpreis wird man nicht klüger oder dümmer, man ist nur ein Autor, der ihn bekommt, aus welchem Grund, wollen wir nicht analysieren. Ich finde es schrecklich, daß Ruhm Wichtigkeit der Äußerung impliziert. Vielleicht gibt es 25– oder 30jährige Kollegen von mir, die viel wichtigere Artikel schreiben als ich. Das meine ich jetzt ganz generell und mich beunruhigt daran, nicht Sie, sondern das ganze publishing business betreffend, daß man so wichtig genommen wird. Ich weiß es inzwischen, ich erfahre es, und ich muß es ja auch hin und wieder – sozusagen – bezahlen, aber das kann mich nicht veranlassen zurückzugehen. Was ich gesagt habe über Anrichten und Ausrichten von Literatur (daß ein Schriftsteller nicht wissen könne, wie etwas von ihm ankommt, G. L.) betraf eigentlich die tieferen Schichten, also, wenn jemand einen Roman liest oder ein Bild anschaut oder eine Komposition hört, wo also nicht dieser relativ oberflächlich-aktuelle Bezug entsteht. Das andere: Mir haben sehr oft Politiker, mit denen ich befreundet bin, gesagt, um Gottes Willen, mußte das sein? Das muß sein. Man kann auch nicht immer als Autor vorsichtig sein und sämtliche Aspekte der Vorsicht beurteilen. Ob das nun im ›Spiegel‹ steht oder in ›Konkret‹ oder in der FAZ – Gott sei Dank habe ich ein sehr breites Instrumentarium –, das kann ich doch gar nicht beurteilen und kann es auch gar nicht voraussehen. [...] Ich verstehe den trouble, den ich Politikern mache, egal welcher Partei. Ich kann ihnen den nicht ersparen, auch Diplomaten nicht. Das ist eine ernste Sache, das ist ja ein Problem, wie repräsentativ man dann plötzlich wird und über die Maßen. [...] Sie verurteilen mich also zum Nichtschreiben, konsequent gesehen, denn das alles zu berücksichtigen, ist unmöglich. Man muß natürlich verantworten, was man geschrieben hat. Manchmal denkt man, ja, das hättest du vielleicht anders machen sollen, gut, aber diese Unruhe muß sein, und es muß auch die Differenz sein zwischen Diplomatie, zwischen Politik und dem Autor eines Landes, der in dieser Sprache schreibt. Und möglicherweise ist es nützlich für Sie – ich meine nicht Sie persönlich nur, sondern auch Ihre Kollegen, also die diplomatischen Pressereferenten, – wenn Sie gezwungen sind, zu differenzieren. [...] Es liegt auch daran, daß natürlich nur Schriftsteller manche Dinge sagen, die die Bundesrepublik oder -regierung in ihren Verlautbarungen nicht sagt. Und meine Bemerkung ›Armes Deutschland‹ bezog sich darauf, daß ich wirklich einen Staat oder eine Regierung auch bedauern muß, deren Sprecher ich wäre in dem Fall. Und eins noch dazu: Ich habe als Junge irgendwo gelesen, Übertreibung ist die Definition der Kunst. Und insofern ist natürlich ein Artikel, ein Zeitungsartikel, auch Kunst. Er ist geschrieben, von einem Schriftsteller geschrieben, und Kunst ist ein großes Wort, aber es ist keine wissenschaftliche, amtliche Verlautbarung. Übertreibung ist die Definition der Kunst – und alles ist übertrieben. Die ›Blechtrommel‹ ist wahnsinnig übertrieben, das Alte Testament ist irrsinnig übertrieben. Ich will mich gar nicht auf die Übertreibung kaprizieren: man muß manchmal eine Sache übertreiben, um sie darzustellen, man muß auch innenpolitische Probleme manchmal übertreiben, um sie überhaupt sichtbar zu machen, weil die Menschen durch so viel Information abgestumpft sind, daß sie provoziert werden müssen. Ich sage das nur zu Ihrer – nicht Beruhigung, aber zur Erklärung bestimmter Probleme, die durch Äußerungen deutscher Schriftsteller im Ausland entstehen.

Überlieferung

Notizen

N: 2 Bll.; hs. mit Stichworten zu seinem Vortrag auf Blättern des Amstel Hotel in Amsterdam.
(HA 1326–271, Bll. 58–59)

Typoskripte

t: Durchschr.; 11 Bll., auf Bl. 1 oben mittig »Heinrich Böll: Elsevier-Rede«, darunter in Klammern »ab Seite 3 unten«; tatsächlich beginnt der Text von Bölls Rede auf S. 3, davor befindet sich die kurze Begrüßung und die Anmoderation für Bölls Vortrag in der Amsterdamer Zentralbibliothek. Es handelt sich offenbar um die Durchschr. einer von den ndl. Veranstaltern durchgeführten Mitschrift dieser öffentlichen Veranstaltung.
(HA 1326–271, Bll. 44–57)

Drucke

Es liegen keine Drucke vor.

Textgrundlage

Textgrundlage ist t. – Offensichtliche Schreibfehler sind stillschweigend korrigiert worden.

Stellenkommentar

104. 3 *Vinken]* Pierre J. Vinken, ndl. Arzt, Prof. für Neurologie, zählte zum ›Editorial Board‹ und war Herausgeber von Schriftenreihen der Elsevier-Gruppe. – Elsevier ist der Name eines Verlagshauses, das bereits 1580 in Leiden gegründet worden ist und sich rasch einen Namen durch die Publikation vorwiegend wissenschaftlicher Bücher für den akademischen Unterricht erworben hat; in der Zeit von 1622 bis 1680 entwickelte sich das Unternehmen zu einem der bekanntesten und renommiertesten Verlagshäuser in Europa; das heutige Haus Elsevier ist eine Neugründung aus dem

Jahre 1880 durch Jacobus George Robbers; 1887 zog der Verlag nach Amsterdam um, dem – noch heutigen – Stammsitz.

104. 30 *Buch]* Gemeint ist Peter Brückners Buch *Sigmund Freuds Privatlektüre* (1975), das Böll auch rezensiert hat; siehe *Was las Hindenburg? Fragen nach dem Lesen von Peter Brückners Untersuchung* im vorliegenden Band S. 95 ff.

105. 38–106. 5 *»Die Sprache ist etwas viel älteres ... unter denen er lebt.«]* Zit. nach: Jossif Brodskij: »Die Sprache ist älter als der Staat«, in: *Kölner Stadt-Anzeiger*, Nr. 173, v. 28. 7. 1972. – Auf dieses Zitat hat Böll häufiger zurückgegriffen und es auch für einen eigenen Text benutzt; vgl. *Sprache ist älter als jeder Staat*, S. 319 ff. im vorliegenden Band.

107. 37 *Beschäftigung mit ihrer eigenen Sensibilität]* Der literarische Trend der 1970er Jahre wurde von Vertretern der sog. ›Neuen Subjektivität‹ oder ›Innerlichkeit‹ bestimmt; Autorinnen und Autoren wie Rolf Dieter Brinkmann, Nicolas Born, Peter Handke oder auch Karin Struck, deren Roman *Die Mutter* (1975) Böll rezensiert hat (siehe *Handwerker sehe ich, aber keine Menschen* im vorliegenden Band S. 89), geben mit ihrer unverhohlenen Absage an die Politik und eine politisierte Literatur im Umfeld von 1968 sowie dem Bekenntnis zur eigenen Befindlichkeit und Subjektivität den Ton an und erzielen mit ihren Büchern große Verkaufserfolge.

108. 3 *Trennung in littérature engagée und littérature pure]* Eine von Jean-Paul Sartre (1905–1980), vor allem in den Essays von *Qu'est-ce que la littérature* (frz. 1947) gebrauchte Entgegensetzung, die eine ›reine‹, d. i. autonome, an der romantischen Tradition orientierte Literatur von einer ›engagierten‹, d. h. sich (gesellschafts-)politisch äußernden und einmischenden Literatur, die zugleich auf den Leser wirken soll und eine Appellstruktur zeigt, unterscheidet. Im Grunde genommen faßt dabei Sartre auf eine z. T. plakative und populäre Art und Weise nur zusammen, was Gegenstand anhaltender ästhetischer Debatten seit der frühen Moderne im 19. Jh. gewesen ist. – Vgl. dazu auch die im Anhang abgedruckte Diskussion.

108. 25 *It was ... not is]* ›Es war nicht sehr angenehm, ein Streunender zu sein, und ist es immer noch nicht.‹

108. 31 *in Sizilien]* Im Dezember 1973 reisten Böll und seine Frau nach Taormina, Syrakus und Catania.

⟨Ungewißheit⟩

Entstehung

Dieser Text trägt in Bölls Arbeitsbuch die Signatur »335/75«; er ist am 14. 3. 1975 in Langenbroich entstanden (*AB* II, Bl. 32; NE), nachdem Böll am 6. 3. 1975 von der Redaktion der *Tz* die Anfrage erhalten hat, ob er sich bei einer Umfrage zum »Punkt Null« 1945 beteiligen könne (vgl. HA 1326–PEB Bd. 10, Nr. 15592). – Der redaktionelle Vorspruch sowie die beiden redaktionellen Einschübe wurden für den vorliegenden Druck beibehalten.

Überlieferung

Typoskripte

T: Erstschr.; 1 Bl.; erster Entwurf.
(HA 1326–269, Bl. 134)

t[1]: Durchschr., 1 Bl.; gegenüber T geringfügig überarbeitete Fassung, am loR eh. Vermerk der Arbeitsbuchsigle »335/75« (= *AB* II, Bl. 32; NE).
(HA 1326–269, Bl. 135)

t[2]: Durchschr.; 1 Bl.; wohl eine Kopie der Druckvorlage.
(HA 1326–269, Bl. 136)

Drucke

Z: *Tz* (München).– 18. Jg., Nr. 99, 30. 4./1. 5. 1975, S. 11

Textgrundlage

Textgrundlge ist Z.

Stellenkommentar

111. 4–5 *Kriegsgefangenenlager in Attichy]* Am 15. 4. 1945 wurde Böll ins Gefangenenlager Attichy bei Soissous verbracht, wo er bis zum 14. 8. 1945 blieb, bis er dann nach La Hulpe (Belgien) überstellt und schließlich, am 11. 9., in das Kriegsgefangenenentlassungslager Weeze am Niederrhein transportiert wurde (siehe Chronik, in: *KB*, S. 1507).

111. 25 *Schicksal meiner Frau]* Während der Kriegsgefangenschaft Bölls hat sich seine Frau Annemarie zunächst bei Verwandten in Much aufgehalten, um dann – wegen der bevorstehenden Geburt ihres Kindes, des Sohns Christoph Pauls (29. 7.–14. 10. 1945) – im Mai und Juni zu Bauern nach Berzbach (Much), unweit von Marienfeld, umzuziehen, wo Bölls Schwägerin Maria mit ihren Kindern seit August 1943 wohnte. Über den Gesamtzusammenhang der biographischen Verhältnisse im Jahre 1945 berichtet Böll auch ausführlich in dem Text *Brief an meine Söhne oder vier Fahrräder* (*KA*, Bd. 23, S. 239–264, insbes. S. 242 ff.).

⟨Judasbild und Judenbild: Die Verteufelung der anderen⟩

Entstehung

Die Rezension trägt im Arbeitsbuch die Signatur »341/75«, ist unter dem Titel »Jens-Judas-Besprechung für FAZ« auf den 15. 4. 1975 datiert und in Langenbroich entstanden (*AB* II, Bl. 33; NE). In einem Brief vom 24. 2. 1975 fragte Marcel Reich-Ranicki bei Böll an, ob dieser nicht Lust habe, über »ein ungewöhnliches Büchlein mit dem Titel: ›Der Fall Judas‹« zu schreiben: »Es handelt sich um eine Mischung aus Erzählung und Traktat. Ein Geistlicher stellt beim Vatikan den Antrag, Judas selig zu sprechen. Ich könnte mir denken, daß ein derartiges Buch, das überdies sehr dünn ist (knapp 90 Seiten) Sie interessieren könnte, weil hier ja Biblisches und Theologisches ganz und gar aus heutiger Sicht betrachtet wird« (HA 1326–4000, Nr. 15485). Den brieflichen Dank Reich-Ranickis für die Besprechung erhielt Böll am 23. 4. 1975 (vgl. HA 1326–PEB Bd. 10, Nr. 16033).

Überlieferung

Typoskripte

T: Erstschr., 3 Bll.; erster unvollst. Entwurf; Bll. 1–2 sind nur zur Hälfte beschrieben.
(HA 1326–269; Bll. 137–139)

t[1]: Durchschr., 3 Bll.; am oberen Rand von Bl. 1 eh. Titel »O felix culpa«, am loR eh. Vermerk der Arbeitsbuchsigle »341/75« (= *AB* II, Bl. 33; NE); der Textstand ist weitestgehend identisch mit den Druckfassungen.
(HA 1326–269; Bll. 140–142)

Drucke

Z: *Frankfurter Allgemeine Zeitung*. – 27. Jg., Nr. 102 (3. 5. 1975), ›Bilder und Zeiten‹.

D[1]: *EE*, S. 219–221.

D[2]: *ESR* III, S. 230–232.

D[3]: *EAS* 5, S. 226–228.

Textgrundlage

Textgrundlage ist D².

Stellenkommentar

112. 2 *Jens ... »Der Fall Judas«]* Walter Jens (geb. 1923), dt. Philologe, Rhetoriker, Schriftsteller und Kritiker; nach Promotion und Habilitation in Tübingen seit 1950 zunächst auf einem Lehrstuhl für klass. Philologie, von 1963 bis zur Emeritierung 1988 Inhaber des ersten Lehrstuhls für Allg. Rhetorik an der Eberhard-Karls-Universität Tübingen; ab 1950 bei der Gruppe 47; zu den verbreitetsten Werken von Jens zählen *Nein. Die Welt der Angeklagten* (Roman, 1950), *Statt einer Literaturgeschichte* (Essay, 1957), *Deutsche Literatur der Gegenwart* (Essay, 1961). Böll kannte Jens aus den frühen Tagen der Gruppe 47.

112. 4–5 *dreimalige Verleugnung]* vgl. Mk 14, 54. 66–72; Mt 26, 58–75; Lk 22, 54–62; Joh 18, 15–27.

113. 3 *Prokurator der Ritenkongregation]* Im kathol. Kirchenrecht meint Ritenkongregation eine 1588 errichtete Kardinalskongregation, die den Kult der latein. Kirche überwachte und ordnete sowie für Selig- und Heiligsprechungen sorgte; 1969 ist sie zugunsten zweier neugeschaffener Kurienkongregationen aufgelöst worden: der Kultuskongregation und der Kanonisations-Kongregation. Hier ist also der Verwalter (=Prokurator) dieser Kongregation gemeint.

113. 16 *Jesuswort]* Hinweise auf Joh 13,27 (»Was Du tust, tu schnell«) und Mt 19,28: »Ihr, die ihr mir nachgefolgt seid, auch ihr werdet in der Wiedergeburt, wenn der Sohn des Menschen sitzen wird auf seinem Throne der Herrlichkeit, sitzen auf zwölf Thronen und richten die zwölf Stämme Israels.«

113. 26–27 *»paradidonai«]* Ein in der gr. Sprache häufig gebrauchtes Wort mit vielen Bedeutungen: überliefern, übergeben, weitergeben, ausliefern, überlassen, anbefehlen, anheimstellen, mitteilen, erzählen, lehren, zugeben, erlauben, aber auch in der Bedeutung von verraten; bei den meisten Stellen, an denen im Neuen Testament das Wort vorkommt, steht es in direkter Beziehung mit Jesus und seinem Geschick, das zu seinem Tod am Kreuz führt. Einerseits findet man, wenn Judas Iskariot erwähnt wird, die Bemerkung: ›der ihn verriet‹; andererseits aber wird das Wort in Verbindung mit dem Hoheitstitel Menschensohn gebraucht: ›der Menschensohn muß ausgeliefert, übergeben werden‹ (vgl. Felix Wilhelm-Bantel: Judas Iskariot in den Evangelien, in: *Kirche und Welt*, Nr. 7, 2004).

113. 37–38 *felix culpa]* Bezieht sich auf den Sündenfall Adam und Evas

und die Vertreibung aus dem Paradies, was allerdings, nach dem Wort Thomas von Aquins (*Summa theologica*, III, 1,3), insofern einen glücklichen Umstand bedeutet, als dadurch erst die Möglichkeit auf eine Erlösung im Himmelreich gegeben sei. Zu Beginn der Osterzeremonien heißt es dazu auch im sog. »Exsultet«, dem feierlichen Osterlied: »O felix culpa quae talum et tantum meruit habere redemptorum« (= »O glückliche Schuld, welch großen Erlöser hast du gefunden!«).

⟨Zum Fall Kocbek⟩

Entstehung

Der Text trägt im Arbeitsbuch die Signatur: »350/75«; er ist dort unter dem Titel »Plädoyer für E. Kocbek in FAZ« auf den 23. 5. 1975 datiert und in Köln entstanden (*AB* II, Bl. 35; NE).

Hintergrund

Edward Kocbek (1904–1981), ein früherer Philosophieprofessor in Ljubljana, Mitglied der akademischen slowen. Kreuzbewegung, war vor dem Zweiten Weltkrieg Führer der christlich-sozialen Intelligenz Sloweniens, 1941 Partisan, Vizepräsident der slowenischen Befreiungsfront und später der jugoslawischen Partisanenregierung, 1945 Kultusminister in Belgrad, 1946 Vizepräsident des Präsidiums der Republik Slowenien, dann Dichter mit Publikationsverbot von 1952 bis 1962. Seit 1975 stand er erneut unter heftiger Kritik jugoslawischer Ideologen, die ihm vorwarfen, ein Weißgardist und Verräter zu sein. Ausgangspunkt für diese Kampagne gegen den Katholiken Kocbek waren dessen kritische Äußerungen über die Tatsache, daß Titos Partisanen 11 000 slowen. antikommunistische Heimatschützer nach der Übergabe durch die britische Besatzungsmacht in Kärnten erschossen hatten. Als Kobcek davon erfuhr, so heißt es weiter in einem damals erschienenen Buch mit den kritischen Äußerungen Kocbeks, *Edward Kocbek, ein Zeuge unserer Zeit* (Triest 1975), wollte er sofort als Minister zurücktreten; doch man wartete gar nicht erst auf seine Demission, sondern erzwang bereits vorher seinen Abgang und sorgte dann für das Publikationsverbot (vgl. dazu Peter Millard: Sloweniens verfemter Dichter. Edward Kocbek, Katholik, Partisanenführer und Exminister, in: *Die Weltwoche*, 20. August 1975, S. 10). Nachdem sich Heinrich Böll ebenso wie der Publizist Reißmüller mit Beiträgen für Kocbek eingesetzt hatten und darüber hinaus Böll auch noch in einem Interview für den *Westdeutschen Rundfunk* sich zum Fall geäußert hatte, reagierte die jugoslaw. Seite mit z. T. ironischer, aber auch harscher Kritik, wie z. B. der jugoslaw. Akademiepräsident Josip Vidmar (1895–1992) gleich mehrfach oder auch der Präsident des slowen. Schriftstellerverbandes Ivan Potrc (1913–1993), der in einem offenen Brief (abgedruckt in: *Delo*, 21. junija 1975 unter dem Titel »Pismo Heinrichu Böllu«) Böll für seine Äußerungen rügte. Böll, dem dieser Text in deutscher Übersetzung zugeschickt worden war, antwortete darauf unter dem Datum vom 23. 8. 1975 an Potrc: »[...] Ich habe mich nicht in die slowenischen Angelegenheiten eingemischt, sondern Kocbeks Einmischung in diese verteidigt, weil mir sein humanistisches Motiv einleuchtete [...]. Eine Gemeinsamkeit – eine internationale – sehe ich doch zwischen Ihnen und mir – unsere antifaschistische Haltung – und ich denke doch, daß diese Gemeinsamkeit nicht zerstört ist. [...]« (HA 1326–270; Bll. 13–14). Im Zusammenhang mit den Querelen nach der Veröffentlichung seines Textes in der *FAZ* hatte Böll neben dem Interview im *Westdeutschen Rundfunk* auch noch im Fernsehen des *Österreichischen Rundfunks* Stellung bezogen. Edward Kocbek selbst bedankte sich für Bölls Engagement mit einem vierseitigen Brief vom 10. 6. 1975, an dessen Ende es heißt: »Ich schließe meinen Brief mit der Feststellung, daß ich nicht mit der authentischen Kraft und Macht zusammengeraten bin, sondern mit deren Mißbildung, mit dem Zwange, mit der Gewalt und Vergewaltigung, die in der Angst und in der Feigheit ihre Brutstätte haben« (HA 1326–270; Bll. 35–38). Zeitnah beschäftigte sich auch der Schriftsteller Joseph Breitbach in seiner Dankrede anläßlich der Entgegennahme des Kunstpreises Rheinland-Pfalz mit dem Fall Kocbek: »Warum Mihajlov im Gefängnis sitzt«, in: *FAZ*, Nr. 135, 14. 6. 1975. In einer *AFP*-Meldung schließlich hieß es am 30. 6. 1975: »Einen Schlußstrich unter die Polemik der jugoslawischen Presse mit dem deutschen Schriftsteller und Nobelpreisträger Heinrich Böll hat die jugoslawische Nachrichtenagentur Tanjug am Wochenende in Belgrad gezogen. Unter Berufung auf ›politische und kulturelle Kreise Sloweniens‹ erklärt Tanjug, das Plädoyer Bölls für den jugoslawischen Schriftsteller Kocbek (71) habe sich als Fehlschlag erwiesen. Man habe aus Kocbek einen Märtyrer machen wollen, während dieser von der Justiz nicht belangt worden sei. – Demgegenüber vertreten diplomatische Kreise in Belgrad die Auffassung, daß das Eintreten Bölls für den wegen ›historischer Irrtümer‹ heftig angegriffenen Kocbek den jugoslawischen Schriftsteller vor ernsten Unannehmlichkeiten bewahrt habe. Verwiesen wird in diesem Zusammenhang auch auf die jüngsten Unterredungen des SPD-Vorsitzenden Brandt mit dem jugoslawischen Staatschef Tito, bei denen der ›Fall Kocbek‹ zur Sprache gekommen sein dürfte. Böll hatte vor drei Wochen in der ›Frankfurter Allgemeinen Zeitung‹ energisch für den jugoslawischen Schriftsteller Stellung bezogen« (*Die Welt*, 30. 6. 1975). – Böll hatte Kocbek 1961 während seines Sommerurlaubs kennengelernt; seit dieser Zeit existierte ein Briefwechsel, der vom 6. 12. 1961 bis zum 17. 9. 1977 reicht und in zwei Mappen (im Laibacher Nachlaß von Kocbek) mit insgesamt 67 Schriftstücken überliefert ist (vgl. dazu Zalaznik, 2002, S. 403–417).

Überlieferung

Typoskripte

T: Erstschr., 2 Bll.; erster Entwurf, am loR eh. Vermerk der Arbeitsbuchsigle »350/75« (= *AB* II, Bl. 35; NE), darunter mittig eh. »1. Versuch ungültig«.
(HA 1326–270; Bll. 1–2)

t¹: Durchschr., 3 Bll.; Textstand identisch mit den Druckfassungen, am loR eh. Vermerk der Arbeitsbuchsigle »350/75« (= *AB* II, Bl. 35; NE), darunter eh. Notiz des Entstehungsdatums »22. Mai«.
(HA 1326–270; Bll. 3–5)

Drucke

Z: *Frankfurter Allgemeine Zeitung*. – 27. Jg., Nr. 119 (26. 5. 1975), S. 19.
D¹: *EE*, S. 222–223.
D²: *ESR* III, S. 238–239.
D³: *EAS* 5, S. 234–235.

Textgrundlage

Textgrundlage ist D².

Varianten

115. 19 *Art der »Befreiung«]* Art von Befreiung Z
115. 20 *»Humanität«]* Humanität Z

Stellenkommentar

115. 4 *Marschall Tito]* Josip Broz Tito (1892–1989), jugoslaw. Politiker und Präsident; Tito führte im Zweiten Weltkrieg die kommunist. Partisanen im Kampf gegen die italien. und dt. Besatzer Jugoslawiens.

115. 12 *Widerstandskoalitionen]* »Nach dem Überfall Hitler-Deutschlands auf Jugoslawien am 6. April 1941 schloß sich Edvard Kocbek der Antiimperialistischen Front an, später in die Befreiungsfront (OF) umbenannt. Jene wurde bereits am 27. April des gleichen Jahres auf Vorschlag der

damals illegalen kommunistischen Partei Sloweniens und sowohl unter ihrer Anteilnahme als auch derjenigen der Christlichen Sozialisten, Slowenischen Sokolisten und Künstler gegründet. Kocbek wurde bereits im Herbst 1941 zum Mitglied des Vollzugsausschusses der Befreiungsfront. Daraus ging nach 1943, wie man es zu Zeiten des Sozialismus nach Menschenmaß zu formulieren pflegte, die slowenische Staatlichkeit hervor« (zit. nach Zalaznik, 2002, S. 406).

115. 14 *Mouniers]* Emmanuel Mounier (1905–1950), kath. frz. Philosoph, zeitweilig im Widerstand organisiert, Begründer der Zeitschrift *Esprit*, bei der u. a. auch Jacques Maritain und Gabriel Marcel mitwirkten und die von Mounier als »personalistische Zeitschrift im Kampf gegen die etablierte Unordnung« verstanden wurde; Mounier war der Überzeugung, daß es gewisse überzeitliche und fundamentale christliche Werte gebe, die gegen staatliche Ordnungen, aber auch gegen die etablierte Amtskirche zu verteidigen seien. Eine vierbändige Ausgabe seiner Schriften, *Ouevres*, erschienen postum in Paris 1961–62.

115. 20 *Weißgardisten]* Bezeichnung für jmd., der im russ. Bürgerkrieg nach der Oktoberrevolution auf Seiten der »Weißen« gegen die Bolschewiki (= die Roten) gekämpft hat; danach dient der Begriff allgemein auch als Synonym für den Typ des Konterrevolutionärs.

116. 35 *Gotovac]* Vladimir Gotovac (1930–2000), kroat. Dichter und Politiker; Anfang der 70er Jahre wurde er von Tito als »subversiver Nationalist« angeklagt und zu vier Jahren Haft verurteilt, danach noch mit Publikationsverbot belegt; 1990 war er Gründungsmitglied der kroatischen sozial-liberalen Partei, später dann der kroatischen liberalen Partei (vgl. dazu Rudolf Stamm: »Ein kroatischer Havel? Vlado Gotovac – Erinnerung an einen mutigen Dissidenten und tiefgründigen Dichter und Denker«, in: *Neue Zürcher Zeitung* v. 28. 4. 2007).

116. 35 *Mihailov]* Mihajlo Mihajlov (geb. 1934), jugoslaw. Literaturwissenschaftler, Komparatist und Übersetzer, der mehrfach wegen angeblich regimefeindlicher Äußerungen und Publikationen vom Tito-Regime inhaftiert worden ist. Böll spielt hier auf Mihajlovs erneute Verhaftung und Inhaftierung im Jahre 1975 an, nachdem Mihajlov in einer im Ausland in Übersetzungen veröffentlichten Studie über Dostojewski dessen Schilderungen über russ. Straflager des 19. Jh. mit der Darstellung stalinistischer Lager in der SU bei Solschenizyn verglichen hatte (vgl. dazu auch: Joseph Breitbach: »Warum Mihajlov im Gefängnis sitzt«, in: *FAZ*, Nr. 135, 14. 6. 1975).

〈Verzögerter Glückwunsch〉

Entstehung

Der Text trägt im Arbeitsbuch die Signatur: »159/73«; er ist in Langenbroich am 28. 8. 1973 verfaßt worden (*AB* II, Bl. 7; NE). Auf Einladung durch Herbert Vorgrimler und Johann Baptist Metz, an einer geplanten Festschrift zum 70. Geburtstag von Karl Rahner sich mit einem Text zu beteiligen, schickte Heinrich Böll seinen Beitrag, für den sich Vorgrimler brieflich am 29. 8. 1973 bedankte, um freilich noch hinzuzufügen, daß Böll den Namen Ratzinger unterdrücken sollte (vgl. HA 1326–270; Bl. 115). Offenbar hatte der Verlag jedoch mit Bölls Text größere Schwierigkeiten, so daß er sich genötigt sah, Böll Änderungsvorschläge – vor allem Streichungen – zu machen; darauf schaltete sich dann wiederum Metz mit einem eigenen Kompromißvorschlag ein. Beide Fassungen gingen in einem Brief vom 18. 2. 1974 an Böll (HA 1326–270; Bl. 116), der jedoch abgesehen von zwei kleineren Änderungen zu keinen weiteren Streichungen in seinem Text bereit war (Brief Böll an Metz, 19. 2. 1974; HA 1326–270; Bl. 117). In einer Vorbemerkung, die dem Erstdruck von Bölls Text vorangestellt worden ist, wird noch einmal kurz der Hintergrund der geplanten Festschrift konturiert: »Anläßlich des 70. Geburtstags von Karl Rahner sollte eine Festschrift erscheinen, für die u. a. auch ein Artikel von Heinrich Böll erbeten worden war. Inzwischen mußten die Herausgeber der Festschrift, Johann Baptist Metz und Herbert Vorgrimler, mit Bedauern feststellen, daß diese Festgabe für Rahner, der mittlerweile schon seinen 71. Geburtstag gefeiert hat, endgültig gescheitert ist, weil sich kein zuständiger katholischer Verlag in der Lage sah, diesen Beitrag aufzunehmen. Bei der ganzen Angelegenheit ging es nicht um die Frage, ob sich Herausgeber oder Verleger mit einem solchen Beitrag identifizieren können oder nicht; es ging allein darum, ob ein solcher Text überhaupt innerhalb des katholischen Milieus erscheinen kann. In diesem Sinne halten die Betroffenen wie auch die Redaktion die Zusammenhänge, die dazu führten, daß die Festschrift wegen dieses Beitrags nicht erscheinen konnte, für fatal und der Glaubwürdigkeit der Kirche in unserem Land abträglich« (*Publik-Forum*. Nr. 12, 4. Jg., 13. Juni 1975, S. 3).

Überlieferung

Typoskripte

T[1]: Erstschr., 5 Bll.; erste unvollst. Entwürfe, am roR von Bl. 1 eh. Vermerk der Arbeitsbuchsigle »159/73« (= *AB* II, Bl. 7; NE), am linken Rand eh. Notiz »ungültig«.
(HA 1326–270; Bll. 87–91)

T[2]: Erstschr., 4 Bll.; überarbeiteter und erweiterter, noch unvollst. Entwurf; am linken Rand von Bl 1 eh. Notiz »ungültig«.
(HA 1326–270; Bll. 92–95)

Drucke

Z: *Publik-Forum* (Frankfurt a. M.). – 4. Jg., Nr. 12 (13. 6. 1975), S. 3–5.
D[1]: *EE*, S. 226–230.
D[2]: *ESR* III, S. 242–246.
D[3]: *EAS* 5, S. 238–242.

Textgrundlage

Textgrundlage ist D[2].

Varianten

121. 16 *in seinem]* in einem Z
122. 6 *nur] Fehlt* Z
123. 8–11 *PS ... veröffentlicht.]* Dieser Beitrag von Heinrich Böll ist im August 1973 verfaßt worden. Z

Rezeption

In einer ganzen Reihe von Leserbriefen an *Publik-Forum* ist zu Bölls Artikel Stellung bezogen worden. Böll wandte sich schließlich unter dem Datum vom 1. 8. 1975 selbst mit einem Leserbrief an die Redaktion: »Sehr geehrte Damen und Herren, wenn es um Stilfragen geht und mir diese gar von einem ehemaligen Presserefenten des ZDK angekreidet werden, bin ich durchaus noch der Reue (und der Einsicht) fähig. (Ich hatte vor ziemlich vielen Jahren eine Kontroverse mit dem unvergeßlichen Herrn Hanssler – der nicht Pressereferent war, wie ich weiß; er war mehr!) – Ich bereue also (und sehe ein, daß es falsch war) den Nebensatz, ›wo das Milieu nach wie vor vor sich hinkotzt‹, geschrieben zu haben. Kotzen ist ein kräftiger (möglicherweise sogar ein Kraft-)Ausdruck für einen recht radikalen Vorgang. Da aber das Milieu weder Kraft hat noch radikal ist, hätte der Nebensatz heißen müssen: ›wo das Milieu nach wie vor vor sich hinkötzelt (oder -köddert)‹. – Im übrigen hatte ich den Rahner-Artikel fast vergessen. Jetzt aber hänge ich geradezu an ihm: inzwischen ist er *nicht* durch sich selbst, sondern durch sein Schicksal fast bestätigt. Heinrich Böll, Köln« (in: *Publik-Forum*. Nr. 17., 4. Jahrgang, 22. 8. 1975, S. 22; vgl. auch HA 1326–271, Bll. 44–45).

Stellenkommentar

118. 2 *Rahner]* Karl Rahner (1904–1984), kath. Theologe; nach dem Abitur 1922 Studium bei den Jesuiten, 1932 Priesterweihe, Aufnahme eines Promotionsstudiums in der Philosophie in Freiburg i. Br. (bei Martin Heidegger), 1936 theol. Promotion in Innsbruck, 1937 Habilitation in Innsbruck, seit 1949 o. Prof. in Innsbruck, von 1964 bis 1967 Prof. für christl. Weltanschauung in München als Nachfolger von Romano Guardini, von 1967 bis 1971 Prof. für Dogmatik und Dogmengeschichte in Münster; Rahner zählt zu den bedeutendsten kath. Theologen des 20. Jh. und hat in seinem umfangreichen publizistischen Oeuvre viele zentrale gesellschaftliche und (kirchen-)politische Themen behandelt; darüber hinaus hat er editorische Großunternehmen initiiert und geleitet, darunter etwa das *Lexikon für Theologie und Kirche*; Rahner hat bei bedeutenden kirchlichen Ereignissen, etwa im ›Zweiten Vatikanischen Konzil‹, seine Stimme in die Waagschale zu werfen gewußt.

118. 25–26 *Ida Friederike Görres]* Gemeint ist der Essay »Brief über die Kirche«, der im achten Heft des ersten Bandes der *Frankfurter Hefte*, eingeleitet durch eine Vorbemerkung der Schriftleitung, Eugen Kogon, veröffentlicht worden ist (Bd. 1, H. 8, 1946, S. 715–733) und eine intensive Diskussion veranlaßt hat, die im Folgeband der *Frankfurter Hefte* (Bd. 2, H. 2, 1947, S. 275–294) dokumentiert worden ist. Ida Friederike Görres (1901–1971) prangert darin vor allem Mißstände im Klerus an, gipfelnd in der »quälenden, schwermütigen Frage: Warum gibt es so wenig wirklich fromme Priester? So wenige, die vom täglichen Umgang mit Gott nur einen Strahl in ihrem Wesen wiederspiegeln? Mit denen der nach religiösem Wachstum hungernde Laie in ein geistliches Gespräch kommen kann? Sie heißen die ›Geistlichen‹, – welch ein Name!« (S. 725)

118. 29 *Dirks]* Walter Dirks (1901–1991), dt. kath. Publizist, Journalist und Schriftsteller; betreute zunächst die Zeitschrift des »Friedensbundes Deutscher Katholiken« von 1928 bis 1931, seit 1934 Musikkritiker bei der *Frankfurter Zeitung*, ab 1938 stellvertretender Feuilletonchef, ab 1943 Schreibverbot; nach dem Krieg gemeinsam mit Eugen Kogon und Clemens Münster Gründung der *Frankfurter Hefte* 1946, ab 1949 innenpol. Kommentator beim *Südwestfunk*, von 1953 bis 1956 am Frankfurter Institut für Sozialforschung und Zusammenarbeit mit Theodor W. Adorno.

118. 30 *Werkhefte]* Gemeint sind die *Werkhefte für katholische Laienarbeit* (seit 1947), die später unter dem Titel *Werkhefte katholischer Laien* bis 1973 erschienen und von einem linkskath. Kreis herausgegeben worden sind. Für die Werkhefte schrieben u. a. Ossip K. Flechtheim, Wolfgang Abendroth oder Gustav Heinemann.

118. 32 *Küng]* Hans Küng (geb. 1928), schweiz. Theologe.

118. 32 *Metz]* Johann Baptist Metz (geb. 1928), dt. kath. Theologe.

118. 32 *Ratzinger]* Joseph Alois Ratzinger (geb. 1927), dt. kath. Theologe, seit 2005 Papst (Benedikt XVI.).

119. 1 *Greinacher]* Norbert Greinacher (geb. 1931), kath. Theologe, nach dem Studium der Theologie und der Habilitation 1966 seit 1969 o. Prof. für praktische Theologie in Tübingen.

119. 1 *Lengsfeld]* Peter Lengsfeld (geb. 1939), kath. Theologe, 1955 Priesterweihe, 1958 Promotion, 1964 Habilitation in Münster (Gutachter Prof. Joseph Ratzinger), 1967 o. Prof. für Ökumenische Theologie und Direktor des Katholischen Ökumenischen Instituts an der Westfälischen Wilhelms-Universität Münster; Lengsfeld hat sich einen bedeutenden Ruf in der ökumenischen Forschung gemacht, über ökumen. Fragen gearbeitet und dabei vor allem auch neuere sozialwissenschaftliche Erkenntnisse in die Theologie zu integrieren versucht.

119. 26 *Artikel von Regina Bohne]* Regina Bohne: Totgeschwiegener Evangeliumskatholik: Reinhold Schneider, in: *Publik-Forum*, 2. Jg, H. 9, 1973, S. 10 f.

119. 27–33 *Schneider … Camoes und Winter in Wien]* Reinhold Schneider (1903–1958), kath. dt. Schriftsteller; ab 1928 freier Schriftsteller, Nazigegner, in der Inneren Emigration; nach dem Zweiten Weltkrieg häufig als »Gewissen der Nation« bezeichnet und vielfach geehrt, gegen die Militarisierung und ein Befürworter der Wiedervereinigung, 1956 Friedenspreis des Deutschen Buchhandels. Böll spielt hier auf Schneiders Erstling *Das Leiden des Camoes oder Untergang und Vollendung der portugiesischen Macht* (Hellerau 1930) und das letzte autobiographische Buch *Winter in Wien. Aus meinen Notizbüchern 1957/58* (Freiburg i. Br. 1958) an.

120. 4–5 *Marzellenstraße]* Gemeint ist der Sitz des Generalvikariats des Erzbistum Köln auf der Marzellenstr. 32 in Köln.

120\. 23 *»Imprimatur«]* Lat., Druckerlaubnis.

120\. 26–27 *Episkopat]* Aus dem Gr. ›episcopos‹ (= Bischof), gemeint ist hier die Gesamtheit aller Bischöfe und zugleich die Bischofskonferenz eines Landes.

120\. 34 *Rommerskirchen]* Josef Rommerskirchen (geb. 1916), dt. CDU-Politiker, fünf Wahlperioden lang (zwischen 1960 und 1976) Abgeordneter im Deutschen Bundestag; Mitbegründer und zeitweise Vorsitzender des Bunds der Deutschen Katholischen Jugend.

121\. 14–15 *»Seht, wie sie einander geliebt haben!«]* Eine auf das zweite Jh. nach Chr. zurückgehende Bezeichnung für die frühen christl. Gemeinden.

121\. 16–17 *Strukturwandel der Kirche]* Erstmals erschien Karl Rahners *Strukturwandel der Kirche* 1972; unmittelbarer Anlaß war die Synode der Deutschen Bistümer in Würzburg von 1971 bis 1975, der Rahner eine Art von Rahmen oder Programm geben wollte; allerdings wurde die Schrift offiziell kaum zur Kenntnis genommen.

121\. 33 *Leber]* Georg Leber (geb. 1920), dt. SPD-Politiker, Verkehrsmininster in der ersten Großen Koalition, dann 1972 Nachfolger von Helmut Schmidt als Verteidigungsminister bis 1978; zeitweilig war Leber im Zentralkomitee der dt. Katholiken tätig.

121\. 34 *Schmitt-Vockenhausen]* Hermann Schmitt-Vockenhausen (1923–1979), dt. SPD-Politiker, von 1953 bis zu seinem Tod Mitglied des Dt. Bundestages, dessen Vizepräsident er seit 1969 war; ehrenamtlich tätig im Zentralkomitee der dt. Katholiken.

121\. 35 *Dr. Vogel (Bernhard, der schwarze)]* Bernhard Vogel (geb. 1932), CDU-Politiker, jüngerer Bruder des SPD-Politikers Hans-Jochen Vogel; als damaliger Staatsminister war Vogel Mitglied der Synode.

122\. 11–12 *Karl Rahner in Würzburg]* Gemeint sind Auftritte des Theologen bei der Würzburger Synode, die in insgesamt acht Vollversammlungen unter Vorsitz des Präsidenten Kardinal Julius Döpfner zwischen Januar 1971 und November 1975 über Fragen des katholischen Glaubens und der Kirchenpolitik, u. a. über das Problem der Laienpredigten, zur Ökumene oder auch zu Fragen der Leitung und Verwaltung der Bistümer beraten hat.

122\. 34–35 *Erzbischof von Besançon … Streiks]* Marc-Amand Lallier (1906–1988), 1966–1980 Erzbischof von Besançon.

123\. 1 *Streiks in der Borinage]* Das Borinage ist eine Industrielandschaft um die Stadt Mons in Belgien; die Region zählte seit dem 18. Jhdt. zu einem der bedeutendsten Steinkohlereviere Europas. In den 50er Jahren des 20. Jhdts kam es dann zu Streiks, nachdem der belg. Kohlenrat beschlossen hatte, unwirtschaftliche Gruben stillzulegen, im Februar 1959 sogar zu einem Generalstreik, der freilich die Politik der Stillegungen – abgeschlossen in den 60er Jahren – nicht aufhalten konnte (vgl. dazu die Artikel von Elmar

Mundt: Stillegung: Was sein muß, muß sein, in: *Die Zeit*, Nr. 8 v. 20. 2. 1959 sowie Alfons Vogel: Aber die Probleme bleiben!, in: *Blätter für deutsche und internationale Politik*, H. 2, 1961, S. 135–147).

⟨Vilma Sturm⟩

Entstehung

Das kleine Porträt trägt im Arbeitsbuch die Signatur »340/75«, es ist von Böll auf den 29. 3. 1975 datiert und in Köln geschrieben worden (*AB* II, Bl. 33; NE). Es ist im Auftrag des Verkehrsamtes der Stadt Köln entstanden. In einem Brief vom 28. 2. 1975 bedankte sich das Verkehrsamt für die Zusage Bölls, ein Porträt zu schreiben und bat darum, den Text bis spätestens am 20. 4. 1975 zu liefern (vgl. HA 1326–270; Bl. 83). Bereits in einem Brief vom 14. 4. 1975 bedankte sich Vilma Sturm bei Böll für dieses Porträt; darin heißt es u. a.: »Ich empfand mich mit dem, was Du geschrieben hast, eingehüllt in Dein Wohlwollen, Deine Wertschätzung – ein glückliches Gefühl. Nur bleibt die etwas bängliche Frage, ob es Schonung war, aus der Du darüber, wie ich schreibe, kein Wort verloren hast. Denn auch wenn man nur ein Handwerker ist, kein schöpferischer Mensch, hat man ja doch seine gewisse Art, die Dinge herzustellen. Ich vermute, die meinige gefällt Dir nicht; ich verstehe das auch« (HA 1326–4000, Nr. 15959).

Überlieferung

Typoskripte

T: Erstschr., 1 Bl.; erster unvollst. Entwurf.
(HA 1326–270; Bl. 80)

tH[1]: Durchschr., 2 Bll.; am oberen Rand von Bl. 1 eh. Titel »Über Vilma Sturm«, am loR eh. Vermerk der Arbeitsbuchsigle »340/75« (= AB II, Bl. 33; NE); überarbeitete Fassung mit einer hs Korrektur, Textstand identisch mit den Druckfassung.
(HA 1326–270; Bll. 81–82)

Drucke

Z: *Köln*. Vierteljahresschrift für Freunde der Stadt. – 38. Jg. (1975), Heft 2, S. 36.

D[1]: *EE*, S. 224–225.

D[2]: *ESR* III, S. 240–241.
D[3]: *EAS* 5, S. 236–237.

Textgrundlage

Textgrundlage ist D[2].

Stellenkommentar

124. 3 *Sturm]* Vilma Sturm (1912–1995), dt. Journalistin und Schriftstellerin; nach dem abgebrochenen Studium Besuch der Höheren Handelsschule, seit 1936 journalistische Tätigkeiten u. a. für die *Kölnische Zeitung*, nach dem Krieg zunächst beim *Rheinischen Merkur*, 1949 dann Wechsel zur *FAZ*, von 1959 bis 1977 festes Redaktionsmitglied. – Bölls Bekanntschaft mit Vilma Sturm geht auf das Jahr 1955 zurück, als sie sich bei Sturms damaliger Arbeitsstelle, dem 1953 gegründeten Katholischen Rundfunk-Institut in Köln, erstmals begegnet sind. Darüber berichtet Vilma Sturm auch in *Barfuß auf Asphalt* (1981): »Böll hatte damals, 1955, gerade die Erzählung »Brot der frühen Jahre« geschrieben – sie war fertig bis auf den Schluß, der für ihn ein theologisches Problem enthielt. Darüber wollte er mit dem Pater sprechen. [...] Offensichtlich gefiel der Pater dem Dichter. Jedenfalls ergab sich aus der Unterhaltung im Büro ein Kontakt. Der riß, was meine Person betrifft, nicht ab in den folgenden fünfundzwanzig Jahren, verstärkte sich mit der Zeit zur Freundschaft – besonders, seitdem die Bölls »bei mir um die Ecke« wohnen, so daß nachbarliche Besuche leicht zustande kommen« (S. 236). Später, im Jahre 1981, hat Böll noch eine Rezension zu Vilma Sturms autobiographischem Text *Barfuß auf Asphalt – Ein unordentlicher Lebenslauf* geschrieben (*KA*, Bd. 22, S. 12–16).

124. 8–9 *Kriege zwischen Rom und Karthago]* Nach der Niederlage im dritten Punischen Krieg (149–146 v. Chr.) fiel Karthago im Jahre 146 v. Chr. an Rom; die Stadt wurde zerstört und das Gebiet zur röm. Provinz erklärt.

124. 10 *Schlacht bei Cannae]* Am 2. 8. 216 v. Chr. fand in der antiken, ital. Stadt Cannae die Schlacht zwischen dem karthagischen Heer unter Hannibal (247/246–183 v. Chr.) und röm. Streitkräften, die zahlenmäßig weit überlegen waren, statt. Doch durch die gezielte Umzingelung des röm. Heeres durch die berittenen Einheiten Hannibals siegten die Karthager.

124. 27–28 *very sophisticated]* Engl. ›sehr weltgewandt‹.

125. 14 *per pedes]* Lat. ›zu Fuß‹.

125. 15 *per velociped]* Lat. ›mit einem Gefährt‹.

‹Der gläubige Ungläubige›

Entstehung

Die Rezension trägt im Arbeitsbuch die Signatur: »348/75« und ist in Langenbroich im Mai 1975 geschrieben worden (*AB* II, Bl. 34; NE). Brieflich wandte sich Uwe Schultz vom *Hessischen Rundfunk* am 16. 4. 1975 mit der Bitte an Böll, den Briefband Ludwig Marcuses zu besprechen (HA 1326–4000, Nr. 15979). Mit Datum vom 17. 5. 1975 sagte Schultz Böll Dank für die Rezension, die »noch einmal generell auf die schwierige Situation des Schriftstellers in der Emigration« hinweise. »Sie könnten«, fuhr Schultz fort, »das Manuskript in der zweiten Juni-Hälfte sprechen. Für die Überspielung bis zum Sendedatum des 13. Juli steht noch ausreichend Zeit zur Verfügung« (HA 1326–4000, Nr. 16301).

Überlieferung

Typoskripte

T: Erstschr., 2 Bll.; erster unvollst. Entwurf, von Böll eh. am linken Rand als »ungültig« bezeichnet; am loR eh. Vermerk der Arbeitsbuchsigle »348/75« (= *AB* II, Bl. 34; NE).
(HA 1326–271; Bll. 1–2)

Th[1]: Erstschr., 4 Bll.; überarbeiteter, unvollst. Entwurf mit geringen eh. Korr.
(HA 1326–271; Bll. 3–6)

t[2]: Durchschr., 4 Bll.; Textstand identisch mit der Druckfassung; am loR von Bl. 1 eh. Vermerk der Arbeitsbuchsigle »348/75« (= *AB* II, Bl. 34; NE), darunter eh. Notiz »Mitte Mai 75«.
(HA 1326–271; Bll. 7–10)

Drucke

Z[1]: *Westdeutsche Allgemeine Zeitung* (Essen). – 28. Jg., Nr. 276 (29. 11. 1975), S. 2 u. d. T.: Emigration war Vertreibung. Zu Ludwig Marcuses Briefwechsel. [Auszug]

Z[2]: *Die Weltwoche* (Zürich). – 44. Jg., Nr. 4 (28. 1. 1976), S. 29.
D[1]: *EE*, S. 231–234.
D[2]: *ESR* III, S. 247–250.
D[3]: *EAS* 5, S. 243–246.

Sendungen

SR: *Hessischer Rundfunk* (Frankfurt), 2. Programm, 13. 7. 1975. – Abt. Kulturelles Wort – Das Buch der Woche.

Textgrundlage

Textgrundlage ist D[2].

Stellenkommentar

126. 2 *Ludwig Marcuse«]* Ludwig Marcuse (1894–1971), dt. Schriftsteller, Biograph und Essayist; nach dem Studium und der Promotion 1917 freier Schriftsteller bis 1925 in Berlin, dann als Theaterkritiker in Frankfurt/M. bis zur Rückkehr nach Berlin 1929; 1933 Flucht nach Frankreich, 1936/37 Reisen in die Sowjetunion und Ukraine, 1939 nach Ausbürgerung Auswanderung in die USA; 1944 amerik. Staatsbürger, seit 1945 Lehrtätigkeit als Prof. für dt. Literatur an der University of Southern California. Herausragende Werke u. a.: *Revolutionär und Patriot. Das Leben Ludwig Börnes* (1929); *Heinrich Heine. Ein Leben zwischen gestern und morgen* (1932); *Obszön. Geschichte einer Entrüstung* (1962) und die autobiographischen Schriften *Mein zwanzigstes Jahrhundert* (1960) und *Nachruf auf Ludwig Marcuse* (1960)

126. 13–14 *Ich fühle ... geboren bin]* Zitat aus: *Briefe von und an Ludwig Marcuse*. Hrsg. und eingeleitet von Harold von Hofe. Zürich, Diogenes Verlag, 1975, S. 80.

126. 15–20 *Nichts ... Tanzstunde hatte]* Marcuse, 1975, S. 81.

126. 23–24 *Die Erinnerung ... festzuhalten]* Marcuse, 1975, S. 81 f.

127. 3 *Familie Mann]* Die Brüder Heinrich (1871–1950) und Thomas Mann (1875–1955), dt. Schriftsteller; Klaus Mann (1906–1949), dt. Schriftsteller und Sohn von Thomas Mann; Erika Mann (1905–1969), dt. Schriftstellerin, Schauspielerin und Tochter von Thomas Mann. – Mit Ausnahme Heinrich Manns korrespondierten alle Angehörigen der Mann-Familie mit Ludwig Marcuse.

127. 3–4 *Hermann Kesten, Alfred Döblin, Robert Neumann]* Hermann Kesten (1900–1996), dt. Novellist und Essayist. – Alfred Döblin (1878–1957), dt. Schriftsteller und Nervenarzt. – Robert Neumann (1897–1975); Schriftsteller dt. und engl. Sprache; seit 1938 brit. Staatsbürger; durch seine Parodiensammlung *Mit fremden Federn* (1927) und *Unter falscher Flagge* (1932) gilt er als meisterhafter Parodist in der Literatur der 1920er Jahre.

127. 29–30 *Erich von Kahler, Hans Habe oder Bertolt Brecht]* Erich Gabriel von Kahler (1885–1970); amerik. Germanist, Philosoph, Kulturhistoriker und Schriftsteller. – Hans Habe (1911–1977), österr. Journalist und Schriftsteller. – Bertolt Brecht (1898–1956), dt. Schriftsteller und Regisseur, der sich in den 1920er Jahren dem Marxismus zuwandte.

127. 31 *Willy Brandt]* Siehe Stellenkommentar zu 171. 1–2.

127. 32 *Freiherrn von und zu Guttenberg]* Siehe Stellenkommentar zu 171. 8.

128. 10 *gab eine literarische Zeitschrift heraus]* Döblin gab von 1946–1951 in Mainz die literarische Monatszeitschrift *Das goldene Tor* heraus. Anfang 1947 hatte Böll vergeblich versucht, drei seiner frühen Erzählungen, *Der Schulschwänzer*, *Veronika* und *Der blasse Hund* (vgl. *KA*, Bd. 2, S. 89 ff. u. 114 ff; *KA*, Bd. 3, S. 26–40), in Döblins Zeitschrift unterzubringen.

129. 4–5 *die Umstände, unter denen Ernst Toller starb]* Ernst Toller (1893–1939), dt. Schriftsteller und Sozialist; am 22. 5. 1939 wurde Ernst Tollers Leiche – er hatte sich erhängt – im New Yorker Hotel Mayflower gefunden; Toller befand sich zu dieser Zeit im amerik. Exil und litt unter Depressionen, gewiß mitausgelöst durch seine fünfjährige Haftzeit in Deutschland (1919–1924), das Scheitern seiner Ehe und die fehlenden Publikationsmöglichkeiten in Amerika.

129. 6 *Alma Mahler-Werfels]* Alma Mahler-Werfel (1879–1964); Ehefrau und Geliebte mehrerer berühmter Künstler; musikalisch begabt, erhielt sie Unterricht beim Komponisten Alexander von Zemlinsky (1871–1942); von 1898 bis 1902 führte sie ein 800 Seiten langes Tagebuch, worin sie vor allem ihre unerfüllte Liebe zu ihrem Lehrer Zemlinsky, dem Wagnersänger Erik Schmedes (1866–1931) und dem Maler Gustav Klimt (1862–1918) beschreibt; 1902 heiratete sie den Komponisten und Dirigenten Gustav Mahler (1860–1911), mit dem sie zwei Töchter hatte, von denen aber die ältere 1907 starb; die Ehe der beiden entwickelte sich immer weiter auseinander, Alma fing nach acht Ehejahren eine Affäre mit dem Architekten Walter Gropius (1883–1969) an, den sie 1915 (vier Jahre nach dem Tod Mahlers 1911) heiratete; während des Ersten Weltkrieges unterhielt sie eine Affäre mit dem Maler Oskar Kokoschka (1886–1980); nach der Trennung von beiden Männern lebte sie ab 1919 mit dem jüdischen Schriftsteller Franz Werfel (1890–1945) zusammen, den sie 1929 heiratete; 1939 emigrierten sie über Frankreich und Spanien in die USA, wo Alma bis zu ihrem Tod 1964 lebte und in ihrem Haus viele Künstler empfing.

129. 6–7 *Materialismus-Mißverständnis]* In einem Brief an Alma Mahler-Werfel vom 28. 12. 1944 erläutert Ludwig Marcuse seiner Briefpartnerin auf ironische Art die Materialismus-Problematik: »Bist Du zum Beispiel gegen den ›naturwissenschaftlichen Materialismus‹? Dann kann ich Dich beruhigen: Die Naturwissenschaft kennt keine Materie mehr. Bist Du gegen den ›philosophischen Materialismus‹? Dann kann ich Dich auch beruhigen: die Erkenntnis-Theorie hat den Substanz-Begriff durch den Funktion-Begriff ersetzt. – Oder bist Du gegen den ›Praktischen Materialismus‹? Da müßten wir uns zuerst verständigen, was Du darunter verstehst. Würdest Du zum Beispiel einen Menschen schon für ›materialistisch‹ halten – nur weil er einige Häuser besitzt und einen schönen Wagen und noch ein bißchen oder zwei Bißchen mehr? Das wäre doch wirklich zu streng! Aber auf jeden Fall sollten wir beiden philosophischen Köpfe vermeiden, wissenschaftliche Ausdrücke wie ›Materialismus‹ zum Schimpfwort zu degradieren« (Marcuse, 1975, S. 37 f.).

129. 23 *Harold von Hofe]* Harold von Hofe, Literaturwissenschaftler, Germanist und Publizist, em. Prof. für Germanistik an der University of Southern California; von Hofe war Kollege von Marcuse.

⟨Zeit des Zögerns – Der Zar und die Anarchisten⟩

Entstehung

In Bölls Arbeitsbuch trägt die Rezension die Signatur: »357/75« (*AB* II, Bl. 36; NE); sie ist im Juli 1975 entstanden; die letzte, dritte Fassung, wie auf Bl. 1 von t^3 eh vermerkt, ist auf den 1. 8. 1975 datiert (HA 1327–271, Bl. 26). Bereits im Juni muß sich Böll an die *Zeit* gewandt haben, um Jurij Trifonows Band zu rezensieren; denn am 23. 6. 1975 bedankte sich Rolf Michaelis für Bölls Angebot (HA 1326–KS 57, Bl. 16511) und schickte unmittelbar danach Böll den Band zu (vgl. HA 1326–PEB Bd. 10, Nr. 16511). Unter dem Datum vom 6. 8. 1975 schließlich dankte Michaelis Böll für dessen Besprechung, die ihm gezeigt habe, »wie sehr Sie in der russischen Mentalität zuhause sind« (HA 1326–4000, Nr. 1671).

Überlieferung

Typoskripte

Th^1: Erstschr., 5 Bll.; unvollst., am loR von Bl. 1 eh. Vermerk der Arbeitsbuchsigle 357/75« (= *AB* II, Bl. 36; NE), darunter »1. Version ungültig«, auf Bl. 5 hs noch Hinweise auf Zitate sowie den Fortgang des Textes.
(HA 1326–271, Bll. 16–20)

Th^2: Erstschr., 5 Bll.; überarbeiteter, erweiterter, aber noch unvollst. Entwurf, der auf Bl. 1 von Böll eh. am loR als »2. Versuch ungültig« charakterisiert worden ist.
(HA 1326–271, Bll. 21–25)

t^3: Durchschr., 5 Bll.; Textstand identisch mit der Druckfassung, wohl Durchschr. des Textes, der an die Redaktion der *Zeit* gegangen ist; am loR von Bl. 1 eh. Vermerk der Arbeitsbuchsigle »357/75« (= *AB* II, Bl. 36; NE), darunter noch »Trifonov-Rezension« und die Datierung auf den 1. 8. 1975.
Beigefügt: 1 Blatt, auf dem 15 Zitate und Exzerpte aus Trifonovs »Zeit der Ungeduld« abgetippt sind.
(HA 1326–271, Bll. 26–31)

Drucke

Z: *Die Zeit* (Hamburg). – 30. Jg., Nr. 34 (15. 8. 1975), S. 33 u. d. T.: »Zeit des Zögerns. Jurij Trifonows großer Geschichtsroman aus dem alten Rußland«.

D[1]: *EE*, S. 238–242.

D[2]: *ESR* III, S. 251–255.

D[3]: *EAS* 5, S. 247–251.

Textgrundlage

Textgrundlage ist D[2]. Korrigiert wurde:

133. 10 *Perowskaja]* Petrowskaja; *korr. nach* Z

133. 28 *Okladskij]* Odladskij; *korr. nach* Z

Stellenkommentar

130. 2 *Trifonow ... »Die Zeit der Ungeduld«]* Jurij Valentinowitsch Trifonow (1925–1981), russ. Schriftsteller; Werke u. a.: *Der Tausch* (1969), *Langer Abschied* (1971), *Das Haus an der Moskva* (1976). – Jurij Trifonow: *Die Zeit der Ungeduld. Roman.* Aus dem Russischen von Alexander Kaempfe. Bern/München, Scherz, 1975.

130. 4 *Alexander II.]* Alexander II. (1818–1881), russ. Zar von 1855 bis zu seiner Ermordung 1881.

130. 7 *Chalturin]* Stephan Nikolajewitsch Chalturin (1856–1882), russ. Revolutionär.

130. 12 *Whist]* Das aus England kommende Whist ist ein Kartenspiel, das mit 52 Karten gespielt wird.

130. 18 *Scheljabows]* Andrej Iwanowitsch Scheljabow (1851–1881), russ. Revolutionär.

130. 21 *Ryssakows]* Nikolaj Kolja Iwanowitsch Ryssakow (1861–1881), russ. Revolutionär.

130. 21 *Grinewitzkijs]* Ignatij Joachimowitsch Grinewitzkij (1856–1881), russ. Revolutionär.

131. 3 *Woinowitsch]* Siehe Stellenkommentar zu 249. 15.

131. 17 *»Hausmeister«]* Trifonow, 1975, S. 127 u. ö.

131. 17 *Alexander Michailow]* Alexander Dimtrijewitsch Michailow (1855–1884), russ. Revolutionär.

131. 19 *»Schicksal«]* Trifonow, 1975, S. 62 u. ö.

131. 20 *»Zigeunerin«]* Trifonow, 1975, S. 201.

131. 33 *Loris-Melikow]* Michail Wassiljewitsch Loris-Melikow (1825–1888), russ. General und Gouverneur.

131. 33–34 *Alexander III.]* Alexander III. (1845–1894), zweiter Sohn von Alexander II.; nach den Tod seines Bruder 1865 übernahm er 1881 die Regentschaft und entließ Loris-Melikow, der als Innenminister versucht hatte, die revolutionären Bewegungen zu zerschlagen.

131. 34 *Konstantin Pobedonoszew]* Konstantin Petrowitsch Pobedonoszew (1827–1907), russ. Jurist und Staatsmann.

131. 36–37 *»verdächtig aussehende … verhaftet«.]* Trifonow, 1975, S. 414.

132. 2 *Nikolaj Kletotschnikow]* Nikolaj Wassiljewitsch Kletotschnikow (1847–1883), russ. Spion.

132. 7–8 *Grischka Goldenberg]* Grigorij Grischka Davidowitsch Goldenberg (1855–1880), russ. Revolutionär.

132. 8 *Kropotkin]* Dmitrij Nikolajewitsch Kropotkin (1836–1879), russ. Fürst und Gouverneur, der einen harten Kurs gegen die Revolutionäre durchsetzte und daher aus Rache von Goldenberg ermordet wurde.

132. 13–15 *»Der letzte Mord … triumphiert.«]* Trifonow, 1975, S. 126.

132. 16–17 *»Zögern von fast mystischer Gewalt«]* Trifonow, 1975, S. 218.

132. 19 *Ukas]* Der Ukas (russ.) meint sowohl eine Anordnung als auch einen Erlaß des Zaren.

132. 22–24 *»Die Angst … Klima.«]* Trifonow, 1975, S. 219.

132. 24–27 *»Überhaupt … geleitet wird.«]* Trifonow, 1975, S. 234.

132. 32 *»hessische Säuernis«]* Trifonow, 1975, S. 256.

132. 38–133. 2 *»Gelassen … Hinrichtung.«]* Trifonow, 1975, S. 121.

133. 10 *Sonja Perowskaja]* Sophia Sonja Wladimirowna Perowskaja (1853–1881), russ. Revolutionärin, Tochter des Generalgouverneurs von St. Petersburg und Geliebte von Scheljabow.

133. 12–16 *»In diesem Zimmer … vergehen.«]* Trifonow, 1975, S. 246.

133. 28 *Okladskij]* Iwan Wanjetschka Fjodorowitsch Okladskij (1858, Todesdatum ist nicht bekannt, gilt als verschollen), russ. Revolutionär.

133. 35–134. 3 *Natürlich … Hunger nach Frauen]* Trifonow, 1975, S. 420 f.

134. 3–13 *Sogar noch … allerletzten Sekunde]* Trifonow, 1975, S. 424 f.

134. 14–15 *»Wesen der Lehre Jesu Christi bekennt«]* Trifonow, 1975, S. 433.

134. 15–16 *»Dieses Wesen … Ehrenplatz ein.«]* Trifonow, 1975, S. 433.

134. 37 *Jakimowa]* Anja Wassiljewna Jakimowa (1856–1942), russ. Revolutionärin.

134. 37 *Vera Figner]* Vera Nikolajewna Finger (1852–1942), russ. Revolutionärin, die wie Jakimowa an der Planung diverser Attentate beteiligt war.

⟨Der Mythos Gatt oder: Zuviel gesucht⟩

Entstehung

Die Rezension trägt im Arbeitsbuch die Signatur »359/75«; sie ist in Langenbroich im August 1975 entstanden (*AB* II, Bl. 36; NE). Am 8. 10. 1975 schrieb Erik Neutsch an Böll und drückte darin seine Betrübnis über die Rezension aus, weil er darin »gewisse Klischeevorstellungen über das Leben in der DDR« erkannte; schließlich sprach Neutsch gar von Enttäuschung, weil Böll ihm Verlogenheiten unterstellt habe. Darauf antwortete Böll am 2. 12. 1975 mit einem zweiseitigen Brief, der so schließt: »Mir wäre es lieber gewesen, sehr geehrter Herr Neutsch, wenn die Deutschen nicht nur die ›Russen‹, alle Befreier, mit Jubel und Blumen begrüßt hätten, ich halte es aber auch für eine fortgeführte Täuschung und Selbsttäuschung, wenn wir Autoren alles leugnen, was sich bei der ersten Welle der Befreiung, die man nur ›Befreiung‹ nennen kann, zugetragen hat; es gehört doch zur Entwicklung des Sozialismus, daß er auf diese Weise ins Land getragen wurde. Deshalb mein ausführliches Eingehen auf diese ›Verlogenheit‹. Sie wird uns nicht weiterhelfen« (HA 1326-Ablage Böll Aug.-Dez. 1975).

Überlieferung

Typoskripte

Th[1]: Erstschr., 6 Bll.; erster Entwurf, am loR eh. Notiz »1. Version ungültig«.
(HA 136–271, Bll. 32–37)

t[2]: Durchschr., 5 Bll; gegenüber Th[1] gekürzte Fassung, am loR von Bl. 1 eh. als gültige zweite Fassung bezeichnet.
Beigefügt: 2 Bll. mit Zitaten, Exzerpten und Notizen zu Neutschs Roman.
(HA 1326–271, Bll. 38–41; Bll. 42–43)

Drucke

Z: *Frankfurter Allgemeine Zeitung.* – 27. Jg., Nr. 188 (16. 8. 1975), ›Bilder und Zeiten‹.
D[1]: *EE*, S. 250–253.
D[2]: *ESR* III, S. 256–259.
D[3]: *EAS* 5, S. 252–255.

Textgrundlage

Textgrundlage ist D[2].

Varianten

136. 28 *vorsichtig. Peinlich]* ⌈Z
137. 9 *denn wie]* als wie Z

Stellenkommentar

135. 4 *Neutsch]* Erik Neutsch, geb. 1931, dt. Schriftsteller, seit 1949 Mitglied der SED, nach dem Studium journalistische Tätigkeit in der Kultur- und Wirtschaftsredaktion von *Die Freiheit*, seit 1960 freier Schrifteller, der sich in seinen Arbeiten, überwiegend Romanen und Erzählungen, mit der Entwicklung des Sozialismus in der DDR, z. T. kritisch, wiewohl immer um Parteitreue bemüht, auseinandergesetzt hat. Zu seinen Hauptwerken zählen *Spur der Steine* (1964), *Auf der Suche nach Gatt* (1975) sowie die Romantetralogie *Der Friede im Osten* (1974–1987).

135. 25–26 *»Ich, ein Arbeiterkind … wie es sich anderswo lebt.«]* Neutsch, 1975, S. 47.

137. 3 *Moby Dick]* Anspielung auf den Roman *Moby Dick oder Der Wal* des erstmals 1851 erschienenen Roman des amerik. Schriftstellers Herman Melville (1819–1891).

138. 2 *der 17. Juni]* Um den 17. 6. 1953 kam es in der DDR wegen der von der Staatsregierung angeordneten Erhöhung der Arbeitsnormen zu spontanen Streiks, Demonstrationen und Protestaktionen in nahezu allen Regionen der DDR.

138. 4–5 *»Die sowjetischen Truppen werden mit Blumen empfangen«]* Neutsch, 1975, S. 24

⟨Berichte zur Gesinnungslage der Nation⟩

Entstehung

Im Arbeitsbuch trägt die Satire die Nummer »352/75«; sie ist im Mai/Juni 1975 in Köln und Langenbroich entstanden (*AB* II, Bl. 35; NE). Am 10. 7. 1975 teilte Böll den endgültigen Titel »Berichte zur Gesinnungslage der Nation« dem Verlag mit und lieferte am 11. 7. 1975 das Typoskript ab (TH[9]). Bereits vorher, in einem Brief vom 27. 6. 1975, bot Böll den Text dem *Spiegel* an: »[...] natürlich weiß ich nicht, ob Sie je daran gedacht haben, die mit Kath. B. begonnene belletristische Tradition (und ausgerechnet mit mir!) fortzusetzen. Nun, ich biete Ihnen diese Geschichte – die beiliegt – an« (HA 1326-Ablage Böll 1975). Aber der *Spiegel* schickte Bölls Manuskript wieder zurück (vgl. Brief v. Erich Böhme; HA 1326–PEB Bd. 10, Nr. 16588). Die Produktion des Bandes erfolgte noch im Juli; telefonisch übermittelte Böll der Herstellung insgesamt 22 Korrekturen am 24. 7. 1975. Am 31. 7. 1975 erhielt Böll den Umbruch und am 1. 8. 1975 erteilte Böll – wiederum telefonisch – sein Imprimatur. Reinhold Neven Du Mont teilte Böll dann auf einer Karte mit, daß »[d]ie Berichte zur Gesinnungslage zur Nation« ab dem 22. 8. 1975 ausgeliefert würden und es rund 26.000 Vorbestellungen für den Band gäbe (HA 1326-Ablage Böll Aug.-Dez. 1975). In einem Brief an Henry Glade (1912–1999) vom 12. 8. 1975 schrieb Böll: »[...] ich habe einen (bisher) ziemlich faulen Sommer hinter mir: nur ein paar Rezensionen, eine dreißig Seiten lange Satire über Gesinnungsschnüffelei und viel Post abgewickelt. Ansonsten im Garten gesessen, im Bett gelegen und meinen Diabetes gepflegt« (HA 1326-Ablage Böll 1975).

Hintergrund

In einem Leitartikel für die *Zeit* (Nr. 25, 13. 6. 1975) schrieb Theo Sommer unter dem Titel »Eine Demokratie von Duckmäusern. Verfassungstreue und Gesinnungsschnüffelei« einen vehementen Text gegen die in der Bundesrepublik grassierende Gesinnungsschnüffelei, der Böll möglicherweise inspiriert hat: »Bildet sich unser liberaler Rechtsstaat allmählich zum schnüffelnden, überall Unheil und Bedrohung witternden Obrigkeitsstaat zurück? Entwickelt sich in der Bundesrepublik ein neuer Metternich-Geist, diesmal auf die Radikalenbeschlüsse von Bund und Ländern gestützt wie vor 125 Jahren auf die Karlsbader Beschlüsse, aber ebenso komplett mit Kommissionen gegen staatsgefährliche Umtriebe, politischer Überwachung der Hochschule und staatlich geförderter Duckmäuserei? Ist gar ein westdeutscher McCarthyismus im Entstehen? – Neuerdings ist es nicht nur die Linke im Lande, die derlei Fragen stellt, auch nicht bloß die liberale Mitte. Selbst gestandene Konservative machen sich inzwischen Gedanken über eine Staatspraxis, deren theoretische Fundierung ganz erleuchtend wirkt, deren bürokratischer Vollzug jedoch zu schwersten Bedenken Anlaß gibt. Etwa in Baden-Württemberg, wo inzwischen Hochschullehrer aller neun Universitäten, in einigen Fällen sogar deren Senate, ganz offiziell vor der gegenwärtigen Handhabung des Erlasses über die Pflicht zur Verfassungstreue im öffentlichen Dienst gewarnt haben ›Es sollte eine bittere historische Erfahrung gerade in Deutschland gelehrt haben‹, hieß es in der von Konstanz ausgehenden *Erklärung der Hundert*, ›daß die Bedrohung einer verfassungsmäßigen demokratischen Grundordnung auch von staatlichen Bürokratien ausgehen kann.‹ [...] – Die bürokratischen Auswüchse sind am besten mit einigen Beispielen von der Universität Konstanz zu belegen – die freilich für Baden-Württemberg symptomatisch zu sein scheinen. – Gegen einen Bewerber um einen Hilfsposten wurde vorgebracht, er habe vier Jahre zuvor am Graf-Zeppelin-Gymnasium in Friedrichshafen per Flugblatt zum Schülerstreik aufgerufen. – Gegen jemanden, der auf den Posten einer wissenschaftlichen Hilfskraft reflektierte, wurde geltend gemacht: ›...reiste mit einer Reisegruppe vom 23.–29. April 1973 auf Einladung des SED-Bezirksvorstandes Dresden zu einem Studienaufenthalt nach Dresden ... gab auf Befragen an, die Angehörigen der Reisegruppe seien Mitglieder der DFU. Die DFU ist eine kommunistisch beeinflußte Partei.‹ – Ein Ingenieur und Mathematiker, der computergestützten Chemie-Unterricht programmieren sollte, wurde als Radikaler abgelehnt, das Forschungsprogramm mußte abgebrochen werden. – Einem Engländer, Fachbereich mathematische Statistik, der sich um die Stelle eines H–3-Professors bewarb, wurden – anscheinend auf Grund von Auskünften des britischen Geheimdienstes – trotzkistische Verbindungen vorgeworfen. Das Überprüfungsverfahren zog sich sechs Monate lang hin; am Ende erklärte sich der Brite ›depressed and verry worried‹ und nahm lieber die Berufung der Universität Münster an. Einem Freund in Konstanz schrieb er verbittert: ›Das mit den Trotzkisten ist natürlich Nonsens. Ich hatte (und habe wohl noch) einige Freunde, die Trotzkisten sind oder waren; man scheint mir in der besten McCarthy-Tradition nach dem Motto guilt by association einen Strick zu drehen. Ich habe den Eindruck, daß Willy Brandt, wenn er sich je entschlösse, die Politik zu verlassen und irgendwo eine Professur anzunehmen, sich in Baden-Württemberg gar nicht erst zu bewerben brauchte. Bei seiner Vergangenheit muß er wohl noch mehr Verdacht erregen als ich.‹ – Doch geht es nicht nur um derlei Auswüchse; es geht um den Grundsatz. Der Stuttgarter Erlaß ist Ende 1973 in Kraft getreten. Seitdem sind in Baden-Württemberg über 44000 Bewerber für den öffentlichen Dienst überprüft worden. Gegen jeden hundertsten lagen gerichtsverwertbare Erkenntnisse vor; ungefähr jeder tausendste wurde abgewiesen. – Die erste Frage ist: Lohnt der Aufwand? Ist es tatsächlich nötig, 44000 zu überprüfen, um 40 auszufiltern? Da muß jeder einen ›blauen Bogen‹ ausfüllen, ›unter Angabe der Wohnanschriften des Bewerbers mindestens aus den letzten Jahren‹; so sollen Tatsachen ans Licht gefördert werden, ›die Bedenken gegen die Einstellung begründen‹. Dann wird in den Karteien des Verfassungsschutzes geforscht; aber manche argwöhnen, daß die Behörden auch Polizeibefragungen und sogar Nachbarschaftsbefragungen nicht scheuen. – Die zweite Frage ist: Muß die Überprüfung im Zeitalter der Computer so lange dauern? In der Regel zwei bis fünf Tage, sagt die Landesregierung. Die Universitäten sagen es anders: vierzehn Tage bis acht Monate; in schwierigen Fällen durchschnittlich vier Monate. Und die Hälfte dieser Fälle sind keineswegs Angehörige der Chaoten, der K-Gruppen verschiedenster Art, sondern Leute, gegen die meist die Bedenken wieder zurückgezogen werden. Kann niemand sich vorstellen, daß Studenten, die während der Semesterferien Bibliotheksbände auszeichen wollen, mit Zittern auf den ausbleibenden Bescheid warten – mit demselben Zittern, mit dem ihre Großväter im Dritten Reich auf den Bescheid des Reichssicherheitshauptamtes warteten, daß mit der ›arischen Großmutter‹ alles in Ordnung sei. – Die dritte Frage: Muß wirklich jeder Bewerber für einen ›Hilfskraft-Job‹ von zwei oder drei Monaten Dauer durchleuchtet werden? Jeder Postbote und Schrankenwärter? Jeder städtische Heizer oder Friedhofsgärtner? Und – nach dem Stuttgarter Erlaß – jeder Rundfunkredakteur? Läßt sich der Kreis nicht enger ziehen, auf die reinen Hoheitsträger beschränken oder auf jene Tätigkeitsfelder, in die tatsächlich politische Inhalte eingehen? Schließlich aber geht es um die Auswirkungen der Überprüfungspraxis, die indirekten Folgekosten des Staatsschutzes, wie er derzeit im deutschen Südwesten praktiziert wird. Es sind zwei. Erstens: Die staatliche Schnüffelei fördert das Duckmäusertum. Zweitens: Sie gefährdet die Meinungsfreiheit und die Lehrfreiheit.«

Überlieferung

Notizen

N: 15 Bll. verschiedener Größen in Bleistift und Kugelschreiber mit Stichworten zu den Figuren, zum Aufbau und zur Struktur des Textes sowie einigen Wortlisten zum Wortumfeld von ›rot‹; beiliegend auch Kopien (23 Bll.) aus Wörterbüchern, Trübners Deutsches Wörterbuch und Grimms Deutsches Wörterbuch, »rot« bis »rotwelsch« (Trübner) bzw. »rot« bis »Rotstrumpf« (Grimm).
(HA 1326–222, Bll. 92–106)

Typoskripte

T^1: Erstschr., 11 Bll., unterschiedlich beschrieben, erste unvollst. Fassung, am loR von Bl. 1 eh. »1. Version ungültig«.
(HA 1326–219, Bll. 1–11)

t^2: Durchschr., 5 Bll., Durchschr. einzelner Seiten von T^1.
(HA 1326–219, Bll. 12–16)

t^3: Durchschr., 20 Bll., überarbeitete, gegenüber T^1 erweiterte, unvollst. Durchschr. (grün), am loR von Bl. 1 eh. der Vermerk »Rotgimpel« »2. Version ungültig«.
(HA 1326–220, Bll. 1–20)

t^4: Durchschr., 17 Bll., zweite, unvollst. Durchschr. (gelb), es fehlen die Bll. 1–3, auf Bl. 1 (S. 4) am loR der Vermerk »Rotgimpel« »2. Version ungültig«.
(HA 1326–220, Bll. 21–37)

TH^5: Erstschr., 20 Bll., gegenüber t^3 geringfügig überarbeitete und korr. Fassung, auf Bl. 1 am loR der Vermerk »3. Version ungültig«.
(HA 1326–220, Bll. 38–57)

TH^6: Erstschr., 7 Bll., Erstschr. der Teile 7–9, eh am loR von Bl. 1 »neue Version ab Seite 22«.
(HA 1326–221, Bll. 1–7)

t^7: Durchschr., 7 Bll., Durchschr. (grün) von TH^6.
(HA 1326–221, Bll. 8–14)

t^8: Durchschr., 7 Bll., Durchschr. (gelb) von TH^6.
(HA 1326–221, Bll. 15–21)

TH^9: Erstschr., 30 Bll., Textstand nahezu identisch mit der Druckfassung, eh mittig von Bl. 1 mit Bleistift der Titel »Berichte zur Gesinnungslage der Nation«.
(HA 1326–222, Bll. 1–30)

t[10]: Durchschr., 30 Bll., Durchschr. von TH[9] (gelb).
(HA 1326–222, Bll. 31–60)

tH[11]: Durchschr., 31 Bll., Durchschr. von TH[9] (grün), allerdings mit kleineren hs Korrekturen, Überarbeitungen und einer längeren Hinzufügung auf Bl. 31, von Böll am loR von Bl. 1 »endgültige, bei K + W am 11. 7. 75 abgelieferte Fassung«, darunter noch eh »am 24. 7. 75 1 Korrektur«.
(HA 1326–222, Bll. 61–91)

Drucke

D[1]: *Berichte zur Gesinnungslage der Nation*. Köln: Kiepenheuer und Witsch, 1975. 63 Seiten. (Pocket; 64)

D[2]: WA V, S. 474–499.

Ton-/Bildträger

TB: Heinrich Böll liest Die verlorene Ehre der Katharina Blum. Originalaufnahmen 1971–1975. München, Hörbuchverlag, 2003. 6 CDs [Berichte zur Gesinnungslage der Nation, CD 6 (Auszüge)]

Textgrundlage

Textgrundlage ist D[1].

Rezeption

»[...] Diesmal ist Heinrich Böll wieder ganz der alte liebe Grotesk-Satiriker, wie man ihn etwa vom ›Dokotor Murke‹ her kennt. Die ›Schärfe der Diagnose‹, meint sein Verlag zu dem neuen Kleinwerk, werde ›nicht gemildert durch den zur Groteske tendierenden Witz der Geschichte‹. Der mahnende Unterton dieses Satzes ist überflüssig – wir verstehen's schon richtig, auch wenn wir darüber lachen, wie Böll hier Subversisons-Hysterie, Verfassungsschutz-Eifer und Gesinnungsschnüffelei der Lächerlichkeit preisgibt. – Der Spaß hat, wie stets bei Böll, auch karnevalistische Momente. So ulkig wie die Decknamen der Agenten sind die Tarnbezeichnungen für ihre Dossiers: ›Doppeldecker‹, ›Flüstertüte‹ und ›Schleimbeutel‹. Mit der ›kriminellen Vereinigung EDEKA‹ ist ›nicht die Konsumgesellschaft, sondern die Erzdiözese Köln gemeint‹, mit dem Kürzel ›Likaki‹ ein ›linkskatholischer Kirchgänger‹. Die Nato wird aufgefordert, der Verwendbarkeit von geriebenem Käse als Sprengstoff-Ingredienz ihre verstärkte Aufmerksamkeit zu widmen. – Pointe der Erzählung: Die im ›Gesinnungserfassungseinsatz‹ stehenden V-Leute der miteinander konkurrierenden Dienste – getarnt als dänischer Journalist, linke Sektiererin und Aktionskünstler (›Beuys der Schülerunion‹) – observieren sich, ahnungslos, gegenseitig. Es gibt ›Gelegenheit, dem MAD mal wieder eins auszuwischen‹, und es kommt zu gegenseitigen Verhaftungen. – Ist das ganze Agentenwesen, das sich als Unwesen von lauter Agents provocateurs erweist, also wertlos? – Keineswegs: Eine raffinierte Aktion der ›Rotmolch‹-Gruppe, bei der mit Plakten vor ›kriminellen Vereinigungen in der Kölner Oberwelt‹ gewarnt wird – unter anderem dem Bundesverband der Deutschen Industrie, dem Bundesverband deutscher Banken und dem des Körperpflegemittel-Großhandels e. V –, diese Plakat-Aktion à la Staeck provoziert in der Bevölkerung empörend viel ›Belustigungsbekundung‹ und ›höhnische Genugtuung‹, dagegen ›erschrekkend‹ wenig Empörung. ›Sogar ein freier Mitarbeiter der »Welt am Sonntag«‹ findet ›die Sache‹ ›»doch ganz amüsant«‹. – Und diese Reaktionen bringen Bölls Staatsschützer auf einen wertvollen Gedanken: ›Manche Gesinnungsobservationen sind, da viele stumm, eben nur durch ihren Gesichtsausdruck reagieren, doch nur als Foto beweiskräftig... Es wird beantragt, Mittel für die physiognomische Erfassung von Gesinnungen zu bewilligen.‹ – Eine Sache, fast zu kurz für ein eigenes Buch, doch so ganz amüsant aktuell, daß es richtig war, sie nicht erst für einen späteren Sammelband aufzuheben. Gesinnungslagen sind schließlich veränderlich.«

Rolf Becker: »Rotmolch an Majordomus«, *Der Spiegel*, H. 35, 1975, S. 115 f.

»Heinrich Bölls satirische ›Berichte zur Gesinnungslage der Nation‹ sind, wie zuvor ›Die verlorene Ehre der Katharina Blum‹, ein sehr zeitnahes Buch: ein Schnellschuß fast, in dem Böll offensichtlich etliches umsetzte, was ihn in der allerjüngsten Vergangenheit unseres Staates bedrückte und verärgerte.«

Ruth Lindenberg: »Agenten unter sich«, *Rheinische Post*, 27. 8. 1975.

»[...] Den Dualisten Böll gibt es nicht mehr. Einem tiefer dringenden Blick zeigen sich die Erscheinungen der Welt in ihren der Wirklichkeit des Lebens entsprechenden Mischfarben. Das heißt wenn sich dieser Autor nicht in einem Leitartikel oder Kommentar politisch äußert, sondern in Form einer Erzählung, dann darf weder der politisch argumentierende noch der poetisch erfindende Heinrich Böll aus dem Text hinausdividiert werden. Dies gilt für die neue Erzählung [...]. Keine bissige, sondern eine freundlich stichelnde, in Details liebevoll ausgepinselte Satire auf Irrsinn und Leerlauf der Geheimdienste hat Böll geschrieben. Den Giftzahn bleckt nur die Überschrift: Böse variiert sie den Titel des vom Bundeskanzler vorgetragenen ›Berichtes zur Lage der Nation‹ – zu ›Berichten‹ zur ›Gesinnungslage‹ der Nation. – In dem bürokratisch unauffälligen Wort ›Gesinnungslage‹ spürt Böll das ganze Elend einer nachreformatorischen Zeit auf. Denn von nichts anderem ist die Rede als von Ausspionierung unserer Gedanken, die auch nach dem Grundgesetz ›frei‹ sind, als von Schnüffelei, Topfguckerei, Schlüssellochhorcherei, als von Spitzeln und Denunzianten. – Auch wer es nicht wahrhaben will: In unserem Land herrscht zur Zeit mehr oder weniger offen Gesinnungsinquisition für angehende Staatsdiener; nicht als Hetz- oder gar Hexenjagd, aber mit Fragebogen, ›Gespräch‹, mit dem ganzen Arsenal juristischer und bürokratischer Zermürbungstaktik. Man lese die Lebensgeschichte deutscher Schriftsteller, die zu Metternichs Zeiten Professoren, Pastoren, Schulmeister werden wollten: Es hat sich wenig geändert. – Mit der Berechtigung zur grotesken Übertreibung, die dem satirischen Schriftsteller auch das Gericht einräumt, läßt Böll seine Geheimdienstmannen Leute observieren, […]. Erinnert die Konstruktion des kleinen Werkes aus unabhängig voneinander verfaßten Briefen, zwischen denen der Leser die Verbindungslinien ziehen muß, an Wolfgang Bauers ›Roman in Briefen‹, ›Der Fieberkopf‹ (1967), so darf man bei Inhalt, Ton und geistiger Verfassung des Skribenten an ein großes Vorbild denken, an die humanistische Satire gegen spätscholastischen Formelkram, an die 1515 erschienenen ›Dunkelmännerbriefe‹. ›Rotgimpel‹, ›Ackergaul‹, ›Rotmolch‹ haben ihre Vorläufer in ›Dollenkopffius‹, ›Mistladerius‹, ›Schlauraff‹, den fiktiven Epistelschreibern, die auf Reuchlins Seite gegen einen Kölner Inquisitor kämpften, der die Ruine des mittelalterlich-theologischen Lehrgebäudes und die Judenverfolgung verteidigte. – Für Bölls literarische Entwicklung wenig bedeutsam markieren die ›Berichte‹ eine Etappe auf dem Weg, der Böll, den Erzähler, und Böll, den zeitkritischen Polemiker, zueinanderbringt. Nach ›Katharina Blum‹ sind das erste Schritte auf dem dritten Weg des Schriftstellers Heinrich Böll. […]«

Rolf Michaelis: »Erste Schritte auf dem dritten Weg«, *Die Zeit*, Nr. 36, 29. 8. 1975.

»[…] Bölls Satire, die nicht mit Anspielungen und direkten Hinweisen auf bundesdeutsche Wirklichkeit spart, richtet sich gegen die totale Verunsicherung und gegen die Zerstörung jeder Vertrauensbasis durch Bespitzelung und Gesinnungsschnüffelei. Diese Zielrichtung hat der Leser schon bald erkannt, und so mutet denn das Büchlein, so kurz es auch ist, als zu lang an. Ätzende Schärfe fehlt dieser Satire. Stärker als die Entrüstung über die halb illegalen Praktiken der Geheimdienste wirkt das Verulken ihrer teils recht kindisch anmutenden Aktivitäten. Aber ist das nicht ein bißchen zu harmlos, gemessen an der mit dem Terminus »Tendenzwende« allzu euphemistisch bezeichneten wirklichen Gesinnungslage der Nation?«

Jürgen P. Wallmann: »Rotgimpel und Ackergaul im ›Gesinnungseinsatz‹«, *Mannheimer Morgen*, 1. 9. 1975.

»[...] Man kann nicht sagen, daß Böll mit seinen »Berichten zur Gesinnungslage der Nation« ein Meisterwerk speziell satirischer Machart abgeliefert hat. Dazu ist die [...] soeben bei Kiepenheuer & Witsch, Bölls Kölner Verlag, erschienene Broschüre zu schnell, um nicht zu sagen zu schludrig gemacht. Man merkt den »Berichten« Schreibnot und Entstehungsdruck an und ertappt sich dabei, die angedeuteten Spitzen selber weiterzuspinnen. Wenn Böll von einem Aktionskünstler schreibt, der sich ausgerechnet auf Feuerspiele kapriziert, die Zündhölzer braucht, um »Lichter anzuzünden« und von einer »Internationale des Lichtersteckens« schwärmt und Betrachtungen anstellt über die Gedankenkette: »Feuer entzünden, zündende Gedanken und Revolutionen von oben«, dann fehlen bei den Vergleichsfeststellungen zwischen den Religionen (die allesamt eine Schwäche für das Feuer verbindet, wenn man an Sonnenwende, Weihnachtsbaum und Kerzen in der Kirche denkt) die Folgerungen. Dann, wie gesagt, liegen Gedankensprünge von Zündhölzern über Zeitzünder zu Zündzeiten zu nahe. Aus Künstlern werden schnell Chaoten und aus Avantgardisten Anarchisten und plötzlich ist man wieder mittendrin in der Politik. Böll, der sich Scherze ungern entgehen läßt, den im Gesinnungskontext der Entlarvungsteufel reitet, wird wiederum wortfinderisch, sprachschöpferisch und fordert, von den Grenzen der Gesinnungserfassung belehrt, ein Forschungsinstitut für »Gesinnungsphysiognomik«. Der Gesichtsausdruck verrät, so war zu beweisen, die jeweilige Gesinnung, die, was sonst, Sym- und Antipathie der Gesellschaft gegenüber signalisierte. – Es geht um einen Agenten und noch einen Agenten und eine ganze Agentengruppe. Alle werden gegeneinander eingesetzt. Und die sogenannte Gesinnungsschnüffelei treibt Böll'sche Phantasieblüten. Der Schriftverkehr zwischen den Spitzeln ist die Sache selbst, die wortreich die Sinnlosigkeit von Agentenarbeit beweist und nichts sonst. – Die Satire ist eine Art Schnellschuß, mehr Kabarett als Kunst, witzig zwar, aber als Buch zu umständlich, anspruchsvoll und befrachtet. Ein Hörspiel vielleicht, zum Nebenbeihören; bestenfalls zum Nachdenken nachher.«

Sabine Schultze: »Von Zündhölzern und Zeitzündern. Bölls Flucht in die Satire oder ›Berichte zur Gesinnungslage der Nation‹, *Rhein-Neckar-Zeitung*, 3. 9. 1975);

»[...] Der Titel verweist unmißverständlich ironisierend auf die feierliche

Erklärung hin, die der Kanzler oder der Präsident der USA gelegentlich abgeben, und die als Bericht »Zur Lage der Nation« bezeichnet wird. [...] Böll verwendet in seinen letzten Satiren ein gröberes Strickmuster als in vorigen. Dies weist zumindest hin auf seine ungebrochene literarische und moralische Vitalität. Vor kurzem wehrte er sich in einem Interview wohl dagegen, als das Gewissen der Nation angesehen zu werden. Der sehr starke moralische Impakt seiner Werke läßt ihn aber sicherlich nicht im Zweifel über die Verantwortung, die er auf sich nimmt. [...].«

Leopold Hoffmann: »Heinrich Böll im Blickpunkt«, *Die Warte*, 14. 11. 1975.

»[...] Das kleine Werk Heinrich Bölls ist eine Sammlung von Berichten von zwei Agenten und einer Agentengruppe an ihre Führer. Sie sind von verschiedenen Geheimdiensten beauftragt, unter Lehrern und Künstlern und im »intellektuellen Zwischenbereich: akademische Ministerialbürokratie, Publizisten, Kommentatoren, kirchliche rf.-Szene, Journalisten, Diplomaten« Erkenntnisse zu sammeln. Der eine, ein ehemaliger Akteur der Berliner und Dortmunder Anarchoszene, gibt sich als Künstler mit der Spezialität Feuerkunst »relativ reaktionär«, so daß er sich bereits den Namen »Beuys der Schülerunion« erwarb. Er läßt sich vom ZK der Deutschen Katholiken herumreichen. Der andere stellt sich als Mitarbeiter einer dänischen Rundfunkanstalt vor. Die Gruppe, die sich Rotmolche nennt, betätigt sich anarchistisch. – Da die Agenten sich untereinander nicht enttarnt haben, ist es zwangsläufig, daß sie viel Kraft daran wenden, sich gegenseitig zu observieren. Ein großer Teil ihrer Tätigkeit besteht darin, die von ihnen beobachteten Verhaltensweisen ihrer Opfer durch Provokation selbst zu erzeugen. – Der Witz der Idee einer Selbstzeugung des Komplexes entspricht der Konstruktion von »Verfassungsfeindlichkeit«, die den wirklichen Verfolgungen zugrunde gelegt ist. Die Konsequenz ist hier ein idiotischer Auftrag, und der idiotischen Phantasie sind keine Grenzen gesetzt. Der Autor malt sie genüßlich. Da wird eine kindische Geheimsprache entwickelt, jemand ist »rotbrüchig (rb)«, wenn »an den Bruchstellen seiner Existenz und seines Bewußtseins ›rot‹ sichtbar wird.« »Rotfaul (rf) kommt nicht von Faulheit, sondern Fäulniß.« Die Agenten entfalten die blödsinnigsten Aktionen: der Feuerwerker kauft für seine Vorführungen größere Posten Zündhölzer auf. Der Agent, der ihn beobachtet, veranlaßt eine Zündholzwarnung. Die Folgen sind Hamsterkäufe der Bevölkerung. Eine Plakataktion der Rotmolche warnt »vor kriminellen Vereinigungen in der Kölner Oberwelt«, u. a. vor dem Bundesverband der Deutschen Industrie und dem Bundesverband des Körperpflegemittel-Großhandels e. V. Es kommt zu Verkehrsstauungen, die Polizei tritt in Aktion. Notiert werden die Reaktionen in der Bevölkerung. Diese entsprechen allerdings nicht den Erwartungen der Agenten und ihrer Auftraggeber. Der Bericht vermerkt Äußerungen wie: »Gut, daß die es auch mal kriegen« bis »Immer feste druff auf die Herren.« – Die Lächerlichkeit, der Böll den Klamauk preisgibt, zielt auf die Schwäche des Herrschaftssystems, das sich seiner bedient. Das macht die Stärke der Erzählung aus. – Das Spiel ist nicht harmlos. In Dossiers aufgenommen, werden Verhalten und Äußerungen von allen möglichen Durchschnittsbürgern. So von jener Dame, die seinerzeit einen Onkel einer Verwandten von UM (Ulrike Meinhof), der bei ihrem Nachbarn zu Besuch war, mit ihrem Auto zum Bahnhof gebracht hatte, wissend, um wen es sich handelte. Im Bericht heißt es, daß sie keinerlei Reue zeige. Oder jener Herr, der »einem Hund, von dem er wußte, daß er einer Verwandten von Gudrun Ensslin gehörte, eine ganze Tüte voll saftiger Hammelknochen hingeworfen hatte.« Von ihm heißt es, er habe »nicht nur seine Verfehlungen zugegeben, er ist auch reumütig.« Bei jeder Gelegenheit murmelt er: »ich hab's wirklich gewußt.« Oder die Lehrer, in deren aufgebrochenen Klassenpulten man Fotos von Rosa Luxemburg, Unterlagen über den Bauernkrieg, DDR-Broschüren, Plakate und Postkarten von Staeck fand. – Das sind nun ernste Vorgänge. Sie stehen im Gegensatz zur Lächerlichkeit der Aktionen des Apparates, der sie feststellt. Würden die Betroffenen erkennen, was er kennt, die Dummheit, von der sie umstellt sind, und die Anfälligkeit des Systems, dem sie ausgeliefert sind, so würden sie souverän widerstehen. – Die Funktion der Satire läge darin, diese Souveränität dem Leser zu vermitteln. Doch eben das mißlingt, weil nicht deutlich ist, warum das ganze inszeniert wird. Doch nicht, weil eine Dame den Onkel einer Verwandten von Ulrike Meinhof zum Bahnhof bringt, auch nicht, weil jemand ein Buch von Wallraff sichtbar in der Rocktasche trägt oder Bücher über den Deutschen Bauernkrieg in seinem Pult hat. Böll läßt nicht durchblicken, daß »links« die Bewegung des sozialen Fortschritts ist. So hat die Überflüssigkeit der Geheimdienste kein Gegengewicht, geht der Übertreibung die Überzeugungskraft ab. Verletzte Liberalität reicht nicht aus. – Das macht die Schwäche der Erzählung aus. Darum bleibt die breitwandige Agentenspielerei literarischer Selbstzweck. Darum ist der Witz nicht befreiend, bringt er keinen Genuß.«

Hans Brender: »Kein Platz mehr für Zivilcourage«, *Deutsche Volkszeitung* (DVZ), Nr. 14, 1. 4. 1976.

»[...] Der Böllsche Schmerzlichkeitshumor zeigt sich in vielschichtigen Nuancen. Die gerade erst erschienene kleine Schrift »Berichte zur Gesinnungslage der Nation« verdeutlicht die ironische Region für sich, weil sie ohne künstlerische Ambition auf weitere Prozesse verzichtet. In dieser damit anspruchslosen Darstellung liegt die schmerzliche Ironie »untertage«, im Absurden ihres Gegenstands: Organisationen, die eingesetzt werden, um die Gesinnung der Mitbürger zu testen, bespitzeln sich versehentlich – und letzten Endes nur noch – gegenseitig. Einen Ring gegenseitiger Verdächtigungen schließt sich zu leerem Kreislauf im Absurden. Ein Tätigkeitsstrom ist dem Lebenskreislauf entzogen worden und manifestiert nun einen teuflischen Schauplatz allgemeiner Sinnentleerung. Diese Lebensfeindlichkeit »abzubrennen«, kann nur dem heitern und freilassenden Feuer des Humors gelingen, wenn nicht das Peinliche dieser Tatsache Emotionen oder Abwendung hervorrufen soll. Die Hinwendung zum Problem hält der Humor auch im Abstand offen. Der heitere Überblick gewinnt dem Schauplatz neue Qualitäten ab, so daß der zukünftige Keimzustand in der Asche sich bemerkbar machen kann. »In der Asche der Erinnerung schmecken wir die Asche der Zukunft.« Da ist Asche wertfrei gedacht. Sie trägt alle Möglichkeiten in sich. Der Vogel Phönix nimmt, aus der Asche steigend, eine neue, verjüngte Gestalt an.«

Dorothea Rapp: »Flammen sind zu lebendig«. Feuerprobe im künstlerischen Vorgang, *die Drei*, 46. Jg., H. 2, 1976, S. 85.

Stellenkommentar

139. 3 *Berichte]* Der Titel von Bölls Erzählung ist eine ironische Anspielung auf die vom damaligen Bundeskanzler Kurt Georg Kiesinger (1904–1988) 1968 begründete Tradition, unter Rückgriff auf amerik. Gepflogenheiten in einem »Bericht zur Lage der Nation« das Parlament über den Zustand des geteilten Deutschland zu informieren; die letzte dieser Reden hielt Helmut Kohl (geb. 1930) 1989, einen Tag vor Öffnung der Mauer.

140. 20 *»Beuys der Schülerunion«]* Ironische Bezeichnung, mit der Böll auf eine Verbindung von progressivem Kunstverständnis (im Sinne von Joseph Beuys) und politischem Konservativismus, wie ihn der Jugendverband der CDU, die ›Junge Union‹, vertritt, abzielt.

141. 12–13 *Stammheimer Neubau]* Die Justizvollzugsanstalt Stuttgart-Stammheim wurde 1959–1963 gebaut und ein Jahr später in Betrieb genommen; sie gilt als eines der sichersten Gefängnisse Deutschlands. Im siebten Stock des Hochsicherheitstraktes des 1975 entstandenen Neubaus waren die RAF-Terroristen der ersten Generation inhaftiert.

146. 12 *Ensslin]* Gudrun Ensslin (1940–1977), Gründungsmitglied der Roten Armee Fraktion (=RAF), beteiligt an fünf Bombenanschlägen, 1972 verhaftet und 1977 in Stuttgart-Stammheim unter z. T. noch ungeklärten Umständen durch Suizid gestorben.

147. 7 *RCDS]* Ring Christlich-Demokratischer Studenten, bundesweiter Studentenverband mit Sitz in Berlin, der seit 1951 existiert und der CDU/CSU nahesteht.

147. 18 *Wagenbach Verlag]* Ein 1964 vom Berliner Publizisten Klaus Wagenbach gegründeter Verlag, der in der alten Bundesrepublik als undogmatisch linker Verlag mit Schwerpunkten in der neueren dt. Literatur (Texte von Chr. Meckel, J. Bobrowski, W. Biermann und E. Fried) sowie in der politischen Theorie, insbesondere durch die Reihe der sog. »Rotbücher« (seit 1968), in denen Texte der Neuen Linken und der APO erschienen sind, galt. Für einen Sammelband unter dem Titel *Atlas*, der im Herbst 1965 erschienen ist und zu den ersten Veröffentlichungen des neuen Verlags zählt, hat Böll den autobiographischen Text *Raderberg, Raderthal* (KA, Bd. 14, S. 381–390) beigesteuert.

147. 24 *das da]* Name einer 1974 von Klaus Rainer Röhl (geb. 1928), dem früheren Herausgeber von *konkret*, gegründeten und unter Mitwirkung von Peter Rühmkorf, Jochen Steffen und Günther Wallraff entstandenen linken Kulturzeitschrift.

147. 25 *Nuntius Bafile]* Corrado Bafile (1903–2005), nach Studium der Chemie und Jura Hinwendung zur Theologie, Promotion im Kirchenrecht, 1936 Priesterweihe, von 1960 bis 1975 als Botschafter des Papstes, Nuntius, in Bonn tätig, 1975 von Papst Paul VI. nach Rom zurückbeordert.

147. 26–27 *die mystischen Aktionen der Katharina von Siena]* Katharina von Siena (1347–1380), ital. Mystikerin und Kirchenlehrerin, seit 1461 heilig gesprochen; Katharina von Siena hatte schon als sechsjähriges Kind ihre Visionen; 1375 sollen an ihrem Körper vor einem Kreuz in Pisa die Wundmale Christi erschienen sein.

149. 12 *Dutschke]* 1970 zog sich Rudi Dutschke (1940–1979) nach Aarhus in Dänemark zurück, nachdem er eine Anstellung an der dortigen Universität im Fach Soziologie erhalten hatte.

149. 19 *Wallraffiana]* Günther Wallraff hat für die Literatur der Bundesrepublik dadurch eine besondere Bedeutung, daß er das seit der Weimarer Republik kaum mehr bekannte und gepflegte literarische Genre der Reportage – und damit einer eingreifenden, sozial und politisch engagierten Literatur – wieder einer breiteren Öffentlichkeit nahegebracht hat; im Umfeld der Studentenbewegung haben dann eine ganze Reihe von (zumeist jüngeren) Autorinnen und Autoren diese und andere operative Formen benutzt (u. a. F. C. Delius, Erika Runge oder Peter O. Chotjewitz).

149. 24 *Guy Fawkes]* Zum Dank an die Rettung von König James I. feiern die Briten den Guy Fawkes' Day (5. 11.) mit Feuerwerk und großen Feuern (Bonfires); bis heute werden dabei sog. ›Guy-Fawkes-Puppen‹ auf dem Scheiterhaufen verbrannt; der Katholik Guy Fawkes plante 1605 mit mehreren anderen Verschwörern, das House of Parliament in London mit 36 Fässern Schießpulver in die Luft zu sprengen, er wurde jedoch entdeckt, festgenommen und hingerichtet.

149. 26–27 *Wem die Stunde schlägt]* Anspielung auf die Hauptfigur Ro-

bert Jordan aus Ernest Hemingways (1899–1961) Roman über den span. Bürgerkrieg *For Whom the Bell tolls* (1940; dt. *Wem die Stunde schlägt*), der als amerikan. Sprengstoffexperte den Auftrag erhält, eine Brücke zu sprengen, um dadurch die republikanischen Truppen zu unterstützen.

153. 12 *Hegel]* Anspielung auf eine verballhornte philosophische Einsicht Georg Wilhelm Friedrich Hegels (1770–1831), der verschiedentlich in seinem Werk auf die Dialektik von Freiheit und Notwendigkeit zu sprechen kommt; ein Kernsatz Hegels lautet, daß »Freiheit [...] Einsicht in die Notwendigkeit« ist.

154. 7 *Luciafest]* Ein vor allem in Schweden am 13. Dezember begangenes Fest zu Ehren der hl. Lucia aus Syrakus, bei dem am Lucia-Morgen in schwed. Familien, aber auch in Betrieben, Behörden, Schulen und Vereinen eine Lucia gewählt wird, die im weißen Gewand, mit einem Lichterkranz im Haar und mit einer breiten roten Seidenscherpe um die Taille auf einem Tablett Kaffee, Kuchen und Pfeffernüsse anbietet; meist wird sie dabei von anderen weißgekleideten Mädchen und Sternsingern begleitet.

154. 7 *Jul]* Das Julfest ist ein Vorläufer des Weihnachtsfestes, das schon die heidnischen Germanen gefeiert haben; das Julfest wird oft auch Wintersonnenwende genannt, weil es auf den kürzesten Tag des Jahres fällt; »Jul« stammt aus vorchristl. Zeit und bedeutet »Rad«, das Symbol der Sonne, es soll dabei an das Wiederkommen des Sommers und die Fruchtbarkeit gedacht werden.

157. 6 *Marx und Mertes]* Werner Marx (1924–1985), dt. Politiker (CDU). – Alois Mertes (1921–1985), dt. Politiker (CDU).

157. 36 *Plakate und Postkarten von Staeck]* Beispiele Bölls für eine ›linke Gesinnung‹, die sich in der Lektüre entsprechender Zeitschriften wie *Konkret* oder der – vom ehemaligen Konkret-Herausgeber Klaus Rainer Röhl – kurzzeitig herausgegebenen politischen Monatsschrift *das da* bzw. von Büchern aus dem Westberliner Wagenbach-Verlag oder Reportagen von Günter Wallraff ausdrückt, aber sich auch in der Wertschätzung und Verbreitung von Plakaten und Postkarten des engagierten Foto-Montagekünstlers Klaus Staeck zeigt.

165. 6–7 *Wer reist nach Portugal?]* Anspielung auf die damaligen Ereignisse in Portugal, wo nach dem 24./25. 4. 1974 durch putschende Militärs nahezu gewaltfrei und ohne daß die Putschisten dabei auf Gegenwehr gestoßen wären die Diktatur des von 1932 bis 1968 ununterbrochen herrschenden Antonio de Oliveira Salazar (1889–1970), gefolgt von Marcello Caetano (1906–1980), beseitigt wurde; nach dem unblutigen Staatsstreich übernahm General António de Spinola (1910–1996) für kurze Zeit das Amt des Staatspräsidenten.

⟨Die 10 Gebote heute: Das 8. Gebot⟩

Entstehung

Der Text trägt im Arbeitsbuch die Signatur »337/75«; er ist dort von Böll unter dem Eintrag »für Thilo Koch: 8. Gebot« verzeichnet, auf den 24. 3. 1975 datiert und in Langenbroich geschrieben worden (*AB* II, Bl. 32; NE). Die Pläne für die Publikation des Bandes »Die 10 Gebote heute« reichen ins Frühjahr 1974 zurück; auf Bölls offenkundige Zusage an Thilo Koch, bei diesem Projekt mitzuwirken, teilte Koch unter dem Datum vom 29. 7. 1974 mit, daß der Band erst Ende 1975 erscheinen solle: »Redaktionsschluß für die Beiträge wird voraussichtlich der 30. April 1975 sein« (HA 1326–4000, Nr. 13323). In einem Brief vom 4. 4. 1975 bedankte sich Thilo Koch für die Übersendung des Typoskripts, bat Böll dabei jedoch zugleich darum, »noch einmal zur Schreibmaschine zu greifen und ungefähr noch mal soviel dazuzutippen«, da der Text offenbar zu kurz geraten war (HA 1326–4000, Nr. 15907).

Überlieferung

Typoskripte

tH: Durchschr.; 4 Bll.; erste Fassung, enthält auf Bl. 4 eine eh. Änderung; am roR von Bl. 1 eh. Vermerk der Arbeitsbuchsigle »337/75« (= *AB* II, Bl. 32; NE).
(HA 1326–271, Bll. 64–67)

t^1: Durchschr.; 4 Bll. (gelbes Papier); Durchschr. von tH, am roR von Bl. 1 eh. Vermerk der Arbeitsbuchsigle »337/75« (= *AB* II, Bl. 32; NE).
(HA 1326–271, Bll. 60–63)

t^2: Durchschr.; 8 Bll. (gelbes Papier); überarbeitete und erweiterte Fassung, die weitestgehend dem Textstand der Druckfassungen entspricht, am roR von Bl. 1 eh. Vermerk der Arbeitsbuchsigle »337/75« (= *AB* II, Bl. 32; NE).
(HA 1326–271, Bll. 68–75)

Drucke

D[1]: *Die Zehn Gebote heute*. – Dortmund/München: Institut für Kulturforschung im Auftrag des Kinderhilfswerk, 1975, S. 115–117. (S. 117–121 in engl. und franz. Sprache).
D[2]: *EE*, S. 243–249.
D[3]: *ESR* III, S. 184–190.
D[4]: *EAS* 5, S. 180–186.

Textgrundlage

Textgrundlage ist D[3].

Varianten

167. 13 *und] Fehlt* D[1]
168. 17–20 *und ich finde ... bereinigen wollen.] Fehlt* D[1]
169. 12 *zehn Gebote]* 10 Gebote D[1]
169. 12 *das achte]* das 8. D[1]
169. 24 *auch] Fehlt* D[1]
169. 28 *sind: sie]* sind: Sie D[1]
169. 33 *das achte]* das 8. D[1]
170. 3 *menschlicher]* menschlichen D[1]
170. 12 *wußte,]* wußte er, D[1]
170. 17 *Aussprüche]* Ansprüche D[1]
171. 16 *. Hat man]* ⌊D[1]
171. 29 *nicht]* n i c h t D[1]
171. 30 *nicht]* n i c h t D[1]
171. 35 *fast]* f a s t D[1]
172. 12 *nicht-katholischen Gefilden stammten]* nicht katholischen Gefilden stammen D[1]
172. 39 *vorhatte: sie]* vorhatte: Sie D[1]

Stellenkommentar

167. 4 *stellte mein Vater einen Gehilfen ein]* In Bölls autobiographischem Text *Raderberg, Raderthal* von 1965 taucht dieser Gehilfe schon einmal auf: »Als ich vier Jahre alt war, zogen wir aus der Vorstadt in einen noch halb ländlichen Vorort. Ich legte den Weg dorthin – er schien unend-

lich weit und ins Unendliche zu führen – auf der ersten Umzugsfuhre zurück, saß eingekeilt zwischen Stühlen, Kochtöpfen, Kissen auf dem Handwagen, den ein Gehilfe meines Vaters zog; der Gehilfe hieß Köhler, war dunkelhaarig Schlesier, katholisch, und – ich erfuhr das alles viel später – sehr, sehr links; als Jackett trug er einen umgearbeiteten feldgrauen Rock, und wenn ich an ihn denke, weiß ich, aus wessen Mund ich zum ersten Mal das Wort Verdun hörte« (*KA*, Bd. 14, S. 380 f.).

168. 2–3 *Du sollst ... Nächsten]* Vgl. Das zweite Buch Mose (Exodus), Kap. 21,16; 3. Mose 19,11; Eph. 4,28.

168. 11–12 *Wer ohne Sünde ist, werfe den ersten Stein]* Joh 8,7.

169. 34–35 *Der Sabbath ... willen]* Mk 2,27.

170. 15 *Häresie]* Irrglaube, in der kath. Kirche auch allgemein für Ketzerei.

171. 1–2 *Willy Brandt und Herbert Wehner]* Hinweis darauf, daß die sozialdemokrat. Politiker Willy Brandt (1913–1992) und Herbert Wehner (1906–1990) während des Nationalsozialismus emigriert waren: Brandt ging 1934 nach Oslo, 1940 dann nach Stockholm, wo er bis zum Kriegsende blieb; Wehner 1935 als Mitglied des ZKs der KPD nach Moskau, 1941 dann im Parteiauftrag nach Schweden, wo er 1942 verhaftet und wegen Spionage verurteilt wurde; Rückkehr nach Deutschland 1946.

171. 8 *Freiherrn von und zu Guttenberg]* Karl Theodor Freiherr von und zu Guttenberg (1921–1972), dt. CSU-Politiker, von 1967 bis 1969 Parlamentarischer Staatssekretär im Bundeskanzleramt; 1944 kam Guttenberg in den Umkreis des militärischen Widerstands gegen Hitler; im selben Jahr geriet er dann in englische Gefangenschaft und arbeitete für den Soldatensender Calais.

171. 16 *Hans Habe]* Hans Habe (1911–1977), dt. Schriftsteller und Journalist; Habe ging 1938 ins frz. Exil und gelangte dann über Spanien und Portugal 1940 in die USA, wo er in die US-Army eingezogen wurde.

⟨Vorwort zu »Der Fall Staeck oder wie politisch darf die Kunst sein?«⟩

Entstehung

Der Essay trägt in Bölls Arbeitsbuch die Signatur »351/75«; er ist im Juni 1975 in Langenbroich geschrieben worden (*AB* II, Bl. 35; NE). Bereits auf einer Postkarte, datiert auf den 26. 3. 1975, berichtete Klaus Staeck über die Idee, eine Dokumentation im Selbstverlag über die Londoner Vorgänge zu veranstalten, wozu er von seinem Freund Heinrich Böll ein Vorwort erbat (HA 1326–4000, Nr. 15810). Am 30. 5. 1975 kam Staeck erneut auf seine Bitte zurück, ein Vorwort für die geplante Dokumentation über den ›Fall Staeck‹ zu schreiben: »Die Länge ist ganz Dir überlassen, Termin wäre der 20. Juni« (HA 1326–4000, Nr. 16330). Einem Brief, datiert auf den 4. 6. 1975, an Klaus Staeck liegt das Typoskript des Vorworts bei: »Lieber Klaus, ich schicke Dir hier das Vorwort, das ich ein wenig rasch (zu rasch?) geschrieben habe, weil ich endlich endlich meinen Schreibtisch frei haben muss für eine zunächst kürzere Sache, die ich bis Ende Juni schreiben will« (HA 1326–272, Bl. 10).

Hintergrund

Der Grafiker Klaus Staeck war gemeinsam mit sechs weiteren Künstlern, D. Albrecht, Joseph Beuys, K. P. Brehmer, Hans Haacke, Dieter Hacker und Gustav Metzger, auf der deutschen Kulturausstellung in London vom 30. 10 bis 24. 11. 1974 mit einer Ausstellung vertreten, die u. a. vom Goethe-Institut gefördert wurde. Thema dieser Ausstellung war das Verhältnis der Künstler zur westdeutschen Gesellschaft. Diese Förderung stieß jedoch auf erhebliche Vorbehalte bei der CDU/CSU und führte schließlich dazu, daß Außenminister Hans Dieter Genscher ausdrücklich in einem Brief sein Bedauern über diese Förderung kundtat. Böll hatte sich daraufhin zu einem persönlichen Boykott von Kulturveranstaltungen im Ausland entschlossen und dies auch in einem Brief an Genscher mitgeteilt: »Betr. Affäre Klaus Staeck – Sehr geehrter Herr Minister, nachdem mir Fotokopien des Fernschreibens von Dr. Schulze-Vorberg und Ihrer Antwort in der obigen Sache vorgelegen haben, erkläre ich hiermit, daß ich an keiner offiziellen oder halboffiziellen Kulturveranstaltung der Bundesrepublik Deutschland im

Ausland mehr teilnehmen, auch Empfänge der Botschafter der Bundesrepublik, soweit sie ›Kulturschaffenden‹ gelten, meiden werde. Ich komme gerade von einem PEN-Kongreß in Israel, wo mir der Geschäftsträger der Bundesrepublik und der Kulturattaché anläßlich eines Empfanges für die deutsche Delegation erklärten, daß unser Erscheinen und Aufreten dort die kulturelle Zusammenarbeit zwischen Israel und der Bundesrepublik mehr gefördert hätten als eineinhalbjährige Routine-Arbeit der Kulturabteilung. Ähnliches gilt meiner Erfahrung nach für Großbritannien, Schweden, die USA. Wenn Bundestagsabgeordnete der CDU/CSU Exponate von Klaus Staeck beanstanden, so ist das deren Sache; wenn sie aber mit Erfolg die Botschaft mobilisieren; wenn Sie dann die Zahlung eines Zuschusses *mißbilligen*, so beweist das wieder einmal, wie wenig – ich nenne es so – Kulturpatriotismus in der Bundesrepublik vorhanden ist. Immerhin hieß ja die Ausstellung in Hannover ›Kunst im politischen Kampf‹, und diese Ausstellung interessierte das ICA. Es wollte nicht Hummel-Bilder und wohl auch nicht Arno Breker. Es wollte Klaus Staeck. Ich erspare mir weitere Details, sehr geehrter Herr Minister, Details *meiner* Erfahrungen als ›deutscher Kulturträger‹ im Ausland. Sobald die ›schweigende Mehrheit‹, die offenbar aus Herrn Dr. Schulze-Vorberg spricht, endgültig an die Macht gekommen sein wird, werden wir, die Künstler und Schriftsteller uns als schweigende Minderheit etablieren. Ich werde mir erlauben, Abschriften dieses meines Briefes an Herrn Dr. Kahle in München, an die Leiter der Goethe-Institute zu schicken, von denen mir Einladungen vorliegen, an Klaus Staeck, an Joseph Beuys, an den PEN Club, an den VS. Ich bevollmächtige Sie gern, eine Abschrift meines Briefes Herrn Dr. Schulze-Vorberg zugänglich zu machen. Die CDU muß lernen (vielleicht müssen es auch FDP und SPD lernen), daß es nicht die *langweiligen Konformisten* sind, die im Ausland Interesse für die deutsche Kultur wecken. Sobald mein Gesundheitszustand mir erlauben würde, wieder Vorträge, Lesungen, Diskussionen etc. im Ausland zu halten, werde ich es nachdrücklich nur für nichtdeutsche, unabhängige Organisationen tun.« (Dieser Brief trägt in Bölls Arbeitsbuch die Signatur »315«; er ist am 4. 1. 1975 in Langenbroich geschrieben worden; vgl. *AB* II, Bl. 28; NE) In der Öffentlichkeit hatte sich Böll dann auch zum Fall Staeck in einer Sendung des Magazins *Titel, Thesen, Temperamente* über diese »massiven Zensurmaßnahmen« geäußert: »Wenn es um politische Plakate geht oder Kunst in der Politik, kann man kein Himbeerwasser nach London schicken, sondern eben Satire, wie Staeck sie macht.« (vgl. »Welche Bundesrepublik repräsentiere ich?« Der Fall Staeck und die Folgen: Heinrich Böll will sich aus Protest von der offiziellen deutschen Kulturpolitik zurückziehen. Ein Fernseh-Interview, in: *FAZ*, 11. 1. 1975.) [Vgl. dazu insgesamt auch HA 1326–272 – die ganze Mappe enthält umfangreiches Material zu diesen Vorgängen, von Korrespondenzen bis zu Artikeln und Leserbriefen aus der überregionalen Presse.] Ausführlich dokumentiert sind diese Vorgänge samt einem Zeitplan, der vom 10. 4. 1974, der Einladung durch das Institute of Contemporary Art (London), bis zum 3. 8. 1975 mit einer Erklärung des damaligen Vorsitzenden der Gewerkschaft Erziehung und Wissenschaft, Erich Frister, zur ungehinderten Gewerkschaftsarbeit in den Goethe-Instituten reicht, in D[1].

Überlieferung

Typoskripte

T[1]: Erstschr., 2 Bll.; unvollst. erster Entwurf, von Böll am loR als »1. Version« bezeichnet.
(HA 1326–272, Bll. 1–2)

t[2]: Durchschr. (grün); 6 Bll.; überarbeiteter und erweiterter Entwurf, auf Bl. 6 des von Böll durchpag. Textes finden sich noch zwei hs. hinzugefügte Sätze.
Beiliegend: 2 Bll.; Schreiben v. 5. 6. 1975 an Samwer; Schreiben v. 4. 6. 1975 an Klaus Staeck.
(HA 1326–271, Bll. 3–10)

TH[3]: Erstschr. (Abschrift), 5 Bll.; gegenüber t überarbeiteter Entwurf; am roR von Bl. 1 eh. Vermerk der Arbeitsbuchsigle »351/75« (= *AB* II, Bl. 35; NE), darunter eh. Notiz: »korrigierte Fassung«.
(HA 1326–271, Bll. 11–15)

Drucke

D[1]: *Der Fall Staeck oder wie politisch darf Kunst sein?* Hrsg. von Ingeborg Karst. Mit Beiträgen von Heinrich Böll, Lothar Romain, Caroline Tisdall, Dieter Lattmann, Hans Arnold u. a. – Göttingen: Steidl Verlag, September 1975, S. 9–11 u. d. T.: »Wie man eine Sache hochspielen kann«.

D[2]: *ESR* III, S. 263–266.

D[3]: *EAS* 5, S. 259–262.

Textgrundlage

Textgrundlage ist D[2].

Varianten

174. 31–175. 1 *Katalogkosten. … Soweit]* ⌊D[1]
175. 8–9 *erweckt hatte. … Ich]* ⌊D[1]
175. 14–15 *Großbritannien. … Soweit]* ⌊D[1]
175. 16 *wäre]* w ä r e D[1]
175. 16 *wäre]* w ä r e D[1]
175. 17 *wäre]* w ä r e D[1]
175. 30 *hätte]* h ä t t e D[1]
175. 30 *hätte]* h ä t t e D[1]
175. 32 *hätte]* h ä t t e D[1]
175. 35 *wäre]* w ä r e D[1]
175. 38 *hätte]* h ä t t e D[1]
176. 1 *Es bleibt]* ⌊D[1]
176. 16 *Enzensberger]* Enzensberger oder Rühmkorf D[1]
176. 19–20 *erfolgreich. … Was veranlaßt]* ⌊D[1]
176. 26–27 *werden? … Der Londoner]* ⌊D[1]
176. 34–35 *Polemik. … Es ist]* ⌊D[1]
176. 38 *das geht einem]* da geht man D[1]
177. 15 *nicht]* n i c h t D[1]
177. 30–31 *Vorstellungen. … Ausgewogenheit]* ⌊D[1]
177. 34 *Institute]* Institut D[1]
178. 2–3 *Zwerenz. … Das ist]* ⌊D[1]
178. 7 *Staeck]* ihn D[1]
178. 8–9 *hinnimmt. … Nicht]* ⌊D[1]

Stellenkommentar

174. 21–22 *Joseph Beuys, Albrecht D., KP Brehmer, Hans Haacke, Dieter Hacker, Gustav Metzger, Klaus Staeck]* Albrecht D., d. i. Dietrich Albrecht (geb. 1944), Künstler, Galerist und Publizist in Stuttgart, Köln und New York, zählt zur Fluxus- und Happening-Bewegung; KP Bremer (1938–1997), nach Studium an der Werkkunstschule in Krefeld und in Düsseldorf freier Künstler in Berlin, 1971 Berufung an die Hochschule für Bildende Kunst in Hamburg; Hans Haacke (geb. 1936), international anerkannter Konzeptkünstler, Studium an der Staatlichen Werkakademie in Kassel von 1956 bis 1960; Dieter Hacker (geb. 1942), dt. Maler, Studium an der Akademie der Bildenden Künste München, seit 1990 Prof. an der Universität der Künste Berlin; Gustav Metzger (geb. 1926), dt. Künstler, Vertreter der Aktionskunst, Studium an der Cambridge School of Arts in London.

175. 11 *Heartfield]* John Heartfield, d. i. Helmut Herzfeld, seit 1916 offiziell John Heartfield (1891–1968), dt. Maler, Graphiker und Fotomontagekünstler, der landläufig auch als Erfinder der politischen Fotomontage angesehen wird.

175. 28–29 *Dr. Schulze-Vorberg]* Max Schulze-Vorberg (1919–2006), dt. CSU-Politiker, Abgeordneter des Dt. Bundestages von 1965 bis 1976.

175. 34–35 *Antwort von Herrn Staatssekretär Moersch]* Karl Moersch (geb. 1926), dt. Politiker, FDP, von 1964 bis 1976 Mitglied des Dt. Bundestages; vom 2. 7. 1970 bis zum 14. 12. 1976 zunächst unter Willy Brandt, dann Helmut Schmidt als Parlamentarischer Staatssekretär beim Bundesminister des Auswärtigen (seit der Umbenennung: Staatsminister im Auswärtigen Amt). – Der SPD-Abgeordnete Dieter Lattmann hatte eine Anfrage in den Bundestag auf der Sitzung vom 19. 12. 1974 eingebracht, ob nach Auffassung der Bundesregierung auch in den Einrichtungen und Programmen der auswärtigen Kulturpolitik die Freiheitsrechte für Kunst, Literatur und Wissenschaft nach Grundgesetz, Artikel 5 gelten, so daß eine Zensur nicht stattfindet. Darauf antwortete dann der Staatsminister im Auswärtigen Amt u. a.: »Es ist richtig – [...] –, daß das Auswärtige Amt die Zahlung eines Zuschusses zu den Druckkosten des Katalogs der Ausstellung gerügt hat. Die Bundesregierung tat dies, da es zu ihren Prinzipien gehört, die im Rahmen ihrer auswärtigen Kulturpolitik durchgeführten Förderungsmaßnahmen von parteipolitischen Kontroversen freizuhalten – also nicht von künstlerischen; das ist doch wohl ein Unterschied. Die von Ihnen erwähnten Plakate waren zwar in der Ausstellung als Kunstwerke ausgestellt, jedenfalls nach der Überschrift des Katalogs; sie waren und blieben gleichzeitig aber auch eindeutige Mittel des Parteienkampfes. Die Bundesregierung ist der Auffassung, daß eine Kunstausstellung im Ausland der falsche Platz für innerpolitische Auseinandersetzungen oder Angriffe ist. Demgemäß hielt sie in diesem Falle eine Förderung aus öffentlichen Mitteln nicht für gerechtfertigt. – Was nun in diesem Zusammenhang den Kunstbegriff selbst betrifft, Herr Abgeordneter, den Sie ja sicherlich genauso wie ich hochhalten, so muß man, glaube ich, sagen, daß gerade bei diesen Plakaten, die dort als Kunstwerke deklariert worden sind und das sicherlich nach Meinung ihres Schöpfers und möglicherweise vieler auch sind, eine Abgrenzung zwischen dem, was ein Kunstwerk ist, und dem, was keines mehr oder noch keines ist, auch schon kompetenteren Leuten, als wir es sind, Kopfzerbrechen bereitet hat« (Zit. nach: *Der Fall Staeck*, S. 38).

176. 14–15 *Tagebuch einer Schnecke]* In seinem Buch *Tagebuch einer Schnecke* (1972) schildert Grass sein Wirken im Bundestagswahlkampf 1972 für Willy Brandts SPD. Schließlich formuliert Grass in diesem Text auch sein politisches Credo, ein Plädoyer für den »Fortschritt im Schneckentempo«: »Nur wer den Stillstand im Fortschritt kennt und achtet, wer schon einmal,

wer mehrmals aufgegeben hat, wer auf dem leeren Schneckenhaus gesessen und die Schattenseite der Utopie bewohnt hat, kann Fortschritt ermessen.« (Grass, 1997, S. 325)

176. 16 *Enzensberger]* Hans Magnus Enzensberger (geb. 1929), dt. Schriftsteller, Essayist, Übersetzer und Publizist; Herausgeber der Zeitschrift »Kursbuch« (1965–1975).

176. 16 *Rühmkorf]* Peter Rühmkorf (1929–2008), dt. Schriftsteller, Essayist und Lyriker.

176. 18 *Kroetz]* Franz Xaver Kroetz (geb. 1946), dt. Schriftsteller, Regisseur und Schauspieler, von 1972–1980 Mitglied der DKP; vor allem seine frühen, in der Tradition des Volksstücks stehenden Stücke, etwa *Wildwechsel* und *Heimarbeit* von 1971 oder *Stallerhof* und *Oberösterreich* von 1972, haben – mit ihrer drastischen, desillusionierenden Machart – eine breite Bühnenresonanz erzielt. – Über den »Deutschen Monat« in England berichtet auch Rolf Michaelis in seinem *Zeit*-Artikel »Goethes drittes Bein« (*Die Zeit*, Nr. 46, 1974); während des »Deutschen Monats« gab es acht Ausstellungen, vier Konzerte, drei Theaterproduktionen, zwei Filmwochen, drei Dichterlesungen (u. a. von Günter Grass und Siegfried Lenz), neun Vorträge und sechs Seminare.

176. 24 *Radikalenerlaß]* Siehe Stellenkommentar zu 15. 34–35.

176. 25 *Arrabal]* Fernando Arrabal (geb. 1932), span.-frz. Schriftsteller und Dramatiker, Vertreter des Absurden Theaters. Böll erwähnt Arrabal auch an einer Stelle seiner Nobelpreisrede, *Versuch über die Vernunft in der Poesie*, wo er den Spanier als »erbitterten und bitteren Gegner der Religion und der Kirche« anführt (*KA*, Bd. 18, S. 214).

176. 36 *Neuen Bildpost]* Name einer 1952 in Schmallenberg/Sauerland gegündeten, wöchentlich im Boulevardstil erscheinenden kath. Zeitung.

176. 38 *Kledage]* auch Kledasche, scherzhafte französierende Bildung zu Kleid.

177. 1 *Schelsky]* In seiner polemischen Abrechnung mit einem neuen Intellektuellen-Typus in der Bundesrepublik, den der konservative Soziologe Helmut Schelsky (1912–1984) in seinem Buch *Die Arbeit tun die anderen. Klassenkampf und Priesterherrschaft der Intellektuellen* (Opladen 1975) nach den Studentenbewegungen auszumachen geglaubt hat, widmet sich der Soziologe in einem Exkurs auch Heinrich Böll, der für Schelsky »als Kardinal und Märtyrer zugleich« (S. 342) gilt; Bölls »Aggressionsstil« (S. 348) gehe es »allein um die existentiellen Freiheitsbedingungen der ›Intellektuellen‹, d. h. seiner Klasse, in allen Systemen.« (S. 350) An einer Stelle seines Essays spricht Schelsky schließlich auch von Böll als einem »Masochist(en) im Zeitungslesen« (S. 358). – Auf einen Brief, den Helmut Schelsky samt einigen seiner Artikel aus jüngerer Zeit Böll schickt, antwortet Böll am 12. 1. 1977 unter Bezug auf Schelskys Polemik: »Wahrscheinlich entstehen

die meisten Mißverständnisse und Ärgernisse über Ihr Buch wegen des undefinierbaren Begriffs ›Intellektueller‹ – ich sehe mich gar nicht als solchen, jedenfalls nur partiell und potentiell – einer, der (gelegentlich) Romane schreibt, kann nie *ganz* Intellektueller sein, weil er Konflikte kennt, erkennt und ›gerecht‹ sein muß. Das ist, glaube ich, bei Autoren, die nicht nur Artikel schreiben, politisch polemisieren etc. – die Schwierigkeit, und immer noch (und hoffentlich bald wieder!) ist der größere Teil meiner Arbeit erzählerischer Art – wahrscheinlich sind sogar in den Aufsätzen die erzählerischen Elemente stärker als die intellektuellen« (HA 1326–1018, Bl. 2494).

178. 1 *von der Grün]* Max von der Grün (1926–2005), dt. Schriftsteller, der vor allem die Lebens- und Arbeitswelt der Menschen im Ruhrgebiet in den Mittelpunkt seiner realistischen Erzählweise rückt; zu den bekanntesten Werken zählen *Irrlicht und Feuer* (1963), *Stellenweise Glatteis* (1973) und *Flächenbrand* (1979).

178. 1 *Wallraff]* Günter Wallraff (geb. 1942), dt. Schriftsteller und Journalist, der seit 1966 mit Böll bekannt gewesen ist (vgl. *Brief an einen jungen Nichtkatholiken*, *KA*, Bd. 15, S. 31–42).

178. 1 *Walser]* Martin Walser (geb. 1927), dt. Schriftsteller, Verf. von vielgespielten gesellschaftskritischen Stücken und auflagenstarken Romanen; in den 70er Jahren hat Walser zeitweise der DKP nahegestanden (zur Biographie Walsers vgl. auch Jörg Magenau: *Martin Walser*. Reinbek 2005).

178. 2 *Weiss]* Peter Weiss (1916–1982), dt. Schriftsteller, Maler und Graphiker, seit 1939 in Schweden; zu den bekanntesten Werken des politisch engagierten Autoren zählen die autobiographischen Prosabände *Abschied von den Eltern* (1960) und *Fluchtpunkt* (1961), in denen Weiss seine Flucht- und Exilerfahrungen darstellt, das dokumentarische Theaterstück *Die Ermittlung* (1964) über den Auschwitz-Prozeß und der Zeitroman *Die Ästhetik des Widerstands* (3 Bde., 1975–1981).

178. 2 *Herburger]* Günter Herburger (geb. 1932), dt. Schriftsteller, vor allem von Lyrik und Prosa; anfangs hat Herburger dem sog. »Neuen Realismus« von Dieter Wellershoff nahegestanden, was Ausdruck in den Erzählbänden *Eine gleichmäßige Landschaft* (1964) und *Die Eroberung der Zitadelle* (1972) sowie in den Romanen *Die Messe* (1969) und *Jesus in Osaka* (1970) gefunden hat; zeitweilig hat sich Herburger in den siebziger Jahre in der DKP engagiert.

178. 2 *Zwerenz]* Gerhard Zwerenz (geb. 1925), dt. Schriftsteller, lebte bis 1957 in der DDR, dann Flucht in den Westen, Verf. von Krimis, erotischen Geschichten und zeit- und gesellschaftskritischen Romanen, darunter etwa *Kopf und Bauch* (1971) und *Die Erde ist unbewohnbar wie der Mond* (1973), ein Roman, in dem die Machenschaften skrupelloser Immobilienhaie im Frankfurter Westend aufgezeigt werden und der als Vorwurf für Rainer Werner Faßbinders Skandalstück *Der Müll, die Stadt und der Tod* gedient hat.

⟨Verschiedene Ebenen der Bewunderung⟩

Entstehung

Der Essay trägt im Arbeitsbuch die Signatur: »354/75«, er ist auf den 2. 7. 1975 datiert und in Langenbroich geschrieben worden (*AB* II, Bl. 35; NE).

Überlieferung

Typoskripte

T: Erstschr., 1 Bl.; erster Entwurf.
(HA 1326–270; Bl. 126)

t^1: Durchschr. (2fach), 6 Bll.; Textstand weitestgehend identisch mit den Druckfassungen, auf Bl. 1 eh. Überschrift »Leitartikel für Dokumente«, am loR Vermerk der Arbeitsbuchsigle »354/75« (= *AB* II, Bl. 35; NE), darunter eh. Datum »2. VII. 75«.
(HA 1326–270; Bll. 127–132)

Drucke

Z: *Dokumente* (Köln). – 31. Jg. (1975), Heft 3 (September), S. 191–192.
D^1: *ESR* III, S. 260–262.
D^2: *EAS* 5, S. 256–258.

Textgrundlage

Textgrundlage ist D^1.

Varianten

179. 21 *begnügt]* genügt Z
180. 22 *liegt als]* liegt an Z

Stellenkommentar

179. 4 *Beate Klarsfeld]* Am 22. 3. 1971 versuchte die frz. Journalistin Beate Klarsfeld (geb. 1939 als Beate Auguste Künzel) gemeinsam mit ihrem Mann Serge (geb. 1935), einem Juristen, den für die Deportation von 76 000 Juden aus Frankreich verantwortlichen Kurt Lischka (1909–1987), einen ehemaligen SS-Obersturmbannführer und Gestapo-Chef, zu entführen und der frz. Justiz zu überstellen; dafür wurde sie 1974 nach einem spektakulären und turbulent verlaufenen Prozeß zu zwei Monaten Freiheitsstrafe verurteilt, die jedoch durch internationale Interventionen und Proteste zur Bewährung ausgesetzt wurde. Erst 1980 konnte Lischka am Ende eines Prozesses, in dem ihm die Kenntnis von und Mitschuld an der Deportation frz. Juden nachgewiesen werden konnten, zu einer zehnjährigen Haftstrafe verurteilt werden, von der er jedoch nur zwei Drittel verbüßte. Zu Bölls Beziehung zu Beate Klarsfeld, siehe auch die Texte *Blumen für Beate Klarsfeld* sowie das Vorwort zur Dokumentation *Beate Klarsfeld: Die Geschichte des PG 2633930 Kiesinger* (*KA*, Bd. 16). Über den Fall Lischka vgl. Heinz Faßbender, 2003, S. 177–182 und Bernhard Brunner, 2003, S. 183–200.

179. 10 *Giscard d'Estaing]* Valéry Marie René Giscard d'Estaing (geb. 1926), frz. Politiker (Gaullist), von 1974 bis 1981 frz. Staatspräsident; wie Beate Klarsfeld in einem Essay berichtet, setzte sich der neue Staatspräsident Giscard d'Estaing energisch nach ihrer Verhaftung für sie ein. Siehe Beate Klarsfeld, 2003, S. 167–176; vor allem S. 173.

179. 11 *Lischka]* Vgl. Stellenkommentar zu 507

179. 33 *»Radikalenerlaß bzw. Extremistenbeschluß«]* Siehe Stellenkommentar zu 15. 34–35.

180. 6 *Dr. Schulze-Vorberg]* Max Schulze-Vorberg (1919–2006), promovierter Jurist, dt. Journalist und CSU-Politiker, Mitglied des Bundestages; Chefkorrespondent des *BR* in Bonn von 1948 bis 1965; vgl. in diesem Zusammenhang auch den Artikel in der *SZ*, 4. 9. 1975, Nr. 210: »Böll: Union will Radikalen-Erlaß nach Europa exportieren.«

⟨Erwünschte Reportage⟩

Entstehung

Diese als Vorwort für eine Weerth-Ausgabe gedachte Erzählung trägt in Bölls Arbeitsbuch die Nummer »275/74«; sie ist auf den 15./16. 9.1974 datiert und in Langenbroich geschrieben worden (*AB* II, Bl. 23; NE). Unter dem Datum des 19. 3. 1974 schrieb der Chefredakteur Rolf Schloesser der *ip*-informationspresse, daß der Leske-Verlag beabsichtige, eine Paperback-Reihe zu starten, in der Texte aus dem Vormärz, u. a. auch eine Georg Weerth-Ausgabe, wieder zugänglich gemacht werden sollten. Neben dem Historiker Reinhart Koselleck sollte auch der Germanist Jost Hermand diese Editionen betreuen (vgl. HA 1326–229; Bll. 64 ff.).

Überlieferung

Notizen

N: 2 Bll.; Aufzeichnungen zur geplanten Weerth-Ausgabe.
(HA 1326–229, Bll. 72–73)

Typoskripte

t[1]: Durchschr.; 5 Bll. (grünes Papier); Textstand identisch mit den Druckfassungen.
(HA 1326–229, Bll. 57–61)

t[2]: Durchschr.; 5 Bll. (gelbes Papier); zweite Durchschrift, am loR von Bl. 1 eh. Vermerk der Arbeitsbuchsigle »275/74« (= *AB* II, Bl. 23; NE), darunter eh. Datum »16./17. 9. 74«.
(HA 1326–229, Bll. 62–66)

T[3]: Abschrift und Reinschrift von t[1]; 5 Bll.; offensichtlich eine Kopie der Satzvorlage.
(HA 1326–229, Bll. 67–71)

Drucke

Z: *die horen* (Hannover). – 20. Jg. (1975), H. 3 (Herbst), S. 33–35 u. d. T.: Eine erwünschte Reportage.
D[1]: Georg Weerth: *Vergessene Texte*. Werkauswahl in 2 Bdn. Bd. 1. Nach den Handschriften hrsg. von Jürgen-W. Goette, Jost Hermand und Rolf Schloesser. Mit einem Beitrag von Heinrich Böll. Köln, informationspresse – c. w. leske/Europäische Verlagsanstalt, 1975, S. 9–14.
D[2]: *EE*, S. 263–266.
D[3]: *WA* 5, S. 500–503.

Textgrundlage

Textgrundlage ist D[3].

Stellenkommentar

182. 2 *Weerth]* Georg Weerth (1822–1856), dt. Schriftsteller und Journalist aus dem Vormärz; befreundet mit Ferdinand Freiligrath und bekannt mit Karl Marx und Friedrich Engels, Mitarbeit beim »Bund der Kommunisten« und Mitbegründer der »Neuen Rheinischen Zeitung« in Köln; nach Verbüßung einer Haftstrafe und enttäuscht über das Scheitern der Revolution in Deutschland ausgedehnte Reisen innerhalb und außerhalb Europas, so nach Nord- und Südamerika; Tod durch Hirnhautentzündung auf Haiti. Zu den bekanntesten Arbeiten zählen *Das Hungerlied* (1844), ein Gedicht über die Weberaufstände, und seine Beiträge für das Jahrbuch *Das Deutsche Bürgerbuch* (1845/46).

182. 3 *Wallraff gewidmet]* Günter Wallraff (geb. 1942), dt. Schriftsteller und Journalist, der seit 1966 mit Böll bekannt gewesen ist (vgl. *Brief an einen jungen Nichtkatholiken*, *KA*, Bd. 15, S. 31–42).

182. 9 *Heinrich Sohlweg]* Es handelt sich in dieser Erzählung um fiktive Namen.

182. 26 *RAF]* Rote Armee Fraktion

185. 29 *Obolus]* Ugs. ›kleiner Betrag‹.

⟨Getarntes Dasein⟩

Entstehung

Die Rezension trägt in Bölls Arbeitsbuch die Signatur »362/75«; sie ist im August 1975 in Langenbroich geschrieben worden (*AB* II, Bl. 37; NE). In einem Brief vom 30. 7. 1975 bedankte sich Rolf Michaelis von der *Zeit* bei Böll für dessen Angebot, eine Rezension des Korn-Buches zu verfassen (vgl. HA 1326–271, Bl. 119). Böll schickte die fertige Rezension vermutlich in einem Brief, datiert auf den 30. 8. 1975, an Michaelis: »Nun hoffe ich, dass die Rezension des Buches von Karl Korn Ihre Befürchtungen – so oder so – nicht bestätigt. Ich weiß zu wenig von all den Hintergründen, Intrigen, Gerüchten, dem Klatsch etc. in Redaktionen, um Ihre Befürchtungen beurteilen zu können, kann Ihnen nur versichern, daß ich mir viel Mühe gegeben habe, dem Buch und dem Werdegang und Bildungsgang eines deutschen Intellektuellen von der Bedeutung von Korn gerecht zu werden« (vgl. HA 1326–271, Bl. 121). Michaelis wiederum bedankte sich brieflich am 8. 9. 1975 für »die schöne Rezension über Korns Buch« und fuhr dann fort: »Sie finden einen so eigenen, eigenwilligen Zugang zu dem Buch, daß meine Überlegungen ganz überflüssig waren und sind« (HA 1326–4000, Nr. 16979). Böll hatte Korn brieflich (am 30. 8. 1975) darüber informiert, daß er dessen Erinnerungen für die *Zeit* besprochen hatte, woraufhin sich Korn am 13. 9. 1975 in einem handgeschriebenen Brief ausdrücklich bei Böll bedankte: »Ich kann Ihnen nicht sagen, wie froh ich bin, daß Heinrich Böll meinen Versuch, mein Leben zu erzählen, bespricht. Sie können ganz sicher sein, daß ich alles, was ich von Ihnen über die ›Lange Lehrzeit‹ lesen werde, annehme. Daß Sie es, wie Sie schreiben, verschlungen haben, ist mir [...] ein Übermaß an Zustimmung« (HA 1326-Ablage Böll Aug.-Dez. 1975). In einem weiteren Brief vom 14. 10. 1975 wiederholte Korn seinen Dank: »Sie haben so genau und gleichzeitig behutsam den, wie man heute sagt, traumatischen Punkt einer Jugend erkannt und gedeutet und in Beziehung gesetzt, daß ich Ihnen sagen möchte: Ich danke Ihnen; ein Mann wird ja in diesen Dingen selten verstanden« (HA 1326-Ablage Böll Jan.-Juli 1976). Darauf antwortete Böll am 24. 1. 1976 mit der Ermunterung an Korn: »Nachdrücklich aber möchte ich Ihnen anraten, nicht nur auf Fortsetzung Ihrer Autobiographie zu sinnen, sondern diese wirklich zu schreiben: Ihre Tätigkeit, auch Ihre Funktion, die der FAZ, alles miteinander – ich denke mir, das wäre noch wichtiger, interessanter innerhalb der Geschichte der Publizistik als die Lange Lehrzeit« (HA 1326-Ablage Böll Jan.-Juli 1976).

Überlieferung

Notizen

N: 5 Bll., Stichworte sowie Hinweise auf Zitate.
(HA 1325–271, Bll. 100–104)

Typoskripte

TH[1]: Erstschr., 2 Bll; erster, unvollst. Enwurf.
(HA 1326–271, Bll. 80–81)
TH[2]: Erstschr., 5 Bll., gegenüber TH[1] erweiterter, aber noch unvollst. Entwurf; am loR von Bl. 1 eh. Notiz: »2. Version ungültig«.
(HA 1326–271, Bll. 82–86)
TH[3]: Erstschr., 6 Bll.; gegenüber TH[2] erweiterter Entwurf; am loR von Bl. 1 eh. Notiz: »3. Version ungültig«.
(HA 1326–271, Bll. 87–92)
t[4]: Durchschr., 6 Bll.; Durchschr. der Satzvorlage, da der Textstand identisch ist mit der Druckfassung, am loR von Bl. 1 eh. Vermerk der Arbeitsbuchsigle »362/75« (= *AB* II, Bl. 37; NE), darunter noch der Hinweis auf das Entstehungsdatum »August 75«.
(HA 1326–271, Bll. 93–98)

Drucke

Z: *Die Zeit* (Hamburg). – 30. Jg., Nr. 41 (3. 10. 1975), S. 40.
D[1]: *EE*, S. 254–258.
D[2]: *ESR* III, S. 267–271.
D[3]: *EAS* 5, S. 263–267.

Textgrundlage

Textgrundlage ist D[2].

Stellenkommentar

187. 2 *Korn ... »Lange Lehrzeit«]* Karl Korn (1908–1991), dt. Journalist und Schriftsteller; nach Studium und Promotion zunächst von 1932–

34 Lektor in Toulouse, von 1934–37 Redakteur beim *Berliner Tageblatt*, danach bei der *Neuen Rundschau*; im Mai 1940 Feuilletonredakteur bei der Wochenzeitung *Das Reich*; 1941 zur Wehrmacht eingezogen; nach der Kriegsgefangenschaft zunächst als Journalist in Berlin, dann 1949 gemeinsam mit Hans Baumgarten, Erich Dombrowski, Paul Sethe und Erich Welter Gründung der *FAZ*, deren Feuilletonchef er in den 1950er und 1960er Jahren war. – Böll kannte Korn bereits seit der frühen Zeit bei der *FAZ*; Korns enthusiastische Besprechung von *Und sagte kein einziges Wort* für die *FAZ* trug dann auch maßgeblich zum Erfolg des Buches bei. – Karl Korn: *Lange Lehrzeit. Ein deutsches Leben*. Frankfurt/M., Societäts-Verlag, 1975.

188. 11–14 *»Ich habe es ... zur Beichte schickte.«]* Korn, 1975, S. 95.

188. 21–22 *Autobiographie des Stanislaus Joyce]* Stanislaus Joyce (1884–1955), ir. Sprachlehrer und Literaturwissenschaftler; gemeint ist *Meines Bruders Hüter* (Erstausgabe 1957), in dem Stanislaus Joyce die gemeinsamen Dubliner Jugendjahre mit seinem Bruder James geschildert hat.

188. 22–23 *die Katholische Kindheit der Mary McCarthy]* Anspielung auf den autobiographischen Text der us-amerikanischen Autorin Mary McCarthy (1912–1989) *Memories of a Catholic Girlhood* (1957).

188. 23–24 *Thelens Insel des zweiten Gesichts]* Albert Vigoleis Thelen (1903–1989), dt. Schriftsteller, der während der Zeit des Nationalsozialismus zunächst auf Mallorca, später dann in Portugal im Exil gewesen ist. Thelen hat seine Erfahrungen aus der Mallorquiner Zeit, aber auch, worauf Böll hier anspielt, seine Herkunft aus einem katholischen niederrheinischen Elternhaus in dem mit dem Fontane-Preis ausgezeichneten Schelmenroman *Die Insel des zweiten Gesichts* (1953) geschildert.

188. 24–29 *»Es ist mir in der Rückschau ... bis zur Unkenntlichkeit.«]* Korn, 1975, S. 97.

190. 17 *Naumanns]* Hans Naumann (1886–1951), dt. Germanist und Volkskundler; Promotion 1911, Habilitation 1913, Prof. für ältere dt. Literatur und Volkskunde in Frankfurt/M. 1921–1931, dann 1932–1945 in Bonn, wo er zeitweilig auch Rektor war.

190. 17 *Bertrams]* Ernst Bertram (1884–1957), dt. Literaturwissenschaftler und Schriftsteller; Promotion 1907, 1919 Dozent in Bonn, seit 1922 eine Professur in Köln; das Verhältnis des Thomas Mann-Freunds zum Nationalsozialismus ist von Widersprüchen gekennzeichnet (vgl. dazu Karl Otto Conrady: *Völkisch-nationale Germanistik in Köln. Eine unfestliche Erinnerung*. Schernfeld: SH-Verlag, 1990).

190. 21 *Mein Kampf]* Propagandaschrift Adolf Hitlers, die, 1924 während seiner Inhaftierung in der Festung Landsberg entstanden, in aller Deutlichkeit bereits das Programm und die Ziele der nationalsozialistischen Bewegung formuliert.

190. 22–25 *»Erst nachdem die zwölf Jahre ... hätte lesen können.«]* Korn, 1975, S. 231.

191. 4 *Berliner Tageblatt]* Eine von Rudolf Mosse gegründete, seit dem 1. 1. 1872 erscheinende Tageszeitung, die zugleich den Grundstein für das erste Zeitungsimperium in Deutschland gebildet hat; von 1906 bis 1933 war Theodor Wolff Chefredakteur; 1933 erfolgte die Gleichschaltung der Zeitung, die noch bis zum 31. 1. 1939 erscheinen konnte. In Spitzenzeiten hatte das *BT* (vor allem sonntags) eine Tagesauflage von 300.000 Exemplaren.

191. 7–8 *Neuen Rundschau]* 1890 gegründete Literaturzeitschrift im S. Fischer Verlag, zunächst unter dem Titel *Freie Bühne für modernes Leben*, erfolgte dann 1904 die Umbenennung; die *Neue Rundschau* entwikkelte sich zu einer der bedeutendsten Literaturzeitschriften in Europa; unter der Leitung Peter Suhrkamps (1891–1959) konnte die *NR* während des Nationalsozialismus bis 1944 weiterexistieren; schon 1945 kam es im Stockholmer Exil Gottfried Bermann-Fischers zur Wiedergründung.

191. 9 *Suhrkamps]* Peter Suhrkamp (1891–1959), dt. Verleger.

191. 10 *Scheffer]* Paul Scheffer (1883–1963), dt. Journalist, lange Zeit Auslandskorrespondent des *Berliner Tageblatts*, zunächst in Holland, während der 20er Jahre in Moskau, das ihm jedoch wegen seiner Stalin-kritischen Berichterstattung 1929 die Wiedereinreise verweigerte, daraufhin wirkte er Anfang der 30er Jahre in den USA, 1932/33 in London; von 1934 bis zum erzwungenen Rücktritt am 1. 1. 1937 Chefredakteur des *BT*s, danach erneut Auslandskorrespondent in den USA, wo er dann bis zum Tod als freier Journalist lebte.

191. 10 *Loerke]* Oskar Loerke (1884–1941), dt. Schriftsteller, Journalist und Lektor; seit 1917 beim S. Fischer Verlag, zahlreiche Artikel in den 20er Jahren für den *Berliner Börsen-Courier*; 1933 Ausschluß aus der Preußischen Akademie der Künste und Publikationsverbot; Loerke gilt als Vertreter der sog. Inneren Emigration.

191. 10 *Boveri]* Margret Boveri (1900–1975), dt. Journalistin, nach Studium und Promotion 1933 Arbeit als Journalistin in der außenpol. Redaktion des *Berliner Tageblatts*, von 1939 bis zum Verbot der Zeitung 1943 Auslandskorrespondentin der *Frankfurter Zeitung* in Stockholm und New York; im Mai 1942 Rückkehr nach Europa, Lissabon; vom März 1944 bis Kriegsende freie Mitarbeiterin für *Das Reich*; nach dem Krieg arbeitete Boveri bis zu ihrem Tod als freie Journalistin in Berlin.

191. 13–16 *»Ich habe mich wie Tausende … nach Kirchgang zumute …«]* Korn, 1975, S. 295.

191. 16–18 *»Jeder begann vor jedem … in acht zu nehmen.«]* Ebd.

191. 23–24 *Eugen Gottlob Winkler]* Eugen Gottlob Winkler (1912–1936), Studium der Germanistik, Romanistik und Kunstgeschichte, Verfasser von Kritiken, Aufsätzen und Essays, u. a. über Hölderlin, Platen, T. E. Lawrence und Marcel Proust.

191. 29 *Breker]* Arno Breker (1900–1991), dt. Bildhauer und Architekt;

seit etwa 1936 rasanter Aufstieg zum prominentesten Bildhauer des Hitler-Regimes.

191. 35 *Das Reich]* Eine seit dem 26. 5. 1940 bis zum April 1945 erschienene nationalsoz. Wochenzeitung, die nach dem *Völkischen Beobachter* das zweitgrößte Presseorgan der Nazis darstellte (Druckauflage im April 1945 1,4 Millionen); Eugen Mündler, zuvor Chefredakteur des liberalen *Berliner Tageblatts*, wurde zum Hauptschriftleiter bestellt; seine Idee war es, auch prominente nicht-nationalsozialistische Autoren, wie z. B. Theodor Heuss, für die Mitarbeit zu gewinnen, was jedoch durch die rigiden und willkürlichen Methoden durch die NS-Presselenkung und nach Mündlers Rücktritt im Dezember 1942 wieder vereitelt wurde.

⟨Vergebliche Warnung⟩

Entstehung

Bölls Laudatio für Manès Sperber trägt im Arbeitsbuch die Signatur »365/75«; sie ist zwischen August und Oktober in Langenbroich entstanden (*AB* II, Bl. 37; NE). Am 3. 7. 1975 teilte Ernst Johann von der Deutschen Akademie für Sprache und Dichtung (Darmstadt) Böll mit, daß der diesjährige Büchner-Preis an Manès Sperber gehe und daß die Akademie gerne Böll als Laudatoren gewinnen möchte. In diesem Brief heißt es u. a.: »unser Präsidium hat beschlossen, den Büchner-Preis 1975 an Herrn Manès Sperber zu verleihen. Gestern telefonierte ich mit ihm, um ihm die Nachricht mitzuteilen. Als wir dann über den möglichen Laudator für ihn sprachen, glaubte er, mir sagen zu dürfen, daß Sie, lieber Herr Böll, ein so guter Kenner seines Werkes seien und gleichzeitig auch Freund genug, um die Laudatio auf ihn zu übernehmen. Ich will nun keine Minute zögern, Sie über diesen Vorgang zu unterrichten« (HA 1326–4000, Nr. 16560). Den handschriftl. Notizen auf dem Briefbogen zufolge gab Böll telefonisch seine Zusage am 9. 7. 1975, die dann noch schriftlich am 14. 8. 1975 bestätigt wurde. Brieflich mahnte Johann am 11. 9. 1975 Böll an, dieser möge doch bis Ende September den Text liefern, woraufhin Böll dann am 15. 9. 1975 antwortete: »[...] die Laudatio werde ich wahrscheinlich erst um den 10. 10. herum schreiben (die Vorstudien sind abgeschlossen, aber ich muß noch einmal für längere Zeit verreisen) – so kann ich Ihnen jetzt noch keine fertigen Formulierungen zur Verfügung stellen. Was ich Ihnen geben kann, ist eine Art Klappentext, den ich einmal über Manès Sperber geschrieben habe, vielleicht geeignet als Anregung: Ich zögere nicht zu sagen, daß ich Sperbers Buch (das ich seinerzeit für Kiepenheuer lektorierte: Wie eine Träne im Ozean) für eine der wichtigsten Publikationen nach 1945 halte, weil diese Trilogie die Tragödie Ost- und Südosteuropas in einen europäischen Zusammenhang bringt, der inzwischen hinter dem eisernen Vorhang vergessen und verloren, auch von der westeuropäischen Intelligenz dorthin abgeschoben worden ist. Auch im Zusammenhang mit der Neuentdeckung jüdischer Tradition und Tragik des europäischen Ostens wird das Buch erneut aktuell. – Auf das Europäische an Osteuropa werde ich in meiner laudatio ausführlicher zu sprechen kommen [...]« (HA 1326-Ablage Böll Aug.-Dez. 1975).

Überlieferung

Typoskripte

TH[1]: Erstschr., 2 Bll.; erster unvollst. Entwurf.
(HA 1326–273, Bll. 1–2)

TH[2]: Erstschr., 3 Bll.; gegenüber TH[1] erweiterter, unvollst. Entwurf; am loR von Bl. 1 eh. Vermerk der Arbeitsbuchsigle »365/75« (= AB II, Bl. 37; NE), darunter »Sperber«.
(HA 1326–273, Bll. 3–5)

T[3]: Abschrift, 6 Bll.; Kopie von der Abschrift der Laudatio für Sperber. Beiliegend: 37 Bll.; *Bll. 1–4*: mit Stichworten zum Vortrag sowie Kopien aus Sperber-Büchern mit Unterstreichungen, Anmerkungen und Kommentaren Bölls; *Bll. 5–37*: Kopien von verschiedenen Geburtstagsartikeln, Rezensionen über Sperbers Bücher und andere Informationsartikel, die Böll für seinen Text verwendet hat.
(HA 1326–273, Bll. 6–48)

Drucke

Z: *Frankfurter Rundschau*. – 31. Jg., Nr. 248 (25. 10. 1975), ›Zeit und Bild‹ S. III.

D[1]: *EE*, S. 274–278.

D[2]: *ESR* III, S. 272–276.

D[3]: *EAS* 5, S. 268–276.

Textgrundlage

Textgrundlage ist D[2]. Darüber hinaus wurde korrigiert:
193. 17 *Ihnen]* ihnen; *offensichtlicher Druckfehler*

Varianten

194. 7 *ist] Fehlt* Z

Stellenkommentar

193. 2 *Sperber]* Manès Sperber, (1905–1984) öst.-frz. Schriftsteller. – Zu Sperber insgesamt: Mirjana Stancic: *Manès Sperber. Leben und Werk.* Frankfurt/M. 2003.

193. 8–9 *Wasserträgern Gottes] Die Wasserträger Gottes.* Wien: Europaverlag, 1974.

194. 7 *Die vergebliche Warnung]* Manès Sperber: *Die vergebliche Warnung.* Wien, Europaverlag, 1975.

194. 11 *die Gegenwart immer nur eine Sekunde]* Anspielung auf eine Stelle aus *Die Wasserträger Gottes*, in der Sperber von der Gegenwart als einem Durchgang spricht, einem Augenblick: »ungeheuer wichtig im Augenblick, aber eben nur für den Augenblick« (Sperber, 1974, S. 136) – Diese Passage hat Böll in seinen Unterlagen für die Rede exzerpiert.

194. 16 *Essays]* Anspielung auf Sperbers Essay *Leben in dieser Zeit*, in: Ders.: *Leben in dieser Zeit. Sieben Fragen zur Gewalt.* Wien: Europaverlag, 1972, S. 9–27.

194. 21–22 *Zeitgenossenschaft ... unsere einzige Niederlassung ist]* Vgl. hierzu Bölls *Frankfurter Vorlesungen*, *KA*, Bd. 14, S. 137.

195. 37 *Erzählung]* Gemeint ist *Der Zug war pünktlich* (1949; *KA*, Bd. 4); diese Erzählung trug ursprünglich den Arbeitstitel *Zwischen Lemberg und Czernowitz*, jedoch wurde auf Drängen des Verlages der Titel geändert (vgl. *KA*, Bd. 4, S. 700 ff.).

196. 6–8 *1953 gab mir mein Verleger ein Manuskript ... Die verlorene Bucht]* Es handelt sich um den dritten Teil von Sperbers autobiographisch grundierter Romantrilogie *Wie eine Träne im Ozean* (1961), die aus den Teilen *Der verbrannte Dornbusch* (1949), *Tiefer als der Abgrund* (1950) und *Die verlorene Bucht* (1955) besteht, worin die Geschichte der kommunistischen Bewegung von 1931 bis 1945 geschildert wird. – Das Gutachten Bölls siehe *KA*, Bd. 7, S. 15–17.

197. 32 *Garotte]* Ein Halseisen, mit dem in Spanien und den ehemaligen Kolonien die Hinrichtung durch Erdrosseln vollzogen wurde.

⟨Das Schmerzliche an Oberschlesien⟩

Entstehung

Diese Rezension trägt in Bölls Arbeitsbuch die Signatur »373/75«; sie ist im September 1975 in Langenbroich entstanden (*AB* II, Bl. 38; NE). Mit Datum vom 16. 8. 1975 schickte Horst Bienek sein neues Buch: »[...] vielleicht haben Sie Zeit, einmal hineinzusehen, vielleicht reizt es Sie sogar, etwas darüber zu schreiben. Ich erinnere mich noch gern und mit Sympathie daran, wie ich von Ihnen, gerade aus der Polit-Haft entlassen und zu meiner Schwester in der Nähe nach Köln gezogen, erste Ermunterung und auch praktische Hilfe bekam« (HA 1326–4000, Nr. 16833). Wolfram Schütte von der *FR* schickte am 2. 10. 1975 Böll den Fahnenabzug der Bienek-Rezension mit der Bitte um Durchsicht und Korrektur (vgl. HA 1326–4000, Nr. 17200). Unter dem Datum vom 29. 10. 1975 bedankte sich Bienek für Bölls Rezension: »Ihre Besprechung der POLKA war durchdacht, originär, mit wirklich neuen Gedanken. Mich hat besonders gefreut, wie Sie, wortmächtig, die Figuren beschrieben und ausgestellt haben – übrigens keiner der Kritiker vor Ihnen ist auf die Geschichte mit dem Josel und der Baracke eingegangen, das hab' ich wirklich bedauert, mir gefällt sie nämlich, ja, darüber hinaus find' ich sie wirklich ungewöhnlich und einfallsreich, und es ist typisch, daß gerade ein anderer Romancier, der solche Situationen begreift, sie allein gesehen hat ... Meinen Dank dafür! Ich glaube, das ist sehr nützlich für das Buch. Es ist auch nützlich für den Autor B.! Und Sie haben endlich klar gesagt, daß dies nicht der Roman einer Familie ist, wie es unsre Kritiker so gern subsumieren (weil es noch ein paar andere Familienromane in diesem Herbst gibt), sondern der Roman Oberschlesiens...« (HA 1326–4000, Nr. 17318).

Überlieferung

Typoskripte

T: Erstschr., 2 Bll.; erster Entwuf, unvollst., am loR von Bl. 1 eh. Vermerk der Arbeitsbuchsigle »373/75« (= *AB* II, Bl. 38; NE), darunter eh. Notiz »1. Entwurf ungültig.«
(HA 1326–271, Bll. 122–123)

t: Durchschr., 5 Bll.; Durchschr. der Satzvorlage, von Böll eh. mittig auf Bl. 1 »Bienek-Rezension«, am loR von Bl. 1 eh. Vermerk der Arbeitsbuchsigle »373/75« (= *AB* II, Bl. 38; NE)
Beiliegend: 1 Bl. mit Stichworten.
(HA 1326–271, Bll. 124–128; Bl. 129)

Drucke

Z: *Frankfurter Rundschau.* – 31. Jg., Nr. 236 (11. 10. 1975), ›Zeit und Bild‹ S. III.
D¹: *EE*, S. 259–262.
D²: *ESR* III, S. 277–280.
D³: *EAS* 5, S. 273–276.

Textgrundlage

Textgrundlage ist D².

Varianten

201. 33 *eine eigene]* seine eigene Z

Stellenkommentar

199. 2 *»Die erste Polka«]* Horst Bienek (1930–1990), dt. Schriftsteller; nach der Übersiedlung aus Schlesien nach Potsdam, später Berlin nach dem Zweiten Weltkrieg Verhaftung 1951 wegen angeblich antisowjet. Hetze und Verurteilung zu 25 Jahren Zwangsarbeit in Workuta; nach vier Jahren im Zuge einer Amnestie Übersiedlung in die Bundesrepublik, wo Bienek dann als Verlagslektor und Schriftsteller in München bis zu seinem Tod gearbeitet hat. Zu den bekanntesten Werken zählen der autobiographische Roman *Die Zelle* (1968) sowie die im Romanzyklus unter dem Titel *Gleiwitz. Eine oberschlesische Chronik in vier Romanen* zusammengefaßten Bände *Die erste Polka* (1975), *Septemberlicht* (1977), *Zeit ohne Glocken* (1979) und *Erde und Feuer* (1982); daneben hat Bienek auch eine ganze Reihe von Essays und Kritiken geschrieben, die u. a. in dem Band *Solschenizyn und andere* (1972) zum Wiederabdruck gekommen sind. – Horst Bienek: *Die erste Polka.* Roman. München/Wien, Hanser, 1976.

200. 7 *Don Bosco-Bund]* Anspielung auf Giovanni Melchiorre Bosco (›Don Bosco‹, 1815–1888), ital. Theologe (kath.), Ordensgründer

200. 21 *Salonik]* Bienek, 1976, S. 26.

201. 11–12 *gleiche Liebe ... Mutter Maria]* Bienek, 1976, S. 229.

201. 14–20 *Es ist ein ... verkauft]* Bienek, 1976, S. 373 f.

201. 21 *Eichendorff]* Joseph von Eichendorff (1788–1857), dt. Schriftsteller, der auf Schloß Lubowitz bei Ratibor, Oberschlesien, geboren wurde und in Neisse gestorben ist.

201. 21 *Schaffgotsch und Ballestrem]* Gemeint sind hier Philipp Gotthard Graf von Schaffgotsch (1716–1795), ein Freimaurer, der 1747 Fürstbischof von Breslau gewesen ist, und Franz Karl Wolfgang Ludwig Alexander Graf von Ballestrem (1834–1910), ein preußischer Gutsbesitzer, Industrieller und Politiker aus Oberschlesien, der von 1898 bis 1906 Präsident des Reichstages gewesen ist.

201. 28 *Korfanty-Biographie]* Wojciech Korfanty (in Schesien als Albert Korfanty geboren, 1873–1939), Journalist, Mitglied des deutschen Reichstages, polnischer Ministerpräsident.

202. 25 *Schön]* Helmut Schön (1915–1996), dt. Fußballspieler und (National-)Trainer; als Spieler für den Dresdner FC war Schön 1943/44 deutscher Fußballmeister.

202. 26 *Scholtis: Das Eisenwerk]* August Scholtis (1901–1969), dt. Schriftsteller aus Oberschlesien, dessen Roman *Das Eisenwerk* 1938 erschienen ist.

202. 26–27 *Bergengruen: Der Großtyrann und das Gericht]* Werner Bergengruen (1892–1964), dt.-baltischer Schriftsteller aus Riga; Verf. von historischen Romanen, Novellen und Erzählungen, aus dessen umfangreichem Werk der Renaissance-Roman *Der Großtyrann und das Gericht* (1935) herausragt, ein Roman, der während der NS-Zeit als regimekritisches Werk rezipiert worden ist.

202. 30 *Etté]* Bernhard Etté (1898–1973), dt. Musiker, Kapellmeister und Violinist; 1923 Kapellmeister des »Boston Club« Orchesters, das auch im frühen Radio häufig zu hören gewesen ist, in den 30er und 40er Jahren Leiter eines großen Schau- und Tanzorchesters.

202. 30 *La-Jana-Frisuren]* Gemeint ist die Schauspielerin und Revuetänzerin La Jana (bürgerlicher Name: Henriette Margarethe Hiebel, 1905–1940), die in vielen Stumm-, aber auch frühen Tonfilmen an der Seite Theo Lingens oder Hans Albers' mitgewirkt hat, etwa in »Der Tiger von Eschnapur« und »Das indische Grabmal« (beide von 1938), sowie in Tanzrevuen u. a. in Berlin, Stockholm und London aufgetreten ist.

⟨Die unbequeme Hoffnung auf eine geistige Wende⟩

Entstehung

Diese Rezension trägt in Bölls Arbeitsbuch die Signatur »378/75«; sie ist im Oktober 1975 in Köln entstanden (*AB* II, Bl. 37; NE).

Überlieferung

Typoskripte

TH[1]: Erstschr., 6 Bll.; Entwurf, unvollst..
(HA 1326–273, Bll. 49–54)

t[2]: Durchschr., 7 Bll.; Durchschr. der Satzvorlage.
Beiliegend: 2 Bll. mit eh. Stichworten, Hinweise auf Zitate u. ä.
(HA 1326–273, Bll. 55–63)

Drucke

Z: *Kölner Stadt-Anzeiger.* – 99. Jg., Nr. 273 (25. 11. 1975), ›Buchbeilage‹, S. 1 u. d. T.: Die unbequeme Hoffnung auf eine geistige Wende. Über Alexander Solschenizyn, ›Drei Reden über die Amerikaner‹. Der Kölner Literaturpreisträger attackiert die »christlichen Regierungen«. Heinrich Böll über Alexander Solschenizyns Rolle im Westen.

D[1]: *EE*, S. 279–284.

D[2]: *ESR* III, S. 281–286.

D[3]: *EAS* 5, S: 277–282.

Textgrundlage

Textgrundlage ist D[2].

Varianten

204. 5–6 *Zitatmontage, die die National und Soldaten-Zeitung]* National Zeitung Z

204. 14–15 *vor dem amerikanischen Gewerkschaftsbund und]* vor dem amerikanischen Gewerkschaftsbund, am 9. Juli 1975 in New York wiederum vor dem Gewerkschaftsbund und Z

206. 27 *als Warnung verstehen]* als Warnung, nicht als Prophezeihung verstehen Z

Stellenkommentar

204. 2–3 *Solschenizyn … »Drei Reden an die Amerikaner«]* Alexander Issajewitsch Solschenizyn (geb. 1918), russ. Schriftsteller und Literaturnobelpreisträger (1970); 1945–1953 Lageraufenthalt, dann bis 1956 Verbannung, Rehabilitation 1957; 1969 Ausschluß aus dem sowjet. Schriftstellerverband (siehe Stellenkommentar zu 254. 11–13) und 1974 erneute Haft; nach zahlreichen Protesten ausgewiesen und ausgebürgert; Solschenizyn ging anfänglich nach Deutschland, wo er zwei Tage in Bölls Haus in Langenbroich Unterkunft fand. – 1994 kehrte Solschenizyn nach Rußland zurück. – Alexander Solschenizyn: *Drei Reden an die Amerikaner*. Aus dem Russischen von Michael Morozow. Darmstadt / Neuwied, Luchterhand, 1975.

204. 7 *abdruckte, als totale Fälschung]* Am 8. 8. 1975 erschien auf der Titelseite der *National-Zeitung* unter der Überschrift »Interview mit Solschenizyn: Tod dem Kommunismus« ein Gespräch, das der sowjet. Autor angeblich mit einem ungenannten Journalisten dieser NPD-Zeitung geführt hatte. Zweifel an der Authentizität des Interviews kamen sogleich auf. Auch Böll äußerte brieflich seine Bedenken gegenüber dem der SPD-nahestehenden Landwirt Jörn von Mannstein, der sich mit der Bitte an Böll gewandt hatte, doch bei Solschenizyn nachzufragen, was es mit diesem Interview auf sich habe: »Ich halte es für ausgeschlossen«, schrieb Böll, »daß Solschenizyn der National-Zeitung direkt ein Interview gegeben hat, und selbst wenn er nicht hätte ermessen können, welcher Zeitung er da welche Fragen wie beantwortet (er ist besonders empfindlich gegen Warnungen dieser Art von ›links‹ – was immer das sein und er darunter hier verstehen mag) – ich halte es schon aus praktischen Gründen für unmöglich, daß er der N-Zeitung ein Einzel-Interview gegeben hat. Nach meiner eigenen Erfahrung geht das so vor sich: es gibt einer eine Pressekonferenz, und im Fall A. S. sind dann hunderte Journalisten anwesend, von denen einige dann aus einem Sammelinterview ein Einzelinterview machen« (HA 1326-Ablage Böll Aug.-

Dez. 1975). Es handelte sich also, glaubte Böll, um eine Kompilation. In einer kurzen redaktionellen Notiz vom 16. 9. 1975 unter dem Titel »Alexander Solschenizyns Erklärung. ›Ich bin noch nicht tot‹« berichtete die *FAZ*: »Alexander Solschenizyn sieht sich immer wieder genötigt, gegen den Mißbrauch zu protestieren, der mit seinem Namen getrieben wird. In der ›Deutschen Nationalzeitung‹ wurde am 8. August 1975 ein Interview mit ihm veröffentlicht, das, wie Solschenizyn jetzt erklärt, von Anfang bis Ende falsch sei. Er habe niemals ein derartiges Interview erteilt. ›Von irgend jemand müssen Erklärungen, die ich bei verschiedenen Gelegenheiten abgegeben habe, großzügig »bearbeitet« worden sein und das mit einem beträchtlichen Aufwand an Mißverständnis, Vereinfachung und schlechtem Geschmack. Ich verstehe nicht, was die Urheber dieser Fälschung sich gedacht haben – ich bin immerhin noch nicht tot.‹«

205. 5 *Stalins]* Jossif Wissarionowitsch Stalin, eigentl. Jossif Wissarionowitsch Dschugaschwilli (1879–1953), sowjet. Staatsmann und Diktator.

205. 6 *kleine Hitlerdeutschland]* Solschenizyn, 1975, S. 19. Aus Solschenizyns Rede am 30. 6. 1975 im Washingtoner Hilton-Hotel auf Einladung der AFL/CIO.

205. 16 *Hitler]* Adolf Hitler (1889–1945), Reichspräsident (1934) und Oberbefehlshaber der dt. Wehrmacht.

205. 37 *Wende]* Solschenizyn, 1975, S. 60. Aus Solschenizyns Rede am 9. 7. 1975 in New York auf Einladung der AFL/CIO.

206. 9 *Wolfgang Harich]* Wolfgang Harich (1923–1995); dt. Philosoph und Publizist; 1945 Eintritt in die KPD, 1946 in die SED und 1994 in die PDS; 1953 Mitbegründer der *Deutschen Zeitschrift für Philosophie*; Harich stand der Regierungspraxis der DDR kritisch gegenüber und vertrat einen oppositionellen Kurs, die Idee eines sog. Dritten Weges; 1957 wegen »Bildung einer konspirativen staatsfeindlichen Gruppe« zu zehn Jahren Gefängnis verurteilt, 1964 wieder entlassen, seitdem als freischaffender Wissenschaftler tätig; seit 1972 beschäftigte er sich auch mit einer ökologisch fundierten Zukunftsforschung; Publikationen u. a.: *Zur Kritik der revolutionären Ungeduld. Eine Abrechnung mit dem alten und neuen Anarchismus* (1971). Böll spielt hier vor allem auf Harichs Thesen aus dem Essay *Kommunismus ohne Wachstum? Babeuf und der Club of Rome* (1975) an.

206. 11–14 *Das ist ... gewissenlos]* Solschenizyn, 1975, S. 14. Aus Solschenizyns Rede am 30. 6. 1975 im Washingtoner Hilton-Hotel auf Einladung der AFL/CIO.

206. 36 *Bevölkerung etwa von Moçambique]* In dem einst zu Portugal gehörenden Moçambique, einer Republik in Südostafrika, herrschte von 1962–1975 ein Unabhängigkeitskrieg. 1975 wurde die Unabhängigkeit erreicht und die marxistisch ausgerichtete FRELIMO-Partei übernahm die Führung des Landes; es zählt zu den ärmsten Ländern der Welt.

207. 2 *Franco]* Francisco Franco (1892–1975), span. General und Diktator, seit 1939 bis zu seinem Tod Staatschef von Spanien.

207. 19 *Davis]* Angela Davis (geb. 1944), amerik. Bürgerrechtsaktivistin und Philosophin; nach einem ihr von Herbert Marcuse vermittelten Studienaufenthalt in Frankfurt Rückkehr zu Promotionszwecken an die University of California, San Diego, 1967; Eintritt in die amerikan. KP 1968; nachdem bei einem Blutbad im August 1970 in einem Gerichtssaal von San Francisco, bei dem es Tote gab, Waffen sichergestellt wurden, die von Angela Davis gekauft worden waren, wird Davis steckbrieflich als eine der meistgesuchten Verbrecher der USA gesucht, zwei Monate später verhaftet, aber nach einem auch international aufsehenerregenden Prozeß am 4. 6. 1972 nach 13 Verhandlungswochen in allen Anklagepunkten freigesprochen. Schon wenige Wochen später feiert Angela Davis, worauf Böll hier gewiß anspielen mag, ihren Freispruch mit dem damaligen Parteivorsitzenden und späteren Staatsratsvorsitzenden der DDR Erich Honecker.

208. 12–14 *Die amerikanische ... ausgab]* Solschenizyn, 1975, S. 12. Aus Solschenizyns Rede am 30. 6. 1975 im Washingtoner Hilton-Hotel auf Einladung der AFL/CIO.

208. 26–28 *Und der ... Entspannung ein]* Solschenizyn, 1975, S. 34. Aus Solschenizyns Rede am 30. 6. 1975 im Washingtoner Hilton-Hotel auf Einladung der AFL/CIO.

208. 36–37 *Adenauers Festigkeit ... Kriegsverbrechern]* Anspielung auf Adenauers Ostpolitik. Im September 1955 besuchte Konrad Adenauer Moskau; Ziel war die Verbesserung der dt.-sowjet. Beziehungen. Dabei gelang es Adenauer, daß die letzten 10 000 Kriegsgefangenen freigelassen wurden; als Gegenleistung stimmte er der Aufnahme diplomatischer Beziehungen zur SU zu. Daraufhin gab es zwei dt. Botschaften in Moskau, eine der Bundesrepublik und eine der DDR, was insofern eine Ausnahmesituation darstellte, als offiziell – durch die Hallstein-Doktrin sanktioniert – der Alleinvertretungsanspruch der BRD für Deutschland galt.

208. 37 *Willy Brandt]* Eine tiefgreifende Änderung der westdt. Ostpolitik trat 1969 unter der Regierung von Willy Brandt (1913–1992) ein; Ziel war es, die Beziehungen zum Osten zu verbessern; dazu zählten ein Gewaltverzichtsabkommen mit der SU, ein Grenzanerkennungsvertrag mit Polen, schließlich noch der sog. »Grundlagenvertrag« mit der DDR von 1972.

209. 3–7 *Chruschtschow ... fortgesetzt]* Solschenizyn, 1975, S. 35. Aus Solschenizyns Rede vom 30. 6. 1975 im Washingtoner Hilton-Hotel auf Einladung der AFL/CIO.

209. 9–15 *Die Menschen ... Handfläche]* Solschenizyn, 1975, S. 68. Aus Solschenizyns Rede am 9. 7. 1975 in New York auf Einladung der AFL/CIO.

⟨Ein Nestbeschmutzer von Rang⟩

Entstehung

Die Rezension trägt in Bölls Arbeitsbuch die Signatur »381/75« (*AB* II, Bl. 40; NE); sie ist in Köln im Oktober/November 1975 entstanden. Während Böll den Text in seinem Arbeitsbuch auf Oktober datiert, schreibt er auf Bl. 1 von t^2 November 1975. Erich Kuby selbst hatte ein Exemplar seines Buches im August, unmittelbar nach Fertigstellung, an Böll mit der Bitte geschickt, »dass Sie es lesen und dass es Sie verleiten könnte, es irgendwo öffentlich anzuzeigen. Das Buch ist, wie ich meine, auf ähnliche Weise unpolitisch – politisch wie das meiste, was Sie, auf Ihre Art, über die Zeit in die Zeit hineingesagt haben. Die Informationen, die es vermittelt, haben keinen aktuellen Bezug mehr, der Fall des Soldaten E. K. ist als exemplarischer ›Verweigerungsfall‹ jetzt zu erkennen, das moralische daran wie das erbärmliche« (HA 1326–4000, Nr. 16932).

Überlieferung

Typoskripte

T^1: Erstschr., 3 Bll.; erster, unvollst. Entwurf.
(HA 1326–273, Bll. 97–99)

t^2: Durchschr., 5 Bll.; Durchschr. der Druckvorlage von Z; am loR von Bl. 1 eh. der Arbeitsbuchsigle »381/75« (= *AB* II, Bl. 40; NE), darunter »Nov. 75«.
Beiliegend: 5 Bll. mit abgetippten ausführlichen Zitaten aus Kubys Buch, die in Bölls Rezension Verwendung finden.
(HA 1326–273, Bll. 100–109)

Drucke

Z: *Süddeutsche Zeitung* (München). – 31. Jg., Nr. 281 (6./7. 12. 1975), S. 82.

D^1: *EE*, S. 285–289.

D^2: *ESR* III, S. 287–291.

D^3: *EAS* 5, S. 283–287.

Textgrundlage

Textgrundlage ist D².

Varianten

212. 34 *erfrischend. Gerade]* ⌈Z

Stellenkommentar

210. 2–3 *Erich Kuby, »Mein Krieg«]* Erich Kuby (1910–2005), dt. Journalist, Medienautor und Schriftsteller; nach dem Studium der Volkswirtschaft zunächst beim Berliner Scherl-Verlag tätig, während des Zweiten Weltkriegs in Frankreich und Rußland eingesetzt; nach kurzer US-Kriegsgefangenschaft mitbeteiligt bei der Gründung der Zeitschrift *Der Ruf*; später Redakteur bei der *Süddeutschen Zeitung* und freie Mitarbeit u. a. beim *Spiegel*, *Stern* und den *Frankfurter Heften*. – Erich Kuby: *Mein Krieg. Aufzeichnungen aus 2129 Tagen*. München, Nymphenburger Verlagshandlung, 1975.

210. 8 *Leni Riefenstahl]* Infolge der Publikation ihrer Photoserien über den afrikanischen Volkstamm der Nuba (u. a. *Nuba – Menschen wie von einem anderen Stern*. München: List, 1973) erlebte Leni Riefenstahl (1902–2003), die ihre Karriere als Filmemacherin im Dritten Reich begonnen hatte, eine künstlerische Renaissance.

210. 9 *Arno Breker]* Anläßlich von Arno Brekers 75. Geburtstag beschreibt der Kunsthistoriker Laszlo Glozer in seinem Artikel »Karriere im Nebel« für die *Süddeutsche Zeitung* v. 19./20. 7. 1975 die Anzettelung eines »Rehabilitierungsprozesses mit Mitteln der Geschichtsfälschung« zum Zweck der »neuerlich massiven Lancierung« der »künstlerischen Wiederkehr« Brekers (Glozer, 1975).

210. 14 *Schweijk]* Anspielung auf Jaroslav Hašeks (1883–1923) Roman *Der brave Soldat Schweijk* (dt. 1926), dessen Held sich mit List und Tücke durch den I. Weltkrieg hindurchmogelt.

210. 14 *Barbusse]* Henri Barbusse (1873–1935), frz. Politiker und Schriftsteller, dessen 1916 erschienenes Kriegstagebuch *Le Feu* (*Das Feuer*) den Autoren und Pazifisten weltberühmt machte.

210. 21 *Filbinger]* Hans Filbinger (1913–2007), dt. CDU-Politiker, von 1966–1978 Ministerpräsident in Baden-Württemberg; 1978 wurde bekannt, daß Filbinger als Ankläger und Richter bei der Kriegsmarine 1945 Todesurteile gegen Deserteure beantragt und gefällt hat; daraufhin mußte er als Ministerpräsident zurücktreten.

210. 31–211. 4 *»Meine gute Mutter … etwas Faszinierendes.«]* Kuby, 1975, S. 42.

211. 25–28 *»Wir bezahlten … ausgebreitet hat.«]* Kuby, 1975, S. 60.

213. 5 *Carossa]* Hans Carossa (1878–1956), dt. Schriftsteller, insbesondere von Lyrik, und Arzt; Carossa wählte die ›innere Emigration‹ und lehnte die Aufnahme in die ›Deutsche Akademie der Dichtung‹ durch die Nationalsozialisten ab.

213. 7 *Thomas Mann]* Kuby, 1975, S. 374 f.

213. 16 *geworden.«]* Kuby, 1975, S. 333.

213. 17–18 *»Warum muß … macht.«]* Kuby, 1975, S. 102.

213. 28–214. 3 *»Hier in Straßburg … meine Welt.«]* Kuby, 1975, S. 413 f.

〈Textilien, Terroristen und Pfarrer〉

Entstehung

Diese Laudatio trägt in Bölls Arbeitsbuch die Signatur »390/75«; sie ist im November in Köln geschrieben worden (*AB* II, Bl. 40; NE).

Hintergrund

Die Internationale Liga für Menschenrechte hat die Carl-von-Ossietzky-Medaille gestiftet; seit 1962 wird sie in der Regel jährlich an Menschen verliehen, »die sich im Kampf um die Menschenrechte besondere Verdienste erworben und ihr politisches Engagement in hervorragender Weise durch Wort und Schrift (publizistisch) zum Ausdruck gebracht haben.« Preisträger waren u. a. Günter Grass 1967, Carola Stern – amnesty international 1972, Helmut Gollwitzer 1973 und Heinrich Böll 1974. Dem für die Preisvergabe zuständigen unabhängigen Kuratorium gehörten damals u. a. Wolfgang Abendroth, Ernst Bloch und Ossip K. Flechtheim an. Heinrich Albertz wurde »in Würdigung seines Eintretens für die Menschenrecht aus christlicher Verantwortung, für seinen Beitrag zum inneren Frieden, den er durch Verständnis für aufbegehrende junge Menschen zu fördern suchte, und für seine Verdienste um den äußeren Frieden durch Versöhnung auch mit den osteuropäischen Nachbarvölkern« die Medaille verliehen. Dokumentiert findet sich die Würdigung samt der Begrüßungsansprache durch Erwin Beck, der Ansprache durch den Regierenden Bürgermeister von Berlin Klaus Schütz, Bölls Rede und Albertz' Dankesrede, »Rechenschaft über die Hoffnung, die in mir ist«, in der Broschüre: *Die Menschenrechte im Geiste von Carl von Ossietzky*. (Hg.) Internationale Liga für Menschenrechte. Sektion Berlin. Berlin 1975. 32 S.

Überlieferung

Typoskripte

Th[1]: Erstschr., 4 Bll.; erster, unvollst. Entwurf; am loR von Bl. 1 eh. Vermerk der Arbeitsbuchsignatur »390/73« (= *AB* II, Bl. 40; NE), darunter eh. Datum »Nov. 75« sowie der Vermerk »1. Version Albertz«. (HA 1326–273, Bll. 110–113)

Th[2]: Erstschr. und Durchschr., 7 Bll.; überarbeiteter, von Böll auf Bl. 1 am loR als »nicht vollständig« bezeichneter Entwurf; Bll. 1 und 2 sind Durchschr., die Bll. 3–7 Erstschr.
Beiliegend: 85 Bll.; Konvolut an Geburtstagsartikeln und Porträts aus Zeitungen und Zeitschriften sowie Interviews mit Heinrich Albertz und auch von verschiedenen Artikeln und Predigten des Theologen. (HA 1326–273, Bll. 114–206)

Drucke

Z: *HOBO. Berliner Wochenmagazin.* – 1975, Nr. 50 (13.–19. 12. 1975), S. 5–7 u. d. T.: Über die Sehnsucht nach der krokusgelben Krawatte.

D[1]: Heinrich Albertz: Dagegen gelebt – von den Schwierigkeiten, ein politischer Christ zu sein. Gespräche mit Gerhard Rein. Reinbek, Rowohlt, 1976, S. 7–13. (= rororo aktuell 4001)

D[2]: *EE*, S. 290–297.

D[3]: *ESR* III, S. 292–299.

D[4]: *EAS* 5, S. 288–295.

Sendungen

SR: *Sender Freies Berlin* (SFB), Hörfunk, 7. 12. 1975; Rias Berlin. Kulturreport. Redaktion Lothar Wichert, 11. 12. 1975 [Auszüge aus Bölls Rede].

Textgrundlage

Textgrundlage ist D[3].

Varianten

215. 19 *wechseln]* wechselt Z
216. 10 *die gesamte]* Die gesamte Z
216. 37 *haben … Dann hab]* ⌈Z
217. 32 *noch] Fehlt* Z
218. 2 *Extra-Blattes]* Extra Blattes Z
218. 22 *Festung Glatz]* Festung … Z
218. 38 *Hebt den Dachbalken hoch, Zimmerleute und]* Fehlt Z
219. 2 *des Erzählers]* der Erzähler Z
220. 24 *die]* d i e Z
221. 5 *muß]* m u ß Z
221. 23 *unerschöpflich, wie]* unerschöpflich – wir wurden leider unterbrochen – wie Z

Stellenkommentar

215. 2 *Albertz]* Heinrich Albertz (1915–1993), ev. Pastor und Politiker (SPD); von 1966 bis 1967 Regierender Bürgermeister von Berlin; nach dem Theologiestudium wurde Albertz Mitglied der Bekennenden Kirche; nach dem 2. Weltkrieg zunächst Flüchtlingspfarrer, Eintritt in die SPD 1946; von 1949 bis 1965 Bundesvorsitzender der Arbeiterwohlfahrt; von Willy Brandt nach Berlin geholt, wo er 1961 Innensenator wurde und dann Nachfolger von Brandt 1966; Albertz trat jedoch zurück, weil er die Verantwortung für die Vorgänge und Ausschreitungen anläßlich des Schah-Besuchs übernommen hatte; 1970 legte er dann auch sein Mandat im Berliner Abgeordnetenhaus nieder; 1975 kam Albertz erneut in die Schlagzeilen, weil er sich im Rahmen der Entführung des West-Berliner CDU-Vorsitzenden Peter Lorenz (1922–1987) bereit erklärt hatte, mit den Entführern in Kontakt zu treten; in den 1980er Jahren engagierte sich Albertz an der Seite Bölls in der Friedensbewegung.

215. 10 *in Chile das Paradies Menschenrechte]* Anspielung darauf, daß der Putsch in Chile vom 11. 9. 1973 durch General Augusto Pinochet (1915–2006) durch maßgebliche Unterstützung seitens der USA durchgeführt worden ist; allein nach dem Putsch wurden 2131 Menschen verhaftet, bis Ende des Jahres stieg die Zahl der in zu KZs umgewandelten öffentlichen Gebäuden einsitzenden Gefangenen aus dem linken Spektrum auf 13364 an; Kontakte zu ihren Familien ebenso wie zu Anwälten wurden den Inhaftierten verboten, ein ordentlicher Prozeß verweigert. Über eine Million Chilenen mußten das Land verlassen.

216. 4 *2. Juni 1967]* Anspielung auf die Erschießung des Studenten Ben-

no Ohnesorg anläßlich einer Demonstration gegen den Besuch des Schahs in Berlin.

216. 24 *Dossier]* Hinweis auf die vom »Evangelischen Publizistischen Zentrum« Böll zur Verfügung gestellten Dokumente und Materialien, die er für seine Laudatio verwendet hat und die ihm von Uwe-Peter Heidingsfeld in einem Brief vom 4. 11. 1975 angekündigt worden sind. In diesem Brief heißt es u. a.: »Ich habe in den vergangenen Wochen ein wenig in alten kirchlichen Amtsblättern gelesen und als Ergebnis einige Textproben zusammengestellt, die ganz aufschlußreich sind im Blick auf das Verhältnis von Kirche und politischer Äußerung des Pfarrers sowie für das Verhältnis von Kirche und Sozialdemokratie« (HA 1326–273, Bl. 159). Das Konvolut befindet sich im Nachlaß (vgl. HA 1326–273, Bll. 121–206.)

217. 20 *Wagner]* Winifred Wagner (1897–1980), Schwiegertochter Richard Wagners und nach dem Tod ihres Mannes Siegfried Wagner Leiterin der Bayreuther Festspiele bis 1944. Böll spielt auf das Filminterview an, das Winifred Wagner dem Filmemacher Hans-Jürgen Syberberg (geb. 1935) 1975 gegeben hat, in dem sie unverhohlen ihrer Sympathie für Hitler Ausdruck verleiht und jede Kritik an ihm zurückweist; Hitler sei ein Freund der Familie und Bewunderer Wagners gewesen: »Winifred Wagner und die Geschichte des Hauses Wahnfried 1914–1975«.

217. 25–26 *SA-Obergruppenführer Heines]* Edmund Heines (1897–1934), seit 1925 Mitglied in NSDAP und SA; Verurteilung 1929 wegen eines Fememordes, 1931–34 SA-Führer in Schlesien, im Mai 1933 zum Polizeipräsidenten von Breslau ernannt, 1934 zum Führer der SA-Obergruppe III; in Folge des Röhm-Putsches verhaftet und hingerichtet.

218. 6 *Göring]* Hermann Göring (1893–1946), dt. Politiker (NSDAP), ab 1933 Reichsminister für Volksaufklärung und Propaganda.

218. 7 *Himmler]* Heinrich Himmler (1900–1945), dt. Politiker (NSDAP), Reichsführer der SS.

218. 10 *Erzählung]* Anspielung auf eine Passage aus dem 4. Kapitel von *Die verlorene Ehre der Katharina Blum* (1974), in der es heißt: »Die Blum war bei ihrer Bluttat mit einer kalten Klugheit zu Werke gegangen; als man sie später fragte, ob sie auch Schönner erschossen habe, gab sie eine ominöse, als Frage verkleidete Antwort: ›Ja, warum eigentlich nicht den auch?‹« (*KA*, Bd. 18, S. 35).

218. 11 *Film]* Gemeint ist die Verfilmung der Erzählung *Die verlorene Ehre der Katharina Blum* von Volker Schlöndorff 1975.

218. 12 *Durchsicht von Zigarettenbildchen]* In seinem späten autobiographischen Text *Was soll aus dem Jungen bloß werden?* von 1981 kommt Böll erneut auf seine Sammlung von Zigarettenbildchen zu sprechen: »Ich kaufte mir eine [Zeitung, Hg.], suchte dann zu Hause aus meiner Schreibtischschublade das Päckchen ALVA-Zigarettenbildchen heraus, die Serie, die

die gesamte Naziprominenz zeigte, sortierte alle aus, die erschossen worden waren: Das war ein stattliches Päckchen. In Erinnerung behalten habe ich die Gesichter von Heines und Röhm« (*KA*, Bd. 21, S. 406).

218. 38 *J. D. Salinger]* Annemarie und Heinrich Böll haben die beiden Erzählungen von Jerome D. Salinger, die im Original 1955 und 1959 im *New Yorker* erschienen sind, ins Deusche übersetzt: *Hebt den Dachbalken hoch, Zimmerleute & Seymour wird vorgestellt.* Köln, Berlin: Kiepenheuer & Witsch, 1965. Das Zitat findet sich auf S. 221.

220. 4–5 *Gottfried Benn]* Nach Auskuft von Dieter Wellershoff (geb. 1925), der gemeinsam mit seiner Frau die erste Gesamtausgabe von Benn ediert hat, hat diese Anekdote Benns Brieffreund F. W. Oelze berichtet; Wellershoff äußert zudem im Gespräch mit dem Hg. die Vermutung, daß Böll möglicherweise von ihm, Wellershoff, seinem Lektor, diese Geschichte gehört habe.

220. 22 *»Kleider machen Leute«]* Seit Gottfried Kellers Novelle *Kleider machen Leute* von 1866, in der es um einen armen Schneider geht, der aufgrund seines vornehmen Äußeren für einen Grafen gehalten wird, gilt der Spruch als geflügeltes Wort.

222. 12–14 *der Pfarrer ... geschenkt hat]* Anspielung Bölls darauf, daß der Pfarrer Heinrich Albertz im März 1975, als Terroristen den Politiker Peter Lorenz entführt hatten und forderten, fünf Gesinnungsgenossen nach Aden ausfliegen zu lassen, als Garant und Geisel mit an Bord der Maschine war und der nach diesem Flug immer wieder öffentlich vor harten und falschen Reaktionen des Staates gegenüber Terroristen gewarnt hat. Im Gespräch mit Gerhard Rein betont Albertz: »Alle Verbrecher sind Menschen, und ganz wenige Menschen sind wirkliche Verbrecher!« (Heinrich Albertz: *Dagegen gelebt – von den Schwierigkeiten, ein politischer Christ zu sein. Gespräche mit Gerhard Rein.* Reinbek: Rowohlt, 1976, S. 19).

⟨Kammerjäger gesucht⟩

Entstehung

Diese Glosse trägt im Arbeitsbuch die Nummer »466/76« (*AB* II, Bl. 53; NE); sie ist in Köln am 9./10. 12. 1976 geschrieben worden und wird dort als »Kammerjäger – Replik auf Hacks für die Fr. R.« bezeichnet. Anläßlich der Ausbürgerung von Wolf Biermann hatte der DDR-Dramatiker Peter Hacks eine linientreue Philippika gegen den Liedermacher in der DDR-Zeitschrift *Weltbühne* (H. 12, 1976, S. 1541–1544) publiziert. Darin heißt es u. a., worauf dann der Böll-Text antwortet: »Er [sc. Wolf Biermann] hat die Zustimmung von Heinrich Böll. Böll, man kennt ihn, ist drüben der Herbergsvater für dissidierende Wandergesellen. Biermann hat in seinem Bett übernachtet, und ich hoffe, er hat nicht noch Solschenizyns Läuse darin gefunden« (S. 1542).

Überlieferung

Typoskripte

t: Durchschr.; 3 Bll., am loR eh. Vermerk der Arbeitsbuchsigle »466/76« (= *AB* II, Bl. 53; NE), darunter »1. Version Hacks-Replik ungültig«. (HA 1326–278, Bll. 178–180).

Drucke

Es liegen keine Drucke vor.

Textgrundlage

Textgrundlage ist t.

Stellenkommentar

223. 10 *Dostojewski]* Anspielung auf Fjodor Dostojewskis (1821–1881) 1861 erschienenen Roman *Die Erniedrigten und Beleidigten*, der im zeitgenössischen Sankt Petersburg spielt und das Schicksal des inzwischen völlig mittellosen, im Krankenhaus liegenden Schriftstellers Iwan Petrowitsch erzählt.

223. 25 *DDT-Entlausungsspritze]* Dichlordiphenyltrichlorethan, ein Insektizid, das seit Anfang der 1940er Jahres als Kontakt- und Fraßgift eingesetzt wird, weil es besonders wirksam gegen Insekten ist; DDT geriet dann allerdings unter Verdacht, beim Menschen Krebs auszulösen, deshalb wurde die Verwendung von den meisten westl. Industrieländern in den 1970er Jahren verboten.

224. 23 *Hacks]* Peter Hacks (1928–2003), dt. Dramatiker, Lyriker, Erzähler und Essayist; nach der Übersiedlung von München in die DDR 1955 zunächst an Brechts Berliner Ensemble, ab 1960 Dramaturg am Deutschen Theater Berlin, ab 1963 dann freischaffender Schriftsteller; Hacks galt als einer der einflußreichsten DDR-Dramatiker, dessen Stücke allerdings ebenso im Westen mit großem Erfolg gespielt wurden; zu den bekanntesten Stücken zählt *Ein Gespräch im Hause Stein über den abwesenden Herrn von Goethe* (1974, Uraufführung 1976).

224. 27 *Deutschlandmagazin]* Das *Deutschland-Magazin* ist eine nationalkonservative, im Jahre 1967 von Kurt Ziesel (1911–2001) als Organ der Deutschland-Stiftung (mit Sitz im bayerischen Prien) gegründete Zeitschrift. – Kurt Ziesel (1911–2001), dt. Publizist aus dem äußersten rechten Spektrum.

224. 30 *Aeroflot]* Name der größten, 1923 gegründeten russ. Fluggesellschaft; zu sowjet. Zeiten war die Aeroflot die größte Fluggesellschaft der Welt überhaupt.

225. 13 *Herrn Ziesel]* Siehe Stellenkommentar zu 224. 27.

225. 18 *Extremistenbeschlusses]* Siehe Stellenkommentar zu 15. 34–35.

⟨Der Fall Horst Herrmann⟩

Entstehung

Der Text trägt in Bölls Arbeitsbuch die Signatur »392/75«; er ist am 24. 11. 1975 in Köln entstanden (*AB* II, Bl. 41; NE). Am 15. 7. 1975 erhielt Böll von Horst Herrmann den Briefwechsel, den dieser mit Bischof Tenhumberg geführt hatte (vgl. HA 1326–PEB Bd. 10, Nr. 16601).

Hintergrund

Zum Hintergrund um die Vorgänge vgl. Peter Rath (Hg.): *Die Bannbulle aus Münster oder Erhielte Jesus heute Lehrverbot? Eine Dokumentation zum Fall Herrmann/Tenhumberg*. München: PDI-konkret, 1976. – Nach der Veröffentlichung seines Buches *Ein unmoralisches Verhältnis. Bemerkungen eines Betroffenen* im Düsseldorfer Patmos-Verlag 1974 äußerte sich Julius Kardinal Döpfner über Herrmanns Publikation überaus kritisch; daraufhin bat der Münsteraner Bischof Tenhumberg Herrmann um ein klärendes Gespräch, was dieser jedoch mit dem Hinweis ablehnte, daß der Kardinal seine Bedenken zu präzisieren habe. Insgesamt hielt er die Vorwürfe für zu pauschal. Am 4. 7. 1975 schrieb Bischof Tenhumberg einen Brief an Minister Rau und teilte darin seine Bedenken gegenüber »Lehre und Lebenswandel« von Horst Herrmann mit und bat gleichzeitig den Minister, falls eine Klärung im bischöflichen Sinne nicht zu erreichen sei, um ein Vorgehen gegen Herrmann im Sinne des Konkordates mit Preußen aus dem Jahre 1929. Am 9. 9. 1975 kam es zu einem Treffen zwischen Rau und Herrmann über die Angelegenheit; nach mehreren Verzögerungen und nachdem Herrmann seine Bereitschaft zu einem klärenden Gespräch mit dem Bischof gegeben hatte, traf sich dann Herrmann am 6. 10. 1975 mit Bischof Tenhumberg sowie dem Theologen Josef Blank und dem Münsteraner Generalvikar Spital. Dabei legte der Bischof einen umfangreichen Katalog der Erwartungen vor, die Herrmann akzeptieren müßte, um seinen Lehrauftrag an der Universität Münster nicht zu verlieren. Einen Tag später, am 7. 10. 1975, teilte Bischof Herrmann, nachdem dieser erklärt hatte, über die gegebene Erklärung nicht hinausgehen zu können, mit, daß er diese Erklärung als nicht befriedigend empfinde. Am 8. 10. 1975 erstattete Tenhumberg bei Minister Rau die förmliche Anzeige, woraufhin Herrmann am selben Tag noch der Lehrauftrag entzogen wurde (vgl. Hirsch/Gremliza, 1976, S. 58–61).

Überlieferung

Typoskripte

Th[1]: Erstschr., 4 Bll.; unvollst. erster Entwurf; am loR von Bl. 1 eh. Vermerk der Arbeitsbuchsigle »392/75« (= *AB* II, Bl. 41; NE), darunter ebenfalls eh. »1. Version ungültig«.
(HA 1326–274, Bll. 1–4)

t[2]: Durchschr., 4 Bll.; überarbeitete Fassung, wohl Typoskriptdurchschlag für Z, eh. auf Bl. 1 mittig »Zum Fall Horst Herrmann«, am loR eh. Vermerk der Arbeitsbuchsigle »392/75« (= *AB* II, Bl. 41; NE).
(HA 1326–274, Bll. 5–8)

Drucke

Z: *Konkret* (Hamburg). – 21. Jg., Nr. 1/76 (24. 12. 1975), u. d. T.: Der Fall Horst Herrmann. Ein theologischer Annäherungsversuch, ein fiskalisierter Mythos und eine Friedhofsverwaltung, S. 9–12.

D[1]: *EE*, S. 298–301.

D[2]: *ESR* III, S. 300–303.

D[3]: *EAS* 5, S. 296–299.

Textgrundlage

Textgrundlage ist D[2].

Varianten

226. 13 *zu]* z u Z
226. 13 *zu]* z u Z
226. 28 *zu]* z u Z
226. 33 *zu]* z u Z
228. 1 *]* Das unmoralische Verhältnis Z
228. 7 *dieses elende Dreckblättchen]* dieses üble Blättchen Z
228. 29 *doch fast]* doch f e s t Z

228. 35 *so]* s o Z
228. 38 *riecht]* r i e c h t Z
229. 13 *allen]* a l l e n Z
229. 22–23 *am kirchlichen Leben]* im kirchlichen Leben Z
229. 25 *fiskalisiert]* f i s k a l i s i e r t Z

Stellenkommentar

226. 3 *Herrmann]* Horst Herrmann (geb. 1940), dt. Theologe und Soziologe, wurde 1970 als jüngster dt. Universitätsprof. für Kirchenrecht an die Universität Münster berufen; 1975 wurde ihm nach schweren Auseinandersetzungen über seine kirchenkritische Forschung und Lehre die kirchl. Lehrerlaubnis entzogen; nach jahrelangen weiteren Streitigkeiten – einem Lehrbeanstandungsverfahren der Dt. Bischofskonferenz und der kirchenoffiziellen Verurteilung wegen Häresie – folgte 1981 Wechsel auf einen Lehrstuhl für Soziologie, den Herrmann bis zur Emeritierung 2005 innehatte.

226. 4 *Herr Tenhumberg]* Heinrich Tenhumberg (1915–1979), von 1969 bis 1979 war Tenhumberg, der 1939 seine Priesterweihe empfangen hatte, 76. Bischof von Münster; er war außerdem Teilnehmer am Zweiten Vatikanischen Konzil in Rom.

226. 5 *Minister Rau]* Johannes Rau (1931–2006), SPD-Politiker; 1970 wurde Rau vom Ministerpräsidenten des Landes NRW, Heinz Kühn, ins Kabinett berufen, ihm wurde das Ressort Wissenschaft und Forschung übertragen; 1978 wurde Rau Nachfolger von Heinz Kühn.

226. 3–6 *Die Rechtslage … Lehrerlaubnis zu entziehen]* Vgl. dazu insgesamt Hintergrund.

227. 8 *DKP]* Deutsche Kommunistische Partei, gegründet 1968, Nachfolgerin der 1956 verbotenen Kommunistischen Partei Deuschlands.

227. 24–26 *Vor Jahren hat … »Getto« gesprochen]* Von 1971 bis 1975 ist Karl Rahner, der 1971 seine Laufbahn als Universitätsprof. in Münster beendet hat, Synodaler der Würzburger Synode; in diesem Zusammenhang äußert er sich zunehmend kritisch über die offiziellen Entwicklungen auf der Ebene der Weltkirche; einzelne Entwicklungen erscheinen ihm rückwärtsgewandt, und er spricht vom »Marsch ins Ghetto« (zuerst in: *Stimmen der Zeit*, 190, 1972, S. 1–2).

227. 38–228. 1 *Das unmoralische Verhältnis]* Erschienen 1974 im Düsseldorfer Patmos-Verlag; in diesem Buch greift Herrmann in scharfer Form das Kirche-Staat-Problem auf.

228. 6 *Publik]* Anspielung Bölls darauf, daß die kath. Wochenzeitung *Publik*, 1968 von den kath. Bischöfen Deutschlands gegründet und bis 1971

auch finanziert, aufgrund von Differenzen zwischen dem Redaktionskomitee und den Bischöfen wieder eingestellt werden mußte und die Finanzierung gestrichen wurde.

228. 6 *Rheinische Merkur]* Name einer konservativen, christl. orientierten Wochenzeitung, die seit dem 15. März 1946 erscheint; Verlagssitz ist Bonn. Seit 1971 sind die Erzdiözese Köln sowie acht weitere Diözesen Träger des Blattes, seit 1976 auch die Dt. Bischofskonferenz; 1979 ging dann die evangel. Wochenzeitung *Christ und Welt* im *Rheinischen Merkur* auf.

228. 8 *neue bildpost]* Name einer kath., wöchentlich seit 1952 erscheinenden Boulevardzeitung.

229. 7 *der Fall Küng]* Hans Küng (geb. 1928), schweiz. Theologe und kath. Priester; Küng war bis zur Emeritierung 1996 Prof. in Tübingen; er hat als erster kath. Theologe u. a. das Unfehlbarkeitsdogma des Papstes öffentlich in Frage gestellt, in Büchern wie *Unfehlbar? Eine Anfrage* (1970) sowie *Christ sein* (1974), woraufhin – nach lange schwelendem Streit – die Deutsche Bischofskonferenz am 18. 12. 1979 beschloß, Küng die kirchl. Lehrerlaubnis (die Missio canonica) zu entziehen (vgl. dazu auch: Norbert Greinacher/ Herbert Haag (Hg.): *Der Fall Küng*. München 1980).

⟨Aufbewahren für alle Zeit⟩

Entstehung

Dieser Essay trägt in Bölls Arbeitsbuch die Signatur »371/75«; er ist während des Septembers 1975 in Langenbroich entstanden (*AB* II, Bl. 38; NE). Am 17. 10. 1975 bedankte sich Dr. Albrecht Knaus vom Hoffmann und Campe-Verlag bei Böll für dessen Sendung vom 8. 10. 1975 samt der darin enthaltenen Änderungen des Textes: »Wir geben das Manuskript Ihres Nachworts so in Satz, wie es nun mit den Ergänzungen vorliegt, und Sie verfahren dann in den Fahnen entsprechend Ihren Wünschen« (HA 1326–4000, Nr. 17232). Am 27. 11. 1975 annoncierte Knaus die Sendung der Fahnen von Bölls Nachwort, woraufhin Böll bereits einen Tag später an Knaus in einem Brief seine Fahnenkorrekturen übermittelte: »[...] ich schicke die Korrekturen anbei zurück, damit es nicht nur vorangeht und das Projekt ungehindert erscheinen kann, auch, damit ichs vom Tisch und aus dem Kopf habe« (HA 1326–274, Bll. 60–62).

Überlieferung

Notizen

N: 13 Bll. unterschiedlichen Formats mit hs Notizen, Exzerpten, Zitatnachweisen sowie Stichworten zum eigenen Text.
(HA 1326–274, Bll. 40–52)

Typoskripte

Th[1]: Erstschr., 8 Bll.; unvollst. erster Entwurf, Bll. 2 und 3 beschnitten, auf Bl. 4 aufgeklebte Zitate aus der engl. Fassung von Kopelews Buch, von Bl. 5–8 Zitate aus der engl. Fassung.
(HA 1326–274, Bll. 10–17)

Th[2]: Erstsch., 7 Bll.; gegenüber Th[1] erweiterte, aber noch unvollst. Fassung, am loR von Bl. 1 eh. Vermerk der Arbeitsbuchsigle »371/75« (= *AB* II, Bl. 38; NE) darunter noch »2. Version ungültig«.
(HA 1326–274, Bll. 18–24)

t³: Durchschr., 14 Bll.; gegenüber Th² erheblich erweiterte Fassung, die dem Druck überaus nahekommt.
(HA 1326–274, Bll. 25–38)

Drucke

Z: *Die Zeit* (Hamburg). – 31. Jg., Nr. 8 (13. 2. 1979), ›Zeitmagazin‹, S. 6–7 u. d. T.: Über Lew Kopelew.
D¹: Lew Kopelew: *Aufbewahren für alle Zeit*. Hamburg, Hoffmann und Campe, 1976, S. 595–605.
D²: *EE*, S. 316–327.
D³: *ESR* III, S. 326–337.
D⁴: *EAS* 6, S. 31–42.

Sendungen

SR: *Deutschlandfunk* (Köln), 26. 12. 1976.

Textgrundlage

Textgrundlage ist D³.

Varianten

230. 7–8 *Paragraphen der Staatsverbrechen]* Paragraphen für Staatsverbrechen Z

231. 9 *schließlich] Fehlt* Z

231. 11–13 *zu haben«. Bevor … möchte ich]* zu haben«… Ich möchte Z

Stellenkommentar

230. 2 *»Aufbewahren für alle Zeit«]* Lew Kopelew: *Aufbewahren für alle Zeit*. Hamburg, Hoffmann und Campe, 1976.

230. 4–5 *Simplicissimus]* Anspielung auf die Hauptfigur des gleichnamigen barocken Schelmenromans von Hans Jakob Christoffel von Grimmelshausen (1622–1676) *Der abenteuerliche Simplicissimus Teutsch* (1668), worin u. a. Abenteuer und Begebenheiten aus dem 30jährigen Krieg berichtet werden.

230. 9–10 *Dies ist … Bekenntnisses]* Der Originalwortlaut der Stelle lautet: »Dies ist die Geschichte eines Falles gemäß §58 aus den Jahren 1945–1947 und zugleich der Versuch einer Beichte«; Kopelew, 1976, S. 5. – Offenkundig hat Böll eine eigene Übersetzung nach der engl. (Typoskript-) Fassung von Kopelews Memoiren, die sich im Böll-Nachlaß befindet und von der Kopien einzelner Seiten (vgl. N) den Typoskripten beigefügt sind, angefertigt; die Fundstellen für die Zitate im Text werden jedoch nach der dt. Übersetzung wiedergegeben.

230. 18–19 *Kompendium und Bestiarium]* Ein kurz gefaßtes Lehrbuch oder auch Nachschlagewerk ist ein Kompendium; Bestiarien sind mittelalterliche Tierdichtungen, die – z. T. ähnlich wie in Fabeln – auf moralisierende Art und Weise vermutete oder wirkliche Eigenschaften von Tieren allegorisch mit der christl. Heilslehre verbinden; die Tradition der Bestiarien hat sich in säkularisierter Form bis ins 20. Jh. erhalten, bekanntes Beispiel ist Franz Bleis satirisches *Bestiarium der modernen Literatur* (1924).

233. 8–9 *diese Vorlesung]* Kopelew, 1976, S. 187 ff.

233. 15–20 *In unserer Armee … gab es Tote]* Kopelew, 1976, S. 114.

233. 30–234. 5 *Was kommst … Sache]* Das Gespräch zwischen Kopelew und Sabaschtanskij findet sich bei Kopelew, 1976, S. 117 f.

234. 20–22 *Für Plündern … erschießen]* Kopelew, 1976, S. 127.

235. 34–35 *bei der Besetzung Polens … nach dem Stalin-Hitler-Pakt]* Die Besetzung Polens im Zweiten Weltkrieg begann mit dem Angriff der dt. Wehrmacht am 1. 9. 1939; am 17. 9. 1939 marschierten dann entsprechend dem geheimen Zusatzprotokoll des Hitler-Stalin-Paktes vom 23. 8. 1939 auch sowjet. Truppen in Polen ein. Am 28. 9. 1939 teilten beide Mächte den poln. Staat unter sich auf, wobei das westl. Polen unter dt. Besatzungsherrschaft gelangte.

236. 2–3 *vierte Teilung Polens (eine fünfte folgte dann nach 1945)]* Anspielung darauf, daß auf der Teheran-Konferenz von 1943 sowie auf den Nachfolgekonferenzen in Jalta und Potsdam von den Alliierten beschlossen wurde, daß der Staat Polen wiederhergestellt, aber dauerhaft nach Westen verschoben wird; die Oder-Neiße-Linie gilt danach als neue Westgrenze Polens, auch als Kompensation, um Polen für die im Osten an die SU verlorenen Gebiete zu entschädigen.

237. 2–3 *Wlassow-Männern]* Andrei Andrejewitsch Wlassow (1901–1946); sowjet. General, kämpfte als Oberbefehlshaber der 20. Armee 1941 vor Moskau gegen die dt. Truppen, bot nach seiner Gefangennahme 1942 den Deutschen seine Unterstützung im Krieg gegen die SU an, wurde 1944 Vorsitzender des nationalistischen, antisowjetischen ›Komitees zur Befreiung der Völker Rußlands‹ und begann im Herbst 1944 mit der Aufstellung einer aus russ. Kriegsgefangenen sowie Freiwilligen bestehenden ›Russ. Befreiungsarmee‹ (sog. ›Wlassow-Armee‹); er geriet zunächst in am. Kriegs-

gefangenschaft, wurde an die SU ausgeliefert, dort verurteilt und schließlich hingerichtet.

237. 26–27 *cherchez les femmes]* Frz. Redewendung (im Sing. ›cherchez la femme‹), die ins Dt. Eingang gefunden hat: ›Mach die Frau ausfindig!‹, in der Bedeutung von: ›Da steckt eine Frau dahinter!‹

238. 13 *kein Don Quichote und ebenfalls kein Sancho Pansa]* Zwei Figuren aus dem Ritter- und Schelmenroman *El ingenioso hidalgo Don Quixote de la Mancha* (2 Teile, 1605 u. 1615) des span. Schriftstellers Miguel de Cervantes (1547–1616); Sancho Pansa ist der ebenso tölpelhafte wie bauernschlaue Begleiter seines Herrn, der wiederum seiner Angebeteten, einem einfachen Bauernmädchen, den Namen Dulcinea von Toloso verleiht. Die wesentliche Handlung des Romans besteht aus den grotesk-abenteuerlichen Ausritten von Don Quichotte, der in Übermaßen mittelalterliche Ritterromane verschlungen hat und nun selber glaubt, ein Ritter zu sein.

238. 26–27 *gegen diese übermächtigen, langweiligen Windmühlen]* Siehe Stellenkommentar zuvor.

238. 34 *Dulcineen]* Siehe Stellenkommentar zu 238. 13.

239. 14 *Apparatschiks]* Aus dem Russ.; Bezeichnung für einen Parteifunktionär oder Bürokraten.

240. 1 *camp-love]* Engl. Lager-Liebe.

240. 2 *permissive society]* Engl., Bezeichnung einer toleranten, liberalen oder duldenden Gesellschaft; dieser soziologische Streitbegriff diente – auch in der Bundesrepublik im Umfeld der ›68er‹-Bewegungen – je nach politischem Lager dazu, die moderne Gesellschaft entweder als fortschrittliche oder, wie insbesondere von klerikalen Vertretern, als durch Werteverfall charakterisierte zu beschreiben.

241. 10–18 *Und in ... ›Schätze‹]* In der Übersetzung lautet diese Passage: »Brot und Wasser – die einfachsten, urältesten Lebenskräfte. Brot und Wasser sind uns jetzt wichtiger, nötiger als alle Schätze der Erde. Und dieses nächtliche Brot-und-Wasser-Fest erleuchtete sogar die stumpfen Augen der Gefängniswärter, wenn auch nur für eine halbe Stunde, mit lebendigem Licht: die dumpf-gleichgültigen und die grob-bösartigen Wächter wurden für diese kurze Zeit wieder einfache Bauernjungen, die Hungernde bemitleiden und sich an fremder Freude mitfreuen können« (Kopelew, 1976, S. 283).

241. 35 *deus ex machina]* Lat. Gott aus der (Theater-)Maschine, Lehnübersetzung aus dem Gr., womit ursprünglich das Auftauchen einer Gottheit mittels einer Bühnenmaschine bezeichnet worden ist; heute dient der Begriff zur Bezeichnung einer unerwartet auftauchenden Person oder auch Situation, die hilfreich sind und eine Lösung bringen können.

242. 2–3 *Ihr habt ... Front waren]* Kopelew, 1976, S. 295.

⟨Über Miklós Haraszti, »Stücklohn«⟩

Entstehung

Das Vorwort trägt in Bölls Arbeitsbuch die Signatur »287/74«; es ist im November in Langenbroich entstanden (*AB* II, Bl. 37; NE). Das Posteingangsbuch vermerkt unter dem Datum vom 9. 11. 1974 eine briefliche Anfrage von F. C. Delius vom Rotbuch-Verlag, ob Böll das Vorwort für den Haraszti-Band schreiben würde (HA 1326–PEB Bd. 9, Nr. 14347). Am 30. 11. 1974 bedankte sich Delius für die Übersendung des Vorworts bei Böll und machte noch einige Korrekturvorschläge, auf die dann wiederum Böll brieflich unter dem Datum vom 4. 12. 1974 antwortete. Delius schickte schließlich das Vorwort zur nochmaligen Durchsicht am 9. 12. 1974 an Böll (HA 1326–275, Bll. 24–28).

Hintergrund

In einem *Spiegel*-Artikel, »Inhumane Richter«, wird ausführlich über Prozesse und Repressionen gegen Dissidenten in Ungarn, darunter auch über den Fall Haraszti berichtet: »Philosophie-Student Haraszti, wegen eines Gedichtes zur Rechtfertigung von Che Guevara von der Parteizeitung ›Népszabadság‹ öffentlich gerügt und vom Studium ausgeschlossen, hatte seine Erfahrungen als Arbeiter in der Traktorenfabrik ›Vörös Csillag‹ (Roter Stern) dazu genutzt, um seine Fabrik-Erlebnisse niederzuschreiben. Tenor: Die ausschließlich auf Produktionssteigerung und Effizienz ausgerichtete ungarische Industrie – im Westen als ›Ungarisches Modell‹ gelobt – gehe auf Kosten der Arbeiter. Die Werktätigen würden mit Billigung der angepaßten Gewerkschaften durch das Akkord-System ihrem Betrieb, der Gesellschaft und der politischen Führung immer mehr enfremdet. Zitat: ›Wollen Sie vielleicht sagen, daß jetzt alles hier dem Volke, der Arbeiterklasse gehört? Volkseigentum, Arbeitereigentum, wie man sagt? Alles Propaganda! Man fragt uns nie nach unserer Meinung, sie machen, was sie wollen.‹ Einen Verleger fand Haraszti für seinen brisanten Report ›Der Stücklohn‹ in Ungarn nicht. Aber als er das fünfmal auf der Schreibmaschine kopierte Manuskript an Freunde weitergab und einer es im Auto nach Jugoslawien mitnehmen wollte, griff die Geheimpolizei zu. Konrád – als angeblicher Kurier anfangs sogar Mitangeklagter –, Szelényi und Szentjóby waren in dem Prozeß die wichtigsten Entlastungszeugen. – Daß Haraszti nach über vier Monaten Verhandlung wegen ›Aufwiegelung, begangen durch Vervielfältigung‹ schließlich doch nur zu acht Monaten Gefängnis mit Bewährung verurteilt wurde, hatte er weitgehend den profunden Gutachten seiner Freunde und dem regen Interesse der italienischen KP-Presse zu verdanken, die übereinstimmend zu dem Urteil kamen, der ›Stücklohn‹ sei nicht nur ein wissenschaftlich ernst zu nehmendes Buch, sondern spiegele auch die gesellschaftliche Wirklichkeit« (*Der Spiegel*, Nr. 44, 1974, S. 110). Vgl. außerdem auch die ausführliche Berichterstattung über den Fall in der *Süddeutschen Zeitung*: Olaf Ihlau: »Fußtritte nach Moskau«, in: *Süddeutsche Zeitung*, 13. 11. 1974.

Überlieferung

Notizen

N: 13 Bll. unterschiedlichen Formats. Bll. 1–6 DIN-A-5 mit Stichworten, Bll. 7–13 Zitate aus dem Text von Haraszti, auf die Böll z. T. in seinem Vorwort zurückgreift.
(HA 1326–275, Bll. 11–23)

Typoskripte

T[1]: Erstschr., 4 Bll.; unvollst. erster Entwurf, auf Bl. 2 am loR eh. »1. Entwurf«.
(HA 1326–275, Bll. 1–4)

t[2]: Durchschr., 6 Bll.; gegenüber T[1] erweiterte Fassung, die dem Textstand der Druckfassung entspricht.
(HA 1326–275, Bll. 5–10)

Drucke

D[1]: Miklós Haraszti: *Stücklohn*. Aus dem Ungarischen von Georg Sallay. Vorwort Heinrich Böll. – Berlin: Rotbuch-Verlag, 1975, S. 5–8.

D[2]: *EE*, S. 269–273.

D[3]: *ESR* III, S. 191–195.

D[4]: *EAS* 5, S. 187–191.

Textgrundlage

Textgrundlage ist D³. Darüber hinaus wurde korrigiert:
245. 33 *›Funktionalismus‹]* »›Funktionalismus‹;

Varianten

243. 13 *Know-how]* Know How D¹
247. 14 *Know-how]* Know How D¹

Stellenkommentar

243. 1 *Haraszti ... »Stücklohn«]* Miklós Haraszti (geb. 1945), ungar. Journalist, Schriftsteller und Hochschullehrer; Studium der Philosophie und Literaturwissenschaft in Budapest, seit 1963 Veröffentlichungen literarischer Arbeiten, im Mai 1970 der Aufwiegelung beschuldigt und unter polizeiliche Beobachtung gestellt; 1971/72 Arbeit am *Stücklohn*, am 22. 5. 1973 Verhaftung und Fahndung nach Kopien des Stücks. Über den Prozeß gegen Haraszti vgl. auch den Artikel: »Ungarische Protokolle. Augenzeugenbericht vom Prozeß gegen den ungarischen Schriftsteller Miklós Hárszti«, in: *Süddeutsche Zeitung*, Nr. 284, 8./9. 12. 1973. – Böll hat sich auch nach der Publikation von Harasztis Buch noch für den ungar. Schriftsteller eingesetzt; auf Bitten der Lektorin des Rotbuch-Verlags, Anne Duden (geb. 1944), schrieb Böll am 8. 12. 1976 eine Empfehlung an den Deutschen Akademischen Austauschdienst für ein Stipendium an Miklós Haraszti. Darin heißt es u. a.: »für ein mögliches Stipendium für den ungarischen Autor Miklós Haraszti möchte ich ein dringendes Votum einlegen. Harasztis Roman ›Stücklohn‹, der inzwischen in mehrere Sprachen übersetzt worden ist, ist als Bereicherung dessen, was man Literatur der Arbeitswelt nennt, kaum zu überschätzen. Die Bereicherung besteht darin, daß Haraszti die Phantasie in die Arbeitswelt einbezieht; daß er, obwohl möglicherweise von westlichen Tendenzen ähnlicher Art beeinflußt, dies um eine Dimension erweitert, die hierzulande in vergleichbaren Publikationen noch vernachlässigt wird. Es wäre für ihn – abgesehen von den Schwierigkeiten, denen er in Ungarn unterworfen ist und die ein Stipendium vielleicht ohnehin gerechtfertigt erscheinen lassen – wichtig, sich mit den Verhältnissen in Westeuropa vertraut machen zu können, und es wäre für seine Kollegen hier eine Bereicherung, ihm zu begegnen« (HA 1326-Ablage Böll 1975).

243. 8 *CIA]* Central Intelligence Agency, Name der 1947 gegründeten obersten Geheimdienstbehörde der USA.

243. 29–30 *Datscha-Kamin bei Moskau oder am Plattensee]* Anspielung Bölls darauf, daß sich die Parteifunktionäre in der SU ebenso wie in den soz. Bruderländern ein durchaus angenehmes Privatleben auf der ›Datsche‹ (dem Sommerhaus), in Ungarn vor allem am Ufer des beliebten Plattensees zu leisten verstanden haben.

244. 4 *Stücklohn-Stundenlohn-Ersatzlohn]* Vgl. das Kapitel »Der Ersatzlohn«, in: Haraszti, 1975, S. 68–74. Auch die folgenden Zitate aus diesem Kapitel.

244. 6–8 *zu den ... zu verlangen]* Haraszti, 1975, S. 73.

244. 13–14 *Wallraff-Engelmann-Titel Ihr da oben, wir da unten.]* Bernt Engelmann/ Günter Wallraff: *Ihr da oben – wir da unten.* Köln, Kiepenheuer und Witsch, 1973.

245. 2 *Kafka]* Franz Kafka (1883–1924), böhm. (österr.) Schriftsteller; Hinweis auf die Kafka eigentümliche Schreibweise, eine ›kafkaeske‹, d. h. grotesk-surreale Darstellungsart von Realitäten und institutionellen Zusammenhängen.

245. 16–17 *Die meisten ... Schwarzarbeit an]* Haraszti, 1975, S. 106.

245. 18–34 *Wir ... als ›Sezession‹]* Haraszti, 1975, S. 105. – Auch die folgenden Zitate stammen alle aus dem Kapitel »Schwarzarbeiten«, S. 101–108, insbesondere S. 105 ff.

247. 5–6 *uferlose Demokratie und revolutionäres Asketentum]* In einer biographischen Notiz zu Miklós Haraszti, die im Anhang an den Text gedruckt ist, wird auf Harasztis erste Veröffentlichungen bezug genommen, u. a. auf die 1969 publizierte Satire *Die Irrtümer des Chefs*, der seinerzeit von einer ungarischen Parteizeitung vorgeworfen wurde, daß sich Haraszti angeblich für »uferlose Demokratie« und »revolutionären Asketismus« ausspreche (vgl. Haraszti, 1975, S. 118).

⟨Boris Birger⟩

Entstehung

Dieser kleine Essay trägt in Bölls Arbeitsbuch die Signatur »271/74«; er ist bereits im Juni 1974 in Langenbroich geschrieben worden (*AB* II, Bl. 22; NE).

Überlieferung

Typoskripte

T[1]: Erstschr., 2 Bll., erster Entwurf, noch unvollständig, am loR eh. Notiz »1. Version ungültig.«
(HA 1326–275, Bll. 30–31)

TH[2]: Erstschr., 2 Bll., überarbeiteter Text, dessen Textstand D[2] entspricht, am luR von Bl. 2 eh. Verfasserangabe.
(HA 1326–275, Bll. 32–33)

Drucke

D[1]: *Boris Birger – A Catalogue*. Perface by Heinrich Böll. Edited by Shirley Glade & Ellendra Proffer. Ann Arbor: Ardis, 1975, S. [2]. [In englischer Sprache]

D[2]: Deutscher Erstdruck in: *EE*, S. 267–268.

D[3]: *ESR* III, S. 182–183.

D[4]: *EAS* 5, S. 178–179.

Textgrundlage

Textgrundlage ist D[3].

Stellenkommentar

248. 17–19 *Rembrandt … Materialisation des Lichts bei Rembrandt]* Siehe Stellenkommentar zu 86. 22–24.

248. 23 *Lewitans]* Isaak Iljitsch Lewitan (1860–1900), einer der bedeutendsten Maler des russ. Realismus, Freund Anton Tschechows; vor allem Landschaftsbilder zählen zu den herausragenden der mehr als tausend hinterlassenen Bilder von Lewitan.

248. 31 *Frau Mandelstam]* Nadeschda Mandelstam (1899–1980), russ. Schriftstellerin, seit 1921 Ehefrau des Lyrikers Ossip Mandelstam (1891–1938), zu den bekanntesten Werken zählen die (zunächst auf Englisch) erschienenen Erinnerungen *Hope against hope* (New York 1970). Das Porträt stammt aus dem Jahre 1967; eine Abbildung befindet sich in dem Katalog: Boris Birger: *Porträts, Stilleben, Landschaften.* Redaktion: Ruth von der Wenge. St. Augustin: Comdok-Verlag, 1987, S. 1.

249. 7 *Don Quichote und Sancho Pansa]* Dieses Bild stammt aus dem Jahre 1969; eine Abbildung befindet sich in dem Katalog: *Boris Birger: Porträts, Stilleben, Landschaften.* Redaktion: Ruth von der Wenge. St. Augustin: Comdok-Verlag, 1987, S. 29.

249. 15 *Woinowitsch]* Wladimir Nikolajewitsch Woinowitsch (geb. 1932), Schriftsteller und einer der bedeutendsten russ. Satiriker; erste Veröffentlichungen stammen aus den späten 1950er Jahren, nach der Publikation zweier Schelmenromane um die Figur des Iwan Tschonkin, der dem braven Soldaten Schwejk nachempfunden ist und durch den die Verhältnisse im Stalinismus satirisiert werden (*Die denkwürdigen Abenteuer des Soldaten Iwan Tschonkin*), Ausschluß aus dem sowjet. Schriftstellerverband 1974 und schließlich Ausbürgerung 1981.

249. 17–19 *Als ich … Moskauer Vorstadt]* Hinweis auf Bölls erste Reise in die Sowjetunion im September-Oktober 1962, auf der Böll das damalige Leningrad und Moskau besucht hat.

⟨Stimme aus dem Untergrund⟩

Entstehung

Die Rezension trägt in Bölls Arbeitsbuch die Signatur »399/75«; sie ist in Langenbroich im Dezember 1975 verfaßt worden (*AB* II, Bl. 42; NE), nachdem Böll am 2. 12. 1975 vom Trikont-Verlag Baumanns Buch zugeschickt worden ist; telefonisch hatte er dann mit der *Konkret*-Redaktion eine Besprechung verabredet (vgl. HA 1326–PEB Bd. 11, Nr. 17633).

Überlieferung

Typoskripte

T^1: Erstschr., 3 Bll., erster unvollst. Entwurf, am loR von Bl. 1 eh. Vermerk der Arbeitsbuchsigle »399/75« (= *AB* II, Bl. 42; NE), darunter »Dez. 75« und der Hinweis »1. Version Baumann Rezension ungültig.«
(HA 1326–276, Bll. 1–3)

t^2: Durchschr., 4 Bll., überarbeitete Fassung, deren Textstand identisch ist mit Z, auf Bl. 1 am loR eh. »Bommi=Baumann«, darunter noch eh. Vermerk der Arbeitsbuchsigle »399/75« (= *AB* II, Bl. 42; NE) und »Dez. 75«.
(HA 1326–276, Bll. 4–7)

Drucke

Z: *Konkret* (Hamburg). – 22. Jg., Nr. 2 (29. 1. 1976), S. 20–21.
D^1: *EE*, S. 302–305.
D^2: *ESR* III, S. 318–321.
D^3: *EAS* 6, S. 23–26.

Textgrundlage

Textgrundlage ist D².

Stellenkommentar

250. 4–7 *Dieses Buch ... einschlagen kann]* Das Erscheinen von Michael (›Bommi‹) Baumanns (geb. 1948) Autobiographie *Wie alles anfing*, in der der polizeilich gesuchte Aktivist aus der sog. ›Sponti‹-Szene seine politische Sozialisation schildert, sorgte in der BRD für großes Aufsehen, und in der Öffentlichkeit wurde der Ruf nach Zensur laut. 1975 wurde das Buch auf der Frankfurter Buchmesse präsentiert, im *Spiegel* einige Passagen daraus abgedruckt. Nach Bekanntwerden des Textes erhob die Münchener Staatsanwaltschaft Strafantrag gegen den Trikont-Verlag, und am 24. 11. 1975 wurden sowohl private als auch geschäftliche Räume des Verlags in München durchsucht, zahlreiche Materialien beschlagnahmt, so daß der Verlag seine Arbeit vorläufig einstellen mußte. In Berlin, Frankfurt und Hannover wurden noch diverse Buchhandlungen durchsucht, um den Verkauf des Buchs zu verhindern und die Auslieferung zu stoppen. Die bereits Anfang 1975 von der Regierung erlassene 14. Strafrechtsänderung, die die Befürwortung radikaler Gruppen und die Verbreitung ihres Gedankenguts verbietet, ermöglichte es, dem Trikont-Verlag die Rechte an dem Buch zu entziehen. Dies wiederum veranlaßte zahlreiche Proteste gegen die Verletzung der freien Meinungsäußerung. Seit 1979 kann Baumanns Autobiographie europaweit wieder erscheinen.

250. 16–17 *bramarbasierende]* Der seit 1710 bezeugte Ausdruck wurde durch George August Dethardings Übersetzung von Ludvig Baron von Holbergs (1684–1754) Lustspiel *Jakob von Tyboe* (1741), dessen Protagonist, ein großsprecherischer Offizier, den Namen Bramarbas erhalten hatte, allgemein üblich; dementsprechend ist die Verbalform als ›aufschneiden‹ und ›prahlen‹ zu verstehen.

250. 31 *»Mollies«]* Zitat aus Bommi Baumann: *Wie alles anfing*. München, Trikont-Verlag, 1975; im folgenden werden die Zitate nach der Ausgabe von 1980 nachgewiesen, hier S. 37 u. ö. – »Mollies« ist Abkürzung und ugs. Ausdruck für die sogenannten Molotowcocktails; dabei handelt es sich um Flaschen, die, mit Benzin und Phosphor gefüllt, als Handgranaten gebraucht werden und zum ersten Mal von sowjet. Soldaten im Zweiten Weltkrieg benutzt wurden; die Bezeichnung geht auf den sowjet. Politiker Wjatscheslaw Molotow (1890–1986) zurück.

251. 3–4 *»Radikalenerlaß« oder »Extremistenbeschluß«]* Siehe Stellenkommentar zu 15. 34–35.

251. 22 *Dregger und Carstens]* Zu Dregger siehe Stellenkommentar 30. 18–19. – Karl Carstens (1914–1992), dt. Rechtsanwalt und Politiker (CDU); u. a. 1950–1973 Lehrtätigkeit an der Universität Köln, 1972–1976 MdB, 1973–1976 Vorsitzender der CDU/CSU-Fraktion im Deutschen Bundestag, 1976–1979 Präsident des Deutschen Bundestages.

251. 28–30 *Bei Beelitz … Haß]* Baumann, 1980, S. 109.

251. 31 *Spiegel-Interview]* Es handelt sich dabei um das Interview mit dem Titel »Freunde, schmeißt die Knarre weg« aus dem *Spiegel* Nr. 7, 1974, S. 32.

251. 31–34 *Die Linke … wir schießen]* Baumann, 1980, S. 109.

251. 35 *von Rauch]* Georg von Rauch (1947–1971), Linksradikaler; gründete gemeinsam mit Michael Baumann die Bewegung 2. Juni, eine in den 1970er Jahren aktive Gruppe, deren Name an den Todestag von Benno Ohnesorg (1940–1967) (siehe Stellenkommentar zu 252. 2–3) erinnert. Am 8. 7. 1971 gelang von Rauch eine spektakuläre Flucht aus dem Gefängnis, indem der sich bei einem Prozeß als der ebenfalls angeklagte Thomas Weisbecker (1949–1972) ausgab und so entkommen konnte. In Folge einer groß angelegten Fahndung kam von Rauch am 4. 12. 1971 bei einem Schußwechsel mit der Polizei in Berlin (West) um. Sein Tod gab Anlaß zu Spekulationen, er sei von der Polizei ermordet worden. Die spätere Hausbesetzerszene benannte das lange Zeit besetzte Bethanienkrankenhaus am Mariannenplatz in Berlin-Kreuzberg nach ihm: Georg-von-Rauch-Haus.

251. 37–39 *Urbach … umgeschossen werden]* Baumann, 1980, S. 110.

252. 2–3 *nach der Erschießung … Dutschke]* Am 2. 6. 1967 wurde der Germanistik- und Romanistikstudent Benno Ohnesorg (1940–1967) während einer Demonstration anläßlich des Staatsbesuchs des iran. Staatsoberhaupts Shah Rezah Pahlevi erschossen; knapp ein Jahr später, am 11. 4. 1968, wurde auf den SDS-Sprecher Rudi Dutschke (1940–1979) ein Attentat verübt, das er schwer verletzt überlebte.

252. 16–27 *Wir … wo sie herkommt]* Baumann, 1980, S. 92 f.

252. 28–34 *Daß du … richtig erkannt]* Baumann, 1980, S. 130.

253. 14 *Blick auf das Foto]* Die Abbildung auf Seite 7 zu Beginn des ersten Kapitels zeigt einen gepflegten, jungen Michael Baumann, der eine Kurzhaarfrisur, Jackett, Hemd und Krawatte trägt, dazu eine dunkle Stoffhose mit passenden dunklen Herrenschuhen. Sein dortiges Erscheinungsbild hat keine Ähnlichkeit mit den später von der Presse veröffentlichten Fahndungsfotos.

⟨Die Eiche und das Kalb⟩

Entstehung

Diese Rezension trägt in Bölls Arbeitsbuch die Signatur »401/75«; der Text ist am 29. 12. 1975 in Langenbroich geschrieben worden (*AB* II, Bl. 43; NE).

Überlieferung

Notizen

N: Notizen, 1 Bl, Din-A-4, mit Stichworten zum Solschenizyn-Text sowie Hinweisen auf Textstellen, auf die Böll in seiner Rezension zurückgegriffen hat.
(HA 1326–276, Bl. 35)

Typoskripte

TH[1]: Erstschr., 5 Bll., erster Entwurf mit einigen eh. Streichungen und Hinzufügungen, am loR von Bl. 1 eh. Vermerk der Arbeitsbuchsigle »401/75« (= *AB* II, Bl. 43; NE) sowie darunter »1. Version ungültig Dez. 75«.
(HA 1326–276, Bll. 15–19)

t[2]: Durchschr., 10 Bll., überarbeitete Fassung, die in zwei Durchschlägen existiert, Durchschr. gelb (Bll. 20–24) trägt den eh. Vermerk oben mittig auf Bl. 1 »Rezension Eiche + Kalb für ORF«, Durchschr. grün (Bll. 25–29) auf Bl. 1 eh. »Eiche + Kalb – Solschenizyn«.
(HA 1326–276, Bll. 20–29)

Drucke

Z: *Konkret* (Hamburg). – 22. Jg., Nr. 3 (26. 2. 1976), S. 49.
D[1]: *EE*, S. 306–309.
D[2]: *ESR* III, S. 322–325.
D[3]: *EAS* 6, S. 27–30.

Sendungen

SR: *Österreichischer Rundfunk* (*ORF*), Fernsehen, 4. 2. 1976 – Die Welt des Buches, 79. Folge.

Textgrundlage

Textgrundlage ist D^2.

Stellenkommentar

254. 9–11 *Nun stimmen ... noch interessieren]* Zitat aus Alexander Solschenizyn: *Die Eiche und das Kalb. Skizzen aus dem literarischen Leben.* Aus dem Russischen von Swetlana Geier. Darmstadt, Luchterhand, 1975, S. 606.

254. 11–12 *Solschenizyn]* Siehe Stellenkommentar zu 204. 2–3.

254. 11–13 *Das sagte Alexander ... Ausschluß endete]* Bereits im Sommer 1968 kursierten Gerüchte über einen möglichen Ausschluß von Alexander Solschenizyn (geb. 1918) aus dem Schriftstellerverband; im Mai 1969 erfuhr Solschenizyn, daß die Führungsspitze des Verbandes dies immer konkreter forderte, weil Solschenizyns kritischer Realismus nicht dem gewünschten, regimekonformen Literaturbetrieb entsprach. Im Sommer 1969 wurde sein Ausschluß festgelegt, am 31. 10. 1969 die letzten Einzelheiten besprochen und Solschenizyn für den 4. 11. zu einer Sitzung des Schriftstellerverbandes vorgeladen. Um keine Zeit zu verlieren und mögliche Proteste durch eventuell nach außen getragene Interna zu verhindern, wurde die abschließende Erörterung auf den 5. 11. 1969 festgesetzt, denn es war bekannt, daß Solschenizyn sich nicht mehr in Moskau aufhielt und den Termin daher unmöglich wahrnehmen konnte. Auf die Delegierten der Abteilung Rjasan, die sich mit dem Fall auseinanderzusetzen hatten, wurde starker Druck ausgeübt. Der Lyriker Jewgeni Markin brachte zwar Einwände vor, traute sich allerdings nicht gegen den Ausschluß zu votieren; ja, Markin wurde, nachdem 1971 seine Gedichte *Schwerelosigkeit* und *Der Bojenwärter* in *Novyi mir* ohne seine Zusage erschienen waren, kurze Zeit später selbst aus dem Schriftstellerverband ausgeschlossen. Daniel Alexandrowitsch Granin (geb. 1919) sprach sich für die Anwesenheit Solschenizyns aus und enthielt sich der Abstimmung; daraufhin mußte er die Leitung der Leningrader Abteilung des Schriftstellerverbandes niederlegen. Der am 12. 11. 1969 erschienene Bericht über Solschenizyns Ausschluß in der *Literaturnaja gaseta* veranlaßte nur vereinzelte kritische Reaktionen.

254. 26–28 *Alexander Twardowski … Dichter]* Alexander Trifonowitsch Twardowski (1910–1971), sowjet. Lyriker; Twardowski war von 1950–1954 und erneut von 1958–1970 Chefredakteur der 1925 gegr. Zeitschrift *Novyj mir* (*Neue Welt*); dieses Forum nutzte er, um v. a. junge literarische Talente – darunter Alexander Solschenizyn – zu fördern und gesellschaftskritische Akzente zu setzen. Während seiner Leitung stand die Redaktion unter besonders scharfer Beobachtung durch die sowjet. Behörden; 1954 verlor Twardowski zunächst seinen Posten wegen angeblicher antisowjet. und parteifeindlicher Haltung in seiner Verserzählung *Tjorkin im Jenseits*; durch sein wachsendes politisches Engagement und nach dem Bekanntwerden eines Raubdrucks der alten Fassung seiner Verserzählung *Vom Recht auf Erinnerung* wurde im Februar 1970 auf einer Sitzung des Schriftstellerverbandes beschlossen, die *Novyj mir*-Redaktion einer radikalen Neuorganisation zu unterziehen und die bisherigen Mitarbeiter – darunter Twardowski – von allen Pflichten zu entbinden. Damit wurde das letzte legale Forum zur Förderung einer unorthodoxen realistischen Sowjetliteratur zerschlagen; weitere Einschränkungen bei der Pressefreiheit, steigende Samisdat- sowie Auslandsproduktionen und Maßnahmen gegen aufmüpfige Autoren wie Solschenizyn waren die Folgen.

255. 31–33 *es war Lew Kopelew … brachte]* Im Dezember 1961 bat Solschenizyn seinen Freund Lew Kopelew (1912–1997), der Prosaabteilung von *Novyj mir* ein Manuskript mit dem Titel *Schtsch–854*, womit die Häftlingsnummer des Protagonisten Šuchov gemeint ist, zu übergeben; das Manuskript löste in der gesamten Redaktion Zuspruch und Begeisterung aus, Twardowskij drängte auf ein baldiges Treffen mit dem Verfasser, und gemeinsam einigten sie sich auf den Titel *Ein Tag [im Leben] des Iwan Denissowitsch*; unterstützt durch Gutachten von Schriftstellern, Literaturkritikern und Mitgliedern des Schriftstellerverbandes trat die Redaktion schließlich mit der Bitte um Publikationserlaubnis an den Generalsekretär des ZK der KPdSU, Nikita Sergeewitsch Chruschtschow (1894–1971), heran; der Kurzroman konnte dann tatsächlich 1962 in Heft 11 der Zeitschrift erscheinen, ein Jahr später folgte die Buchausgabe, und Solschenizyn wurde im Land als neues literarisches Talent gefeiert.

255. 38–256. 9 *Als ich … fortsetzen]* Solschenizyn, 1975, S. 160.

256. 9 *Krebsstation]* 1963 begann Solschenizyn mit der Arbeit an seinem Roman *Krebsstation* und schloß den ersten Teil im Sommer 1966 ab; er übergab ihn im Juli der Redaktion von *Novyj mir* sowie der Prosaabteilung des Schriftstellerverbandes; am 16. 11. 1966 endete die Tagung des Moskauer Schriftstellerverbandes mit einer angestrebten Publikationsbefürwortung, doch entbrannten heftige Diskussionen, als kurze Zeit später der Tagungsbericht und die Tagungsexemplare des Romans im Samisdat und auszugsweise im Ausland erschienen; dieses Szenario spielte sich ein halbes

Jahr später mit dem zweiten Romanteil erneut ab und die Imprimatur wurde verweigert. Als im Frühjahr 1968 bekannt wurde, daß diverse ausländische Verlage den Gesamtdruck der *Krebsstation* avisierten, veröffentlichte Solschenizyn in der Presse Protestschreiben, in denen es u. a. heißt: »Hiermit erkläre ich, daß kein ausländischer Verleger von mir das Manuskript des Romans oder eine Vollmacht, ihn zu drucken, erhalten hat. Daher erkenne ich keine bisherige oder künftige ohne meine Genehmigung zustande gekommene Publikation an, noch irgendwelche Behauptungen, daß jemand über die Verlagsrechte verfüge... Ich habe bereits die Erfahrung gemacht, daß alle Übersetzungen von *Ein Tag im Leben des Iwan Denissowitsch* aus Übereilung entstellt sind. Doch außer Geld gibt es auch Literatur« (vgl. Medwedjew, 1974, S. 98). – Doch da die UdSSR das Welturheberrechts-Abkommen nicht unterzeichnete, blieben Solschenizyns Proteste wirkungslos, und rechtlich gesehen lag das Copyright somit beim Verlag der Erstveröffentlichung. Während der Roman in Moskau erst 1990 veröffentlicht wurde, erschien er in Deutschland bereits 1968 mit einem Vorwort von Heinrich Böll (vgl. *KA*, Bd. 15).

257. 8 *Ivan Denissowitsch]* Siehe Stellenkommentar zu 255. 31–33.

257. 22–30 *Es gibt ... Ungerechtigkeit hinzu]* Solschenizyn, 1975, S. 619.

⟨An die Redaktion des Kölner Volks-Blatt⟩

Entstehung

Dieser Leserbrief trägt in Bölls Arbeitsbuch die Signatur »410/76«; er ist im Februar 1976 in Köln geschrieben worden (*AB* II, Bl. 26; NE). Am 21. 2. 1976 berichtete die *Süddeutsche Zeitung* in einem kurzen Artikel, »Kölner Jecken genießen Narrenfreiheit«, über die Einstellung des Strafverfahrens wegen Volksverhetzung im Rosenmontagszug: »Der Streit um zwei Festwagen des Kölner Rosenmontagszuges ist – zumindest juristisch – beigelegt. Oberstaatsanwalt Günter Bellinghausen teilte in Köln mit, seine Dienststelle habe das von einem Rechtsanwalt und zahlreichen anderen Persönlichkeiten und Organisationen eingeleitete Strafverfahren wegen ›Volksverhetzung‹ eingestellt. [...] Die Staatsanwaltschaft vertrat die Ansicht, die Darstellung sei weder eine ›Verspottung‹ noch eine ›Volksverhetzung‹. Tatsächlich gebe es Fälle, in denen Mißbrauch mit Arbeitslosenunterstützung und Kindergeld getrieben werde. Den Jecken müsse es überlassen bleiben, solche ›Randerscheinungen‹ mit den gebräuchlichen Mitteln und im Rahmen ihrer Narrenfreiheit zu kritisieren.«

Überlieferung

Typoskripte

t: Durchschr.; 1 Bl., Durchschr. der Vorlage für den Druck, am loR eh. Vermerk der Arbeitsbuchsigle »410/76« (= *AB* II, Bl. 26; NE), darunter noch »Feb. 76«.
Beiliegend: 2 Bll.; zwei gedruckte Presseerklärungen des Rechtsanwalts Sigurd Asper, worin – Presseerklärung 2 – »Strafanzeige gegen das Festkomitee des Kölner Karneval wegen Volksverhetzung« gestellt wird.
(HA 1326–276, Bll. 36–38)

Drucke

Z: *Kölner Volks-Blatt Extra.* – 1976, Sonderausgabe [15. 2. 1976], S. [2] – Der Text von Bölls Brief wird als Faksimile wiedergegeben.

Textgrundlage

Der Textabdruck erfolgt nach Z.

Stellenkommentar

258. 3–4 *beiden peinlichen Karnevalswagen]* Auf den Wagen Nr. 10 und 13 des Kölner Rosenmontagszugs 1976 wurden Arbeitslose als Drückeberger und Faulenzer, türkische Gastarbeiter als Schmarotzer dargestellt.

258. 20 *Herstatt-Pleite]* Im Juni 1974 mußte die Kölner Privatbank Herstatt infolge von Devisenspekulationen Insolvenz anmelden; es war die bis dahin größte Bankenpleite in der Geschichte der Bundesrepublik.

⟨Es zittern die jungen Lehrer⟩

Entstehung

Dieser Leserbrief trägt in Bölls Arbeitsbuch die Signatur »407/76«, er ist im Januar 1976 in Langenbroich geschrieben worden (*AB* II, Bl. 44; NE). Nachdem Marcel Reich-Ranicki von der *Frankfurter Allgemeinen* brieflich am 8. 1. 1976 bei Böll angefragt hatte, ob er nicht etwas für die Zeitung schreiben könne, antwortete Böll telefonisch einen Tag später und kündigt offensichtlich diesen Leserbrief an (vgl. HA 1326–PEB Bd. 11, Nr. 17963). Erhalten ist auch ein Dankesbrief Alfred Anderschs vom 10. 2. 1976 (vgl. HA 1326–PEB Bd. 11, Nr. 18345). – Der SPD-Politiker und Politologe Peter von Oertzen (1924–2008), von 1970 bis 1975 Kultusminister in Niedersachsen und zunächst ein Verteidiger der Berufsverbote, hatte sich von Bölls Leserbrief »durch unrichtige Tatsachenbehauptungen und leichthin daraus gezogenen Schlußfolgerungen« brüskiert gefühlt und in einem dreiseitigen Brief an Böll vom 19. 3. 1976 einige Richtigstellungen zur Praxis der Überprüfungsverfahren im Land Niedersachsen vorgenommen, auf die Böll mit einer zweiseitigen Entgegnung antwortete, in der es u. a. heißt: »Es blieb eben vieles obskur, undurchsichtig, es wurde in zu vielen Fällen den Betroffenen nicht Einsicht – wenn schon nicht in ihre Dossiers – dann aber auch nicht in die Natur der Vorwürfe oder Erkenntnisse gegeben, und es bleibt eben immer noch einiges obskur an diesen Verfahren. Ich will gar nicht auf Einzelfälle eingehen, die Ihnen gewiß so bekannt sind wie mir. Der Effekt der Einschüchterung oder Abschreckung ist ja auch durch diese Undurchsichtigkeiten entstanden, durch die Unklarheit der Vorgänge, bzw. deren unklare Benennung. Möglicherweise verkennen wir (Sie und ich) auch den Unterschied zwischen dem Faktischen eines Vorganges und dessen psychologischer Wirkung. Es kommt etwas Gerauntes, Gerüchthaftes in dieses Ambiente der Überprüfung und man weiß nicht ob es gewollt oder ungewollt hineinkommt oder hineingebracht wird. Schließlich haben wir doch ein Strafgesetzbuch und ein Beamtenrecht, beide sollten doch ausreichen. Schlimm wird die Sache auch durch so ein Wort wie ›Erlaß‹, wo wir doch Gesetze haben« (HA 1326-Ablage Böll Jan.-Juli 1976).

Überlieferung

Typoskripte

TH[1]: Erstschr., 1 Bl., erster unvollst. Entwurf, am loR eh. Notiz »1. Version ungültig«.
(HA 1326–276, Bl. 39)

t[2]: Durchschr., 1 Bl., überarbeiteter, unvollst. Entwurf, am loR eh. Notiz »2. Version ungültig 1. II. 76«.
(HA 1326–276, Bl. 40)

t[3]: Durchschr., 2 Bll., gegenüber t[2] erweiterte Fassung, deren Textstand mit Ausnahme des ersten Satzes (»es ist mir unverständlich, wie man Alfred Anderschs Gedicht auf eine so platte Weise realistisch deuten kann, wie es beim SWF geschehen ist«, der offensichtlich nicht gedruckt worden ist) identisch ist mit den Druckfassungen.
(HA 1326–276, Bll. 41–42)

Drucke

Z: *Frankfurter Allgemeine Zeitung*. – 28. Jg., Nr. 39 (16. 2. 1976), S. 7.
D[1]: *ESR* III, S. 338–339.
D[2]: *EAS* 6, S. 43–44.

Textgrundlage

Textgrundlage ist D[1].

Stellenkommentar

259. 3–4 *Zu Alfred Anderschs ... vom 29. Januar]* Alfred Anderschs (1914–1980) Gedicht greift die Berufsverbotspraxis der Bundesregierung heftig an und vergleicht sie mit der Politik der Nazis. In der letzten Strophe des Gedichts, das in der Folge zu kontroversen Stellungnahmen, eingeleitet durch einen Essay Günther Rühles, »Artikel 3 (3) oder: Was sagt Alfred Andersch?«, der der Publikation des Gedichts in der *FAZ* zur Seite gestellt worden ist, geführt hat, heißt es: »das neue kz/ ist schon errichtet/ die radikalen sind ausgeschlossen/ vom öffentlichen dienst/ also eingeschlossen/ ins lager/ das errichtet wird/ für den gedanken an/ die veränderung/ öffentlichen dienstes/ die gesellschaft/ ist wieder geteilt/ in wächter/ und bewach-

te/ wie gehabt/ ein geruch breitet sich aus/ der geruch einer maschine/ die gas erzeugt.« Auf den Angriff Rühles reagierte Andersch mit einem offenen Brief, »Artikel 3 (3) oder: Was habe ich gesagt?«, der in der *FAZ* (9. 2. 1976, Nr. 33) abgedruckt wurde. Dort heißt es u. a.: »Ich schließe. Es wäre mir ein leichtes gewesen, mich auf den Standpunkt zurückzuziehen, daß das deutsche politische Gedicht von Heine und Herwegh bis Brecht und Enzensberger die Übertreibung als Stilmittel ablehne. Sondern weil mein Gedicht überhaupt nicht übertreibt. Es ist ein feststellendes Gedicht. Es macht ein Verbrechen und seine Täter dingfest. – Sein Vorbild ist überhaupt kein literarisches, sondern in der bildenden Kunst zu finden und heißt George Grosz. Solange er in Deutschland zeichnete, hat man ihn verfolgt. Heute weiß man, daß er die Wahrheit gezeichnet hat. Seine Zeichnungen waren ein einziges Hakenkreuz, geschrieben auf die Türe, hinter der sich der Unmensch in der Weimarer Republik verbarg. Mit der Peitsche seiner Zeichenfeder hat er in die Fressen, die Visagen geschlagen, die schon damals den STÜRMER lasen. Ich weiß nicht, ob mein Gedicht so gut ist wie eine Zeichnung von George Grosz. Ich wollte, es wäre so genau.«

260. 12 *Franco]* Francisco Franco (1892–1975), span. General und Staatschef; unter seiner Führung putschten im Juli 1936 rechte Militärs gegen die gewählte republikanische spanische Regierung; seit 1939 bis zu seinem Tod war Franco span. Staatschef.

⟨Nachwort zu Horst Herrmann: »Die 7 Todsünden der Kirche«⟩

Entstehung

Der Text dieses Nachworts trägt im Arbeitsbuch die Signatur »398/75«; er ist im Dezember 1975 in Langenbroich entstanden (*AB* II, Bl. 42; NE).

Überlieferung

Notizen

N: 10 Bll.; Bll. 1–6 im DIN A 5-Format mit Stichworten und Hinweisen auf Zitate, Bl. 7 im DIN A 4-Format ein Aufriß des Textes; es folgen auf 3 Bll. noch Zitatausschnitte aus Herrmanns Buch.
(HA 1326–278, Bll. 161–170)

Typoskripte

T^1: Erstschr.; 2 Bll.; unvollst. erster Entwurf, am loR von Bl. 1 eh. Vermerk der Arbeitsbuchsigle »398/75« (= *AB* II, Bl. 42; NE), darunter eh. Notiz »1. Version ungültig«.
(HA 1326–278, Bll. 154–155)

t^2: Durchschr.; 5 Bll.; Durchschr. der Satzvorlage für D^1.
(HA 1326–278, Bll. 156–160)

Drucke

D^1: Horst Herrmann: *Die 7 Todsünden der Kirche*. – München: C. Bertelsmann, 1976, S. 242–245.

D^2: *EE*, S. 328–331.

D^3: *ESR* III, S. 307–310.

D^4: *EAS* 6, S. 12–15.

Textgrundlage

Textgrundlage ist D[3].

Stellenkommentar

262. 19 *neuen bildpost]* Name einer nach Selbstaussagen der Macher (»Eine überregionale Wochenzeitung im Boulevardstil«) seit 1952 erscheinenden Wochenzeitung auf christlicher Grundlage.

262. 23 *Tenhumberg]* In einem umfangreichen Brief vom 4. 7. 1975 an den Minister für Wissenschaft und Forschung des Landes NRW, Johannes Rau, moniert der Münsteraner Bischof Tenhumberg, daß der Münsteraner Theologieprofessor Herrmann in Lehre und Forschung, insbesondere auch in seinen Publikationen, vor allem in den Büchern *Ehe und Recht* (1972) und *Ein unmoralisches Verhältnis* (1974), »der kirchlichen Lehre über die Grundverfassung der Kirche zu nahe« trete; er schließt mit der Feststellung: »Sehr geehrter Herr Minister! Ich sehe mich genötigt, Ihnen gemäß den Bestimmungen des Preußischen Konkordates hiervon Mitteilung zu machen. Herr Professor Herrmann tritt mit seinen Äußerungen der katholischen Lehre zu nahe. Sein Verhalten stellt einen schweren und ärgerlichen Verstoß gegen die Erfordernisse des priesterlichen Lebenswandels dar.« Daraufhin wurde Herrmann die Lehrerlaubnis entzogen; der Entzug der ›missio canonica‹ wurde erneut durch eine von der Deutschen Bischofskonferenz eingesetzte Kommission im Dezember 1978 bestätigt. Im Sommersemester 1981 wechselte Herrmann dann von der katholisch-theologischen zur philosophischen Fakultät der Universität Münster über, wo er im Fachbereich Erziehungswissenschaften, Soziologie und Publizistik bis zur Emeritierung im Wintersemester 2005/06 als ordentlicher Professor für »Institutionslehre unter besonderer Berücksichtigung von Geschichte, Recht und Soziologie religiöser Institutionen« wirkte.

262. 23–24 *Wissenschaftsminister des Landes Nordrhein-Westfalen, Rau]* Johannes Rau (1931–2006), dt. Politiker (SPD); Rau wurde vom damaligen Ministerpräsidenten in NRW, Heinz Kühn, 1970 in Kabinett berufen und war zunächst Minister für Wissenschaft und Forschung, bis er dann 1978 Nachfolger von Kühn als Ministerpräsident wurde.

262. 26–27 *»Bund Freiheit der Wissenschaft«]* Ein am 18. 1. 1970 in Bonn-Bad Godesberg überwiegend von konservativen Hochschullehrern gegründeter Verein, der die durch die Studentenbewegungen vermeintlich in Gefahr geratene Freiheit von Forschung und Lehre verteidigen wollte. Als Vorsitzende wurden seinerzeit der Philosoph Hermann Lübbe sowie die Professoren Hans Maier und Walter Rüegg gewählt; Organ des (immer

noch bestehenden) Bundes ist die Zeitschrift *Freiheit der Wissenschaft*, die vierteljährlich erscheint.

264. 7 *Münchner Kardinal Döpfner]* Julius Kardinal Döpfner (1913–1976) hatte im März 1975 vor dem Bundesverband der Deutschen Industrie einen Vortrag unter dem Titel »Ethische Grundsätze einer Wirtschaftsführung aus der Sicht der katholischen Kirche« gehalten. Der Vortrag, leicht gekürzt in der *Frankfurter Rundschau*, Nr. 91, vom 19. 4. 1975 (S. 7) abgedruckt, sprach u. a. davon, daß »Kirche und Unternehmerschaft [...] sich der gleichen Herausforderung gegenüber(sehen).« »Diese weithin ideologischen Angriffe auf die soziale Marktwirtschaft sind nur Teile einer Gesamttendenz, die nicht nur die Unternehmerschaft, sondern auch die Kirche und unsere gesamte freiheitliche Gesellschaft bedroht. Es ist jener Gegner, der sich anschickt, alle auf die Person des einzelnen bezogenen Freiheitsräume zugunsten sogenannter ›gesellschaftlicher‹, sprich: staatlicher, etatistischer Lösungen zu beseitigen, weil angeblich erst dadurch der Mensch wirklich frei wird.«

264. 11 *Küng, Vorgrimler, Rahner]* Zu Küng siehe Stellenkommentar zu 229. 7. – Vorgrimler: Herbert Vorgrimler (geb. 1929), dt. Theologe (kath.), Schüler von Karl Rahner (1904–1984); zu Rahner siehe ferner Stellenkommentar zu 118. 2.

264. 28–29 *Sünden etwa des Zeitmangels]* Hinweis auf eine Stelle in Herrmanns Buch S. 202 f.: »Der Zusammenhang zwischen Geld, Zeit und Angst ist gewiß noch nicht hinreichend geklärt. Man will gewinnen und verliert dabei die eigene Identität. Güterüberfluß führt nach I. Illich zur Zeitknappheit. Die Zeit wird knapp, weil es Zeit kostet, zu konsumieren, und weil die Gewöhnung an die Produktion die Entwöhnung noch mehr verteuert. Je höher der Konsument in der Pyramide der Leistung und der Produktion steht, desto weniger Zeit hat er, um sich anderen, buchhalterisch nicht erfaßbaren Tätigkeiten zu widmen. Die Geschwindigkeit frißt uns.«

264. 35–36 *Carl Amery »Das Ende der Vorsehung«]* Hinweis Bölls auf ein Buch von Carl Amery: *Das Ende der Vorsehung. Die gnadenlosen Folgen des Christentums.* Reinbek 1972. An verschiedenen Stellen seines Buches geht auch Herrmann auf Amerys Essay ein; u. a. verweist er auf einen Gedanken von Amery, den auch Böll meint: »Die christlich-abendländische ›Leistungs-Ethik‹, d. h. das Ja zur menschlichen Schöpferkraft, wurde mit zur Ursache eines recht unchristlichen Fortschrittsglaubens, welcher die ›Grenzen des Wachstums‹ nicht mehr wahrhaben wollte« (Herrmann, 1976, S. 169 unter Hinweis auf S. 165–183 von Amery).

264. 37–38 *Macht euch die Erde untertan]* Vgl. Das erste Buch Mose (Genesis), 1 Mose 1,28.

⟨Jahrgang 1922⟩

Entstehung

Bölls Nachruf auf Paul Schallück trägt im Arbeitsbuch die Signatur »411/76«; er ist am 1. 3. 1976 in Köln verfaßt worden (*AB* II, Bl. 44; NE).

Überlieferung

Typoskripte

TH: Erstschr., 2 Bll., Erstschr. des Textes, der mit geringfügigen Änderungen der Druckfassung entspricht, am loR von Bl. 1 eh. Vermerk der Arbeitsbuchsigle »411/76« (= *AB* II, Bl. 44; NE), darunter eh. Vermerk »am 1. 3. 76 Fr. Rundschau diktiert HB«.
(HA 1326–276, Bll. 45–46)

Drucke

Z: *Frankfurter Rundschau.* – 32. Jg., Nr. 52 (2. 3. 1976), S. 7 u. d. T.: Jahrgang 22.
D^1: *EE*, S. 314–315.
D^2: *ESR* III, S. 340–341.
D^3: *EAS* 6, S. 45–46.

Textgrundlage

Textgrundlage ist D^2. Korrigiert wurde:
267. 9 *hat]* haben D^1 *bis* D^3; *korr. nach* Z.

Stellenkommentar

266. 2 *Schallücks]* Der Schriftsteller Paul Schallück (geb. 1922) ist am 29. 2. 1976 in Köln gestorben, gewiß noch an den Spätfolgen seiner schwe-

ren Kriegsverletzungen; nach dem Krieg studierte Schallück in München und Köln u. a. Philosophie und Germanistik, arbeitete als Journalist und schließlich freier Schriftststeller. Zu den bekanntesten Werken des 1973 mit dem Nelly Sachs-Preis der Stadt Dortmund ausgezeichneten Autoren zählen die Romane *Engelbert Reineke* (1959) und der Schelmenroman *Don Quichotte in Köln* (1967). Postum erschien 1976/77 eine fünfbändige Gesamtausgabe seiner Texte. – Böll kannte Paul Schallück bereits seit Anfang der 1950er Jahre; es gab mehrere gemeinsame Treffen und auch Auftritte der beiden Autoren, u. a. 1952 in der Reihe der vom Kölner Bahnhofsbuchhändler Gerhard Ludwig (1909–1994) im Wartesaal des Hauptbahnhofs durchgeführten Mittwochsgespräche. Böll hat sich verschiedentlich zu Schallück geäußert und noch 1982 in dem Text *In memoriam Paul Schallück* an den früh verstorbenen Autoren erinnert (vgl. *KA*, Bd. 22, S. 124–126). – Zu Schallück allgemein vgl.: Walter Gödden und Jochen Grywatsch (Hg.): *Wenn man aufhören könnte zu lügen. Der Schriftsteller Paul Schallück 1922–1976*. Bielefeld: Aisthesis, 2002; Werner Jung: Erinnerungsarbeit. Der Schriftsteller Paul Schallück, in: *Literaturpreise. Literaturpolitik und Literatur am Beispiel der Region Rheinland/Westfalen*. (Hg.) Bernd Kortländer. Stuttgart-Weimar: Metzler, 1998, S. 155–174.

266. 32–267. 1 *»Er war ein Verwundeter von Anfang an«]* In dem kurzen autobiographischen Text »Nachruf zu Lebzeiten« bezeichnet sich Paul Schallück selbst an einer Stelle als einen von Anfang an Verwundeten, vgl.: *Vorletzte Worte. Schriftsteller schreiben ihren eigenen Nachruf*. (Hg.) Karl Heinz Kramberg. Frankfurt/M., Berlin, Wien 1974, S. 115.

267. 20 *große Zuneigung zu Köln]* Diese Zuneigung ist vor allem in Schallücks letztem Roman *Don Quichotte in Köln* (1967) spürbar, aber auch in einer ganzen Reihe von Essays, die Schallück seiner Wahlheimatstadt Köln gewidmet hat, z. B. »Zum Beispiel die Hohe Straße« (1955), »Köln, Porträt einer Stadt« (1959) oder »Menschen am Rhein« (1961), gesammelt in: Paul Schallück: *Zum Beispiel*. Essays. Frankfurt/M. 1962.

⟨»Ich hab gut reden«⟩

Entstehung

Am 15. 12. 1975 wandte sich Georg Würtz von der Wirtschaftsredaktion des *Stern* an Heinrich Böll mit der Bitte, einen Beitrag zum für März 1976 geplanten »Journal Geld und Sicherheit« zu leisten. »Wir wollen«, heißt es in dem Brief, »die Autoren einladen, aus ganz persönlicher Sicht darüber zu schreiben, was Geld für sie bedeutet – Macht, Verantwortung, Annehmlichkeit, notwendiges Übel oder was sonst.« Der Text wird Anfang Januar 1976 geschrieben worden sein und ist der erste Text, den Böll in diesem Jahr in Köln verfaßt hat; er trägt im Arbeitsbuch die Signatur »402/76« (*AB* II, Bl. 43; NE). Unter dem Datum vom 14. 1. 1976 antwortete Böll an Würtz und bat darum, ihm zu versichern, »daß an diesem Artikel nichts geändert wird, auch nicht die Majuskeln und die Betonungen durch Sperrung. Ein solcher Artikel ›lebt‹ natürlich ganz aus seinem (sowohl spachlichen wie gedanklichen) Duktus« (vgl. HA 1326–276, Bl. 56).

Überlieferung

Typoskripte

TH: Erstschr., 6 Bll., erster Entwurf, am loR von Bl. 1 eh. Notiz »1 Version ungültig«.
(HA 1326–276, Bll. 50–55)

Drucke

Z: *Der Stern* (Hamburg). – 29. Jg., Nr. 11 (4. 3. 1976), S. 164–166.
D[1]: *EE*, S. 310–313.
D[2]: *ESR* III, S. 342–345.
D[3]: *EAS* 6, S. 45–46.

Textgrundlage

Textgrundlage ist D².

Varianten

271. 1 *Rationierung]* Rationalisierung Z

Stellenkommentar

268. 3–4 *weder Flick- noch Sachs-Erbe]* Friedrich Karl Flick (1927–2006), Sohn des Unternehmers Friedrich Flick (1883–1972), der nach dem Tod des Vaters den größten Teil des milliardenschweren Familienvermögens, das vor allem auf der schonungslosen Ausbeutung von Fremdarbeitern während der Nazizeit beruht hat, erbte; Fritz Gunter Sachs (geb. 1932), Prototyp des Playboys während der 1960er und 1970er Jahre, veräußerte 1976 gemeinsam mit seinem älteren Bruder Ernst-Wilhelm die Aktien-Anteile an den Motorenwerken Fichtel & Sachs.

270. 19 *Mammon]* Ein aus der Bibel bekannter Begriff (vgl. Mt 6,24), der ursprünglich einen unrechtmäßig erworbenen Gewinn oder auch einen unmoralisch verwendeten Reichtum bezeichnet; als personifizierter Reichtum ist der Mammon ein Dämon, der den Menschen zum Geiz verführt.

⟨Die Ängste des Chefs⟩

Entstehung

In Bölls Arbeitsbuch trägt die Rezension die Signatur »413/76«; sie ist im März in Langenbroich entstanden (*AB* II, Bl. 45; NE). Unter dem Datum vom 30. 12. 1975 schickte Horst Eberhard Richter sein neues Buch an Böll (HA 1326–PEB Bd. 11, Nr. 17888), der dann auf briefl. Anfrage von Rolf Becker vom *Spiegel* vom 17. 1. 1976 die Besprechung übernahm (vgl. HA 1326–PEB Bd. 11, Nr. 18078).

Überlieferung

Notizen

N: 3 Bll. mit Stichworten für die Rezension sowie mit Hinweisen auf Zitate und den entsprechenden Seitenangaben aus Richters Buch.
(HA 1326–276, Bll. 77–79)

Typoskripte

T[1]: Erstschr., 1 Bl., erster Entwurf, unvollst., am loR von Bl. 1 eh. Vermerk der Arbeitsbuchsigle »413/76« (= *AB* II, Bl. 45; NE), darunter »März 1. Version ungültig«.
(HA 1326–276, Bl. 66)

TH[2]: Erstschr., 5 Bll., überarbeiteter, noch unvollst. Entwurf.
(HA 1326–276, Bll. 67–71)

t[3]: Durchschr., 5 Bll., Durchschr. der Druckvorlage für Z, am loR von Bl. 1 eh. Vermerk der Arbeitsbuchsigle »413/76« (= *AB* II, Bl. 45; NE), darunter noch eh. »Rezension H. E. Richter Flüchten oder Standhalten – März 76 – für Spiegel«.
(HA 1326–276, Bll. 72–76)

Drucke

Z: *Der Spiegel* (Hamburg). – 30. Jg., Nr. 14 (29. 3. 1976), S. 193–196.
D[1]: *EE*, S. 334–338.
D[2]: *ESR* III, S. 346–349.
D[3]: *EAS* 6, S. 51–54.

Textgrundlage

Textgrundlage ist D[2].

Stellenkommentar

272. 2 *Richter ... »Flüchten oder Standhalten«]* Horst-Eberhard Richter (geb. 1923), dt. Psychoanalytiker und Psychosomatiker, Hochschullehrer; von 1962 bis zur Emeritierung Prof. für Psychosomatik an der Universität Gießen, von 1992–2002 Leiter des Sigmund-Freud-Instituts in Frankfurt; Richter gilt als einer der Pioniere der psychoanalytischen Familienforschung und -therapie, darüber hinaus seit 1981 als einer der Zentralfiguren der Friedensbewegung. Zu seinen bekannten Werken zählen *Patient Familie. Entstehung, Struktur und Therapie von Konflikten in Ehe und Familie* (1970), *Die Gruppe* (1972), *Lernziel Solidarität* (1974) und *Der Gotteskomplex* (1979). – Horst Eberhard Richter: *Flüchten oder Standhalten*. Reinbek bei Hamburg: Rowohlt, 1976.

273. 1–3 *»In der Tat ... war.«]* Richter, 1976, S. 102.

273. 3–6 *»In Wirklichkeit ... Zusammenleben.«]* Richter, 1976, S. 103.

274. 11 *Hildegard Knefs Das Urteil]* Autobiographischer Roman der Schauspielerin, Sängerin und Autorin Hildegard Knef (1925–2002), der die Brustkrebserkrankung Knefs behandelt und 1975 im Münchener Molden-Verlag erschienen ist. – Vgl. Richter, 1976, S. 139: »Das Buch rüttelt an der Norm des unauffällig duldsamen, dankbar zufriedenen Patientenverhalten, das in der Praxis zumeist eher als verschüchterte Resignation interpretiert werden muß. Mir scheint, es handelt sich hier um ein sehr mutiges und hoffentlich auch ermutigendes Buch, (...).«

275. 3 *Milgram-Experimente]* Gemeint ist ein wiss. Experiment, das von dem amerik. Psychologen Stanley Milgram (1933–1984) entwickelt wurde, um die menschliche Bereitschaft zu testen, autoritären Anweisungen auch gegen die eigene Gewissensentscheidung zu folgen. Veröffentlicht wurden die Ergebnisse in dem Band *Obedience to Authority. An Experimental View* (dt.: *Das Milgram-Experiment. Zur Gehorsamsbereitschaft gegenüber Autorität*, 1974).

275. 3–6 *»Wo überall ... Versuchsleiter?«]* Richter, 1976, S. 90.

275. 15–16 *Radikalenerlaß]* Vgl. Stellenkommentar zu 225. 18.

275. 38 *Schilderung des skandalösen Falles]* Vgl. das letzte Kapitel von Richter, 1976, S. 271–310.

⟨Verse gegen die Trostlosigkeit⟩

Entstehung

Die Rezension trägt in Bölls Arbeitsbuch die Signatur »414/7«; sie ist im März 1976 in Langenbroich entstanden (*AB* II, Bl. 45; NE). – Offensichtlich sollte Böll zunächst ein Nachwort zu dem geplanten Gedichtband Wolfgang Bächlers schreiben, worauf ein Brief des Lektorats des Fischer-Verlags vom 4. 11. 1975 an Heinrich Böll schließen läßt: »Herr Wolfgang Bächler hat mir gesagt, daß Sie bereit wären, zu einer Auswahlausgabe seiner Gedichte, die im Frühjahr 1976 in unserem Verlag erscheinen soll, ein knappes Nachwort oder Geleitwort zu schreiben« (HA 1326-Ablage Böll Aug.-Dez. 1975). Diese Bitte wiederholte der Verlag brieflich am 12. 12. 1975, woraufhin Böll dann eine telefonische Absage am 16. 12. 1975 erteilte (HA 1326-Ablage Böll Aug.-Dez. 1975). Bereits zuvor, am 13. 12. 1975, wandte sich Bächler in einem vierseitigen Brief mit der neuerlichen Bitte um ein Nachwort an Böll. Dieser antwortete Bächler dann am 19. 12. 1975: »Du mußt mich verstehen, besser als Außenstehende: ich bin wirklich nicht mehr in der Lage, psychisch, physisch, spirituell neue Verpflichtungen anzunehmen – und in Deinem Fall wäre es eine besondere Schwierigkeit, weil ich nicht einsehe, daß eine Sache, die für sich spricht, von irgendjemand, der sich sehr damit quälen müßte – eingeführt werden muß. Schon runzeln manche Leute ihre gestrengen Stirnen, weil ich absage, absage (und ich muß das teuer bezahlen) – runzle Du nicht auch Deine, lieber Bächler: ich wiederhole: *ich kann nicht mehr*. Und: es ist besser, wenn Du mit Deinen Gedichten für Dich selber sprichst. Verstehe auch, daß ich in den vergangenen Jahren (fünf oder sechs) nur ›gehetzt‹ worden bin – von Termin zu Termin, von ›Pflicht‹ zu Pflicht, und von ›Verpflichtung‹ zu Verpflichtung – nun bin ich ›abgehetzt‹. Ich verspreche Dir, das Buch zu rezensieren – das wird Dir mehr helfen als ein Vorwort, das als Einmischung, Zumutung, Anmaßung empfunden würde – und das Dir schaden würde« (HA 1326-Ablage Böll Aug.-Dez. 1975).

Überlieferung

Notizen

N: 4 DIN-A-4-Seiten mit eh. Notizen sowie Hinweisen auf Gedichte und Zitate aus Gedichten Bächlers, die Eingang in Bölls Text der Rezension gefunden haben.
Beiliegend: Fahnen des Bächler-Bandes mit eh. Anstreichungen.
(HA 1326–276, Bl. 85–105)

Typoskripte

T[1]: Erstschr., 2 Bll., erster, unvollst. Entwurf, am loR von Bl. 1 eh. Vermerk der Arbeitsbuchsigle »414/7« (= *AB* II, Bl. 45; NE), darunter »März 76 HB 1. Version ungültig«.
(HA 1326–276, Bll. 80–81)

t[2]: Durchschr., 3 Bll., Durchschr. der Druckvorlage für Z, auf Bl. 1 oben mittig der eh. Vermerk »Bächler Rezension«, daneben eh. Vermerk der Arbeitsbuchsigle »414/76« (= *AB* II, Bl. 45; NE), darunter noch »März«.
(HA 1326–276, Bll. 82–84)

Drucke

Z: *Süddeutsche Zeitung* (München). – 32. Jg., Nr. 82 (7. 4. 1976), ›Buch und Zeit‹, S. III.

D[1]: *EE*, S. 332–333.

D[2]: *ESR* III, S. 362–363.

D[3]: *EAS* 6 S, 67–68.

Textgrundlage

Textgrundlage ist D[2].

Stellenkommentar

277. 3 *Bächler]* Wolfgang Bächler (1925–2007), dt. Schriftsteller, Lyriker und Journalist; nach Krieg und Kriegsgefangenschaft Studium der Germa-

nistik, Romanistik, Kunst- und Theaterwissenschaften in München; 1947 Teilnahme bei der ersten Sitzung der Gruppe 47; in den 50er und 60er Jahren vor allem journalistisch tätig. Zu den herausragenden Arbeiten Bächlers zählen *Der nächtliche Gast* (1953), *Traumprotokolle* (1972) und *Stadtbesetzung* (1979). – Böll kannte Bächler von Tagungen bei der Gruppe 47, der 8. Tagung, die vom 4.–7. 5. 1951 in Bad Dürkheim stattgefunden hat, sowie der 9. Tagung im Oktober 1951 in der Laufenmühle bei Schorndorff; Bächler hatte 1952 bereits Bölls Roman *Wo warst Du, Adam?* für das *Darmstädter Echo* besprochen (*KA*, Bd. 5, S. 451 f.).

277. 12–13 *»Als ich Soldat ... trafen Gott«]* Anfang der zweiten Strophe des Gedichts »Als ich Soldat war« aus der Sammlung »Die Zisterne. Gedichte von 1943 bis 1949«, in: Wolfgang Bächler: *Ausbrechen. Gedichte aus 30 Jahren*. Frankfurt/M.: Fischer, 1976, S. 7.

277. 14–15 *»Ausbrechen – in die Freiheit des Schweigens«]* Bächler, 1976, S. 193.

277. 24–25 *Ballade von den schlaflosen Nächten]* Bächler, 1976, S. 37. – Böll zitiert allerdings fälschlich; der Anfang der Passage lautet: »An der Kreuzung wartet der Vater, [...].«

277. 26–27 *Rattenpfiffe und Möwenschreie]* Bächler, 1976, S. 44 ff. – In der achten Strophe wird sowohl des Algerien-Krieges wie der Vorgänge in Ungarn gedacht: »Noch werfen die Düsengeschwader nur ihre Schatten/ über die Kuppeln und Quader der Stadt,/ durchlöchern nur Regengüsse unseren Schlaf./ Noch fällt nur Blatt um Blatt durch die Nacht,/ blitzen nur Lichtreklamen über den Dächern./ Nur wenige wachen und hören in ihrem Zimmer/ das Echo der Schüsse von Algier und Ungarn, der Bomben auf die ägyptischen Hafenplätze,/ das Knirschen der Raupen im Sinaisand/ und im Steppengras, die Schreie der Möwen/ und der Gehängten über dem Donaukai« (Bächler, 1976, S. 46).

277. 28 *Budapest]* Anspielung auf das Gedicht »Erinnerungen an Budapest«, das Bächlers »ungarischen Freunden und Gastgebern gewidmet« und in Paris im Dezember 1956 entstanden ist. Bächler berichtet in diesem Gedicht von einem nachtlangen Gespräch mit dem ungar. Philosophen, Ästhetiker und Literaturtheoretiker Georg Lukács (1885–1971): »Dann diskutierten wir eine Nacht/ über Keller, Kafka, Lenin, Trotzki und Stalin« (Bächler, 1976, S. 49).

278. 6–7 *»Bürger, ... leichtem Gepäck«]* Erste Zeile des Gedichts »Bürger« (Bächler, 1976, S. 38); in der Folge zitiert Böll noch die letzte Strophe (Bächler, 1976, S. 40).

278. 16–19 *»Wenn du ... nicht engagiert«?]* Erste Strophe des Gedichts »Die Brücke« (Bächler, 1976, S. 74).

278. 25–26 *»Rachel, die nicht getröstet sein will«]* Letzte Zeile aus dem Gedicht »Rachel«, worin Bächler die Geschichte der biblischen Rachel (die

als Symbol für Israel und seine Trauer um das verlorene Volk, ausgehend von Jeremia 31,15 steht: »Rachel weint um ihre Kinder und will sich nicht trösten lassen«) mit jener Prostituierten Rachel, der Vincent van Gogh sein Ohr geschenkt hat, verbindet: »›Gardez cet objet précieusement!‹/ sagte Vincent van Gogh zu Rachel,/ der er sein Ohr geschenkt hat./ Ich suchte vergebens jenes ‹Maison de la tolérance‹/ Nummer eins der Rue du Bout-d'Arles,/ in dem es der Chronik zufolge geschah« (Bächler, 1976, S. 70). – Dem Mythos van Goghs zufolge soll der Maler nach einem heftigen Streit mit Paul Gauguin am 23. 12. 1888, an dessen Ende er sich ein Ohr abgeschnitten hat, ins Arler Bordell gelaufen sein, um dort – in der Maison de la Tolérance – der jungen Prostituierten Rachel sein Ohr mit den Worten zu geben: »Bewahren Sie diesen Gegenstand sorgfältig auf.«

278. 31 *Zwischen Mond und Milchstraße]* Bächler, 1976, S. 132 f.

278. 31–32 *Kindheitstraum von der Arche]* Bächler, 1976, S. 106 f., Zitat aus der letzten Strophe.

278. 36 *Der verlorene Sohn]* Bächler, 1976, S. 175, Zitat vom Anfang der zweiten Strophe.

〈Deutscher Schneid in Europa. Über Alfred Dregger〉

Entstehung

Diese Kolumne trägt im Arbeitsbuch die Signatur »416/76« (*AB* II, Bl. 45; NE); sie ist im März 1976 in Langenbroich entstanden.

Überlieferung

Typoskripte

t: Durchschr., 3 Bll., Durchschr. der Druckvorlage für Z, am loR von Bl. 1 eh. Vermerk der Arbeitsbuchsigle »416/76« (= *AB* II, Bl. 45; NE), darunter noch der Hinweis »konkret Kolumne April 76«. (HA 1326–276, Bll. 106–108)

Drucke

Z: *Konkret* (Hamburg). – 22. Jg., Nr. 5 (29. 4. 1976), S. 27.
D¹: *EE*, S. 348–350.
D²: *ESR* III, S. 350–352.
D³: *EAS* 6, S. 55–57.

Textgrundlage

Textgrundlage ist D².

Varianten

282. 6 *es ja wieder]* es da wieder Z

Stellenkommentar

280. 1 *Dregger]* Alfred Dregger (1920–2002), CDU-Politiker, 1956–1970 Oberbürgermeister in Fulda, von 1967 bis 1988 CDU-Landesvorsitzender in Hessen und viermal Spitzenkandidat seiner Partei, konnte sich jedoch nie durchsetzen; 1969 wurde Dregger Mitglied des Bundesvorstandes der CDU und war von 1977 bis 1983 Stellvertretender Vorsitzender der CDU; Mitglied des Bundestages von 1972–1988. Dregger gilt als Repräsentant des nationalkonservativen Flügels der CDU; auf ihn geht auch der Slogan »Freiheit statt Sozialismus« zurück, mit dem die CDU 1976 in den Bundestagswahlkampf gezogen ist und nur knapp – mit 48,6 % – die absolute Mehrheit verfehlt hat.

280. 14 *Amtssitz des heiligen Bonifatius]* Anspielung darauf, daß der hl. Bonifatius (672/75–754) auf seinen Missionsreisen 744 im hessischen Fulda sein Lieblingskloster errichten ließ; erster Amtssitz des »Apostels der Deutschen« ist allerdings Mainz, das ihm vom damaligen Papst Gregor II. als Bischofssitz 747 zugesprochen worden ist.

280. 19 *Eppler]* Erhard Eppler (geb. 1926), dt. SPD-Politiker, 1968–1974 Minister für wirtschaftliche Zusammenarbeit; bei den Landtagswahlen in Baden-Württemberg 1976 und 1980 Spitzenkandidat seiner Partei, er konnte sich jedoch weder gegen Filbinger 1976 noch gegen Lothar Späth 1980 durchsetzen.

280. 27 *Herr von Hassel]* Kai-Uwe von Hassel (1913–1997), CDU-Politiker; 1954–63 Ministerpräsident von Schleswig-Holstein, 1963–66 Verteidigungsminister, 1966–69 Bundesminister für Vertriebene, Flüchtlinge und Kriegsgeschädigte; 1969–72 Präsident des Deutschen Bundestages, nach 1972 dann Vizepräsident des Deutschen Bundestages.

281. 35 *Herrn Wörner]* Manfred Wörner (1934–1994), CDU-Politiker; 1965–1988 Mitglied des Deutschen Bundestages, 1969–72 stellvertretender Vorsitzender der CDU/CSU-Bundestagsfraktion, 1976–80 Vorsitzender des Verteidigungsausschusses des Deutschen Bundestages; 1982–88 Bundesminister der Verteidigung.

281. 38 *Innenminister Filbinger]* Hans Filbinger (1913–2007), CDU-Politiker; von 1966–78 Ministerpräsident von Baden-Württemberg; bei den Wahlen 1972 erzielte die CDU unter Filbinger in Baden-Württemburg mit 52,9% der Wählerstimmen ihr bislang bestes Ergebnis im Land und errang die absolute Mehrheit.

282. 4 *Radikalenerlasses]* Vgl. Stellenkommentar zu 15. 34–35.

⟨Die Angst der Deutschen und die Angst vor ihnen⟩

Entstehung

Der Essay trägt in Bölls Arbeitsbuch die Signatur »404/76«; er ist im Januar 1976 in Langenbroich entstanden (*AB* II, Bl. 43; NE). Mit Datum vom 18. 1. 1976 hatte Böll seinen Text an das *New York Times Magazin* geschickt (vgl. HA 1326–276, Bl. 131). Nachdem es dann einige Übersetzungsfragen und -probleme gegeben hatte, die im Briefwechsel mit Bölls Übersetzerin Leila Vennewitz dokumentiert sind (vgl. HA 1326–276, Bll. 132–147), schickte Böll schließlich noch einen Nachtrag zu seinem Text am 1. 3. 1976 in die USA, der freilich keine Berücksichtigung mehr gefunden hat, allerdings den Abspann der deutschen Veröffentlichung bildet.

Überlieferung

Typoskripte

TH: Erstschr., 8 Bll., Erstschr. mit kleineren Korrekturen, am loR von Bl. 1 eh. Vermerk der Arbeitsbuchsigle »414/76« (= *AB* II, Bl. 43; NE), darunter der Entstehungsvermerk »Jan 76«.
(HA 1326–276, Bll. 112–119)

TH[2]: Kopie einer Erstschr., 9 Bll., überarbeitete und gegenüber TH erweiterte Fassung, die auf dem letzten Bl. eine Streichung, die allerdings für die deutsche Druckfassung nicht berücksichtigt worden ist, enthält und von Böll eh. auf den 1. 3. 1976 datiert worden ist.
(HA 1326–276, Bll. 120–128)

t[3]: Durchschr., 1 Bl., Durchschr. der Ergänzung zum (deutschen) Text.
(HA 1326–276, Bl. 129)

Drucke

Z[1]: *New York Times Magazin.* – 1976, Nr. 6 (2. 5. 1976), S. 17 u. d. T.: Inflation. [In englischer Sprache]

Z[2]: *Frankfurter Rundschau.* – 32. Jg., Nr. 173 (7. 8. 1976), ›Zeit und Bild‹, u. d. T.: Die Angst der Deutschen und die Angst vor den Deutschen. [Deutscher Erstdruck]

D[1]: *EE*, S. 339–347.
D[2]: *ESR* III, S. 353–361.
D[3]: *EAS* 6, S. 58–66.

Textgrundlage

Textgrundlage ist D². Korrigiert wurde:
289. 35–36 *Machenschaften]* Maschenschaften; *korrigiert nach* Z².

Varianten

283. 21 *ein bis zwei]* ein-zwei Z²
283. 27–28 *gab es dafür]* gab's dafür Z²
284. 1–2 *in manchen Kinos gab es]* in manchen Kinos gab's Z²
284. 9 *Rationierungen]* Rationalisierungen Z²
284. 15 *2 1/2 oder 3 1/3 Pfennige]* zweieinhalb oder dreieindrittel Pfennig Z²
284. 16 *Pfennige]* Pfennig Z²
284. 23 *3–4 Mark]* drei bis vier Mark Z²
284. 24 *versiegte]* versiegt war Z²
284. 29 *7 bis 9 Mark]* sieben bis neun Mark Z²
284. 30 *5 und 6 Mark]* fünf bis sechs Mark Z²
284. 33 *1 Mark]* eine Mark Z²
284. 34 *verzuckert wurde]* verzuckert wurden Z²
285. 15 *7 %]* sieben Prozent Z²
285. 16 *100 %]* 100 Prozent Z²
285. 35 *achtundzwanzig Jahre]* 28 Jahre Z²
286. 3 *Angst schüren können]* Angst schüren kann Z²
286. 9 *»Bauernsterben«]* Bauernsterben Z²
286. 10 *obwohl es]* obwohl's Z²
286. 18 *deutschem Boden]* »deutschem Boden« Z²
286. 30 *von einem]* als von einem Z²
286. 32 *hier] Fehlt* Z²
286. 33 *Generationen von Arbeitern]* Generationen annulliert, von Arbeitern Z²
286. 34 *annulliert] Fehlt* Z²
286. 36 *Wirtschaftswunder]* »Wirtschaftswunder« Z²
287. 5 *1/30]* ein Dreißigstel Z²
287. 6 *1/4]* einem Viertel Z²
287. 7 *das auf wirtschaftliches »Wachstum« setzt]* das wirtschaftlich auf »Wachstum« setzt Z²

287. 17 *Systemveränderer]* »Systemveränderer« Z[2]
287. 29 *300 qm]* 300 Quadratmeter Z[2]
287. 33 *das lt.]* das laut Z[2]
288. 1 *stabiler, massiver]* stabil, massiv Z[2]
288. 29 *eine Weile]* eine lange Weile Z[2]
288. 38 *ob diesen Familien, die »das Land besitzen«, das]* ob diesen Familien das Land, das sie »besitzen« und das Z[2]
289. 9–10 *Die Landbesitzer]* »Die das Land besitzen« Z[2]
289. 27 *350–600]* 350 bis 600 Z[2]
290. 18 *zur Angst gehabt]* zur Angst gehabt hat Z[2]
290. 37 *oder ob]* aber ob Z[2]
291. 5 *Art des Lebens]* Art des Lebens Z[2]
291. 18 *in dem Augenblick, als]* in dem Augenblick (Januar 1976), als Z[2]
291. 22 *New York Times]* »New York Times« Z[2]
291. 22–23 *um diesen Artikel bat:]* um diesen Artikel bat (der dann Anfang Mai 1976 erschien): Z[2]
291. 36 *ist unmöglich.]* ⌈Z[2]
291. 36 *Versuch]* V e r s u c h Z[2]
292. 5 *dieser Frage.]* ⌈Z[2]
292. 9 *von rechts]* VON RECHTS Z[2]

Stellenkommentar

284. 10–12 *»Kanonen statt Butter« ... Meier-Göring]* Am 28. 10. 1936 trug Hermann Göring Hitlers Denkschrift für einen »Vierjahresplan« im Berliner Sportpalast vor; darin ging es im wesentlichen um den Gedanken der Autarkie mit den beiden Stoßrichtungen, daß die dt. Armee in vier Jahren einsatzfähig, die dt. Wirtschaft in vier Jahren kriegsfähig sei. Unter der Parole »Kanonen statt Butter« verkündete Göring lautstark: »Erst schafft eine starke Nation. Zuviel Fett – zu dicke Bäuche. Ich habe selbst weniger Butter gegessen und habe zwanzig Pfund abgenommen.« –

Meier-Göring: Anspielung auf den von Hermann Göring in seiner Funktion als Oberbefehlshaber der Luftwaffe überlieferten Ausspruch zu Beginn des Krieges: ›Ich will Meyer heißen, wenn auch nur ein feindliches Flugzeug über Deutschland erscheint.‹

284. 19 *»floatete«]* ›Float‹, der (engl. to float ›schwimmen‹, ›schweben‹), im Bankwesen: Summe der schwebenden, d. h. abgebuchten, aber noch nicht gutgeschriebenen Zahlungen im bargeldlosen Zahlungsverkehr, z. B. durch Bearbeitungs- oder Postlaufzeiten.

286. 12–13 *arrondiert]* Aus dem Frz., allgemein: abrunden, zusammenlegen (von Grundstücken).

286. 15–17 *Arco, Arenberg, Aretin, Baden (Markgraf von), Bayern (Herzöge von und in), Bentheim, Bismarck, Castell, Faber-Castell, Finck, Fürstenberg, Fugger, Guttenberg]* Namen von adligen Großgrundbesitzern: Georg Graf von Arco (1869–1940), Funktechniker und von 1903–1930 techn. Direktor der Telefunken-Gesellschaft. – Arenberg, urkundlich erstmals 1032 erwähntes Adelsgeschlecht, benannt nach seiner Stammburg Arenberg (Kr. Ahrweiler). – Aretin, bayr. Adelsgeschlecht, das sich von einer armenischen Fürstenfamilie ableitet. – August von Finck (1898–1980), Bankier, Teilhaber des elterl. Bankhauses Merck, Finck & Co., München; Fürstenhaus Bentheim-Tecklenburg auf Schloß Rheda und Schloß Hohenlimburg. – Haus Castell, fränkisches Adelsgeschlecht, erste urkundliche Erwähnung 1057, ab 1901 bayerische Fürsten, von denen eine Nebenlinie Faber-Castell 1898 abzweigt, Privatbank und Weingüter. – Freiherren von Fürstenberg, rheinisch-westfälisches Adelsgeschlecht, Stammsitz Schloß Herdringen bei Arnsberg, große Besitztümer im Rheinland. – Fugger, schwäbisches Geschlecht, seit 1347 in Augsburg. – Burg Guttenberg am Neckar, das sich im Besitz der Freiherren von Gemmingen, einem alemannischen Rittergeschlecht befindet, das über ausgedehnte Besitzungen in Schwaben und Franken verfügt.

287. 16–17 *Radikalenerlaß]* Siehe Stellenkommentar zu 15. 34–35.

287. 21–22 *Konquistadoren]* Sammelbegriff für die span. und portugies. Soldaten, Entdecker und Abenteurer, die im 16. und 17. Jhdt. weite Teile von Nord- und Südamerika und den Philippinen für Spanien in Besitz genommen haben.

288. 24–25 *»Eigentum verpflichtet«]* Der Artikel 14, 2 des Grundgesetzes lautet: »Eigentum verpflichtet. Sein Gebrauch soll zugleich dem Wohle der Allgemeinheit dienen.«

288. 38–289. 1 *im Evangelium den Sanftmütigen versprochen]* »Selig sind die Sanftmütigen; denn sie werden das Himmelreich besitzen« (Matth. 5,5).

289. 33 *Wahlhilfefonds]* Hinweis Bölls auf die im sog. »Arbeitskreis Soziale Marktwirtschaft« organisierten Unternehmen in Deutschland, die unverhohlen in Anzeigenkampagnen zur Wahl der CDU/CSU-Opposition 1972 aufriefen und darüber hinaus Spenden in Millionenhöhe für die Kasse der Opposition bereitstellten; vgl. dazu etwa die *Spiegel*-Artikel »Direkt spenden« (Nr. 35, 21. 8. 1972, S. 51 f.) und »Draufschlagen, die Wahrheit unterschlagen« (Nr. 40, 25. 9. 1972, S. 32 ff.).

290. 28 *Ostverträge]* Siehe Stellenkommentar zu 30. 27.

291. 13 *Kissinger]* Henry Kissinger (geb. 1923), amerik. Politiker und Politikwissenschaftler dt. Herkunft; von 1969 bis 1973 nationaler Sicherheitsberater der USA, von 1973 bis 1977 Außenminister der USA.

291. 20 *Schreckgespenst der »Volksfront«]* Der zentrale Wahlkampfslo-

gan, mit dem die CDU/CSU 1976 in den Bundestagswahlkampf gezogen war, lautete »Freiheit oder Sozialismus«.

292. 2 *Behandlung der Polenverträge]* In der CDU/CSU-Fraktion herrschte damals Uneinigkeit, wie man mit den Verträgen mit Polen umgehen solle; die pol. Führungsriege – bestehend aus 13 Politikern, darunter Karl Carstens, Franz Josef Strauß, Rainer Barzel und Franz-Josef Röder – setzte sich zusammen und diskutierte zunächst elf Forderungen, die schließlich auf zwei zentrale Einwände (im Blick auf die Frage der Aussiedler und der finanziellen Abmachungen zwischen Bonn und Warschau) hinausliefen. Dabei zeichneten sich innerhalb der Union zwei Haltungen ab: ein Ja (so Barzel und auch Röder) oder ein Nein zu den Vereinbarungen (Carstens und Strauß). In einem *Zeit*-Artikel von Carl-Christian Kaiser hieß es unter dem Titel »Zwischen allen Stühlen« (*Die Zeit*, Nr. 9, 20. 2. 1976) dazu u. a.: »Die CDU/CSU hat sich in eine Situation manövriert, in der sie nur zwischen zwei Übeln wählen kann. Läßt sie die Verträge, unter welchen Umständen auch immer, doch noch passieren, so ist ihr aus den eigenen Reihen Unmut gewiß. Aus dem sozial-liberalen Lager, zumal von der SPD, ist der Union der schadenfrohe Vorwurf sicher, sie sei so wankelmütig und uneinig wie eh und je. Läßt die Opposition jedoch die Vereinbarungen scheitern, so muß sie mit einer Kampagne rechnen, in der ihr Starrsinn, Entspannungsfeindlichkeit und Inhumanität angekreidet werden.«

⟨Dürfen Russen lachen?⟩

Entstehung

Diese Kolumne trägt in Bölls Arbeitsbuch die Signatur »412/76«; sie ist im März in Langenbroich entstanden (*AB* II, Bl. 44; NE).

Überlieferung

Typoskripte

T^1: Erstschr., 1 Bl., erster Entwurf, unvollst., am loR eh. Vermerk der Arbeitsbuchsigle »412/76« (= *AB* II, Bl. 44; NE), darunter eh. Notiz »1. Version ungültig«.
(HA 1326–277, Bl. 1)

TH^2: Erstschr., 5 Bll., überarbeiteter Entwurf, am loR von Bl. 1 eh. Vermerk der Arbeitsbuchsigle »412/76« (= *AB* II, Bl. 44; NE), darunter eh. Notiz »2. Version ungültig«.
(HA 1326–277, Bll. 2–6)

t^3: Durchschr., 4 Bll., gegenüber TH^2 überarbeitete und wieder gekürzte Fassung, die wohl als Druckvorlage für Z gedient hat.
(HA 1326–277, Bll. 7–10)

Drucke

Z: *Konkret* (Hamburg). – 22. Jg., Nr. 6 (25. 6. 1976), S. 34–35.
D^1: *EE*, S. 351–354.
D^2: *ESR* III, S. 364–367.
D^3: *EAS* 6, S. 69–72.

Textgrundlage

Textgrundlage ist D^2.

Varianten

293. 8 *Ich bin mir der Antwort]* Ich bin mit der Antwort Z
294. 20 *Archipels Gulag]* Archipels GULAG Z

Stellenkommentar

293. 12–15 *Grafen Franz ... Wieczorek-Zeul]* Franz Ludwig Schenk von Stauffenberg (geb. 1938), Rechtsanwalt und CSU-Politiker; Mitglied des Dt. Bundestages von 1976–1987; Heidemarie Wieczorek-Zeul (geb. 1942), von 1974–77 Bundesvorsitzende der Jusos. – In der Debatte des Deutschen Bundestages v. 29. 1. 1976 äußerte von Stauffenberg: »Eine prominente Sozialistin, die den Sozialismus will, nennt das, was sie unter der sowjetischen Diktatur findet, Sozialismus und sagt, daß dies ›Freude macht und Spaß macht‹. Dazu kann ich nur sagen: Kraft durch Freude« (Parlamentsprotokoll 7/218, S. 15171).

293. 25 *Nowosti] Moskowskije Nowosti* (*Moskauer Nachrichten*), eine russ. Wochenzeitung, die seit 1930 als sowjet. Propagandaschrift für Ausländer in engl. Sprache – in den 1950er Jahren zeitweilig auch noch u. a. auf Dt., Frz., Ital. und Span. – gedacht war und – nach verschiedenen Verkäufen 2003 und 2005 – bis zum 1. Januar 2008 erschien.

294. 1–2 *Thomas von Aquin,]* Dem Kirchenvater Thomas von Aquin (1225–1274) wurde von seinen Studienfreunden der Spitzname »stummer Ochse« verliehen, weil er in der Jugend öffentlich eher still und zurückhaltend aufgetreten ist; Bölls Hinweis verdankt sich seiner Lektüre von Gilbert K. Chestertons (1874–1936) Biographie des Aquinaten unter dem sprechenden Titel *St. Thomas Aquinas. The Dumb Ox* (1933; dt.: *Der stumme Ochse*).

294. 4 *Marx und Marcuse]* Karl Marx (1818–1883) dt. Philosoph. – Herbert Marcuse (1898–1979), dt. Philosoph, der entscheidende Anregungen zum einen von der Philosophie des jungen Marx, zum anderen von der Psychoanalyse erhalten und eine gesellschaftskrit. Philosophie entwickelt hat, in deren Mittelpunkt eine Kritik an der Entfremdung bzw. Verdinglichung des modernen Menschen in der bürgerlich-kapitalistischen Gesellschaft steht. Hauptwerk ist *Der eindimensionale Mensch* (zuerst engl. 1964, dt. 1967), das ein Zentraltext der internationalen Studentenbewegungen gewesen ist.

294. 20 *Archipels Gulag]* 1974 erschienenes Buch – und sicherlich das bekannteste Werk – von Alexander Solschenizyn, in dem die Praxis des stalinistischen Lagersystems schonungslos dargestellt und enthüllt wurde.

294. 21 *Ersten Kreis der Hölle]* Titel eines Romans von Alexander Sol-

schenizyn, der erstmals 1968 in deutscher Übersetzung bei Fischer erschienen ist; darin geht es wie auch in anderen Texten Solschenizyns um den stalinistischen Terror in Gefangenenlagern, wobei die Handlung dieses Romans darum kreist, daß in einem Lager unweit von Moskau ein neues Stimmerkennungssystem erprobt werden soll.

⟨Statt oder statt oder statt statt oder?⟩

Entstehung

Die Kolumne trägt in Bölls Arbeitsbuch die Signatur »423/76«; sie ist im Mai 1976 in Köln entstanden (*AB* II, Bl. 46; NE). Böll beschäftigt sich hierin mit dem Slogan der CDU/CSU »Freiheit statt Sozialismus« im Bundestagswahlkampf 1976.

Überlieferung

Typoskripte

T[1]: Erstschr., 2 Bll., erster Entwurf, am loR von Bl. 1 eh. Vermerk der Arbeitsbuchsigle »423/76« (= *AB* II, Bl. 46; NE), darunter eh. Notiz »ungültige 1. Version konkret-Kolumne Juli 76«.
(HA 1326–277, Bl. 11–12)

t[2]: Durchschr., 3 Bll., gegenüber T[1] erweiterte Durchschr., die als Druckvorlage für Z gedient hat.
(HA 1326–277, Bll. 13–15)

Drucke

Z: *Konkret* (Hamburg). – 22. Jg., Nr. 7 (24. 6. 1976), S. 9.
D[1]: *EE*, S. 355–357.
D[2]: *ESR* III, S. 368–370.
D[3]: *EAS* 6, S. 73–75.

Textgrundlage

Textgrundlage ist D[2].

Varianten

298. 11 *wär's]* war's Z
298. 15 *UND]* und Z
299. 23 *beliebt]* beleibt Z

Stellenkommentar

297. 29 *Radikalenerlaß]* Siehe Stellenkommentar zu 15. 34–35.

298. 37 *»Sorge um Deutschland«]* Unter diesem Motto zog die CDU/CSU unter ihrem Kandidaten Rainer Barzel (1924–2006) in den Bundestagswahlkampf für die vorgezogenen Wahlen im November 1972.

299. 17 *»Schnauze«]* Anspielung auf den damaligen Kanzler Helmut Schmidt (1918), der wg. seines außerordentlichen Redetalents den Spitznamen »Schmidt Schnauze« getragen hat.

〈Edvard Kocbek〉

Entstehung

Dieser Leserbrief für die *FAZ* trägt im Arbeitsbuch die Signatur »427/76«; er ist auf den 24. 6. 1976 datiert und in Langenbroich geschrieben worden (*AB* II, Bl. 47; NE). Böll reagierte hierin auf einen von A. R. gezeichneten Artikel in der *FAZ* vom 12. 6. 1976, »Abrechnung mit dem ›Klerikalismus‹«, in dem unter Rückgriff auf entsprechende Berichte von Laibacher Parteiorganen über die Verhaftungen der beiden Kocbek-Freunde informiert wurde.

Überlieferung

Typoskripte

t: Durchschr., 1 Bl., Durchschr. des Leserbriefs, am loR eh. Vermerk der Arbeitsbuchsigle »427/76« (= *AB* II, Bl. 47; NE).
Beiliegend: Artikel aus der *FAZ* v. 12. 6. 1976.
(HA 1326–277, Bl. 16)

Drucke

Z: *Frankfurter Allgemeine Zeitung*. – 28. Jg., Nr. 139 (29. 6. 1976), S. 9.
D[1]: *ESR* III, S. 371.
D[2]: *EAS* 6, S. 76.

Textgrundlage

Textgrundlage ist D[1].

Varianten

300. 6 *verdächtigt. Ein]* verdächtig (F. A. Z. vom 12. Juni). Ein Z

Stellenkommentar

300. 7–8 *Kocbeks Herkunft]* Vgl. dazu Abschnitt ›Hintergrund‹ zu *Zum Fall Kocbek*, S. 462 im vorliegenden Band.

300. 12 *Klavics und Blazic]* Laut *FAZ*-Artikel (»Abrechnung mit dem ›Klerikalismus‹«, 12. 6. 1976) handelt es sich um den Richter des Laibacher Gerichtshofes, Franz Klavics, und ein Redaktionsmitglied der Laibacher Parteizeitung *Delo*, Viktor Blazic. (Genauere Daten waren nicht zu ermitteln.)

300. 18 *Nachfolger]* Sir Victor S. Pritchett (1900–1997), engl. Schriftsteller und Kritiker, Nachfolger Heinrich Bölls als PEN-Präsident, bekannt wegen seiner Kurzgeschichten und seiner beiden autobiographischen Romane *A cab at the door* (1968) und *Midnight oil* (1971).

⟨Posaunensolo, gedämpft⟩

Entstehung

Diese Rezension trägt in Bölls Arbeitsbuch die Signatur »430/76«; sie ist im Juli 1976 in Langenbroich entstanden (*AB* II, Bl. 48; NE). Rolf Becker teilte brieflich am 10. 7. 1976 mit, daß am kommenden Montag die Besprechung erscheinen werde (HA 1326–PEB Bd. 11, Nr. 19546). Unter dem Datum vom 13. 7. 1976 bedankte sich Barzel bei Böll für die Besprechung (vgl. HA 1326–PEB Bd. 11, Nr. 19564).

Überlieferung

Notizen

N: 7 Bll., unterschiedliche Formate, mit eh. sowie ms. Zitaten aus Barzels Buch, die z. T. Eingang in Bölls Besprechung gefunden haben.
(HA 1326–277, Bll. 30–36)

Typoskripte

TH: Erstschr., 5 Bll.; erste unvollst. Fassung, am loR von Bl. 1 eh. Vermerk der Arbeitsbuchsigle »430/77« (= *AB* II, Bl. 48; NE), darunter eh. Notiz »1. Version ungültig«, auf Bl. 5 noch eh. Zusätze und Hinweise auf weitere Barzel-Textstellen.
(HA 1326–277, Bll. 20–24)

t: Durchschr., 5 Bll.; Durchschr. der Druckvorlage für Z.
(HA 1326–277, Bll. 25–29)

Drucke

Z: *Der Spiegel* (Hamburg). – 30. Jg., Nr. 29 (12. 7. 1976), S. 121–122.
D^1: *EE*, S. 358–361.
D^2: *ESR* III, S. 372–376.
D^3: *EAS* 6, S. 77–81.

Textgrundlage

Textgrundlage ist D[2].

Varianten

303. 3 *daran?]* ⌈Z
304. 18 *Hagiographie?]* ⌈Z

Stellenkommentar

301. 2 *Barzel]* Rainer Barzel (1924–2006), dt. CDU-Politiker, Jurist und Schriftsteller; 1962–63 Bundesminister für gesamtdt. Fragen, 1964–1973 Vorsitzender der CDU/CSU-Bundestagsfraktion, von 1971–73 Bundesvorsitzender der CDU und Spitzenkandidat der Partei für die vorgezogenen Bundestagswahlen 1972; später noch einmal Bundesminister für innerdt. Beziehungen 1982/83 im ersten Kabinett Kohl und 8. Bundestagspräsident des Dt. Bundestages 1983/84.

301. 14 *Komitees »Rettet die Freiheit«]* 1959 wird auf dem Höhepunkt des Kalten Krieges das Komitee »Rettet die Freiheit« unter der Leitung des CDU-Politikers Rainer Barzel gegründet, das 1960 das sogenannte Rotbuch mit einer Liste von hunderten Namen und Organisationen, die angeblich kommunistisch gesteuert seien, herausgibt. Vgl. dazu auch Heinrich Hannover: *Diffamierung der Opposition im freiheitlich-demokratischen Rechstsstaat*. Dortmund 1962.

301. 18–20 *Ich habe … ihrem Recht]* Zitat aus Rainer Barzel: *Es ist noch nicht zu spät*. München/Zürich, Droemer Knaur, 1976, S. 97.

301. 21 *Heimstatt für Fußkranke]* Barzel, 1976, S. 105.

301. 21–23 *Militärische Vorsorge … immer weniger]* Barzel, 1976, S. 187.

301. 28–29 *geistigen Werten]* Barzel, 1976, S. 104.

301. 29 *geistiger Führung]* Barzel, 1976, S. 45 u. ö.

301. 30–32 *Demokratische Wirklichkeit … ökonomisches System!]* Barzel, 1976, S. 139.

302. 12–16 *Der Christ … einzusetzen]* Barzel, 1976, S. 138 f.

302. 33 *Ananias und Saphira]* Vgl. Apostelgeschichte 5, 1–11.

303. 17 *Wiedervereinigung]* Barzel, 1976, S. 78.

304. 3–5 *Ich glaube … Politik zu sein]* Barzel, 1976, S. 173.

304. 18 *Hagiographie?]* hier im Sinne von: unkritische (Heiligen-)Verehrung

304. 21 *Anankasmus]* Zwangsstörung.

304. 24 *»Abwasserabgabengesetz«]* Gemeint ist das »Gesetz über Abgaben für das Einleiten von Abwasser in Gewässer« vom 13. 11. 1976 (novelliert 1994; neugefaßt durch Bekanntmachung vom 18. 1. 2005), in dem geregelt wird, wie mit dem »durch häuslichen, gewerblichen, landwirtschaftlichen oder sonstigen Gebrauch in seinen Eigenschaften veränderten« Wasser, also Abwasser (§2,1) umzugehen ist.

304. 31 *Sacharows erster Aufruf]* Andrei Dmitrijewitsch Sacharow (1921–1989), russ. Kernphysiker, »Vater der H-Bombe«, Dissident und Friedensnobelpreisträger von 1975; gemeint ist hier der Aufruf *Wie ich mir die Zukunft vorstelle*; siehe hierzu *KA*, Bd. 16: *Es wird immer später*.

304. 36–38 *Wir sollten ... anzusagen]* Barzel, 1976, S. 111.

304. 38–305. 1 *Unser Wasser ... not tut]* Barzel, 1976, S. 111 f.

305. 4 *freie Wirtschaft]* Zitiert nach Barzel, 1976, S. 122 (aus: *Neue Zeitung* vom 14. 10. 1946).

305. 17–18 *entschiedener (Betonung von mir) Leutnant der Seeflieger]* Barzel, 1976, S. 12.

⟨Nachruf auf einen unbedeutenden Menschen⟩

Entstehung

Dieser Essay trägt in Bölls Arbeitsbuch die Signatur »432/76«; er ist am 20. 7. 1976 in Langenbroich entstanden (*AB* II, Bl. 48; NE).

Überlieferung

Typoskripte

TH^{1}: Erstschr., 3 Bll.; erste Fassung des Nachrufs, am loR von Bl. 1 eh. Notiz »1. Version ungültig«, darunter eh. Datierung »20. 7. 1976«. (HA 1326–277, Bll. 37–39)

t^{2}: Durchschr., 4 Bll.; Text der Druckvorlage für Z^{1} und Z^{2}. (HA 1326–277, Bll. 40–43)

t^{3}: Durchschr., 3 Bll.; Abschrift und Reinschrift von t^{2}. (HA 1326–277, Bll. 44–46)

Drucke

Z^{1}: Druck in: *Frankfurter Allgemeine Zeitung*. – 28. Jg., Nr. 160 (23. 7. 1976), S. 25. (Teilw.)

Z^{2}: *Neue Deutsche Hefte* (Berlin). – 23. Jg. (1976), Nr. 151, Heft 3 (Juli-September), S. 658–660.

D^{1}: *EE*, S. 370–372.

D^{2}: *ESR* III, S. 377–379.

D^{3}: *EAS* 6, S. 82–84.

Textgrundlage

Textgrundlage ist D^{2}.

Varianten

306. 6 *]* Bogatyrjow Z^1
306. 14 *mit: es]* mit: Es Z^1
306. 16 *beneidet habe.]*⌈Z^1
306. 16–20 *Natürlich … erschlagen.] Fehlt* Z^1
306. 27 *Schriftsteller-Verband]* Schriftstellerverband Z^1
307. 6 *Offizier der Roten Armee,]* Offizier der Roten Armee gewesen, Z^1
307. 7–8 *kennengelernt habe]* gekannt habe Z^1
307. 12–13 *Ich … gefallen ist.] Fehlt* Z^1
307. 13–14 *Wir wissen alle]* Natürlich wissen wir alle Z^1
307. 18 *jetzt: wann]* jetzt: Wann Z^1
307. 21 *einfach]* Fehlt Z^1
307. 32–33 *Rilke. … Er]*⌊Z^1
307. 38–308. 1 *sie sind auch die Menschen]* sie leben so wie die Menschen Z^1
308. 6 *seines Todes.]*⌈Z^1
308. 6–9 *Wir … über diese.] Fehlt* Z^1
308. 12–13 *Sprache, Lebensart, Gerüche und Geräusche zwischen Stockholm und Neapel,] Fehlt* Z^1
308. 20–21 *Autoren-Hierarchie]* Autorenhierarchie Z^1
308. 30 *Bogatyrjew]* Bogatyrjow Z^1
308. 31 *Frage: wann]* Frage: Wann Z^1

Rezeption

Nach der Veröffentlichung des Nachrufs hat der sowjetische Schriftstellerverband ›seine‹ Version des Todes geliefert, die als Leserbrief in der *FAZ* vom 9. 9. 1976 abgedruckt worden ist: »Sehr geehrter Herr Chefredakteur, im Zusammenhang mit dem Artikel Heinrich Bölls in Ihrer Zeitung […] möchte ich Ihren Lesern sowie dem Verfasser des Artikels folgendes zur Kenntnis bringen: Käme jemand auf den Gedanken, alles, was im Westen über die sogenannten Dissidenten in der Sowjetunion geschrieben wird, zu sammeln, ergäbe das mindestens ein Dutzend dicke Wälzer. In dieser Unmenge von Papier fänden die Leser dann ausführliche Angaben und kleine Einzelheiten über jede dieser ›hervorragenden‹ Personen und ihren ›heroischen‹ Kampf für die Demokratie. Nur eines würden die Leser nicht finden: den Hinweis, daß zu den sowjetischen Dissidenten allenfalls zwei oder drei Dutzend Personen zählen, einschließlich derjenigen, die Zuflucht im Westen gefunden haben und heute im Sold von Radio Liberty oder anderer, ähnlicher Stellen stehen. Die ›Dissidenten‹ und ihre Schutzherren wissen um ihre geringe Zahl, und so bemühen sie sich nach Leibeskräften, den Eindruck zu erwecken, als gäbe es in der UdSSR eine ganze ›Dissidentenbewegung‹. – Das offenbarte sich besonders anschaulich in dem beschämenden Spiel um den verstorbenen Übersetzer Konstantin Bogatyrjow, das Andrej Sacharow begann. Den tragischen Tod dieses Menschen benutzen gewisse ›Humanisten‹, um Gerüchte in Umlauf zu setzen, in denen durchsichtige und später auch unmißverständliche Anspielungen auf eine Mitschuld sowjetischer Behörden an seinem Tod genährt wurden. – In Ihrer Zeitung hat Heinrich Böll diese Legende in seinem ›Nachruf auf einen unbedeutenden Menschen‹ übernommen. In diesem ›Nachruf‹ wird von Böll nur ein Teil der für alle Artikel über ›Dissidenten‹ üblichen literarischen und politischen Klischees benutzt. Das einzig Neue besteht darin, daß Konstantin Bogatyrjow der ›geborene Dissident‹ gewesen sei: ›Er war es von Natur, aus Instinkt.‹ Traurig, daß ein Mann wie Böll, der ansonsten doch ein realistischer Schriftsteller ist, das ›Dissidententum‹ genetisch-mystisch zu begründen sucht. Während sowjetische Untersuchungsbehörden alles tun, um das Verbrechen aufzuklären, macht Böll sich die Version zu eigen, sowjetische Behörden seien am tragischen Tod Konstantin Bogatyrjows mitschuldig. – Die Tatsachen sind folgende: Der Übersetzer Konstantin Bogatyrjow ist im Juni dieses Jahres unter tragischen Umständen ums Leben gekommen – er war zwei Monate zuvor von unbekannten Tätern überfallen und mißhandelt worden und erlag schließlich diesen Verletzungen. – Bogatyrjow war nach dem Überfall in das Burdenko-Institut für Neurochirurgie, das auf diesem Gebiet bedeutendste medizinische Zentrum der Sowjetunion, eingeliefert worden, wo die Ärzte sieben Wochen lang um sein Leben kämpften. Die Untersuchungen im Fall Bogatyrjow werden von den zuständigen Stellen des Moskauer Stadtbezirks Frunsenski, in dem der Verstorbene gewohnt hatte, geführt. An der Fahndung ist das Moskauer Kriminalamt beteiligt. Die ganzen Bemühungen um die Klärung des Verbrechens werden von der Staatsanwaltschaft Moskau geleitet. Das ist den Verwandten und Freunden des Verstorbenen bekannt. Bölls Behauptung ›Die Frage nach dem Stand der Ermittlungen im Falle der Ermordung des Konstantin Bogatyrjow bleibt offen‹ entbehrt also jeder Grundlage. – Wir wollen hoffen, daß die Ergreifung des Täters (oder der Täter) dem skrupellosen propagandistischen Treiben um den Tod des Mitglieds des Schriftstellerverbandes der UdSSR, Konstatin Bogatyrjow, der bei Lebzeiten weder im Westen noch in der UdSSR als ›Dissident‹ bekannt war, ein Ende setzen wird. Hochachtungsvoll Juri Wertschenko, Sekretär des Vorstandes des Schriftstellerverbandes der UdSSR, Moskau, Gerzenstraße 53« – Daraufhin hat die Redaktion der *FAZ* ihrerseits mit folgender Antwort reagiert: »Sehr geehrter Herr Wertschenko! Ihr Brief ist vor allem ein Angriff auf Heinrich Böll; ob er darauf antwortet, sei ihm überlassen. Wir möchten nur einiges aufgreifen, was uns in Ihrem Schreiben auffällt. – Erstens: Sie behaupten mit Ironie, die Dissidenten in der Sowjetunion würden im Westen wegen ihres Kampfes für die Demokratie gefeiert. Da irren Sie. Der Westen ist realistischer, als Sie glauben. Er weiß, daß die Demokratie in der Sowjetunion noch nicht auf dem Weg ist. Für absehbare Zeit sieht er nur die Möglichkeit, daß dort mit den Menschenrechten etwas glimpflicher umgegangen werde. Das Sowjetregime als Despotie mit Hemmungen – dies allein gilt hier als, vielleicht, erreichbares Ziel. Weil sie dafür ihr Leben aufs Spiel setzen, finden die Dissidenten in der Sowjetunion bei uns Sympathie. – Zweitens: Sie belehren uns darüber, daß es nur wenige, allenfalls zwei oder drei Dutzend solcher Dissidenten gebe. Wir sehen uns außestande, die Dissidenten in Ihrem Staat zu zählen. Eine zuverlässige Liste aus Moskau würde im Westen Beachtung finden. – Drittens: Arbeit für ›Radio Liberty‹ gilt im Westen nicht, wie Sie offenbar meinen, als ehrenrührig. Man kann daher bei uns niemanden, auch nicht emigrierte Dissidenten, mit der – wahren oder falschen – Behauptung in Mißkredit bringen, er arbeite für ›Radio Liberty.‹ – Viertens: Sie verargen es Heinrich Böll, daß er Bogatyrjow einen ›Dissidenten von Natur, aus Instinkt‹ nannte. Das ist nicht mystische Genetik, so etwas gibt es tatsächlich. Denken Sie nur an Alexander Solschenizyn oder an Mihajlo Mihajlov in Jugoslawien. Auf der anderen Seite kann sich jede Despotie auf geborene Mit-Arbeiter stützen; deren Zahl ist immer unverhältnismäßig größer als die der geborenen Dissidenten. – Fünftens: Sie berichten, nach dem Überfall sei der schwerverletzte Bogatyrjow in ein bedeutendes medizinisches Zentrum gebracht worden. Gut, wenn er ärztlichen Beistand bekam. Wir hoffen, daß man eines Tages mit dem Wort ›sowjetisches medizinisches Zentrum‹ nur noch die Vorstellung von ärztlicher Hilfe verbinden wird. – In vorzüglicher Hochachtung Johann Georg Reißmüller, Frankfurter Allgemeine Zeitung, Frankfurt, Hellerhofstraße 2–4.«

Stellenkommentar

306. 5–6 *Konstantin Bogatyrjew]* Konstantin (Kostja) Bogatyrjow (1925–1976), russ. Übersetzer aus dem Deutschen ins Russische; bereits früh inhaftiert, kam nach Stalins Tod und durch Chruschtschows Rehabilitation 1956 frei und konnte sein Studium abschließen; erste Publikationen als Übersetzer in den 1960er Jahren (Texte von Erwin Strittmatter), vor allem durch die Vermittlung von Lew Kopelew; Bogatyrjow ist insbesondere mit seinen Lyrikübersetzungen, Rilke, Kästner, Brecht, Bachmann, Celan u. a., bekannt geworden. »Konstantin Bogatyrjow hat sich seit Be-

ginn seiner Übersetzertätigkeit als Lyrik-Nachdichter empfunden. Hier war nicht nur seine Stärke, hier lag sein Lebensinhalt. Die Konzentration auf das Übersetzen geht so weit, daß er Gedichte fast nur unter dem Gesichtspunkt der Nachdichtbarkeit las, jedenfalls hat er 1964 geschrieben, er kenne von Rilke kaum mehr als die von ihm übersetzten Gedichte« (Wolfgang Kasack: Konstantin Bogatyrjow und seine Freunde, in: Wolfgang Kasack (Hg.): *Freundesgabe für Konstantin Bogatyrjow*. Bornheim 1982, S. 14). Weiter heißt es über Bogatyrjow u. a.: »Er war keiner der als Dissidenten bekannt gewordenen Männer, aber er gehörte 1966 zu den Unterzeichnern des Briefes zur Verteidigung Sinjawskis (Terz) und Daniels (Arshak)« (a. a. O., S. 18). »Der Überfall am 26. April 1976 auf dem Treppenabsatz vor seiner Wohnung kam völlig unerwartet – obwohl er zwei Tage vorher einen Freund anrief und von – nicht konkretisierten – ›großen Unannehmlichkeiten‹ sprach. Die Schläge des Mörders (oder der Mörder) zertrümmerten den Schädel. Nach einigen Leidenswochen starb er am 18. 6. 1976 um 7.35 Uhr. Die Nachricht von seinem Tode löste ›eine gewaltige Erschütterung nicht von Dutzenden, sondern von Hunderten Menschen‹ aus, wie es in einem Brief jener Tag heißt« (Kasack, 1982, S. 19; vgl. zum Tod Bogatyrjows auch den Artikel von Felix Philipp Ingold: »Konstantin Petrowitsch Bogatyrjow. Gedenkblatt für den russischen Germanisten und Übersetzer«, in: *Neue Zürcher Zeitung*, 17. 6. 1977) – Böll kannte Bogatyrjow seit seiner Reise in die Sowjetunion September/Oktober 1966; erste briefliche Erwähnungen tauchen in der Korrespondenz zwischen Böll und Kopelew auf, so im Brief vom 3. 1. 1967, in dem Böll besondere Grüße an »Kostja« ausrichten läßt. Erhalten ist auch eine kleine Korrespondenz zwischen Bogatyrjow und Böll aus den Jahren 1970 bis 1972 (vgl. HA 1326–1005, Bll. 106–115).

307. 10 *Rilkes Cornet]* Anspielung auf Rainer Maria Rilkes (1875–1926) *Die Weise von Liebe und Tod des Cornets Christoph Rilke* (1912), worin die tragische Geschichte des jungen Adligen Christoph Rilke erzählt wird, der durch ein Empfehlungsschreiben zum Cornet, d. i. zum Rennfähnrich (dem Fahnenträger in Landsknechtheeren), ernannt wird und der – beim Brand eines Schlosses – seine Fahne rettet, blind den angreifenden Feinden entgegenstürmt und dann in heroischer Pose einen unnützen Tod stirbt.

307. 19 *Achmatowa]* Anna Achmatowa (1889–1966), russ. Schriftstellerin und Lyrikerin, gilt als bedeutendste russ. Schriftstellerin im 20. Jhdt.

307. 24–25 *Gruppenbild mit Dame]* Dazu bemerkt Wolfgang Kasack: »Als die deutsche Presse ihr Entsetzen über die Fälschungen in der Übersetzung von Bölls ›Gruppenbild mit Dame‹ generell anprangerte, machte sich Bogatyrjow zusammen mit Henry Glade an eine genaue bibliographische Analyse.« Dabei »galt seine Arbeit allein der Richtigkeit übersetzerischer Tätigkeit« (Kasack, 1982, S. 18).

307. 31 *Kästner]* Erich Kästner (1899–1974), dt. Schriftsteller, Dreh-

buchautor und Kabarettist; Kästner ist insbesondere aufgrund seiner (häufiger auch verfilmten) Jugendbücher, u. a. *Emil und die Detektive* (1929), *Pünktchen und Anton* (1931) oder *Das fliegende Klassenzimmer* (1933), sowie seiner im Stil der Neuen Sachlichkeit der späten 1920er Jahre gehaltenen Alltagslyrik, *Herz auf Taille* (1928) und *Lärm im Spiegel* (1929), bekannt geworden.

307. 33 *Annemarie]* Annemarie Böll, geb. Cech (1910–2004).

⟨Anwälte der Freiheit⟩

Entstehung

Diese Kolumne trägt in Bölls Arbeitsbuch die Signatur »428/76«; sie ist im Juli 1976 in Langenbroich entstanden (*AB* II, Bl. 47; NE). Hartmut Schulze von der *konkret*-Redaktion bedankte sich bei Böll für den Text und schickte mit Datum vom 27. 7. 1976 die Belegexemplare des neuen Heftes mit Bölls Beitrag (vgl. HA 1326 – KS 61, Bl. 19675).

Überlieferung

Typoskripte

t[1]: Durchschr., 4 Bll.; erste Fassung, am loR von Bl. 1 eh. Vermerk der Arbeitsbuchsigle »428/76« (= *AB* II, Bl. 47; NE), darunter eh. Notiz »konkret Kolumne für Aug. 76«.
(HA 1326–277, Bll. 53–56)

t[2]: Durchschr., 4 Bll.; gegenüber t[1] leicht überarbeitete Fassung, die als Druckvorlage für Z gedient hat.
Beiliegend: 2 Bll.; Ausrisse aus der *Frankfurter Rundschau* v. 4. 6. 1976, auf denen der Text des CDU-Generalsekretärs Kurt Biedenkopf vor dem Bundesparteitag in Hannover abgedruckt ist; es finden sich diverse Anstreichungen und Unterstreichungen Bölls.
(HA 1326–277, Bll. 57–62)

Drucke

Z: *Konkret* (Hamburg). – 22. Jg., Nr. 8 (29. 7. 1976), S. 13–14 u. d. T.: Anwälte der Freiheit. Die Verfassungsschutz-CDU tarnt sich für den Wahlkampf als liberale Partei. Heinrich Böll mißt die Freiheitsparolen des CDU-Verschleierers Biedenkopf an der Wahrheit.

D[1]: *EE*, S. 373–376.

D[2]: *ESR* III, S. 380–383.

D[3]: *EAS* 6, S. 85–88.

Textgrundlage

Textgrundlage ist D².

Stellenkommentar

309. 3–5 *Der Ausdruck … sechsmal vor]* Unter dem Motto »Freiheit oder/statt Sozialismus« ist die CDU 1976 in den Wahlkampf getreten; der damalige CDU-Generalsekretär Kurt Biedenkopf (geb. 1930) hat in einer Rede vor dem Hannoveraner Parteitag der CDU die umstrittene Parole zu modifizieren versucht: »Diese Erosion der Freiheit… (*Frankfurter Rundschau*, Nr. 120, 4. 6. 1976): »Die Union sieht nicht erst seit gestern ihre Aufgabe darin, eine freiheitliche Alternative zum Sozialismus zu bieten. Meine Freunde, mit diesem Ziel ist sie angetreten, seitdem sie auf den Trümmern des Zusammenbruchs als große christliche Volkspartei entstand.« Gegen den Sozialismus schickt Biedenkopf »unsere Grundbegriffe ›Solidarität‹, ›Gerechtigkeit‹ und ›Freiheit‹« ins Rennen.

310. 20–21 *der Tonangeber in Baden-Württemberg]* Gemeint ist Hans Filbinger (1913–2007), der damalige amtierende CDU-Ministerpräsident von Baden-Württemberg, der bei den Landtagswahlen von 1972 für die CDU die absolute Mehrheit von 52,9 % erringen konnte.

311. 14–20 *Es ist … gefährdet werden]* Diese Erosion der Freiheit… a. a. O.

311. 34 *Karneval in Köln]* Als Kamelle (von Karamel) bezeichnet man die während der Straßenumzüge beim Karneval in Köln unters Volk geworfenen Süßigkeiten.

311. 37 *Thatcher]* Margret Thatcher (geb. 1925), engl. Politikerin, Mitglied der ›Conservative Party‹, von 1979–1990 engl. Premierministerin, 1975 wurde Thatcher als Nachfolgerin von Edward Heath Parteivorsitzende der Konservativen.

312. 17 *Orwells Visionen]* Anspielung auf die negative Utopie im Roman *1984* (erstmals 1949 erschienen) des engl. Schriftstellers George Orwell (1903–1950), worin ein totaler Überwachungsstaat geschildert wird: »Big brother is watching you.«

⟨Das große Menschen-Fressen⟩

Entstehung

Dieser Text ist im September 1975 in Langenbroich entstanden und trägt in der Erstfassung im Arbeitsbuch die Signatur »369/75« (*AB* II, Bl. 38; NE). Der Text ist ursprünglich für eine Festveranstaltung des UNICEF Kinderhilfswerks der Vereinten Nationen, die am 21. 9. 1975 in der Bonner Beethovenhalle stattgefunden hat, geschrieben worden. In einem Brief vom 29. 8. 1975 bedankte sich die Geschäftsführerin des Deutschen Komitees für Unicef, Erika Schulenburg, bei Böll für dessen Bereitschaft, »einige Worte über die Situation der Kinder in der Dritten Welt, für deren Wohlergehen UNICEF arbeitet, zu sprechen« (HA 1326–277, Bl. 82). Eine Überarbeitung des Textes für die Druckfassung hat Böll vermutlich im Juni 1976 vorgenommen; diese überarbeitete Fassung trägt im Arbeitsbuch die Signatur »429/76« (*AB* II, Bl. 48; NE). In einem Brief vom 1. 7. 1976 teilte er dem *Konkret*-Herausgeber Gremliza mit: »Ich schicke Ihnen zwei Kolumnen, eine für August, die zweite für September. Die letztere – die UNICEF-Rede – ist nicht ganz taufrisch, ich habe sie im Sept. 75 gehalten – sie ist nie publiziert, kaum publik geworden, da es eine fast geschlossene Veranstaltung war. Ich habe sie ein wenig bearbeitet –« (HA 1326-Ablage Böll 1975).

Überlieferung

Typoskripte

TH[1]: Erstschr., 4 Bll.; unvollst. erster Entwurf, am loR von Bl. 1 eh. Vermerk der Arbeitsbuchsigle »369/75« (= *AB* II, Bl. 38; NE), darunter »1. Version ungültig«.
(HA 1326–277, Bll. 62–65)

TH[2]: Erstschr., 5 Bll.; gegenüber TH[1] erweiterte Fassung, am loR von Bl. 1 eh. Notiz »2. Version ungültig«.
(HA 1326–277, Bll. 66–70)

TH[3]: Erstschr., 6 Bll.; gegenüber TH[2] geringfügig überarbeitete Fassung und Druckvorlage für Z, am loR von Bl. 1 eh. Notiz »neue Version«, darunter eh. Vermerk der Arbeitsbuchsigle »369/75« (= *AB* II, Bl. 38; NE).
(HA 1326–277, Bll. 71–76)

Drucke

Z: *Konkret* (Hamburg). – 22. Jg., Nr. 9 (26. 8. 1976), S. 34–35.
D[1]: *EE*, S. 377–380.
D[2]: *ESR* III, S. 384–387.
D[3]: *EAS* 6, S. 89–92.

Textgrundlage

Textgrundlage ist D[2].

Varianten

313. 22 *fällig waren]* fällig wären Z
314. 24–25 *auf den Straßen Irlands Menschen]* auf den Straßen Menschen Z

Stellenkommentar

313. 7–8 *der Film Das große Fressen]* Original-Titel: »La Grande Bouffe«, frz.-ital. Spielfilm von 1973. Regisseur: Marco Ferreri; in den Hauptrollen spielten Marcello Mastroianni, Ugo Tognazzi, Michel Piccoli und Philip Noiret. Dieser mit diversen Preisen ausgezeichnete Film wirkte damals wegen seiner skandalösen Handlung und derber sexueller Szenen als besonders schockierend.

314. 5 *Hungersnot]* Gemeint ist die sechsjährige Hungersnot zwischen 1845 und 1851, bei der 1. 5 Mio. Menschen starben und rd. 1. 3 Mio. zur Auswanderung gezwungen wurden, nachdem Irlands Kartoffeln von einem Pilz (der Kartoffelfäule) befallen wurden.

315. 17 *Valera]* Eamon de Valera (1882–1975), bedeutendster ir. Politiker des 20. Jahrhunderts, von 1959 bis 1973 ir. Staatspräsident. Böll spielt hier darauf an, daß de Valera 1913 Gründungsmitglied der paramilitärischen »Irish Volunteers« war, sich dann 1916 am sog. Osteraufstand gegen die britische Herrschaft in Irland beteiligte und nach dessen Scheitern verhaftet und zunächst zum Tode verurteilt wurde, was allerdings, da de Valera amerik. Staatsbürger war, zu einer Gefängnisstrafe abgemildert wurde.

315. 23–24 *Bericht der amerikanischen Zeitschrift Ramparts]* Ein von Robert Scheer und James F. Colaianni herausgegebenes, monatlich zwischen 1962 und 1975 erschienenes amerik. Magazin für Literatur und Po-

litik, das der »New Left«-Bewegung nahestand und sich vor allem im Kampf gegen den Vietnam-Krieg einen Namen gemacht hatte. Es handelt sich um den Artikel von Susan De Marco/Susan Sechler: »The Marketplace of Hunger«, in: *Ramparts*. Vol. 13. No. 9. July 1975, S. 35–37, 51–56.

315. 25 *Rede]* Eine Kopie des 24seitigen Typoskripts dieser Brandt-Rede befindet sich im Nachlaß Bölls (HA 1326–277, Bll. 86–109).

⟨Antwort nach Prag⟩

Entstehung

Dieser offene Brief ist am 4. 9. 1976 in Köln geschrieben worden; er trägt im Arbeitsbuch die Signatur »440/76« (*AB* II, Bl. 49; NE). Günther Rühle von der *FAZ* bedankte sich brieflich am 7. 9. 1976 für den Text, der in der *FAZ* nach seiner Veröffentlichung in den *Listy-Blättern* gedruckt worden ist (vgl. HA 1326–KS 61, Bl. 19975).

Überlieferung

Typoskripte

t: Durchschr., 2 Bll.; Durchschr. der Druckvorlage für Z.
(HA 1326–277, Bll. 112–113)

Drucke

Z: *Listy-Blätter* (Köln). – 4. Jg. (1976), Heft 9 (September), S. 16.
D^1: *ESR* III, S. 388–389.
D^2: *EAS* 6, S. 93–94.

Textgrundlage

Textgrundlage ist D^1.

Varianten

317. 20 *]* Schut fauna Z

Stellenkommentar

317. 3 *Jaroslav Seifert]* Jaroslav Seifert (1901–1986), tschech. Journalist und Schriftsteller, Literaturnobelpreisträger (1984); Ende der 1920er Jahre brach Seifert mit dem Kommunismus und wurde Sozialdemokrat; v. a. während des Prager Frühlings (siehe Stellenkommentar zu 326. 17) engagierte er sich für die Rechte von Intellektuellen und unterschrieb die im Januar 1977 veröffentlichte »Charta 77«, eine Petition gegen die Verletzungen der Menschenrechte in seinem Heimatland, der ČSSR, die sich im August 1975 durch die Unterzeichnung des Abschlußdokumentes der Konferenz für Sicherheit und Zusammenarbeit in Europa (KSZE) u. a. zur Wahrung eben dieser Rechte verpflichtet hatte; ebenfalls im Januar 1977 wurde ein Internationales Komitee, in dem auch Böll aktiv war, ins Leben gerufen, das Inhalte und Unterzeichner der Petition unterstützte; rasch unterzeichneten 242 Intellektuelle die Charta, und Ende des Jahres wurde die Zahl von 800 Unterzeichnern erreicht. Seifert wurde aufgrund seiner Unterschrift bis 1979 in der ČSSR nicht mehr verlegt.

317. 4 *Ihr Brief]* Am 30. 8. 1976 verfaßten tschech. Intellektuelle – darunter Jaroslav Seifert – einen »Offenen Brief an Heinrich Böll«, der gemeinsam mit Bölls Entgegnung *Antwort nach Prag* in der Zeitschrift *Listy-Blätter.* Zeitschrift der Tschechoslowakischen sozialistischen Opposition (Jg. IV, H. 9, September 1976) sowie auch in der *FAZ* vom 6. 9. 1976 erschien; er bezieht sich auf einen Prager Prozeß, in dem 14 junge Menschen wegen ihrer nicht-regimekonformen literarischen und auch musikalischen Produktionen angeklagt waren; in der offiziellen Anklageschrift hieß es – laut Seifert –: es sei zu »›Ausschreitungen‹ [gekommen], die darin bestehen sollen, daß in einigen Liedertexten vulgäre Ausdrücke vorkommen«; letztlich wird folgende Bitte an Böll gerichtet: »Schon mehrmals haben Sie, lieber Herr Heinrich Böll, Besorgnis um das Schicksal der tschechoslowakischen Kultur geäußert, mehrmals haben Sie Ihre Stimme zur Verteidigung aller erhoben, die in der Tschechoslowakei für ihre Ansichten, Stellungnahmen und ihr geistiges Schaffen einer Persekution ausgesetzt werden. Deswegen wenden wir uns auch in dieser Sache an Sie. Gestatten Sie uns, mit allem Nachdruck Sie zu bitten, das ganze Gewicht Ihrer künstlerischen und menschlichen Autorität zum Appell an tschechoslowakische Ämter zu verwenden, um das bevorstehende Gerichtstheater abzustellen sowie eventuell das Interesse anderer Persönlichkeiten der Kultur, jener, die dem Schicksal der Geistesfreiheit auf unserem Kontinent nicht gleichgültig gegenüberstehen, für diesen Fall zu wecken.«

317. 5 *Reiner Kunze, Die wunderbaren Jahre]* Rainer Kunze (geb. 1933), dt. Schriftsteller, u. a. Träger des Georg-Büchner-Preises (1977); in seinem Prosaband *Die wunderbaren Jahren* schildert Kunze den DDR-Alltag Her-

anwachsender unter den Bedingungen der Repression des sozialistischen Staatsregimes; die Erstausgabe erschien 1976 in der BRD, Böll rezensierte sie (siehe *Die Faust, die weinen kann* im vorliegenden Band); die Veröffentlichung führte zu Kunzes Ausschluß aus dem Schriftstellerverband der DDR, ein Jahr später verließ Kunze die DDR und kam nach Westdeutschland.

317. 20 *Schutzfauna]* Gegen Ende des »Offenen Briefes an Heinrich Böll« legt Jaroslav Seifert seine Motivation und die der übrigen Intellektuellen für ihr Engagement dar, die u. a. in der Ablehnung einer ›Schutzfauna‹ für Persönlichkeiten des öffentlichen Lebens begründet sei; es heißt dort: »Wir selbst empfinden es ganz besonders intensiv, weil wir nicht das Gefühl los werden, daß die Leute im gewissen Sinne stellvertretend für uns so hart behandelt werden – nämlich deshalb, weil sie sich weniger als wir auf die Solidarität der Kollegen im Ausland stützen können. Auch wenn wir in anderen kulturellen und geistigen Bereichen tätig sind, lehnen wir den Status irgendeiner prominenten ›Schutzfauna‹ ab und wollen uns nicht schweigend damit abfinden, daß andere, weniger ›Geschützte‹ ohne Aufmerksamkeit der kulturellen Welt als Kriminelle verurteilt werden dürfen.«

⟨Sprache ist älter als jeder Staat⟩

Entstehung

Diese Rezension trägt in Bölls Arbeitsbuch die Signatur »435/76«; sie ist vermutlich Mitte August 1976 in Langenbroich geschrieben worden (*AB* II, Bl. 49; NE). Der Text ist offenkundig sehr rasch nach der Lektüre des Bandes, um dessen Besprechung Rolf Michaelis von der *Zeit* Böll brieflich am 22. 7. 1976 gebeten hatte, entstanden (vgl. HA 1326–PEB Bd. 11, Nr. 19622), zumal da Michaelis noch am 26. 7. 1976 die weitere Bitte äußerte, ob Böll nicht bis zum 8. 9. 1976 seinen Text liefern könne (vgl. HA 1326–PEB Bd. 11, Nr. 19640). Vom Verlag erhielt Böll ein Exemplar des Buches am 18. 7. 1976 zugeschickt (vgl. HA 1326–4000, Nr. 19613); am 11. 8. 1976 übermittelte die Frau des Verlegers, Erika Gebühr, biographische Angaben zu Danziger, um die Bölls Sekretärin telefonisch gebeten hatte (vgl. HA 1326–4000, Nr. 19776). Für die Übersendung des Textes bedankte sich Michaelis brieflich am 2. 9. 1976 (vgl. HA 1326–PEB Bd. 11, Nr. 19933).

Überlieferung

Notizen

N: 1 Bl. mit Stichworten und Hinweisen auf Zitate, die von Böll z. T. verwendet worden sind.
(HA 1326–277, Bl. 135)

Typoskripte

T^1: Erstschr., 4 Bll.; erste unvollst. Entwürfe, am loR von Bl. 1 eh. Notiz »1. Version«, auf Bl. 4 ebenfalls eh. Notiz »2. Version ungültig«.
(HA 1326–277, Bll. 121–124)

TH^2: Erstschr., 5 Bll.; gegenüber T^1 erweiterte Fassung, am loR von Bl. 1 eh. Notiz »2. Version ungültig«.
(HA 1326–277, Bll. 125–129)

t^3: Durchschr., 5 Bll.; Durchschr. der Druckvorlage für Z, am loR von Bl. 1 eh. Vermerk der Arbeitsbuchsigle »435/76« (= *AB* II, Bl. 49; NE).
(HA 1326–277, Bll. 130–134)

Drucke

Z: *Die Zeit* (Hamburg). – 31. Jg., Nr. 39 (17. 9. 1976), ›Literaturbeilage‹, S. 17 u. d. T.: »Auskunft über das fremde Deutschland: Der Aufbruch der DDR-Literatur in die Gegenwärtigkeit.«
D[1]: *EE*, S. 362–365.
D[2]: *ESR* III, S. 390–393.
D[3]: *EAS* 6, S. 95–98.

Textgrundlage

Textgrundlage ist D[2]. Korrigiert wurde:
323. 8 *Jewgenija Ginsburg]* Jewgenia Ginzburg

Varianten

319. 24 *als »naiv«]* also »naiv« Z

Stellenkommentar

319. 2 *Danziger ... »Die Partei hat immer recht«]* Carl-Jakob Danziger, Pseudonym von Joachim Chajm Schwarz (1909–1992), einem DDR-Schriftsteller jüdischer Herkunft; Schwarz war in der DDR während der 1950er und 1960er als Autor von reportagehaften Romanen bekannt; neben dem von Böll rezensierten Roman ist auch noch der autobiographische Roman *Falscher Salut* (Frankfurt 1978), der von einem jüdischen Journalisten in der DDR berichtet, einem breiteren Publikum bekannt geworden; zu Schwarz vgl. auch Tobias Sander: »Der linientreue Utopist. Der Schriftsteller J. C. Schwarz und seine Probleme im real existierenden Sozialismus«, in: *Freitag*, Nr. 28, 5. 7. 2002.

319. 18–23 *Alle ... Absicht]* Carl-Jakob Danziger: *Die Partei hat immer recht*. Autobiographischer Roman. Stuttgart, Werner Gebühr, 1976. Unpaginierter Vorspruch. Allerdings hat Böll unkorrekt zitiert, der Anfang lautet vielmehr: »Alle dargestellten Situationen in diesem Buch basieren auf eigenen Erfahrungen; [...].«

320. 7–11 *Denn seit ... Kunst]* Danziger, 1976, S. 93.

320. 12–15 *Ich habe ... schwer]* Danziger, 1976, S. 93.

320. 15–16 *Ich war ... keines war]* Danziger, 1976, S. 149.

320. 26 *seiner ersten größeren Buchpublikation]* Ausführlich berichtet

Danziger in seinem Buch von der Arbeit an seinem ersten Reportageroman über die Arbeits- und Lebensbedingungen im Berliner Turbinenwerk Bergmann-Borsig, der insgesamt bis 1955 auf Anraten und Druck durch Verlage sowie Interventionen der Behörden sechsmal umgearbeitet worden und dann unter dem Titel »Sie blieb nicht allein« erschienen ist – allerdings als »ein weitgehend auf die ursprünglich randständige Liebesgeschichte beschränktes Fragment der ersten Fassung« (Tobias Sander: »Der linientreue Utopist«, in: *Freitag*, Nr. 28, 5. 7. 2002).

320. 30 *17. Juni 1953]* Um den 17. 6. 1953 kam es in der DDR wegen der von der Staatsführung erhöhten Arbeitsnormen und den dadurch zu erwartenden materiellen Verschlechterungen zu spontanen Streiks und Demonstrationen, vor allem in Ostberlin, die von der Volkspolizei und durch massiven Einsatz sowjetischer Militärs niedergeschlagen wurden.

321. 13–14 *hagiographische]* Gemeint ist hier eine apologetisch-verklärende Literatur, wie sie vor allem durch die Doktrin des sozialistischen Realismus in der Sowjetunion und der mit ihr verbündeten sozialistischen Staatengemeinschaft propagiert worden ist.

321. 18–21 *Ich ... gepackt hatten]* Danziger, 1976, S. 86.

321. 26–27 *Die Fähigkeit ... staunenswert]* Danziger, 1976, S. 92.

321. 35–37 *Ich nannte ... mich]* Danziger, 1976, S. 85.

321. 38 *der israelische Millionär]* Diese Anekdote berichtet Danziger, 1976, S. 31 f.

322. 11 *RIAS]* Steht für »Rundfunk im amerikanischen Sektor«, Name einer Rundfunkanstalt, die vom Westberliner Bezirk Schöneberg unter usamerikanischer Kontrolle zwei Hörfunkprogramme (von 1946–1993) sowie – später – ein Fernsehprogramm (von 1988 bis 1992) ausstrahlte.

322. 15–16 *nur den ... wollen]* Danziger, 1976, S. 179.

322. 25 *Sabatos Über Helden und Gräber]* Ernesto Sabato (geb. 1911), argentin. Schriftsteller und Physiker; sein Roman *Über Helden und Gräber* (1961) gilt als einer der bedeutendsten Romane Argentiniens aus dem 20. Jahrhundert.

322. 25–26 *Murenas Die Gesetze der Nacht]* H. A. Murena (1923–1975), argentin. Schriftsteller; erstmals erschienen *Las Leyes de la Noche* (*Die Gesetze der Nacht*) 1958.

322. 26–28 *Asturias ... Peru]* Miguel Angel Asturias (1899–1974), guatemaltek. Schriftsteller und Diplomat, 1967 Nobelpreisträger für Literatur für seine sog. »Bananen-Trilogie« (*Sturm*, 1949; *Der grüne Papst*, 1954; *Die Augen der Begrabenen*, 1960); Gabriel Garcia Márquez (geb. 1927) kolumbian. Schriftsteller, Journalist, Nobelpreisträger von 1982, der mit seinem Roman *Hundert Jahre Einsamkeit* (1967) den internationalen Durchbruch erzielen konnte; Mario Vargas Llosa (geb. 1936), peruan. Schriftsteller, zu dessen bekanntesten Werken die autobiographischen Ro-

mane *Die Stadt und die Hunde* (1963) und *Das grüne Haus* (1966) zählen; José Maria Arguedas (1911–1969), peruan. Ethnologe und Schrifsteller, bekanntestes Werk ist der Roman *Die tiefen Flüsse* (1958).

323. 1–3 *Dichter Brodskij ... Staat]* Dieses Zitat des russ. Dichters Joseph Brodsky, eigentl. Jossif Alexandrowitsch Brodskij (1949–1996), hat Böll häufiger verwendet; unter dem Titel »Die Sprache ist älter als jeder Staat« ist Brodskijs Brief an Breschnew, nachdem dieser den Dichter am 4. 6. 1972 gegen dessen Willen nach Wien hat ausfliegen lassen, deutsch im *Kölner Stadt-Anzeiger* v. 28. 7. 1972 gedruckt worden.

323. 8 *Jewgenija Ginsburg bis Woinowitsch und Kornilow]* Jewgenija Ginsburg (1904–1977), russ. Historikerin und Schriftstellerin, deren Memoiren (dt. unter den Titeln *Marschroute eines Lebens* und *Gratwanderung*) in der SU nicht herauskommen konnten und im Untergrund zirkulierten; erste Ausgaben in russ. Sprache erschienen 1967 in Frankfurt/M. und Mailand. – Wladimir Nikolajewitsch Woinowitsch (geb. 1932), russ. Schriftsteller und Satiriker; bekanntestes Werk ist der Schelmenroman *Die denkwürdigen Abenteuer des Soldaten Iwan Tschonkin* (entstanden zwischen 1963–1970; dt. 1975), wegen dessen beißender Kritik am Stalinismus Woinowitsch 1974 aus dem sowjet. Schriftstellerverband ausgeschlossen und 1981 dann ausgebürgert wurde. – Wladimir Kornilow (1918–2002), russ. Schriftsteller und Lyriker, Ausschluß aus dem sowjet. Schriftstellerverband 1977, dem Jahr, in dem auch der Roman *Ohne Arme, ohne Beine* auf Deutsch erschienen ist.

⟨Die Faust, die weinen kann⟩

Entstehung

Bölls Rezension trägt im Arbeitsbuch die Signatur »436/76«; sie ist vermutlich Ende August 1976 in Langenbroich entstanden (*AB* II, Bl. 49; NE). Das Manuskript des Buches wurde Böll durch den S. Fischer-Verlag bereits Ende März zugeschickt (vgl. HA 1326–PEB Bd. 11, Nr. 18729); Böll bedankte sich bei Monika Schoeller vom Fischer-Verlag in einem Brief vom 12. 4. 1976: »ich habe«, so beginnt der Brief, »das Manuskript von Reiner Kunze sofort und in einem Zug gelesen und finde, dass es – von einigen Äußerungen und Publikationen aus der ČSSR und UdSSR abgesehen – einen einmalig schrecklichen Einblick in die inneren Verhältnisse der DDR vermittelt, wie er von den versuchsweise ›liberalen‹ Autoren wie Plenzdorf nicht vermittelt werden kann« (HA 1326–278, Bl. 12). Am 6. 9. 1976 bedankte sich Rolf Michaelis von der *Zeit* für die Übersendung des Manuskripts der Rezension, die in der Buchmessenbeilage erscheinen soll (vgl. HA 1326–PEB Bd. 11, Nr. 19933). Am 30. 9. 1976 schickte Rainer Kunze einen Dankbrief an Böll (vgl. HA 1326–PEB Bd. 11, Nr. 20108).

Überlieferung

Typoskripte

TH[1]: Erstschr., 4 Bll.; erste unvollst. Entwürfe, am loR von Bl. 1 eh. Notiz »1. Version ungültig«.
(HA 1326–278, Bll. 1–4)

t[2]: Durchschr., 5 Bll.; Durchschr. der Druckvorlage für Z.
(HA 1326–278, Bll. 5–9)

Drucke

Z: *Die Zeit* (Hamburg). – 31. Jg., Nr. 39 (17. 9. 1976), ›Literaturbeilage‹, S. 17 u. d. T.: Reiner Kunzes Prosa: Die Faust, die weinen kann.

D[1]: *EE*, S. 366–369.

D[2]: *ESR* III, S. 394–397.

D[3]: *EAS* 6, S. 99–102.

Textgrundlage

Textgrundlage ist D².

Varianten

324. 23 *Kunzes Prosa]* Kunzes (vorerst im Westen erschienene) Prosa Z

Stellenkommentar

324. 4–5 *Reiner Kunze: Die wunderbaren Jahre]* Siehe Stellenkommentar zu 317. 5.

324. 6–8 *Ich war elf ... die wunderbaren Jahre]* Zitiert nach Reiner Kunze: *Die wunderbaren Jahre. Prosa.* Frankfurt am Main, Fischer, 1976, S. 26. – Truman Capote (1924–1984), amerik. Schriftsteller; *Die Grasharfe* erschien 1951 bzw. 1952 als dt. Ausgabe.

324. 31–325. 1 *Sie ist die Faust ... Metapher leben]* Kunze, 1976, S. 83.

325. 12–13 *ballistischen Vergleich]* Die Ballistik beschäftigt sich mit der Bewegung und der Flugbahn geschleuderter bzw. geschossener Körper; in der Kriminaltechnologie soll ein ballistischer Vergleich Aufschluß darüber geben, ob aufgefundene Kugeln aus ein und derselben Waffe abgeben worden sind, um so Waffe und Täter ausfindig machen zu können.

325. 22 *Wolf Biermann]* Siehe Stellenkommentar zu 346. 5.

325. 23 *Pasternak und Solschenizyn]* Boris Leonidowitsch Pasternak (1890–1960), sowjet. Schriftsteller und Übersetzer; Pasternaks avantgardistischer Lyrik wurde auf dem ersten sowjet. Schriftstellerkongreß jegliche Qualität abgesprochen; es folgten Diffamierungen und Publikationsverbote, als bekannt wurde, daß der systemkritische Pasternak, der vom damaligen KGB-Vorsitzenden Wladimir Semitschastny (1924–2001) öffentlich zum »Schwein« erklärt wurde, den Literaturnobelpreis erhalten sollte; zahlreiche Hetzkampagnen und Ausweisungsandrohungen veranlaßten Pasternak, die Ehrung 1958 abzulehnen; die im Ausland erfolgte Publikation seines Romans *Doktor Schiwago* zog den Ausschluß aus dem Schriftstellerverband nach sich. – Solschenizyn siehe Stellenkommentar zu 204. 2–3.

325. 24 *Gesindel]* Kunze, 1976, S. 44.

325. 25 *Gesindel]* Ebd.

325. 27 *Bei uns erscheint Gesindel?]* Ebd.

326. 4 *Wohin?]* Kunze, 1976, S. 38.

326. 4–6 *Er ist sich ... getrampt wäre]* Ebd.

326. 17 *21. August 1968]* Nach dem Einmarsch sowjet. und der mit der

SU verbündeten Truppen in der Nacht vom 20. auf den 21. 8. 1968 wurden die Reformbemühungen in der Tschechoslowakei, der sogenannte Prager Frühling, zerschlagen. – Während dieser Zeit hielt sich Heinrich Böll mit seiner Frau Annemarie (1910–2004) und ihrem Sohn René (geb. 1948) in Prag auf, nachdem sie einer Einladung des tschech. Schriftstellerverbandes gefolgt waren; seine Eindrücke schildert Böll in den Essays *Ein Brief aus Prag* und *Der Panzer zielte auf Kafka* (vgl. *KA*, Bd. 15).

326. 18–19 *welche Rolle Solschenizyns … gespielt hat]* Die neue, härtere Kulturpolitik von Leonid Breschnew (1906–1982), der 1964 das Amt des Generalsekretärs des ZK von Nikita Sergejewitsch Chruschtschow (1894–1971) übernommen hatte, sorgte zum ersten Mal im September 1965 für großes Aufsehen, als er die beiden Schriftsteller Julij Markowitsch Daniel (1925–1988) und Andrej Sinjawski (geb. 1925) inhaftieren ließ. Anfang 1966 wurden sie in Moskau zu 7 bzw. 5 Jahren verschärfter Haft in einem Arbeitslager verurteilt, weil sie im Ausland einige Werke veröffentlicht hatten, die als antisowjet. Propaganda interpretiert wurden. Internationale und auch nationale Protestwellen gegen die Repression politisch engagierter Intellektueller verbreiteten sich; in diesem Zusammenhang entstand auch ein offener Brief an die Delegierten des IV. Schriftstellerkongresses 1967 von Alexander Issajewitsch Solschenizyn (geb. 1918), der für erhebliche Resonanz sorgte und in zahlreichen Rundfunksendern verlesen wurde. 84 Schriftsteller unterschrieben diesen Brief und riefen zu Presse- sowie Zensurfreiheit auf. Zu einer öffentlichen Lesung und Diskussion während der Maitagung des Schriftstellerverbandes kam es allerdings nicht. Der Einmarsch in die Tschechoslowakei machte schließlich alle Reformbemühungen in der SU zunichte (siehe Stellenkommentar zu 326. 17).

326. 22–24 *Prager »Stücke« … Skácel]* Kunze übersetzt a. a. O. auf den Seiten 110–118 Gedichte der tschech. Schriftsteller Oldrich Mikulášek (1910–1982), Jirí Kolár (1915–2002), Antonín Bartušek (1921–1974), Ludvík Kundera (geb. 1920) und Jan Skácel (1922–1989).

326. 28–30 *Mit einemmal … eingefallen waren]* Kunze, 1976, S. 89.

327. 1–2 *nur ein Teil]* Kunze, 1976, S. 87.

327. 3 *an Stelle eines Nachworts]* Kunze, 1976, S. 119. Originalzitat: »Anstelle eines Nachworts«.

327. 7–9 *Hast du Hunger … erkundigt]* Kunze, 1976, S. 121.

327. 12–13 *Schreibst du's … im Leben ist?]* Ebd.

327. 24 *Beweggründe]* Stück aus Rainer Kunzes *Die wunderbaren Jahre*, worin sich ein Schüler, ein »Mitglied der Jungen Gemeinde«, erhängt, dabei eine Notiz mit einem Totenschädel sowie den Worten »Jesus Christus« hinterlassen hat; ein Pfarrer setzt sich erfolglos für die Teilnahme mehrerer Schüler bei der Beerdigung ein (siehe Kunze, 1976, S. 63).

327. 25 *Pfarrers Brüsewitz]* Oskar Brüsewitz (1929–1976), dt. Schuh-

macher und Pfarrer; von 1964–1969 besuchte Brüsewitz die Predigerschule in Erfurt und übernahm anschließend die Pfarrstelle in Droßdorf-Rippicha, das im Süden des heutigen Sachsen-Anhalt liegt, dort widmete er sich insbesondere der Arbeit mit Kindern und Jugendlichen; die Anfang der 1970er Jahre vom Bund evangelischer Kirchen in der DDR beschlossene Konzeption »Kirche im Sozialismus«, durch die eine gewisse Distanz zu den evangelischen Kirchen in Westdeutschland erreicht werden sollte, lehnte Brüsewitz ab; wegen seiner eigenwilligen Exegese des Evangeliums und wohl auch wegen der Ignoranz gegenüber bürokratischen Vorschriften sowie aufgrund zahlreicher, provokativer Plakataktionen verschärfte die Staatssicherheit, die Brüsewitz bereits seit Mitte der 1950er Jahre beobachtete, ihre Überwachungsmaßnahmen; die Lage verschärfte sich noch, als Brüsewitz im Sommer 1975 als Replik auf den SED-Slogan »Ohne Gott und Sonnenschein bringen wir die Ernte ein« mit einer Kutsche, auf der ein Spruchband mit der Aufschrift »Ohne Regen, ohne Gott, geht die ganze Welt bankrott« befestigt war, in die nahegelegene Kreisstadt Zeitz zog; im Juli des folgenden Jahres legte man Brüsewitz nahe, die Pfarrstelle zu wechseln, er stimmte zunächst zu; am 18. 8. 1976 fuhr er zur Zeitzer Michaeliskirche und brachte dort zwei Plakate an mit dem Spruch »Funkspruch an alle: Die Kirche in der DDR klagt den Kommunismus an! Wegen Unterdrückung in Schulen an Kindern und Jugendlichen«, darauf übergoß er sich mit Benzin und zündete sich an; 4 Tage später erlag er im Krankenhaus seinen Verletzungen.

327. 29–30 *Jesus Christus]* Kunze, 1976, S. 63.

327. 32–33 *Schülerwachdienst]* Ebd.

⟨Angst um Kim Chi Ha⟩

Entstehung

Dieser Aufruf ist im Oktober 1976 in Langenbroich geschrieben worden; er trägt in Bölls Arbeitsbuch die Signatur »446/76« (*AB* II, Bl. 50; NE). Am 20. 10. 1976 hatte Böll von Amnesty International Unterlagen zum Fall Kim Chi Ha erhalten (vgl. 1326–PEB Bd. 11, Nr. 20260). – Auch später noch hat sich Böll um die Freilassung des Inhaftierten bemüht; so gehörte er zum von Hans Kühner 1978 eingerichteten europäischen Komitee für die Freilassung von Kim Chi Ha, das sich mit offenen Briefen und anderen Aktionen an die Öffentlichkeit gewandt hatte. Zu diesem Komitee gehörten 1979 u. a. die Theologen Gollwitzer, Küng, Metz, Moltmann und Rahner sowie die Schriftsteller und Publizisten Carola Stern, Adolf Muschg und Luise Rinser (vgl. HA 1326-Resolutionen).

Überlieferung

Typoskripte

t: Durchschr., 3 Bll.; Durchschr. der Druckvorlage für Z.
(HA 1326–278, Bll. 17–19)

Drucke

Z: *Frankfurter Allgemeine Zeitung*. – 28. Jg., Nr. 231 (14. 10. 1976), S. 21.

D^1: *EE*, S. 381–383.

D^2: *ESR* III, S. 398–400.

D^3: *EAS* 6, S. 103–105.

Textgrundlage

Textgrundlage ist D^2.

Varianten

328. 20 *Chi Ha]* Kim Hi Cha Z

Stellenkommentar

328. 5 *Chi Ha]* Kim Chi-Ha (geb. 1941), südkorean. Schriftsteller, Verfasser von Lyrik, Erzählungen und Romanen; 1971–81 in Einzelhaft.

328. 21 *Cardenal]* Ernesto Cardenal (geb. 1925), nicaraguan. Priester, Literat und Politiker; Vertreter der Befreiungstheologie, stand in den Jahren vor dem Sturz der Somoza-Diktatur in engster Verbindung mit der sandinistischen Befreiungsbewegung FSLN.

328. 31 *Wonju]* In zwei Artikeln berichtet Marietta Peitz (»Wie die Lämmer unter Wölfen. Augenzeugenbericht. Die Ereignisse des 1. März und die Hintergründe« und »Kim Chi Ha«) in *Publik-Form*, Nr. 12, 18. 6. 1976, S. 3 f. über das Schicksal Kim Chi Has. – Daniel Tji Hak Soun (1921–1993) war seit 1965 Bischof von Wonju.

329. 4–5 *Tenhumberg, Döpfner, Schäufele]* Heinrich Tenhumberg (1915–1979), von 1969–1979 Bischof von Münster, Teilnehmer am Zweiten Vatikanischen Konzil; Julius August Kardinal Döpfner (1913–1976), Bischof von Würzburg und Berlin, Erzbischof des Erzbistums München und Freising; er war einer der vier Moderatoren des Zweiten Vatikanischen Konzils von 1962–1965; 1965 Vorsitzender der Dt. Bischofskonferenz. – Hermann Josef Schäufele (1906–1977), Erzbischof von Freiburg seit 1958, Teilnehmer am Zweiten Vatikanischen Konzil.

329. 6 *Teusch]* Joseph Teusch (1902–1976), unter Kardinal Frings Generalvikar.

329. 6 *Luise Rinser]* Unter dem Titel *Wenn die Wale kämpfen – Porträt eines Landes: Süd-Korea* erschien 1976 der Reisebericht Luise Rinsers (1911–2002), die im Jahre 1981 ein von der Kritik abgestraftes *Nordkoreanisches Reisetagebuch* (überarbeitet und erweitert 1983) vorgelegt hat.

329. 17 *Brief an die Priester]* Dieser Text ist abgedruckt in dem Band: *Kim Chi Ha*. Tübingen, Forum für Demokratie in Korea, 1976.

⟨Zeitbombe des Zweiten Weltkriegs⟩

Entstehung

Die Rezension ist in der zweiten Oktoberhälfte 1976 in Langenbroich entstanden; sie trägt im Arbeitsbuch die Signatur »445/76« (*AB* II, Bl. 50; NE). Am 29. 8. 1976 erhielt Böll ein Telegramm von Hellmuth Karasek, der anfragte, ob Böll nicht für den *Spiegel* eine Besprechung des Films schreiben könne (vgl. HA 1326–278, Bl. 30). Bereits am 17. 10. 1976 bedankten sich Volker Schlöndorff und Margarethe von Trotta brieflich für die Übernahme der Rezension im *Spiegel* – offenkundig eine Reaktion darauf, daß Böll den beiden diese Besprechung und den Tenor darin angekündigt hatte (vgl. HA 1326 – KS 62, Bl. 20248).

Überlieferung

Typoskripte

TH[1]: Erstschr., 2 Bll.; erster unvollst. Entwurf, am loR von Bl. 1 eh. Vermerk der Arbeitsbuchsigle »445/76« (= *AB* II, Bl. 50), darunter eh. Notiz »1. Version ungültig«.
(HA 1326–278, Bll. 20–21)

TH[2]: Erstschr., 3 Bll.; gegenüber TH[1] erweiterte, noch unvollst. Fassung, am loR von Bl. 1 eh. Notiz »2. Version ungültig«.
(HA 1326–278, Bll. 22–24)

t[3]: Durchschr., 4 Bll.; Durchschr. der Druckvorlage für Z.
(HA 1326–278, Bll. 25–28)

Drucke

Z: *Der Spiegel* (Hamburg). – 30. Jg., Nr. 44 (25. 10. 1976), S. 212–214.
D[1]: *EE*, S. 384–386.
D[2]: *ESR* III, S. 401–403.
D[3]: *EAS* 6, S. 106–110.

Textgrundlage

Textgrundlage ist D[2].

Stellenkommentar

331. 2 *Schlöndorffs ... »Der Fangschuß«] Der Fangschuß.* Film von Volker Schlöndorff (95 Min.). Eine dt.-fz. Gemeinschaftsproduktion der BIOSKOP-FILM, München und ARGOS FILMS, Paris. 1975. – Drehbuch: Geneviève Dormann, Margarethe von Trotta, Jutta Brückner. Nach dem Roman *Le coup de grâce* von Marguerite Yourcenar (d. i. Marguerite Antoinette Jeanne Marie Ghislaine Cleenewerck de Crayencour, 1903–1987). Mit Matthias Habich, Margarethe von Trotta, Mathieu Carriére, Valeska Gert u. a.

331. 7 *Joseph Roth]* Mit erstaunlicher Weitsicht hat Joseph Roth (1894–1939) die sich anbahnende Katastrophe des Weltrkiegs vorausgesehen; bereits unmittelbar nach Hitlers Ernennung zum Reichskanzler am 30. Januar 1933 bemerkt er in einem Brief an Stefan Zweig: »Inzwischen wird es Ihnen klar sein, daß wir großen Katastrophen zutreiben. Abgesehen von den privaten – unsere literarische und materielle Existenz ist ja vernichtet – führt das Ganze zum Krieg. Ich gebe keinen Heller mehr für unser Leben. Es ist gelungen, die Barbarei regieren zu lassen. Machen Sie sich keine Illusionen. Die Hölle regiert« (Joseph Roth: *Briefe 1911–1939*. (Hg.) Hermann Kesten. Köln 1970, S. 249).

332. 38 *Krieges als »inneres Erlebnis«]* Anspielung auf einen frühen Essay von Ernst Jünger (1895–1998), *Der Kampf als inneres Erlebnis* (1922), worin Jünger seine kriegsapologetische Haltung darlegt: »Nicht wofür wir kämpfen, ist das Wesentliche, sondern wie wir kämpfen.« – Zu Jünger siehe auch *Das meiste ist mir fremd geblieben. Ernst Jünger zum 80. Geburtstag*, S. 100 ff. im vorliegenden Band.

333. 15–16 *Tag von Potsdam (21. März 1933)]* Früher wurde der 21. 3. 1933 auch »Tag der nationalen Erneuerung« genannt; es handelte sich um eine Inszenierung der Nazis anläßlich der Einberufung des neuen Reichstags in Potsdam nach Hitlers Machtergreifung.

333. 23 *Affären Fritsch und Blomberg]* Werner von Blomberg (1878–1946), Sohn eines Oberstleutnants, wurde schon 1910 in den Großen Generalstab berufen, nach dem Ersten Weltkrieg als Referent im Reichswehrministerium tätig. Nach seiner Berufung zum Reichskanzler ernannte Hitler Blomberg auf Empfehlung Hindenburgs zum Reichswehrminister bei gleichzeitiger Beförderung zum General. Durch die Heirat mit der ehemaligen Prostituierten Erna Gruhn (1913–1978) im Januar 1938 mißachtete

Blomberg jedoch die von ihm selbst verschärften Heiratsvorschriften und kompromittierte sich durch diese Affäre so stark, daß er seinen Rücktritt einreichen mußte und am 4. 2. 1938 schließlich von allen politischen Ämtern zurücktrat, der sogar – gemeinsam mit Werner Freiherr von Fritsch (1880–1939), ebenfalls einem hochrangigen Militär, ab 1935 Oberbefehlshaber des Heers und Generaloberst, dabei zugleich Kritiker von Hitler – aus der Wehrmacht entlassen wurde. Fritsch wurde in einer von Hermann Göring (1893–1946) und Heinrich Himmler (1900–1945) inszenierten Intrige der Homosexualität beschuldigt. Hitler nutzte geschickt diese Gelegenheiten aus, um sich der Kritiker seiner Kriegspläne zu entledigen und selbst den Oberbefehl über die Armee zu übernehmen, indem er das Kriegsministerium abschaffte und an dessen Stelle das Oberkommando der Wehrmacht unter Leitung von Wilhelm Keitel (1882–1946) schuf, das die Kriegsvorbereitungen widerspruchslos umsetzte.

⟨Unfreiheit – kein Sozialismus⟩

Entstehung

Diese Kolumne trägt im Arbeitsbuch die Signatur »443/76«; sie ist in Langenbroich im Oktober 1976 entstanden (*AB* II, Bl. 50; NE).

Überlieferung

Typoskripte

t: Durchschr.; 3 Bll., am loR von Bl. 1 eh. Vermerk der Arbeitsbuchsigle »443/76« (= *AB* II, Bl. 50; NE), darunter eh. Notiz »Okt. 76 Konkret-Kolumne für Nov. 76«.
(HA 1326 – 268, Bll. 32–34)

Drucke

Z: *Konkret* (Hamburg). – 22. Jg., Nr. 11 (28. 10. 1976), S. 14.
D[1]: *EE*, S. 387–389.
D[2]: *ESR* III, S. 404–406.
D[3]: *EAS* 6, S. 109–11.

Textgrundlage

Textgrundlage ist D[2].

Varianten

335. 29 *Mörder verteidigt]* Mörder verdächtigt Z

Stellenkommentar

335. 4 *Friderichs]* Hans Friderichs (geb. 1931), FDP-Politiker, 1972–1977 Bundesminister für Wirtschaft; danach 1978–85 Vorstandssprecher der Deutschen Bank; im Zusammenhang mit der Parteispendenaffäre im Febr. 1987 wegen Steuerhinterziehung zu einer Geldstrafe verurteilt.

335. 6 *Vogel (der Justizminister)]* Hans-Jochen Vogel (geb. 1926), SPD-Politiker, 1974–1981 Bundesminister der Justiz.

335. 23 *Schneider-Creuzot, an Krupp, an Örlikon]* Name von frz., dt. und schweiz. Stahlunternehmen, die vorwiegend für die Rüstungindustrie produzieren.

335. 24 *Skoda, Lockheed]* Name eines 1859 gegründeten Maschinenbaukonzerns in Pilsen (Tschechien), der seit 1866 den Namen Skoda trägt; ab den 80er Jahren des 19. Jhdts verlegte sich Skoda mehr und mehr auf die Rüstungstechnik und baute u. a. Kanonen; schließlich stieg Skoda zum größten Rüstungskonzern und zur Waffenschmiede der Habsburgischen Monarchie auf; nach dem Ersten Weltkrieg wurde der Konzern erweitert, es erfolgte 1925 die Fusion mit dem Automobilhersteller Laurin und Klement; nach dem Zweiten Weltkrieg wurde Skoda verstaatlicht und 1950 in sieben Betriebe aufgeteilt; nach der Wende 1989 Privatisierung und Umwandlung in eine Aktiengesellschaft. – Lockheed ist der Name eines 1912 gegründeten Luft- und Raumfahrtunternehmens (1995 mit Martin Marietta funsioniert); im Zweiten Weltkrieg Bau des Abfangjägers P–38 Lightning, des erfolgreichsten Militärflugzeugs, ab 1943 profilierte sich das Unternehmen durch geheime Entwicklungsarbeiten für diverse Militärflugzeuge; am Jahreswechsel 1975/76 wurde von einem Ausschuß des US-Senats ein Bestechungsskandal aufgedeckt: insgesamt 22 Mio. Dollar waren von Angehörigen der Lockheed-Geschäftsführung an Mitglieder befreundeter Regierungen bezahlt worden, um den Verkauf von Militärflugzeugen sicherzustellen.

335. 25 *Urteil des Areopag]* Heutzutage das oberste Zivil- und Strafgericht Griechenlands.

335. 33 *Herstatt-Knacker]* Siehe Stellenkommentar zu 258. 20.

336. 7 *Pohle]* Rolf Pohle (1942–2004), Pohle gehörte der APO an und war Asta-Vorsitzender in München; 1974 wurde er wg. Mitgliedschaft in einer kriminellen Vereinigung, was er stets abstritt, sowie illegalen Waffenbesitzes und Unterstützung der Roten Armee Fraktion zu sechseinhalb Jahren verurteilt; er wurde dann im März 1975 neben anderen im Austausch gegen den entführten CDU-Politiker Peter Lorenz entlassen und in den Südjemen ausgeflogen; 1976 wurde Pohle erneut in Griechenland, wo er inzwischen lebte, verhaftet, ausgeliefert und in der Bundesrepublik erneut bis 1982 inhaftiert.

336. 18 *Spranger]* Carl-Dieter Spranger (geb. 1939), dt. Jurist und CSU-Politiker; 1968 Staatsanwalt, 1977 Zulassung zum Rechtsanwalt; seit 1977 Mitglied des Landesvorstands der CSU; in der 8. Wahlperiode Obmann der CDU/CSU-Fraktion im Innenausschuß und stellvertretender Vorsitzender des Arbeitskreises Rechts- und Innenpolitik der CDU/CSU.

336. 20 *Maihofer]* Werner Maihofer (geb. 1918), dt. Rechtswiss. und Rechtsphilosoph, Politiker (FDP), von 1972 bis 1974 Bundesminister für besondere Aufgaben, von 1974 bis 1978 Bundesminister des Innern.

336. 20 *Winterreise]* Anspielung auf das Gedicht »Der Lindenbaum« des romantischen Schriftstellers Wilhelm Müller (1794–1827), das in der Vertonung von Franz Schubert (1797–1828) als fünftes Lied des aus 24 Liedern bestehenden Zyklus *Winterreise* bekannt geworden ist. Die dritte Strophe des Gedichts lautet: »Die kalten Winde bliesen/ Mir grad ins Angesicht;/ Der Hut flog mir vom Kopfe,/ Ich wendete mich nicht.«

336. 22 *Dregger]* Alfred Dregger (1920–2002), dt. Politiker (CDU), seit 1969 im Bundesvorstand der CDU, Vertreter des nationalkonservativen Flügels, von 1977 bis 1983 Stellvertretender Bundesvorsitzender der CDU.

336. 25 *Carstens]* Karl Carstens (1914–1992), dt. Politiker (CDU), von 1976 bis 1979 Präsident des Dt. Bundestages, von 1979 bis 1984 Bundespräsident.

336. 29 *Boenisch]* Peter Boenisch (1927–2005), dt. Journalist, seit 1961 Chefredakteur der *Bild*-Zeitung, von 1965 bis 1979 Chefredakteur der *Bild am Sonntag*, von Juli 1978 bis März 1981 leitete er die Chefredaktion von *Die Welt*; Boenisch war in den Wahlkämpfen 1976, 1980 und 1984 persönlicher Berater Helmut Kohls.

336. 30 *Kremp]* Herbert Kremp (geb. 1928), dt. Journalist und Publizist; Chefredakteur der *Rheinischen Post* und der *Welt*, wo er zwischen 1969 und 1985 dreimal den Posten des Chefredakteurs innehatte und – in der Nachfolge Matthias Waldens – 1985 auch ihr Herausgeber war.

336. 30 *Löwenthal]* Gerhard Löwenthal (1922–2002), dt. Journalist, von 1969 bis 1987 Moderator des konservativen ZDF-Magazins; erklärter Gegner der Entspannungspolitik, von 1977 bis 1994 Vorsitzender der konservativen Deutschland-Stiftung.

336. 37 *Biedenkopf]* Kurt H. Biedenkopf (geb. 1930), Jurist, Wirtschaftswissenschaftler, Politiker (CDU), in den 1960er Jahren Gründungsrektor der Ruhr Universität Bochum; von 1973 bis 1976 Generalsekretär der CDU.

⟨Kein schlechter Witz⟩

Entstehung

Diese Besprechung trägt in Bölls Arbeitsbuch die Signatur »448/76«; sie ist Ende Oktober 1976 in Langenbroich entstanden (*AB* II, Bl. 50; NE), nachdem Böll am 27. 10. 1976 von Hans-Christoph Blumenberg (geb. 1947) von der *Zeit*-Redaktion Material zum und über den Chaplin-Film erhalten hatte (vgl. HA 1326–PEB Bd. 11, Nr. 20310). Am 4. 11. 1976 erhielt Böll Blumenbergs Dank für die Besprechung (vgl. HA 1326–PEB Bd. 11, Nr. 20375).

Überlieferung

Typoskripte

T[1]: Erstschr.; 3 Bll.; unvollst. erster Entwurf, am loR von Bl. 1 eh. Vermerk der Arbeitsbuchsigle »448/76« (= *AB* II, Bl. 50; NE), darunter noch »ungültige Version«.
(HA 1326–278, Bll. 41–43)

t[2]: Durchschr.; 4 Bll.; Durchschr. der Druckvorlage für Z.
(HA 1326–278, Bll. 44–47)

Drucke

Z: *Die Zeit* (Hamburg). – 31. Jg., Nr. 46 (5. 11. 1976), S. 43.
D[1]: *EE*, S. 390–392.
D[2]: *ESR* III, S. 407–409.
D[3]: *EAS* 6, S. 112–114.

Textgrundlage

Textgrundlage ist D[2].

Stellenkommentar

338. 2 *Chaplins ... »König in New York«]* »A King in New York«, Buch, Regie und Musik Charles Chaplin. Attica Film Company, England 1957. In dieser Satire setzt sich Chaplin kritisch mit dem McCarthyismus der 1950er Jahre auseinander.

338. 12 *McCarthyismus]* Benannt nach dem republ. Senator Joseph R. McCarthy (1908–1957), der als Vorsitzender des amerik. Senatsausschusses für »unamerikanische Umtriebe« in der ersten Hälfte der 50er Jahre des 20. Jh. eine beispiellose antikommunistische Hexenjagd betrieben hat.

338. 13–14 *Debatten im Bundestag über unsere innere Sicherheit]* Anspielung Bölls auf die im Anschluß an die Verhaftung von Andreas Baader, Holger Meins und Jan-Carl Raspe am 1. 6. 1972 im Bundestag stattgefundene Debatte über Innere Sicherheit; vgl. dazu den *Spiegel*-Artikel »Zucker vor der Hoftür« (Nr. 25, 12. 6. 1972, S. 31 f.).

340. 14 *Chaplins Autobiographie]* Gemeint ist: Charles Chaplin: *Die Geschichte meines Lebens*. Frankfurt, Fischer, 1964.

⟨Vergebliche Suche nach politischer Kultur⟩

Entstehung

Diese Rezension trägt in Bölls Arbeitsbuch die Signatur »450/76«; sie ist in Köln im November 1976 geschrieben worden (*AB* II, Bl. 51; NE). Unter dem Datum vom 16. 7. 1976 schrieb Max Fürst an Böll und kündigte diesem die Übersendung seines neuen Buches an. Böll – mitten in der Lektüre des Buches – antwortete am 4. 10. 1976, daß ihn »das ganze Buch« »bewegt« habe: »Ich werde es auch wieder ›besprechen‹ (das Wort ist ja doppeldeutig!) für die SZ, hoffe ich [...]« (HA 1326-Ablage Böll 1976); am 13. 9. 1976 erfolgte dann auch die Anfrage der *Süddeutschen Zeitung* (vgl. HA 1326–PEB Bd. 11, Nr. 20009).

Überlieferung

Typoskripte

T^1: Erstschr.; 3 Bll.; unvollst. erster Entwurf, am loR von Bl. 1 eh. Vermerk der Arbeitsbuchsigle »450/76« (= *AB* II, Bl. 51; NE), darunter eh. Datum »Nov. 76«.
(HA 1326–278, Bll. 96–98)

t^2: Durchschr.; 5 Bll.; Durchschr. der Druckvorlage für Z, am loR von Bl. 1 eh. Vermerk der Arbeitsbuchsigle »450/76« (= *AB* II, Bl. 51; NE), darnter eh. Datum »Nov. 76«.
(HA 1326–278, Bll. 99–103)

Drucke

Z: *Süddeutsche Zeitung* (München). – 32. Jg., Nr. 270 (20./21. 11. 1976), S. 94 u. d. T.: Vergebliche Suche nach politischer Kultur. Max Fürsts Erinnerungen an die schwierigen zwanziger Jahre.

D^1: *EE*, S. 393–396.

D^2: *ESR* III, S. 410–413.

D^3: *EAS* 6, S. 115–118.

Textgrundlage

Textgrundlage ist D².

Varianten

341. 31 *»asozial«]* »sozial« Z

Stellenkommentar

341. 4 *Max Fürsts Erinnerungen]* Die Autobiographie von Max Fürst (1905–1978) erschien in zwei Bänden: *Gefilte Fisch und wie es weiterging* (1973) und *Talisman Scheherezade* (1976). Fürst war 1920 Mitglied – gemeinsam mit seinem Jugendfreund Hans Litten (1903–1938) – in einer dt.-jüd. Jugendgruppe, wo er auch seine spätere Frau Margot Meisel kennenlernte; nach dem Schulabbruch absolvierte Fürst eine Tischlerlehre; 1933/34 in Gestapohaft im KZ Oranienburg, 1935 Auswanderung nach Palästina, jedoch 1950 Rückkehr in die Bundesrepublik; gemeinsam mit dem Künstler und Holzschnitzer HAP Grieshaber Tätigkeit in der Bernsteinschule, einer privaten Kunstschule, später dann bis zum Tod Arbeit als Tischler und Möbelrestaurator in Stuttgart. – Unter dem Titel *Ich glaube, meine Erinnerung liebt mich* hatte Böll 1973 bereits den ersten Band von Fürsts Autobiographie für die *Süddeutsche Zeitung* besprochen (*KA*, Bd. 18, S. 235–238).

342. 10 *Radikalenerlaß oder Extremistenbeschluß]* Siehe Stellenkommentar zu 15. 34–35.

342. 29 *Hans Litten]* Der Rechtsanwalt und Strafverteidiger Hans Litten (1903–1938) war insbesondere als Anwalt von NS-Gegnern und Repräsentanten der Arbeiterbewegung bekannt und den Nazis ein Dorn im Auge; nach der Machtergreifung wurde Litten in Schutzhaft genommen, kam u. a. ins KZ Sonnenburg und Zuchthaus Brandenburg, wo er – ebenso wie der anarchistische Schriftsteller Erich Mühsam – schwer mißhandelt wurde; Litten erhängte sich im KZ Dachau am 5. 2. 1938.

343. 9 *Schüler-Union]* Am 2. 7. 1972 auf Initiative des damaligen Vorsitzenden der Jungen Union, des Jugendverbands der CDU, Matthias Wissmann (geb. 1949), gegründete Vereinigung von Schülern – als »Protestorganisation gegen die linke Studentenrevolte«, wie die Presse seinerzeit titelte –; bis Anfang der 80er Jahre zählte die SU rd. 45 000 Mitglieder.

343. 10 *Freien Deutschen Autorenverband]* Abgekürzt FDA, am 23. Februar 1973 in München gegründeter Schriftstellerverband, als die bis

dahin einheitliche Berufsvertretung, der Verband deutscher Schriftsteller (VS), sich auflöste und ein Teil der Mitglieder sich der Industriegewerkschaft Druck und Papier anschloß; der FDS sieht sich in der Tradition des »Schutzverbandes Deutscher Schriftsteller« aus der Weimarer Republik.

344. 31–34 *Max Fürsts Frau … Margot]* Margot Fürst, geb. Meisel (1912–2003).

⟨Hier muß er leben, dort gehört er hin⟩

Entstehung

Dieses Statement trägt in Bölls Arbeitsbuch die Signatur »457/76«; es ist am 16. 11. 1976 in Köln verfaßt worden (*AB* II, Bl. 52; NE). Am selben Tag sind noch ein *Tagesschau*-Interview sowie ein *WDR*-Interview mit Klaus Bresser zur Ausbürgerung Wolf Biermanns gesendet worden, was Böll ebenfalls in seinem Arbeitsbuch vermerkt hat (*AB* II, Bl. 52; NE).

Überlieferung

Typoskripte

TH: Erstschr.; 4 Bll.; Erstschr., deren Textstand der Druckfassung von Z entspricht, am loR von Bl. 1 eh. Vermerk der Arbeitsbuchsigle »457/76« (= *AB* II, Bl. 52; NE), darunter noch »Nov. 76«, mittig eh. Titel »Hier oder Dort. Heimweh nach der DDR«.
(HA 1326–228, Bll. 104–107)

Drucke

Z: *Der Stern* (Hamburg). – 29. Jg., Nr. 49. (25. 11. 1976), S. 26.
D[1]: *ESR* III, S. 414–415.
D[2]: *EAS* 6, S. 119–120.

Textgrundlage

Textgrundlage ist D[1].

Stellenkommentar

346. 5 *Biermann]* Wolf Biermann, dt. Liedermacher und Lyriker; 1976 wurde Biermann von der IG Metall zu einer Konzertreise in die Bundesre-

publik eingeladen, wofür ihm auch die Ostberliner Behörden die Reisegenehmigung erteilten. Das erste Konzert fand am 13. November 1976 in der Kölner Sporhalle statt und wurde live vom Dritten Programm des *WDR* übertragen. Dieses Konzert, auf dem Biermann z. T. die Politik der DDR kritisierte, diente dem Politbüro der SED als Vorwand für die Ausbürgerung »wegen Verletzung der staatsbürgerlichen Pflichten«, wie die Nachrichtenagentur ADN am 16. 11. 1976 verbreiten ließ

346. 18–19 *Reiner Kunze]* Zu Rainer Kunze siehe *Die Faust, die weinen kann*, S. 324 ff. im vorliegenden Band.

346. 27 *im Hölderlinschen Sinn]* Anspielung Bölls auf eine Passage aus Friedrich Hölderlins Roman *Hyperion* (1799) (Hyperion an Bellarmin LVIII), an der es heißt: »Ein Fremdling bin ich, wie die Unbegrabnen, wenn sie herauf von Acheron kommen, und wär ich auch auf meiner heimatlichen Insel, in den Gärten meiner Jugend, die mein Vater mir verschließt, ach! dennoch, dennoch, wär ich auf der Erd ein Fremdling und kein Gott knüpft ans Vergangne mich mehr.«

⟨In Sachen Michael Stern⟩

Entstehung

Dieser offene Brief ist am 25. 11. 1976 in Langenbroich geschrieben worden und trägt im Arbeitsbuch die Signatur »463/76« (*AB* II, Bl. 53; NE). Bereits mit Datum vom 31. 1. 1976 wandten sich Jean-Paul Sartre und Simone de Beauvoir in einem Brief an Heinrich Böll mit der Bitte, sich für den Endokrinologen Dr. Michael Stern einzusetzen, der zu acht Jahren Zwangsarbeit verurteilt worden sei, nachdem er sich dem Ausreisewunsch aus der UdSSR seines Sohns nicht widersetzt hatte (vgl. HA 1326–278, Bl. 129). Am 16. 2. 1976 bedankte sich Beauvoir bei Böll für dessen prompte Antwort auf den Aufruf zur Befreiung für Stern (HA 1326–278, Bl. 120).

Hintergrund

In einem Artikel unter dem Titel »Nach der Logik der Unmenschlichkeit« für die *Süddeutsche Zeitung* (10./11. 1. 1976) berichtet Sterns Sohn August über den Prozeß gegen seinen Vater. Darin heißt es: »Am 11. Dezember 1974 begann in der ukrainischen Stadt Winniza, in der Kommunistischen Straße 2, vor dem Gebietsgericht das Gerichtsspektakel gegen meinen Vater, den Arzt Dr. Michail Stern. Das Verfahren fand statt, nachdem mein Vater sechs Monate unter ›Strengem Regime‹ in der Kellerzelle des Winnizaer Gefängnisses verbracht hatte; es fand statt, nachdem 25 Untersuchungsbeamte mehr als 2000 frühere Patienten meines Vaters verhört hatten, um jene herauszufinden, die einwilligten, unwahre Angaben zu machen. Gleichzeitig wurde die gesamte Repressions- und Propagandamaschine in Schwung gebracht mit dem Ziel, den redlichen Namen eines Arztes anzuschwärzen und zu verleumden. Wie Küchenschaben krochen durch die Stadt und weit über ihre Grenzen grausame Gerüchte über den Giftmischer-Arzt und Spion, der sowjetische Kinder vergiftete und dafür auch noch Geld aus dem Ausland erhielt. – Es ist undenkbar zu glauben, daß nach 30 Jahren selbstloser Arbeit auf dem Gebiet der Medizin, als deren Resultat Tausende von Menschen zu einem normalen Leben in Gesundheit zurückkehren konnten, die Behörden daran gehen werden, solche ungeheuerlichen Beschuldigungen zu erheben, die an die schändliche Ärzte-Affäre des Jahres 1952 in Moskau erinnert. Aber die sowjetische Provinz lebt nach ihren besonderen, von Moskau, Leningrad und anderen großen Städten verschiedenen Gesetzen. Während des Krieges war in Winniza Hitlers Hauptquartier. Allmählich kann man denken, daß sich dort bis auf den heutigen Tag nichts geändert hat. [...]. – Dem Menschen im Westen ist es wahrscheinlich unmöglich, sich vorzustellen, was es für einen Sowjetbürger bedeutet, den Kampf mit der gut arbeitenden Maschine des KGB (Sicherheitsdienst) aufzunehmen. Was können wir dem Untersuchungsrichter Krawtschenko entgegensetzen, der das Verhör meines Vaters auch während einer Kehlkopfblutung fortsetzte? Wie können wir, ohne Zugang zur Presse, auf das ungesetzliche Zirkular des Gesundheitsministers der Ukraine, Bratus, antworten, das lange vor Beginn des Gerichtsverfahrens an alle medizinischen und andere Einrichtungen der Ukraine verteilt und in dem mein Vater schon zum Verbrecher gestempelt wurde? Was können wir der Tätigkeit des Richters Orlowskij entgegenstellen, der nach der Verurteilung meines Vaters zu acht Jahren Haft im Lager unter verschärftem Regime das Protokoll der Gerichtssitzung abgeändert hat, um die fabrizierte Version der Anklage aufrechtzuerhalten, die im Verlauf der Gerichtsverhandlung völlig zusammengebrochen war? – Ja, die Anklage zerschellte, fast alle ›Zeugen‹ verweigerten die ›Aussagen‹, die sie in der Voruntersuchung gemacht hatten, und ungeachtet moralischen und physischen Drucks bekannte sich mein Vater als nicht schuldig. In einer vierstündigen Rede wies der Verteidiger nach, daß nur ein Freispruch der Wahrheit entsprechen würde. Das alles ging wirklich im Gerichtssaal vor sich. Nicht die juristische Logik der Unmenschlichkeit, der grausame Versuch, den Menschen zu verleumden, das ist der wirkliche Beweggrund für diesen schändlichen Prozeß gewesen, den Andrej Sacharow eine ›neue Affäre Dreyfus‹ genannt hat. – Die Verhaftung und anschließende Verurteilung meines Vaters erfolgte unmittelbar nachdem er sich geweigert hatte, meine Ausreise aus der Sowjetunion zu verbieten. Eine Handlung, die in jeder zivilisierten Gesellschaft als elementare menschliche Ehrlichkeit betrachtet werden müßte, qualifiziert das KGB als schweres Verbrechen, und auf ein Zeichen des Zauberstabs tauchen in der Staatsanwaltschaft des Gebiets Winniza sofort ›freiwillige‹ Erklärungen von Bürgern auf und liefern die Begründung für die Festnahme meines Vaters am 29. Mai 1974.«

Überlieferung

Typoskripte

T[1]: Erstschr.; 1 Bl.; erster Entwurf.
(HA 1326–278, Bl. 110)

t[2]: Durchschr.; 1 Bl.; am roR von Bl. 1 eh. Vermerk der Arbeitsbuchsigle »463/76« (= *AB* II, Bl. 53), darunter eh. Datum »Nov. 76«.
(HA 1326–278, Bl. 111)

Drucke

Z: *Frankfurter Allgemeine Zeitung*. – 28. Jg., Nr. 270 (30.–11.1976), S. 21 u. d. T.: »Böll an Breschnew. In Sachen Michael Stern«.

D[1]: *ESR* III, S. 416.

D[2]: *EAS* 6, S. 121.

Textgrundlage

Textgrundlage ist D[1].

Stellenkommentar

348. 3 *Leonid Breschnew]* Leonid Iljitsch Breschnew (1906–1982), von 1964 bis zu seinem Tod Parteichef der KPdSU.

348. 5 *Beauvoir]* Simone de Beauvoir (1908–1986), frz. Schriftstellerin, Philosophin und einflußreiche Feministin, mit Sartre seit 1929 liiert.

348. 6 *Sartre]* Jean-Paul Sartre (1905–1980), frz. Schriftsteller und Philosoph, Mitbegründer des Existenzialismus (*L'Etre et le néant*, 1943).

348. 8 *Stern]* Michael Stern (geb. 1918), ukrain. Arzt und Endokrinologe, der am 31. 12. 1974 zu acht Jahren Lagerhaft verurteilt wurde; am 22. 3. 1977 meldete der Rundfunk (*Schweizer Rundfunk – DRS*), daß der Arzt Stern aus der Haft entlassen worden sei, wofür die sowjet. Behörden vor allem das fortgeschrittene Alter und den Gesundheitszustand geltend machten. Damit reagierten die Behörden auf den äußeren Druck des Komitees zur Freilassung Sterns.

⟨Bis daß der Tod Euch scheidet⟩

Entstehung

Diese Erzählung trägt in Bölls Arbeitsbuch die Signatur »406/76«; Böll hat über einen längeren Zeitraum daran gearbeitet, die erste Fassung ist im Januar 1976 in Langenbroich entstanden, eine zweite Fassung ist auf Juli 1976 datiert, eine dritte ist am 4. 10. 1976 fertiggestellt worden, die Vorlage für die Druckfassung ist ebenfalls auf Oktober 1976 datiert (*AB* II, Bl. 43; NE).

Überlieferung

Typoskripte

Th[1]: Erstschr.; 8 Bll.; erster unvollst. Entwurf, eh. pag. Bll. 1–8; am loR von Bl. 1 eh. Vermerk der Arbeitsbuchsigle »406/76« (= *AB* II, Bl. 43; NE), darunter eh. Notiz »Jan. 76« sowie der Hinweis »1. Version ungültig«. Die Erzählung trägt hier noch die Überschrift »ein anderer Mensch«.
(HA 1326–229, Bll. 87–94)

tH[2]: Durchschr.; 12 Bll.; gegenüber Th[1] erweiterte und überarbeitete Fassung, eh. Titel »Bis daß der Tod Euch scheidet«; am loR von Bl. 1 eh. Vermerk der Arbeitsbuchsigle »406/76« (= *AB* II, Bl. 43; NE), darunter eh. Notiz »2. Version ungültig Juli 76«.
(HA 1326–229, Bll. 95–106)

Th[3]: Erstschr.; 12 Bll.; gegenüber tH[2] geringfügig überarbeitete Fassung (ohne Titel); am loR von Bl. 1 eh. Vermerk der Arbeitsbuchsigle »406/76« (= *AB* II, Bl. 43; NE), darunter eh. Notiz »3. Version ungültig 4. 10. 76«.
(HA 1326–229, Bll. 107–118)

t[4]: Durchschr.; 10 Bll.; Durchschr. (gelbes Papier) der Druckfassung, am loR von Bl. 1 eh. Vermerk der Arbeitsbuchsigle »406/76« (= *AB* II, Bl. 43; NE).
(HA 1326–229, Bll. 119–128)

Drucke

Z: *L 76* (Köln, Frankfurt/M.). 1976, Nr. 2 [November], S. 84–91.
D[1]: *WA* 5, S. 504–512.
D[2]: *Du fährst zu oft nach Heidelberg und andere Erzählungen*. Bornheim-Merten: Lamuv, 1979, S. 41–49.
D[3]: *Du fährst zu oft nach Heidelberg und andere Erzählungen*. München: dtv, 1981, S. 40–49.

Textgrundlage

Der Textabdruck erfolgt nach D[1].

Varianten

350. 14 *sichtbarlich]* sichtbar D[2],D[3]
353. 10 *machen, und]* machen und D[2], D[3]
355. 21–22 *Ja natürlich]* Ja, natürlich D[2], D[3]
356. 37 *Nein sie konnte]* Nein, sie konnte D[2], D[3]

Stellenkommentar

350. 36–37 *sechs Louis]* Möglicherweise ist hier der Louis-seize-Stil gemeint, eine Stilrichtung, die insbesondere ausgeprägt in der Architektur und Innenarchitektur des 18. Jahrhunderts gewesen ist; besonders markant ist der sog. Louis-seize-Stuhl mit seinen kannelierten, d. h. ausgefurchten Beinen.

351. 3 *das Meißner]* Durch die besondere Handbemalung der Porzellan-Stücke ist das Meißener Porzellan seit jeher teuer und gilt als exklusiv.

351. 9 *Salomon]* Anspielung auf die Bibelstelle 1 Kön. 3, 16–28.

355. 19 *schuldig war ich auch]* Vor der Änderung des Scheidungsrechts in der Bundesrepublik 1977, das in seiner neuen Fassung mit den Sätzen beginnt: »Die Ehe wird auf Lebenszeit geschlossen. Sie kann geschieden werden, wenn sie gescheitert ist«, galt das Schuldprinzip, das dann durch das Prinzip der Zerrüttung ersetzt worden ist. Die Kellnerin spielt an dieser Stelle also darauf an, daß sie – gemäß dem alten Scheidungsrecht – schuldig geschieden worden ist.

⟨Offene Briefe⟩

Entstehung

Dieser offene Brief trägt im Arbeitsbuch die Nummer »437/76«; er ist am 2. September in Langenbroich geschrieben worden (*AB* II, Bl. 49; NE). – Am 5. 8. 1976 wurde in der *Welt* ein zunächst von der frz. Tageszeitung *Libération* gedruckter Appell poln. Intellektueller an die Weltöffentlichkeit veröffentlicht, gegen die Verurteilung poln. Arbeiter zu protestieren, die in Warschau und Radom an Demonstrationen gegen massive Preiserhöhungen in Polen teilgenommen hatten. In diesem von Schriftstellern, Wissenschaftlern und Schauspielern unterzeichneten Text heißt es u. a.: »Wir betrachten es als unsere Pflicht, uns jenen entgegenzustellen, welche die Arbeiterproteste gegen die ungerechte Sozialpolitik und gegen die autoriären Methoden der Staatsmacht als Akte von Rowdytum qualifizieren. Man muß mit Nachdruck festellen, daß die Verantwortung für die Rechtsverletzungen während der Ereignisse bei Usus und in andern Städten Polens auf das Regime zurückfällt, welches die Formen der Arbeiterdemokratie abgeschafft, die Arbeiterräte, welche im Oktober 1956 eingerichtet wurden, reduziert und die Gewerkschaften in einen toten und fiktiven, dem Machtapparat unterstellten, Organismus verwandelt haben. Wir sind der Auffassung, daß es zur Vermeidung solcher dramatischer Ereignisse notwendig ist, den Arbeitern die ihnen zustehenden Rechte zu gewähren und nicht bei der Repression Zuflucht zu suchen. – Der Kampf der polnischen Nation für diese Rechte, der sich auch im Verlauf zahlreicher Proteste gegen die Reform der Verfassung manifestierte, ist ein Kampf für den demokratischen Sozialismus. Wir sind uns der Tatsache bewußt, daß die polnische öffentliche Meinung nicht auf dem normalen Wege unsere Stimme hören kann, obwohl wir überzeugt sind, daß wir die Gefühle der Mehrheit der polnischen Gemeinschaft wiedergeben. Deshalb wenden wir uns, durch Vermittlung Ihrer Redaktion, an alle, die für die Rechte der Arbeiter kämpfen, welche ein integrierender Bestandteil der Menschenrechte sind. – Wir richten an Sie den folgenden Appell: Kommen Sie den in den Gefängnissen sitzenden polnischen Arbeitern zu Hilfe. Nach den Informationen, die wir aus den Gefängnissen erhalten, haben die Sicherheitsorgane physische Gewalt angewendet. Andererseits ist allgemein bekannt, daß jene Arbeiter, die verdächtigt werden, an den Demonstrationen teilgenommen zu haben, in Massen entlassen werden. Dies bedeutet für diese Menschen und ihre Familien eine Gefährdung ihrer materiellen Existenz.«

Überlieferung

Typoskripte

TH[1]: Erstschr.; 1 Bl.; am loR von Bl. 1 eh. Vermerk der Arbeitsbuchsigle »437/76« (= *AB* II, Bl. 49; NE), darunter »Sept.«, am roR eh. Datum »2. Sept. 76«.
(HA 1326–278, Bl. 36)

t[2]: Durchschr.; 1 Bl.; Durchschr. einer Reinschrift, die als Satzvorlage gedient hat.
(HA 1326–278, Bl. 37)

Drucke

Z: *L 76* (Köln/Frankfurt a. M.) – 1976, Nr. 2 (November), S. 189.

Textgrundlage

Textgrundlage ist Z.

Stellenkommentar

358. 4 *Dezember 1970]* Zwischen dem 14. und 22. 12. 1970 kam es, ausgelöst durch enorme Preiserhöhungen für Grundnahrungsmittel und alltägliche Bedarfsartikel, zu Streiks, Massenkundgebungen und Demonstrationen in vielen poln. Städten, vor allem in Gdynia, Gdansk und Szczenin; offiziell kamen dabei 45 Menschen um.

358. 7 *Gierek]* Eduard Gierek (1913–2001), poln. kommunistischer Politiker, seit seiner Jugend in der kommunistischen Bewegung, seit 1954 im ZK der poln. KP, wurde nach den Dezemberunruhen und dem Sturz des damaligen Parteichefs Wladyslaw Gomulka (1905–1982) zum 1. Sekretär der Partei; im Spätsommer 1980 – nach der Gründung der Gewerkschaftsbewegung Solidarnosc – Sturz Giereks, ein Jahr später dann auch noch Ausschluß aus der KP.

⟨Brokdorf und Wyhl⟩

Entstehung

In Bölls Arbeitsbuch trägt dieser kurze Essay die Signatur »452/76«; er ist im November 1976 in Köln geschrieben worden (*AB* II, Bl. 51; NE). Am 15. 10. 1976 schickte Günther Rühle von der *FAZ* einen Brief an Heinrich Böll, worin er den Schriftsteller ermunterte, einen Beitrag zur Frage der Werte und Wertediskussion für die Ausgabe der *FAZ* zu Weihnachten zu liefern; darin heißt es: »Die Diskussionen der letzten Jahre waren stark geprägt von Vorbehalt und Kritik an den überlieferten Wertvorstellungen. Das hatte zum Teil seine guten Gründe. Es stellt sich aber jetzt die Frage, ob und wie lange eine Gesellschaft mit dem neu gesetzten ›Wertbegriff‹ Kritik leben kann.« Unter dem Datum vom 23. 10. 1976 bestätigte Böll seine Mitarbeit (HA 1326–278, Bl. 134). Bölls Beitrag zu der von Rühle unter dem Titel »Die Fundamente unserer Gesellschaft. Haben sich unsere Wertvorstellungen geändert?« gefaßten Rundfrage kam neben Artikeln von Wissenschaftlern, Publizisten und Politikern wie Karl Popper, Hellmut Diwald, Johannes Gross, Helmut Schelsky, Golo Mann, Rainer Kunze, Peter Graf Kielmansegg, Hans Küng, Hans Sedlmayr, Rüdiger Bubner, Hans Maier, Wolfgang Harich, Kurt Biedenkopf und Niklas Luhmann zum Abdruck.

Überlieferung

Typoskripte

T^1: Erstschr.; 2 Bll.; unvollst. erster Entwurf, von Böll eh. am loR »1. Version ungültig.«
(HA 1326–278, Bll. 130–131)

t^2: Durchschr.; 2 Bll.; Durchschr., ohne Titel, am loR von Bl. 1 eh. Vermerk der Arbeitsbuchsigle »452/76« (= *AB* II, Bl. 51; NE).
(HA 1326–278, Bll. 132–133)

Drucke

Z: *Frankfurter Allgemeine Zeitung*. – 28. Jg., Nr. 291 (24. 12. 1976), ›Bilder und Zeiten‹.
D[1]: *ESR* III, S. 417 (unvollst.; nur Z. 359. 3–28).
D[2]: *EAS* 6, S. 122–123.

Textgrundlage

Der Textabdruck erfolgt nach D[2].

Varianten

359. 3 *Blut-und-Boden-Ideologie]* Blut- und Bodenideologie Z

359. 22–23 *einer der ... ärmer wird.]* und doch wird einer der reichsten Kontinente immer ärmer. ⌈ Z

359. 23–28 *In seinem Buch ... blutet aus.] Fehlt* Z

Stellenkommentar

359. 1 *Brokdorf und Wyhl]* Sowohl in Brokdorf (Kreis Steinburg in Schleswig-Holstein) als auch in Wyhl (Kreis Emmendingen in Baden-Württemberg) wurde in den 1970er Jahren der Bau von Kernkraftwerken geplant. In Brokdorf kam es Ende 1976, Anfang 1977, dann erneut Anfang 1981 zwischen der Polizei und den protestierenden Atomgegnern, der AKW-Nee-Bewegung, zu heftigen Auseinandersetzungen, was allerdings den Bau des Kernkraftwerks nicht aufhalten konnte; 1986 ging der Reaktor ans Netz. In Wyhl hingegen war ein 1974 gegr. Internationaler Ausschuß erfolgreich; 1975 mußte aufgrund eines Gerichtsbeschlusses das bereits begonnene Bauvorhaben eingestellt werden; die Landespolitiker zögerten die Wiederaufnahme des Bauvorhabens immer wieder hinaus, letzten Endes wurde 1995 der Bauplatz zum Naturschutzgebiet erklärt.

359. 3 *Blut-und-Boden-Ideologie]* Siehe Stellenkommentar zu 58. 22.

359. 10 *macht euch die Erde untertan]* Siehe Stellenkommentar zu 264. 37–38.

359. 22 *Guano]* Der Guano (indian.-span.) ist organischer Dünger, der aus den Exkrementen und dem Aas von Seevögeln besteht und sich an den Küsten Südamerikas sowie Afrikas findet.

359. 23–24 *Die offenen Adern Lateinamerikas gibt Eduardo Galeano]*

Eduardo Hughes Galeano (geb. 1940), urug. Publizist und Schriftsteller; in *Las venas abiertas de América* (1971; dt. *Die offenen Adern Lateinamerikas*), seinem Hauptwerk, schildert Galeano die Historie Lateinamerikas, insbesondere den Kolonialismus.

359. 33 *Metanoite]* Die Metanoia (griech. ›das Umdenken‹) bezeichnet im religiösen Sinn die innere Umkehr, die Buße, und geht auf die Predigt von Johannes dem Täufer und Jesus zurück (Matth. 3,2 und 4,17); im orthodoxen Glauben ist sie eine Kniebeugung, die bis zum Boden reicht, und in der Philosophie wird damit eine veränderte Lebenseinstellung, eine veränderte Weltsicht gemeint.

⟨Vorwort zu »Nacht über Deutschland«⟩

Entstehung

Dieser Essay trägt in Bölls Arbeitsbuch die Signatur »377/75«; er ist in Langenbroich im September 1975 entstanden (*AB* II, Bl. 39; NE). Vermutlich auf Anraten von Urs Widmer (geb. 1938), der in einem Brief an Clément Moreau einmal davon spricht, daß Böll wohl der geeignete Mann wäre, eine Art Vorwort zu einem – seinerzeit noch im Walter-Verlag (Olten und Freiburg) geplanten – Band mit Zeichnungen von Moreau beizusteuern (Brief Widmers an Moreau, 5. 7. 1965; HA 1326–278, Bl. 145), wandte sich Moreau zehn Jahre später brieflich an Böll, sich doch einmal die Bilderfolge »comedia humana« anzuschauen (vgl. Brief vom 3. 4. 1975, HA 1326–278, Bl. 143–144). Böll muß Moreau ein positives Zeichen gegeben haben, denn in einem Brief vom 25. 5. 1975 bedankte sich Moreau für Bölls Zusage (vgl. HA 1326-Erg. Nr. 18), einen Dank, den er am 2. 8. 1975, zugleich mit dem Dank für Bölls Rücksendung der Zeichnungen, wiederholte (HA 1326–278, Bll. 146–147).

Überlieferung

Typoskripte

tH: Durchschr.; 3 Bll.; Durchschr. der Druckvorlage für D^1, am loR von Bl. 1 eh. Vermerk der Arbeitsbuchsigle »377/75« (= *AB* II, Bl. 39), darunter eh. Datum »Oct. 75«.
(HA 1326–278, Bll. 140–142)

Drucke

D^1: Clément Moreau: *Nacht Über Deutschland. Mein Kampf*.- Zweiter Teil. 107 Linolschnitte aus den Jahren 1937–38. Eingeleitet vom Künstler und von Heinrich Böll. – Verlag der Neuen Münchner Galerie Dr. Hiepe, 1976 S. [5–6].

D^2: *ESR* III, S. 304–306.

D^3: *EAS* 6, S. 9–11.

Textgrundlage

Textgrundlage ist D². Korrigiert wurde

362. 31 *Hitler hieß]* Hitler heiß; *offensichtlicher Druckfehler, korr. nach* D¹

Stellenkommentar

361. 5–6 *Mein Kampf]* Hitlers Kampfschrift, während der Festungshaft in Landsberg geschrieben, erschien erstmals 1925, der zweite Teil dann 1926; seit 1930 wurde die nationalsoz. Programmschrift dann in einer einbändigen Volksausgabe herausgegeben, die bis 1943 in über 9 Mio. Exemplaren verbreitet wurde.

361. 22 *Schmitz]* Karl Schmitz, Deutschlehrer an Bölls Gymnasium in der Zeit von 1933 bis zur Schließung der Schule 1939; Böll kommt auch im achten Kapitel seines autobiographischen Textes *Was soll aus dem Jungen bloß werden* (*KA*, Bd. 21, S. 413 f.) auf seinen Deutschlehrer zu sprechen: »[...] ein Mensch von scharfer, witziger, ironischer Trockenheit (für manche Autoren zu trocken!).«

361. 30 *Clément Moreaus Illustrationen zu Mein Kampf]* Clément Moreau: *Mein Kampf*. 52 Karikaturen aus den Jahren 1937–1938. Ein Versuch, mit einem authentischen Text, die Entwicklung von Hitler zu zeigen. Eingeleitet von Max Frisch. München 1975. – Clément Moreau (= Carl Meffert, 1903–1988), nach schwerer Jugend im Erziehungsheim Flucht 1918, Anschluß an die revolutionäre Arbeiterbewegung, Haftstrafen, gefördert von Käthe Kollwitz, Anfang der 1930er Jahre in der Tessiner Kommune ›Fontana Maria‹, danach beinahe 30jähriges Exil in Argentinien, wo er u. a. Karikaturen und Comics für Zeitungen und Zeitschriften angefertigt hat, darunter auch »La Comedia humana« sowie eine Folge von Zeichnungen, in denen er den Weg Hitlers an die Macht gezeichnet hat; seit Anfang der 1960er Jahre in der Schweiz als Theaterzeichner und Lehrer an der Kunstschule St. Gallen tätig.

362. 26 *Polenmädchen]* Aus dem Volkslied »In einem Polenstädtchen«, Text und Musik von Martin Stonsdorf.

362. 36–37 *Auschwitz oder Treblinka]* Die KZs Auschwitz und Auschwitz-Birkenau sowie Treblinka, 1940 und 1941 bzw. 1942 gebaut, waren die größten nationalsozialistischen Vernichtungslager in Polen; vom Juli 1942 bis Oktober 1943 wurden in Treblinka, dem zuletzt errichteten KZ in Polen, rd. 750 000 Menschen umgebracht, in Auschwitz rd. 1 100 000.

Anhang

Siglen und Abkürzungen

Textsiglen

D	Druck
M	Manuskript
Mt	Materialsammlung Böll (Korrespondenz, Artikel etc.)
N	Notizen
T	Typoskript
t	Typoskriptdurchschrift
Ta	Typoskript Abschrift von fremder Hand
TH	eigenhändig überarbeitetes Typoskript
Th	von fremder Hand überarbeitetes Typoskript
tH	eigenhändig überarbeitete Typoskriptdurchschrift
SF	Sendung Fernsehen
SM	Sendemanuskript
SR	Sendung Rundfunk
TB	Ton-, Bildmaterial
Z	Zeitschriftendruck

Textkritische Zeichen

[xxx]	unleserlich
/	Zeilen-, Versgrenze
⌈	eingefügter Absatz
⌊	fehlender / getilgter Absatz

Im Apparat verwendete Abkürzungen

beschr.	beschrieben
beids.	beidseitig
Bl., Bll.	Blatt, Blätter
Dat.	Datum
dat.	datiert
Durchschr.	Durchschr.
Erstschr.	Erstschrift
eh.	eigenhändig Heinrich Böll
eingef.	eingefügt
gestr.	gestrichen
halbs.	halbseitig

hs.	handschriftlich von fremder Hand
korr.	korrigiert
Korr.	Korrektur(en)
loR	linker oberer Rand
roR	rechter oberer Rand
ruR	rechter unterer Rand
ma.	mittelalterlich
ms.	maschinenschriftlich
pag.	paginiert
r	recto
u.d.T.	unter dem Titel
unpag.	unpaginiert
unvollst.	unvollständig
v	verso
Vgl.	Vergleiche

Titelsiglen

Böll/Lenz	Siegfried Lenz: *Über Phantasie*: Gespräche mit Heinrich Böll, Günter Grass, Walter Kempowski und Pavel Kohout. Hrsg. von Alfred Mensak. – Hamburg: Hoffmann und Campe, 1982, S. 150–206.
EAS	Heinrich Böll: *In eigener und anderer Sache. Schriften und Reden 1952–1985*. 9 Bde (dtv, 10601–10609). München: Deutscher Taschenbuch Verlag, 1985. – Bd. 5: *Man muß immer weitergehen*. Schriften und Reden 1973–1975 (dtv; 10605); Bd. 6: *Es kann einem bange werden*. Schriften und Reden 1976–1977 (dtv; 10606).
EE	Heinrich Böll: *Einmischung erwünscht*. Schriften zur Zeit. Köln: Kiepenheuer & Witsch, 1977.
ESR	Heinrich Böll: *Werke. Essayistische Schriften und Reden 1–3*. Hg. von Bernd Balzer. Bd. 3: 1973–1978. Köln: Kiepenheuer & Witsch, [1979].
Fall Staeck	*Der Fall Staeck oder wie politisch darf Kunst sein?* Hg. von Ingeborg Karst. Mit Beiträgen von Heinrich Böll, Lothar Romain, Caroline Tisdall, Dieter Lattmann, Hans Arnold u.a. – Göttingen: Steidl Verlag, September 1975.
Fortschreibung	Viktor Böll/Markus Schäfer: *Fortschreibung*. Bibliographie zum Werk Heinrich Bölls. Köln: Kiepenheuer & Witsch, 1997.
Freies Geleit	Heinrich Böll: *Freies Geleit für Ulrike Meinhof. Ein Artikel und seine Folgen*. Zusammengestellt von Frank Grützbach. Mit Beiträgen von Helmut Gollwitzer, Hans G. Helms, Otto Köhler. Köln: Kiepenheuer & Witsch, 1972. (pocket; 36)
Int.	Heinrich Böll. *Werke. Interviews I 1961–1978*. Hg. von Bernd Balzer. Köln: Kiepenheuer & Witsch, [1979].

KA Heinrich Böll: *Werke. Kölner Ausgabe*. Köln: Kiepenheuer & Witsch, 2002 ff.

KB Heinrich Böll. *Briefe aus dem Krieg 1939–1945*. 2 Bde. Mit einem Vorwort von Annemarie Böll und einem Nachwort von J.H. Reid. Hg. und kommentiert von Jochen Schubert. Köln: Kiepenheuer & Witsch, 2002.

WA Heinrich Böll: *Werke. Romane und Erzählungen 1–5*. Hg. von Bernd Balzer. Köln: Kiepenheuer & Witsch, 1977.

Archivsiglen

HA Historisches Archiv der Stadt Köln
NE Nachlaß Erbengemeinschaft Heinrich Böll
SBA StadtBibliothek Köln – Heinrich-Böll-Archiv

Sonstige Abkürzungen

AB Arbeitsbuch Heinrich Böll
EK Einzelkorrespondenz
EK Einzelkorrespondenz/Ergänzung
PEB Posteingangsbuch

Personenregister

Recte gesetzte Ziffern verweisen auf direkte, in runde Klammern gesetzte Ziffern auf indirekte Personennennungen im Textteil. Kursive Ziffern beziehen sich auf den Apparat.

Abendroth, Wolfgang (1906–1985), dt. Politologe und Rechtswissenschaftler *528*

Achmatowa, Anna (1889–1966), russ. Schriftstellerin und Lyrikerin 307, *596*

Adenauer, Konrad (1876–1967), dt. Politiker (CDU) 32, 99, 120, 208, 304, *370*, *388*, *524*

Agnew, Spiro T. (1918–1996), amerik. Politiker (Republikaner) 17, *373*

Ahlers, Konrad (1922–1980), dt. Redakteur *370*

Albertz, Heinrich (1915–1993), dt. Theologe (ev.), 1966–1967 Regierender Bürgermeister von Berlin 215, 218, 222, *528*, *530*, *532*

Albrecht D. (eigentl. Dietrich Albrecht) (geb. 1944), dt. Künstler 174, *499*

Alexander II. (1818–1881), russ. Zar 130, *479*

Alexander III. (1845–1894), russ. Zar, Sohn von Alexander II. 131, *480*

Allende, Salvadore (1908–1973), chilen. Politiker *374*

Amery, Carl (eigentl. Christian Anton Meier) (1922–2005), dt. Schriftsteller und Publizist 24, 264, *381–384*, *563*

Das Königsprojekt 24, 28–29, *382–383*

Der Wettbewerb *382*

Die Kapitulation oder der Deutsche Katholizismus heute *382*

Andersch, Alfred (1914–1980), dt. Schriftsteller 259, *558–560*

Anderson, Sherwood (1876–1941), amerik. Schriftsteller 43, *399*

Andres, Stefan (1906–1970), dt. Schriftsteller *442*

Arguedas, José Maria (1911–1969), peruan. Schriftsteller 322, *609*

Arrabal, Fernando (geb. 1932), span.-frz. Schriftsteller und Dramatiker 176, *504*

Asturias, Miguel Angel (1899–1974), guatemaltek. Schriftsteller und Diplomat 322, *608*

Augstein, Rudolf (1923–2002), dt. Redakteur *370*

Augustinus, Aurelius (354–430), Kirchenlehrer und Heiliger 20, *378*

Baader, Andreas (1943–1977), dt. Gründungsmitglied der ›Rote Armee Fraktion‹ (RAF) 48, 77, *406*, *623*

Bach, Johann Sebastian (1685–1750), dt. Komponist 213

Bächler, Wolfgang (1925–2007), dt.

Schriftsteller, Lyriker und Journalist 277–279, *571–573*
Ausbrechen 277
Bachmann, Ingeborg (1926–1973), österr. Schriftstellerin 38–40, *396*, *595*
Bafile, Corrado (1903–2005), ital. Theologe (kath.), päpstl. Nuntius 147, *494*
Ballestrem, Franz Karl Wolfgang Ludwig Alexander Graf von (1834–1910), dt. Politiker und Industrieller 201, *520*
Balzac, Honoré de (1799–1850), frz. Schriftsteller 99, *443*
Barbusse, Henri (1873–1935), frz. Politiker und Schriftsteller 210, *526*
Bartsch, Jürgen (eigentl. Karl-Heinz Sadrozinski) (1946–1976), dt. Serienmörder 36, *394*
Bartusek, Antonín (1921–1974), tschech. Schriftsteller 326, *612*
Barzel, Rainer (1924–2006), dt. Politiker (CDU) 176, 301–305, *387*, *389*, *581*, *589–590*
Es ist noch nicht zu spät 301, *590*
Baumann, Michael (geb. 1948), Buchautor, ehem. Mitglied der »Bewegung 2. Juni« 250–253, *550*
Wie alles anfing 250–251
Beauvoir, Simone de (1908–1986), frz. Schriftstellerin und Philosophin 348, *629*
Beck, Erwin (1911–1988), Präsident der Internationalen Liga für Menschenrechte (Sektion Berlin) *528*
Becker, Rolf (geb. 1928), dt. Journalist und Redakteur *568*, *589*
Beckett, Samuel (1906–1986), ir.-frz. Schriftsteller 49, 249
Beelitz, Erwin (1906–1972), dt. Bootsbauer, Hausmeister 251
Beethoven, Ludwig van (1770–1827), dt. Komponist 16, 105, *373*
Behan, Brendan (1923–1964), ir. Schriftsteller 46, *401*
Beitz, Berthold (geb. 1913), dt. Industrieller *387*
Bellinghausen, Günter, dt. Jurist *556*
Benda, Ernst (geb. 1925), dt. Jurist und Politiker (CDU) 80
Benn, Gottfried (1886–1956), dt. Arzt und Schriftsteller 85, 220, *432*, *532*
Bergengruen, Werner (1892–1964), dt. Schriftsteller 202, *446*, *520*
Der Großtyrann und das Gericht 202
Bermann-Fischer, Gottfried (1897–1995), dt. Verleger *513*
Bernanos, Georges (1888–1948), frz. Schriftsteller 100–101, *446–447*
Bernhard, Thomas (1931–1989), österr. Schriftsteller 38, *396*
Der Kulterer *396*
Die Jagdgesellschaft *396*
Die Macht der Gewohnheit *396*
Heldenplatz *396*
Minetti *396*
Bertram, Ernst (1885–1957), dt. Germanist 190, *512*
Beuys, Joseph (1921–1986), dt. Aktionskünstler, Bildhauer und Zeichner 140, 174, 297, *499–500*
Biedenkopf, Kurt Hans (geb. 1930), dt. Politiker (CDU) 31, 309, 311, 336–337, *388*, *599*, *621*
Bienek, Horst (1930–1990), dt. Schriftsteller 199–203, *518–519*
Die erste Polka 199
Biermann, Wolf (geb. 1936), dt. Schriftsteller 33, 224, 325, 346–

347, *389*, *533*, *627–628*
Berliner Brautgang *389*
Die Drahtharfe *389*
Birger, Boris (1923–2001), russ. Maler 248–249
Bismarck, Otto Fürst von (1815–1898), dt. Reichskanzler *373–374*
Blank, Josef (1926–1989), dt. Theologe (kath.) *535*
Blazic, Viktor, jugoslaw. Journalist, Freund von Edvard Kocbek 300, *588*
Bloch, Ernst (1885–1977), dt. Philosoph *528*
Blomberg, Werner Eduard Fritz von (1878–1946), dt. Offizier, Reichswehrminister und Generalfeldmarschall der Wehrmacht 333, *617–618*
Bloy, Léon Marie (1846–1917), frz. Schriftsteller 100–101, 103, *445–446*
Blüm, Norbert (geb. 1935), dt. Politiker (CDU) 31, *387*
Blumenberg, Hans-Christoph (geb. 1947), dt. Redakteur *622*
Böll, Annemarie (1914–2004), Lehrerin und Übersetzerin, Frau von H. Böll (51), 62, 64, 307, *378*, *380*, *397*, *532*, *612*
Böll, Christoph Paul (1945–1945), Sohn von A. und H. Böll *458*
Böll, Raimund (1947–1982), Bildhauer; Sohn von A. und H. Böll (59), *412*
Böll, René (geb. 1948), Maler und Graphiker, Sohn von A. u. H. Böll *612*
Boenisch, Peter (1927–2005), dt. Journalist 336, *621*
Bogatyrjow, Konstantin (Kostja) (1925–1976), russ. Übersetzer 306–308, *595–596*
Bohne, Regina, dt. Journalistin und Publizistin 119, *469*
Bonifatius (672–754), Mönch, Heiliger 280, *576*
Bormann, Martin (1900–1945), dt. Politiker (NSDAP) 213
Born, Nicolas (1937–1979), dt. Schriftsteller *456*
Bosch, Hieronymus (um 1450–1516), ndl. Maler 86
Bosco, Giovanni Melchiorre (Don Bosco) (1815–1888), ital. Theologe (kath.), Ordensgründer (200), *520*
Boveri, Margret (1900–1975), dt. Journalistin 191, *513*
Brandt, Willy (eigentl. Herbert Karl Frahm) (1913–1992), dt. Politiker (SPD) 32, 127, 171, 208, 291, 315, *372*, *386–387*, *389*, *498*, *503*, *524*
Brecht, Bertolt (1898–1956), dt. Schriftsteller und Regisseur 43, 103, 127, 233, *449*, *534*, *560*, *595*
Brehmer, Klaus Peter (1938–1997), dt. Maler, Grafiker und Filmemacher 174, *499*
Breitbach, Joseph (1903–1980), dt. Schriftsteller *463*
Breitenmoser, Albin (1920–1983), schweiz. Nationalrat *392*
Breker, Arno (1900–1991), dt. Bildhauer und Architekt 191, 210, *500*, *513*, *526*
Breschnew, Leonid Iljitsch (1906–1982), sowjet. Politiker und Staatsmann 105, 348, *411*, *609*, *612*
Bresser, Klaus (geb. 1936), dt. Journalist *627*
Brinkmann, Rolf-Dieter (1940–1975), dt. Schriftsteller *456*
Brodsky (Brodski), Joseph (Josef)

(eigentl. Jossif Alexandrowitsch Brodskij) (1940–1996), sowjet.-amerik. Lyriker 56, 105, 323, *411*, *609*
Brückner, Peter (1922–1982), dt. Sozialpsychologe und Psychoanalytiker 95–99, *440–441*, *456*
Sigmund Freuds Privatlektüre 95
Brueghel d. Ä. (Breughel), Pieter (um 1525–1569), ndl. Maler 86
Brüning, Heinrich (1885–1970), dt. Politiker *369*
Brüsewitz, Oskar (1929–1976), dt. Schuhmacher und Pfarrer 327, *612–613*
Buber, Martin (1878–1965), österr.-israel. Religionsphilosoph 70, *420*
Büchner, Georg (1813–1837), dt. Schriftsteller *396*
Burghardt, dt. Vikar 47, (78), 78

Canisius, Petrus (eigentl. Pieter de Hondt) (1521–1597), dt. Kirchenlehrer 14, *371*
Capote, Truman (1924–1984), amerik. Schriftsteller 43, 324
Glasharfe 324
Cardenal, Ernesto (geb. 1925), nicaraguan. Theologe und Schriftsteller 328, *615*
Carossa, Hans (1878–1956), dt. Schriftsteller 213, *527*
Carstens, Karl (1914–1992), dt. Jurist und Politiker (CDU) 251, 253, 299, 336, *551*, *581*
Cäsar (eigentl. Gaius Julius Caesar) (102–100–44 v. Chr.), röm. Staatsmann, Feldherr und Schriftsteller 20, *378*
Celan, Paul (eigentl. Paul Antschel) (1920–1970), rumän. Lyriker *595*
Cervantes y Saavedra, Miguel de (1547–1616), span. Dichter 97, *542*
Chalturin, Stephan Nikolajewitsch (1856–1882), russ. Revolutionär 130, 132
Chaplin, Charlie (Charles Spencer) (1889–1977), amerik. Schauspieler und Regisseur 338, 340, *623*
Die Geschichte meines Lebens 340, *623*
König in New York 338, *623*
Chesterton, Gilbert Keith (1874–1936), engl. Schriftsteller 24, 29, 100–101, *382*, *446*
Das fliegende Wirtshaus 24
Der Held von Notting Hill 24
Der Mann, der Donnerstag war 24
Chi Ha, Kim (geb. 1941), südkorean. Schriftsteller 328–330, *614–615*
Brief an die Priester 329
Chopin, Frédéric (1810–1849), poln. Komponist und Pianist 200, 202
Chruschtschow, Nikita (1894–1971), sowjet. Politiker und Staatsmann 208–209, *554*, *595*, *612*
Churchill, Winston Sir (1874–1965), brit. Politiker und Schriftsteller 232
Claudel, Paul (1868–1955), frz. Schriftsteller (159), *446*
Conrad, Joseph (1857–1924), engl. Schriftsteller poln. Herkunft *96*
Cranach, Lucas der Ältere (1472–1553), dt. Maler und Graphiker 233

Daniel, Julij Markowitsch (1925–1988), russ. Schriftsteller *596*, *612*
Danziger, Carl-Jakob (d.i. Joachim

Chajm Schwarz) (1909–1992), dt. Schriftsteller 319, 321, *607–608*
Die Partei hat immer recht 319
Darré, Richard Walter (1895–1953), dt. Politiker (NSDAP) *411*
Davis, Angela (geb. 1944), amerik. Bürgerrechtsaktivistin und Philosophin 207, *524*
Delius, Friedrich Christian (geb. 1943), dt. Schriftsteller, 1973–1978 Lektor im Rotbuch-Verlag *543*
d'Estaing, Valéry Marie René Giscard (geb. 1926), frz. Politiker, 1974–1981 Staatspräsident 179, *507*
Dickens, Charles (1812–1870), engl. Schriftsteller 96–97
Dirks, Walter (1901–1991), dt. Publizist 118, *469*
Dix, Otto (1891–1969), dt. Maler 37
Döblin, Alfred (1878–1957), dt. Arzt und Schriftsteller 95, 127–128, *476*
Döpfner, Julius (1913–1976), dt. Theologe, Kardinal 264, 329, *470*, *535*, *563*, *615*
Dostojewski, Fjodor Michailowitsch (1821–1881), russ. Schriftsteller 43, 96, 100–101, 223, *399*, *445–446*, *465*, *534*
Brüder Karamasow 43
Dämonen 43
Dregger, Alfred (1920–2002), dt. Jurist und Politiker (CDU) 30–31, 34, 251, 253, 280–282, 301, 336, *386*, *576*, *621*
Drenkmann, Georg Richard Günter von (1910–1974), dt. Jurist, Präsident des Kammergerichts Berlin *77–78*, 80, *424*, *429*
Du Mont, Reinhold Neven (geb. 1936), dt. Verleger *483*
Dürer, Albrecht (1471–1528), dt. Maler und Graphiker 233
Dutschke, Rudi (1940–1979), dt. Studentenführer 149, 252, *494*, *551*

Ebert, Friedrich (1871–1925), dt. Politiker, Reichspräsident *448*
Eichendorff, Joseph von (1788–1857), dt. Schriftsteller 201, *520*
Eliot, George (1819–1880), engl. Schriftstellerin 97
Elisabeth II. (geb. 1926), brit. Königin (99), *443*
Endres, Elisabeth (1934–2000), dt. Literaturwissenschaftlerin *389*
Engelmann, Bernt (1921–1994), dt. Schriftsteller und Journalist (244), *389*
Ihr da oben, wir da unten 244
Engels, Friedrich (1820–1895), dt. Philosoph und Journalist 35, 68, *390*
Ensslin, Gudrun (1940–1977), Gründungsmitglied der ›Rote Armee Fraktion‹ (RAF) 146, *406*, *493*
Enzensberger, Hans Magnus (geb. 1929), dt. Schriftsteller 176, *504*, *560*
Eppler, Erhard (geb. 1926), dt. Politiker (SPD) 280, *576*
Etté, Bernhard (1898–1973), dt. Musiker 202, *520*

Faulkner, William (1897–1962), amerik. Schriftsteller 43
Fawkes, Guy (1570–1606), engl. Offizier 149, *494*
Fielding, John (1707–1754), engl. Schriftsteller 97
Figner, Vera Nikolajewna (1852–

1942), russ. Revolutionärin 134, *480*
Filbinger, Hans (1913–2007), dt. Politiker (CDU) 210, 214, 281, 301, *526*, *576*, *599*
Flechtheim, Ossip Kurt (1909–1998), dt. Politikwissenschaftler *528*
Flick, Friedrich (1883–1972), dt. Industrieller *567*
Flick, Friedrich Karl (1927–2006), dt. Industrieller *567*
Fontane, Theodor (1819–1898), dt. Schriftsteller und Journalist *396*
Ford, Gerald Rudolph (1913–2006), amerik. Politiker; 1974–1977 Präsident (Republikaner) (54), *373*, *378*, *411*
Fort, Gertrud von Le (1876–1971), dt. Schriftstellerin *446*
Franco, Francisco (1892–1975), span. General und Politiker 207, 260, *560*
Franz von Assisi (1181/82–1226), ma. Mönch, Heiliger, Begründer des Franziskanerordens 65, *416*
Freud, Sigmund (1856–1939), österr. Psychoanalytiker 95–98, 104–105
Friderichs, Hans (geb. 1931), dt. Politiker (FDP) 335, *620*
Frister, Erich (1927–2005), dt. Gewerkschaftspolitiker *501*
Fritsch, Werner Freiherr von (1880–1939), dt. Offizier 333, *618*
Fürst, Margot (1912–2003), Frau von Max Fürst 344
Fürst, Max (1905–1978), dt. Schriftsteller 341–345, *624–625*
Gefilte Fisch 341
Talisman Scheherezade 341–343
Galeano, Eduardo (geb. 1940), urug. Publizist und Schriftsteller 359, *638*
Die offenen Adern Lateinamerikas 359
Gauguin, Paul (1848–1903), frz. Maler *574*
Gebühr, Erika, dt. Übersetzerin *606*
Geerk, Frank (geb. 1946), dt. Schriftsteller 36–37, *391–394*
Apokalypse (zum Weitermachen) *392*
Geistlicher Brief 37, *391–392*
Jürgen Bartsch feiert Weihnachten 36, *391–392*
Sonett vom Stummen Frühling *392*
Genscher, Hans-Dietrich (geb. 1927), dt. Politiker (FDP), 1974–1992 Bundesaußenminister 175, 178, 299, *499*
Gert, Valeska (1892–1978), dt. Tänzerin, Kabarettistin und Schauspielerin 332
Gierek, Eduard (1913–2001), poln. Politiker 358, *635*
Ginsburg, Jewgenija (1904–1977), russ. Historikerin und Schriftstellerin 323, *609*
Glade, Henry (1912–1999), amerik. Literaturwissenschaftler und Germanist *483*, *596*
Globke, Hans (1898–1973), dt. Jurist und Politiker (CDU) 12, *370*
Goebbels, Joseph (1897–1945), dt. Politiker (NSDAP), ab 1933 Reichsminister für Volksaufklärung und Propaganda 213, 334
Göring, Hermann (1893–1946), dt. Politiker (NSDAP), ab 1935 Oberbefehlshaber der Luftwaffe 213, 218, 284, 334, *579*, *618*

Görres, Ida Friederike (1901–1971), dt. Schriftstellerin 118, *468*
Goethe, Johann Wolfgang von (1749–1832), dt. Schriftsteller 213
Gogh, Vincent van (1853–1890), ndl. Maler 278, *574*
Goldenberg, Grischka (1855–1880), russ. Revolutionär 132
Gollwitzer, Helmut (1908–1993), dt. Theologe (ev.) 47–51, 53, (78), 78, 82, *402–403*, *407*, *430*, *528*
Gomulka, Wladyslaw (1905–1982), poln. Politiker *635*
Gotovac, Vladimir (1930–2000), kroat. Dichter und Politiker 116, *465*
Gottgetreu, Erich (1903–1981), dt. Reichtstagsabgeordneter (SPD), Zionist und Publizist 69–70, *419–420*
Granin, Daniel Alexandrowitsch (geb. 1919), russ. Schriftsteller *553*
Grass, Günter (geb. 1927), dt. Schriftsteller 176, *503*, *528*
Tagebuch einer Schnecke 176, *503*
Greene, Graham (1904–1991), engl. Schriftsteller 73, 83
Gregor-Dellin, Martin (1926–2006), dt. Schriftsteller *389*
Greinacher, Norbert (geb. 1931), dt. Theologe (kath.) 119, *469*
Greiwe, Ulrich (geb. 1945), dt. Redakteur und Publizist *367*
Gremliza, Hermann Ludwig (geb. 1940), dt. Redakteur und Herausgeber *385*
Grieshaber, HAP (Helmut Andreas Paul) (1909–1981), dt. Maler und Holzschneider *625*
Grimm, Jacob (1785–1863), dt. Sprach- und Literaturwissenschaftler 63
Grimm, Wilhelm (1786–1859), dt. Sprach- und Literaturwissenschaftler 63
Grimmelshausen, Hans Jakob Christoffel von (1622–1676), dt. Dichter *540*
Grinewitzkij, Ignatij Joachimowitsch (1856–1881), russ. Revolutionär 130
Gropius, Walter (1883–1969), dt. Architekt *476*
Grosz, George (1893–1953), dt.-amerik. Maler und Karikaturist *560*
Grün, Max von der (1926–2005), dt. Schriftsteller 178, *505*
Grünewald, Matthias (um 1475–1528), dt. Maler und Graphiker 37
Gruhn, Erna (1913–1978), Frau von Werner von Blomberg *617*
Günther, Hans Friedrich Karl (1891–1968), nationalsoz. Rassenforscher *412*
Guillaume, Günter (1927–1995), Referent Willy Bandts, DDR-Spion 34, *389*
Gutenberg, Johannes (1400–1468), Erfinder des Buchdrucks 233
Guttenberg, Karl Theodor von und zu (1921–1972), dt. Politiker (CSU) 127, 171, *498*

Haacke, Hans (geb. 1936), dt. Konzeptkünstler 174, *499*
Habe, Hans (1911–1977), dt. Journalist und Schriftsteller 82, 127, 171, *498*
Habich, Matthias (geb. 1940), dt. Schauspieler 332–333

Hacker, Dieter (geb. 1942), dt. Maler 174, *499*
Hacks, Peter (1928–2003), dt. Dramatiker, Lyriker, Erzähler und Essayist 224–225, *533–534*
Haecker, Theodor (1879–1945), dt. Kulturkritiker und Schriftsteller 87, *433*
Handke, Peter (geb. 1942), österr. Schriftsteller *456*
Haraszti, Miklós (geb. 1945), ungar. Journalist, Schriftsteller und Hochschullehrer 243–247, *543*, *545–546*
Stücklohn 243
Harich, Wolfgang (1923–1995), dt. Philosoph und Publizist 206, *523*
Hašek, Jaroslav (1883–1923), tschech. Schriftsteller *526*
Hassel, Kai-Uwe von (1913–1997), dt. Politiker (CDU) 280, *576*
Heartfield, John (eigentl. Helmut Herzfeld) (1891–1968), dt. Maler und Grafiker 175, *503*
Hebel, Johann Peter (1760–1826), dt. Dichter 43
Hegel, Georg Wilhelm Friedrich (1770–1831), dt. Philosoph 153, 233, *495*
Heidingsfeld, Uwe-Peter *531*
Heine, Heinrich (1797–1856), dt. Dichter 88, 233, *560*
Heinemann, Gustav (1899–1976), dt. Politiker (SPD) *372*
Heines, Edmund (1897–1934), SA-Obergruppenführer 217, *531*
Heinrich IV. (eigentl. Heinrich von Navarra) (1553–1610), frz. König 13, *370–371*
Heinrich VI. (1421–1471), engl. König *369*
Hemingway, Ernest (1899–1961), amerik. Schriftsteller 43, 149, *399*, *495*
Wem die Stunde schlägt 149, *495*
Henry, O. (eigentl. William Sydney Porter) (1862–1910), amerik. Schriftsteller 41–44, *397–399*
Bekenntnisse eines Humoristen 43
Herburger, Günter (geb. 1932), dt. Schriftsteller 178, *505*
Hermand, Jost (geb. 1930), dt. Germanist *508*
Herrmann, Horst (geb. 1940), dt. Theologe, Kirchenrechtler und Soziologe 226–227, 229, 262–265, *535*, *537*, *562–563*
Das unmoralische Verhältnis 227
Die 7 Todsünden der Kirche 261, 264
Herwegh, Georg Friedrich Rudolph Theodor (1817–1875), dt. Schriftsteller *560*
Heuss, Theodor (1884–1963), dt. Journalist, Politikwissenschaftler und Politiker, 1949–1959 Bundespräsident *514*
Heydrich, Reinhard (1904–1942), SS-Obergruppenführer, Leiter des Reichssicherheitshauptamtes 214
Hiebel, Henriette Margarethe (La Jana) (1905–1940), dt. Schauspielerin und Revuetänzerin 202, *520*
Himmler, Heinrich (1900–1945), dt. Politiker (NSDAP), Reichsführer der SS 218, 334, *618*
Hindemith, Paul (1895–1963), dt. Komponist und Musiker 105
Hindenburg, Paul von (1847–1934), dt. Generalfeldmarschall und Reichspräsident 11, 95, 101, *369*, *448*, *617*

Hitler, Adolf (1884–1945), Reichskanzler (1933); ab 1934 Reichspräsident und Oberbefehlshaber der Wehrmacht 39, 95, 105, 172, 205, 213, 233, 235, 333–334, 342, 344–345, 361–363, *369*, *531*, *579*, *617–618*, *630*, *640*
Mein Kampf 190, 361–363, *640*
Höcherl, Hermann (1912–1989), dt. Politiker (CSU) *370*
Hölderlin, Friedrich (1770–1843), dt. Dichter 16, 92, 213, 233, 346, *372–373*, *438*, *628*
Hofe, Harold von, Literaturwissenschaftler, Germanist und Publizist 129, *477*
Holbein, Hans der Jüngere (1497/1498–1543), dt. Maler 233
Holz, Arno (1863–1929), dt. Schriftsteller *404*
Homer (geb. 8. Jh.), griech. Dichter *378*
Odyssee *378*
Honecker, Erich (1912–1994), dt. Politiker, Generalsekretär des Zentralkomitees der SED, Staatsratsvorsitzender der ehem. DDR *524*
Hugenberg, Alfred (1865–1951), dt. Unternehmer und Politiker (DNVP) 345

Ignatius von Loyola (eigentl. Inigo Lopez de Recalde) (1491–1556), span. Ordensgründer und Mystiker *371*

Jacobsen, Jens Peter (1847–1885), dän. Schriftsteller *97–98*, *442*
Niels Lyhne 98
Jakimowa, Anja Wassiljewna (1856–1942), russ. Revolutionärin 134
James I. (1566–1625), König von Schottland (seit 1567), König von England und Irland (seit 1603) *494*
Jammes, Francis (1868–1936), frz. Schriftsteller *446*
Jens, Walter (geb. 1923), dt. Philologe, Schriftsteller und Übersetzer 112, *413*, *459–460*
Der Fall Judas 112
Johann, Ernst, Schatzmeister der Deutschen Akademie für Sprache und Dichtung, Darmstadt *515*
Johnson, Lyndon Baines (1908–1973), amerik. Politiker, Präsident 1963–1969 95
Johnson, Uwe (1934–1984), dt. Schriftsteller 38–40, *396*
Das dritte Buch über Achim *396*
Eine Reise nach Klagenfurt 38, *396*
Jahrestage *396*
Mutmaßungen über Jakob *396*
Zwei Ansichten *396*
Joyce, Stanislaus (1884–1955), ir. Sprachlehrer und Literaturwissenschaftler 188, *512*
Meines Bruders Hüter *512*
Jünger, Ernst (1895–1998), dt. Schriftsteller 100–103, 213, *444–445*, *447–449*, *617*
Auf den Marmorklippen 100–101, *448*
Das abenteuerliche Herz 101
Der Kampf als inneres Erlebnis *617*
In Stahlgewittern 102
Strahlungen 103
Jünger, Friedrich Georg (1898–1977), dt. Schriftsteller, Lyriker und Essayist, Bruder von Ernst Jünger 100, *447*

Juvenal (Decimus Junius) (um 58–um 130), röm. Satirendichter 36

Kafka, Franz (1883–1924), böhm. (österr.) Schriftsteller 245, *546*
Kahler, Erich Gabriel von (1885–1970), amerik. Germanist, Philosoph, Kulturhistoriker und Schriftsteller 127
Kaiser, Carl-Christian, dt. Journalist *581*
Kakuei, Tanaka (1918–1993), japan. Politiker *411*
Kant, Immanuel (1724–1804), dt. Philosoph 233
Karamanlis, Konstantinos (1907–1998), griech. Politiker *388*
Karasek, Hellmuth (geb. 1934), dt. Journalist und Literaturkritiker *616*
Kaschnitz, Marie-Luise (1901–1974), dt. Schriftstellerin *393*
Kästner, Erich (1899–1974), dt. Schriftsteller *595–596*
Katharina von Siena (eigentl. Caterina Benincasa) (1347–1380), ital. Mystikerin, Heilige 147, *494*
Keitel, Wilhelm (1882–1946), dt. General *618*
Keller, Gottfried (1819–1890), schweiz. Schriftsteller *532*
Keller, Hans Peter (1915–1989), dt. Schriftsteller 85–88, *431–432*
Extrakt um 18 Uhr 85
Gesundheitspflege 86
Jeder lebt von sich getrennt 85
Mein Standpunkt 87
Wankende Stunde 85
Kesten, Hermann (1900–1996), dt. Novellist und Essayist 127, 129
Kiepenheuer, Gustav (1880–1949), dt. Verleger *378*
Kierkegaard, Sören (1813–1855), dän. Philosoph und Theologe *446*
Kiesinger, Kurt Georg (1904–1988), dt. Politiker (CDU) 32, *388*, *493*
Kissinger, Henry (geb. 1923), amerik. Politiker dt. Herkunft 291, *373*, *580*
Klarsfeld, Beate (geb. 1939), dt.-frz. Journalistin und Publizistin 179, *507*
Klarsfeld, Serge (geb. 1935), frz. Rechtsanwalt *507*
Klavics, Franz, jugoslaw. Jurist, Freund von Edvard Kocbek 300, *588*
Kleist, Heinrich von (1777–1811), dt. Dichter 16, 43, *372–373*
Kletotschnikow, Nikolaj (1847–1883), russ. Spion 132–133
Klimt, Gustav (1862–1918), österr. Maler *476*
Knaus, Albrecht (1913–2007), dt. Verleger *539*
Knef, Hildegard (1925–2002), dt. Schauspielerin, Sängerin und Autorin 274, *569*
Das Urteil 274
Kocbek, Edvard (1904–1981), jugoslaw. Schriftsteller und Publizist 115–116, 300, *462–465*
Tovarisija 115
Koch, Thilo (1920–2006), dt. Journalist *389*, *496*
Koeppen, Wolfgang (1906–1996), dt. Schriftsteller 19, *375–376*
Koesters, Paul-Heinz, dt. Journalist und Redakteur *428*
Kohl, Helmut (geb. 1930), dt. Politiker (CDU) 31, 68, 299, *387–388*, *418*, *493*
Kokoschka, Oskar (1886–1980), österr. Maler *476*

Kolar, Jirí (1915–2002), tschech. Schriftsteller 326, *612*
Kopelew, Lew (1912–1997), russ. Schriftsteller 230–242, 255, *554*, *595*
Aufbewahren für alle Zeit 230
Korfanty, Wojciech (1873–1939), Journalist, Mitglied des Reichstages, poln. Ministerpräsident (201), 201, *520*
Korlén, Gustav (geb. 1915), schwed. Literaturwissenschaftler 62, *413–414*
Korn, Karl (1908–1991), dt. Journalist 187–192, *510–512*
Lange Lehrzeit 187
Kornilow, Wladimir (1918–2002), russ. Schriftsteller 323, *609*
Koselleck, Reinhart (1923–2006), dt. Historiker *508*
Kremp, Herbert (geb. 1928), dt. Journalist und Publizist 336, *621*
Kroetz, Franz Xaver (geb. 1946), dt. Schriftsteller und Schauspieler 176, 178, *504*
Kropotkin, Dmitrij Nikolajewitsch (1836–1879), russ. Fürst und Gouverneur 132, *480*
Kuby, Erich (1910–2005), dt. Journalist, Medienautor und Schriftsteller 210–214, *525–526*
Mein Krieg 210, 213
Kühn, Heinz (1912–1992), dt. Politiker (SPD) *537*, *562*
Kühner, Hans *614*
Küng, Hans (geb. 1928), schweiz. Theologe 118, 122, 229, 264, *538*
Kundera, Ludvik (geb. 1920), tschech. Schriftsteller 326, *612*
Kunze, Rainer (geb. 1933), dt. Schriftsteller 317, 324–327, 346, *604*, *610–612*
Die wunderbaren Jahre 317, 324, *611*

La Jana *siehe* Hiebel, Henriette Margarethe
Lallier, Marc-Amand (1906–1988), frz. Theologe (kath.), 1966–1980 Erzbischof von Besancon (122), *470*
Lämmert, Eberhard (geb. 1924), dt. Literaturwissenschaftler und Germanist *413*
Lasker-Schüler, Else (1869–1945), dt. Schriftstellerin 49
Lattmann, Dieter (geb. 1926), dt. Schriftsteller *503*
Leber, Georg (geb. 1920), dt. Politiker (SPD) 121, *470*
Lec, Stanislaw Jerzy (1909–1966), poln. Schriftsteller 85, *432*
Leibniz, Gottfried Wilhelm (1646–1716), dt. Mathemtiker und Philosoph 233
Lengsfeld, Peter (geb. 1939), dt. Theologe (kath.) 119, *469*
Lenz, Otto (1903–1957), dt. Politiker (CDU) (12), *370*
Lewitan, Isaak Iljitsch (1860–1900), russ. Maler 248, *548*
Lischka, Kurt (1909–1987), SS-Obersturmbannführer und Chef der Gestapo 179, *507*
Litten, Hans (1903–1938), dt. Jurist 342–343, *625*
Llosa, Mario Vargas (geb. 1936), peruan. Schriftsteller 322, *608*
Loerke, Oskar (1884–1941), dt. Dichter 191, *513*
Löwenthal, Gerhard (1922–2002), dt. Journalist und Fernsehmoderator 30–31, 34, 81, 336, *429*, *621*
London, Jack (1876–1916), amerik.

Schriftsteller 43, 95, *442*
Martin Eden 95, *442*
Lorenz, Peter (1922–1987), dt. Politiker (CDU) *530*, *532*, *620*
Loris-Melikow, Michail Wassiljewitsch (1825–1888), russ. General und Gouverneur 131, *480*
Ludwig, Gerhard (1909–1994), dt. Bahnhofsbuchhändler *565*
Ludwig III. (1845–1921), dt. König *383*
Lübbe, Hermann (geb. 1926), dt. Philosoph *562*
Lukács, Georg (1885–1971), ungar. Philosoph, Ästhetiker und Literaturtheoretiker 277, *573*
Lummer, Heinrich (geb. 1932), dt. Politiker (CDU) 48, 51–52, 81, (81), 81–82, *402*, *407*, *430*
Luther, Martin (1483–1546), dt. Theologe und Reformator 25, 58, 233, *371*, *383*, *411*
Luxemburg, Rosa (1871–1919), dt. Politikerin (KPD) und Publizistin 157

MacDiarmid, Hugh (d.i. Christopher Murray Grieve) (1892–1978), schott. Dichter und Journalist 27, *383*
Mahler, Gustav (1860–1911), österr. Komponist und Dirigent *476*
Mahler, Horst (geb. 1936), Gründungsmitglied der ›Rote Armee Fraktion‹ (RAF) *406*
Mahler-Werfel, Alma (1879–1964), Frau von Gustav Mahler und Franz Werfel 129, *476–477*
Maier, Hans (geb. 1931), dt. Politikwissenschaftler *562*
Maihofer, Werner (geb. 1918), dt. Rechtswissenschaftler und Politiker (FDP) 336, *621*
Malamud, Bernard (1914–1986), amerik. Schriftsteller 21, 43, 46, *378*, *401*
Das Zauberfaß und andere Geschichten *378*
Der Fixer *378*
Der Gehilfe *378*
Mandelstam, Nadeschda (1899–1980), russ. Autorin, Frau von Ossip Mandelstam 248–249, *548*
Mandelstam, Ossip Emiljewitsch (1891–1938), russ. Lyriker 74, *423*, *548*
Mann, Erika (1905–1969), dt. Schriftstellerin, Tocher von Thomas Mann *475*
Mann, Heinrich (1871–1950), dt. Schriftsteller (127), *475*
Mann, Klaus (1906–1949), dt. Schriftsteller, Sohn von Thomas Mann *475*
Mann, Thomas (1875–1955), dt. Schriftsteller (127), 127, 213, *475*
Mannstein, Jörn von, dt. Landwirt *522*
Mao Tse-Tung (1893–1976), chin. Politiker 68, (215), 215, *418*
Marcel, Gabriel (1889–1973), frz. Schriftsteller *465*
Marcuse, Herbert (1898–1979), dt. Philosoph 294, 296, *524*, *583*
Marcuse, Ludwig (1894–1971), dt. Schriftsteller, Biograph und Essayist 96, 126–129, *474–475*, *477*
Briefe von und an Ludwig Marcuse 126
Maritain, Jacques (1882–1973), frz. Schriftsteller *465*
Markin, Jewgeni, russ. Lyriker *553*
Márquez, Gabriel García (geb. 1927), kolumbian. Schriftsteller 322, *608*

Marti, Kurt (geb. 1921), schweiz. Schriftsteller und Geistlicher *393*
Marx, Karl (1818–1883), dt. Philosoph und Publizist 35, 68, 294, 296, *390*
Marx, Werner (1924–1985), dt. Politiker (CDU) 157
Mauriac, François (1885–1970), frz. Schriftsteller *446*
Maximow, Wladimir Jemeljanowitsch (1930–1995), russ. Schriftsteller 71, *422*
Die sieben Tage der Schöpfung 71
Quarantäne 71
Mayer, Hans (1907–2001), dt. Literaturwissenschaftler *413*
McCarthy, Joseph R. (1908–1957), amerik. Politiker (338), *623*
McCarthy, Mary (1912–1989), amerik. Schriftstellerin und Essayistin 188
Eine katholische Kindheit 188
Meckel, Christoph (geb. 1935), dt. Schriftsteller *393*
Medici, Katharina von (1519–1589) *370*
Meinhof, Ulrike (1934–1976), dt. Journalistin, Gründungsmitglied der ›Rote Armee Fraktion‹ (RAF) (48), (77), *406*, *428*
Meins, Holger (1941–1974), Gründungsmitglied der ›Rote Armee Fraktion‹ (RAF) *429*, *623*
Melville, Herman (1819–1891), amerik. Schriftsteller *482*
Mende, Erich (1916–1998), dt. Politiker (FDP; CDU) 12, *370*
Mennemeier, Norbert (geb. 1924), dt. Literaturwissenschaftler 88, *433*
Mertes, Alois (1921–1985), dt. Politiker (CDU) 157
Metz, Johann Baptist (geb. 1928), dt. Theologe (kath.) 118, *466*
Metzger, Gustav (geb. 1926), dt. Aktionskünstler 174, *499*
Michaelis, Rolf (geb. 1933), dt. Feuilletonist, Essayist und Redakteur *381*, *415*, *421*, *431*, *478*, *510*, *606*, *610*
Michailow, Alexander Dimtrijewitsch (1855–1854), russ. Revolutionär 131
Mihajlov, Mihajlo (geb. 1934), jugoslaw. Literaturwissenschaftler, Komparatist und Übersetzer 116, *465*
Mikulásek, Oldrich (1910–1982), tschech. Schriftsteller 326, *612*
Milgram, Stanley (1933–1984), amerik. Psychologe (275), 275, *569*
Milton, John (1608–1674), engl. Schriftstelller *97*
Mitscherlich, Alexander (1908–1982), dt. Arzt, Psychoanalytiker und Autor *441*
Mitscherlich, Margarete (geb. 1917), dt. Ärtzin, Psychoanalytikerin und Autorin *441*
Moersch, Karl (geb. 1926), dt. Politiker (FDP) und Journalist, 1970–1976 Staatssekretär des Auswärtigen Amtes 175, 178, *503*
Moreau, Clément (eigentl. Carl Meffert) (1903–1988), dt. Zeichner und Illustrator 361–363, *639–640*
Mein Kampf. 52 Karikaturen aus den Jahren 1937–1938 361–362
Mosse, Rudolf (1843–1920), dt. Verleger *513*
Mounier, Emmanuel (1905–1950), kath. frz. Philosoph 115, *465*
Mozart, Wolfgang Amadeus (1756–1791), österr. Komponist 213

Mühsam, Erich (1878–1934), dt. Schriftsteller *625*

Müller, Wilhelm (1794–1827), dt. Dichter *621*

Müller-Meiningen, Ernst (1908–2006), dt. Journalist *424–425*

Mündler, Eugen, dt. Redakteur (Das Reich) *514*

Mulisch, Harry (geb. 1927), ndl. Schriftsteller *451*

Multatuli (d.i. Eduard Douwes Dekker) (1820–1887), ndl. Schriftsteller 97–98, *442*

Murena, Héctor Alberto (1923–1975), argent. Schriftsteller 322, *608*
Die Gesetze der Nacht 322

Napp, Alfred (geb. 1946), Nachbar der Familie Böll in Langenbroich/Eifel *379*

Naumann, Hans (1886–1951), dt. Germanist 190, *512*

Nebel, Gerhard (1903–1974), dt. Schriftsteller 100–101, *447*

Nekrassow, Viktor Platonowitsch 71, *422*

Neumann, Robert (1897–1975), dt. Schriftsteller 127, *476*

Neutsch, Erik (geb. 1931), dt. Schriftsteller 135, 137, *482*
Auf der Suche nach Gatt 135

Nixon, Richard Milhous (1913–1994), amerik. Politiker; US-Präsident von 1969–1974 (Republikaner) 17, *373*, *378*

Oelze, Friedrich Wilhelm (1891–1978), dt. Kaufmann *532*

Oertzen, Peter von (1924–2008), dt. Politologe und Politiker (SPD) *402*, *558*

Ohnesorg, Benno (1940–1967), dt. Student 252, *531*, *551*

Okladskij, Iwan Wanjetschka Fjodorowitsch (1858–?), russ. Revolutionär 133

Orwell, George (1903–1950), amerik.Schriftsteller 312, *599*

Ossietzky, Carl von (1889–1938), dt. Journalist, Schriftsteller und Pazifist 47, *404*

Pahlewi, Rezah (1919–1980), pers. Schah (30), *387*, *551*

Paltz, Johannes von (um 1445–1511), Theologe und Prediger *371*

Papadopoulos, Giorgios (1919–1999), griech. Politiker *388*

Papandreou, Georgios (1888–1968), griech. Politiker *388*

Papen, Franz von (1879–1969), dt. Politiker (Zentrum) und Diplomat 334, (345), 345

Pasternak, Boris Leonidowitsch (1890–1960), sowjet. Schriftsteller und Übersetzer 325, *611*

Paulus Diakonus (Paul Warnefried) (um 725–798/99), langobard. Mönch 74, *423*

Péguy, Charles (1873–1914), frz. Schriftsteller *446*

Peitz, Marietta, dt. Autorin *615*

Perowskaja, Sophia Sonja Wladimirowna (1853–1881), russ. Revolutionärin 133, *480*

Petermann, dt. Politiker (CDU) *434*

Philipp II. (1527–1598), span. König *371*

Pinochet, Augusto (1915–2006), chilen. General und Politiker *530*

Pinochet Ugarte, Augusto José Ramón (1915–2006), chilen. General und Diktator *374*

Pobedonoszew, Konstantin (1827–1907), russ. Jurist und Staatsmann 131
Poe, Edgar Allan (1809–1849), amerik. Schriftsteller 74, *423*
Pohle, Rolf (1942–2004), Asta-Vorsitzender der Münchner Universität 336, *620*
Popa, Vasko (1922–1991), serb. Schriftsteller und Publizist 85, *432*
Pritchett, Victor S. (1900–1997), engl. Schriftsteller und Kritiker 300, *588*
Proudhon, Pierre Joseph (1809–1865), frz. Sozialist und Schriftsteller 17, *373*
Qu'est-ce que la propriété? *373*

Rahner, Karl (1904–1984), dt. Theologe (kath.) 118, 121–123, 227, 264, *466*, *468*, *470*, *537*
Strukturwandel der Kirche 121–122, *470*
Raspe, Jan-Carl (1944–1977), dt. Gründungsmitglied der ›Rote Armee Fraktion‹ (RAF) *623*
Ratzinger, Joseph Alois (geb. 1927), dt. Theologe (kath.), seit 2005 Papst (Benedikt XVI.) 118
Rau, Johannes (1931–2006), dt. Politiker (SPD), 1970–1978 Minister für Wissenschaft und Forschung in Nordrhein-Westfalen; 1978–1998 Ministerpräsident, 1999–2004 Bundespräsident 226, 228, 262, *535*, *537*, *562*
Rauch, Georg von (1947–1971), Gründungsmitglied der ›Bewegung 2. Juni‹ 251, *551*
Reich-Ranicki, Marcel (geb. 1920), dt. Literaturkritiker *413*, *435*, *444*, *459*, *558*
Reiling, Netty *siehe* Seghers, Anna
Rembrandt (eigentl. Rembrandt Harmensz van Rijn) (1606–1669), niederl. Maler und Radierer 86, 248
Richter, Horst-Eberhard (geb. 1923), dt. Psychoanalytiker und Psychosomatiker 272–276, *569*
Flüchten oder Standhalten 272–273
Riefenstahl, Leni (1902–2003), dt. Regisseurin und Fotografin 210, *526*
Rilke, Rainer Maria (1875–1926), österr. Schriftsteller 307, *595–596*
Cornet 307, *596*
Rinser, Luise (1911–2002), dt. Schriftstellerin 329, *615*
Röder, Franz-Josef (1909–1979), dt. Politiker (CDU) *581*
Röhl, Klaus Rainer (geb. 1928), dt. Journalist und Publizist *494–495*
Rokossowski, Konstantin Konstantinowitsch (1886–1968), sowjet. Marschall 234
Rommerskirchen, Josef (geb. 1916), dt. Politiker (CDU) 120, *470*
Roth, Joseph (1894–1939), österr. Schriftsteller und Journalist 331, *617*
Rüegg, Walter (geb. 1918), schweiz. Soziologe *562*
Rühle, Günther (geb. 1924), dt. Redakteur *559–560*, *603*, *636*
Rühmkorf, Peter (1929–2008), dt. Schriftsteller 176, *494*
Rupprecht von Bayern (1869–1955), dt. Kronprinz und Oberbefehlshaber 27, *383*
Ryssakow, Nikolaj Kolja Iwanowitsch (1861–1818), russ. Revolutionär 130, 133

Sabaschtanskij, russ. Offizier 233
Sabato, Ernesto (geb. 1911), argent. Schriftsteller 322, *608*
Über Helden und Gräber 322
Sacharow, Andrei Dmitrijewitsch (1921–1989), russ. Kernphysiker und Dissident 304, *591*
Sachs, Fritz Gunter (geb. 1932), dt. Unternehmer und Fotograf *567*
Salinger, Jerome David (geb. 1919), amerik. Schriftsteller 43, 46, 218, *401*, *532*
Hebt den Dachbalken hoch, Zimmerleute 218
Seymour wird vorgestellt 219
Salmony, Hansjörg (1920–1991), schweiz. Philosophieprofessor *392*
Sarraute, Nathalie (1902–1999), frz. Schriftstellerin 21, *378*
Le Planétarium *378*
Les fruits d'or *378*
Tropismes *378*
Sartre, Jean-Paul (1905–1980), frz. Philosoph 348, *456*, *629*
Schacht, Horace Greelay Hjalmar (1877–1970), dt. Politiker, Bankier, ab 1933 Reichsbankpräsident 213
Schaffgotsch, Philipp Gotthard Graf von (1716–1795), Fürstbischof von Breslau 201, *520*
Schallück, Paul (1922–1976), dt. Schriftsteller 266–267, *564–565*
Wenn man aufhören könnte, zu lügen 266
Scharf, Kurt (1902–1990), dt. Theologe (ev.), Bischof von Berlin 47, 50, *405*
Schäufele, Hermann Josef (1906–1977), dt. Theologe (kath.), Erzbischof von Freiburg 329, *615*
Scheel, Walter (geb. 1919), dt. Politiker (FDP), 1974–1979 Bundespräsident (80), *386–387*
Scheffer, Paul (1877–1916), dt. Maler 191, *513*
Scheljabow, Andrej Iwanowitsch (1851–1881), russ. Revolutionär 130–131, 133–134, *480*
Schelsky, Helmut (1912–1984), dt. Soziologe 177, *504*
Schleicher, Kurt von (1882–1934), dt. General und Politiker 334, *369*
Schlöndorff, Volker (geb. 1939), dt. Filmemacher und Regisseur 331, *531*, *616–617*
Der Fangschuß 331, *617*
Schloesser, Rolf, dt. Redakteur *508*
Schmedes, Erik (1866–1931), österr. Opernsänger *476*
Schmidt, Helmut (geb. 1918), dt. Politiker (SPD) 179, 299, *388*, *586*
Schmitt, Carl (1888–1985), dt. Staatsrechtler *447*
Schmitt-Vockenhausen, Hermann (1923–1979), dt. Politiker (SPD) 121, *470*
Schmitz, Karl, Heinrich Bölls Deutschlehrer 361, *640*
Schneider, Reinhold (1903–1958), dt. Schriftsteller 119, *446*, *469*
Camoes 119
Winter in Wien 119
Schoeller, Monika (geb. 1939), dt. Verlagsleiterin *610*
Schön, Helmut (1915–1996), dt. Fußballspieler und Fußballtrainer 202, *520*
Scholochow, Michail Alexandrowitsch (1905–1984), russ. Schriftsteller 102, *448*
Scholtis, August (1901–1969), dt.

Schriftsteller 202
Das Eisenwerk 202
Schubert, Stadtrat von Bergen-Enkheim *375*
Schubert, Franz (1797–1828), österr. Komponist 213, *621*
Schütte, Wolfram (geb. 1939), dt. Publizist und Essayist *428–429, 440, 518*
Schütz, Klaus (geb. 1926), dt. Politiker (SPD), 1967–1977 Regierender Bürgermeister von Berlin 47–48, 51–52, (80), *402–403, 407, 528*
Schulenburg, Erika, Geschäftsführerin des Deutschen Komitees von Unicef *600*
Schultz, Uwe, dt. Redakteur *474*
Schulze-Vorberg, Max (1919–2006), dt. Journalist und Politiker (CSU) 175–178, 180, *500, 507*
Seghers, Anna (eigentl. Netty Reiling) (1900–1983), dt. Schriftstellerin 233
Seifert, Jaroslav (1901–1986), tschech. Schriftsteller 317, *604–605*
Semitschastny, Wladimir (1924–2001), sojwet. Funktionär *611*
Shaw, George Bernard (1856–1950), ir. Schriftsteller 46, *368–369, 401*
Die heilige Johanna *368*
Pygmalion *368*
Simon, Ernst (1899–1988), israel. Religionsphilosoph, Historiker und Pädagoge 70
Sinjawski, Andrej Donatowitsch (Pseud. Abram Terz) (geb. 1926), sowjet. Schriftsteller 71–74, *421–422, 596, 612*
Eine Stimme im Chor 71–72
Skácel, Jan (1922–1989), tschech. Schriftsteller 326, *612*
Smilansky, Yizhar (1916–2006), israel. Schriftsteller *420*
Sölle, Dorothee (1929–2003), dt. Theologin (ev.) 50, *406*
Solschenizyn, Alexander (geb. 1918), russ. Schriftsteller 23, 71, 204–209, 224, 254–257, 325–326, *448, 465, 522–523, 533, 553–555, 583–584, 612*
Der erste Kreis der Hölle 294, *583*
Die Eiche und das Kalb 254
Drei Reden an die Amerikaner 204–205, 208
Ein Tag im Leben des Iwan Denissowitsch 257
Krebsstation 256, *554–555*
Sommer, Siegfried (1914–1996), dt. Journalist und Schriftsteller 95, *442*
Und keiner weint mir nach 95
Sommer, Theo (geb. 1930), dt. Journalist *483*
Späth, Lothar (geb. 1937), dt. Politiker (CDU) *576*
Sperber, Manès (1905–1984), österr.-frz. Schriftsteller 193–194, 197, *515, 517*
Die verlorene Bucht 196
Die Wasserträger Gottes *517*
Vergebliche Warnung 193
Wie eine Träne im Ozean *517*
Spiel, Hilde (1911–1990), dt. Schriftstellerin *409*
Spinola, Antonio Sebastiao Ribeiro de (1910–1996), portug. General und Politiker *388*
Spital, Hermann Josef (1925–2007), dt. Theologe (kath.), Generalvikar von Münster, Bischof von Trier *535*
Spranger, Carl-Dieter (geb. 1939), dt. Politiker (CSU) 336, *621*

Staeck, Klaus (geb. 1938), dt. Jurist und polit. Graphiker 157, 174–177, *495*, *499–500*
Stalin, Jossif Wissarionowitsch (eigentl. Jossif Wissarionowitsch Dschugaschwili) (1879–1953), sowjet. Staatsmann und Diktator 54, 71, 205, 235, *595*
Stauffenberg, Franz Ludwig Schenk von (geb. 1938), dt. Jurist und Politiker (CDU) 293–294, 296, *583*
Steffen, Jochen (1922–1987), dt. Politiker (SPD) *494*
Steiner, Julius (1924–1997), dt. Politiker (CDU) 34, *389*
Stendhal (eigentl. Marie-Henri Beyle) (1783–1842), frz. Schriftsteller 95
Stern, August, Sohn von Michael Stern *629*
Stern, Carola (1925–2006), dt. Journalistin und Publizistin *528*
Stern, Michael (geb. 1918), ukrain. Arzt und Endokrinologe 348, *629*, *631*
Sterne, Laurence (1713–1768), engl. Schriftsteller *95–97*
Stevenson, Robert Louis (Balfour) (1850–1894), schott. Schriftsteller 74, *423*
Stifter, Adalbert (1805–1868), österr. Schriftsteller 72, *423*
Storm, Theodor (1817–1888), dt. Schriftsteller 43
Strauß, Franz Josef (1915–1988), dt. Politiker (CSU) 12, 15, 30–34, 68, 176, 299, 301, 337, *369–370*, *386–388*, *418*, *581*
Struck, Karin (1947–2006), dt. Schriftstellerin 89–90, 94, *435*, *437–438*, *456*
Die Mutter 89
Klassenliebe 89, *437*
Sturm, Vilma (1912–1995), dt. Journalistin und Publizistin 124–125, *472–473*
Suhrkamp, Peter (1891–1959), dt. Verleger 191, *513*
Suter, Gody, schweiz. Journalist 45, *401*
Swift, Jonathan (1667–1745), engl.-ir. Schriftsteller und Geistlicher 37, *394*
Syberberg, Hans-Jürgen (geb. 1935), dt. Filmemacher *531*

Tandler, Gerold (geb. 1936), dt. Politiker (CSU) 31, *388*
Tenhumberg, Heinrich (1915–1979), kath. Theologe; Bischof von Münster 226–228, 262–263, 329, *535*, *562*
Terz, Abram *siehe* Sinjawski, Andrej Donatowitsch
Tetzel, Johann (1465–1519), Dominikanermönch *371*
Teusch, Joseph (1902–1976), dt. Theologe (kath.), Generalvikar 329, *615*
Thackeray, William (1811–1863), engl. Schriftsteller 97
Thälmann, Ernst (1886–1944), dt. Politiker (KPD) 233
Thatcher, Margret (geb. 1925), brit. Politikerin 311, *599*
Thelen, Albert Vigoleis (1903–1989), dt. Schriftsteller 188, *512*
Insel des zweiten Gesichts 188, *512*
Thomas von Aquin (eigentl. Thomas Aquinas (der Aquinate)) (1225–1274), Theologe und Philosoph; Heiliger der Dominikaner 20, 294, 296, *378*, *461*, *583*
Tito, Josip Broz (1892–1989), jugo-

slaw. Politiker und Präsident 115–117, *462*, *464*
Tji Hak Soun, Daniel (1921–1993), südkorean. Theologe (kath.), Bischof von Wonju 328, 330
Toller, Ernst (1893–1939), dt. Schriftsteller und Sozialist 129, *476*
Trifonow, Jurij Valentinovic (1925–1981), russ. Schriftsteller 130–131, 133–134, *478–479*
Die Zeit der Ungeduld 130
Trotta, Margarethe von (geb. 1942), dt. Schauspielerin und Regisseurin 332, *616*
Twardowski, Alexander Trifonowitsch (1910–1971), sowjet. Lyriker 254, 257, *554*

Updike, John (geb. 1932), amerik. Schriftsteller 43

Valera, Eamon de (1882–1975), ir. Politiker 315, *601*
Valois, Margarete von (1553–1615), Ehefrau von Heinrich IV. *370*
Vennewitz, Leila (1912–2007), engl. Übersetzerin 63, *414*, *577*
Vinci, Leonardo da (1452–1519), ital. Maler, Bildhauer und Architekt 26, *383*
Vinken, Pierre J., ndl. Arzt 104, *450*, *455*
Vogel, Bernhard (geb. 1932), dt. Politiker (CDU) 121, *470*
Vogel, Hans-Jochen (geb. 1926), dt. Politiker (SPD) 335–336, *620*
Vogel, Henriette (1773–1811), Weggefährtin Heinrich von Kleists *373*
Vonnegut, Kurt (1922–2007), amerik. Schriftsteller 43
Vorgrimler, Herbert (geb. 1929), dt. Theologe (kath.) 264, *466*, *563*

Wagenbach, Klaus (geb. 1930), dt. Verleger 157, *494*
Wagner, Richard (1813–1883), dt. Komponist 213, (213), *531*
Wagner, Winifred (1897–1980), Frau von Richard Wagners Sohn Siegfried Wagner 217, *531*
Waigel, Theodor (geb. 1939), dt. Politiker (CSU) 31, *388*
Walden, Matthias (eigentl. Ernst Eugen Baron von Saß) (1927–1984), dt. Journalist 48, 51, 76, (76–84), *424–425*, *621*
Wallraff, Günter (geb. 1942), dt. Schriftsteller und Journalist 152, 157, 178, 182, 225, (244), *494–495*
Ihr da oben, wir da unten 244
Walser, Martin (geb. 1927), dt. Schriftsteller 178, *505*
Weerth, Georg (1822–1856), dt. Schriftsteller und Journalist 182, *509*
Weesner, Theodore (geb. 1935), amerik. Schriftsteller 45
Der Autodieb 45
Wehner, Herbert (1906–1990), dt. Politiker (KPD; SPD) 9, 14, 17, 171, 299, *368–369*, *389*
Weill, Kurt (1900–1950), dt. Komponist 233
Weinert, Erich (1890–1953), dt. Schriftsteller 233
Weiss, Peter (1916–1982), dt. Schriftsteller 178, *505*
Weizsäcker, Richard Karl Freiherr von (geb. 1920), dt. Politiker (CDU) 31, *387*
Wellershoff, Dieter (geb. 1925), dt. Schriftsteller *532*

Werfel, Franz (1890–1945), österr. Schriftsteller *476*
Widmer, Urs (geb. 1938), schweiz. Schriftsteller *639*
Wieczorek-Zeul, Heidemarie (geb. 1942), dt. Politikerin (SPD) 293, *583*
Wienand, Karl (geb. 1926), dt. Politiker (SPD) 34, *389*
Wilhelm II. (1859–1941), Preuß. König und dt. Kaiser (1888–1918) *373*
Winkler, Eugen Gottlob (1912–1936), dt. Autor von essayistischer Schriften und Kritiken 191, *513*
Wissmann, Matthias (geb. 1949), dt. Politiker (CDU) *625*
Witsch, Joseph Caspar (1906–1967), dt. Verleger 22, *378*
Wlassow, Andrei Andrejewitsch (1901–1946), sowjet. General 237, *541*
Wörner, Manfred (1934–1994), dt. Politiker (CDU) 281, *576*
Woinowitsch, Wladimir (geb. 1932), russ. Schriftsteller 131, 249, 323, *548*, *609*
Wolf, Christa (geb. 1929), dt. Schriftstellerin *438*
Wolff, Theodor (1868–1943), dt. Redakteur *513*
Woller, Rudolf (1922–1996), dt. Journalist und Schriftsteller 51, *406*
Würtz, Georg, dt. Redakteur *566*

Yourcenar, Marguerite (1903–1987), belg. Schriftstellerin 331, 333
Der Fangschuß 331

Zemlinsky, Alexander von (1871–1942), österr. Komponist und Dirigent *476*
Ziesel, Kurt (1911–2001), dt. Publizist 225, *534*
Zola, Émile (1840–1902), frz. Schriftsteller *446*
Zühlke, dt. Sozialhelferin 47, (78), 78
Zweig, Stefan (1881–1942), österr. Schriftsteller *617*
Zwerenz, Gerhard (geb. 1925), dt. Schriftsteller 178, *505*

Titelregister

Literaturverzeichnis

Albertz u. a., Heinrich ([Hg.] 1975): *Pfarrer, die dem Terror dienen? Bischof Scharf und der Berliner Kirchenstreit 1974. Eine Dokumentation.* Reinbek bei Hamburg: Rowohlt. (rororo aktuell; 1885)

Albertz, Heinrich (1976): *Dagegen gelebt – von den Schwierigkeiten, ein politischer Christ zu sein. Gespräche mit Gerhard Rein.* Reinbek bei Hamburg: Rowohlt.

Amery, Carl (1974): *Das Königsprojekt.* München/Zürich: Piper.

Andersch, Alfred (1976): »Artikel 3 (3) oder: Was habe ich gesagt?« In: *Frankfurter Allgemeine Zeitung* v. 9.2.1976.

anon. (1972): »Direkt spenden«. In: *Der Spiegel* v. 21.8.1972.

anon. (1972): »Draufschlagen, die Wahrheit unterschlagen«. In: *Der Spiegel* v. 25.9.1972.

anon. (1972): »Zucker vor der Hoftür«. In: *Der Spiegel* v. 12.6.1972.

anon. (1974): »Ein Gedicht vor Gericht«. In: *Nürnberger Nachrichten* v. 8.11.1974.

anon. (1974): »Inhumane Richter«. In: *Der Spiegel* v. 28.10.1974.

anon. (1974): »Schwarzer Nebel«. In: *Der Spiegel* v. 11.11.1974.

anon. (1975): »Alexander Solschenizyns Erklärung. ›Ich bin noch nicht tot‹«. In: *Frankfurter Allgemeine Zeitung* v. 16.9.1975.

anon. (1976): »Abrechnung mit dem ›Klerikalismus‹«. In: *Frankfurter Allgemeine Zeitung* v. 12.6.1976.

Bächler, Wolfgang (1976): *Ausbrechen. Gedichte aus 30 Jahren.* Frankfurt a. M.: Fischer.

Barzel, Rainer (1976): *Es ist noch nicht zu spät.* München: Droemer Knaur.

Baumann, Bommi (1975): *Wie alles anfing.* München: Trikont-Verlag.

Benn, Gottfried (1968): *Gesammelte Werke in acht Bänden.* Hg. von Dieter Wellershoff. Band 7: Vermischte Schriften. Wiesbaden: Limes-Verlag.

Die Bibel (1980): *Die Bibel. Einheitsübersetzung der Heiligen Schrift. Gesamtausgabe.* Psalmen und Neues Testament. Ökumenischer Text. Herausgegeben im Auftrag der Bischöfe Deutschlands, Österreichs, der Schweiz, des Bischofs von Luxemburg, des Bischofs von Lüttich, des Bischofs von Bozen-Brixen. Für die Psalmen und das Neue Testament auch im Auftrag des Rates der Evangelischen Kirche in Deutschland und der Deutschen Bibelgesellschaft. Stuttgart/Klosterneuburg: Katholische Bibelanstalt, Deutsche Bibelgesellchaft, Österreichisches Katholisches Bibelwerk.

Biedenkopf, Kurt (1976): »Diese Erosion der Freiheit«. In: *Frankfurter Rundschau* v. 4.6.1976.

Bienek, Horst (1975): *Die erste Polka.* München: Hanser.

Bohne, Regina (1973): »Totgeschwiegener Evangeliumskatholik: Reinhold Schneider«. In: *Publik-Forum,* Heft 9, 1973.

Boris Birger: Porträts, Stilleben, Landschaften (1987): Redaktion: Ruth von der Wenge. St. Augustin: Comdok-Verlag.

Brandes, Wolfgang (1990): *Der neue »Stil« in Ernst Jüngers »Strahlungen«. Genese, Funktion und Realitätsproduktion des literarischen Ich in seinen Tagebüchern.* Bonn: Bouvier. (Abhandlungen zur Kunst-, Musik- und Literaturwissenschaft; 389)

Breitbach, Joseph (1975): »Warum Mihajlov im Gefängnis sitzt«. In: *Frankfurter Allgemeine Zeitung* v. 14.6.1975.

Brückner, Peter (1975): *Sigmund Freuds Privatlektüre.* Köln: Horst.

Brunner, Bernhard (2003): »Der ›Frankreich-Komplex‹: Die juristische Aufarbeitung der in Frankreich verübten NS-Gewaltverbrechen«. In: *NS-Unrecht vor Kölner Gerichten nach 1945.* Für die Kölnische Gesellschaft für Christlich-Jüdische Zusammenarbeit herausgegeben von Anne Klein und Jürgen Wilhelm. Köln: Greven-Verlag, S. 183–200.

Chaplin, Charles (1964): *Die Geschichte meines Lebens.* Übersetzt von Günther Danehl und Hans Jürgen von Koskull. Frankfurt a. M.: Fischer.

Chesterton, Gilbert Keith (1980): »Die Legende vom zerbrochenen Säbel«. In: G. K. Chesterton: *Pater Brown und das blaue Kreuz. Geschichten.* Aus dem Englischen von Heinrich Fischer. Zürich: Diogenes. (detebe; 20731)

Conrady, Karl Otto (1990): *Völkisch-nationale Dichtung in Köln. Eine unfestliche Erinnerung.* Schernfeld: SH-Verlag.

Danziger, Carl-Jakob (1976): *Die Partei hat immer recht. Autobiographischer Roman.* Stuttgart: Werner Gebühr Verlag.

De Marco, Susan/Susan Sechler (1975): »The Marketplace of Hunger«. In: *Ramports* v. 9.7.1975.

Dürhammer, Ilija/Pia Janke ([Hg.] 1999): *Der ›Heimatdichter‹ Thomas Bernhard.* Wien: Holzhausen.

DW (1966): »Das Ende einer Dienstfahrt. Roman von Heinrich Böll«. In: *Die Welt* v. 17.8.1966.

Engelmann, Bernt/Günter Wallraff (1973): *Ihr da oben – wir da unten.* Köln: Kiepenheuer & Witsch.

Faßbender, Heinz (2003): »Der Prozess gegen Lischka, Hagen und Heinrichsohn aus der Sicht des damaligen Schwurgerichtsvorsitzenden«. In: *NS-Unrecht vor Kölner Gerichten nach 1945.* Für die Kölnische Gesellschaft für Christlich-Jüdische Zusammenarbeit herausgegeben von Anne Klein und Jürgen Wilhelm. Köln: Greven-Verlag, S. 177–182.

Fürst, Max (1976): *Talismann Scheherezade. Die schwierigen zwanziger Jahre.* München: Hanser.

Galeano, Eduardo (1973): *Die offenen Adern Lateinamerikas. Die Geschichte eines Kontinents von der Entdeckung bis zur Gegenwart.* Übersetzt von Leonardo Halpern. Wuppertal: Hammer.

Glozer, Laszlo (1975): »Karriere im Nebel«. In: *Süddeutsche Zeitung* v. 19./20.7.1975.

Gödden, Walter/Jochen Grywatsch ([Hg.] 2002): *Wenn man aufhören könnte zu lügen. Der Schriftsteller Paul Schallück.* Bielefeld: Aisthesis.

Görres, Ida Friederike (1946): »Brief über die Kirche«. In: *Frankfurter Hefte,* 1. Jg. (1946), Heft 8 (November), S. 715–733.

Gollwitzer, Helmut (1974): »Parteilichkeit für die Opfer der Macht. Laudatio für Heinrich Böll«. In: *Kirche in der Verantwortung* Herausgegeben im Selbstverlag der Anania-Gemeinde, Berlin 1974, S. 46–56.

Gottgetreu, Erich (1974): »Autoren sind keine Diener der Gewalt. Schlußbericht vom Internationalen PEN-Kongreß in Jerusalem«. In: *Die Welt* v. 23.12.1974.

Ders. (1975): »Warum wir Israelis ›Vertreiber‹ der Araber geworden sein sollen«. In: *Kölnische Rundschau* v. 8.1.1975.

Grass, Günter (1997): »Tagebuch einer Schnecke«. In: G. Grass: *Werkausgabe.* Hg. von Volker Neuhaus. Band 7. Göttingen: Steidl.

Greinacher, Norbert/Herbert Haag ([Hg.] 1980): *Der Fall Küng. Eine Dokumentation.* München/Zürich: Piper.

Grimm (1999): *Deutsches Wörterbuch von Jacob und Wilhelm Grimm.* Nachdruck. München: Deutscher Taschenbuch Verlag. (dtv; 59045)

Hacks, Peter (1976): »Neues von Biermann«. In: *Die Weltbühne* Heft 12, 1976.

Haecker, Theodor (1958): »Der katholische Schriftsteller und die Sprache«. In: Th. Haecker: *Essays.* München: Kösel.

Handbuch (2002): *Biographisches Handbuch der Mitglieder des Deutschen Bundestages 1949–2002.* Hg. von Rudolf Vierhaus und Ludolf Herbst unter Mitarbeit von Bruno Jahn. München: Saur.

Hanuschek, Sven (2002): *Geschichte des bundesdeutschen PEN-Zentrums von 1951–1990.* Tübingen: Niemeyer.

Haraszti, Miklós (1975): *Stücklohn.* Aus dem Ungarischen von Georg Sallay. Vorwort von Heinrich Böll. Berlin: Rotbuch-Verlag.

Henry, O. (1974): *Nebel in Santone und andere Stories.* Deutsch von Annemarie und Heinrich Böll, Thomas Eichstätt, Wilhelm Höck und Hans Wollschläger. Nachwort von Heinrich Böll. Olten und Freiburg: Walter-Verlag.

Herrmann, Horst (1974): *Ein unmoralisches Verhältnis. Bemerkungen eines Betroffenen.* Düsseldorf: Patmos-Verlag.

Ders. (1976): *Die sieben Todsünden der Kirche.* Nachwort von Heinrich Böll. München: C. Bertelsmann.

Hölderlin, Friedrich (1992): *Sämtliche Werke und Briefe. Band 1.* Hg. von Michael Knaupp. München: Hanser.

Homer (1996): *Illias / Odysee.* Vollständige Ausgabe. Nach dem Text der Erstausgabe. Nachwort von Wolf Hartmut Friedrich. Übersetzt von Johann Heinrich Voss. 22. Aufl., Zürich: Artemis/Winkler.

Ihlau, Olaf (1974): »Fußtritte nach Moskau«. In: *Süddeutsche Zeitung* v. 13.11.1974.

Ingold, Felix Philipp (2006): »Geklonter Nobelpreisträger. Ein epochaler Betrug – neue Debatten um Michail Scholochow«. In: *Neue Zürcher Zeitung* v. 23.8.2006.

Jens, Walter (1975): *Der Fall Judas.* Stuttgart: Kreuz-Verlag.

Johnson, Uwe (1974): *Eine Reise nach Klagenfurt.* Frankfurt a. M.: Suhrkamp. (st; 235)

Jung, Werner (1998): »Erinnerungsarbeit. Der Schriftsteller Paul Schallück«. In: *Literaturpreise. Literaturpolitik und Literatur am Beispiel der Region Rheinland/Westfalen.* Hg. von Bernd Kortländer. Stuttgart/Weimar: Metzler.

Kasack, Wolfgang/Jefim Etkind/Lew Kopelew ([Hg.] 1982): *Ein Leben nach dem Todesurteil. Mit Pasternak, Rilke und Kästner. Freundesgabe für Konstantin Bogatyrjow.* Bornheim: Lamuv.

Keller, Hans Peter (1974): *Extrakt um 18 Uhr. Verse, Bruchstücke, Prosa, Spiegelungen.* Ausgewählt von Marguerite Schlüter. Wiesbaden: Limes.

Klarsfeld, Beate (1969): *Die Geschichte des PG 2633930 Kiesinger.* Dokumentation mit einem Vorwort von Heinrich Böll. Darmstadt: Melzer.

Dies. (2003): »Politik und Protest. Die Überlebenden und ihre Kinder«. In: *NS-Unrecht vor Kölner Gerichten nach 1945.* Für die Kölnische Gesellschaft für Christlich-Jüdische Zusammenarbeit herausgegeben von Anne Klein und Jürgen Wilhelm. Köln: Greven-Verlag, S. 167–176.

Knef, Hildegard (1975): *Das Urteil.* München: Molden-Verlag.

Kopelew, Lew (1976): *Aufbewahren für alle Zeit!* Autorisierte Übersetzung aus dem Russischen von Heddy Pross-Weerth und Heinz-Dieter Mendel. Nachwort Heinrich Böll. Hamburg: Hoffmann und Campe.

Korn, Karl (1975): *Lange Lehrzeit. Ein deutsches Leben.* Frankfurt a. M.: Societäts-Verlag.

Kramberg, Karl-Heinz ([Hg.] 1974): *Vorletzte Worte. Schriftsteller schreiben ihren eigenen Nachruf.* Frankfurt a. M./Berlin/Wien: Ullstein. (Ullstein-Bücher; 3020)

Kuby, Erich (1975): *Mein Krieg. Aufzeichnungen aus 2129 Tagen.* München: Nymphenburger-Verlagsbuchhandlung.

Kunze, Reiner (1976): *Die wunderbaren Jahre. Prosa.* Frankfurt a. M.: Fischer.

M.T. (1966): »Böll kontra Kleist. Müssen Stilübungen verlegt und gedruckt weden?« In: *Bayern-Kurier* v. 15.10.1966.

Marcuse (1975): *Briefe von und an Ludwig Marcuse.* Herausgegeben und eingeleitet von Harold von Hofe. Zürich: Diogenes.

Medwedjew, Schores (1974): *Zehn Jahre im Leben des Alexander Solschenizyn.* Aus dem Russischen von Wolfgang Kasack. Darmstadt/Neuwied: Luchterhand.

Mennemeier, Franz Norbert (1970): »Stichwörter, Flickwörter«. In: *Neues Rheinland* Heft 4, April 1970.

Meyer, Martin (1990): *Ernst Jünger.* München: Hanser.

Michaelis, Rolf (1974): »Streitaxt in der Friedensstadt. PEN im Exil – freiwillig«. In: *Die Zeit* v. 27.12.1974.

Milgram, Stanley (1974): *Das Milgram-Experiment. Zur Gehorsamsbereitschaft gegenüber Autorität.* Reinbek bei Hamburg: Rowohlt.

Millard, Peter (1975): »Sloweniens verfemter Dichter. Edvard Kocbek, Katholik, Partisanenführer und Exminister«. In: *Die Weltwoche* v. 20.8.1975.

Moreau, Clément (1976): *Nacht über Deutschland. Mein Kampf. – Zweiter Teil.* Eingeleitet vom Künstler und von Heinrich Böll. München: Verlag der neuen Münchener Galerie Dr. Hiepe.

Mundt, Elmar (1959): »Stillegung: Was sein muß, muß sein«. In: *Die Zeit* v. 20.2.1959.

Nebel, Gerhard (2003): *Alles Gefühl ist leiblich. Ein Stück Autobiographie.* Hg. von Nicolai Riedel. Mit einem Essay von Martin Mosebach. Marbach: Deutsche Schillergesellschaft. (Marbacher Bibliothek)

Neutsch, Erik (1975): *Auf der Suche nach Gatt.* München: Kürbiskern/Damnitz.

Parlamentsprotokoll 7/218 (1975): *Deutscher Bundestag. Stenographischer Bericht.* 218. Sitzung. Bonn, Donnerstag, den 29. Januar 1976.

Peitz, Marietta (1976): »Kim Chi Ha«. In: *Publik-Forum* Nr. 12 v. 18.6.1976.

Dies. (1976): »Wie die Lämmer unter Wölfen. Augenzeugenbericht. Die Ereignisse des 1. März und die Hintergründe«. In: *Publik-Forum* Nr. 12 v. 18.6.1976.

Potrc, Ivan (1975): »Pismo Heinrichu Böllu«. In: *Delo* v. 21.6.1975.

Proudhon, Pierre-Joseph (1844): *Was ist Eigentum oder Untersuchungen über den letzten Grund des Rechts und des Staates.* Aus dem Französischen übersetzt von F. Meyer. Bern: Jenni.

Rath, Peter ([Hg.] 1976): *Die Bannbulle aus Münster oder Erhielte Jesus heute Lehrverbot? Eine Dokumentation zum Fall Herrmann/Tenhumberg.* München: PDI-konkret. (PDI-konkret; 3)

Richter, Horst-Eberhard (1976): *Flüchten oder Standhalten.* Reinbek bei Hamburg: Rowohlt.

Rinser, Luise (1976): *Wenn die Wale kämpfen – Porträt eines Landes: Süd-Korea.* Frankfurt a. M.: Fischer.

Roth, Joseph (1970): *Briefe 1911–1939.* Herausgegeben von Hermann Kesten. Köln: Kiepenheuer & Witsch.

Rühle, Günter (1976): »Artikel 3 (3) oder: Was sagt Alfred Andersch«. In: *Frankfurter Allgemeine Zeitung* v. 29.1.1976.

Sander, Tobias (2002): »Der linientreue Utopist. Der Schriftsteller J.C. Schwarz und seine Probleme im real existierenden Sozialismus«. In: *Freitag* Nr. 28 v. 5.7.2002.

Schallück, Paul (1962): *Zum Beispiel. Essays.* Frankfurt a. M.: Europäische Verlags-Anstalt. (Sammlung Res novae; 14)

Schelsky, Helmut (1975): *Die Arbeit tun die anderen. Klassenkampf und Priesterherrschaft der Intellektuellen.* Opladen: Westdeutscher Verlag.

Schütz, Klaus (1974): »Laudatio«. In: *Landespressedienst.* Herausgegeben vom Presse- und Informationsamt des Landes Berlin, Nr. 236, 6. Dezember 1974.

Shaw, Bernard (1992): *Gesammelte Stücke in Einzelausgaben.* Herausgegeben von Ursula Michels-Wenz. Band 5: Mensch und Übermensch. Eine Kömodie und eine Philosophie. Deutsch von Annemarie und Heinrich Böll. Mit dem Brief an Arthur Bingham Walkley und dem Handbuch des Revolutionärs. Frankfurt a. M.: Suhrkamp. (st; 1854)

Sinjawski, Andrej (1974): *Eine Stimme im Chor.* Mit einem Vorwort von Igor Golomstock. Aus dem Russischen übersetzt von Swetlana Geier. Wien/Hamburg: Zsolnay.

Solschenizyn, Alexander (1975): *Die Eiche und das Kalb. Skizzen aus dem literarischen Leben.* Darmstadt/Neuwied: Luchterhand.

Ders. (1975): *Drei Reden an die Amerikaner.* Darmstadt/Neuwied: Luchterhand.

Sperber, Manès (1974): *Die Wasserträger Gottes. All das Vergangene...* Wien: Europa-Verlag.

Spiel, Hilde (1974): »Biblisch bildhafte Sprache«. In: *Frankfurter Allgemeine Zeitung* v. 27.12.1974.

Stamm, Rudolf (2007): »Ein kroatischer Havel? Vlado Gotovac – Erinnerung an einen mutigen Dissidenten und tiefgründigen Dichter und Denker«. In: *Neue Zürcher Zeitung* v. 28.4.2007.

Stancic, Mirjana (2003): *Manès Sperber. Leben und Werk.* Frankfurt a. M.: Stroemfeld.

Steininger, Rolf (2002): *Deutsche Geschichte. Darstellung und Dokumente in vier Bänden.* Band 3: 1955–1974. Frankfurt a. M.: Fischer. (Fischer-Geschichte; 15582)

Stern, August (1976): »Nach der Logik der Unmenschlichkeit«. In: *Süddeutsche Zeitung* v. 10./11.1.1976.

Struck, Karin (1974): *Die Mutter.* Frankfurt a. M.: Suhrkamp.
Sturm, Vilma (1981): *Barfuß auf Asphalt.* Köln: Kiepenheuer & Witsch.
Suter, Gody (1974): »Die ungewöhnliche Läuterung eines Autodiebs«. In: *Frankfurter Allgemeine Zeitung* v. 11.11.1974.
Trifonow, Jurij (1975): *Die Zeit der Ungeduld.* München: Scherz.
Vogel, Alfons (1961): »Aber die Probleme bleiben!« In: *Blätter für deutsche und internationale Politik,* Heft 2, 1961.
Weesner, Theodore (1974): *Der Autodieb.* Aus dem Amerikanischen von Annemarie Böll. München: Ehrenwirth-Verlag.
Wilhelm-Bantel, Felix (2004): »Judas Iskariot in den Evangelien«. In: *Kirche und Welt,* Nr. 7, 2004.
Zalzanik, Mira Miladinovic (2002): »Die dunkle Seite des Mondes oder: ›Alle Jahre im Kriege und nach ihm, wo ich mich mit meinem Volke sozusagen mystisch vereint habe, lebe ich in ihm wie sein Gefangener‹. Der Briefwechsel Edvard Kocbek – Heinrich Böll 1961–1977/78«. In: *Geist und Macht. Schriftsteller und Staat im Mitteleuropa des ›kurzen Jahrhunderts‹ 1914–1991.* Herausgegeben von Marek Zybura unter Mitwirkung von Kazimierz Woycicki. Dresden: Thelem bei w.e.b Universitätsverlag & Buchhandel. (Arbeiten zur Neueren deutschen Literatur; 9), S. 403–417.

Zu dieser Ausgabe

Die *Kölner Ausgabe* beruht auf den zu Lebzeiten Heinrich Bölls veröffentlichten Texten sowie auf den Nachlässen, die in den Archiven der Erbengemeinschaft Heinrich Böll und der Stadt Köln aufbewahrt werden.

Die *Kölner Ausgabe* bietet das Werk Heinrich Bölls in gattungsübergreifender, der Chronologie ihrer Veröffentlichung folgender Anordnung. Aus dem Nachlaß edierte Texte werden entsprechend ihrer Entstehungszeit aufgenommen. Dies gilt auch für die zu Lebzeiten des Autors erschienenen Texte aus dem Frühwerk (z.B. *Das Vermächtnis* oder die Sammlung *Die Verwundung*) bzw. posthum publizierte Arbeiten (z.B. *Der Engel schwieg* oder die Sammlung *Der blasse Hund*).

Die Interviews und Gespräche Heinrich Bölls werden im Rahmen der *Kölner Ausgabe* in gesonderten Bänden dokumentiert.

Sämtliche in die Ausgabe aufgenommene Texte werden in textkritisch durchgesehener Form geboten. Textgrundlage sind die Erstdrucke oder die wirksam gewordenen Drucke der autorisierten Sammelausgaben (z.B. *Aufsätze, Kritiken, Reden*; *Einmischung erwünscht*) bzw. der Werkausgabe von 1977. Orthographie und Interpunktion der Textgrundlage werden, unter Bewahrung charakteristischer Schreibeigenheiten Bölls, den zum Zeitpunkt der Entstehung bzw. Veröffentlichung geltenden Regeln angeglichen.

Alle Bände enthalten einen editorischen Anhang mit Informationen zur Textentstehung und – falls erforderlich – zum zeitgeschichtlichen und biographischen Hintergrund. Bei den größeren Erzähltexten wird deren zeitgenössische Aufnahme durch eine Auswahl repräsentativer Rezensionen dokumentiert.

Bei der Darstellung der Textentstehung bezieht die Ausgabe vorausgehende Arbeitsstufen mit ein. Sie bietet im Rahmen der

Textgeschichte oder einer stellenbezogenen Erläuterung charakteristische Umformungen der dem Druck vorausgehenden Niederschriften. Darüber hinaus enthält der Apparat Hinweise zur Textkonstitution, eine Verzeichnung der Überlieferungsträger sowie des Erstdrucks und der wirksam gewordenen weiteren Drucke.

Der Stellenkommentar vermittelt zeitgeschichtliche Verweise in Form von Sacherläuterungen.

Den Einzelbänden ist jeweils ein Register mit allgemeinen Angaben zu den genannten Personen sowie ein Register aller im Band erwähnten Texte Bölls beigegeben.

Zum Abschluß der Edition erscheint ein kommentiertes Gesamtregister.

Heinrich Böll Werke · Kölner Ausgabe

Band 1: 1936–1945

u.a.: Die Inkonsequenzen des Christoff Sanktjörg · Die Brennenden · N. S. Credo · Gedichte · Die Unscheinbare · Sommerliche Episode · Vater Georgi · Annette · Kommentar

Band 2: 1946/47

u.a.: Der General stand auf einem Hügel ... · Mitleid · Der Flüchtling · Rendezvous in Trümmern · Wiedersehen mit B. · Der Zwischenfall · Gefangen in Paris · Der Schulschwänzer · Kreuz ohne Liebe · Kommentar

Band 3: 1947–1948

u.a.: Der blasse Hund · Aus der »Vorzeit« · Vive la France! · Die Botschaft · Todesursache: Hakennase · Mit diesen Händen · Die Verwundung · Der Mann mit den Messern · Das Rendez-Vous · Aufenthalt in X · So ein Rummel! · Einsamkeit im Herbst · Der unbekannte Soldat · Auch Kinder sind Zivilisten · Deutsche Tüchtigkeit · Aus dem Hort der Nibelungen · Kommentar

Band 4: 1949–1950

u.a.: Die Toten parieren nicht mehr · Die Geschichte der Brücke von Berkowo · Ich kann sie nicht vergessen · Wiedersehen mit Drüng · Damals in Odessa · Eine optimistische Geschichte · Verlorenes Paradies · Das Vermächtnis · Der Zug war pünktlich · Geschäft ist Geschäft · Über die Brükke · Kerzen für Maria · Steh auf, steh doch auf · Arbeitstagung in Kassel · Wanderer, kommst du nach Spa ... · Amerika · Anekdote zum deutschen Wunder · Kommentar

Band 5: 1951

u.a.: Aschermittwoch · Das Abenteuer · Der Engel schwieg · Die Liebesnacht · Die Dachrinne · Die Schwarzen Schafe · Der Geschmack des Brotes · Der Zwerg und die Puppe · Besichtigung · Wo warst du, Adam? · Wiedersehen mit dem Dorf · Das Selbstporträt Heinrich Böll · Kommentar

Band 6: 1952–1953

u.a.: Die Suche nach dem Leser · Die Postkarte · Das Ende der Moral · Betrogene Betrüger · Besuch auf einer Insel · Bekenntnis zur Trümmerliteratur · Der Engel · Husten im Konzert · Die Brücke von Berczaba · Jenseits der Literatur · Pole, DP, Schwarzhändler, Lebensretter · Trompetenstoß in schwüle Stille · Die Kunde von Bethlehem · Nicht nur zur Weihnachtszeit · Ach, so ... ein Jude! · Ich bin kein Kommunist · Gibt es die Deutsche Story? · Wo sind die Deserteure? · Abenteuer eines Brotbeutels · Und sagte kein einziges Wort · »Ich bin doch Soldat« · Kommentar

Band 7: 1953–1954

u.a.: Léon Bloy. Über »Das Heil und die Armut« · Die Waage der Baleks · Was ist aktuell für uns? · Rendezvous in Paris · Auf Gottes kleinem Acker · Wir waren Wimpo · Der Schrei nach Schinken und Pralinen · Ernst Kreuder, 50 Jahre alt · Zwischen Traum und Wirklichkeit · Seinen Stil finden · Ironisierter Kulturbetrieb · Über De Quincey, »Bekenntnisse« · 19. November 1828 · Alfred Andersch · »Wir sind nicht restaurativ!« · So war es Reise ohne Heimkehr · Gespräch im Advent. Über die Art, Weihnachten zu feiern · Wolfgang Hildesheimer · Unberechenbare Gäste · Auferstehung des Gewissens · Paul Schallück · Porträt eines Papstes · Wir sind so milde geworden · Der Zeitgenosse und die Wirklichkeit · Kommentar

Band 8: 1954

Haus ohne Hüter · Kommentar

Band 9: 1954–1955

u.a.: Hier ist Tibten · So ward Abend und Morgen · Schicksal einer henkellosen Tasse · Gedanken im Schillerjahr · Zum Tee bei Dr. Borsig · Chesterton über Dickens · Klopfzeichen · Daniel, der Gerechte · Neue Romane junger Autoren · Die fünf Stationen des jungen Schriftstellers · Das Brot der frühen Jahre · Die Stimme Wolfgang Borcherts · Der Gefangene einer Anekdote · Reportagen vom Mordprozeß gegen R. Müller · Doktor Murkes gesammeltes Schweigen · Literatur ohne Grenzen · Kommentar

Band 10: 1956–1959

u.a.: Es wird etwas geschehen · Biographische Notiz · Wo ist dein Bruder? · Die Offenbarung der Asozialen · Selbstkritik · Leben für die Sprache · Aufstand der Ungarn · Das Risiko des Schreibens · Das weiche Herz des Arno Schmidt · Im Tal der donnernden Hufe · Reise durch Polen · Hauptstädtisches Journal · Eine Welt ohne Christus · Der Wegwerfer · Irisches Tagebuch · Im Ruhrgebiet · Bilanz · Brief an einen jungen Katholiken · Das Brot, von dem wir leben · Heldengedenktag · Ein 47er wurde 50: Hans Werner Richter · Die Sprache als Hort der Freiheit · Der Zeitungsverkäufer · Kommentar

Band 11: 1959

Billard um halb zehn · Kommentar

Band 12: 1959–1963

u.a.: Rose und Dynamit · Kunst und Religion · Über mich selbst · Zur Verteidigung der Waschküchen · Zweite Wuppertaler Rede · Über den Roman · Zeichen an der Wand · Was ist kölnisch? · Hierzulande · Wir schreiben in der Bundesrepublik · Karl Marx · Irland und seine Kinder · Befehl und Verantwortung · Ein Schluck Erde · Hast Du was, dann bist Du was · Als der Krieg ausbrach · Gesamtdeutsches Jägerlatein · Der Schriftsteller und Zeitkritiker Kurt Ziesel · Rom auf den ersten Blick · Keine Träne um Schmeck · Als der Krieg zu Ende war · Rundfrage über Gottfried Benn · Briefe aus dem Rheinland · Anekdote zur Senkung der Arbeitsmoral · Kommentar

Band 13: 1963

Ansichten eines Clowns · Kommentar

Band 14: 1963–1965

u.a.: Briefe aus dem Rheinland · Antwort an Msgr. Erich Klausener · Briefe an einen Freund jenseits der Grenzen · Ich gehöre keiner Gruppe an · Gesinnung gibt es immer gratis · Frankfurter Vorlesungen · Entfernung von der Truppe · Über Jürgen Becker, »Felder« · Stichworte · Wort und Wörtlichkeit · Angst vor der »Gruppe 47«? · Mauriac zum achtzigsten Geburtstag · Keine so schlechte Quelle · Heimat und keine · Raderberg, Raderthal · Inspektor Moll · Kommentar

Band 15: 1966–1968

u.a.: Das wahre Wie, das wahre Was · Brief an einen jungen Nichtkatholiken · Ende einer Dienstfahrt · Die Freiheit der Kunst · An einen Bischof, einen General und einen Minister des Jahrgangs 1917 · Die Deutschen und ihr Vaterland · Georg Büchners Gegenwärtigkeit · Was ist eine christliche Grundlage? · Die Studenten sollten in Klausur gehen · Plädoyer für einen Freund · Radikale für Demokratie · Notstandsnotizen · Vorwort zur »Krebsstation« · Der Panzer zielte auf Kafka · Über die Gegenstände der Kunst · Bekenntnisse der Schriftsteller · Kommentar

Band 16: 1969–1971

u.a.: Blumen für Beate Klarsfeld · Veränderungen in Staech · Ende der Bescheidenheit · Antwort an Pfarrer Kurscheid · Kritiklos Untertan. Über Heinrich Mann · Aussatz · Hausfriedensbruch · Deutsche Meisterschaft · An die Mitglieder des »Politischen Nachtgebets« · Schriftstellerschule der Nation · Schwierigkeiten mit der Brüderlichkeit · Leiden, Zorn und Ruhe ·

Einigkeit der Einzelgänger · Wer Augen hat zu sehen, sehe! · Epilog zu Stifters »Nachsommer« · Die Heuchelei der Befreier · Bericht zur Lage der Nation · Kommentar

Band 17: 1971

Gruppenbild mit Dame · Kommentar

Band 18: 1971–1974

u. a.: Sprache der kirchlichen Würdenträger · Soviel Liebe auf einmal · Leserbrief · Man muß zu weit gehen · Hülchrather Straße Nr. 7 · Über Willy Brandt · Suchanzeigen · Die Würde des Menschen ist unantastbar · Gewalten, die auf der Bank liegen · Rede zur Verleihung des Nobelpreises · Einmischung erwünscht · Blick zurück mit Bitterkeit · Versuch über die Vernunft der Poesie · Gefahren von falschen Brüdern · Zum Tode Ingeborg Bachmanns · Man muß immer weitergehen · Radikaler im öffentlichen Dienst · Die verlorene Ehre der Katharina Blum · Kommentar

Band 19: 1974–1976

u. a.: Wo verbirgt der Weise sein Blatt? · Ich habe die Nase voll! · Ich bin ein Deutscher · Aussage im Prozeß gegen Matthias Walden · Was las Hindenburg? · Das meiste ist mir fremd geblieben · Berichte zur Gesinnungslage der Nation · Erwünschte Reportage · Aufbewahren für alle Zeit · Die Angst der Deutschen und die Angst vor ihnen · Sprache ist älter als jeder Staat · Brokdorf und Wyhl · Vorwort zu ›Nacht über Deutschland‹ · Nachwort zu Horst Herrmann: »Die 7 Todsünden der Kirche« · Kommentar

Band 20: 1977–1979

u. a.: Es kann einem bange werden · Du fährst zu oft nach Heidelberg · Was ist heute links? · Ein Jahrhundert wird besichtigt · Geständnis eines Flugzeugentführers · Die verschobene Antigone · Prager Frühling – deutscher Herbst · Lesen macht rebellisch · Von Staatsbürgern, Geheimdienstchefs und Schriftstellern · Potenziert brüsk · Darf es etwas weniger sein? · Das Gelände ist noch lange nicht entmint · Deutsche Utopien II Für Grieshaber · Tacitus, »Germania« · Wo habt ihr bloß gelebt? · Das Jahrhundert der Flüchtlinge · Kommentar

Band 21: 1979

Fürsorgliche Belagerung · Nett ist rosa · Weine nicht vor ihnen · Nicht einmal reaktionär oder konservativ · Nostalgie oder Fettflecken · Hochhuth in der Geschichte · Was soll aus dem Jungen bloß werden? · Kommentar

Band 22: 1979–1983

u.a.: Georg Meistermann, Maler und Zeitgenosse · Für Helmut Heißenbüttel · Wem gehört diese Erde? · Der Diktator in mir · Sacharows Aktentasche oder die Ästhetik der Wörtlichkeit · Ein Kind ist uns geboren, ein Wort ist uns geschenkt! · Gegen die atomare Bedrohung gemeinsam vorgehen · Was heißt hier konservativ? · Feindbild und Frieden · In memoriam Paul Schallück · In welcher Sprache heißt man Schneckenröder? · Ich han dem Mädche nix jedonn, ich han et bloß ens kräje · Abschied von Uwe Johnson · Die ungehaltene Rede vor dem Deutschen Bundestag · Ansprache zur Feier des 25jährigen Bestehens der Germania Judaica · Kommentar

Band 23: 1984–1985

u.a.: Bild, Bonn, Boenisch · Ernennung zum Commandeur im »Ordre des Arts et des Lettres« · Von deutschem Schmettern · Poesie des Tuns · Die Fähigkeit zu trauern · Vorwort zu »NiemandsLand« · Brief an meine Söhne oder vier Fahrräder · Für Samay · Frauen vor Flußlandschaft · Nachwort 1985 zu »Ansichten eines Clowns« · Kommentar

Band 24: Interviews I

Band 25: Interviews II

Band 26: Interviews III

Band 27: Gesamtregister

Inhalt

Die Seitenangaben beziehen sich jeweils auf den Text- und Apparatteil.

⟨Kommentar⟩

Anhang